“책 표지 한번 별나네?”

책의 얼굴이라는 표지에 책에 대한 정보가 없으니 당황스러우셨죠?

우리 함께 공부하는 별님들의 꿈은 무엇인가요?
꿈은 명사가 아닌 동사여야 합니다.
제가 동사의 꿈을 여러분과 함께 꾸고자 합니다.

많은 사람들이 쓰는 책의 얼굴에 선한 메시지가 담겨진다면 얼마나 아름다울까?

이 작은 움직임이 큰 몸짓으로 바뀌어 나간다면 우리는 얼마나 더 따스해질까?

그래서 과감하게 책의 얼굴을 바꿔 보기로 했습니다.
누군가에게 도움을 주는 삶.
저도 사실은 익숙하진 않습니다.

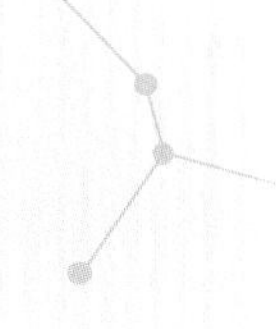

우리 함께 해봐요.
삶 속에서, 그냥 평범한 일상 속에서
나도 누군가에게 도움을 ‘지금’ 주고 있다는 느낌을 가져 보죠.

별똥별을 보고 소원을 빌면 이루어진다고 하죠?

큰별쌤과 함께 한국사를 공부한 별님들의 따뜻한 마음,
그 마음이 모여 간절한 바람이 있는 곳에 별똥별이 되어 날아갑니다.

이 책을 통해 나오는 수익금의 일부가
누군가에게 희망의 빛으로 다가가길 소망합니다.
이 책을 통해 우리는 서로를 기대고 있는 ‘사람(人)’이라는 사실을
공유하길 소망합니다.

이 책을 통해 당신은 ‘지금’ 누군가의 별똥별이 되어줄 수 있습니다.
이미 누군가의 꿈을 ‘지금’ 응원하고 있는 겁니다.

우리 별님들은 그런 사람입니다.

집필 및 검토

최태성

모두의 별★별 한국사 연구소장

EBS 한국사 대표 강사, ETOOS 한국사 강사

성균관대학교 사학과 졸업

중·고등학교 한국사 교과서 및 역사부도 집필

EBS 평가원 연계 교재 집필 및 검토

2013년 국사편찬위원회 자문위원

2011~2012년 EBS 역사 자문위원

MBC 〈무한도전〉 '문화재 특강' 진행

KBS 1 TV 〈역사저널 그날〉 패널 출연

KBS 라디오 FM 대행진 〈별별 히스토리〉 코너 진행

모두의 별★별 한국사 연구소 곽승연 이상선 김혜진 권혜성

Staff

발행인 정선욱

퍼블리싱 총괄 남형주

개발 김태원 김경대 김인겸 정명희 조정연

기획 · 디자인 · 마케팅 조비호 김정인 강윤정

유통 · 제작 서준성 신성철

큰별쌤 최태성의 별★별 한국사 기출 500제 한국사능력검정시험 | 기본(4·5·6급) 202312 제3판 1쇄 202402 제3판 2쇄

펴낸곳 이투스에듀(주) 서울시 서초구 남부순환로 2547

고객센터 1599-3225 **등록번호** 제2007-000035호 **ISBN** 979-11-389-2004-9 [13910]

큰별쌤 최태성의

별★별 한국사

기출 500제

한국사능력검정시험 기본(4·5·6급)

최태성 지음

기출 BOOK

한국사능력검정시험이란?

한능검 접수 가이드 영상

한국사능력검정시험은 국사편찬위원회에서 개발한 다양한 유형의 문항을 통해 우리 역사에 대한 관심을 제고하고, **한국사 전반에 걸쳐 역사적 사고력을 평가**할 수 있는 시험입니다. 이를 통해 한국사 교육의 올바른 방향을 제시하고 자발적 역사 학습을 통한 고차원적 사고력과 문제해결 능력 배양을 목적으로 하고 있습니다.

시험 목적

1. 우리 역사에 대한 관심을 확산 심화시키는 계기를 마련함
2. 고차원적 사고력과 문제해결 능력을 육성함
3. 균형 잡힌 역사의식을 갖도록 함
4. 역사 교육의 올바른 방향을 제시함

시험 주관 및 시행 기관
국사편찬위원회

응시 대상
한국사에 관심 있는 모든 사람
(외국인 포함)

※ 출처 : 국사편찬위원회 한국사능력검정시험

시험 종류 및 인증 등급

시험 종류	심화	기본
인증 등급	1급(80점 이상)	4급(80점 이상)
	2급(70~79점)	5급(70~79점)
	3급(60~69점)	6급(60~69점)
문항 수	50문항(5지 택1형)	50문항(4지 택1형)

* 배점 : 100점 만점 (문항별 1점~3점 차등 배점)

기본 시험 시간

시간	내용	소요 시간
10:00~10:10	오리엔테이션(시험 시 주의 사항)	10분
10:10~10:15	신분증 확인(감독관)	5분
10:15~10:20	문제지 배부	5분
10:20~11:30	시험 실시(50문항)	70분

평가 내용

시험 종류	평가 내용
심화	**한국사 심화 과정**으로 한국사에 대한 체계적인 이해를 바탕으로 한국사의 주요 사건과 개념을 종합적으로 이해하고, 역사 자료를 분석하고 해석하는 능력, 한국사의 흐름 속에서 시대적 상황 및 쟁점을 파악하는 능력을 평가
기본	**한국사 기본 과정**으로 기초적인 역사 상식을 바탕으로 한국사의 필수 지식과 기본적인 흐름을 이해하는 능력을 평가

여기서 잠깐!

한국사능력검정시험 "기본"은 선택지가 '4지 택1' 형태인 50문항을 70분 동안 풀어야 합니다. 문항의 난도는 기존의 초급과 중급 사이로 출제되며 합격률은 40~60% 정도입니다. 다소 어렵게 느껴지기도 하겠지만, 큰별쌤이 짚어 주는 중요 개념을 잘 익히고, 기출 500제로 풀이 연습까지 하면 충분히 합격할 수 있는 수준이에요.

시험 합격 비법

유튜브 최태성 1TV(인강 전문 채널)

모두의 별★별 한국사(http://www.etoos.com/bigstar)

원서 접수 및 자세한 시험 정보

한국사능력검정시험 (http://www.historyexam.go.kr)

큰별쌤의 결론은?

1

초등부터 성인까지 한국사 필수 시대!

한국사를
손 놓을 수는 없죠!

2

한국사는 계속된다! 쭈~욱!

공무원 시험,
교원임용 시험,
승진 시험 등

3

한국사능력검정시험은 선발 시험이 아닌 인증 시험!

80점 이상이면 4급
70~79점이면 5급
60~69점이면 6급

4

도전해 볼 만한 수준!

한 달 정도만 투자해서
필수 개념만 익히면
합격할 수 있어요.

전체적인 흐름을 파악하고, 개념을 꼼꼼히 확인하세요.
사진, 자료 등은 시대와 꼭 연결하여 익숙하게 만들어 두세요.

시험 합격도 중요하지만 한국사 공부를 통해 역사 속의 사람들을 만나 소통해 보고
한 번의 인생 어떻게 살아갈 것인가를 생각해 보는 계기가 되길 바랄게요.

이 책의 구성

2023년도
제67회 한국사능력검정시험 문제지

1-001 (가) 시대의 생활 모습으로 가장 적절한 것은? [1점]

① 철제 농기구로 농사를 지었다.
② 주로 동굴이나 막집에서 살았다.
③ 반달 돌칼로 벼 이삭을 수확하였다.
④ 빗살무늬 토기에 곡식을 저장하기 시작하였다.

2-002 다음 퀴즈의 정답으로 옳은 것은? [2점]

① 부여 ② 옥저 ③ 동예 ④ 마한

3-003 밑줄 그은 '나'의 업적으로 옳은 것은? [2점]

① 태학을 설립하였다.
② 천리장성을 축조하였다.
③ 도읍을 평양성으로 옮겼다.
④ 신라에 침입한 왜를 격퇴하였다.

4-004 (가)에 들어갈 문화유산으로 적절한 것은? [3점]

과제 학습 조사 보고서 ○○ 모둠

주제	백제의 문화유산 알아보기
방법	문헌 조사, 인터넷 검색, 박물관 탐방
알게 된 점	백제 사람들의 생활 모습을 짐작할 수 있었다.
조사한 문화유산	(가) / 무령왕릉

①

금동 연가 7년명 여래 입상

②

천마총 장니 천마도

③

몽촌토성

④

장군총

1/12

최신 기출문제 10회분 수록!

'기출문제는 얼마나 풀어야 할까?' 모든 수험생이 하는 고민일 거예요. 많이 풀면 좋겠지만, 시간은 한정되어 있죠. 수험생들의 학습 패턴과 기출문제를 철저히 분석하여 학습 효과를 극대화할 수 있는 분량, 2023년 제67회 시험부터 2021년 제54회 시험까지 최신 기출문제 **10회분, 총 500문항**을 수록하였습니다.

연습은 실전처럼!

실전처럼 학습할 수 있도록 실제 시험지와 같게 구성하였어요. 실제 시험을 치르듯이 **시험 시간 70분**에 맞춰 문제를 풀어 보세요.

해설 강의 제공!

한국사능력검정시험 해설 강의는 유튜브 최태성 1TV(인강 전문 채널)와 모두의 별★별 한국사(www.etoos.com/bigstar)에서 확인할 수 있어요.

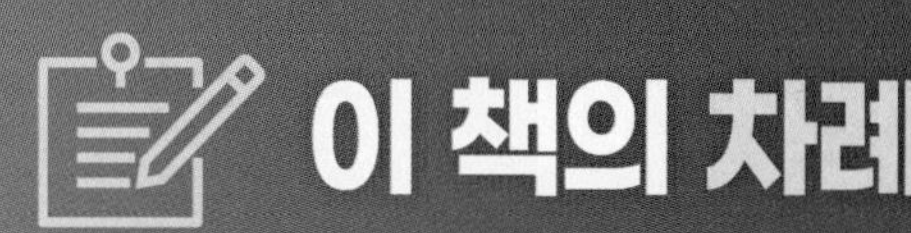

이 책의 차례

한국사능력검정시험 제65회, 제62회, 제59회, 제56회는 심화만 시행되었습니다.

왜 기출문제인가?

한능검 시험의 43문항 정도는 기본적인 내용만 알면 풀 수 있는 문항입니다! 기출문제를 풀면서 나왔던 주제들만 습득해도 충분히 합격할 수 있어요!

원칙 1 나온 주제가 또 출제된다!

제67회 | 발해

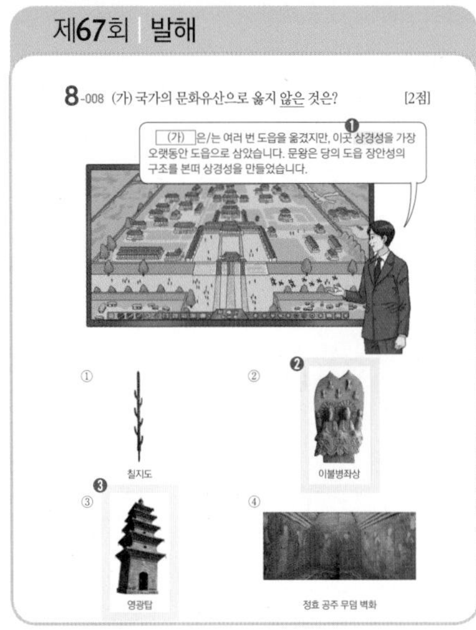

제66회 | 발해

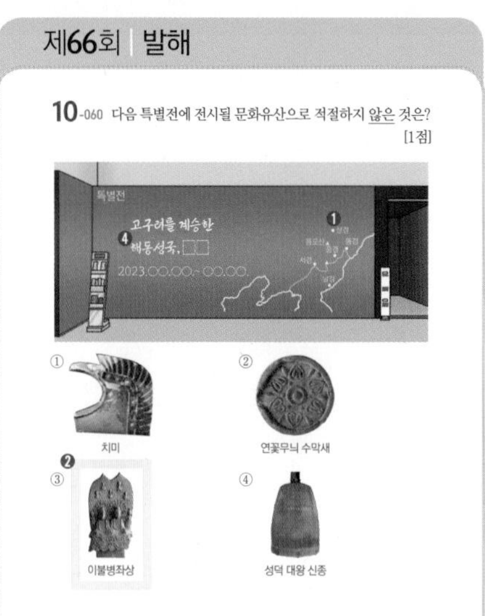

제64회 | 발해

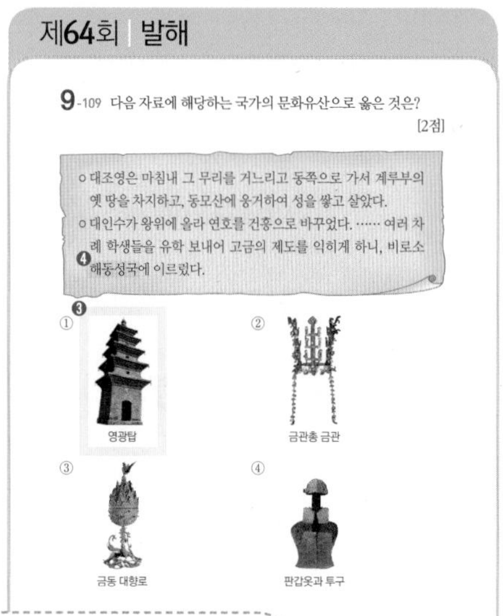

중요 선택지가 반복 출제되는 게 보이시죠? 반복되는 선택지만 습득해도 합격점을 받을 수 있어요!

원칙 2 선택지가 반복해서 출제된다!

기출 500제 사용법

기출 BOOK

실제 시험 시간 70분에 맞추어 문제지를 풉니다.

해설 BOOK

자세한 해설 BOOK을 보면서 복습하고, 반복해서 나오는 기출 선택지도 정리합니다. 이것만 반복하면 합격! 참 쉽죠?

2주 합격

STUDY PLAN

		계획	공부한 날	Time Table	점수
1 Day	기본 제67회	월 일 요일	월 일 요일	문제 : ~ : 해설 : ~ :	
2 Day	기본 제66회	월 일 요일	월 일 요일	문제 : ~ : 해설 : ~ :	
3 Day	기본 제64회	월 일 요일	월 일 요일	문제 : ~ : 해설 : ~ :	
4 Day	기본 제63회	월 일 요일	월 일 요일	문제 : ~ : 해설 : ~ :	
5 Day	기본 제61회	월 일 요일	월 일 요일	문제 : ~ : 해설 : ~ :	
6 Day	기본 제60회	월 일 요일	월 일 요일	문제 : ~ : 해설 : ~ :	
7 Day	기본 제58회	월 일 요일	월 일 요일	문제 : ~ : 해설 : ~ :	
8 Day	기본 제57회	월 일 요일	월 일 요일	문제 : ~ : 해설 : ~ :	
9 Day	기본 제55회	월 일 요일	월 일 요일	문제 : ~ : 해설 : ~ :	
10 Day	기본 제54회	월 일 요일	월 일 요일	문제 : ~ : 해설 : ~ :	
11 Day	복습	월 일 요일	월 일 요일	문제 : ~ : 해설 : ~ :	
12 Day	복습	월 일 요일	월 일 요일	문제 : ~ : 해설 : ~ :	
13 Day	복습	월 일 요일	월 일 요일	문제 : ~ : 해설 : ~ :	
14 Day	실전 연습	월 일 요일	월 일 요일	문제 : ~ : 해설 : ~ :	

D-14	제67회 |		D-7	제57회 |
D-13	제66회 |		D-6	제55회 |
D-12	제64회 |		D-5	제54회 |
D-11	제63회 |		D-4	복습 |
D-10	제61회 |		D-3	복습 |
D-9	제60회 |		D-2	복습 |
D-8	제58회 |		D-1	실전 연습 |

2023년도 제67회 한국사능력검정시험 문제지

1-001 (가) 시대의 생활 모습으로 가장 적절한 것은? [1점]

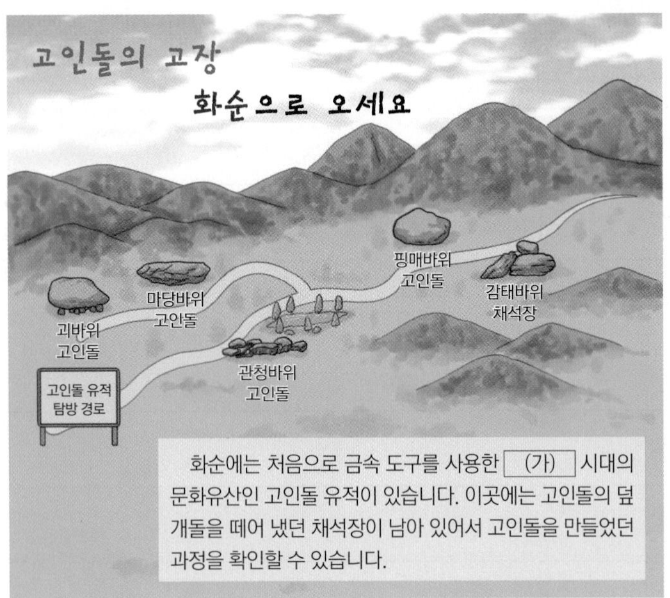

① 철제 농기구로 농사를 지었다.
② 주로 동굴이나 막집에서 살았다.
③ 반달 돌칼로 벼 이삭을 수확하였다.
④ 빗살무늬 토기에 곡식을 저장하기 시작하였다.

2-002 다음 퀴즈의 정답으로 옳은 것은? [2점]

① 부여 ② 옥저 ③ 동예 ④ 마한

3-003 밑줄 그은 '나'의 업적으로 옳은 것은? [2점]

① 태학을 설립하였다.
② 천리장성을 축조하였다.
③ 도읍을 평양성으로 옮겼다.
④ 신라에 침입한 왜를 격퇴하였다.

4-004 (가)에 들어갈 문화유산으로 적절한 것은? [3점]

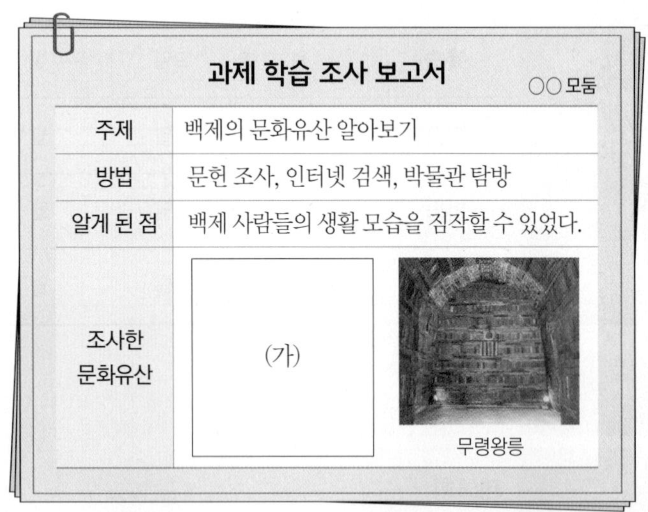

과제 학습 조사 보고서 ○○ 모둠

주제	백제의 문화유산 알아보기
방법	문헌 조사, 인터넷 검색, 박물관 탐방
알게 된 점	백제 사람들의 생활 모습을 짐작할 수 있었다.
조사한 문화유산	(가) / 무령왕릉

① 금동 연가 7년명 여래 입상
② 천마총 장니 천마도
③ 몽촌토성
④ 장군총

5-005 (가) 왕의 업적으로 옳은 것은? [2점]

① 국학을 설치하였다.
② 화랑도를 정비하였다.
③ 독서삼품과를 시행하였다.
④ 김헌창의 난을 진압하였다.

6-006 밑줄 그은 '이 나라'에 대한 설명으로 옳은 것은? [2점]

① 지방에 22담로를 두었다.
② 한의 침략을 받아 멸망하였다.
③ 낙랑과 왜에 철을 수출하였다.
④ 화백 회의에서 중요한 일을 결정하였다.

7-007 (가)~(다) 사건을 일어난 순서대로 옳게 나열한 것은? [3점]

① (가) - (나) - (다)
② (가) - (다) - (나)
③ (나) - (가) - (다)
④ (다) - (가) - (나)

8-008 (가) 국가의 문화유산으로 옳지 않은 것은? [2점]

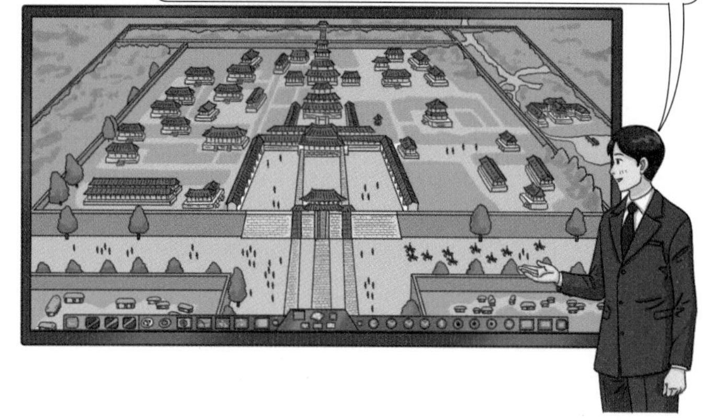

①

칠지도

②

이불병좌상

③

영광탑

④

정효 공주 무덤 벽화

9-009 밑줄 그은 '불상'에 해당하는 것으로 옳은 것은? [1점]

①

②

③

④

10-010 (가)에 들어갈 내용으로 적절한 것은? [1점]

<역사 학습 내용 정리>

(가)

1. 신라 말 지방에서 독자적인 세력을 형성하며 성장함
2. 일정한 지역에서 정치·군사·경제적 지배권을 장악함
3. 스스로 성주 또는 장군이라고 칭하기도 함

① 성골 ② 호족
③ 권문세족 ④ 신진 사대부

11-011 (가) 왕의 업적으로 옳은 것은? [2점]

① 흑창을 두었다.
② 강화도로 천도하였다.
③ 과거제를 처음 실시하였다.
④ 전민변정도감을 설치하였다.

12-012 (가) 국가에서 볼 수 있는 모습으로 적절한 것은? [2점]

① 광산 개발을 감독하는 덕대
② 신해통공 실시를 알리는 관리
③ 청과의 무역으로 부를 축적하는 만상
④ 활구라고도 불린 은병을 제작하는 장인

13-013 다음 사건이 일어난 시기를 연표에서 옳게 고른 것은? [3점]

① (가) ② (나) ③ (다) ④ (라)

14-014 (가)에 들어갈 내용으로 가장 적절한 것은? [1점]

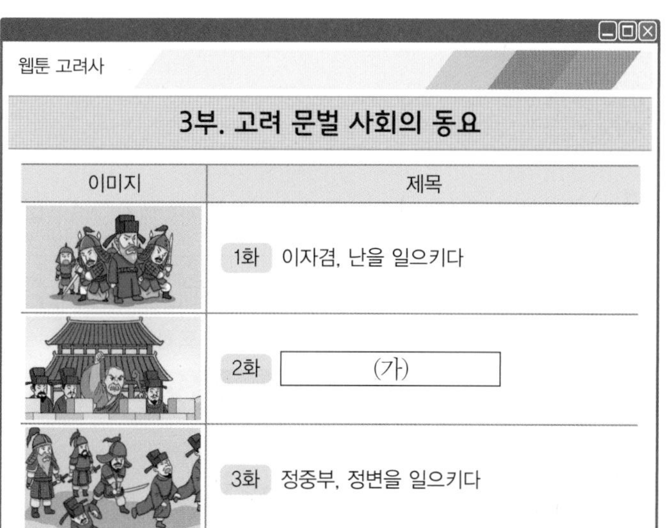

① 이괄, 도성을 점령하다
② 김흠돌, 반란을 도모하다
③ 묘청, 서경 천도를 주장하다
④ 이성계, 위화도에서 회군하다

15-015 밑줄 그은 '나'에 해당하는 인물로 옳은 것은? [2점]

① 안향 ② 김부식 ③ 이규보 ④ 정몽주

16-016 (가) 군사 조직에 대한 설명으로 옳은 것은? [2점]

① 쌍성총관부를 공격하였다.
② 백강 전투에서 활약하였다.
③ 신기군, 신보군, 항마군으로 구성되었다.
④ 최씨 무신 정권의 군사적 기반이 되었다.

17-017 다음 학생들이 표현하고 있는 사건으로 적절한 것은? [2점]

① 명량 대첩 ② 살수 대첩
③ 진포 대첩 ④ 행주 대첩

18-018 다음 가상 대화에 등장하는 왕의 업적으로 옳지 않은 것은? [2점]

① 자격루를 제작하였다.
② 농사직설을 간행하였다.
③ 악학궤범을 완성하였다.
④ 삼강행실도를 편찬하였다.

19-019 (가)에 들어갈 문화유산으로 옳은 것은? [1점]

① 경국대전 ② 동의보감
③ 목민심서 ④ 조선왕조실록

20-020 밑줄 그은 '왕'에 대한 설명으로 옳은 것은? [3점]

> ○ 왕께서 명하기를, "집현전을 파하고 경연을 정지하며, 거기에 소장하였던 서책은 모두 예문관에서 관장하게 하라."라고 하였다.
> ○ 왕께서 명령을 내려, "전날 성삼문 등이 상왕도 모의에 참여하였다고 말하였으니 상왕을 노산군으로 낮추고, 궁에서 내보내 영월에 거주시키도록 하라."라고 하였다.

① 시헌력을 도입하였다.
② 탕평책을 실시하였다.
③ 한양으로 도읍을 옮겼다.
④ 6조 직계제를 시행하였다.

21-021 (가)에 들어갈 사건으로 옳은 것은? [2점]

① 경신환국 ② 기해예송
③ 무오사화 ④ 신유박해

22-022 (가) 제도에 대한 설명으로 옳은 것은? [3점]

> (가) 은/는 실로 백성을 구제하는 데 절실합니다. 경기도와 강원도에서 이미 시행하고 있으니, 우리 충청도에서도 시행하면 좋겠습니다.

① 군포를 2필에서 1필로 줄였다.
② 양반에게도 군포를 부과하였다.
③ 전세를 1결당 4~6두로 고정하였다.
④ 특산물 대신 쌀, 베 등으로 납부하게 하였다.

23-023 다음 가상 대화 이후에 전개된 사실로 옳은 것은? [2점]

남한산성에서 항전하시던 임금께서 삼전도에 나아가 청에 굴욕적인 항복을 하셨다는군.

게다가 세자와 봉림 대군께서는 청에 볼모로 잡혀가신다더군.

① 북벌론이 전개되었다.
② 4군 6진이 개척되었다.
③ 삼포왜란이 진압되었다.
④ 정동행성이 설치되었다.

24-024 밑줄 그은 '왕'의 업적으로 옳은 것은? [1점]

① 장용영을 설치하였다.
② 당백전을 발행하였다.
③ 속대전을 편찬하였다.
④ 훈민정음을 반포하였다.

25-025 (가)~(다)를 실시한 순서대로 옳게 나열한 것은? [3점]

① (가) - (나) - (다)
② (가) - (다) - (나)
③ (나) - (가) - (다)
④ (다) - (가) - (나)

26-026 다음 가상 대화가 이루어진 시기에 볼 수 있는 모습으로 적절하지 않은 것은? [2점]

① 상평통보로 거래하는 상인
② 판소리 공연을 구경하는 농민
③ 한글 소설을 읽어 주는 전기수
④ 황룡사 구층 목탑을 만드는 목수

27-027 학생들이 공통으로 이야기하고 있는 사건에 대한 설명으로 옳은 것은? [2점]

① 청군의 개입으로 진압되었다.
② 박규수가 안핵사로 파견되었다.
③ 조선 형평사의 주도로 전개되었다.
④ 서북 지역민에 대한 차별이 원인이 되었다.

28-028 다음 가상 인터뷰에 등장하는 인물로 옳은 것은? [2점]

① 김정희 ② 박지원 ③ 송시열 ④ 유득공

29-029 (가) 사건에 대한 설명으로 옳은 것은? [2점]

① 9서당을 창설하는 계기가 되었다.
② 청산리에서 일본군과 전투를 벌였다.
③ 집강소를 통해 폐정 개혁을 추진하였다.
④ 제물포 조약이 체결되는 결과를 가져왔다.

30-030 (가)에 들어갈 인물로 옳은 것은? [1점]

(앞면)

- 평민 출신 의병장으로 알려짐
- 을미사변이 발생하자 영해에서 의병으로 활동함
- 을사늑약이 체결되자 울진, 평해 등지에서 일본군에 맞서 싸움
- 뛰어난 전술을 펼쳐 태백산 호랑이라고 불림

(뒷면)

① 신돌석 ② 유인석 ③ 최익현 ④ 홍범도

31-031 (가)~(라)에 들어갈 인물로 옳지 않은 것은? [2점]

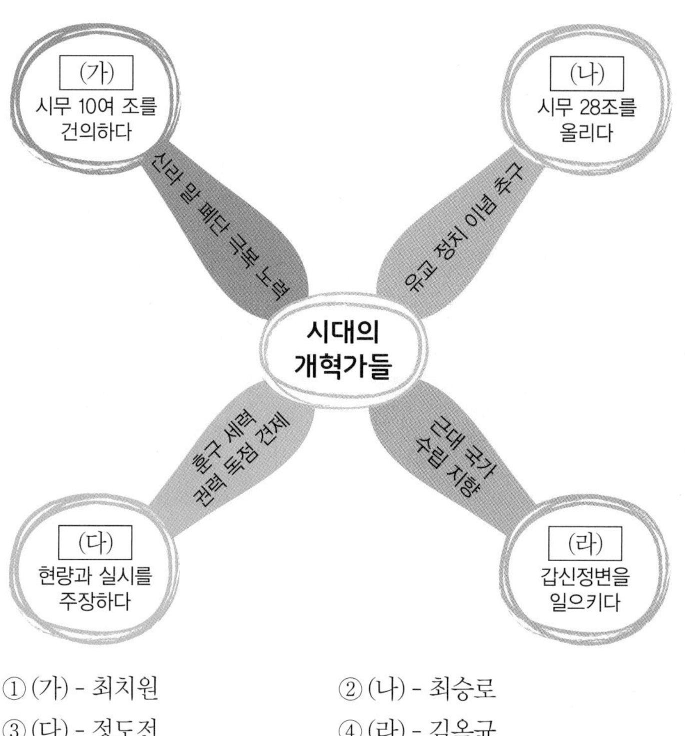

① (가) - 최치원 ② (나) - 최승로
③ (다) - 정도전 ④ (라) - 김옥균

32-032 (가) 사건에 대한 설명으로 옳은 것은? [2점]

① 제너럴 셔먼호 사건의 배경이 되었다.
② 강화도 조약이 체결되는 계기가 되었다.
③ 오페르트가 남연군 묘 도굴을 시도하였다.
④ 양헌수 부대가 정족산성에서 활약하였다.

33-033 (가) 단체의 활동으로 옳은 것은? [2점]

① 광혜원을 설립하였다.
② 태극 서관을 운영하였다.
③ 독립문 건설을 주도하였다.
④ 파리 강화 회의에 대표를 파견하였다.

34-034 밑줄 그은 '이 시기'에 볼 수 있는 모습으로 적절한 것은? [2점]

① 제복을 입고 칼을 찬 교사
② 한성순보를 발간하는 관리
③ 단발령 시행에 반발하는 유생
④ 경인선 철도 개통식을 구경하는 청년

35-035 (가)에 들어갈 내용으로 적절한 것은? [3점]

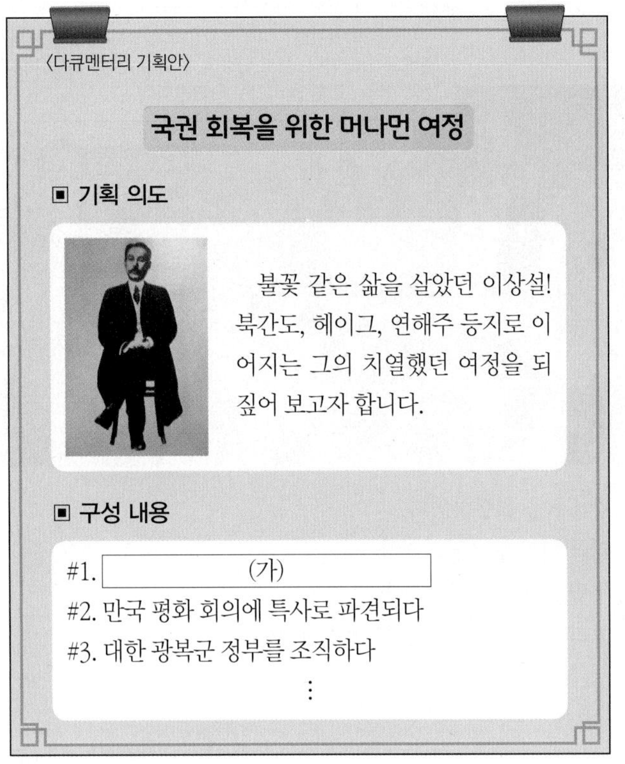
〈다큐멘터리 기획안〉

국권 회복을 위한 머나먼 여정

▣ 기획 의도

불꽃 같은 삶을 살았던 이상설! 북간도, 헤이그, 연해주 등지로 이어지는 그의 치열했던 여정을 되짚어 보고자 합니다.

▣ 구성 내용

#1. (가)
#2. 만국 평화 회의에 특사로 파견되다
#3. 대한 광복군 정부를 조직하다
⋮

① 의열단을 조직하다
② 서전서숙을 설립하다
③ 동양 평화론을 집필하다
④ 시일야방성대곡을 발표하다

36-036 밑줄 그은 '만세 시위'에 대한 설명으로 옳은 것은? [2점]

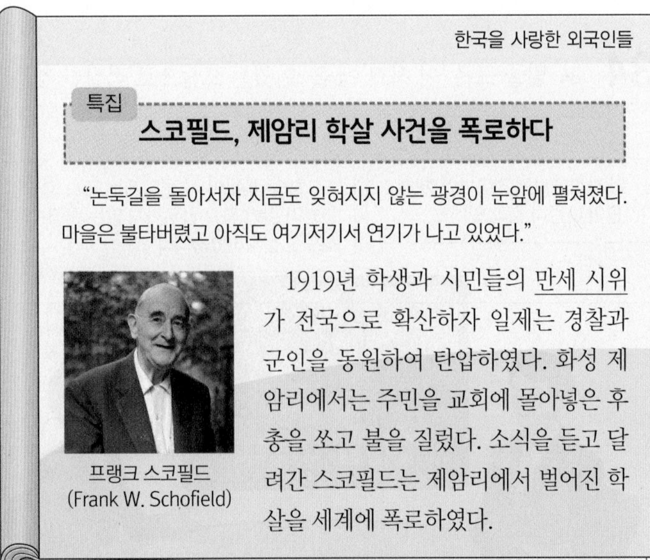
한국을 사랑한 외국인들

특집 스코필드, 제암리 학살 사건을 폭로하다

"논둑길을 돌아서자 지금도 잊혀지지 않는 광경이 눈앞에 펼쳐졌다. 마을은 불타버렸고 아직도 여기저기서 연기가 나고 있었다."

1919년 학생과 시민들의 만세 시위가 전국으로 확산하자 일제는 경찰과 군인을 동원하여 탄압하였다. 화성 제암리에서는 주민을 교회에 몰아넣은 후 총을 쏘고 불을 질렀다. 소식을 듣고 달려간 스코필드는 제암리에서 벌어진 학살을 세계에 폭로하였다.

프랭크 스코필드 (Frank W. Schofield)

① 순종의 인산일에 전개되었다.
② 대한매일신보의 후원을 받았다.
③ 대한민국 임시 정부 수립의 계기가 되었다.
④ 신간회에서 진상 조사단을 파견하여 지원하였다.

37-037 (가)에 들어갈 민족 운동으로 옳은 것은? [2점]

① 브나로드 운동
② 물산 장려 운동
③ 국채 보상 운동
④ 민립 대학 설립 운동

38-038 다음 공연의 소재가 된 인물에 대한 설명으로 옳은 것은? [3점]

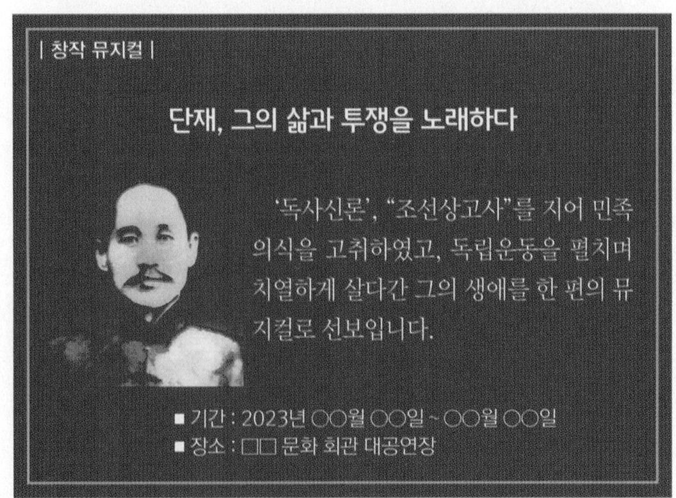
| 창작 뮤지컬 |

단재, 그의 삶과 투쟁을 노래하다

'독사신론', "조선상고사"를 지어 민족 의식을 고취하였고, 독립운동을 펼치며 치열하게 살다간 그의 생애를 한 편의 뮤지컬로 선보입니다.

■ 기간 : 2023년 ○○월 ○○일 ~ ○○월 ○○일
■ 장소 : □□ 문화 회관 대공연장

① 대한 광복회를 조직하였다.
② 조선 의용군을 창설하였다.
③ 조선 혁명 선언을 작성하였다.
④ 조선말 큰사전 편찬을 주도하였다.

39-039 (가)에 들어갈 인물로 가장 적절한 것은? [1점]

① 김원봉 ② 나석주 ③ 윤봉길 ④ 이동휘

40-040 밑줄 그은 '시기'에 볼 수 있는 모습으로 가장 적절한 것은? [2점]

① 근우회에 가입하는 학생
② 6·10 만세 운동에 참여하는 청년
③ 토지 조사령을 공포하는 일본인 관리
④ 미얀마 전선에서 활동하는 한국 광복군 대원

41-041 (가)에 들어갈 단체로 옳은 것은? [2점]

① 권업회 ② 대한인 국민회
③ 좌우 합작 위원회 ④ 남북 조절 위원회

42-042 (가)에 들어갈 사건으로 옳은 것은? [2점]

영상 속 역사

학생들이 제작한 영상의 배경이 된 (가) 은/는 미군정기에 시작되어 이승만 정부 수립 이후까지 지속되었습니다. 당시에 남한만의 단독 정부 수립에 반대하는 무장대와 토벌대 간의 무력 충돌과 그 진압 과정에서 많은 주민이 희생되었습니다.

① 6·3 시위 ② 제주 4·3 사건
③ 2·28 민주 운동 ④ 5·16 군사 정변

43-043 (가) 전쟁 중에 있었던 사실로 옳지 않은 것은? [2점]

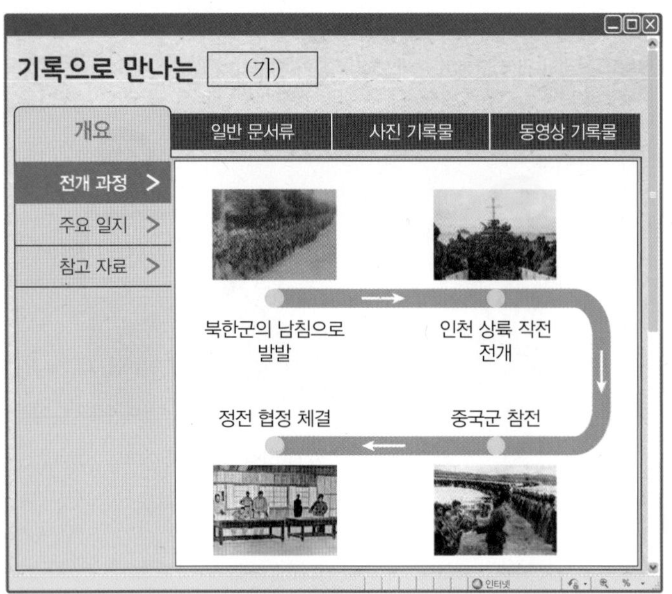

① 유엔군이 참전하였다.
② 흥남 철수 작전이 펼쳐졌다.
③ 거제도에 포로수용소가 설치되었다.
④ 13도 창의군이 서울 진공 작전을 전개하였다.

44-044 다음 가상 일기에 나타난 민주화 운동에 대한 설명으로 옳은 것은? [2점]

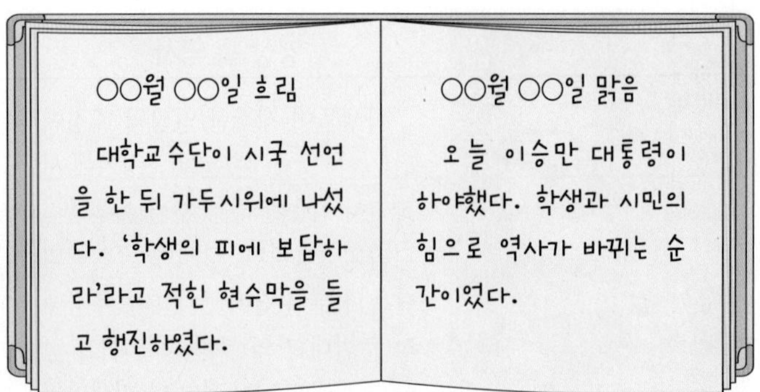

① 신군부의 무력 진압에 저항하였다.
② 대통령 직선제 개헌을 이끌어 냈다.
③ 유신 체제가 붕괴하는 계기가 되었다.
④ 3·15 부정 선거에 항의하여 일어났다.

45-045 (가)에 들어갈 내용으로 옳은 것은? [3점]

① 개성 공단 조성
② 남북 기본 합의서 채택
③ 7·4 남북 공동 성명 발표
④ 6·15 남북 공동 선언 합의

46-046 다음 가상 뉴스에서 보도하는 사건이 일어난 정부 시기의 사실로 옳은 것은? [2점]

① 농지 개혁법을 제정하였다.
② 경부 고속 도로를 개통하였다.
③ 경제 협력 개발 기구(OECD)에 가입하였다.
④ 미국과 자유 무역 협정(FTA)을 체결하였다.

47-047 (가)에 들어갈 인물로 옳은 것은? [1점]

① 윤동주 ② 이한열 ③ 장준하 ④ 전태일

48-048 (가)에 들어갈 내용으로 적절한 것은? [2점]

〈2023 기획 특강〉

한국사 속 여성, 세상 밖으로 나오다

격동의 역사 속에서 삶의 주체로 당당하게 살아온 여성들의 이야기를 들을 수 있습니다.

강의 내용

1강. 선덕 여왕, 우리나라 최초의 여왕으로 살다
2강. 허난설헌, (가)
3강. 이빙허각, 가정생활을 담은 "규합총서"를 집필하다
4강. 윤희순, 안사람 의병가를 지어 의병 활동을 독려하다

■ 일시 : 2023년 ○○월 ○○일 ○○시
■ 장소 : □□ 문화원 소강당

① 시인으로 이름을 떨치다
② 여성 비행사로 활약하다
③ 임금 삭감에 저항하여 농성을 벌이다
④ 재산을 기부하여 제주도민을 구제하다

49-049 (가) 지역에서 있었던 사실로 옳은 것은? [3점]

뚜벅뚜벅 역사 여행

• 주제 : (가) 에서 만나는 시간과 공간, 그리고 사람들
• 일자 : 2023년 ○○월 ○○일
• 답사 경로 : 동삼동 패총 전시관 - 초량 왜관 - 임시 수도 기념관 - 민주 공원

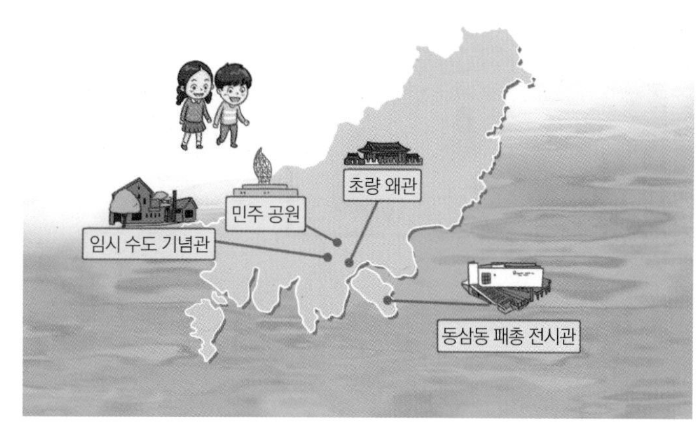

① 이봉창이 의거를 일으켰다.
② 망이·망소이가 봉기하였다.
③ 장보고가 청해진을 설치하였다.
④ 송상현이 동래성에서 순절하였다.

50-050 (가)에 들어갈 내용으로 옳은 것은? [1점]

① 단오 ② 동지 ③ 칠석 ④ 한식

2023년도
제66회 한국사능력검정시험 문제지

1-051 다음 가상 공간에서 체험할 수 있는 활동으로 가장 적절한 것은? [1점]

① 청동 방울 흔들기
② 빗살무늬 토기 만들기
③ 철제 농기구로 밭 갈기
④ 거친무늬 거울 목에 걸기

2-052 밑줄 그은 '이 나라'에 대한 설명으로 옳은 것은? [2점]

① 영고라는 제천 행사를 열었다.
② 신성 지역인 소도가 존재하였다.
③ 혼인 풍습으로 민며느리제가 있었다.
④ 읍락 간의 경계를 중시하는 책화가 있었다.

3-053 다음 검색창에 들어갈 왕으로 옳은 것은? [2점]

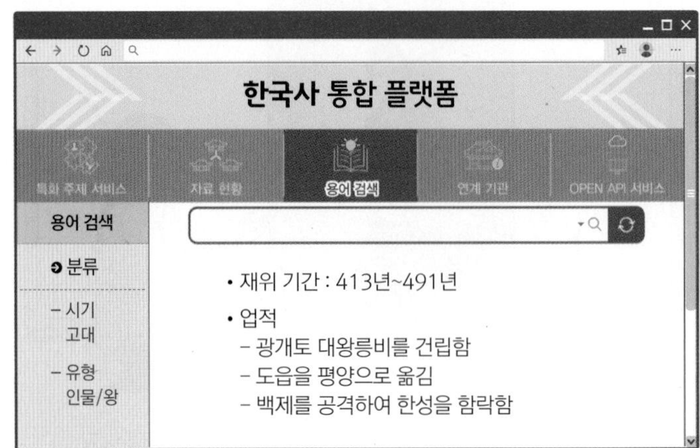

① 미천왕
② 장수왕
③ 고국천왕
④ 소수림왕

4-054 밑줄 그은 '그날'에 해당하는 세시 풍속으로 옳은 것은? [1점]

① 단오 ② 동지 ③ 추석 ④ 칠석

5-055 (가) 왕에 대한 설명으로 옳은 것은? [2점]

① 왜에 칠지도를 보냈다.
② 동진으로부터 불교를 받아들였다.
③ 신라를 공격하여 대야성을 점령하였다.
④ 진흥왕과 연합하여 한강 하류 지역을 되찾았다.

6-056 (가)~(다)를 일어난 순서대로 옳게 나열한 것은? [3점]

① (가) - (나) - (다)
② (가) - (다) - (나)
③ (나) - (가) - (다)
④ (다) - (가) - (나)

7-057 밑줄 그은 '이 왕'의 업적으로 옳은 것은? [2점]

① 국학을 설립하였다.
② 우산국을 정벌하였다.
③ 천리장성을 축조하였다.
④ 화랑도를 국가 조직으로 개편하였다.

8-058 (가)에 들어갈 문화유산으로 옳은 것은? [2점]

① 경천사지 십층 석탑
② 화엄사 사사자 삼층 석탑
③ 미륵사지 석탑
④ 분황사 모전 석탑

9-059 밑줄 그은 '이 시기'에 볼 수 있는 모습으로 가장 적절한 것은? [2점]

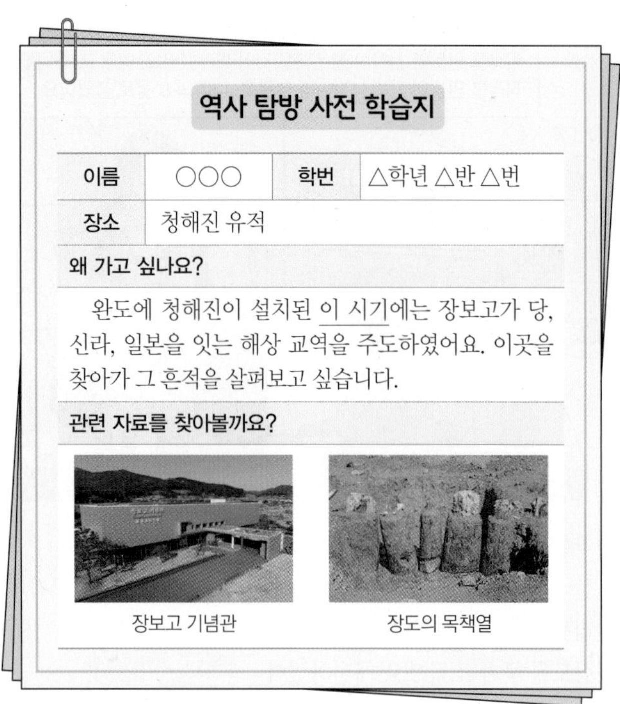

① 분청사기를 만드는 도공
② 녹읍을 지급받는 진골 귀족
③ 장시에서 책을 읽어 주는 전기수
④ 상평통보로 물건값을 치르는 농민

10-060 다음 특별전에 전시될 문화유산으로 적절하지 않은 것은? [1점]

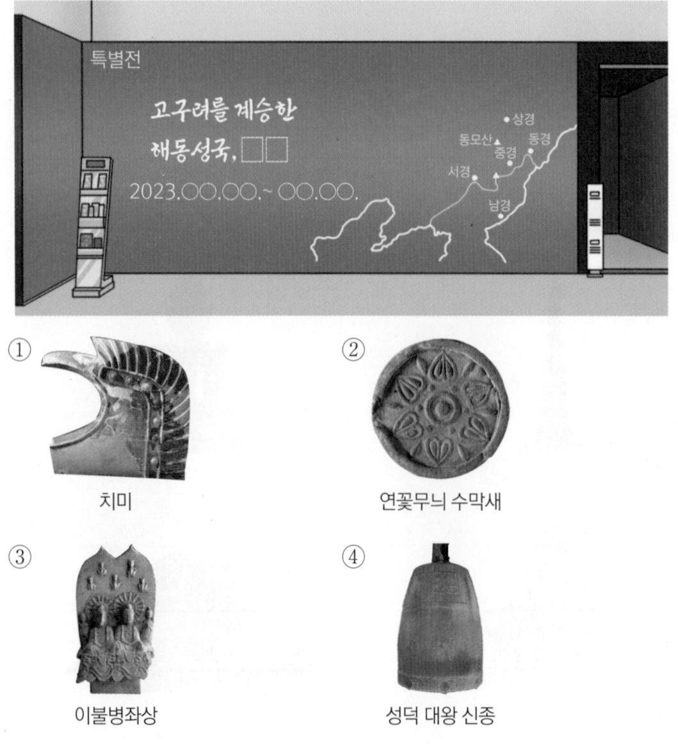

11-061 다음 사건이 일어난 시기를 연표에서 옳게 고른 것은? [3점]

887		896		918		927		936
진성 여왕 즉위	(가)	적고적의 난	(나)	고려 건국	(다)	공산 전투	(라)	후삼국 통일

① (가) ② (나) ③ (다) ④ (라)

12-062 밑줄 그은 '전쟁'에 대한 탐구 활동으로 가장 적절한 것은? [2점]

① 귀주 대첩의 의의를 파악한다.
② 위화도 회군의 결과를 조사한다.
③ 안시성 전투의 전개 과정을 살펴본다.
④ 진포 전투에서 새롭게 사용된 무기를 찾아본다.

13-063 다음 퀴즈의 정답으로 옳은 것은? [1점]

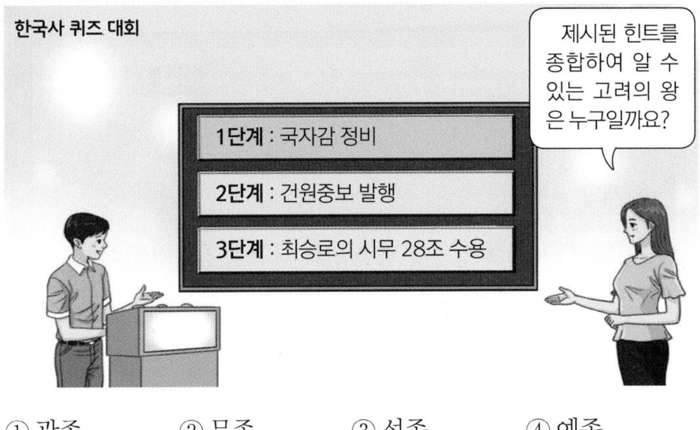

① 광종 ② 문종 ③ 성종 ④ 예종

14-064 다음 대화가 이루어진 시기의 경제 상황으로 가장 적절한 것은? [2점]

① 공인이 관청에 물품을 조달하였다.
② 모내기법이 전국적으로 확산되었다.
③ 벽란도가 국제 무역항으로 기능하였다.
④ 고추와 담배가 상품 작물로 재배되었다.

15-065 (가)에 들어갈 내용으로 가장 적절한 것은? [2점]

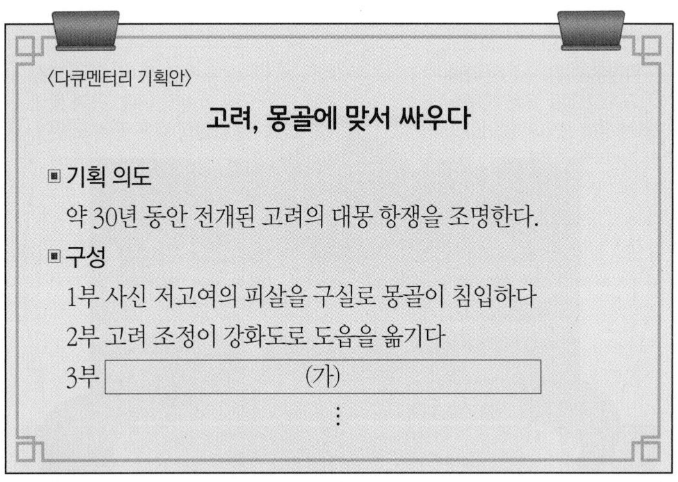

〈다큐멘터리 기획안〉

고려, 몽골에 맞서 싸우다

▣ 기획 의도

약 30년 동안 전개된 고려의 대몽 항쟁을 조명한다.

▣ 구성

1부 사신 저고여의 피살을 구실로 몽골이 침입하다

2부 고려 조정이 강화도로 도읍을 옮기다

3부 (가)

⋮

① 윤관이 별무반 편성을 건의하다
② 김윤후가 처인성 전투에서 활약하다
③ 을지문덕이 살수에서 적군을 물리치다
④ 서희가 외교 담판을 통해 강동 6주 지역을 확보하다

16-066 (가)에 들어갈 가상 우표로 가장 적절한 것은? [1점]

① 대한민국 KOREA 500 산수무늬 벽돌
② 대한민국 KOREA 500 도기 바퀴장식 뿔잔
③ 대한민국 KOREA 500 황남 대총 금관

④ 대한민국 KOREA 500 청자 상감 운학문 매병

17-067 밑줄 그은 '왕'의 재위 기간에 있었던 사실로 옳은 것은? [2점]

① 동북 9성을 축조하였다.
② 독서삼품과가 실시되었다.
③ 쌍성총관부를 공격하였다.
④ 백두산정계비가 건립되었다.

18-068 (가)에 해당하는 인물로 옳은 것은? [2점]

① 
송시열

② 채제공

③ 정몽주

④ 정도전

19-069 (가)에 들어갈 기구로 옳은 것은? [2점]

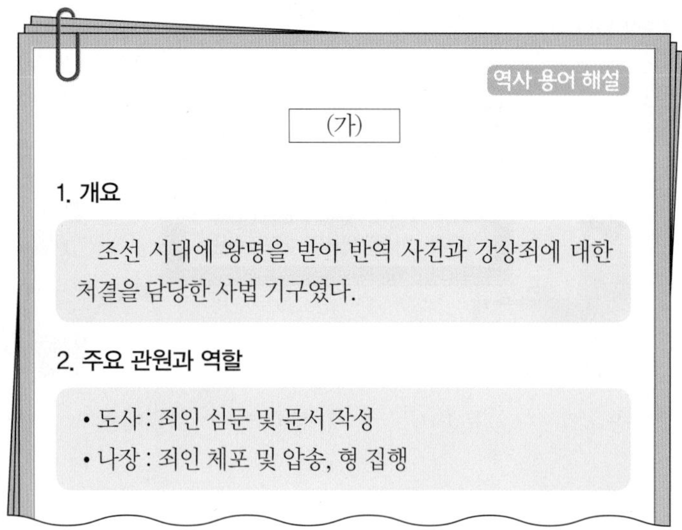
역사 용어 해설

(가)

1. 개요

조선 시대에 왕명을 받아 반역 사건과 강상죄에 대한 처결을 담당한 사법 기구였다.

2. 주요 관원과 역할

• 도사 : 죄인 심문 및 문서 작성
• 나장 : 죄인 체포 및 압송, 형 집행

① 사헌부 ② 의금부 ③ 춘추관 ④ 홍문관

20-070 (가)에 들어갈 내용으로 옳은 것은? [3점]

(앞면)

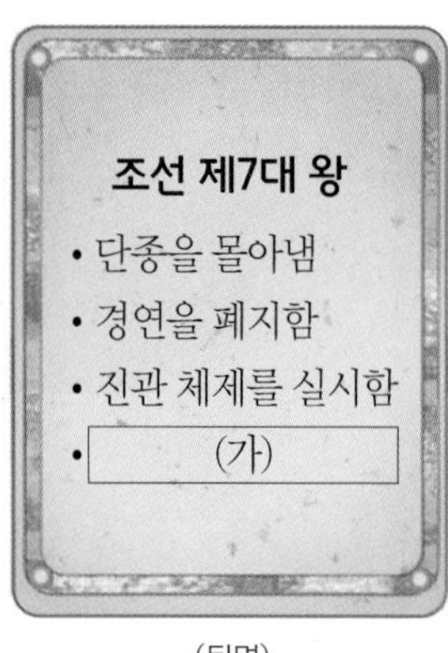

(뒷면)

① 직전법을 시행함 ② 탕평비를 건립함
③ 교정도감을 설치함 ④ 금난전권을 폐지함

21-071 (가) 시기에 있었던 사실로 옳은 것은? [2점]

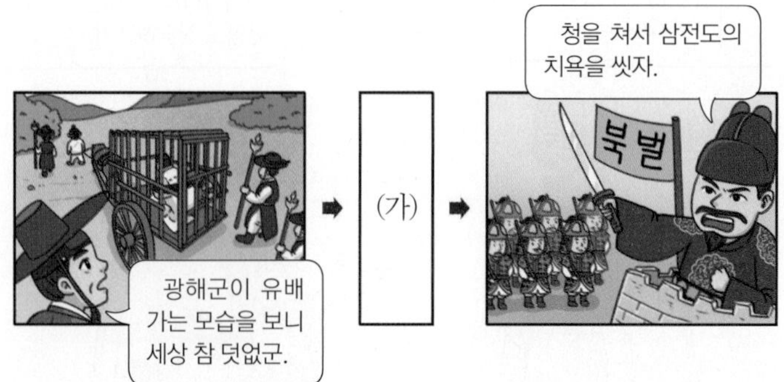

① 병자호란이 일어났다.
② 4군 6진이 개척되었다.
③ 훈련도감이 창설되었다.
④ 외규장각 도서가 약탈되었다.

22-072 (가) 왕의 업적으로 옳지 않은 것은? [3점]

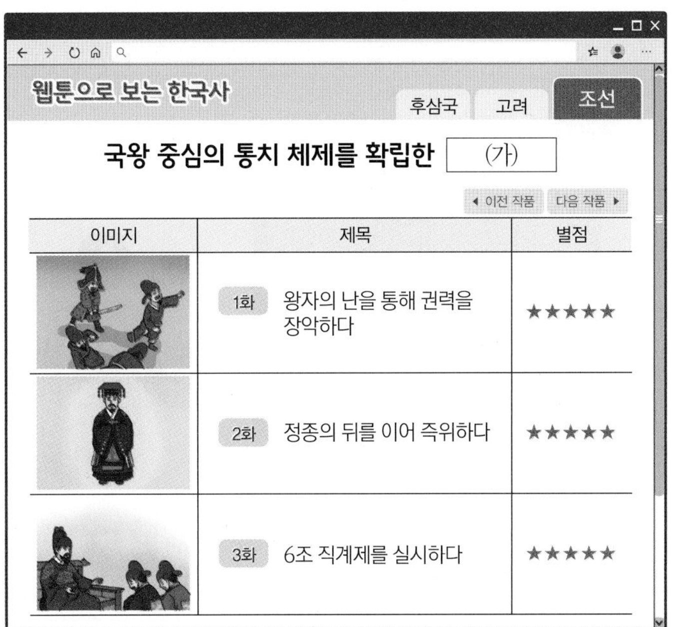

① 신문고를 설치하였다.
② 계미자를 주조하였다.
③ 칠정산을 편찬하였다.
④ 호패법을 마련하였다.

23-073 (가)에 들어갈 문화유산으로 옳은 것은? [1점]

① 자격루　　② 측우기
③ 혼천의　　④ 앙부일구

24-074 (가) 인물의 활동으로 옳은 것은? [2점]

① 발해고를 저술하였다.
② 대동여지도를 제작하였다.
③ 백운동 서원을 건립하였다.
④ 소격서 폐지를 건의하였다.

25-075 다음 답사가 이루어진 장소로 적절하지 않은 것은? [2점]

① 탄금대　　② 행주산성
③ 수원 화성　　④ 울산 왜성

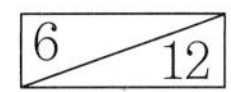

26-076 (가)에 들어갈 제도로 옳은 것은? [1점]

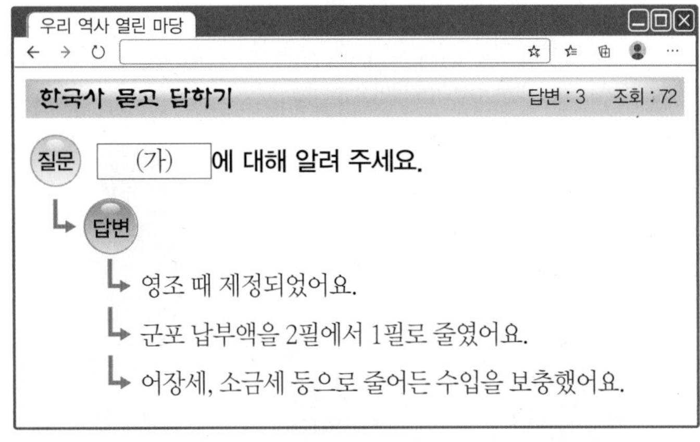

① 과전법 ② 균역법 ③ 대동법 ④ 영정법

27-077 (가)에 들어갈 그림으로 옳은 것은? [2점]

①

씨름도

②

노상알현도

③

고사관수도

④

월하정인

28-078 밑줄 그은 '봉기'에 대한 설명으로 옳은 것은? [2점]

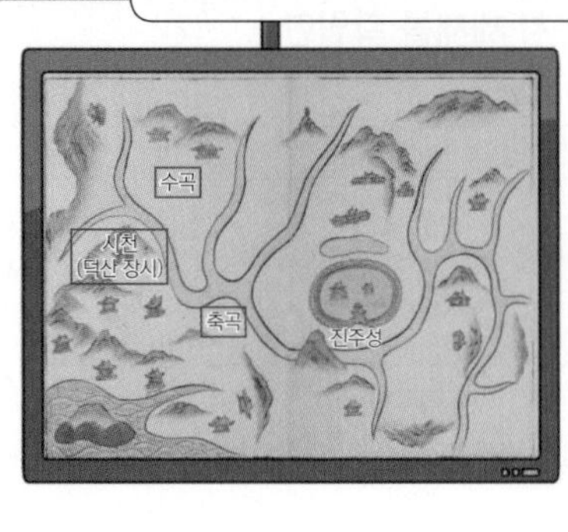

① 김부식이 이끄는 관군에 진압되었다.
② 삼정이정청이 설치되는 계기가 되었다.
③ 서북인에 대한 차별에 반발하여 일어났다.
④ 흥선 대원군이 재집권하는 결과를 가져왔다.

29-079 (가) 인물의 활동으로 옳은 것은? [2점]

① 거중기를 설계하였다.
② 몽유도원도를 그렸다.
③ 동의보감을 완성하였다.
④ 열하일기를 저술하였다.

30-080 다음 대화 이후에 있었던 사실로 옳은 것은? [2점]

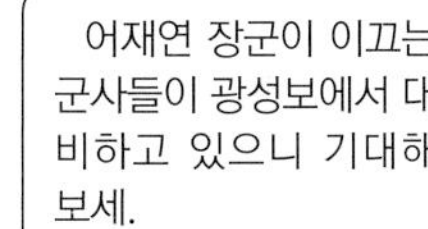

① 병인박해가 일어났다.
② 장용영이 창설되었다.
③ 척화비가 건립되었다.
④ 화통도감이 설치되었다.

31-081 밑줄 그은 '사절단'으로 옳은 것은? [2점]

① 보빙사 ② 수신사
③ 영선사 ④ 조사 시찰단

32-082 (가)에 해당하는 인물로 옳은 것은? [1점]

□□ 신문

제△△호 ○○○○년 ○○월 ○○일

(가), 쓰시마섬에서 순국하다

을사늑약 체결에 저항하여 태인에서 의병을 일으켰던 (가) 이/가 오늘 절명하였다. 그는 관군이 진압하러 오자 같은 동포끼리는 서로 죽일 수 없다며 전투를 중단하고 체포되었다. 서울로 압송된 뒤 쓰시마섬에 끌려가 최후를 맞이하였다.

① 
신돌석

② 
최익현

③ 
안중근

④ 
홍범도

33-083 밑줄 그은 '비상 수단'에 해당하는 사건으로 옳은 것은? [2점]

나라를 어지럽히는 신하를 살해하고, 국왕을 보호하여 정령(政令)*의 남발을 막을 수밖에 없었다. 그러므로 희생을 무릅쓰고 비상 수단을 쓰기로 결심한 것이다.

홍영식 : 모의를 총괄한 제1인자
박영효 : 실행 총지휘
서광범 : 거사 계획 수립
김옥균 : 일본 공사관과의 교섭 및 통역
서재필 : 병사 통솔

- 박영효의 회고 -

*정령(政令) : 정치상의 명령

① 갑신정변 ② 을미사변
③ 삼국 간섭 ④ 아관 파천

제66회 한국사능력검정시험 (기본)

34-084 다음 문서가 작성된 시기를 연표에서 옳게 고른 것은? [3점]

> **영국 공관에 보냄**
>
> 근래 국내에 전해지는 소문을 통해 귀국이 거문도에 뜻을 두고 있다는 것을 알았습니다. 이 섬은 우리나라의 땅으로, 다른 나라는 점유할 수 없는 곳입니다. 귀국처럼 공법에 밝은 나라가 이처럼 뜻밖의 일을 저지를 줄이야 어떻게 알 수 있었겠습니까?

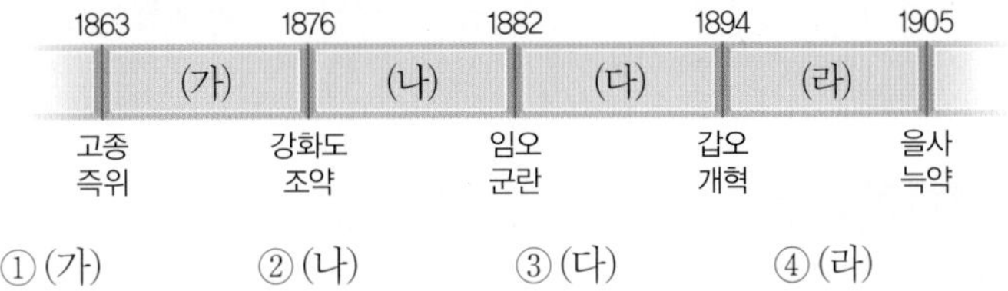

① (가) ② (나) ③ (다) ④ (라)

35-085 (가)에 들어갈 학교로 옳은 것은? [2점]

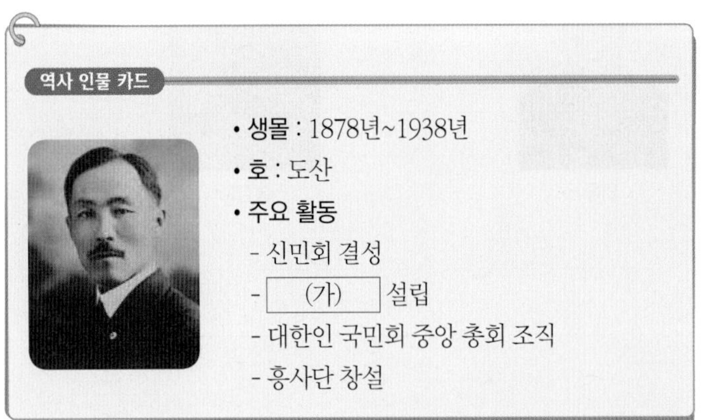

① 대성 학교 ② 원산 학사 ③ 육영 공원 ④ 이화 학당

36-086 (가), (나) 사이의 시기에 체결된 조약으로 옳은 것은? [2점]

(가)

역사 신문

국외 중립 선언 무효화되다

한·일 의정서

(나)

역사 신문

일제가 국권을 강탈하다

한·일 병합 조약

① 톈진 조약 ② 정미7조약
③ 제물포 조약 ④ 시모노세키 조약

37-087 다음 시나리오의 상황 이후에 전개된 사실로 옳은 것은? [2점]

> S#17. 전주성 안 선화당
>
> 농민군 대장 전봉준과 전라감사 김학진이 대화를 나누고 있다.
>
> **김학진** : 일본군이 궁궐을 점령하여 국가에 큰 위기가 닥쳤소.
>
> **전봉준** : 청군과 일본군이 들어와 있는 상황에서 이런 일이 생기다니 참으로 큰일입니다.

① 동학을 창시한 최제우가 처형되었다.
② 동학 농민군이 우금치 전투에서 패하였다.
③ 교조 신원을 요구하는 삼례 집회가 열렸다.
④ 조병갑의 탐학에 맞서 고부 농민 봉기가 일어났다.

38-088 다음 장면에 나타난 운동으로 옳은 것은? [1점]

① 국채 보상 운동
② 문자 보급 운동
③ 물산 장려 운동
④ 민립 대학 설립 운동

39-089 밑줄 그은 ㉠에 해당하는 내용으로 적절하지 않은 것은? [3점]

① 극장인 원각사가 세워졌다.
② 덕수궁에 중명전이 건립되었다.
③ 박문국에서 한성순보가 발행되었다.
④ 서울과 부산을 잇는 경부선 철도가 부설되었다.

40-090 다음 상황 이후에 일어난 사실로 옳은 것은? [2점]

① 6·10 만세 운동이 일어났다.
② 헤이그 특사가 파견되었다.
③ 토지 조사 사업이 실시되었다.
④ 제너럴 셔먼호 사건이 발생하였다.

41-091 밑줄 그은 '시기'에 볼 수 있는 모습으로 가장 적절한 것은? [2점]

문학으로 만나는 한국사

"판결은 어떻게 됐소?" …… "태형 구십 대랍니다." …… "히도오쓰(하나), 후다아쓰(둘)." 간수의 헤어 나가는 소리와 함께, "아이구 죽겠다, 아이구 아이구!" 부르짖는 소리가 우리의 더위에 마비된 귀를 찔렀다. 그것은 태 맞는 사람의 부르짖음이었다.
- 김동인, "태형" -

[해설]
이 소설은 일제에 의해 조선 태형령이 시행된 시기를 배경으로 하고 있습니다. 태형으로 고통받던 조선인의 처지를 생생하게 보여 주고 있습니다.

① 경성 제국 대학에 다니는 학생
② 제복을 입고 칼을 찬 헌병 경찰
③ 조선책략 유포에 반발하는 유생
④ 국민 징용령에 의해 끌려가는 청년

42-092 (가)의 활동으로 옳은 것은? [2점]

① 독립 공채를 발행하였다.
② 만민 공동회를 개최하였다.
③ 신흥 강습소를 설립하였다.
④ 잡지 어린이를 발간하였다.

43-093 (가)에 들어갈 군사 조직으로 옳은 것은? [2점]

① 대한 독립군 ② 북로 군정서
③ 조선 의용대 ④ 조선 혁명군

44-094 (가) 지역에 대한 탐구 활동으로 가장 적절한 것은? [2점]

① 운요호 사건의 과정을 검색한다.
② 삼별초의 최후 항쟁지를 조사한다.
③ 고려 왕릉이 조성된 지역을 찾아본다.
④ 대한 제국 칙령 제41호의 내용을 파악한다.

45-095 (가)~(다)에 대한 설명으로 옳은 것은? [3점]

한국사 탐구 보고서

- **주제** : 사회적 차별에 맞선 사람들
- **목적** : 우리 역사 속 사회적 차별에 맞선 사람들의 주장을 조사하여 그 의미를 되새겨 본다.
- **방법** : 문헌 조사, 인터넷 검색 등
- **시대별 탐구 내용**

시대	탐구 내용
고려 시대	"장군과 재상에 어찌 씨가 있겠는가?", 만적을 비롯한 많은 (가) 이/가 신분 해방을 도모하다.
조선 시대	"적자가 아니라는 이유로 관직을 제한하는 법을 풀어 주십시오.", 상소를 올려 (나) 에 대한 차별 폐지를 요청하다.
일제 강점기	"공평은 사회의 근본이요, 애정은 인류의 본성이라.", 조선 형평사를 조직하여 (다) 에 대한 차별 철폐를 주장하다.

① (가) - 고려 시대에 공음전을 지급받았다.
② (나) - 일부가 규장각 검서관에 기용되었다.
③ (다) - 골품에 따라 관직 승진의 제한을 받았다.
④ (가), (나), (다) - 매매, 상속, 증여의 대상이 되었다.

46-096 밑줄 그은 '국회'의 활동으로 적절하지 않은 것은? [3점]

① 제헌 헌법을 제정하였다.
② 반민족 행위 처벌법을 가결하였다.
③ 한·미 상호 방위 조약을 비준하였다.
④ 이승만을 초대 대통령으로 선출하였다.

47-097 (가)에 들어갈 내용으로 옳은 것은? [1점]

① 4·19 혁명
② 부·마 민주 항쟁
③ 6월 민주 항쟁
④ 5·18 민주화 운동

48-098 다음 뉴스가 보도된 정부 시기의 통일 노력으로 옳은 것은? [3점]

① 금강산 관광 사업을 시작하였다.
② 남북한이 유엔에 동시 가입하였다.
③ 7·4 남북 공동 성명을 발표하였다.
④ 최초로 남북 정상 회담을 개최하였다.

49-099 다음 연설이 있었던 정부 시기의 경제 상황으로 옳은 것은? [2점]

① 경부 고속 도로를 준공하였다.
② 3저 호황으로 수출이 증가하였다.
③ 제1차 경제 개발 5개년 계획을 추진하였다.
④ 경제 협력 개발 기구(OECD)에 가입하였다.

50-100 (가)~(다)에 대한 설명으로 옳은 것은? [3점]

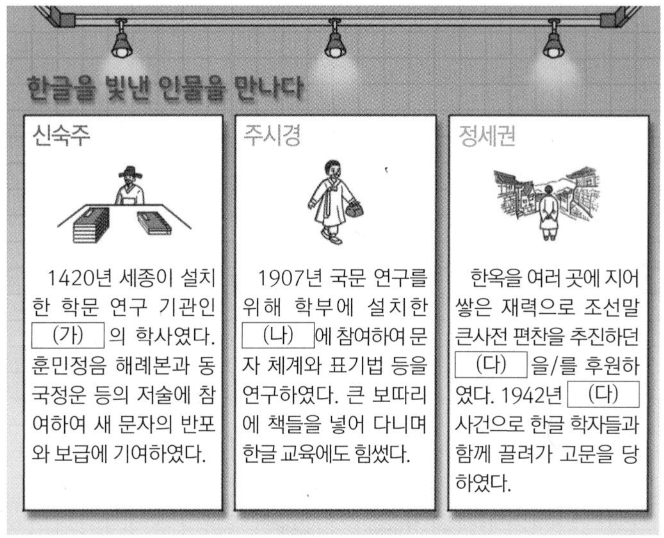

① (가) - 삼강행실도 언해본을 편찬하였다.
② (나) - 한글 신문인 독립신문을 간행하였다.
③ (다) - 한글 맞춤법 통일안을 제정하였다.
④ (가), (나), (다) - 창덕궁 후원에 설치되었다.

2023년도 제64회 한국사능력검정시험 문제지

1-101 (가) 시대의 생활 모습으로 옳은 것은? [1점]

① 우경이 널리 보급되었다.
② 철제 농기구를 사용하였다.
③ 주로 동굴이나 막집에서 살았다.
④ 지배층의 무덤으로 고인돌을 만들었다.

2-102 (가)에 들어갈 나라로 옳은 것은? [1점]

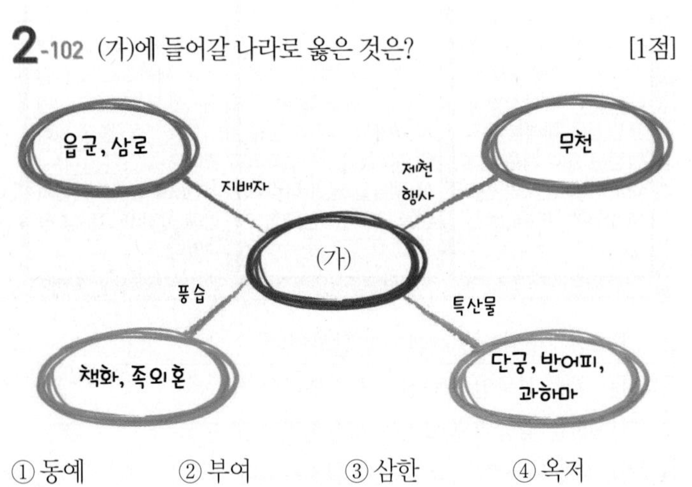

① 동예 ② 부여 ③ 삼한 ④ 옥저

3-103 (가)에 들어갈 내용으로 옳은 것은? [2점]

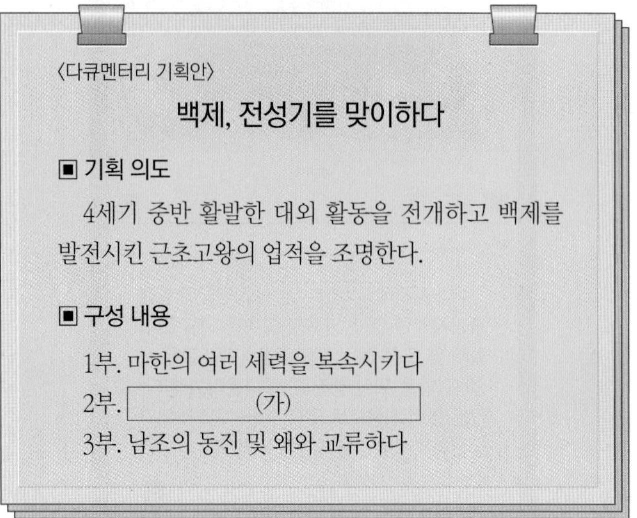

① 사비로 천도하다
② 22담로를 설치하다
③ 고국원왕을 전사시키다
④ 독서삼품과를 시행하다

4-104 (가) 시기에 있었던 사실로 옳은 것은? [2점]

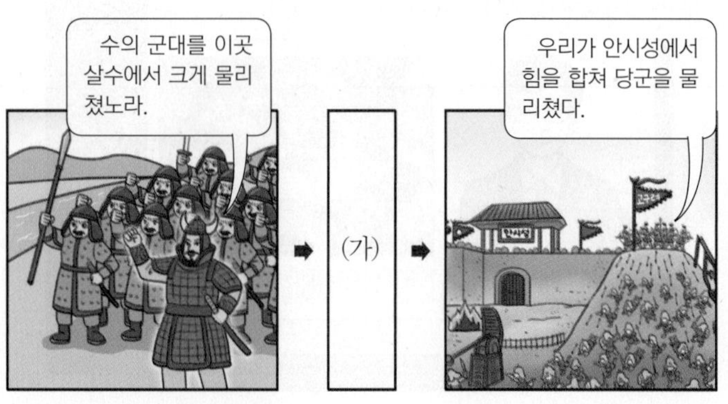

① 김흠돌이 반란을 도모하였다.
② 연개소문이 정변을 일으켰다.
③ 장문휴가 당의 산둥반도를 공격하였다.
④ 검모잠이 고구려 부흥 운동을 전개하였다.

제64회 한국사능력검정시험 (기본)

5-105 다음 퀴즈의 정답으로 옳은 것은? [1점]

① 골품 제도
② 기인 제도
③ 음서 제도
④ 상수리 제도

6-106 (가)에 들어갈 문화유산으로 옳은 것은? [1점]

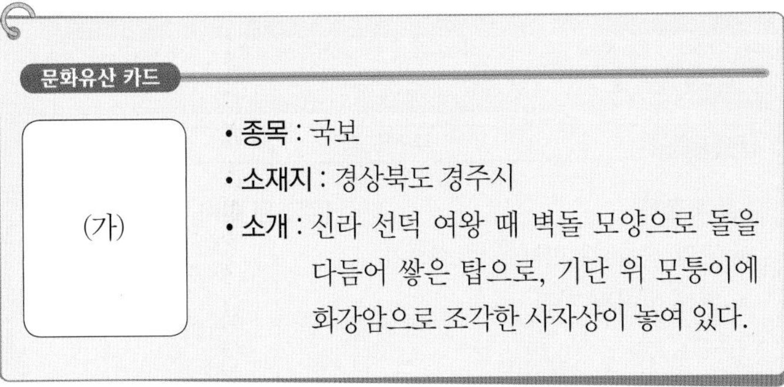

① 분황사 모전 석탑
② 정림사지 오층 석탑
③ 월정사 팔각 구층 석탑
④ 화엄사 사사자 삼층 석탑

7-107 다음 사건이 일어난 시기를 연표에서 옳게 고른 것은? [2점]

> 진성왕 3년, 나라 안의 모든 주와 군에서 공물과 부세를 보내지 않아 창고가 텅 비어 나라의 재정이 궁핍해졌다. 왕이 관리를 보내 독촉하니 곳곳에서 도적이 벌떼처럼 일어났다. 이때 원종과 애노 등이 사벌주를 거점으로 반란을 일으켰다. - "삼국사기" -

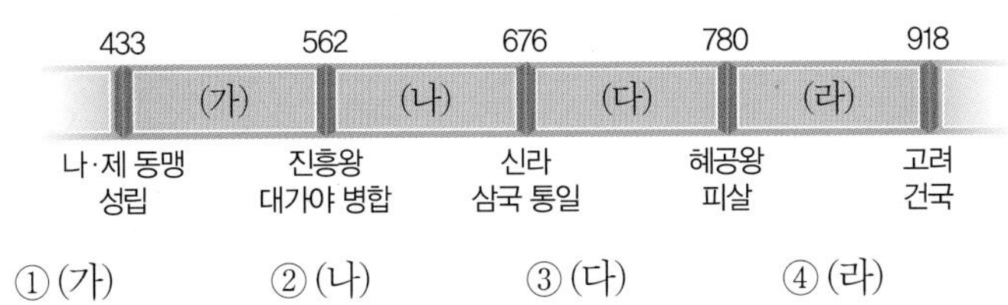

① (가) ② (나) ③ (다) ④ (라)

8-108 밑줄 그은 '인물'에 대한 설명으로 옳은 것은? [2점]

① 청해진을 설치하였다.
② 국호를 마진으로 하였다.
③ 경주의 사심관으로 임명되었다.
④ 공산 전투에서 고려에 승리하였다.

9-109 다음 자료에 해당하는 국가의 문화유산으로 옳은 것은? [2점]

> ㅇ 대조영은 마침내 그 무리를 거느리고 동쪽으로 가서 계루부의 옛 땅을 차지하고, 동모산에 웅거하여 성을 쌓고 살았다.
> ㅇ 대인수가 왕위에 올라 연호를 건흥으로 바꾸었다. …… 여러 차례 학생들을 유학 보내어 고금의 제도를 익히게 하니, 비로소 해동성국에 이르렀다.

① 영광탑 ② 금관총 금관 ③ 금동 대향로 ④ 판갑옷과 투구

10-110 (가)에 들어갈 내용으로 옳은 것은? [2점]

① 강화도로 천도했어요.
② 쌍성총관부를 수복했어요.
③ 지방에 12목을 설치했어요.
④ 과거제를 처음으로 시행했어요.

11-111 (가) 시기에 있었던 사실로 옳은 것은? [2점]

① 박위가 대마도를 정벌하였다.
② 윤관이 별무반 설치를 건의하였다.
③ 김윤후가 처인성 전투에서 승리하였다.
④ 김춘추가 당과의 군사 동맹을 성사시켰다.

12-112 (가)에 들어갈 화폐로 옳은 것은? [1점]

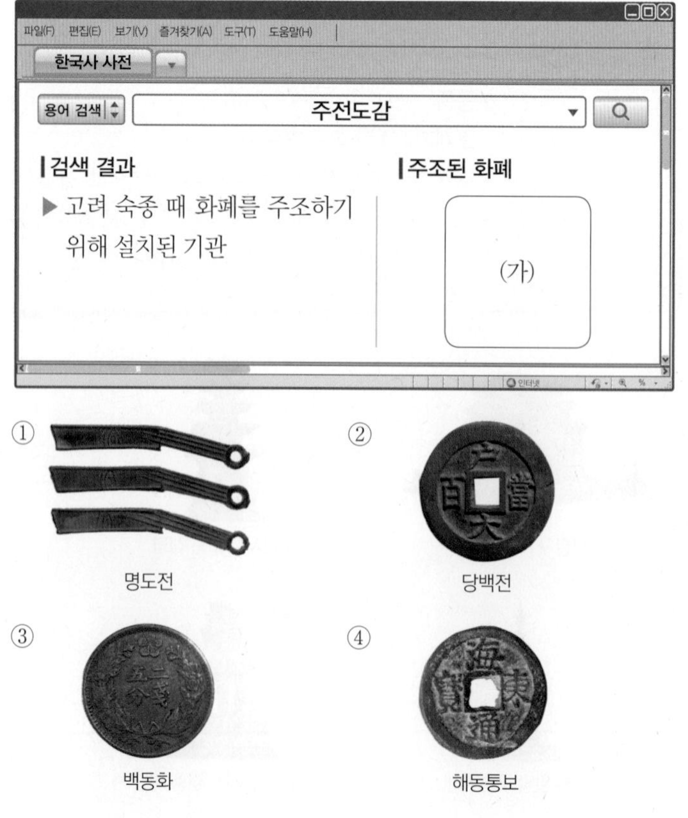

① 명도전 ② 당백전 ③ 백동화 ④ 해동통보

제64회 한국사능력검정시험 (기본)

13-113 (가)에 들어갈 문화유산으로 옳은 것은? [2점]

① 초조대장경 ② 직지심체요절
③ 팔만대장경판 ④ 무구정광대다라니경

14-114 (가) 시기에 볼 수 있는 장면으로 옳은 것은? [3점]

한국사 연표

1135 묘청의 난 — (가) — 1198 만적의 난

①

② 새로 제작한 화포로 진포에 침입한 왜구를 물리치자.
최무선

③

④

15-115 밑줄 그은 '이 왕'의 업적으로 옳은 것은? [2점]

① 흑창을 만들었다.
② 천리장성을 축조하였다.
③ 전민변정도감을 설치하였다.
④ 전시과를 처음으로 시행하였다.

16-116 밑줄 그은 '이 시기'에 볼 수 있는 모습으로 적절하지 않은 것은? [2점]

① 매를 조련시키는 응방 관리
② 원에 공녀로 끌려가는 여인
③ 황룡사 구층 목탑을 세우는 목공
④ 권문세족에게 땅을 빼앗기는 농민

17-117 (가) 인물에 대한 설명으로 옳은 것은? [3점]

① 강동 6주를 획득하였다.
② 비격진천뢰를 제작하였다.
③ 황산에서 왜구를 물리쳤다.
④ 매소성 전투를 승리로 이끌었다.

18-118 다음 가상 인터뷰에 등장하는 왕의 업적으로 옳은 것은? [2점]

① 비변사를 폐지하였다.
② 칠정산을 편찬하였다.
③ 동의보감을 간행하였다.
④ 백두산정계비를 건립하였다.

19-119 (가)에 들어갈 왕으로 옳은 것은? [1점]

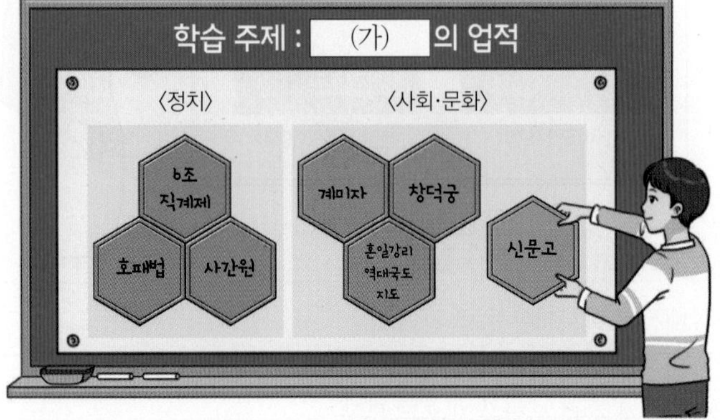

① 태종 ② 세조 ③ 중종 ④ 영조

20-120 밑줄 그은 '제도'로 옳은 것은? [2점]

① 균역법 ② 대동법 ③ 영정법 ④ 직전법

21-121 (가) 전쟁에 대한 설명으로 옳지 않은 것은? [3점]

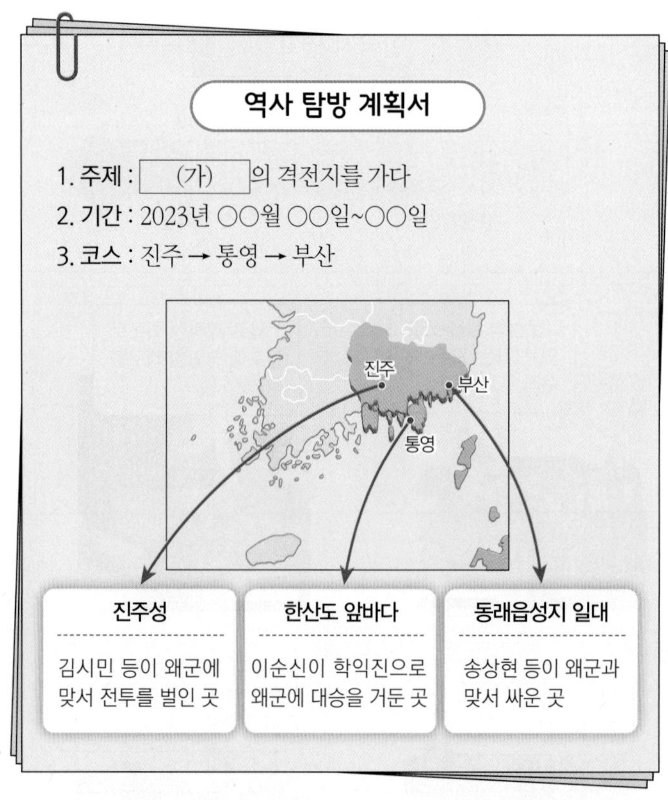

① 조헌이 금산에서 의병을 이끌었다.
② 임경업이 백마산성에서 항전하였다.
③ 곽재우가 의병을 일으켜 정암진에서 싸웠다.
④ 신립이 탄금대에서 배수의 진을 치고 전투를 벌였다.

제64회 한국사능력검정시험 (기본)

해설 BOOK 066~070쪽

22-122 (가)~(다) 학생이 발표한 내용을 일어난 순서대로 옳게 나열한 것은? [3점]

① (가) - (나) - (다)
② (가) - (다) - (나)
③ (나) - (가) - (다)
④ (다) - (나) - (가)

23-123 (가)에 해당하는 사건으로 옳은 것은? [2점]

① 경신환국
② 기해예송
③ 병인박해
④ 을사사화

24-124 다음 특별전에서 볼 수 있는 작품으로 옳은 것은? [2점]

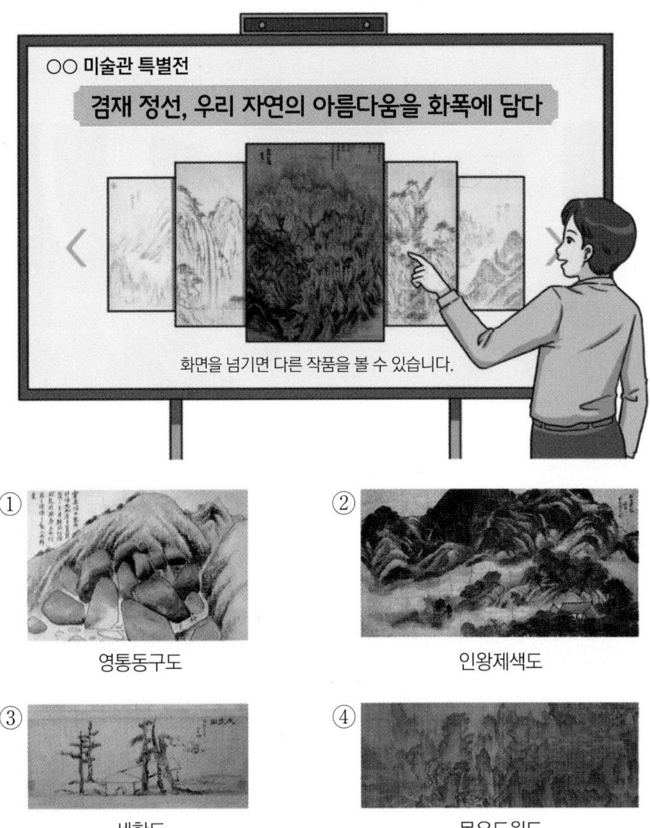

① 영통동구도
② 인왕제색도
③ 세한도
④ 몽유도원도

25-125 선생님의 질문에 대한 학생의 대답으로 옳지 않은 것은? [2점]

26-126 밑줄 그은 '이 왕'의 업적으로 옳은 것은? [2점]

① 경복궁을 중건하였다.
② 영선사를 파견하였다.
③ 장용영을 창설하였다.
④ 훈민정음을 창제하였다.

28-128 (가)에 들어갈 사건으로 옳은 것은? [1점]

역 사 신 문

제△△호 ○○○○년 ○○월 ○○일

일본과의 조약이 체결되다

무력시위하는 일본 군인들

작년 가을 강화도와 영종도 일대에서 (가) 을 일으킨 일본과의 회담이 최근 수차례 열렸다. 일본이 피해 보상과 조선의 개항을 일방적으로 요구하자, 조정에서는 이에 대한 찬반 논쟁 끝에 신헌을 파견하여 조·일 수호 조규를 체결하였다.

① 운요호 사건 ② 105인 사건
③ 제너럴 셔먼호 사건 ④ 오페르트 도굴 사건

27-127 밑줄 그은 '사건'에 대한 설명으로 옳은 것은? [2점]

정주성공함작전도(모사본)

① 보국안민, 제폭구민을 기치로 내걸었다.
② 한성 조약이 체결되는 결과를 가져왔다.
③ 서북 지역민에 대한 차별에 반발하여 일어났다.
④ 전개 과정에서 선혜청과 일본 공사관을 공격하였다.

29-129 밑줄 그은 '변란'으로 옳은 것은? [2점]

① 갑신정변 ② 신미양요
③ 임오군란 ④ 임술 농민 봉기

30-130 밑줄 그은 '나'에 대한 설명으로 옳은 것은? [2점]

① 중광단을 결성하였다.
② 독립 의군부를 조직하였다.
③ 동양 평화론을 집필하였다.
④ 시일야방성대곡을 발표하였다.

31-131 (가)에 해당하는 지역을 지도에서 옳게 찾은 것은? [2점]

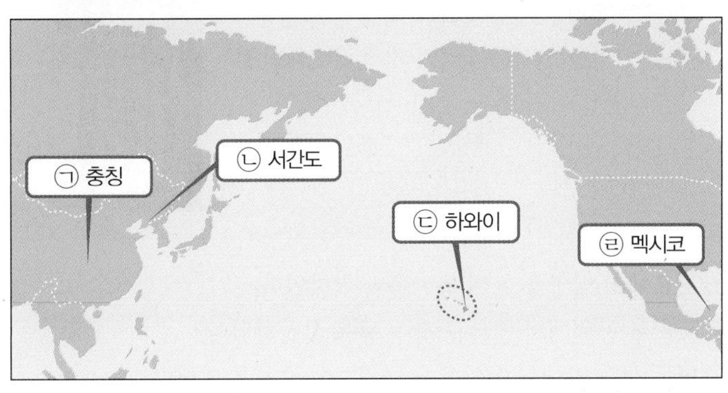

① ㉠ ② ㉡ ③ ㉢ ④ ㉣

32-132 다음 공고가 발표된 시기 일제의 정책으로 옳은 것은? [2점]

토지 조사 사무원 생도 모집

조선 총독부에서는 토지 조사 사업을 진행할 사무원 및 기술원 생도를 모집합니다.

▣ 모집 인원 : 150명
▣ 수업 기간 : 6개월 이내
▣ 담당 기관 : 임시 토지 조사국 사무원 양성과

① 농광 회사를 설립하였다.
② 조선 태형령을 시행하였다.
③ 산미 증식 계획을 실시하였다.
④ 화폐 정리 사업을 추진하였다.

33-133 (가)에 들어갈 인물로 옳은 것은? [2점]

① 김원봉 ② 나석주 ③ 신익희 ④ 양기탁

34-134 다음 상황 이후에 볼 수 있는 모습으로 가장 적절한 것은? [3점]

① 한성순보를 발간하는 직원
② 만민 공동회에서 연설하는 백정
③ 경부선 철도 개통식에 참석하는 관리
④ 동문학에서 영어를 공부하고 있는 학생

35-135 (가)에 들어갈 전투로 옳은 것은? [1점]

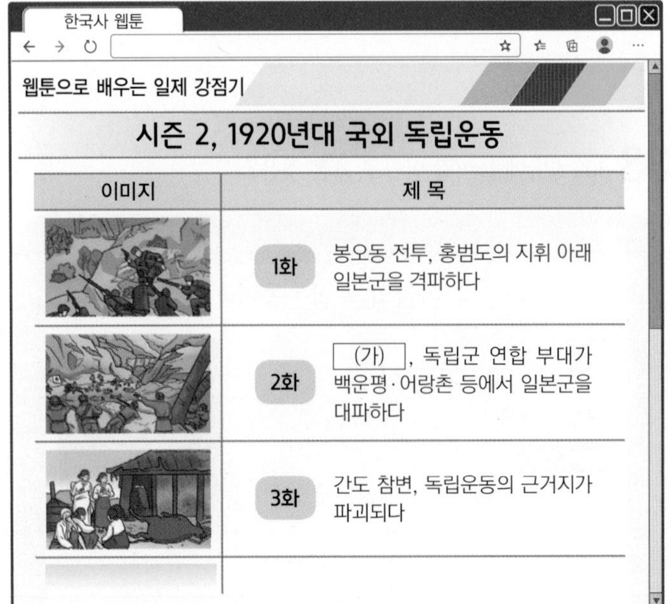

이미지	제 목
	1화 봉오동 전투, 홍범도의 지휘 아래 일본군을 격파하다
	2화 (가), 독립군 연합 부대가 백운평·어랑촌 등에서 일본군을 대파하다
	3화 간도 참변, 독립운동의 근거지가 파괴되다

① 영릉가 전투 ② 청산리 전투
③ 흥경성 전투 ④ 대전자령 전투

36-136 (가)의 활동으로 옳은 것은? [2점]

① 독립문을 건립하였다.
② 서전서숙을 설립하였다.
③ 대한국 국제를 반포하였다.
④ 한국 광복군을 창설하였다.

37-137 (가)에 들어갈 내용으로 옳은 것은? [2점]

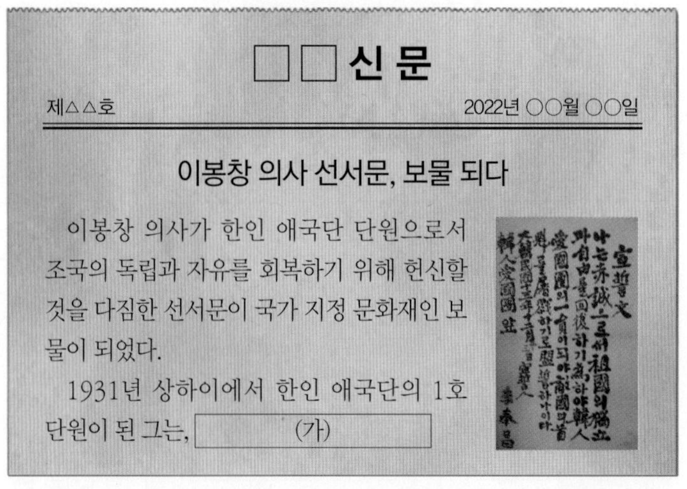

□□신문

제△△호 2022년 ○○월 ○○일

이봉창 의사 선서문, 보물 되다

이봉창 의사가 한인 애국단 단원으로서 조국의 독립과 자유를 회복하기 위해 헌신할 것을 다짐한 선서문이 국가 지정 문화재인 보물이 되었다.

1931년 상하이에서 한인 애국단의 1호 단원이 된 그는, (가)

① 도쿄에서 일왕을 향해 폭탄을 투척하였다.
② 훙커우 공원에서 일본군 장성 등을 살상하였다.
③ 명동 성당 앞에서 이완용을 습격하여 중상을 입혔다.
④ 샌프란시스코에서 친일 인사인 스티븐스를 사살하였다.

38-138 (가) 시기에 있었던 사실로 옳은 것은? [2점]

① 지계가 발급되었다.
② 척화비가 건립되었다.
③ 육영 공원이 설립되었다.
④ 군국기무처가 설치되었다.

39-139 밑줄 그은 '이 시기'에 볼 수 있는 모습으로 적절하지 않은 것은? [3점]

① 공출을 독려하는 애국반 반장
② 황국 신민 서사를 암송하는 학생
③ 국민 징용령에 의해 끌려가는 청년
④ 회사령을 공포하는 조선 총독부 관리

40-140 다음 퀴즈의 정답으로 옳은 것은? [1점]

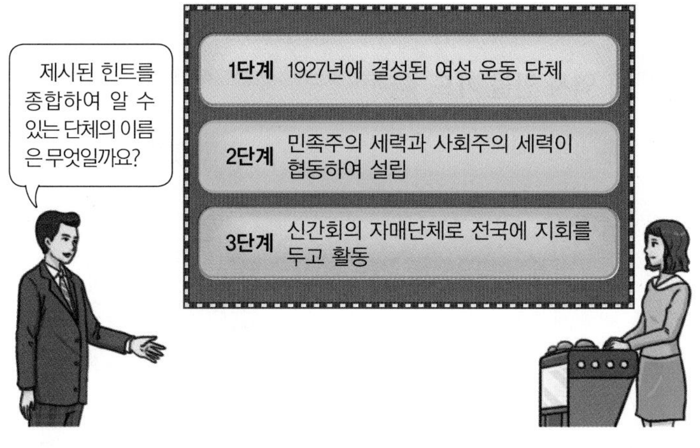

① 근우회
② 보안회
③ 송죽회
④ 색동회

41-141 밑줄 그은 '이 민주화 운동'에 대한 설명으로 옳은 것은? [3점]

① 유신 체제가 붕괴되는 계기가 되었다.
② 양원제 국회가 출현하는 결과를 가져왔다.
③ 박종철과 이한열 등의 희생으로 확산되었다.
④ 전개 과정에서 시민군이 자발적으로 조직되었다.

42-142 (가)에 들어갈 내용으로 옳은 것은? [3점]

① 대성 학교 설립
② 조선 혁명 선언 작성
③ 좌우 합작 위원회 결성
④ 한국독립운동지혈사 저술

43-143 (가) 전쟁 중에 있었던 사실로 옳지 않은 것은? [2점]

① 흥남 철수 전개
② 발췌 개헌안 통과
③ 인천 상륙 작전 개시
④ 반민족 행위 처벌법 제정

44-144 (가) 정부 시기에 있었던 사실로 옳은 것은? [2점]

① 농지 개혁법이 제정되었다.
② 경부 고속 도로를 준공하였다.
③ 금융 실명제를 전면 실시하였다.
④ 경제 협력 개발 기구(OECD)에 가입하였다.

45-145 밑줄 그은 '정부'의 통일 노력으로 옳은 것은? [2점]

① 남북 기본 합의서를 채택하였다.
② 남북한이 유엔에 동시 가입하였다.
③ 6·15 남북 공동 선언을 발표하였다.
④ 최초로 남북 간 이산가족 상봉을 성사시켰다.

46-146 밑줄 그은 '이 섬'에 대한 설명으로 옳은 것은? [1점]

① 정약전이 자산어보를 저술한 섬이다.
② 하멜 일행이 표류하다 도착한 섬이다.
③ 이종무가 왜구를 소탕하기 위해 정벌한 섬이다.
④ 안용복이 일본에 가서 우리 영토임을 확인받은 섬이다.

제64회 한국사능력검정시험 (기본)

47-147 (가) 문화유산으로 옳은 것은? [2점]

이 실감 콘텐츠는 정조와 혜경궁이 함께 수원 화성에 행차하는 장면을 구현한 것으로, 조선 시대 왕실이나 국가의 중대한 행사를 글과 그림으로 기록한 책인 (가) 을/를 바탕으로 제작되었어요.

혜경궁 정조

① 의궤 ② 경국대전
③ 삼강행실도 ④ 조선왕조실록

48-148 (가)에 들어갈 지역으로 옳은 것은? [2점]

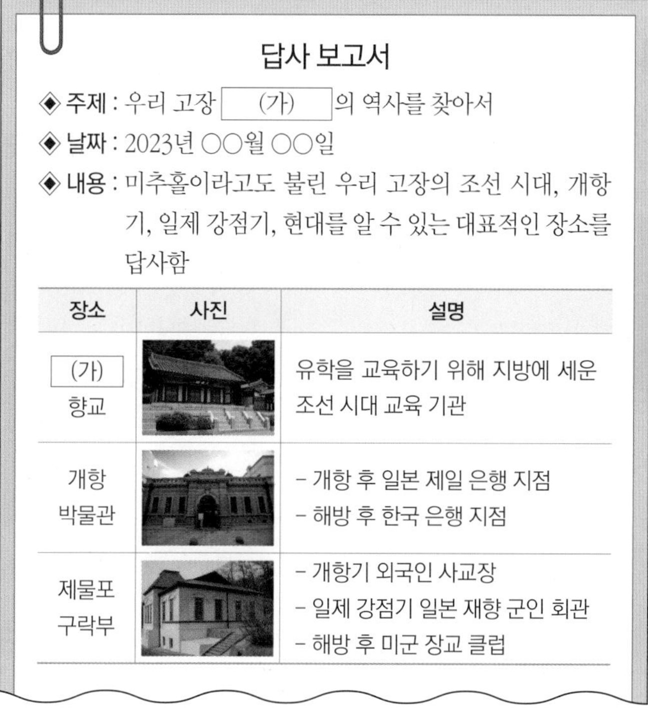

답사 보고서

◈ **주제** : 우리 고장 (가) 의 역사를 찾아서
◈ **날짜** : 2023년 ○○월 ○○일
◈ **내용** : 미추홀이라고도 불린 우리 고장의 조선 시대, 개항기, 일제 강점기, 현대를 알 수 있는 대표적인 장소를 답사함

장소	사진	설명
(가) 향교		유학을 교육하기 위해 지방에 세운 조선 시대 교육 기관
개항 박물관		- 개항 후 일본 제일 은행 지점 - 해방 후 한국 은행 지점
제물포 구락부		- 개항기 외국인 사교장 - 일제 강점기 일본 재향 군인 회관 - 해방 후 미군 장교 클럽

① 군산 ② 마산 ③ 목포 ④ 인천

49-149 (가)~(라)에 들어갈 내용으로 옳은 것은? [3점]

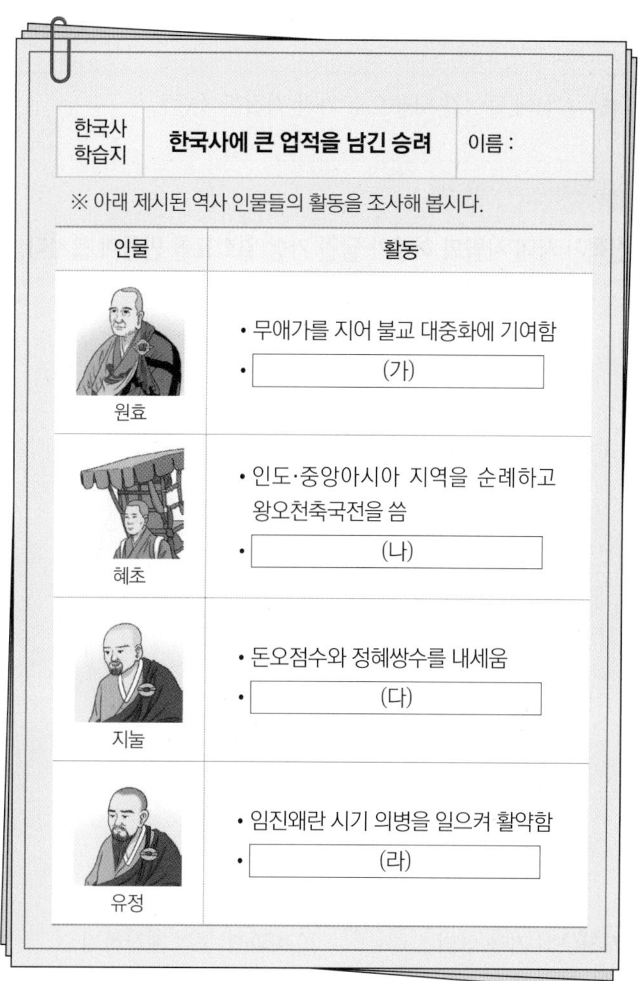

한국사 학습지	한국사에 큰 업적을 남긴 승려	이름 :

※ 아래 제시된 역사 인물들의 활동을 조사해 봅시다.

인물	활동
원효	• 무애가를 지어 불교 대중화에 기여함 • (가)
혜초	• 인도·중앙아시아 지역을 순례하고 왕오천축국전을 씀 • (나)
지눌	• 돈오점수와 정혜쌍수를 내세움 • (다)
유정	• 임진왜란 시기 의병을 일으켜 활약함 • (라)

① (가) - 십문화쟁론을 저술함
② (나) - 해동 천태종을 창시함
③ (다) - 세속 5계를 지음
④ (라) - 수선사 결사를 제창함

50-150 (가)~(다)를 설립한 순서대로 옳게 나열한 것은? [3점]

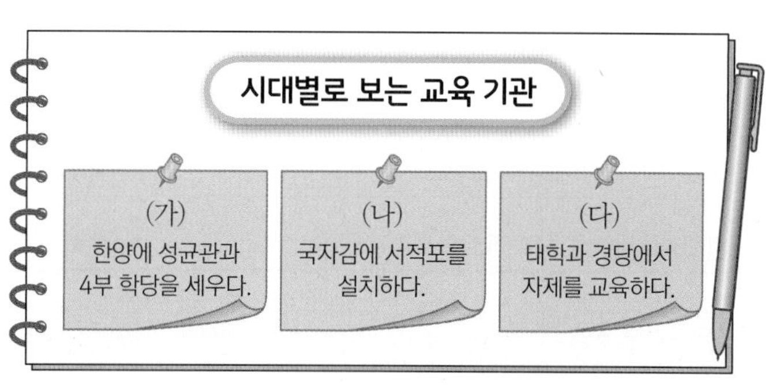

시대별로 보는 교육 기관

(가) 한양에 성균관과 4부 학당을 세우다.

(나) 국자감에 서적포를 설치하다.

(다) 태학과 경당에서 자제를 교육하다.

① (가) - (나) - (다) ② (가) - (다) - (나)
③ (나) - (가) - (다) ④ (다) - (나) - (가)

2023년도 제63회 한국사능력검정시험 문제지

1-151 (가)에 들어갈 내용으로 가장 적절한 것은? [1점]

① 거친무늬 거울 닦기 ② 비파형 동검 제작하기
③ 빗살무늬 토기 만들기 ④ 철제 농기구로 밭 갈기

2-152 (가) 나라에 대한 설명으로 옳은 것은? [2점]

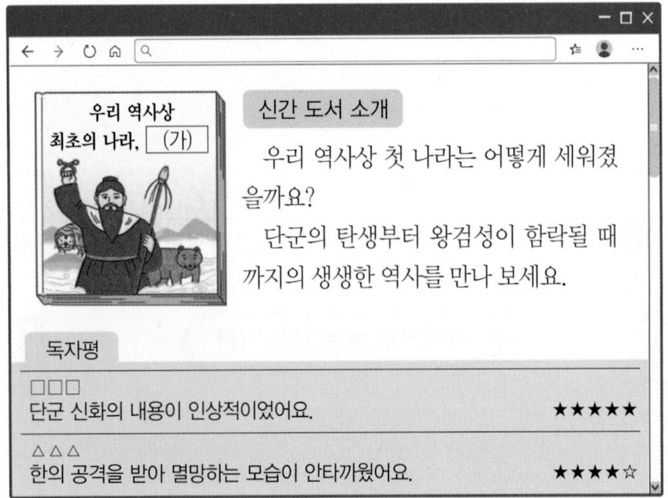

① 범금 8조가 있었다.
② 책화라는 풍습이 있었다.
③ 낙랑군과 왜에 철을 수출하였다.
④ 제가 회의에서 나라의 중요한 일을 결정하였다.

3-153 다음 가상 인터뷰의 주인공으로 옳은 것은? [2점]

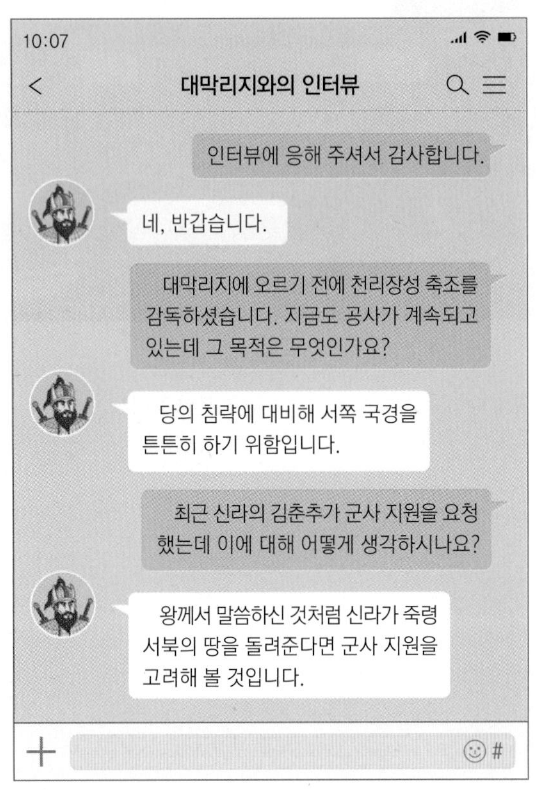

① 김유신 ② 장보고 ③ 연개소문 ④ 흑치상지

4-154 밑줄 그은 '이 국가'에 대한 설명으로 옳은 것은? [2점]

① 진대법을 실시하였다.
② 영고라는 제천 행사를 열었다.
③ 화백 회의라 불리는 합의 기구가 있었다.
④ 왕족인 부여씨와 8성의 귀족이 지배층을 이루었다.

5-155 (가)에 들어갈 문화유산으로 옳은 것은? [1점]

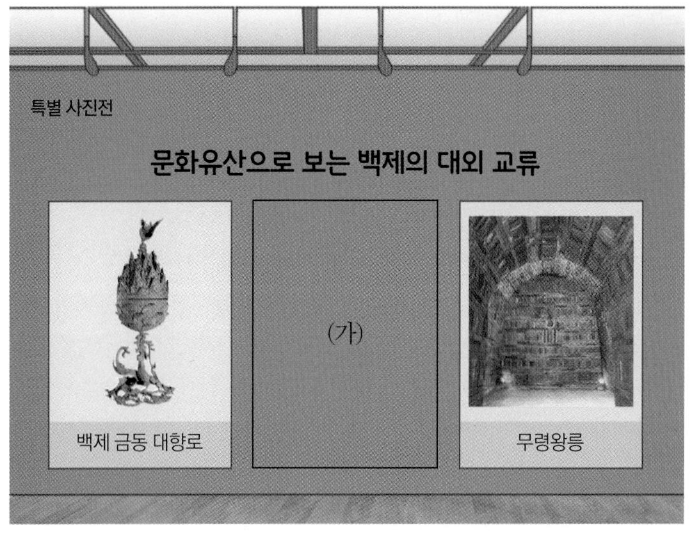

①

칠지도

②
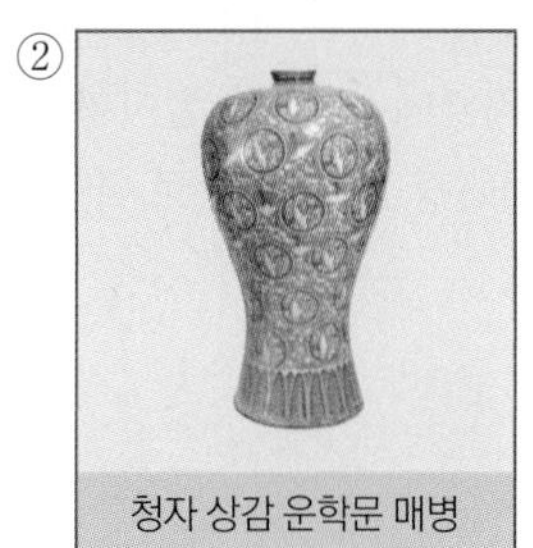
청자 상감 운학문 매병

③

천마총 장니 천마도

④

호우총 청동 그릇

6-156 (가) 국가에 대한 설명으로 옳은 것은? [2점]

이 사료의 대무예는 (가) 의 무왕으로, 대조영의 아들입니다. 그는 장문휴에게 명령하여 당의 등주를 공격하는 등 대당 강경책을 펼쳤습니다.

대무예가 대장 장문휴를 보내 수군을 거느리고 등주를 공격하게 하였다. 당 현종은 급히 대문예에게 유주의 군사를 거느리고 반격하게 하였다.

① 마한의 소국 중 하나였다.
② 상수리 제도를 실시하였다.
③ 전성기에 해동성국이라 불렸다.
④ 광덕, 준풍 등의 연호를 사용하였다.

7-157 다음 퀴즈의 정답으로 옳은 것은? [2점]

①

②

③

④

8-158 (가) 국가의 경제 상황으로 옳은 것은? [3점]

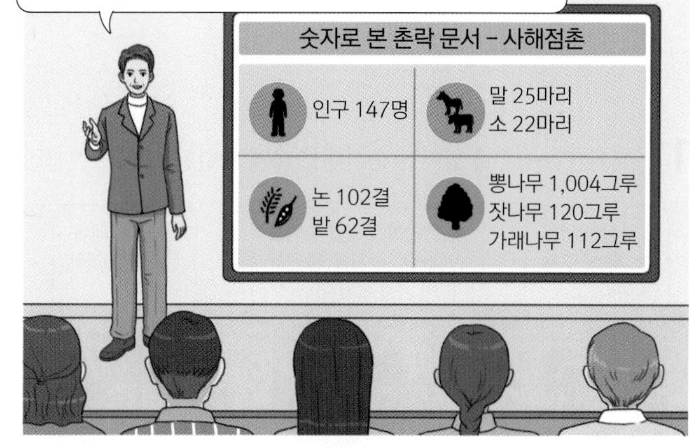

① 활구라고 불리는 은병이 유통되었다.
② 고추, 담배 등이 상품 작물로 재배되었다.
③ 관청에 물품을 조달하는 공인이 활동하였다.
④ 시장을 감독하기 위한 기구로 동시전이 설치되었다.

9-159 밑줄 그은 '이 인물'로 옳은 것은? [1점]

① 강수 ② 설총 ③ 김부식 ④ 최치원

10-160 (가) 왕에 대한 설명으로 옳은 것은? [2점]

① 집현전을 설치하였다.
② 기인 제도를 실시하였다.
③ 나선 정벌을 단행하였다.
④ 노비안검법을 시행하였다.

11-161 (가)~(다)를 일어난 순서대로 옳게 나열한 것은? [3점]

(가) (나) (다)

① (가) - (나) - (다) ② (나) - (가) - (다)
③ (나) - (다) - (가) ④ (다) - (나) - (가)

12-162 다음 사건이 있었던 국가의 지방 통치에 대한 설명으로 옳은 것은? [2점]

> **역사 신문**
>
> 제△△호 ○○○○년 ○○월 ○○일
>
> **공주 명학소, 충순현으로 승격**
>
> 공주 명학소 사람 망이·망소이가 무리를 불러 모아 난을 일으켜 공주를 함락하였다. 이에 정부는 명학소를 충순현으로 승격하는 조치를 취했다. 이는 소의 주민으로서 그들이 겪어야 했던 차별이 철폐됨을 의미하는 것으로, 정부의 이번 조치가 해결책이 될 수 있을지 결과가 주목된다.

① 지방에 22담로를 두었다.
② 양계에 병마사를 파견하였다.
③ 주요 지역에 5소경을 설치하였다.
④ 전국을 5경 15부 62주로 나누었다.

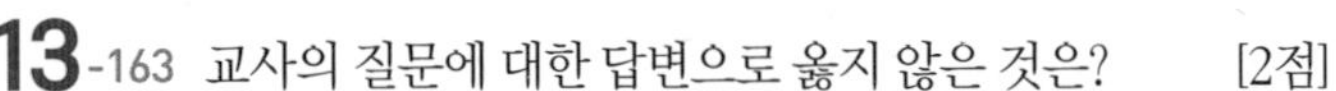

13-163 교사의 질문에 대한 답변으로 옳지 않은 것은? [2점]

14-164 밑줄 그은 '시기'에 있었던 사실로 옳은 것은? [2점]

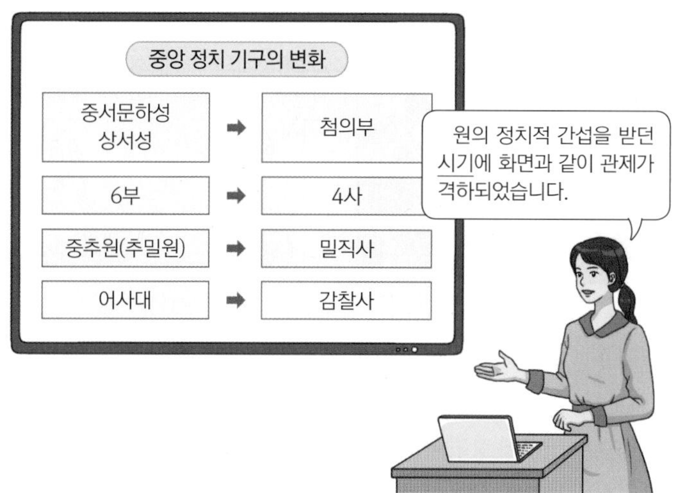

① 별무반이 편성되었다.
② 정동행성이 설치되었다.
③ 6조 직계제가 실시되었다.
④ 김흠돌의 난이 진압되었다.

15-165 (가) 왕의 업적으로 옳은 것은? [2점]

① 사비로 천도하였다.
② 북한산 순수비를 세웠다.
③ 독서삼품과를 실시하였다.
④ 전민변정도감을 설치하였다.

16-166 (가)에 들어갈 문화유산으로 가장 적절한 것은? [2점]

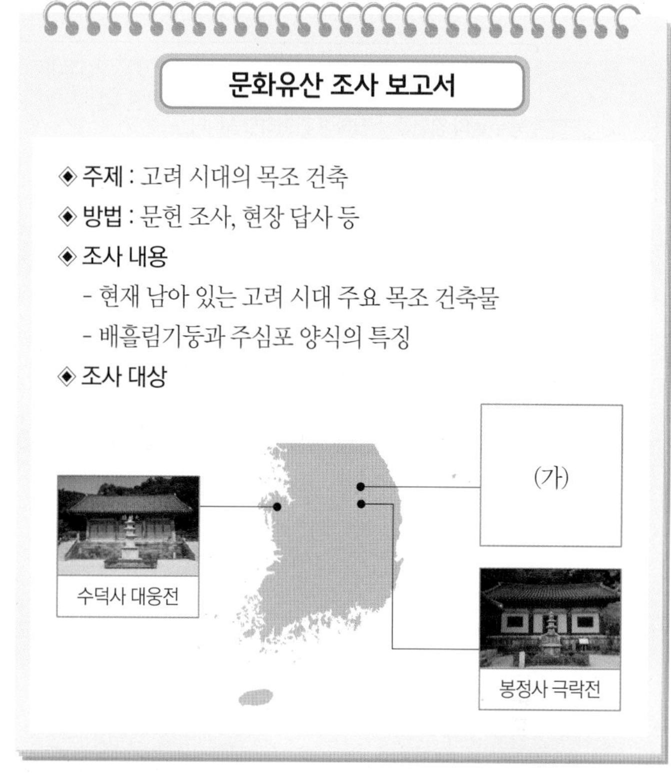

① 종묘 정전

② 경복궁 근정전

③ 
법주사 팔상전

④ 
부석사 무량수전

17-167 다음 건의를 받아들여 제정한 법으로 옳은 것은? [3점]

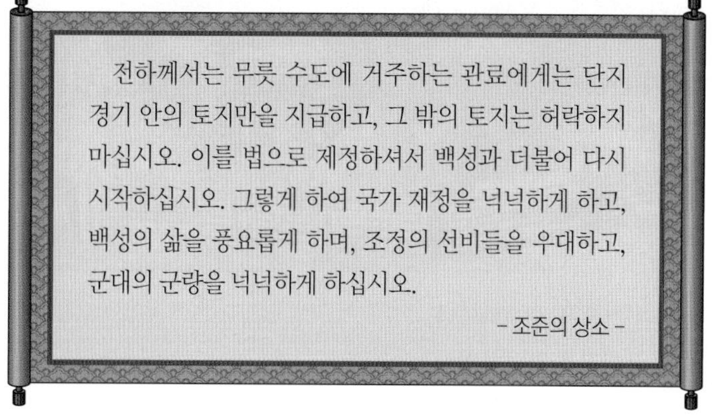

전하께서는 무릇 수도에 거주하는 관료에게는 단지 경기 안의 토지만을 지급하고, 그 밖의 토지는 허락하지 마십시오. 이를 법으로 제정하셔서 백성과 더불어 다시 시작하십시오. 그렇게 하여 국가 재정을 넉넉하게 하고, 백성의 삶을 풍요롭게 하며, 조정의 선비들을 우대하고, 군대의 군량을 넉넉하게 하십시오.

- 조준의 상소 -

① 과전법 ② 대동법 ③ 영정법 ④ 호패법

제63회 한국사능력검정시험 (기본)

18-168 밑줄 그은 '왕'의 재위 시기에 있었던 사실로 옳은 것은? [2점]

이 책은 정초, 변효문 등이 왕의 명을 받아 편찬한 농서입니다. 우리 풍토에 맞는 농법을 보급하기 위해 각 지역에 있는 노련한 농부들의 경험을 수집하여 간행하였습니다.

농사직설

① 자격루가 제작되었다.
② 화통도감이 설치되었다.
③ 삼국유사가 저술되었다.
④ 백두산정계비가 건립되었다.

19-169 밑줄 그은 '왕'에 대한 설명으로 옳은 것은? [2점]

① 훈민정음을 창제하였다.
② 경국대전을 완성하였다.
③ 초계문신제를 시행하였다.
④ 위화도 회군을 단행하였다.

20-170 (가), (나) 사이의 시기에 있었던 사실로 옳은 것은? [3점]

① 김옥균 등이 갑신정변을 일으켰다.
② 사림이 동인과 서인으로 나뉘었다.
③ 성균관 입구에 탕평비가 건립되었다.
④ 왕자의 난으로 정도전 등이 피살되었다.

21-171 (가)에 들어갈 내용으로 옳은 것은? [1점]

한국사 탐구 계획서

■ **주제** : 외세의 침략을 물리친 전투
■ **목적** : 우리 역사 속에서 외세의 침략에 맞서 승리한 전투를 시대별로 살펴보고, 그 역사적 의미와 교훈을 되새겨 본다.
■ **방법** : 문헌 조사, 인터넷 검색 등
■ **시대별 탐구 내용**

시대	탐구 내용
삼국 시대	을지문덕의 지략으로 수의 침략을 물리친 살수 대첩
고려 시대	강감찬의 지휘로 거란의 대군을 섬멸한 (가)
조선 시대	이순신이 학익진으로 왜군을 격퇴한 한산도 대첩

① 귀주 대첩 ② 진포 대첩 ③ 행주 대첩 ④ 황산 대첩

제63회 한국사능력검정시험 (기본)

22-172 다음 대화에 나타난 시기의 경제 상황으로 옳은 것은? [2점]

① 상평통보가 유통되었다.
② 전시과 제도가 실시되었다.
③ 벽란도가 국제 무역항으로 번성하였다.
④ 팔관회의 경비 마련을 위해 팔관보가 설치되었다.

23-173 (가)에 들어갈 인물로 옳은 것은? [1점]

① 서희 ② 이황 ③ 박제가 ④ 정몽주

24-174 다음 상황 이후에 전개된 사실로 옳은 것은? [2점]

> 남한산성을 나와 삼전도에 도착한 왕께서 청 황제 앞에 나아가 항복의 예를 행하였다. 예를 마치고 해 질 무렵이 되자 청 황제가 왕에게 도성으로 돌아가도록 허락하였다. 포로로 사로잡힌 이들이 도성으로 돌아가는 왕을 보고 "우리 임금이시여, 우리 임금이시여. 우리를 버리고 가십니까."라며 울부짖는데, 그 수가 만 명을 헤아렸다.

① 북벌이 추진되었다.
② 강화도로 천도하였다.
③ 쓰시마섬을 정벌하였다.
④ 최씨 무신 정권이 붕괴하였다.

25-175 (가)에 들어갈 부대로 옳은 것은? [2점]

> 월간 여행과 역사
>
> 특집 **네덜란드에서 만난 조선의 무관, 박연**
>
> 
>
> 네덜란드 알크마르에 세워진 이 동상의 주인공은 벨테브레이로, 조선에 정착하여 박연이라는 이름으로 살았다. 네덜란드 출신이었던 그는 조선 연안에 표류한 후 서울로 압송되었고, 이후 (가) 에 소속되어 서양의 화포 기술을 전수하였다. 임진왜란 중 설치된 (가) 은/는 포수, 사수, 살수의 삼수병으로 구성되었다.

① 9서당 ② 별기군 ③ 삼별초 ④ 훈련도감

26-176 밑줄 그은 '시기'의 사실로 옳은 것은? [3점]

> **문학으로 만나는 한국사**
>
> 구만 리 긴 하늘에도 머리 들기 어렵고
> 삼천리 넓은 땅에서도 발을 펴기 어렵도다.
> 늦은 밤 누대에 오르니 달을 감상하고자 함이 아니요
> 삼 일 동안 곡기를 끊었으니 신선이 되기 위함이 아니로다.
>
> [해설] 김삿갓으로 널리 알려진 김병연은 안동 김씨 등 소수 외척 가문이 중심이 되어 권력을 독점하던 <u>시기</u>에 전국을 방랑하며 많은 시를 남겼다. 그는 안동 김씨였으나 할아버지가 반역죄로 처형당했기에 관직에 진출하지 못하였다. 김병연이 지은 것으로 전해지는 위 시에는 그의 이러한 처지가 잘 나타나 있다.

① 최승로가 시무 28조를 올렸다.
② 수양 대군이 계유정난을 일으켰다.
③ 지방 세력 통제를 위해 사심관 제도가 실시되었다.
④ 삼정의 문란을 바로잡기 위해 삼정이정청이 설치되었다.

27-177 밑줄 그은 '이 인물'에 대한 설명으로 옳은 것은? [2점]

① 추사체를 창안하였다.
② 지전설을 주장하였다.
③ 사상 의학을 정립하였다.
④ 대동여지도를 제작하였다.

28-178 (가)에 들어갈 문화유산으로 옳은 것은? [1점]

△학년 △반 이름 : ○○○

■ 주제 : (가) 의 축조와 복원

(가) 은 정조의 명에 의해 축조된 성으로, 거중기 등을 이용하여 공사 기간과 경비를 줄일 수 있었다. 일제 강점기와 6·25 전쟁을 거치면서 일부 훼손되었지만, 의궤의 기록을 바탕으로 원형에 가깝게 복원되었다. 아래의 사진과 그림은 이 성의 일부인 남포루가 엄밀한 고증을 거쳐 복원되었음을 보여 준다.

훼손된 모습

의궤에 묘사된 포루

복원 후 모습

① 공산성 ② 전주성 ③ 수원 화성 ④ 한양 도성

29-179 (가)에 들어갈 내용으로 가장 적절한 것은? [2점]

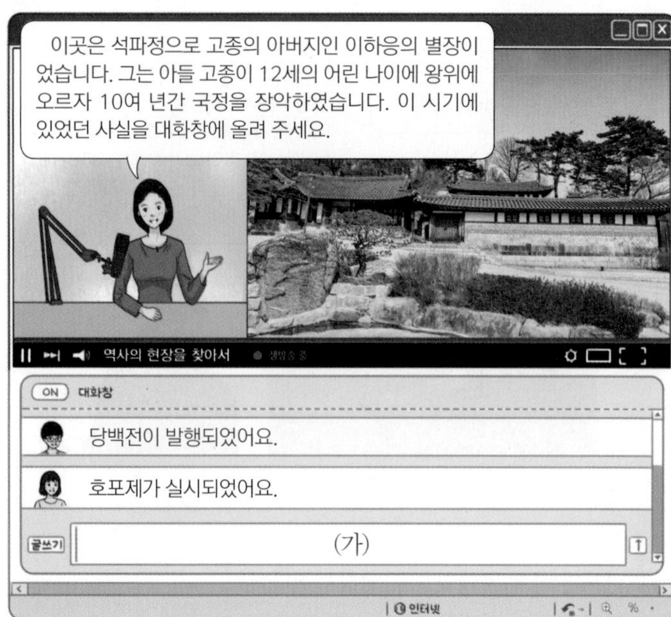

① 녹읍이 폐지되었어요.
② 장용영이 설치되었어요.
③ 척화비가 건립되었어요.
④ 요동 정벌이 추진되었어요.

30-180 (가)~(다)를 일어난 순서대로 옳게 나열한 것은? [3점]

① (가) - (나) - (다) ② (나) - (가) - (다)
③ (나) - (다) - (가) ④ (다) - (나) - (가)

제63회 한국사능력검정시험 (기본)

해설 BOOK 097~100쪽

31 -181 밑줄 그은 '조약'에 대한 설명으로 옳은 것은? [3점]

① 최혜국 대우가 규정되어 있다.
② 통감부가 설치되는 결과를 가져왔다.
③ 부산, 원산, 인천을 개항하는 배경이 되었다.
④ 일본 공사관에 경비병이 주둔하는 계기가 되었다.

32 -182 (가)에 들어갈 내용으로 옳은 것은? [2점]

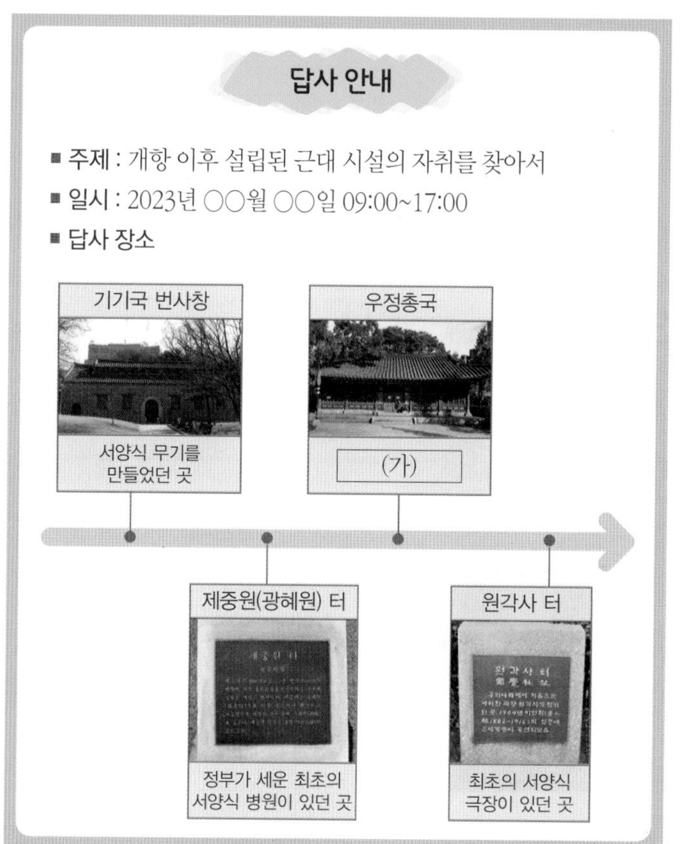

① 나운규의 아리랑이 개봉되었던 곳
② 근대적 우편 업무를 담당하였던 곳
③ 순 한문 신문인 한성순보가 발간되었던 곳
④ 헐버트를 교사로 초빙해 근대 학문을 가르쳤던 곳

33 -183 (가)에 들어갈 기구로 옳은 것은? [2점]

① 비변사
② 원수부
③ 홍문관
④ 군국기무처

34 -184 밑줄 그은 '이 신문'에 대한 설명으로 옳은 것은? [2점]

① 천도교의 기관지였다.
② 박문국에서 발간하였다.
③ 한글판과 영문판으로 발행되었다.
④ 시일야방성대곡이라는 논설을 실었다.

35-185 다음 가상 뉴스가 보도된 이후에 전개된 사실로 옳은 것은? [2점]

① 외규장각 도서가 약탈되었다.
② 김윤식이 영선사로 파견되었다.
③ 제너럴 셔먼호 사건이 발생하였다.
④ 고종이 러시아 공사관으로 피신하였다.

36-186 (가)에 들어갈 단체로 옳은 것은? [1점]

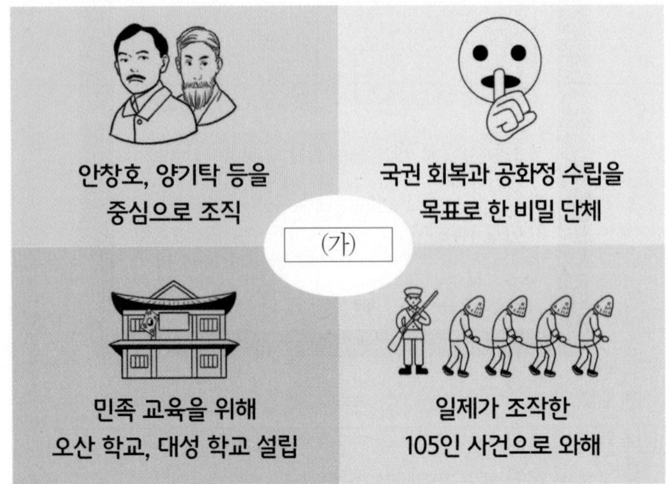

① 근우회 ② 보안회 ③ 신민회 ④ 조선어 학회

37-187 (가)에 들어갈 인물로 옳은 것은? [2점]

① 김구 ② 강우규 ③ 윤봉길 ④ 이승만

38-188 다음 인물에 대한 설명으로 옳은 것은? [3점]

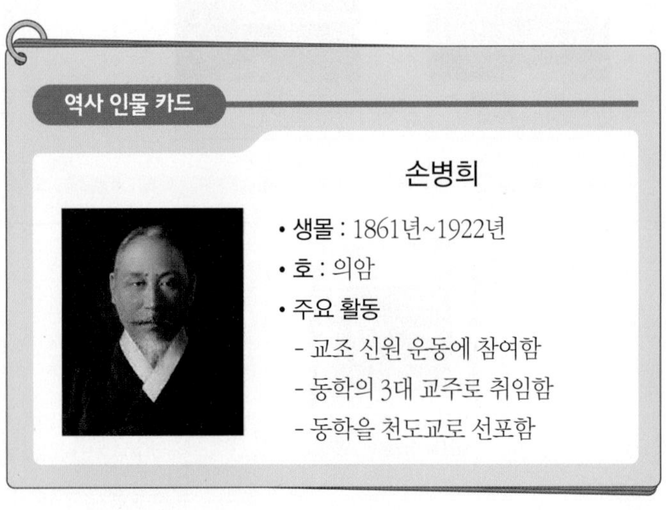

① 청산리 전투를 승리로 이끌었다.
② 하얼빈에서 이토 히로부미를 처단하였다.
③ 헤이그 만국 평화 회의에 특사로 파견되었다.
④ 민족 대표 33인 중 한 명으로 독립 선언에 참여하였다.

39-189 (가)에 들어갈 민족 운동으로 옳은 것은? [1점]

검색 결과입니다.

1920년대 초반 실력 양성 운동의 일환으로 이상재, 이승훈 등이 고등 교육 기관을 설립하기 위해 전개한 운동입니다.

1년 내 1천만 원 조성을 목표로 모금 활동을 추진하였으나, 조선 총독부의 방해와 자연재해 등으로 성과를 거두지 못하였습니다.

① 6·10 만세 운동 ② 물산 장려 운동
③ 광주 학생 항일 운동 ④ 민립 대학 설립 운동

40-190 (가)에 해당하는 인물로 옳은 것은? [2점]

신문으로 보는 일제 강점기 노동 운동

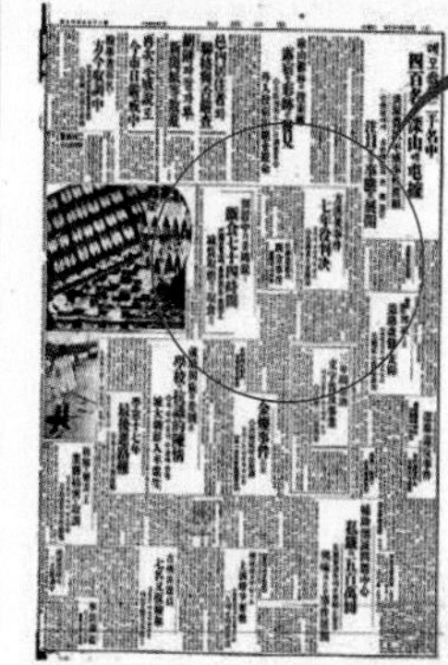

내용 살펴보기

평양 을밀대 지붕 위에 올라갔다가 평양 경찰서에 검속되어 있는 평원 고무 공장 파업 여공 (가) 이 31일 밤까지 단식을 계속하고 있다. ……그는 평원 고무 공장이 임금 삭감을 취소하지 않으면 먹지 않겠다고 버티는 중이다.

①

강주룡

②
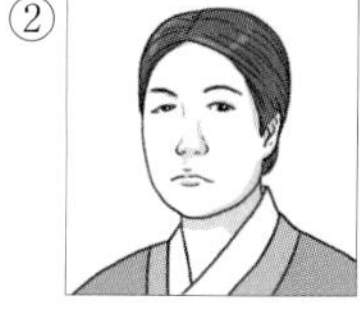
남자현

③

유관순

④
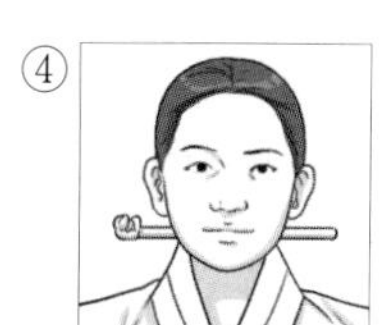
윤희순

41-191 (가)에 들어갈 무장 투쟁 단체로 옳은 것은? [3점]

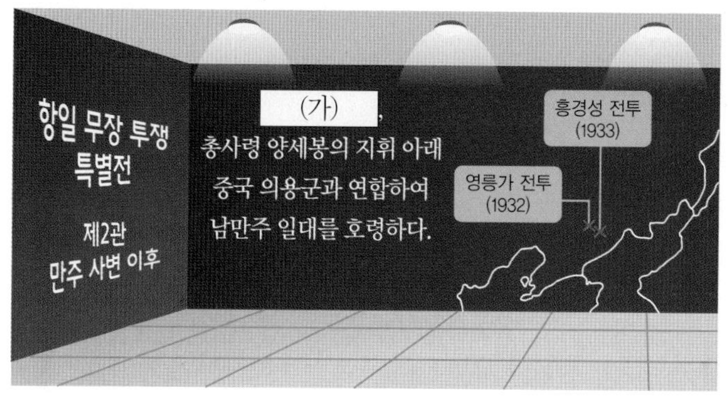

① 의열단 ② 북로 군정서
③ 조선 혁명군 ④ 한국 광복군

42-192 밑줄 그은 '시기'에 볼 수 있는 모습으로 가장 적절한 것은? [2점]

① 원산 총파업에 참여하는 노동자
② 만민 공동회에서 연설하는 백정
③ 황국 신민 서사를 암송하는 학생
④ 조선 태형령을 관보에 싣는 관리

43-193 (가)에 들어갈 단체로 옳은 것은? [2점]

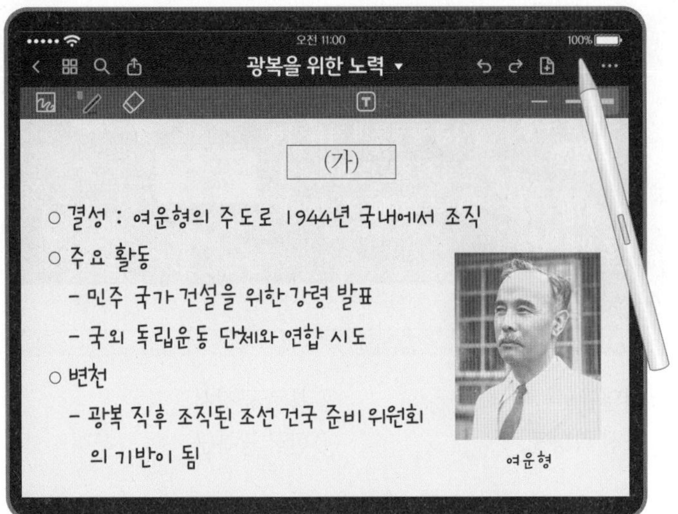

① 독립 의군부　　② 민족 혁명당
③ 조선 의용대　　④ 조선 건국 동맹

44-194 밑줄 그은 '국회'에 대한 설명으로 옳은 것은? [3점]

① 3선 개헌안을 통과시켰다.
② 농지 개혁법을 제정하였다.
③ 5·16 군사 정변으로 해산되었다.
④ 국회 의원의 3분의 1을 대통령이 추천하였다.

45-195 밑줄 그은 '정부' 시기에 볼 수 있는 사회 모습으로 가장 적절한 것은? [2점]

긴급 조치 9호로 피해를 당한 국민과 그 가족에 대해 국가의 배상 책임이 있다는 대법원 판결이 나왔습니다. 긴급 조치 9호에는 정부가 선포한 유신 헌법을 부정하거나 반대 또는 비방하는 행위 등을 금지하고, 위반할 경우 영장 없이 체포·구속해 1년 이상의 징역에 처한다는 내용이 담겨 있습니다.

당시 대한뉴스 화면

헌법 부정행위 금지

대법원 "긴급 조치 9호로 인한 피해, 국가가 배상해야"

① 부·마 민주 항쟁에 참여하는 학생
② 서울 올림픽 대회 개막식을 관람하는 시민
③ 금융 실명제 시행 속보를 시청하는 회사원
④ 반민족 행위 특별 조사 위원회에 체포되는 친일 행위자

46-196 (가) 정부 시기의 경제 상황으로 옳은 것은? [2점]

2023년 △△월 △△일　　○○ 신문

정치　경제　사회　문화　스포츠

스포츠〉축구

프로 축구 출범 40주년 맞아

프로 축구가 올해로 출범 40주년을 맞게 된다. '슈퍼 리그'라는 이름 아래 다섯 팀으로 시작하였던 프로 축구는 현재 팀 수가 크게 늘어나 승강제가 시행될 정도로 규모가 확대되었다.

슈퍼 리그 개막 행사

5·18 민주화 운동이 진압된 이후 집권한 (가) 정부는 프로 야구 출범 이듬해인 1983년에 프로 축구를 출범시켰다. 이로써 프로 스포츠 시대가 본격화하였지만, 정치에 대한 국민의 관심을 돌리기 위한 조치였다는 비판을 받기도 한다.

① 제1차 경제 개발 5개년 계획이 수립되었다.
② 경제 협력 개발 기구(OECD)에 가입하였다.
③ 저금리·저유가·저달러의 3저 호황이 있었다.
④ 미국과의 자유 무역 협정(FTA)이 체결되었다.

제63회 한국사능력검정시험 (기본)

47-197 학생들이 공통으로 이야기하는 인물로 옳은 것은? [2점]

① 김대중 ② 김영삼 ③ 윤보선 ④ 최규하

48-198 (가)에 들어갈 명절로 옳은 것은? [1점]

① 단오 ② 동지
③ 한식 ④ 정월 대보름

49-199 (가)에 들어갈 섬으로 옳은 것은? [1점]

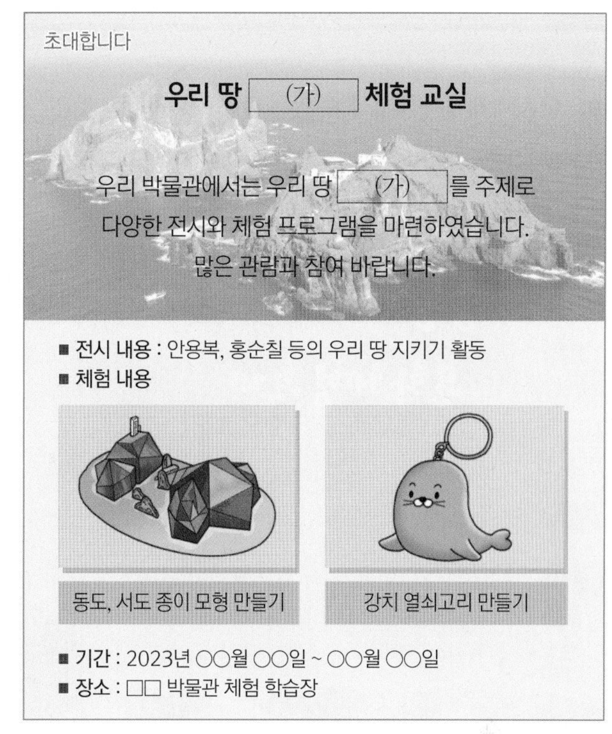

① 독도 ② 진도 ③ 거문도 ④ 제주도

50-200 학생들이 공통으로 이야기하는 지역으로 옳은 것은? [2점]

① 강릉 ② 군산 ③ 대구 ④ 진주

2022년도 제61회 한국사능력검정시험 문제지

1-201 다음 축제에서 체험할 수 있는 활동으로 적절한 것은? [1점]

① 막집 지어 보기
② 민무늬 토기 만들기
③ 철제 갑옷 입어 보기
④ 주먹도끼로 나무 손질하기

2-202 (가)에 들어갈 내용으로 옳은 것은? [2점]

(앞면)

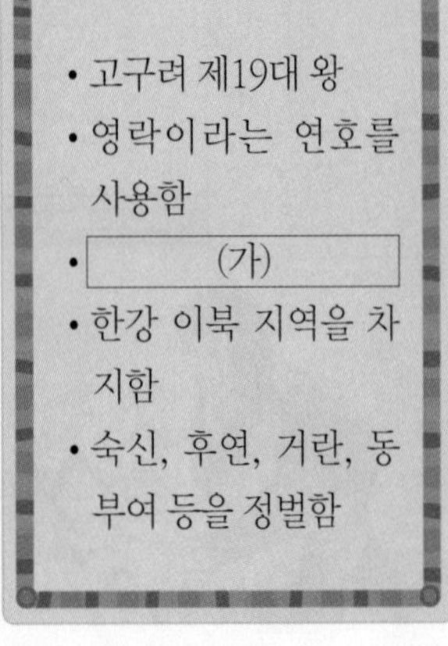

(뒷면)

① 태학을 설립함
② 평양으로 천도함
③ 천리장성을 축조함
④ 신라에 침입한 왜를 격퇴함

3-203 다음 퀴즈의 정답으로 옳은 것은? [2점]

① 가야 ② 동예 ③ 부여 ④ 옥저

4-204 (가)에 들어갈 문화유산으로 옳지 않은 것은? [2점]

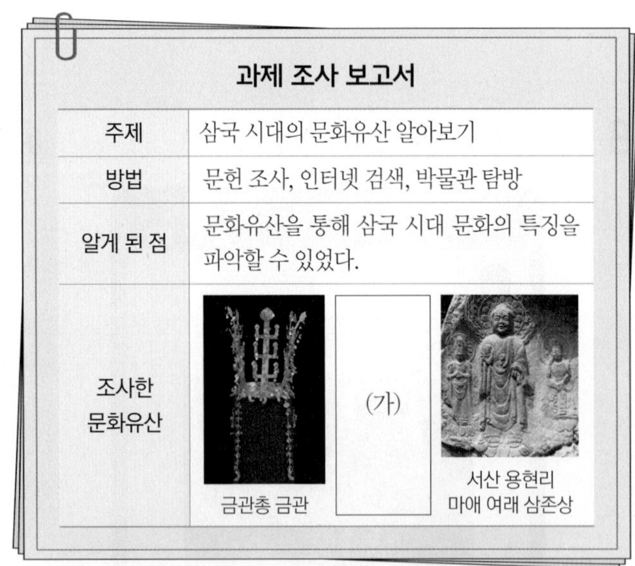

과제 조사 보고서

주제	삼국 시대의 문화유산 알아보기
방법	문헌 조사, 인터넷 검색, 박물관 탐방
알게 된 점	문화유산을 통해 삼국 시대 문화의 특징을 파악할 수 있었다.
조사한 문화유산	금관총 금관 / (가) / 서산 용현리 마애 여래 삼존상

①

금동 연가 7년명 여래 입상

②

논산 관촉사 석조 미륵보살 입상

③

천마총 장니 천마도

④

장군총

제61회 한국사능력검정시험 (기본)

해설 BOOK 110~113쪽

5-205 (가) 국가에 대한 설명으로 옳은 것은? [2점]

① 주몽이 건국하였다.
② 지방에 22담로를 두었다.
③ 8조법으로 백성을 다스렸다.
④ 골품제라는 신분 제도가 있었다.

6-206 다음 가상 뉴스에서 보도하고 있는 사건이 일어난 시기를 연표에서 옳게 고른 것은? [3점]

433		512		554		645		660
나·제 동맹 성립	(가)	신라 우산국 정복	(나)	관산성 전투	(다)	안시성 전투	(라)	백제 멸망

① (가) ② (나) ③ (다) ④ (라)

7-207 (가)~(다)를 일어난 순서대로 옳게 나열한 것은? [3점]

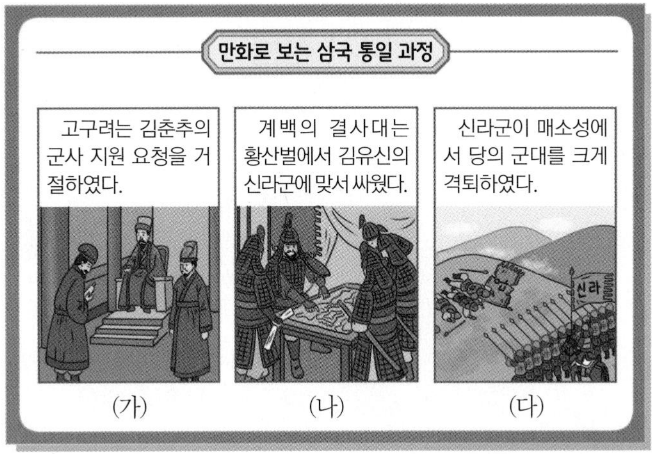

① (가) - (나) - (다) ② (나) - (가) - (다)
③ (나) - (다) - (가) ④ (다) - (나) - (가)

8-208 다음 일기의 소재가 된 절에서 볼 수 있는 문화유산으로 옳은 것은? [1점]

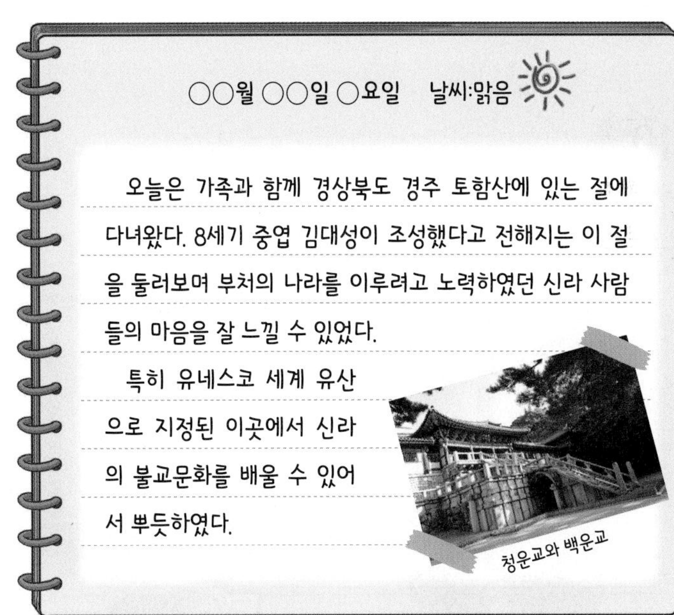

①

불국사 삼층 석탑

②

쌍봉사 철감선사탑

③

이불병좌상

④
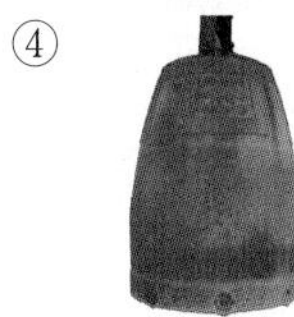
성덕 대왕 신종

제61회 한국사능력검정시험 (기본)

9-209 (가) 국가에 대한 설명으로 옳은 것은? [2점]

> **역사 신문**
>
> 제△△호 ○○○년 ○○월 ○○일
>
> 특집 기획 **해동성국으로 우뚝 서다**
>
> 당 / 상경 / 동모산 / 중경 / 동경 / 서경 / 남경 / 신라 / 황해 / 동해
>
> 고구려를 계승한 (가) 은/는 선왕 때 요동에서 연해주에 이르는 최대 영토를 확보하였다. 이후 당으로부터 '바다 동쪽의 융성한 나라'를 뜻하는 '해동성국'이라 불렸다. 이를 통해 이 국가의 국제적 위상을 알 수 있다.

① 한의 침략을 받아 멸망하였다.
② 중앙 정치 조직을 3성 6부로 정비하였다.
③ 정사암에서 국가의 중대사를 결정하였다.
④ 화랑도를 국가적인 조직으로 운영하였다.

10-210 (가) 지역에서 있었던 사실로 옳은 것은? [2점]

① 묘청이 난을 일으켰다.
② 원이 쌍성총관부를 설치하였다.
③ 만적이 신분 해방을 도모하였다.
④ 삼별초가 최후의 항쟁을 전개하였다.

11-211 (가) 왕이 추진한 정책으로 옳은 것은? [2점]

① 노비안검법을 시행하였다.
② 지방에 12목을 설치하였다.
③ 사심관 제도를 실시하였다.
④ 활구라고 불린 은병을 제작하였다.

12-212 다음 인물의 활동으로 옳은 것은? [3점]

① 9재 학당을 열었다.
② 삼국유사를 집필하였다.
③ 제왕운기를 저술하였다.
④ 시무 28조를 작성하였다.

13-213 (가) 국가의 경제 상황으로 옳은 것은? [2점]

① 모내기법이 전국적으로 확산되었다.
② 벽란도가 국제 무역항으로 번성하였다.
③ 낙랑군과 왜 사이에서 중계 무역을 하였다.
④ 청해진을 중심으로 해상 무역을 전개하였다.

14-214 (가), (나) 사이의 시기에 있었던 사실로 옳은 것은? [3점]

① 서희가 강동 6주를 획득하였다.
② 윤관이 동북 9성을 축조하였다.
③ 박위가 쓰시마섬을 토벌하였다.
④ 최무선이 진포에서 왜구를 물리쳤다.

15-215 밑줄 그은 '그 일'에 해당하는 내용으로 옳은 것은? [2점]

> 몽골군의 침략으로 부인사에 보관된 대장경판이 남김없이 불에 탔습니다. 이런 큰 보배가 없어졌는데 어찌 감히 일이 어려운 것을 염려하여 다시 만들지 않겠습니까? 이제 왕과 신하 모두 한마음으로 담당 관청을 설치하고 그 일을 맡아 시작할 것을 다짐합니다. 원하옵건대 부처님께서는 신통한 힘으로 흉악한 오랑캐를 물리치시고 다시는 우리 땅을 밟는 일이 없게 해 주소서.

① 삼국사기 편찬
② 팔만대장경 제작
③ 직지심체요절 간행
④ 무구정광대다라니경 인쇄

16-216 다음 상황 이후에 일어난 사실로 옳은 것은? [2점]

① 김헌창이 난을 일으켰다.
② 장문휴가 등주를 공격하였다.
③ 최치원이 시무 10여 조를 건의하였다.
④ 망이·망소이가 공주 명학소에서 봉기하였다.

17-217 학생들이 공통으로 이야기하는 기구로 옳은 것은? [2점]

① 도방 ② 어사대 ③ 의금부 ④ 도병마사

18-218 (가)에 들어갈 인물로 옳은 것은? [2점]

① 양규 ② 최영 ③ 이종무 ④ 정몽주

19-219 (가)에 들어갈 문화유산으로 옳은 것은? [1점]

① 경복궁 ② 경운궁 ③ 경희궁 ④ 창경궁

20-220 (가) 왕의 재위 기간에 있었던 사실로 옳은 것은? [2점]

① 계미자가 주조되었다.
② 균역법이 실시되었다.
③ 기묘사화가 일어났다.
④ 6조 직계제가 시행되었다.

21-221 밑줄 그은 '이 전쟁' 중에 있었던 사실로 옳은 것은? [3점]

① 별기군 창설
② 2군 6위 편성
③ 훈련도감 설치
④ 나선 정벌 단행

22-222 (가)에 들어갈 내용으로 옳은 것은? [2점]

① 수원 화성에 외영을 두었습니다.
② 한양의 치안과 행정을 맡았습니다.
③ 재정의 출납과 회계를 관장하였습니다.
④ 왕의 정책 자문과 경연을 담당하였습니다.

23-223 다음 검색창에 들어갈 사건으로 옳은 것은? [1점]

① 경신환국 ② 무오사화
③ 신유박해 ④ 인조반정

24-224 다음 대화가 이루어진 시기에 볼 수 있는 모습으로 적절하지 않은 것은? [2점]

① 녹읍을 지급받는 귀족
② 고구마를 재배하는 농민
③ 관청에 물품을 조달하는 공인
④ 청과의 무역으로 부를 축적한 만상

25-225 (가)에 들어갈 인물로 옳은 것은? [1점]

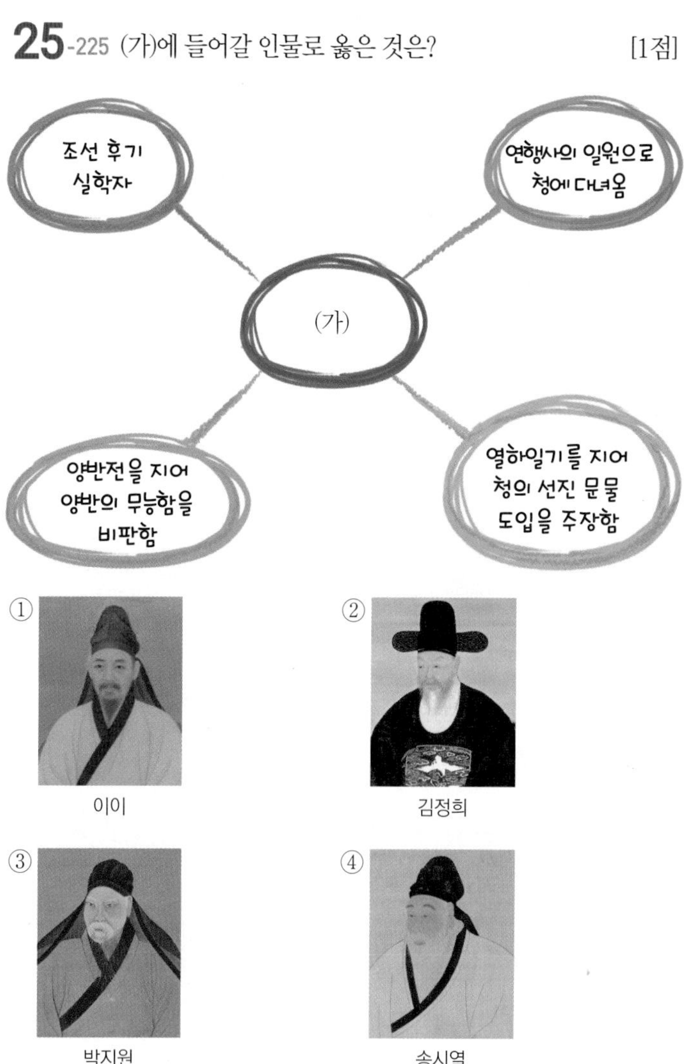

26-226 다음 자료에 대한 탐구 활동으로 적절한 것은? [2점]

① 과전법 실시의 배경에 대해 살펴본다.
② 조선 형평사의 활동 내용을 조사한다.
③ 전민변정도감이 설치되는 과정을 알아본다.
④ 세도 정치 시기 삼정의 문란에 대해 찾아본다.

27-227 밑줄 그은 '학교'로 옳은 것은? [2점]

① 배재 학당　② 오산 학교
③ 육영 공원　④ 이화 학당

28-228 (가) 사건에 대한 설명으로 옳은 것은? [2점]

① 청군의 개입으로 진압되었다.
② 제너럴 셔먼호 사건이 배경이 되었다.
③ 양헌수 부대가 정족산성에서 활약하였다.
④ 제물포 조약이 체결되는 결과를 가져왔다.

29-229 (가) 시기에 있었던 사실로 옳은 것은? [3점]

→ (가) →

① 탕평비가 건립되었다.
② 간도 협약이 체결되었다.
③ 구식 군인들이 임오군란을 일으켰다.
④ 어영청을 강화하며 북벌이 추진되었다.

30-230 (가)에 들어갈 사절단으로 옳은 것은? [2점]

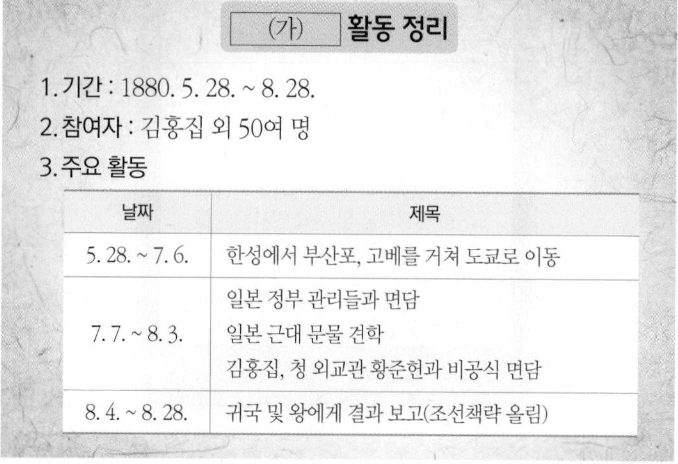

(가) 활동 정리

1. 기간 : 1880. 5. 28. ~ 8. 28.
2. 참여자 : 김홍집 외 50여 명
3. 주요 활동

날짜	제목
5. 28. ~ 7. 6.	한성에서 부산포, 고베를 거쳐 도쿄로 이동
7. 7. ~ 8. 3.	일본 정부 관리들과 면담 일본 근대 문물 견학 김홍집, 청 외교관 황준헌과 비공식 면담
8. 4. ~ 8. 28.	귀국 및 왕에게 결과 보고(조선책략 올림)

① 보빙사　② 성절사　③ 수신사　④ 영선사

31-231 (가) 운동에 대한 설명으로 옳은 것은? [2점]

① 박규수가 안핵사로 파견되었다.
② 전개 과정에서 집강소가 설치되었다.
③ 한성 조약이 체결되는 결과를 가져왔다.
④ 평안도 지역 차별에 반발하여 일어났다.

32-232 (가)~(라) 제도에 대한 설명으로 옳은 것은? [3점]

기록으로 보는 관리 등용 제도

(가) 처음으로 독서삼품을 정하여 관리를 선발하였다.
(나) 쌍기의 말을 받아들여 과거로 관리를 뽑았으며, 이로부터 학문을 숭상하는 풍조가 비로소 일어났다.
(다) 천거한 사람들을 한곳에 모아 시험을 치르면 많은 인재를 얻을 수 있을 것입니다. 이는 한(漢)에서 시행한 현량과의 뜻을 이은 것입니다.
(라) 군국기무처에서 올린 의안에, …… 과거제의 변통에 대한 재가를 받아 별도로 선거조례(選擧條例)를 정한다.

① (가) - 문과, 무과, 잡과로 구분하여 선발하였다.
② (나) - 신라 원성왕 재위 시기에 시행되었다.
③ (다) - 조광조 등 사림 세력이 실시를 주장하였다.
④ (라) - 광무개혁의 일환으로 단행되었다.

33-233 (가)에 들어갈 단체로 옳은 것은? [1점]

① 신민회
② 독립 협회
③ 대한 자강회
④ 조선어 학회

34-234 밑줄 그은 '이 조약'에 대한 설명으로 옳은 것은? [2점]

① 청·일 전쟁의 배경이 되었다.
② 최혜국 대우의 조항이 들어 있다.
③ 운요호 사건을 계기로 체결되었다.
④ 통감부가 설치되는 결과를 가져왔다.

제61회 한국사능력검정시험 (기본)

35-235 (가) 시기에 시행된 정책으로 옳은 것은? [2점]

역사 탐방 사전 학습지

이름	○○○	학번	△학년 △반 △△번
장소	서울 덕수궁		

왜 가고 싶나요?

고종은 국가의 위상을 높이기 위해 황제에 오르고 (가) 의 수립을 대내외에 선포하였습니다. 이 시기에 고종이 머물렀던 덕수궁에서 그 흔적을 찾아보고 싶습니다.

관련 자료를 찾아볼까요?

덕수궁 중화전 / 덕수궁 정관헌

① 지계가 발급되었다.
② 척화비가 건립되었다.
③ 홍범 14조가 반포되었다.
④ 치안 유지법이 제정되었다.

36-236 밑줄 그은 '이 부대'에 대한 설명으로 옳은 것은? [2점]

○○에게

이보게, 나는 마침내 의병에 합류하였네.

황제 폐하께서 강제로 그 자리에서 내려오셔야 했던 사건은 여전히 울분을 참을 수 없게 만드네. 일제가 끝내 우리 군대를 강제로 해산시키는 과정에서 동료들의 죽음을 보며 가만히 있을 수 없었네. 나는 13도의 의병이 모여 조직되고 이인영 총대장이 지휘하는 <u>이 부대</u>에 가담하여 끝까지 나라를 지키려고 하네.

자네도 우리와 뜻을 같이하면 좋겠네.

옛 동료가

① 서울 진공 작전을 전개하였다.
② 일제의 탄압을 피해 자유시로 이동하였다.
③ 어재연의 지휘 아래 광성보에서 활약하였다.
④ 황푸 군관 학교에서 군사 훈련을 실시하였다.

37-237 밑줄 그은 '전투'로 옳은 것은? [1점]

이것은 1920년 10월 김좌진의 북로 군정서군 등 독립군 연합 부대가 백운평, 천수평, 어랑촌 일대에서 일본군과 싸워 크게 승리한 <u>전투</u>입니다.

① 백강 전투
② 진주성 전투
③ 청산리 전투
④ 대전자령 전투

38-238 (가)에 해당하는 인물로 옳은 것은? [2점]

이 시는 일제 강점기 민족 저항 시인 (가) 의 대표적인 작품입니다. 그는 조선 은행 대구 지점 폭파 사건에 연루되어 수감 생활을 하던 당시의 수인 번호를 따서 호를 지었습니다. 이제 그의 시를 노래로 만나 보겠습니다.

①

심훈

②

윤동주

③

이육사

④

한용운

제61회 한국사능력검정시험 (기본)

해설 BOOK 127~130쪽

39-239 밑줄 그은 '이 정책'으로 옳은 것은? [2점]

① 방곡령 ② 신해통공
③ 산미 증식 계획 ④ 토지 조사 사업

40-240 다음 다큐멘터리에서 볼 수 있는 장면으로 적절하지 않은 것은? [3점]

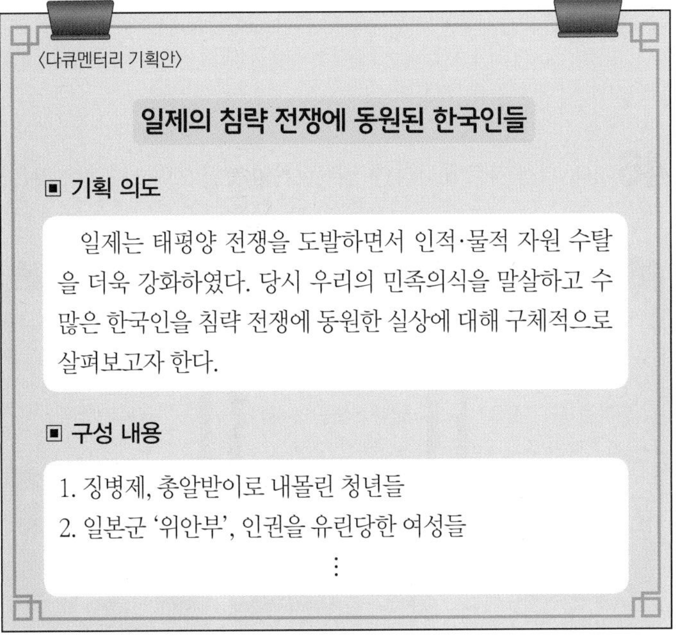
〈다큐멘터리 기획안〉

일제의 침략 전쟁에 동원된 한국인들

▣ 기획 의도

일제는 태평양 전쟁을 도발하면서 인적·물적 자원 수탈을 더욱 강화하였다. 당시 우리의 민족의식을 말살하고 수많은 한국인을 침략 전쟁에 동원한 실상에 대해 구체적으로 살펴보고자 한다.

▣ 구성 내용

1. 징병제, 총알받이로 내몰린 청년들
2. 일본군 '위안부', 인권을 유린당한 여성들
⋮

① 태형을 집행하는 헌병 경찰
② 강제 징용으로 끌려가는 청년
③ 공출로 가마솥을 빼앗기는 농민
④ 황국 신민 서사를 암송하는 학생

41-241 밑줄 그은 '이날'에 해당하는 세시 풍속으로 옳은 것은? [1점]

음력 5월 5일인 오늘은 한국의 전통 명절입니다. 여러분이 드시는 수리취떡은 이날에 만들어 먹는 음식입니다. 마당에서도 다양한 체험 행사가 진행 중입니다. 어떤 행사에 참여하실 건가요?

저는 창포물에 머리를 감아 보려 합니다.

저는 친구와 함께 씨름 경기에 참여할 겁니다.

① 단오 ② 동지 ③ 추석 ④ 한식

42-242 (가)에 들어갈 인물로 옳은 것은? [1점]

① 나석주 ② 윤봉길 ③ 이봉창 ④ 이회영

제61회 한국사능력검정시험 (기본)

43-243 (가) 군대에 대한 설명으로 옳은 것은? [2점]

> **뮤지컬로 역사를 만나다**
>
> 작전명 **독수리**
>
> "오늘 이 시간부터 아메리카 합중국과 대한민국 임시 정부의 비밀공작이 시작되었다."
>
> 대한민국 임시 정부의 (가) 와/과 미국의 전략 정보국(OSS)이 합작한 국내 진공 작전, 일명 '독수리 작전'에 대한 이야기를 뮤지컬로 보여 드립니다.
>
> ■ 일시 : 2022년 ○○월 ○○일 오후 7시
> ■ 장소 : △△ 문화 회관 ◇◇홀

① 고종의 밀지를 받아 조직되었다.
② 조선 혁명 선언을 활동 지침으로 삼았다.
③ 지청천을 총사령관으로 하여 창설되었다.
④ 영릉가 전투에서 한·중 연합 작전을 전개하였다.

44-244 다음 사진전에 전시될 사진으로 적절하지 않은 것은? [2점]

> 사진으로 보는
> **대한민국 정부 수립 과정**
>
> 우리 학교 역사 동아리에서는 광복 이후 정부 수립에 이르기까지 격동의 역사를 주제로 사진전을 기획하였습니다.
> 관심 있는 학생들의 많은 관람 바랍니다.
>
> ■ 기간 : 2022년 ○○월 ○○일~○○월 ○○일
> ■ 장소 : △△ 역사 동아리실

①

5·10 총선거 실시

②

6·10 만세 운동 전개

③

좌우 합작 위원회 활동

④

제1차 미·소 공동 위원회 개최

45-245 (가)에 들어갈 민주화 운동으로 옳은 것은? [1점]

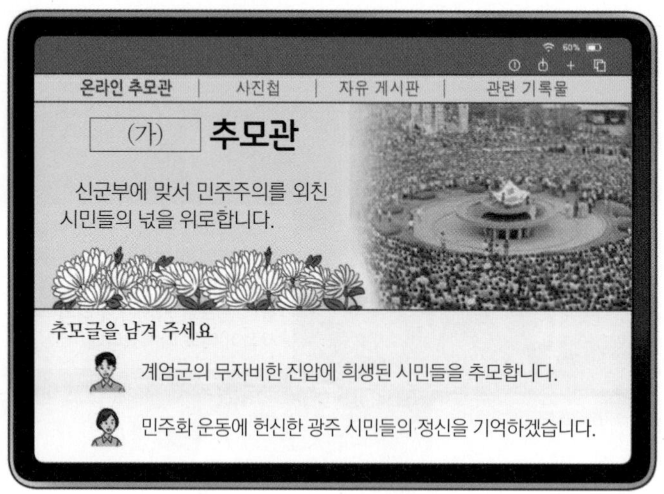

① 4·19 혁명
② 6월 민주 항쟁
③ 부·마 민주 항쟁
④ 5·18 민주화 운동

46-246 다음 자료에 나타난 정부 시기의 통일 노력으로 옳은 것은? [3점]

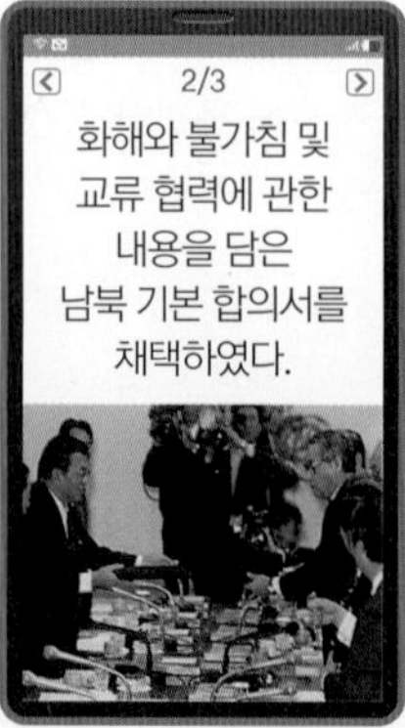

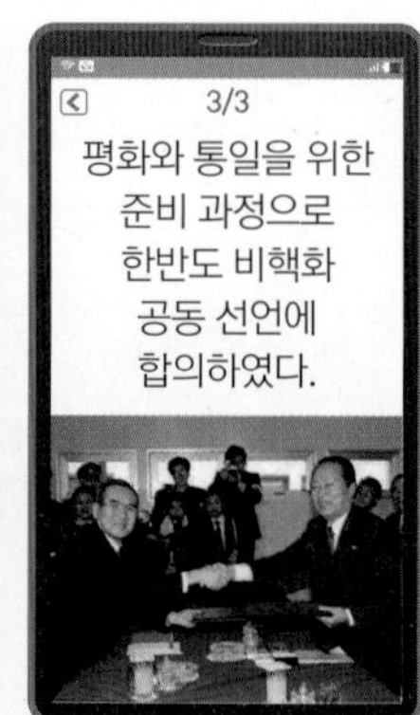

① 남북한 유엔 동시 가입
② 남북 이산가족 최초 상봉
③ 7·4 남북 공동 성명 발표
④ 6·15 남북 공동 선언 채택

47-247 밑줄 그은 '정부' 시기에 있었던 사실로 옳은 것은? [3점]

> □□ 신문
>
> 제△△호 ○○○○년 ○○월 ○○일
>
> **국민학교 명칭, 역사 속으로 사라지다**
>
> 정부는 광복 50주년을 맞이하여 일제 강점기에 황국 신민의 양성을 목적으로 지어진 국민학교 명칭을 초등학교로 변경한다고 발표했다. 이에 따라 내년 2월 말까지 전국 국민학교의 간판을 초등학교로 바꿔 달고 학교의 직인과 생활 기록부 등에 적혀 있는 국민학교라는 명칭도 모두 바꾸기로 하였다.

① 삼청 교육대가 운영되었다.
② 조선 총독부 건물이 철거되었다.
③ 반민족 행위 처벌법이 제정되었다.
④ 서울에서 G20 정상 회의가 개최되었다.

48-248 다음 뉴스가 보도된 정부 시기의 경제 상황으로 옳은 것은? [2점]

① 경부 고속 도로를 준공하였다.
② 세계 무역 기구(WTO)에 가입하였다.
③ 제1차 경제 개발 5개년 계획이 추진되었다.
④ 국제 통화 기금(IMF)의 구제 금융을 조기 상환하였다.

49-249 (가)에 들어갈 내용으로 옳은 것은? [2점]

> **주제 탐구 활동 계획서**
>
> ○학년 ○반 모둠
>
> **주제 : 역사 속 백성들을 위한 구휼 제도**
>
> • **선정 이유**
>
> 우리 역사 속에서 자연 재해나 경제적 위기 상황에 직면한 백성들을 위해 국가가 실시한 구휼 제도에 대해 시대별로 살펴보고, 그 역사적 의미와 교훈에 관하여 생각해 보고자 한다.
>
> • **시대별 탐구 내용**

구분	삼국 시대	고려 시대	조선 시대
내용	고구려의 진대법 실시	(가)	환곡제 운영

① 의창 설치
② 신문고 운영
③ 제중원 설립
④ 호포제 실시

50-250 (가)에 들어갈 지역으로 옳은 것은? [2점]

① 대구 ② 안동 ③ 울산 ④ 청주

2022년도 제60회 한국사능력검정시험 문제지

1-251 (가) 시대의 생활 모습으로 옳은 것은? [2점]

① 가락바퀴를 이용하여 실을 뽑았다.
② 무덤 껴묻거리로 오수전 등을 묻었다.
③ 철제 농기구를 사용하여 농사를 지었다.
④ 의례 도구로 청동 방울 등을 사용하였다.

2-252 (가) 나라에 대한 설명으로 옳은 것은? [3점]

① 영고라는 제천 행사가 있었다.
② 신지, 읍차 등의 지배자가 있었다.
③ 혼인 풍습으로 민며느리제가 있었다.
④ 읍락 간의 경계를 중시하는 책화가 있었다.

3-253 밑줄 그은 '제도'로 옳은 것은? [2점]

① 흑창　② 상평창
③ 진대법　④ 제위보

4-254 (가) 섬에 대한 설명으로 옳은 것은? [1점]

① 러시아가 조차를 요구한 섬이다.
② 영국이 불법적으로 점령한 섬이다.
③ 하멜 일행이 표류하다 도착한 섬이다.
④ 안용복이 일본으로 건너가 우리 영토임을 주장한 섬이다.

제60회 한국사능력검정시험 (기본)

5-255 (가)에 들어갈 가상 우표로 적절한 것은? [2점]

우리 반에서는 공주와 부여에 도읍했던 국가의 문화유산을 소재로 우표를 만들었습니다.

① 대한민국 KOREA 500 첨성대

②

③

④

6-256 밑줄 그은 '이 나라'에 대한 설명으로 옳은 것은? [2점]

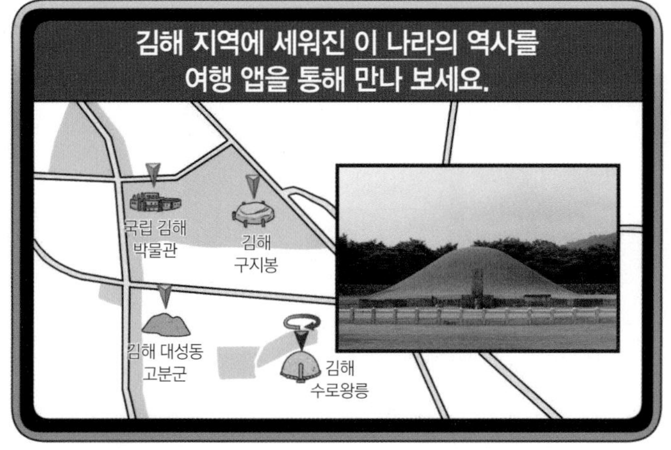

① 전기 가야 연맹을 주도하였다.
② 교육 기관인 국학을 설치하였다.
③ 옥저를 정복하고 동해안으로 진출하였다.
④ 지방에 22담로를 두어 왕족을 파견하였다.

7-257 밑줄 그은 '왕'의 업적으로 옳은 것은? [2점]

> ㅇ 왕이 영을 내려 순장을 금하게 하였다. 이전에는 국왕이 죽으면 남녀 다섯 명씩 순장하였는데, 이때에 이르러 금하게 한 것이다.
> ㅇ 여러 신하들이 한뜻으로 '신라 국왕'이라는 호칭을 올리니, 왕이 이를 따랐다.
>
> - "삼국사기" -

① 우경을 장려하였다.
② 율령을 반포하였다.
③ 독서삼품과를 실시하였다.
④ 화랑도를 국가 조직으로 개편하였다.

8-258 (가)에 들어갈 세시 풍속으로 옳은 것은? [1점]

① 단오 ② 칠석
③ 한식 ④ 삼짇날

9-259 (가), (나) 사이의 시기에 있었던 사건으로 옳은 것은? [3점]

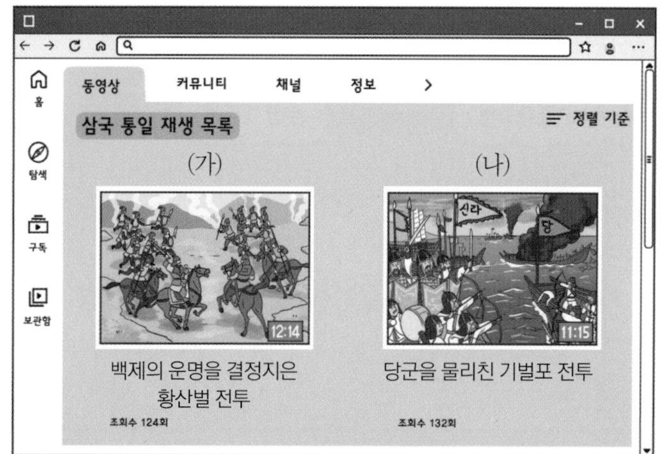

① 백강 전투 ② 살수 대첩
③ 관산성 전투 ④ 처인성 전투

10-260 다음 기획서에 나타난 시기에 발생한 사건으로 옳은 것은? [2점]

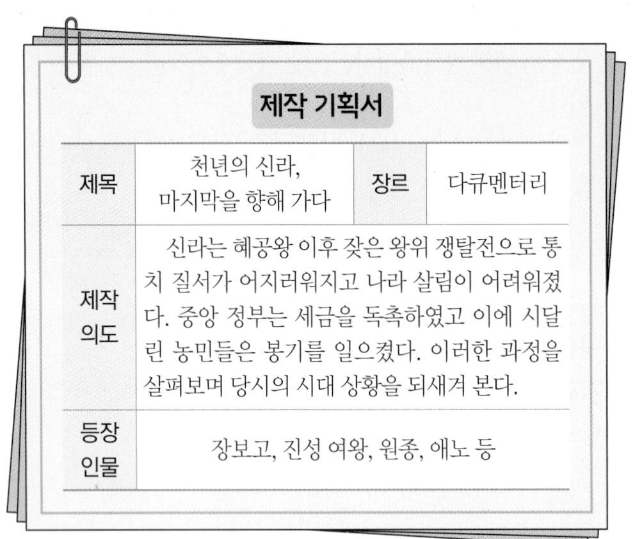

제작 기획서			
제목	천년의 신라, 마지막을 향해 가다	장르	다큐멘터리
제작 의도	신라는 혜공왕 이후 잦은 왕위 쟁탈전으로 통치 질서가 어지러워지고 나라 살림이 어려워졌다. 중앙 정부는 세금을 독촉하였고 이에 시달린 농민들은 봉기를 일으켰다. 이러한 과정을 살펴보며 당시의 시대 상황을 되새겨 본다.		
등장 인물	장보고, 진성 여왕, 원종, 애노 등		

① 김헌창의 난 ② 이자겸의 난
③ 김사미·효심의 난 ④ 망이·망소이의 난

11-261 (가)에 들어갈 사실로 옳은 것은? [2점]

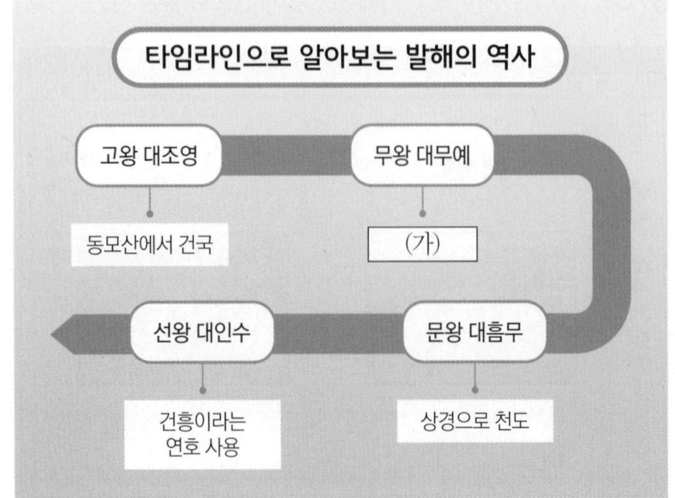

① 대마도 정벌 ② 4군 6진 개척
③ 동북 9성 축조 ④ 산둥반도의 등주 공격

12-262 (가)에 들어갈 인물로 옳은 것은? [2점]

① 견훤 ② 궁예
③ 온조 ④ 주몽

13-263 밑줄 그은 '이 책'으로 옳은 것은? [1점]

① 동국통감 ② 동사강목
③ 삼국유사 ④ 제왕운기

14-264 (가)에 들어갈 문화유산으로 옳은 것은? [2점]

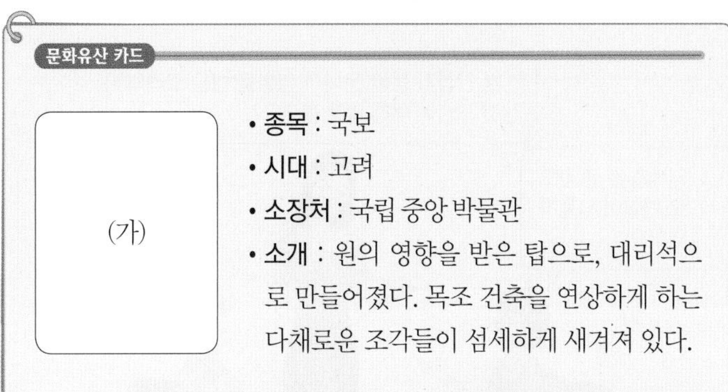
문화유산 카드

(가)

- 종목 : 국보
- 시대 : 고려
- 소장처 : 국립 중앙 박물관
- 소개 : 원의 영향을 받은 탑으로, 대리석으로 만들어졌다. 목조 건축을 연상하게 하는 다채로운 조각들이 섬세하게 새겨져 있다.

① 불국사 삼층 석탑
② 분황사 모전 석탑
③ 영광탑
④ 경천사지 십층 석탑

15-265 (가)~(다)를 일어난 순서대로 옳게 나열한 것은? [3점]

(가) (나) (다)

① (가) - (나) - (다)
② (가) - (다) - (나)
③ (나) - (가) - (다)
④ (다) - (가) - (나)

16-266 다음 퀴즈의 정답으로 옳은 것은? [2점]

1단계 고려 무신 정권기의 최고 권력 기구입니다.
2단계 임시 기구로 출발하였습니다.
3단계 최충헌이 설치하였습니다.

제시된 단계별 힌트를 종합하여 알 수 있는 기구는 무엇일까요?

한국사 퀴즈왕 300 290

① 중방
② 교정도감
③ 도병마사
④ 식목도감

17-267 다음 가상 인터뷰의 (가)에 들어갈 내용으로 적절한 것은? [3점]

① 무애가를 지었습니다.
② 천태종을 개창하였습니다.
③ 수선사 결사를 제창하였습니다.
④ 왕오천축국전을 저술하였습니다.

18-268 (가)에 들어갈 인물로 옳은 것은? [1점]

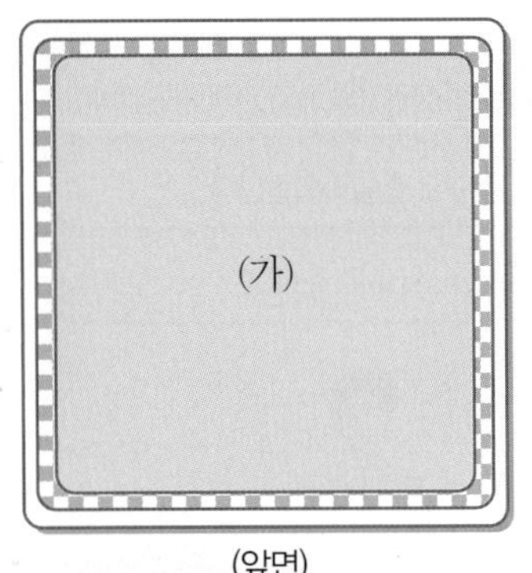

- 고려 시대 학자
- 성균관 대사성 역임
- 사신으로 명, 일본 왕래
- 조선 건국 세력에 맞서 고려 왕조를 지키고자 함
- 문집으로 포은집이 있음

(앞면) (뒷면)

① 
박지원

② 송시열

③ 
정몽주

④ 
정도전

19-269 (가)에 들어갈 내용으로 옳은 것은? [2점]

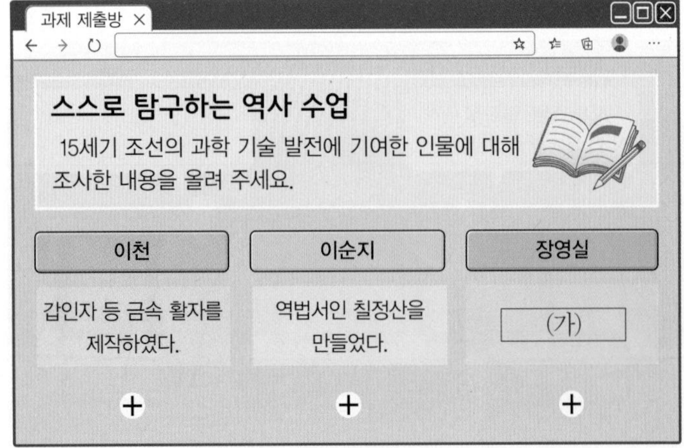

① 거중기를 설계하였다.
② 자격루를 제작하였다.
③ 대동여지도를 만들었다.
④ 동의보감을 완성하였다.

20-270 선생님의 질문에 대한 학생의 대답으로 옳지 않은 것은? [2점]

21-271 (가) 기구에 대한 설명으로 옳은 것은? [2점]

① 왕명 출납을 관장하였다.
② 수도의 행정과 치안을 맡았다.
③ 외국어 통역 업무를 담당하였다.
④ 사간원, 홍문관과 함께 삼사로 불렸다.

22-272 (가)에 들어갈 용어로 옳은 것은? [1점]

① 선종 ② 성리학 ③ 양명학 ④ 천도교

23-273 밑줄 그은 '이 전쟁'에 대한 설명으로 옳은 것은? [2점]

① 김시민 장군이 활약하였다.
② 별무반을 편성하여 적과 싸웠다.
③ 전쟁 후 청과 군신 관계를 맺었다.
④ 이여송이 이끄는 명의 지원군이 파병되었다.

24-274 (가), (나) 사이의 시기에 있었던 사실로 옳은 것은? [3점]

> (가) 효종이 죽자 자의 대비의 상복 입는 기간을 두고 예송이 발생하였다.
>
> (나) 신하들이 언제라도 탕평의 의미를 되새기라는 뜻에서 왕이 성균관 앞에 탕평비를 세웠다.

① 비변사가 폐지되었다.
② 훈련도감이 설치되었다.
③ 경신환국으로 서인이 집권하였다.
④ 무오사화로 김일손 등이 처형되었다.

25-275 (가) 사건에 대한 설명으로 옳은 것은? [2점]

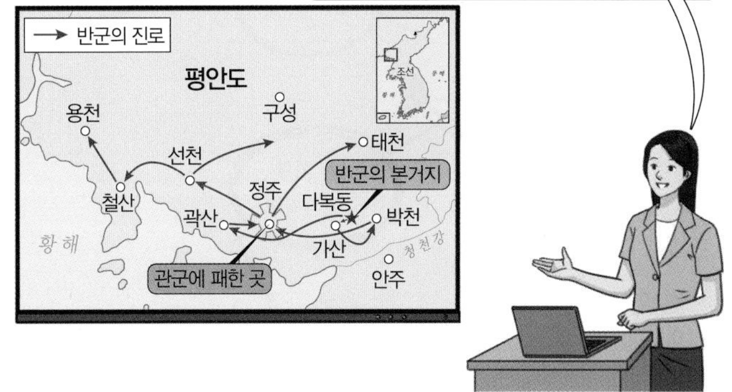

① 홍경래가 봉기를 주도하였다.
② 서경 천도를 주장하며 일어났다.
③ 백낙신의 횡포가 계기가 되었다.
④ 특수 행정 구역인 소의 주민이 참여하였다.

26-276 다음 상황이 나타난 시기에 볼 수 있는 모습으로 적절하지 않은 것은? [2점]

① 민화를 그리는 화가
② 탈춤을 공연하는 광대
③ 판소리를 구경하는 상인
④ 팔관회에 참가하는 외국 사신

27-277 (가)에 들어갈 제도로 옳은 것은? [1점]

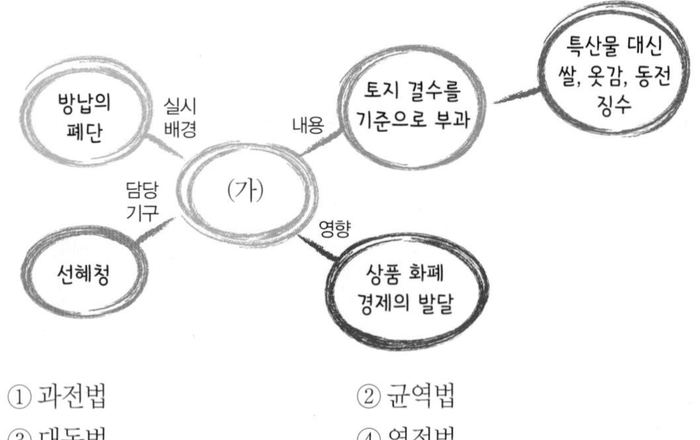

① 과전법
② 균역법
③ 대동법
④ 영정법

28-278 (가) 왕이 실시한 정책으로 옳은 것은? [2점]

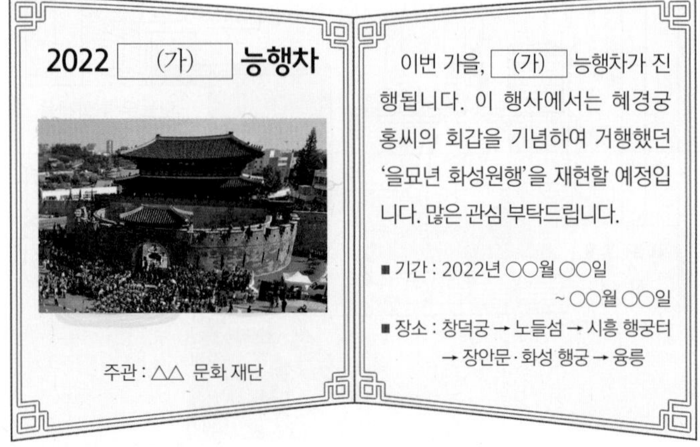

① 장용영을 설치하였다.
② 전시과를 시행하였다.
③ 경복궁을 중건하였다.
④ 경국대전을 완성하였다.

29-279 (가)에 들어갈 인물로 옳은 것은? [2점]

① 이익
② 박제가
③ 유형원
④ 홍대용

30-280 (가) 시기에 있었던 사실로 옳은 것은? [2점]

① 당백전을 발행하였다.
② 영선사를 파견하였다.
③ 육영 공원을 설립하였다.
④ 대한국 국제를 제정하였다.

31-281 (가)에 들어갈 사건으로 옳은 것은? [1점]

① 갑오개혁
② 갑신정변
③ 브나로드 운동
④ 민립 대학 설립 운동

32-282 밑줄 그은 '의병'이 일어난 시기를 연표에서 옳게 고른 것은? [3점]

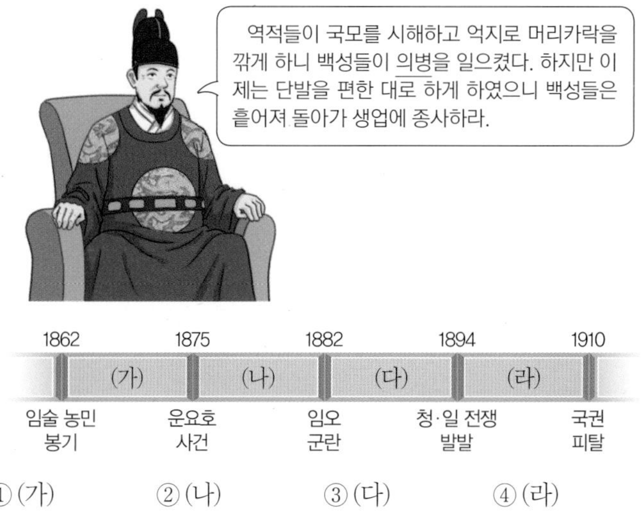

① (가) ② (나) ③ (다) ④ (라)

33-283 다음 상황 이후에 일어난 사실로 옳은 것은? [3점]

① 병인박해가 일어났다.
② 척화비가 건립되었다.
③ 제너럴 셔먼호 사건이 발생하였다.
④ 오페르트가 남연군 묘 도굴을 시도하였다.

34-284 (가)에 들어갈 인물로 옳은 것은? [2점]

① 이준 ② 손병희
③ 여운형 ④ 홍범도

35-285 밑줄 그은 '이 운동'에 대한 설명으로 옳은 것은? [2점]

① 만민 공동회를 개최하였다.
② 대한매일신보 등 언론의 지원을 받았다.
③ 조선 사람 조선 것이라는 구호를 내세웠다.
④ 백정에 대한 사회적 차별 철폐를 주장하였다.

36-286 밑줄 그은 '만세 시위운동'의 영향으로 옳은 것은? [2점]

① 독립문이 건립되었다.
② 홍범 14조가 반포되었다.
③ 토지 조사 사업이 시작되었다.
④ 대한민국 임시 정부가 수립되었다.

37-287 (가)에 해당하는 단체로 옳은 것은? [2점]

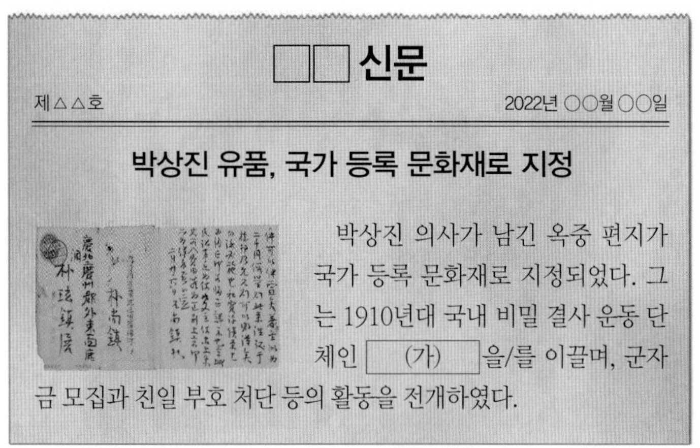

□□신문

제△△호 2022년 ○○월 ○○일

박상진 유품, 국가 등록 문화재로 지정

박상진 의사가 남긴 옥중 편지가 국가 등록 문화재로 지정되었다. 그는 1910년대 국내 비밀 결사 운동 단체인 (가) 을/를 이끌며, 군자금 모집과 친일 부호 처단 등의 활동을 전개하였다.

① 권업회
② 보안회
③ 참의부
④ 대한 광복회

38-288 (가)에 들어갈 인물로 옳은 것은? [1점]

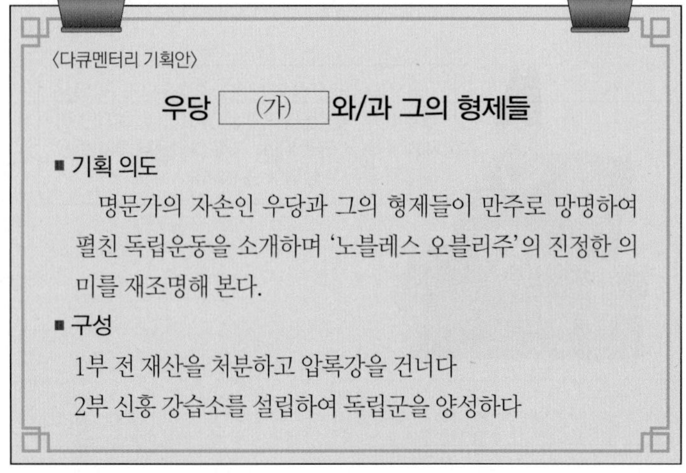

〈다큐멘터리 기획안〉

우당 (가) 와/과 그의 형제들

■ 기획 의도
명문가의 자손인 우당과 그의 형제들이 만주로 망명하여 펼친 독립운동을 소개하며 '노블레스 오블리주'의 진정한 의미를 재조명해 본다.

■ 구성
1부 전 재산을 처분하고 압록강을 건너다
2부 신흥 강습소를 설립하여 독립군을 양성하다

① 신채호
② 안중근
③ 이회영
④ 이동휘

39-289 밑줄 그은 '시기'에 볼 수 있는 모습으로 가장 적절한 것은? [2점]

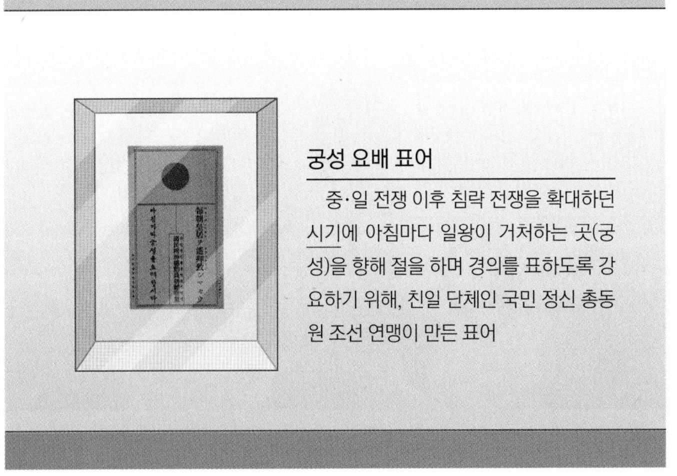

① 태형을 집행하는 헌병 경찰
② 회사령을 공포하는 총독부 관리
③ 황국 신민 서사를 암송하는 학생
④ 암태도 소작 쟁의에 참여하는 농민

40-290 밑줄 그은 '이 운동'에 대한 설명으로 옳은 것은? [2점]

① 순종의 인산일에 일어났다.
② 통감부의 탄압으로 실패하였다.
③ 국민 대표 회의 개최의 배경이 되었다.
④ 신간회에서 진상 조사단을 파견하였다.

41-291 (가)에 해당하는 군사 조직으로 옳은 것은? [1점]

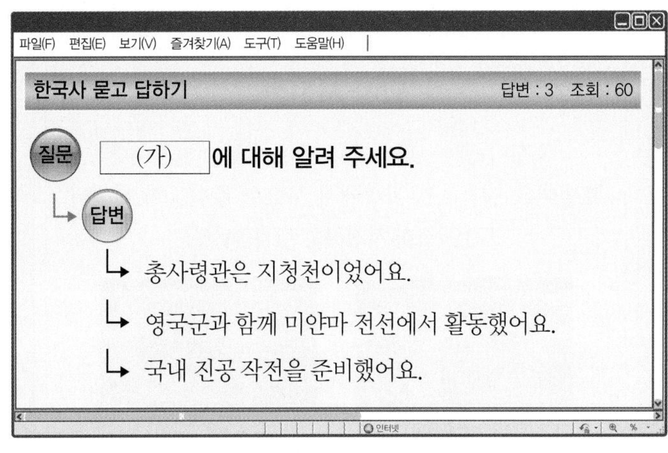

① 북로 군정서 ② 조선 의용대
③ 조선 혁명군 ④ 한국 광복군

42-292 다음 성명서가 발표된 이후의 사실로 옳은 것은? [2점]

김구, 삼천만 동포에게 읍고함

나는 통일된 조국을 건설하려다 38선을 베고 쓰러질지언정, 일신의 구차한 안일을 위하여 단독 정부를 세우는 데는 협력하지 않겠다.

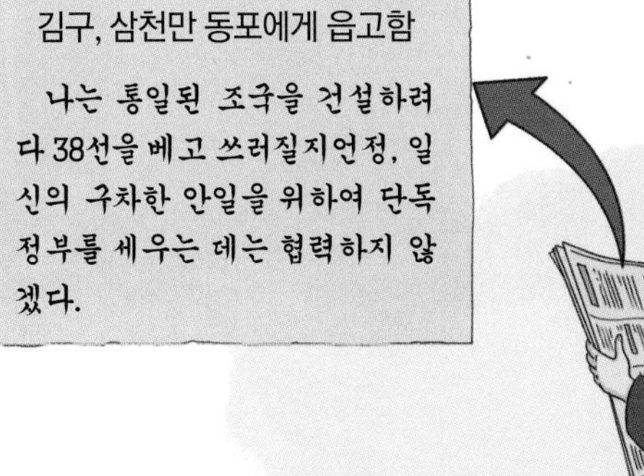

① 한인 애국단이 결성되었다.
② 제1차 미·소 공동 위원회가 열렸다.
③ 평양에서 남북 협상이 진행되었다.
④ 모스크바 3국 외상 회의가 개최되었다.

43-293 (가)에 들어갈 사건으로 옳은 것은? [2점]

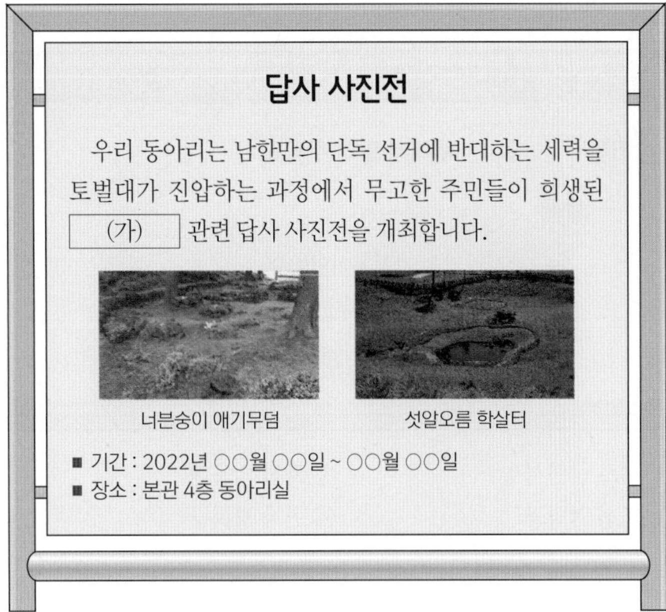

① 원산 총파업 ② 제암리 사건
③ 자유시 참변 ④ 제주 4·3 사건

44-294 밑줄 그은 '이 전쟁' 중에 있었던 사실로 옳은 것은? [2점]

① 인천 상륙 작전이 전개되었다.
② 조선 건국 준비 위원회가 결성되었다.
③ 이승만이 임시 의정원에서 탄핵되었다.
④ 쌍성보에서 한·중 연합 작전이 펼쳐졌다.

45-295 밑줄 그은 '민주화 운동'에 대한 설명으로 옳은 것은? [2점]

① 대통령 직선제 개헌을 이끌어 냈다.
② 3·15 부정 선거에 항의하여 일어났다.
③ 굴욕적인 한·일 국교 정상화에 반대하였다.
④ 신군부의 비상계엄 확대가 원인이 되어 발생하였다.

46-296 (가)~(다)의 모습이 나타난 시대 순서대로 옳게 나열한 것은? [3점]

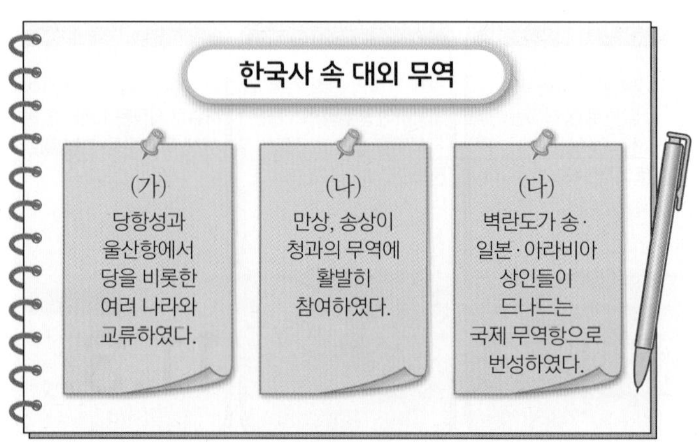

① (가) - (나) - (다)
② (가) - (다) - (나)
③ (나) - (가) - (다)
④ (다) - (가) - (나)

47-297 (가)에 들어갈 내용으로 옳은 것은? [2점]

① 금융 실명제를 실시했어.
② 경부 고속 도로를 준공했어.
③ 제1차 경제 개발 5개년 계획을 추진했어.
④ 미국과 자유 무역 협정(FTA)을 체결했어.

48-298 (가)에 해당하는 지역으로 옳은 것은? [1점]

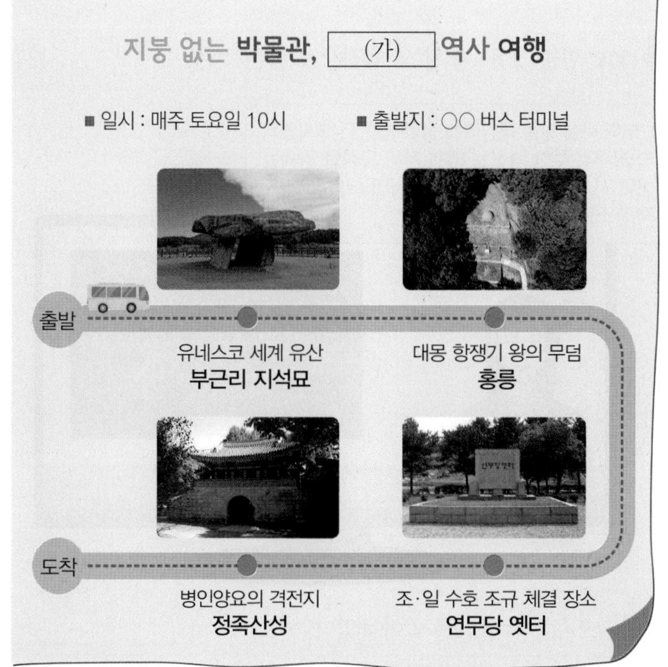

① 진도 ② 거제도
③ 강화도 ④ 울릉도

49-299 (가)~(라)에 들어갈 내용으로 적절하지 않은 것은? [3점]

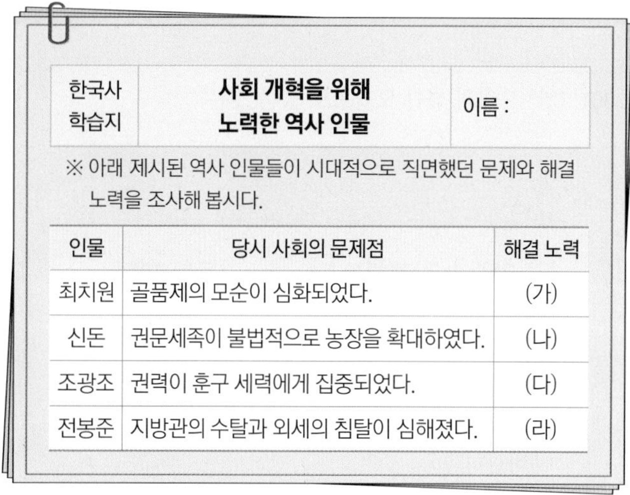

한국사 학습지	사회 개혁을 위해 노력한 역사 인물	이름 :

※ 아래 제시된 역사 인물들이 시대적으로 직면했던 문제와 해결 노력을 조사해 봅시다.

인물	당시 사회의 문제점	해결 노력
최치원	골품제의 모순이 심화되었다.	(가)
신돈	권문세족이 불법적으로 농장을 확대하였다.	(나)
조광조	권력이 훈구 세력에게 집중되었다.	(다)
전봉준	지방관의 수탈과 외세의 침탈이 심해졌다.	(라)

① (가) - 훈요 10조를 남겼다.
② (나) - 전민변정도감의 설치를 건의하였다.
③ (다) - 현량과 시행을 주장하였다.
④ (라) - 동학 농민 운동을 일으켰다.

50-300 다음 정부의 통일 노력으로 옳은 것은? [3점]

① 남북 기본 합의서를 채택하였다.
② 7·4 남북 공동 성명을 발표하였다.
③ 6·15 남북 공동 선언에 합의하였다.
④ 남북 이산가족 고향 방문을 최초로 실현하였다.

2022년도 제58회 한국사능력검정시험 문제지

1-301 (가) 시대의 생활 모습으로 옳은 것은? [1점]

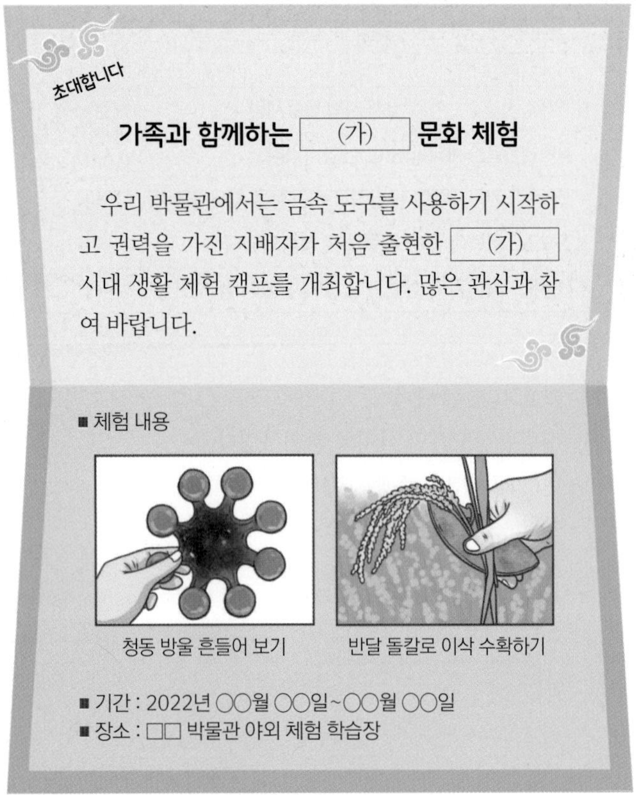

① 우경이 널리 보급되었다.
② 비파형 동검을 사용하였다.
③ 가락바퀴가 처음 등장하였다.
④ 주로 동굴이나 막집에서 살았다.

2-302 다음 퀴즈의 정답으로 옳은 것은? [2점]

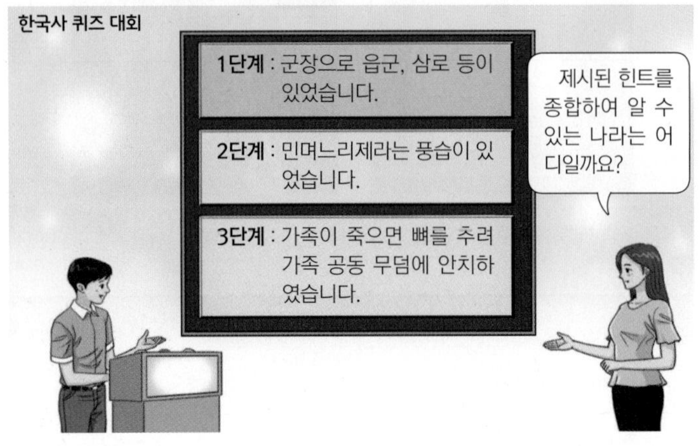

① 동예 ② 부여
③ 삼한 ④ 옥저

3-303 (가)~(다)를 일어난 순서대로 옳게 나열한 것은? [3점]

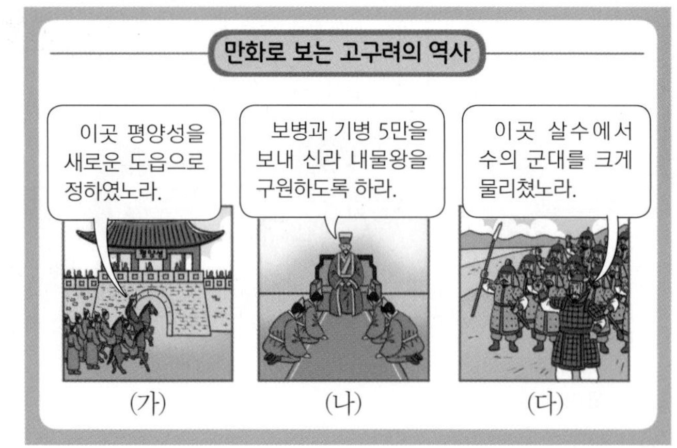

① (가) - (나) - (다) ② (가) - (다) - (나)
③ (나) - (가) - (다) ④ (다) - (가) - (나)

4-304 밑줄 그은 '이 왕'의 업적으로 옳은 것은? [2점]

부여 나성 발굴 과정에서 성의 북문 터가 확인되었습니다. 부여 나성은 백제 사비 도성을 감싸는 방어 시설로, 수도를 웅진에서 사비로 옮긴 <u>이 왕</u> 때 축조된 것으로 추정됩니다.

① 동진으로부터 불교를 받아들였다.
② 고흥에게 역사서인 서기를 편찬하게 하였다.
③ 진흥왕과 연합하여 한강 유역을 회복하였다.
④ 대야성을 비롯한 신라의 40여 개 성을 빼앗았다.

5-305 밑줄 그은 '이 나라'에 대한 설명으로 옳은 것은? [2점]

① 골품제라는 엄격한 신분 제도가 있었다.
② 전국을 5도 양계로 나누어 통치하였다.
③ 빈민 구제를 위해 진대법을 실시하였다.
④ 정사암에서 국가의 중대사를 결정하였다.

6-306 (가) 나라의 경제 상황으로 옳은 것은? [2점]

① 정기 시장인 장시가 전국 각지에서 열렸다.
② 시장을 감독하기 위한 동시전이 설치되었다.
③ 활구라고도 불린 은병이 화폐로 사용되었다.
④ 낙랑군과 왜 사이의 중계 무역으로 이익을 얻었다.

7-307 (가)에 들어갈 전투로 옳은 것은? [2점]

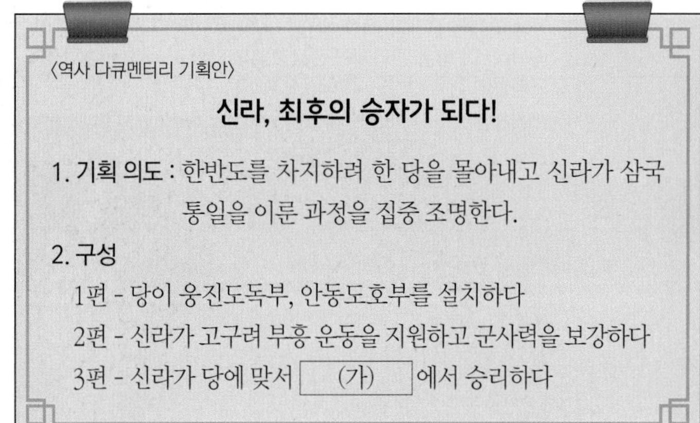

〈역사 다큐멘터리 기획안〉

신라, 최후의 승자가 되다!

1. 기획 의도 : 한반도를 차지하려 한 당을 몰아내고 신라가 삼국 통일을 이룬 과정을 집중 조명한다.
2. 구성
   1편 - 당이 웅진도독부, 안동도호부를 설치하다
   2편 - 신라가 고구려 부흥 운동을 지원하고 군사력을 보강하다
   3편 - 신라가 당에 맞서 (가) 에서 승리하다

① 기벌포 전투 ② 우금치 전투
③ 진주성 전투 ④ 처인성 전투

8-308 (가) 국가에 대한 설명으로 옳은 것은? [1점]

① 대조영이 동모산에서 건국하였다.
② 청해진을 중심으로 해상 무역이 전개되었다.
③ 여러 가(加)들이 별도로 사출도를 주관하였다.
④ 지방 세력 견제를 위해 기인 제도가 실시되었다.

9-309 (가) 왕의 업적으로 옳은 것은? [2점]

① 국학을 설립하였다.
② 대가야를 정복하였다.
③ 독서삼품과를 실시하였다.
④ 김헌창의 난을 진압하였다.

10-310 (가)에 들어갈 문화유산으로 옳은 것은? [3점]

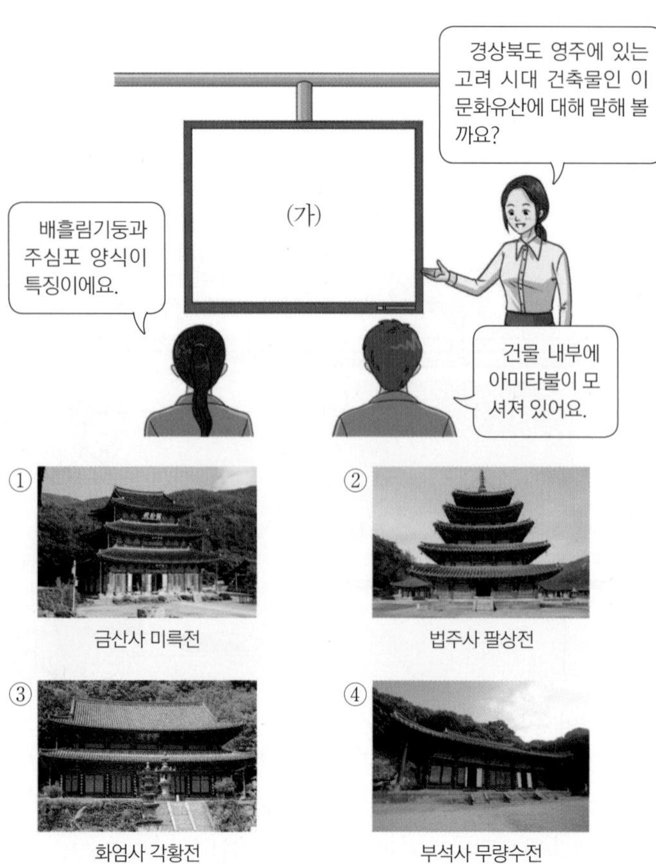

11-311 (가), (나) 사이의 시기에 있었던 사실로 옳은 것은? [3점]

> (가) 견훤이 완산주를 근거지로 삼고 스스로 후백제라 일컬으니, 무주 동남쪽의 군현들이 투항하여 복속하였다.
> (나) 태조가 대상(大相) 왕철 등을 보내 항복해 온 경순왕을 맞이하게 하였다.

① 연개소문이 천리장성을 쌓았다.
② 최영이 요동 정벌을 추진하였다.
③ 왕건이 고창 전투에서 승리하였다.
④ 이순신이 명량에서 일본군을 물리쳤다.

12-312 밑줄 그은 '왕'의 업적으로 옳은 것은? [2점]

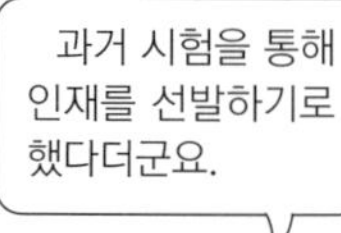

① 훈요 10조를 남겼다.
② 수도를 강화도로 옮겼다.
③ 노비안검법을 시행하였다.
④ 기철 등 친원파를 숙청하였다.

13-313 (가)에 들어갈 내용으로 옳은 것은? [1점]

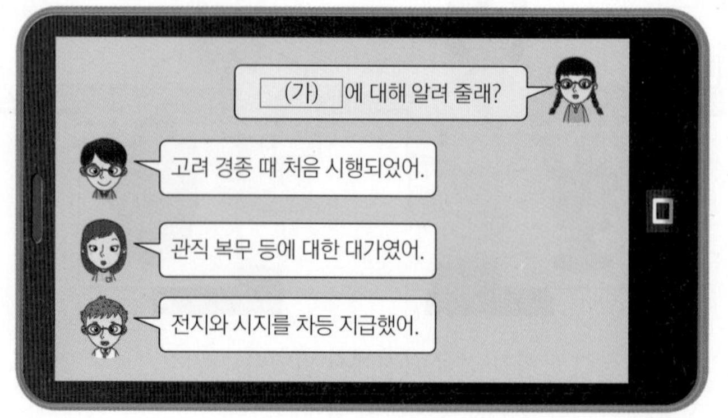

① 과전법 ② 납속책
③ 전시과 ④ 호포제

제58회 한국사능력검정시험 (기본)

14-314 다음 상황이 일어난 시기를 연표에서 옳게 고른 것은? [3점]

918	1019	1170	1270	1392
고려 건국	귀주 대첩	무신 정변	개경 환도	고려 멸망

(가) 918~1019, (나) 1019~1170, (다) 1170~1270, (라) 1270~1392

① (가) ② (나) ③ (다) ④ (라)

15-315 (가)에 들어갈 인물로 옳은 것은? [2점]

① 원효 ② 의천
③ 지눌 ④ 혜심

16-316 교사의 질문에 대한 학생들의 대답으로 옳지 않은 것은? [2점]

17-317 (가)의 활동으로 옳은 것은? [2점]

> ○ (가) 이/가 아뢰기를, "신이 여진에게 패배한 까닭은 그들은 기병이고 우리는 보병이어서 대적하기 어려웠기 때문입니다."라고 하였다. 이에 건의하여 비로소 별무반을 만들었다. - "고려사절요" -
>
> ○ (가) 이/가 여진을 쳐서 크게 물리쳤다. [왕이] 여러 장수를 보내 경계를 정하였다. - "고려사" -

① 강동 6주를 획득하였다.
② 동북 9성을 축조하였다.
③ 쓰시마섬을 정벌하였다.
④ 쌍성총관부를 수복하였다.

18-318 (가)에 들어갈 기구로 옳은 것은? [2점]

① 중방 ② 상평창
③ 어사대 ④ 식목도감

제 58 회

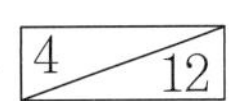

19-319 밑줄 그은 '왕'의 업적으로 옳은 것은? [2점]

① 탕평비를 건립하였다.
② 현량과를 실시하였다.
③ 호패법을 시행하였다.
④ 훈민정음을 창제하였다.

20-320 (가) 왕의 재위 기간에 있었던 사실로 옳은 것은? [2점]

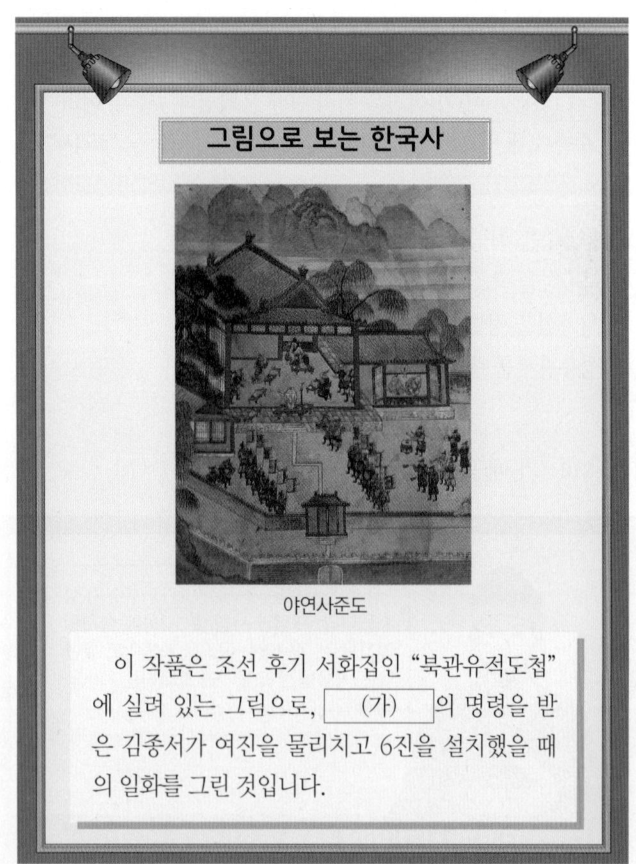

① 장용영 설치
② 칠정산 편찬
③ 경국대전 완성
④ 나선 정벌 단행

21-321 (가)에 들어갈 교육 기관으로 옳은 것은? [1점]

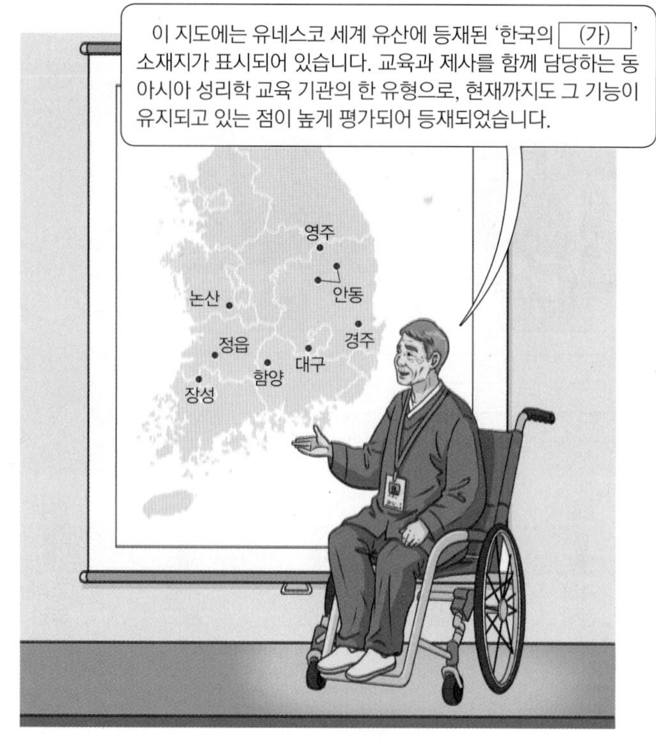

① 서원 ② 향교
③ 성균관 ④ 4부 학당

22-322 밑줄 그은 '의병장'으로 옳은 것은? [2점]

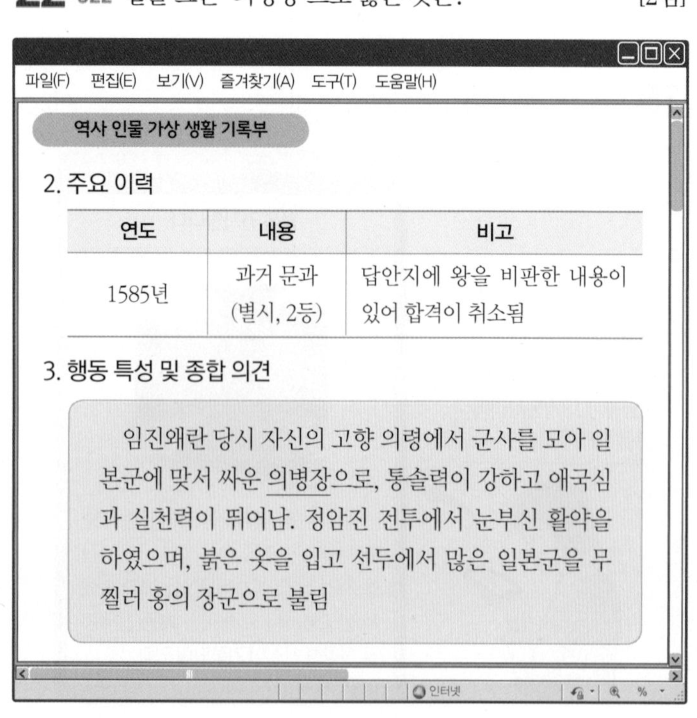

연도	내용	비고
1585년	과거 문과 (별시, 2등)	답안지에 왕을 비판한 내용이 있어 합격이 취소됨

① 조헌 ② 고경명
③ 곽재우 ④ 정문부

제58회 한국사능력검정시험 (기본)

해설 BOOK 171~174쪽

23-323 밑줄 그은 '이 전쟁' 중에 있었던 사실로 옳은 것은? [3점]

문학으로 만나는 한국사

청석령을 지났느냐 초하구는 어디쯤인가
북풍도 차기도 차다 궂은비는 무슨 일인가
그 누가 내 행색 그려 내어 임 계신 데 드릴까

위 시조는 이 전쟁 당시 인조가 삼전도에서 항복한 뒤 봉림 대군이 청에 볼모로 끌려가며 지었다는 이야기가 전해집니다. 청의 심양으로 끌려가는 비참함과 처절한 심정이 잘 표현되어 있습니다.

① 왕이 남한산성으로 피신하였다.
② 양헌수가 정족산성에서 항전하였다.
③ 김윤후가 적장 살리타를 사살하였다.
④ 조·명 연합군이 평양성을 탈환하였다.

24-324 (가)에 들어갈 기구로 옳은 것은? [2점]

(가) 은/는 본래 외적의 침입에 대비하고자 설치한 임시 군사 회의 기구였으나, 양 난을 계기로 국방뿐만 아니라 국정 전반을 총괄하는 최고 기구가 되었습니다. 이로 인해 기존의 의정부와 6조가 유명무실해졌습니다.

① 비변사 ② 사헌부
③ 의금부 ④ 홍문관

25-325 밑줄 그은 '제도'로 옳은 것은? [2점]

양민의 부담을 덜고자 군포를 절반으로 줄이는 제도를 시행하였는데, 부족해진 군포를 메울 방도를 논의하였는가?

어장세나 소금세 등으로 보충하는 것이 좋겠습니다.

① 균역법 ② 대동법
③ 영정법 ④ 직전법

26-326 (가)에 들어갈 인물로 옳은 것은? [1점]

① 
허목

② 
김정희

③ 
송시열

④ 
채제공

27-327 밑줄 그은 '사건'에 대한 설명으로 옳은 것은? [3점]

① 남접과 북접이 논산에서 연합하였다.
② 삼정이정청이 설치되는 계기가 되었다.
③ 우정총국 개국 축하연을 이용하여 일어났다.
④ 청군에 의해 흥선 대원군이 톈진으로 납치되었다.

28-328 다음 대화가 이루어진 시기에 볼 수 있는 모습으로 옳은 것은? [2점]

① 국자감에 입학하는 학생
② 팔관회에 참석하는 관리
③ 판소리 공연을 구경하는 농민
④ 삼별초의 일원으로 훈련하는 군인

29-329 밑줄 그은 '조약'으로 옳은 것은? [2점]

① 한성 조약
② 정미7조약
③ 강화도 조약
④ 제물포 조약

30-330 (가)에 들어갈 내용으로 옳은 것은? [2점]

역사 인물 카드

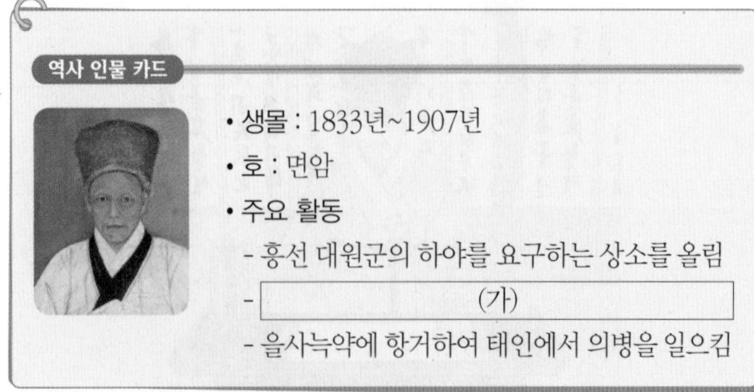

- 생몰 : 1833년~1907년
- 호 : 면암
- 주요 활동
  - 흥선 대원군의 하야를 요구하는 상소를 올림
  - (가)
  - 을사늑약에 항거하여 태인에서 의병을 일으킴

① 북학의를 저술함
② 왜양일체론을 주장함
③ 신흥 무관 학교를 설립함
④ 시일야방성대곡을 작성함

31-331 밑줄 그은 '이 사건'의 결과로 옳은 것은? [2점]

① 집강소가 설치되었다.
② 조사 시찰단이 파견되었다.
③ 외규장각 도서가 약탈되었다.
④ 청의 내정 간섭이 심화되었다.

32-332 밑줄 그은 '단체'로 옳은 것은? [2점]

학술 발표회

우리 학회에서는 제국주의 열강의 침략으로부터 주권을 수호하고자 서재필의 주도로 창립된 단체의 의의와 한계를 조명하고자 합니다. 많은 관심과 참여를 바랍니다.

◐ 발표 주제 ◑
- 민중 계몽을 위한 강연회와 토론회 개최 이유
- 만민 공동회를 통한 자주 국권 운동 전개 과정
- 관민 공동회 개최와 헌의 6조 결의의 역사적 의미

■ 일시 : 2022년 4월 ○○일 13:00~18:00
■ 장소 : △△ 문화원 소강당

① 보안회 ② 신민회
③ 독립 협회 ④ 대한 자강회

33-333 다음 법령이 시행된 시기 일제의 경제 정책으로 옳은 것은? [2점]

① 미곡 공출제 시행
② 남면북양 정책 추진
③ 농촌 진흥 운동 전개
④ 토지 조사 사업 실시

34-334 밑줄 그은 '정부'의 활동으로 옳지 않은 것은? [3점]

① 연통제를 실시하였다.
② 독립 공채를 발행하였다.
③ 구미 위원부를 설치하였다.
④ 대한국 국제를 반포하였다.

35-335 (가)에 들어갈 종교로 옳은 것은? [1점]

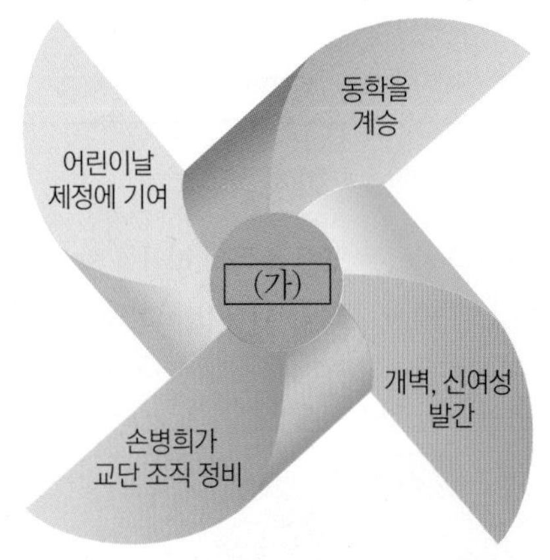

① 대종교　　② 원불교
③ 천도교　　④ 천주교

36-336 (가)에 해당하는 인물로 옳은 것은? [2점]

봉오동 전투를 승리로 이끈 (가) 장군의 유해가 대한민국 특별 수송기로 카자흐스탄에서 돌아오고 있습니다. 우리나라 공군 전투기 6대가 안전하게 호위하고 있습니다.

①

김좌진

②

양세봉

③ 지청천

④ 홍범도

37-337 학생들이 공통으로 이야기하는 민족 운동으로 옳은 것은? [2점]

1920년 평양에서 조만식 등이 중심이 되어 시작했어.

우리 민족 산업을 보호하고 육성하기 위해 전개했지.

사회주의자로부터 자본가의 이익만을 추구한다고 비판받기도 했어.

① 브나로드 운동
② 문자 보급 운동
③ 물산 장려 운동
④ 민립 대학 설립 운동

38-338 (가)에 들어갈 단체로 옳은 것은? [1점]

이것은 일제 경찰에서 제작한 감시 대상 인물 카드에 있는 (가) 단원들의 사진입니다. 사진에서는 단장 김원봉과 조선 총독부에 폭탄을 던진 김익상을 비롯한 총 7명의 모습을 확인할 수 있습니다.

① 의열단　　② 중광단
③ 흥사단　　④ 한인 애국단

제58회 한국사능력검정시험 (기본)

39-339 (가)에 들어갈 단체로 옳은 것은? [2점]

① 신간회 ② 토월회
③ 대한 광복회 ④ 조선어 학회

40-340 밑줄 그은 '이 시기'를 연표에서 옳게 고른 것은? [3점]

황국 신민 서사가 새겨진 이 전시물은 일제의 침략상을 고발하기 위해 쓰러뜨린 채로 '홀대 전시' 중입니다. 일제는 황국 신민 서사 암송을 강요하고 조선어 과목을 폐지하는 등 이 시기에 우리 민족의 정체성을 말살시키려 하였습니다.

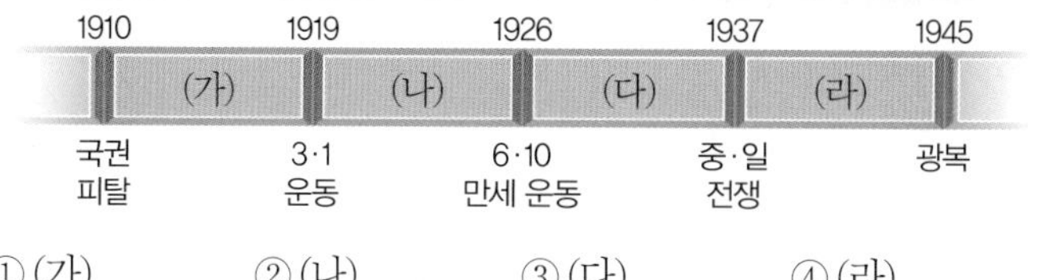

① (가) ② (나) ③ (다) ④ (라)

41-341 (가)에 들어갈 내용으로 옳은 것은? [3점]

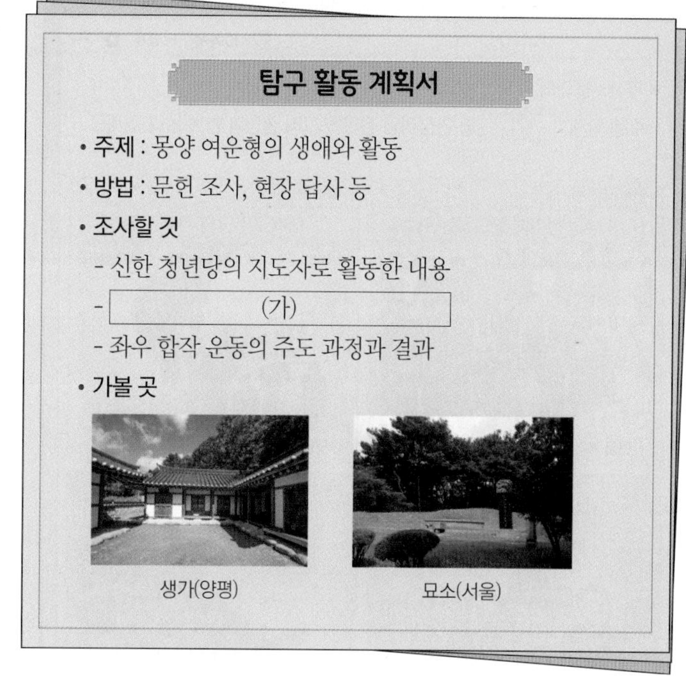

① 헤이그 특사로 파견된 배경
② 암태도 소작 쟁의에 참여한 계기
③ 한국독립운동지혈사의 저술 이유
④ 조선 건국 준비 위원회의 결성 목적

42-342 (가) 전쟁 중에 있었던 사실로 옳지 않은 것은? [2점]

① 반공 포로가 석방되었다.
② 미·소 공동 위원회가 개최되었다.
③ 중국군의 개입으로 서울을 다시 빼앗겼다.
④ 국군과 유엔군이 인천 상륙 작전에 성공하였다.

제58회 한국사능력검정시험 (기본)

43-343 (가)에 들어갈 민주화 운동으로 옳은 것은? [2점]

① 4·19 혁명
② 6월 민주 항쟁
③ 부·마 민주 항쟁
④ 5·18 민주화 운동

44-344 (가) 정부 시기에 있었던 사실로 옳은 것은? [2점]

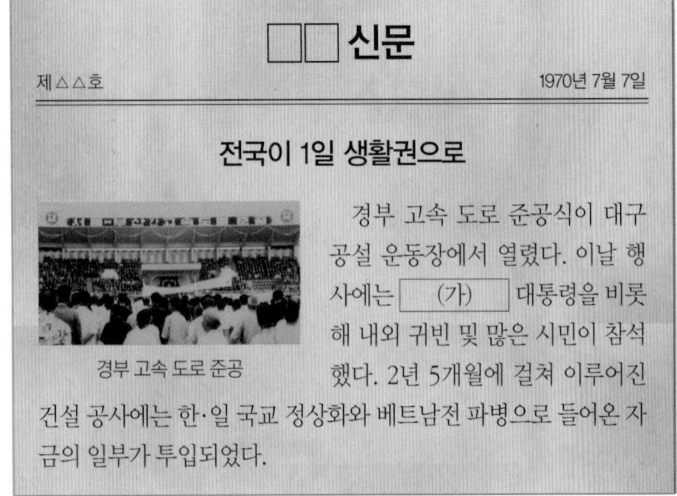

□□ 신문

제△△호 1970년 7월 7일

전국이 1일 생활권으로

경부 고속 도로 준공식이 대구 공설 운동장에서 열렸다. 이날 행사에는 (가) 대통령을 비롯해 내외 귀빈 및 많은 시민이 참석했다. 2년 5개월에 걸쳐 이루어진 건설 공사에는 한·일 국교 정상화와 베트남전 파병으로 들어온 자금의 일부가 투입되었다.

경부 고속 도로 준공

① 3저 호황으로 수출이 증가하였다.
② 제2차 경제 개발 5개년 계획이 실시되었다.
③ 경제 협력 개발 기구(OECD)에 가입하였다.
④ 미국과 자유 무역 협정(FTA)을 체결하였다.

45-345 밑줄 그은 '이 인물'로 옳은 것은? [1점]

① 김대중 ② 김영삼
③ 노태우 ④ 전두환

46-346 다음 뉴스가 보도된 정부 시기의 통일 노력으로 옳은 것은? [2점]

① 이산가족 최초 상봉
② 남북 기본 합의서 채택
③ 남북한 유엔 동시 가입
④ 10·4 남북 정상 선언 발표

제58회 한국사능력검정시험 (기본)

47-347 (가)~(다)를 일어난 순서대로 옳게 나열한 것은? [3점]

① (가) - (나) - (다)
② (가) - (다) - (나)
③ (나) - (가) - (다)
④ (다) - (가) - (나)

48-348 밑줄 그은 '섬'으로 옳은 것은? [1점]

○○월 ○○일 ○요일	날씨 : 맑음

오늘 나는 가족과 함께 우리나라 가장 동쪽에 있는 섬을 다녀왔다. 배 안에서 선장님께 들었는데, 1900년에 고종 황제가 칙령 제41호를 공포해 이곳이 우리 땅임을 분명히 했다고 한다. 선착장에는 멋있는 경찰들이 마중 나와 있었다. 앞으로 나도 우리 영토를 지키기 위해 힘을 보태야겠다.

① 독도
② 진도
③ 거제도
④ 흑산도

49-349 밑줄 그은 '놀이'로 옳은 것은? [1점]

우리나라의 민속놀이 소개

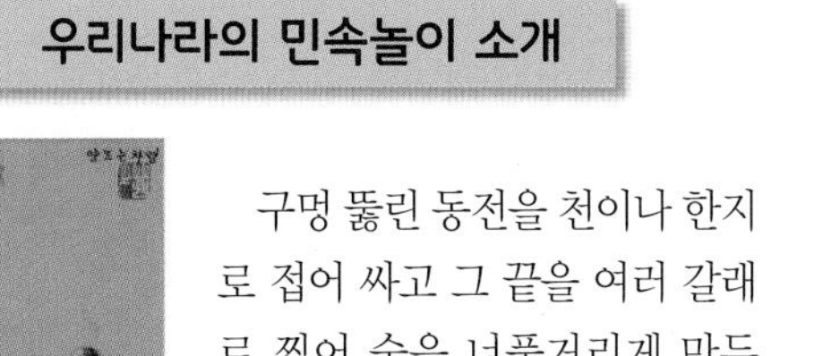

구멍 뚫린 동전을 천이나 한지로 접어 싸고 그 끝을 여러 갈래로 찢어 술을 너풀거리게 만든 뒤, 이를 발로 차며 즐기는 놀이입니다.

① 널뛰기
② 비석치기
③ 제기차기
④ 쥐불놀이

50-350 학생들이 공통으로 이야기하는 지역으로 옳은 것은? [2점]

① 상주
② 원주
③ 전주
④ 청주

2022년도 제57회 한국사능력검정시험 문제지

1-351 다음 축제에서 체험할 수 있는 활동으로 적절한 것은? [1점]

① 가락바퀴로 실 뽑기
② 뗀석기로 고기 자르기
③ 점토로 빗살무늬 토기 빚기
④ 거푸집으로 청동 검 모형 만들기

2-352 (가)에 들어갈 내용으로 옳은 것은? [2점]

① 서옥제라는 혼인 풍습을 표현해 보자.
② 무예를 익히는 화랑도의 모습을 보여 주자.
③ 특산물인 단궁, 과하마, 반어피를 그려 보자.
④ 지배층인 마가, 우가, 저가, 구가를 등장시키자.

3-353 다음 자료에 해당하는 나라에 대한 설명으로 옳은 것은? [2점]

> ○ 위서에 이르기를, "지금으로부터 2천여 년 전에 단군왕검이 아사달에 도읍을 정하였다."고 하였다. - "삼국유사" -
> ○ 누선장군 양복(楊僕)이 군사 7천을 거느리고 먼저 왕검성에 도착하였다. 우거가 성을 지키고 있다가 양복의 군사가 적은 것을 알고 곧 나가서 공격하니 양복이 패하여 달아났다. - "삼국유사" -

① 신성 지역인 소도가 있었다.
② 낙랑, 왜 등에 철을 수출하였다.
③ 화백 회의에서 중요한 일을 결정하였다.
④ 사회 질서를 유지하기 위해 범금 8조를 만들었다.

4-354 (가) 왕에 대한 설명으로 옳은 것은? [2점]

① 태학을 설립하였다.
② 낙랑군을 몰아내었다.
③ 천리장성을 축조하였다.
④ 영락이라는 연호를 사용하였다.

5-355 (가), (나) 사이의 시기에 있었던 사실로 옳은 것은? [3점]

① 고구려가 옥저를 정복하였다.
② 백제가 신라와 동맹을 맺었다.
③ 백제가 관산성 전투에서 패배하였다.
④ 고구려가 안시성에서 당군을 물리쳤다.

6-356 밑줄 그은 '그'로 옳은 것은? [1점]

선덕 여왕 11년 그는 군사를 청하러 고구려로 떠났습니다. 하지만 죽령 이북의 땅을 돌려달라는 보장왕의 요구를 들어 주지 않아 별관에 갇히게 되었지요.

-3-

이때 고구려 관리에게 토끼와 거북이의 이야기를 듣게 되었답니다. 그는 뜻을 알아차리고 꾀를 내어 영토를 돌려주겠다고 한 뒤 신라로 무사히 돌아왔어요. 그리고 몇 해 후 당으로 건너가 동맹을 맺었지요.

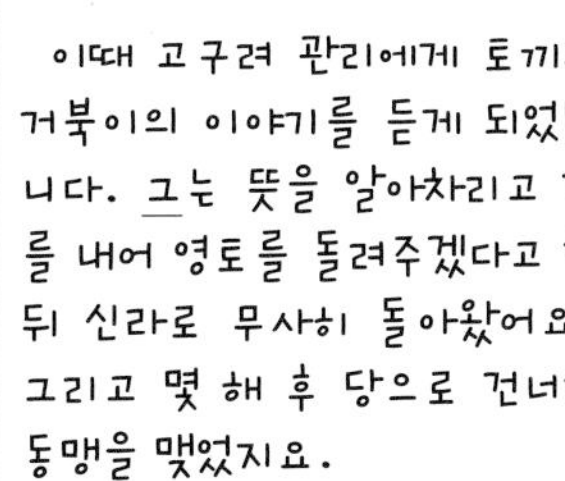

-4-

① 김대성　② 김춘추
③ 사다함　④ 이사부

7-357 (가) 국가에 대한 설명으로 옳은 것은? [3점]

① 송악에서 철원으로 도읍을 옮겼다.
② 수의 군대를 살수에서 크게 무찔렀다.
③ 인재 선발을 위하여 독서삼품과를 시행하였다.
④ 정당성 아래 6부를 두어 행정을 담당하게 하였다.

8-358 다음 일기의 소재가 된 유적으로 옳은 것은? [2점]

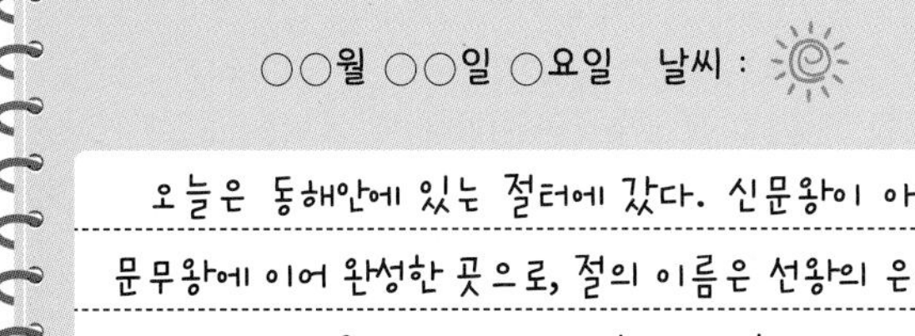

○○월 ○○일 ○요일 날씨 :

오늘은 동해안에 있는 절터에 갔다. 신문왕이 아버지 문무왕에 이어 완성한 곳으로, 절의 이름은 선왕의 은혜에 감사하는 마음을 담아 지었다고 한다. 마침 그곳에는 축제가 열려 대금 연주가 시작되었다. 마치 만파식적 설화 속 대나무 피리 소리가 들리는 것 같았다.

①

경주 감은사지

②

여주 고달사지

③

원주 법천사지

④

화순 운주사지

9-359 다음 답사가 이루어진 지역으로 옳지 않은 것은? [2점]

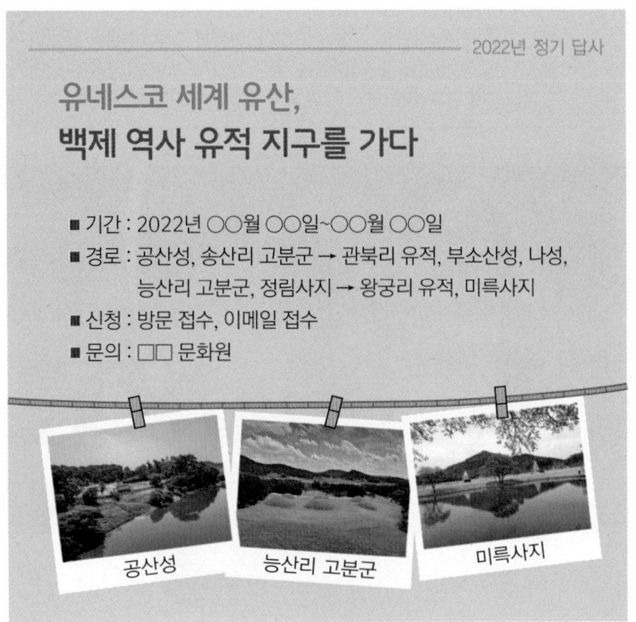

① 공주 ② 부여
③ 익산 ④ 전주

10-360 밑줄 그은 '그'가 활동한 시기에 볼 수 있는 모습으로 적절한 것은? [2점]

① 성리학을 공부하는 유생
② 금속 활자를 주조하는 장인
③ 판소리 공연을 하는 소리꾼
④ 군사를 모아 장군이라 칭하는 호족

11-361 (가) 왕에 대한 설명으로 옳은 것은? [2점]

① 훈요 10조를 남겼다.
② 과거제를 시행하였다.
③ 만권당을 설립하였다.
④ 전시과를 마련하였다.

12-362 (가)~(다) 학생이 발표한 내용을 일어난 순서대로 옳게 나열한 것은? [3점]

① (가) - (나) - (다) ② (가) - (다) - (나)
③ (나) - (가) - (다) ④ (다) - (가) - (나)

제57회 한국사능력검정시험 (기본)

13-363 교사의 질문에 대한 학생의 답변으로 옳지 않은 것은? [2점]

14-364 (가)에 들어갈 세시 풍속으로 옳은 것은? [1점]

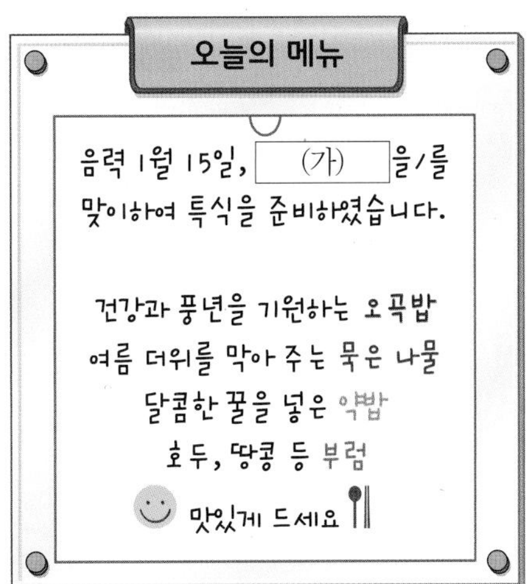

① 동지 ② 추석
③ 삼짇날 ④ 정월 대보름

15-365 (가) 시기에 있었던 사실로 옳은 것은? [3점]

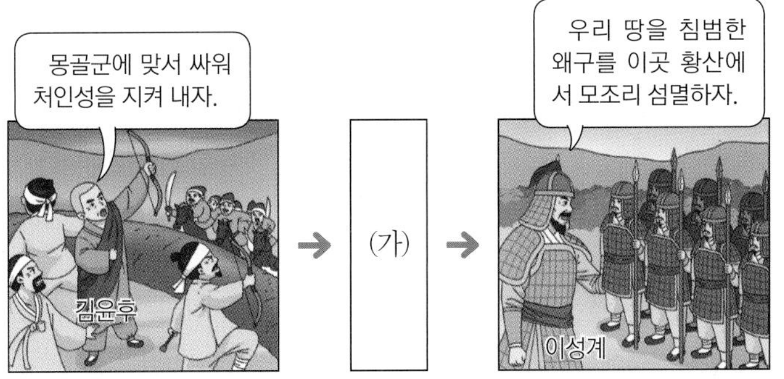

① 과전법이 시행되었다.
② 이자겸이 난을 일으켰다.
③ 궁예가 후고구려를 세웠다.
④ 팔만대장경판이 제작되었다.

16-366 다음 퀴즈의 정답으로 옳은 것은? [1점]

① 양규 ② 일연
③ 김부식 ④ 이제현

17-367 다음 다큐멘터리에서 볼 수 있는 장면으로 적절하지 않은 것은? [2점]

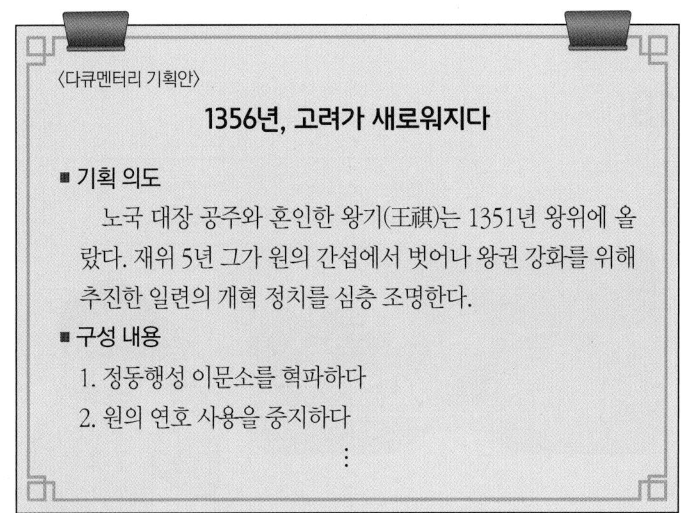
〈다큐멘터리 기획안〉

1356년, 고려가 새로워지다

■ 기획 의도

노국 대장 공주와 혼인한 왕기(王祺)는 1351년 왕위에 올랐다. 재위 5년 그가 원의 간섭에서 벗어나 왕권 강화를 위해 추진한 일련의 개혁 정치를 심층 조명한다.

■ 구성 내용

1. 정동행성 이문소를 혁파하다
2. 원의 연호 사용을 중지하다

⋮

① 수원 화성을 축조하는 백성
② 쌍성총관부를 공격하는 군인
③ 숙청당하는 기철 등 친원 세력
④ 정방 폐지 교서를 작성하는 관리

제 57 회

18-368 다음 기사에 보도된 문화유산으로 옳은 것은? [2점]

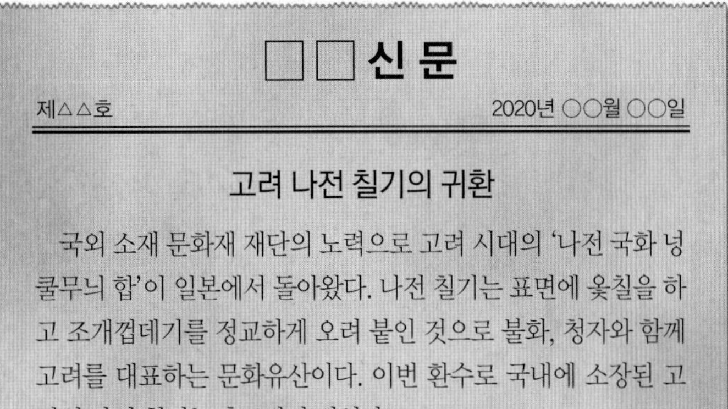

□□신문

제△△호 2020년 ○○월 ○○일

고려 나전 칠기의 귀환

국외 소재 문화재 재단의 노력으로 고려 시대의 '나전 국화 넝쿨무늬 합'이 일본에서 돌아왔다. 나전 칠기는 표면에 옻칠을 하고 조개껍데기를 정교하게 오려 붙인 것으로 불화, 청자와 함께 고려를 대표하는 문화유산이다. 이번 환수로 국내에 소장된 고려의 나전 칠기는 총 3점이 되었다.

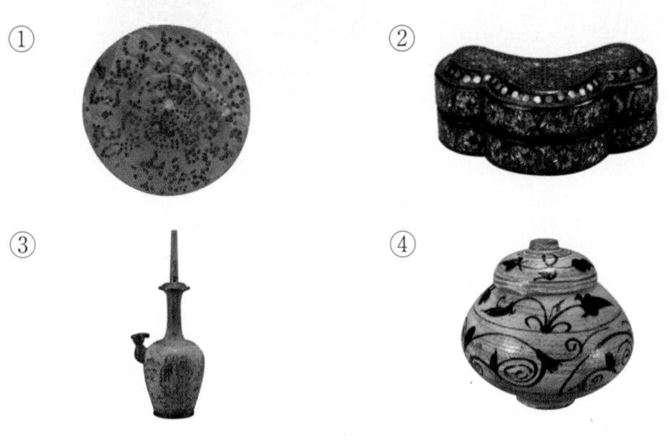

① ② ③ ④

19-369 (가) 인물의 활동으로 옳은 것은? [2점]

① 거중기를 설계하였다.
② 앙부일구를 제작하였다.
③ 비격진천뢰를 발명하였다.
④ 화통도감 설치를 건의하였다.

20-370 밑줄 그은 '탑'으로 옳은 것은? [2점]

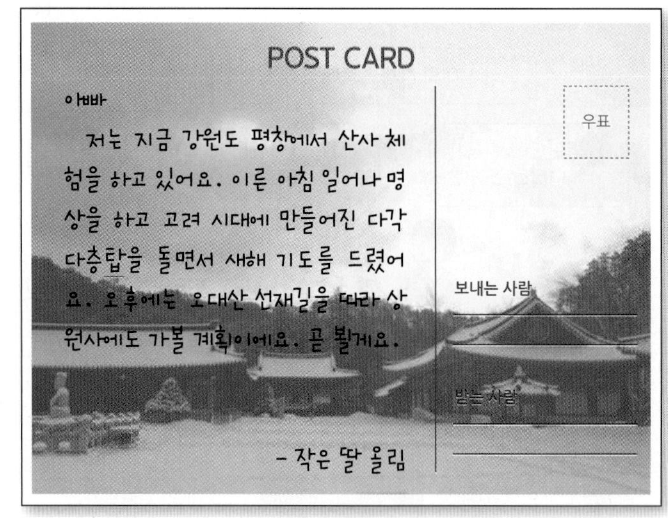

① 불국사 다보탑
② 신륵사 다층 전탑
③ 월정사 팔각 구층 석탑
④ 화엄사 사사자 삼층 석탑

21-371 (가)에 들어갈 사건으로 옳은 것은? [2점]

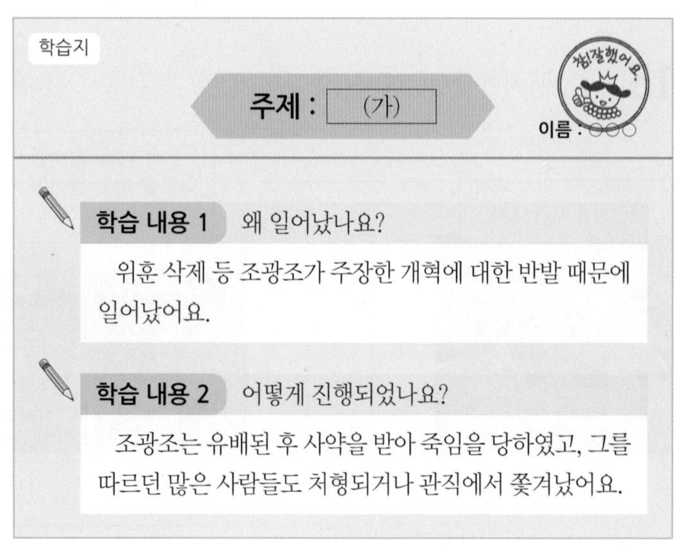

학습지

주제 : (가)

이름 : ○○○

학습 내용 1 왜 일어났나요?

위훈 삭제 등 조광조가 주장한 개혁에 대한 반발 때문에 일어났어요.

학습 내용 2 어떻게 진행되었나요?

조광조는 유배된 후 사약을 받아 죽임을 당하였고, 그를 따르던 많은 사람들도 처형되거나 관직에서 쫓겨났어요.

① 기묘사화 ② 신유박해
③ 인조반정 ④ 임오군란

22-372 (가)에 들어갈 인물로 옳은 것은? [1점]

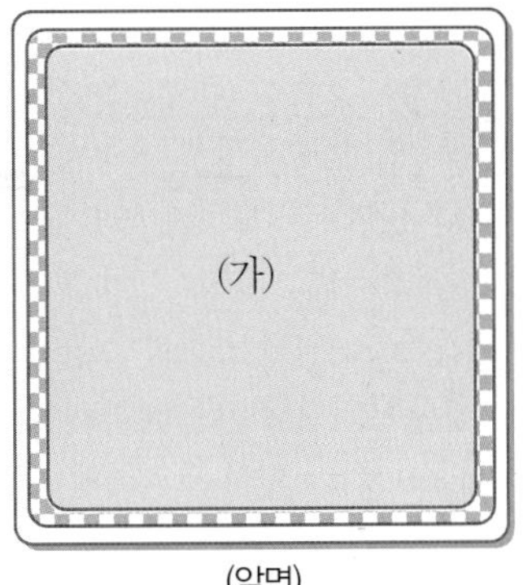

- 조선 개국 공신
- 조선의 통치 기준과 운영 원칙을 제시한 조선경국전을 저술함
- 불씨잡변을 지어 불교 교리를 비판함

(앞면) (뒷면)

①

이이

②

송시열

③

정도전

④ 정몽주

23-373 밑줄 그은 '왕'이 추진한 정책으로 옳은 것은? [2점]

① 삼별초를 조직하였다.
② 직전법을 시행하였다.
③ 한양으로 천도하였다.
④ 훈민정음을 창제하였다.

24-374 (가)에 들어갈 정치 기구로 옳은 것은? [2점]

① 비변사 ② 어사대
③ 도병마사 ④ 군국기무처

25-375 (가) 전쟁 중에 있었던 사실로 옳은 것은? [2점]

① 최윤덕이 4군을 개척하였다.
② 서희가 강동 6주를 확보하였다.
③ 권율이 행주산성에서 승리하였다.
④ 이종무가 쓰시마섬을 토벌하였다.

26-376 다음 학생이 생각하고 있는 책으로 옳은 것은? [1점]

① 동의보감 ② 목민심서
③ 열하일기 ④ 향약집성방

27-377 다음 퀴즈의 정답으로 옳은 것은? [2점]

①

②

③

④

28-378 (가)에 대한 역대 왕조의 시기별 정책으로 옳은 것은? [3점]

> ○ (가) 의 변경 침략 때문에 [예종이] 법왕사에 행차하여 분향하고, 신하들을 나누어 보내 여러 사당에서 기도하게 하였다.
> ○ 동북면 도순문사가 아뢰었다. "경성, 경원에 (가) 의 출입을 허락하면 떼 지어 몰려들 우려가 있고, 일절 금하면 소금과 쇠를 얻지 못하여 변경에 불화가 생길까 걱정됩니다. 원하건대, 두 고을에 무역소를 설치하여 저들로 하여금 와서 교역하게 하소서." [태종이] 그대로 따랐다.

① 백제 의자왕 때 대야성을 공격하였다.
② 신라 흥덕왕 때 완도에 청해진을 설치하였다.
③ 고려 숙종 때 윤관의 건의로 별무반을 편성하였다.
④ 조선 고종 때 종로와 전국 각지에 척화비를 건립하였다.

29-379 다음 가상 뉴스가 보도된 시기의 경제 상황으로 옳은 것은? [2점]

① 당백전이 유통되었다.
② 동시전이 설치되었다.
③ 목화가 처음 전래되었다.
④ 모내기법이 전국으로 확산되었다.

7/12

30-380 (가) 왕이 추진한 정책으로 옳은 것은? [3점]

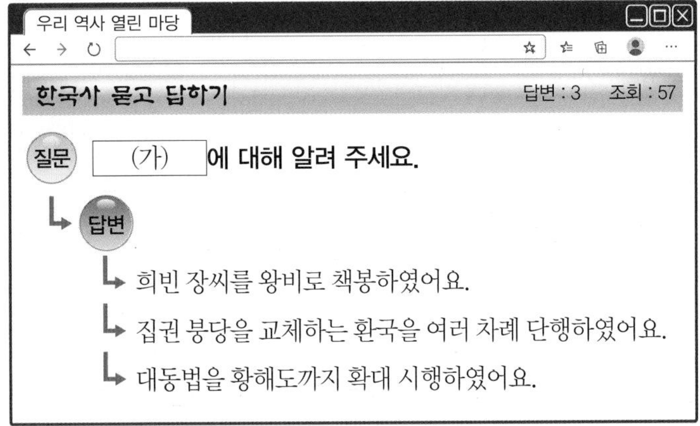

① 장용영을 설치하였다.
② 탕평비를 건립하였다.
③ 상평통보를 발행하였다.
④ 동국여지승람을 편찬하였다.

31-381 밑줄 그은 '변고'가 일어난 시기를 연표에서 옳게 고른 것은? [3점]

> **답서**
> 영종 첨사 명의로 답서를 보냈다.
>
> 귀국과 우리나라 사이에는 원래 소통이 없었고, 은혜를 입거나 원수를 진 일도 없었다. 그런데 이번 덕산 묘지(남연군 묘)에서 일으킨 변고는 사람으로서 차마 할 수 있는 일이겠는가? …… 이런 지경에 이르렀으니 우리나라 신하와 백성은 있는 힘을 다하여 한마음으로 귀국과는 같은 하늘을 이고 살 수 없다는 것을 맹세한다.

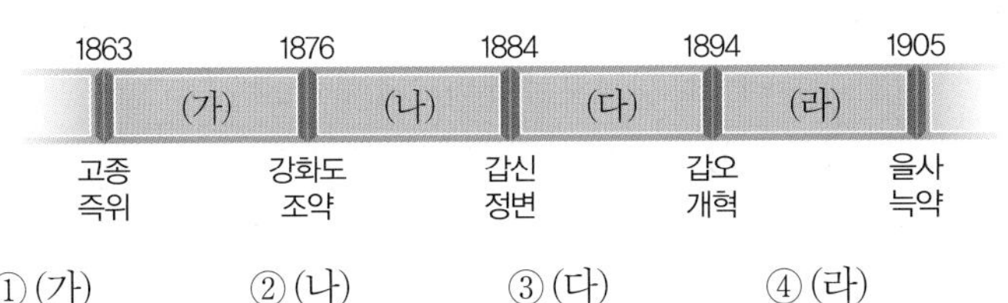

① (가) ② (나) ③ (다) ④ (라)

32-382 다음 책이 국내에 유포된 영향으로 적절한 것은? [2점]

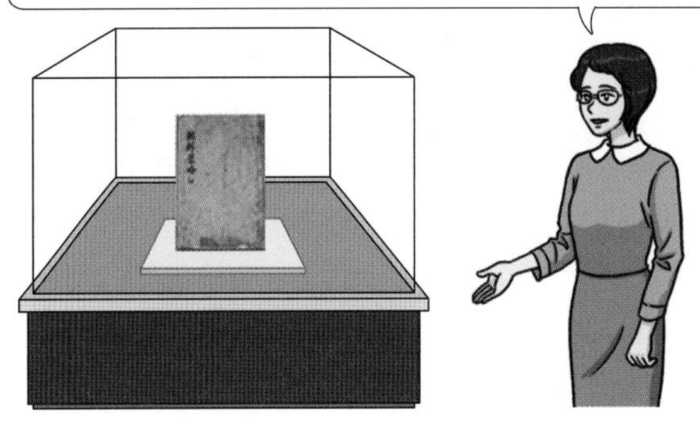

① 병인박해가 일어났다.
② 제너럴 셔먼호 사건이 발생하였다.
③ 이만손 등이 영남 만인소를 올렸다.
④ 어재연 부대가 광성보에서 항전하였다.

33-383 (가) 운동에 대한 탐구 활동으로 가장 적절한 것은? [2점]

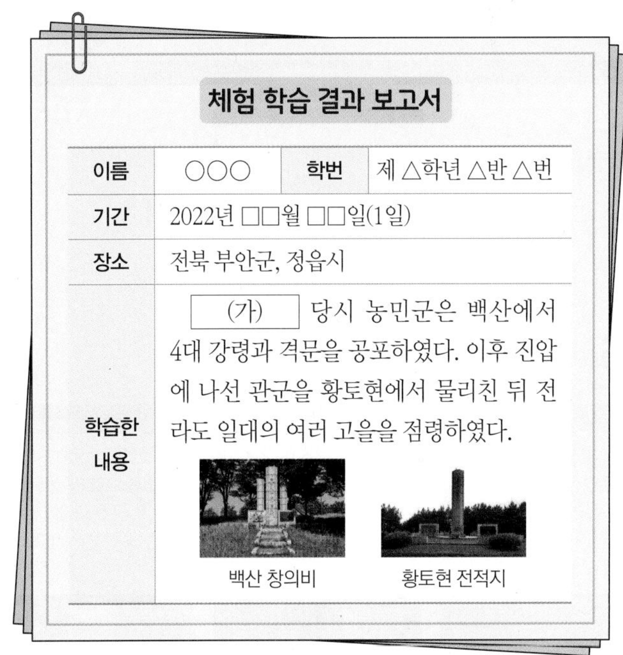

체험 학습 결과 보고서

이름	○○○	학번	제 △학년 △반 △번
기간	2022년 □□월 □□일(1일)		
장소	전북 부안군, 정읍시		
학습한 내용	(가) 당시 농민군은 백산에서 4대 강령과 격문을 공포하였다. 이후 진압에 나선 관군을 황토현에서 물리친 뒤 전라도 일대의 여러 고을을 점령하였다. 백산 창의비 / 황토현 전적지		

① 삼전도비의 건립 배경을 조사한다.
② 산미 증식 계획의 실상을 파악한다.
③ 나선 정벌군의 이동 경로를 알아본다.
④ 전주 화약이 체결되는 과정을 살펴본다.

34-384 다음 사건 이후에 일어난 사실로 옳은 것은? [2점]

> **역 사 신 문**
>
> 제△△호 ○○○○년 ○○월 ○○일
>
> **국왕, 경복궁을 떠나다**
>
> 2월 11일 국왕과 세자가 비밀리에 러시아 공사관으로 거처를 옮겼다. 일본군 감시가 허술한 틈을 타 궁녀의 가마를 타고 경복궁을 나왔는데, 공사관에 도착한 때는 대략 오전 7시 30분이었다.

① 훈련도감이 설치되었다.
② 청에 영선사가 파견되었다.
③ 외규장각 도서가 약탈되었다.
④ 대한 제국 수립이 선포되었다.

35-385 밑줄 그은 '이 단체'로 옳은 것은? [1점]

① 근우회 ② 찬양회
③ 조선 여자 교육회 ④ 토산 애용 부인회

36-386 다음 자료에 해당하는 인물로 옳은 것은? [2점]

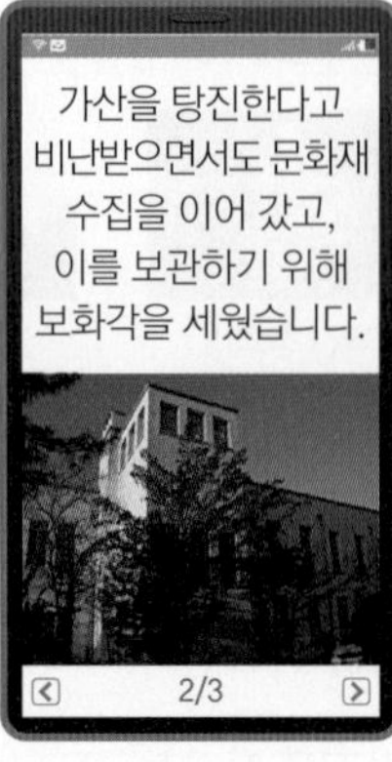

① 심훈 ② 이회영 ③ 전형필 ④ 주시경

37-387 (가)의 활동으로 옳은 것은? [2점]

① 구미 위원부를 설치하였다.
② 만민 공동회를 개최하였다.
③ 국채 보상 운동을 전개하였다.
④ 신흥 무관 학교를 설립하였다.

38-388 (가)~(라)에 들어갈 내용으로 옳은 것은? [2점]

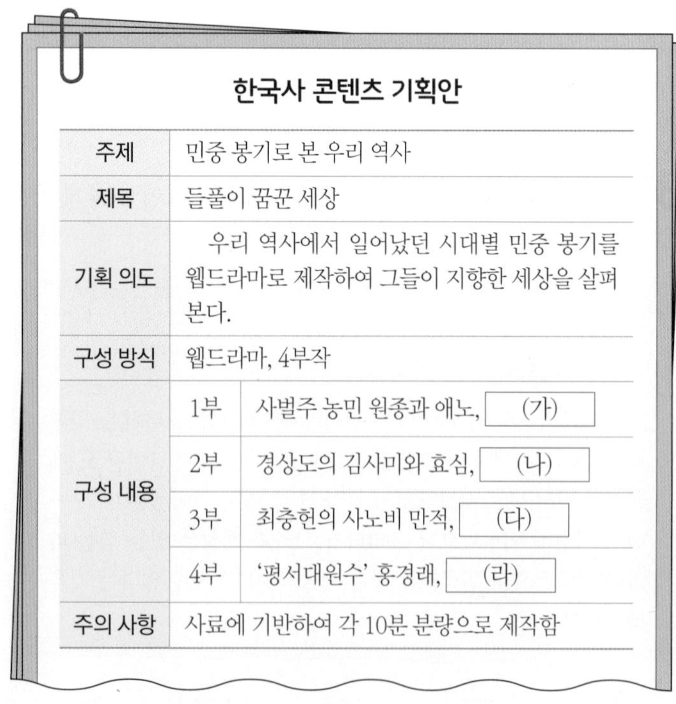

한국사 콘텐츠 기획안

주제	민중 봉기로 본 우리 역사	
제목	들풀이 꿈꾼 세상	
기획 의도	우리 역사에서 일어났던 시대별 민중 봉기를 웹드라마로 제작하여 그들이 지향한 세상을 살펴본다.	
구성 방식	웹드라마, 4부작	
구성 내용	1부	사벌주 농민 원종과 애노, (가)
	2부	경상도의 김사미와 효심, (나)
	3부	최충헌의 사노비 만적, (다)
	4부	'평서대원수' 홍경래, (라)
주의 사항	사료에 기반하여 각 10분 분량으로 제작함	

① (가) - 환곡의 폐단과 탐관오리의 횡포에 항거하다
② (나) - 정감록 신앙을 바탕으로 왕조 교체를 외치다
③ (다) - 무신 정변 이래 격변한 세상에서 신분 해방을 도모하다
④ (라) - 특수 행정 구역인 소의 주민에 대한 수탈에 저항하다

제57회 한국사능력검정시험 (기본)

해설 BOOK 204~208쪽

39-389 (가)에 들어갈 내용으로 적절한 것은? [1점]

① 서유견문 ② 어린이날
③ 진단 학회 ④ 통리기무아문

40-390 (가)에 들어갈 사진으로 옳은 것은? [2점]

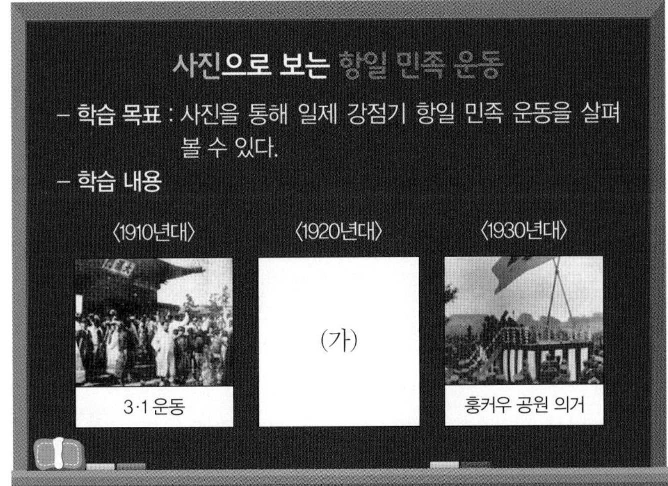

①

정미의병

②

6·10 만세 운동

③

조선 의용대 창설

④

헤이그 특사 파견

41-391 밑줄 그은 '합의'가 이루어진 배경으로 옳은 것은? [3점]

> 이 자료는 지청천이 이끄는 한국 독립군이 중국 항일군과 합의한 내용입니다. 이를 바탕으로 한·중 연합 작전이 전개되어 쌍성보 전투와 대전자령 전투에서 일본군에 큰 승리를 거두었습니다.

첫째, 한·중 양군은 최악의 상황이 오더라도 장기간 항전할 것을 맹세한다.
둘째, 중동 철도를 경계선으로 서부 전선은 중국 측이 맡고, 동부 전선은 한국 측이 맡는다.
셋째, 전시에 후방의 전투 훈련은 한국 측이 맡고, 한국군에 필요한 군수품 등은 중국 측이 공급한다.

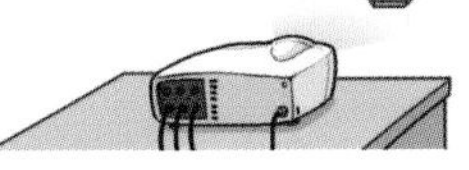

① 만주 사변이 일어났다.
② 카이로 회담이 개최되었다.
③ 태평양 전쟁이 발발하였다.
④ 조선 건국 준비 위원회가 결성되었다.

42-392 밑줄 그은 '이 시기'에 일제가 추진한 정책으로 옳은 것은? [3점]

> 이 인공 동굴은 일제가 공중 폭격에 대비하여 목포 유달산 아래에 만든 방공호입니다. 국가 총동원법이 시행된 이 시기에 일제는 한국인들을 강제 동원하여 이와 같은 군사 시설을 한반도 곳곳에 만들었습니다.

① 회사령을 공포하였다.
② 미곡 공출제를 시행하였다.
③ 치안 유지법을 제정하였다.
④ 헌병 경찰 제도를 실시하였다.

43-393 (가)에 해당하는 지역을 지도에서 옳게 찾은 것은? [2점]

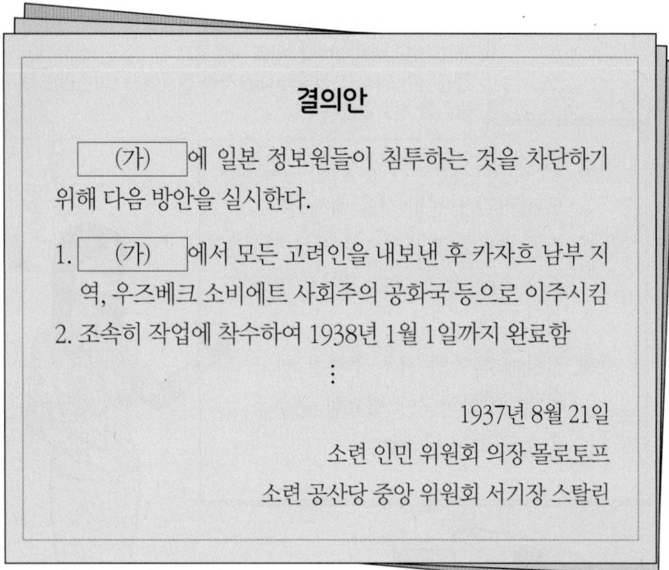

결의안

(가) 에 일본 정보원들이 침투하는 것을 차단하기 위해 다음 방안을 실시한다.

1. (가) 에서 모든 고려인을 내보낸 후 카자흐 남부 지역, 우즈베크 소비에트 사회주의 공화국 등으로 이주시킴
2. 조속히 작업에 착수하여 1938년 1월 1일까지 완료함

⋮

1937년 8월 21일
소련 인민 위원회 의장 몰로토프
소련 공산당 중앙 위원회 서기장 스탈린

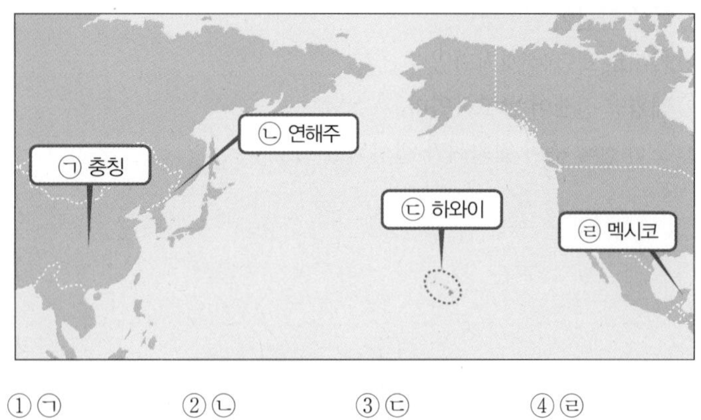

① ㉠ ② ㉡ ③ ㉢ ④ ㉣

44-394 밑줄 그은 '선거'가 실시된 시기를 연표에서 옳게 고른 것은? [2점]

① (가) ② (나) ③ (다) ④ (라)

45-395 (가)에 들어갈 단체로 옳은 것은? [1점]

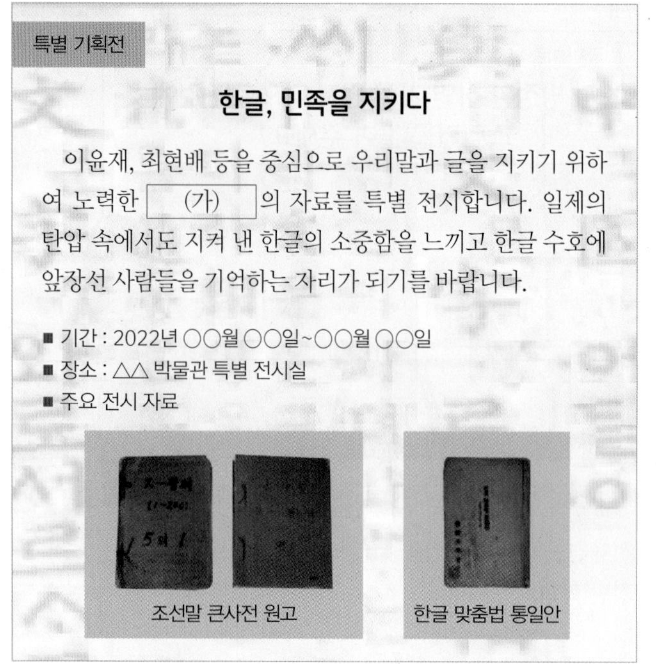

① 토월회 ② 독립 협회
③ 대한 자강회 ④ 조선어 학회

46-396 (가)에 들어갈 민주화 운동으로 옳은 것은? [1점]

① 6·3 시위 ② 6월 민주 항쟁
③ 2·28 민주 운동 ④ 5·18 민주화 운동

11/12

제57회 한국사능력검정시험 (기본)

해설 BOOK 209~212쪽

47-397 (가)에 해당하는 인물로 옳은 것은? [2점]

① 
김주열

② 장준하

③ 
전태일

④ 
이한열

48-398 밑줄 그은 '이 회담' 이후에 있었던 사실로 옳은 것은? [2점]

① 개성 공단이 건설되었다.
② 남북 조절 위원회가 설치되었다.
③ 남북한이 유엔에 동시 가입하였다.
④ 남북 이산가족 상봉이 최초로 성사되었다.

49-399 (가) 정부 시기에 있었던 사실로 옳은 것은? [2점]

① 새마을 운동을 시작하였다.
② 금융 실명제를 전면 실시하였다.
③ G20 정상 회의를 서울에서 개최하였다.
④ 미국과 자유 무역 협정(FTA)을 체결하였다.

50-400 밑줄 그은 '대책'으로 옳지 않은 것은? [3점]

① 고려 시대에 구제도감 등의 임시 기구를 설치하였다.
② 고려 시대에 양현고 등을 설치하여 기금을 마련하였다.
③ 조선 시대에 구질막, 병막 등의 격리 시설을 운영하였다.
④ 조선 시대에 간이벽온방, 신찬벽온방 등을 편찬하여 보급하였다.

2021년도 제55회 한국사능력검정시험 문제지

1-401 (가) 시대의 생활 모습으로 옳은 것은? [1점]

① 우경이 널리 보급되었다.
② 철제 무기를 사용하였다.
③ 주로 동굴이나 막집에 살았다.
④ 지배자의 무덤으로 고인돌을 만들었다.

2-402 (가) 나라에 대한 설명으로 옳은 것은? [2점]

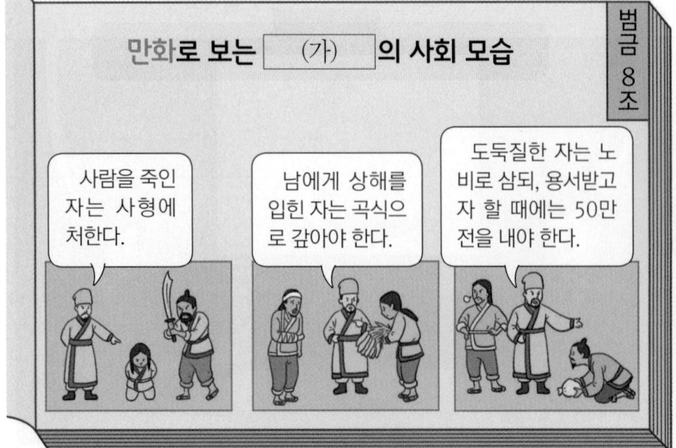

① 낙랑과 왜에 철을 수출하였다.
② 영고라는 제천 행사를 열었다.
③ 서옥제라는 혼인 풍습이 있었다.
④ 건국 이야기가 삼국유사에 실려 있다.

3-403 다음 가상 인터뷰에 등장하는 왕의 업적으로 옳은 것은? [2점]

① 국학을 설립하였다.
② 병부를 설치하였다.
③ 대가야를 정복하였다.
④ 독서삼품과를 실시하였다.

4-404 (가), (나) 사이의 시기에 있었던 사실로 옳은 것은? [2점]

> (가) 장수왕 63년, 왕이 군사 3만 명을 거느리고 백제에 침입하여 도읍인 한성을 함락시키고 백제 왕을 죽였다.
>
> (나) 보장왕 4년, 당의 여러 장수가 안시성을 공격하였다. …… [당군이] 밤낮으로 쉬지 않고 60일간 50만 명을 동원하여 토산을 쌓았다. …… 고구려군 수백 명이 성이 무너진 곳으로 나가 싸워서 마침내 토산을 빼앗았다.

① 원종과 애노가 봉기하였다.
② 김흠돌이 반란을 도모하였다.
③ 을지문덕이 수의 군대를 물리쳤다.
④ 장문휴가 당의 산둥반도를 공격하였다.

5-405 (가) 국가에 대한 설명으로 옳은 것은? [2점]

① 노비안검법을 실시하였다.
② 지방에 22담로를 설치하였다.
③ 화백 회의에서 국가의 중대사를 결정하였다.
④ 여러 가(加)들이 별도로 사출도를 주관하였다.

6-406 다음 가상 뉴스에서 보도하고 있는 사건이 일어난 시기를 연표에서 옳게 고른 것은? [3점]

① (가) ② (나) ③ (다) ④ (라)

7-407 학생들이 공통으로 이야기하는 문화유산으로 옳은 것은? [3점]

8-408 다음 퀴즈의 정답으로 옳은 것은? [1점]

① 설총 ② 이사부 ③ 이차돈 ④ 최치원

9-409 (가) 국가에 대한 설명으로 옳은 것은? [2점]

① 기인 제도를 실시하였다.
② 9주 5소경을 설치하였다.
③ 한의 침략을 받아 멸망하였다.
④ 대조영이 동모산에서 건국하였다.

10-410 (가)~(다)를 일어난 순서대로 옳게 나열한 것은? [2점]

① (가) - (나) - (다) ② (가) - (다) - (나)
③ (나) - (가) - (다) ④ (다) - (가) - (나)

11-411 다음 상황 이후에 일어난 사실로 옳은 것은? [2점]

① 상대등이 설치되었다.
② 12목에 지방관이 파견되었다.
③ 쌍기의 건의로 과거제가 실시되었다.
④ 웅천주 도독 김헌창이 반란을 일으켰다.

12-412 (가)에 들어갈 내용으로 옳은 것은? [2점]

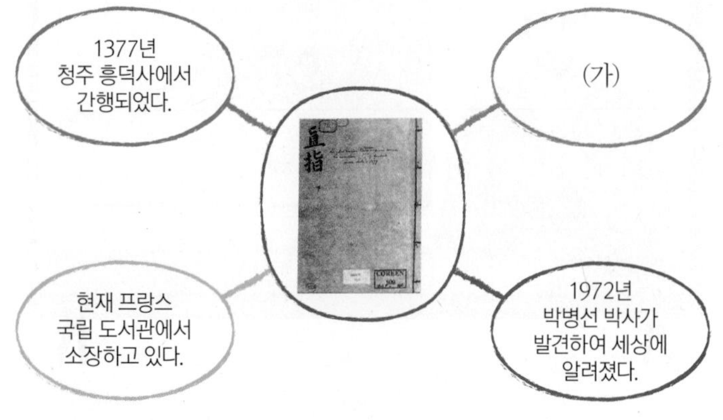

① 김부식이 왕명을 받아 편찬하였다.
② 사초와 시정기를 바탕으로 제작되었다.
③ 우리나라 풍토에 맞는 농법을 소개하였다.
④ 현존하는 세계에서 가장 오래된 금속 활자본이다.

제55회 한국사능력검정시험 (기본)

해설 BOOK 218~221쪽

13-413 (가) 인물의 활동으로 옳은 것은? [1점]

① 강동 6주를 확보하였다.
② 동북 9성을 축조하였다.
③ 화통도감을 설치하였다.
④ 4군과 6진을 개척하였다.

14-414 (가) 시기에 있었던 사실로 옳은 것은? [3점]

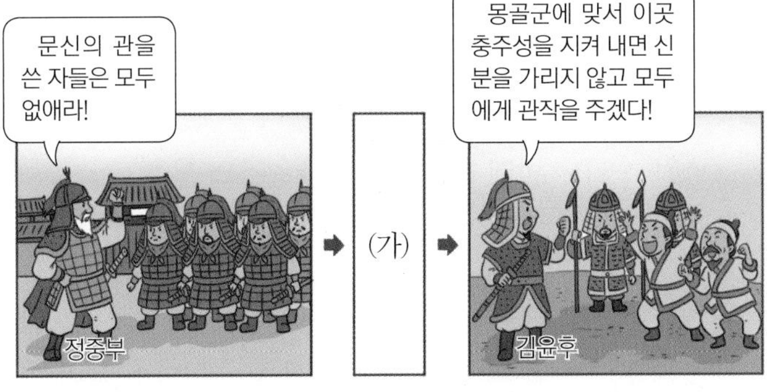

① 이자겸이 난을 일으켰다.
② 묘청이 서경 천도를 주장하였다.
③ 만적이 개경에서 봉기를 모의하였다.
④ 강감찬이 귀주에서 큰 승리를 거두었다.

15-415 밑줄 그은 '이 국가'의 경제 상황으로 옳은 것은? [3점]

① 전시과 제도가 실시되었다.
② 고구마, 감자가 널리 재배되었다.
③ 모내기법이 전국적으로 확산되었다.
④ 시장을 감독하기 위한 동시전이 설치되었다.

16-416 (가)에 해당하는 문화유산으로 옳은 것은? [2점]

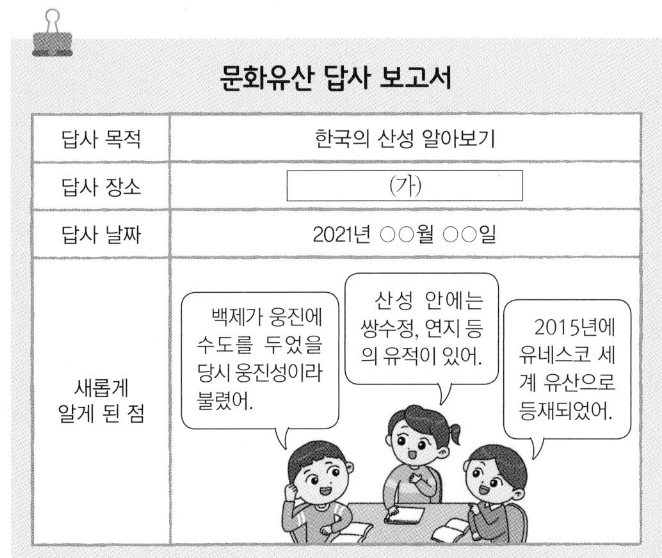

문화유산 답사 보고서

답사 목적	한국의 산성 알아보기
답사 장소	(가)
답사 날짜	2021년 ○○월 ○○일
새롭게 알게 된 점	

①

공산성

②

삼랑성

③

삼년산성

④
오녀산성

제55회 한국사능력검정시험 (기본)

17-417 (가)에 들어갈 내용으로 옳은 것은? [2점]

(앞면)

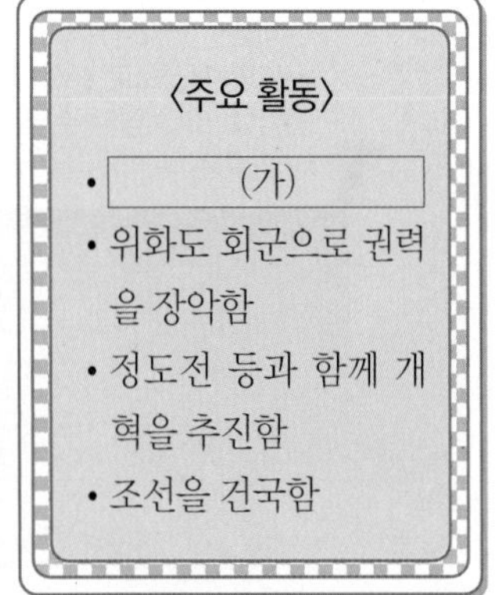
〈주요 활동〉
• (가)
• 위화도 회군으로 권력을 장악함
• 정도전 등과 함께 개혁을 추진함
• 조선을 건국함

(뒷면)

① 별무반을 편성함
② 우산국을 정벌함
③ 전민변정도감을 설치함
④ 황산에서 왜구를 격퇴함

18-418 밑줄 그은 '유적'으로 옳은 것은? [1점]

① 
참성단

② 다산 초당

③ 
항파두리성

④ 
부석사 무량수전

19-419 다음 대화가 이루어진 시기에 볼 수 있는 모습으로 적절한 것은? [2점]

① 단성사에서 공연하는 배우
② 집현전에서 연구하는 관리
③ 청해진에서 교역하는 상인
④ 해동통보를 주조하는 장인

20-420 (가)에 들어갈 책으로 옳은 것은? [2점]

책이 완성되어 여섯 권으로 만들어 바치니, (가) 이라는 이름을 내리셨다. 형전과 호전은 이미 반포되어 시행하고 있으나 나머지 네 법전은 미처 교정을 마치지 못하였는데, 세조께서 갑자기 승하하시니 지금 임금[성종]께서 선대의 뜻을 받들어 마침내 하던 일을 끝마치고 나라 안에 반포하셨다.

① 경국대전 ② 동국통감 ③ 동의보감 ④ 반계수록

21-421 (가)에 들어갈 문화유산으로 옳은 것은? [2점]

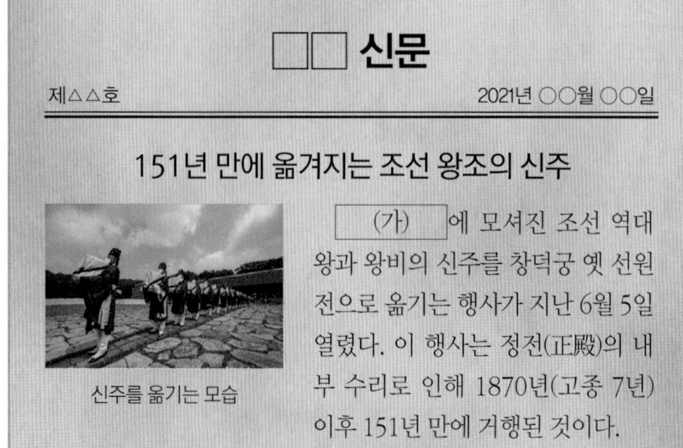
□□ 신문

제△△호 2021년 ○○월 ○○일

151년 만에 옮겨지는 조선 왕조의 신주

(가) 에 모셔진 조선 역대 왕과 왕비의 신주를 창덕궁 옛 선원전으로 옮기는 행사가 지난 6월 5일 열렸다. 이 행사는 정전(正殿)의 내부 수리로 인해 1870년(고종 7년) 이후 151년 만에 거행된 것이다.

신주를 옮기는 모습

① 종묘 ② 사직단 ③ 성균관 ④ 도산 서원

22-422 다음 상황 이후에 일어난 사실로 옳은 것은? [3점]

> 왕이 세자와 함께 신하들을 거느리고 삼전도에 이르렀다. …… 용골대 등이 왕을 인도하여 들어가 단 아래 북쪽을 향해 설치된 자리로 나아가도록 요청하였다. 청인(淸人)이 외치는 의식의 순서에 따라 왕이 세 번 절하고 아홉 번 머리를 조아리는 예를 행하였다.

① 송시열이 북벌론을 주장하였다.
② 조광조가 위훈 삭제를 주장하였다.
③ 광해군이 인조반정으로 폐위되었다.
④ 곽재우가 의령에서 의병을 일으켰다.

23-423 (가)에 들어갈 세시 풍속으로 옳은 것은? [1점]

① 단오 ② 추석 ③ 한식 ④ 정월 대보름

24-424 밑줄 그은 '제도'로 옳은 것은? [2점]

① 과전법 ② 균역법 ③ 대동법 ④ 영정법

25-425 (가) 왕이 실시한 정책으로 옳은 것은? [2점]

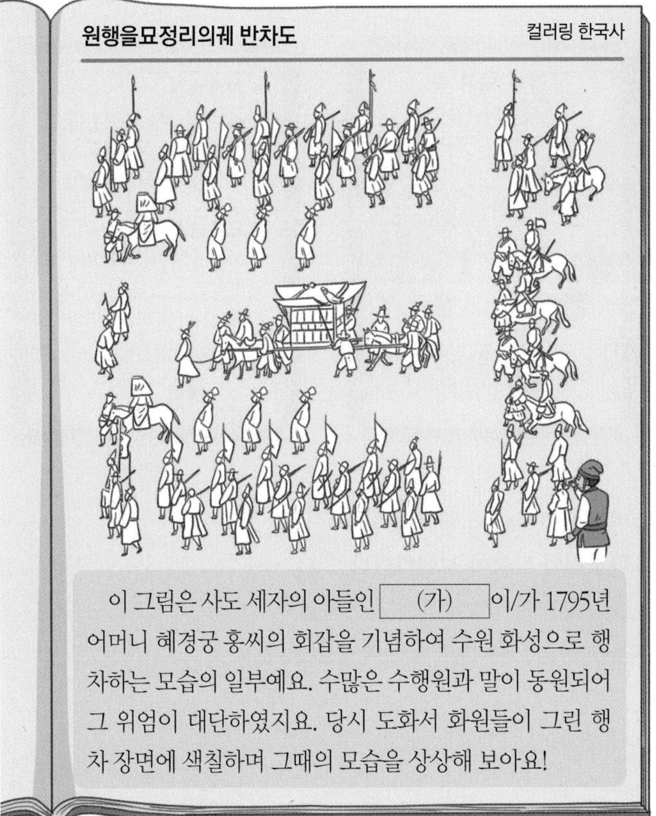

① 경복궁을 중건하였다.
② 대마도를 정벌하였다.
③ 장용영을 창설하였다.
④ 탕평비를 건립하였다.

26-426 (가)에 들어갈 인물로 옳은 것은? [2점]

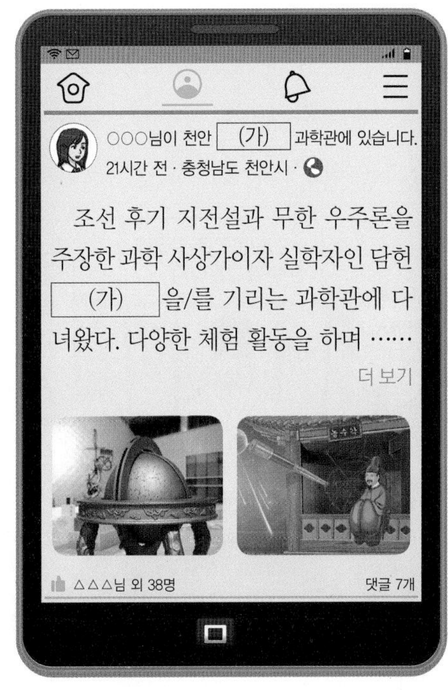

① 박제가 ② 이순지 ③ 장영실 ④ 홍대용

제55회

27-427 다음 직업이 등장한 시기의 사회 모습으로 옳은 것은? [2점]

(앞면)

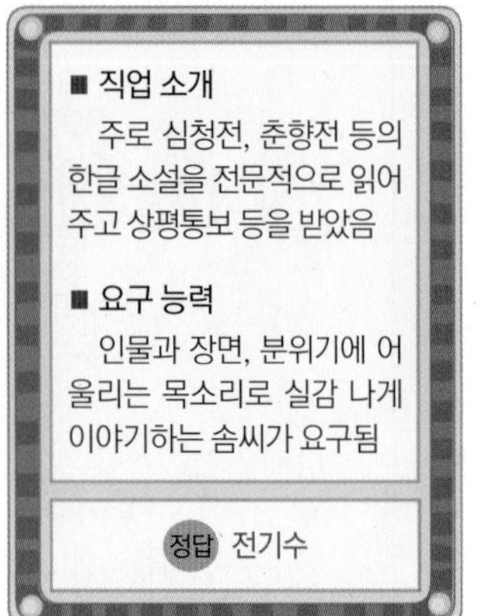

(뒷면)

① 변발과 호복이 유행하였다.
② 판소리와 탈춤이 성행하였다.
③ 골품에 따라 일상생활을 규제하였다.
④ 특수 행정 구역인 향과 부곡이 있었다.

28-428 밑줄 그은 '신문'으로 옳은 것은? [2점]

① 만세보
② 한성순보
③ 황성신문
④ 대한매일신보

29-429 (가) 시기에 있었던 사실로 옳은 것은? [3점]

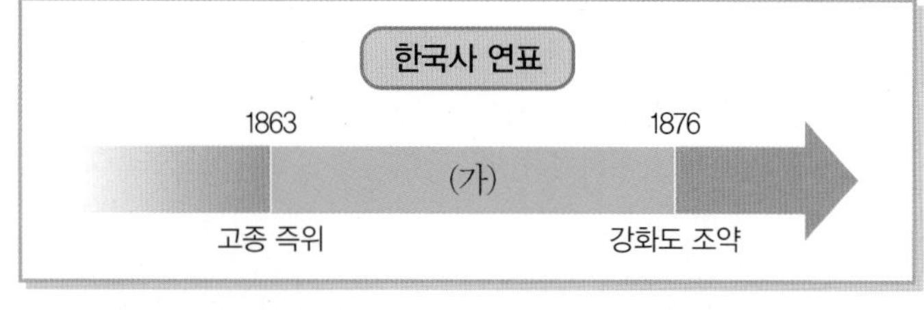

①

신미양요

②

보빙사 파견

③

황룡촌 전투

④

만민 공동회 개최

30-430 (가)에 들어갈 사건으로 옳은 것은? [1점]

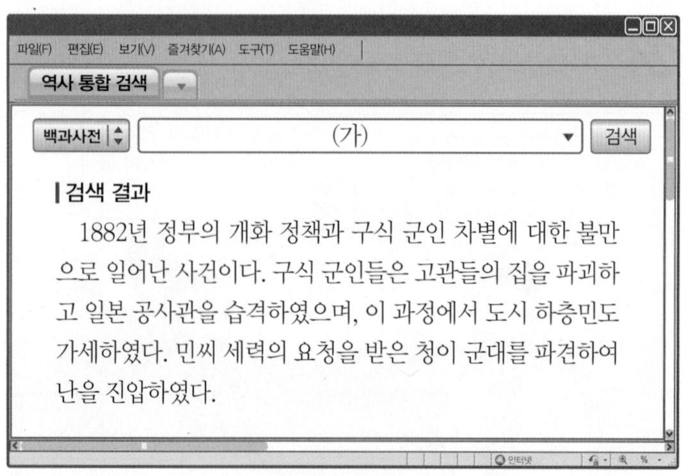

| 검색 결과

1882년 정부의 개화 정책과 구식 군인 차별에 대한 불만으로 일어난 사건이다. 구식 군인들은 고관들의 집을 파괴하고 일본 공사관을 습격하였으며, 이 과정에서 도시 하층민도 가세하였다. 민씨 세력의 요청을 받은 청이 군대를 파견하여 난을 진압하였다.

① 임오군란
② 삼국 간섭
③ 거문도 사건
④ 임술 농민 봉기

제55회 한국사능력검정시험 (기본)

31-431 밑줄 그은 '개혁'의 내용으로 옳지 않은 것은? [3점]

> 역사 용어 카드
>
> **군국기무처**
>
> 1894년 6월 의정부 산하에 설치되어 개혁을 추진하였던 정책 의결 기구이다. 총재는 영의정 김홍집이 겸임하였다. 약 3개월 동안 신분제 폐지, 조혼 금지 등 약 210건의 안건을 심의하고 통과시켰다.

① 지계를 발급하였다.
② 과거제를 폐지하였다.
③ 도량형을 통일하였다.
④ 연좌제를 금지하였다.

32-432 (가)에 들어갈 근대 교육 기관으로 옳은 것은? [2점]

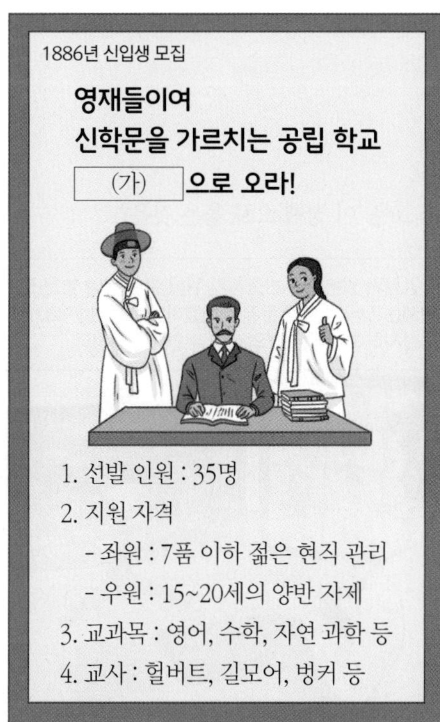

① 서전서숙 ② 배재 학당
③ 육영 공원 ④ 이화 학당

33-433 밑줄 그은 '이 단체'로 옳은 것은? [2점]

① 보안회 ② 신민회
③ 대한 자강회 ④ 헌정 연구회

34-434 (가)에 들어갈 문화유산으로 옳은 것은? [2점]

답사 계획서

• 주제 : 근대 역사의 현장을 찾아서
• 일자 : 2021년 ○○월 ○○일
• 답사 장소

사진	설명
우정총국	근대 우편 제도를 시행하기 위해 세워진 것으로, 개국 축하연 때 갑신정변이 발생하였다.
구 러시아 공사관	을미사변 이후 고종이 피신한 곳으로 약 1년 동안 머물렀다. 지금은 건물의 일부만 남아 있다.
(가)	고종의 접견실 등으로 사용하기 위해 지어진 것으로, 당시 건축된 서양식 건물 중 규모가 가장 크다.

①

황궁우

②

명동 성당

③

운현궁 양관

④

덕수궁 석조전

제55회 한국사능력검정시험 (기본)

35-435 (가)에 해당하는 인물로 옳은 것은? [3점]

① 
권기옥

② 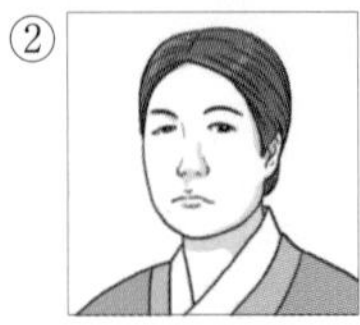
남자현

③ 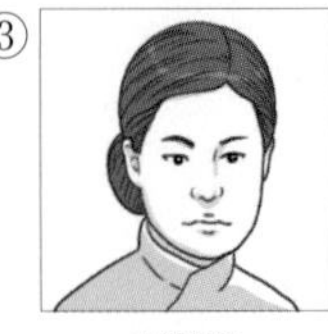
박차정

④ 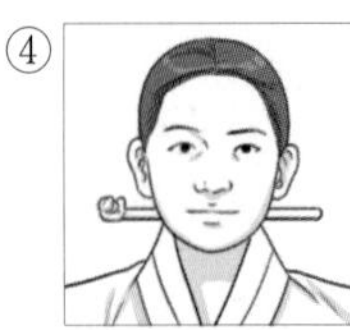
윤희순

36-436 밑줄 그은 '특사'에 대한 설명으로 옳은 것은? [2점]

① 서양에 파견된 최초의 사절단이었다.
② 조선책략을 국내에 처음 소개하였다.
③ 기기국에서 무기 제조 기술을 배우고 돌아왔다.
④ 을사늑약의 부당함을 전 세계에 알리고자 하였다.

37-437 (가)에 들어갈 기구로 옳은 것은? [1점]

① 조선 총독부　② 종로 경찰서
③ 서대문 형무소　④ 동양 척식 주식회사

38-438 밑줄 그은 '이 정책'으로 옳은 것은? [2점]

① 회사령　② 농지 개혁법
③ 산미 증식 계획　④ 토지 조사 사업

제55회 한국사능력검정시험 (기본)

해설 BOOK 231~234쪽

39-439 (가)에 들어갈 인물로 옳은 것은? [1점]

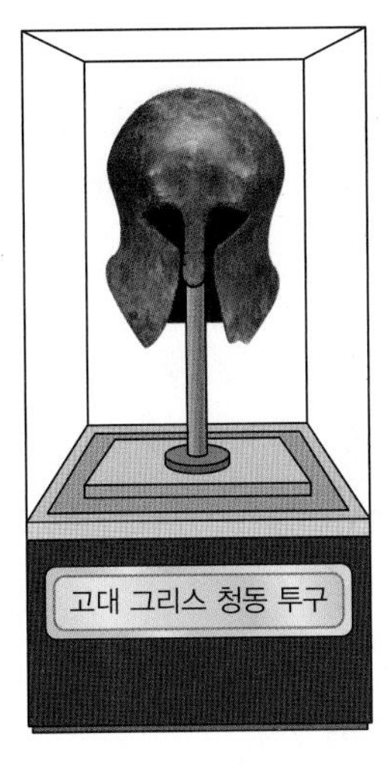

① 남승룡 ② 손기정 ③ 안창남 ④ 이중섭

40-440 (가) 민족 운동에 대한 설명으로 옳은 것은? [2점]

이것은 1919년에 일어난 (가) 의 지역별 시위 현황을 표기한 지도입니다. 이 자료를 통해 우리 민족이 일제의 무단 통치에 맞서 전국적으로 독립운동을 전개하였음을 확인할 수 있습니다.

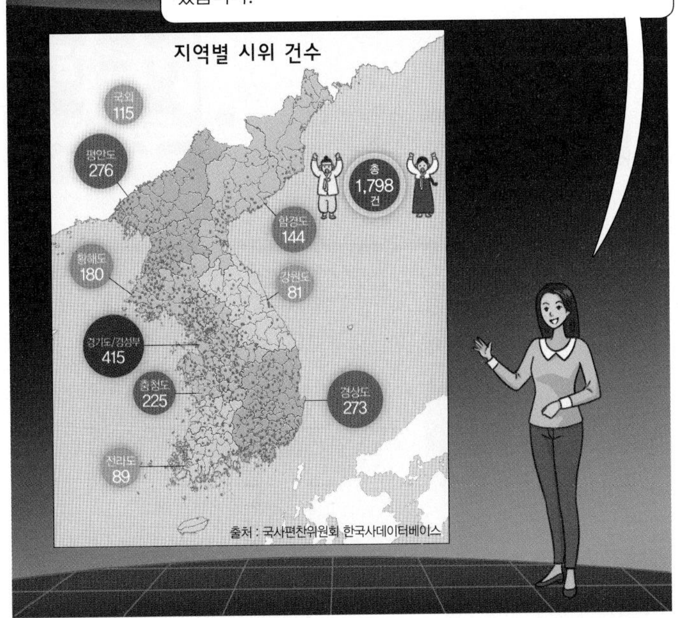

① 개혁 추진을 위해 집강소가 설치되었다.
② 조선 물산 장려회를 중심으로 전개되었다.
③ 대한민국 임시 정부 수립의 계기가 되었다.
④ 신간회의 지원을 받아 민중 대회가 추진되었다.

41-441 다음 대화가 이루어진 시기를 연표에서 옳게 고른 것은? [3점]

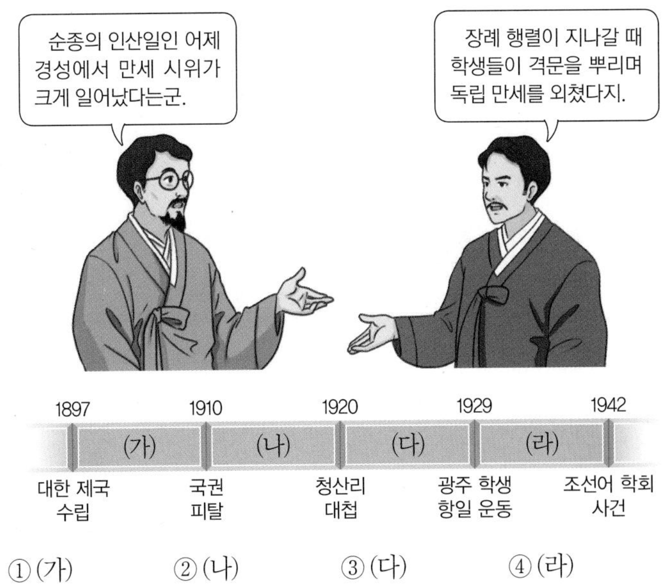

① (가) ② (나) ③ (다) ④ (라)

42-442 교사의 질문에 대한 학생의 답변으로 옳은 것은? [2점]

이것은 중·일 전쟁 발발 이후 일제가 본격적인 전시 체제 구축을 위해 제정한 법령입니다. 이 법령이 시행된 시기에 있었던 사실에 대해 말해 볼까요?

제1조 본 법에서 국가 총동원이란 전시에 국방 목적 달성을 위해 국가의 전력을 가장 유효하게 발휘하도록 인적, 물적 자원을 통제 운용하는 것을 가리킨다.

⋮

제8조 정부는 전시에 국가 총동원상 필요한 경우에는 칙령이 정하는 바에 따라 물지의 생산, 수리, 배급, 양도 기타 처분, 사용, 소비, 소지 및 이동에 관하여 필요한 명령을 할 수 있다.

① 헌병 경찰제가 실시되었어요.
② 경성 제국 대학이 설립되었어요.
③ 국채 보상 운동이 전개되었어요.
④ 황국 신민 서사의 암송이 강요되었어요.

43-443 (가)에 들어갈 단체로 옳은 것은? [1점]

① 중광단 ② 흥사단
③ 한인 애국단 ④ 대조선 국민군단

44-444 (가)에 해당하는 인물로 옳은 것은? [1점]

①

심훈

②

윤동주

③

이육사

④

한용운

45-445 (가) 군대에 대한 설명으로 옳은 것은? [2점]

① 자유시 참변으로 큰 타격을 입었다.
② 봉오동 전투에서 일본군을 격퇴하였다.
③ 미군과 연계하여 국내 진공 작전을 계획하였다.
④ 흥경성에서 중국 의용군과 연합 작전을 펼쳤다.

46-446 (가)에 들어갈 사진으로 옳지 않은 것은? [2점]

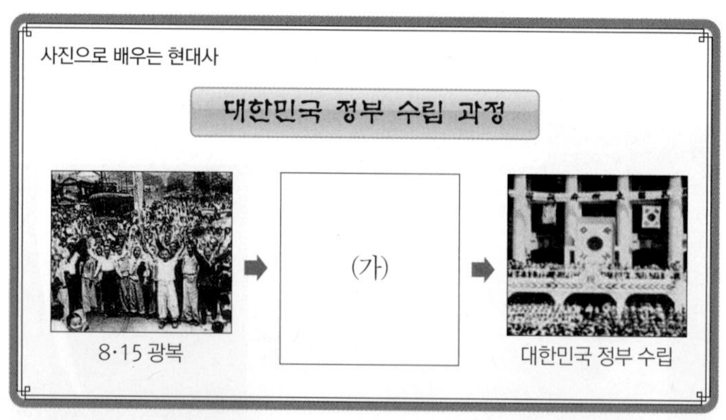

①

5·10
총선거 실시

②

유엔 한국
임시 위원단 내한

③
제1차 미·소
공동 위원회 개최

④

반민족 행위 특별
조사 위원회 활동

47-447 밑줄 그은 '이 전쟁' 중에 있었던 사실로 옳은 것은? [2점]

① 애치슨 선언이 발표되었다.
② 흥남 철수 작전이 전개되었다.
③ 사사오입 개헌안이 가결되었다.
④ 한·미 상호 방위 조약이 체결되었다.

48-448 (가) 민주화 운동에 대한 설명으로 옳은 것은? [2점]

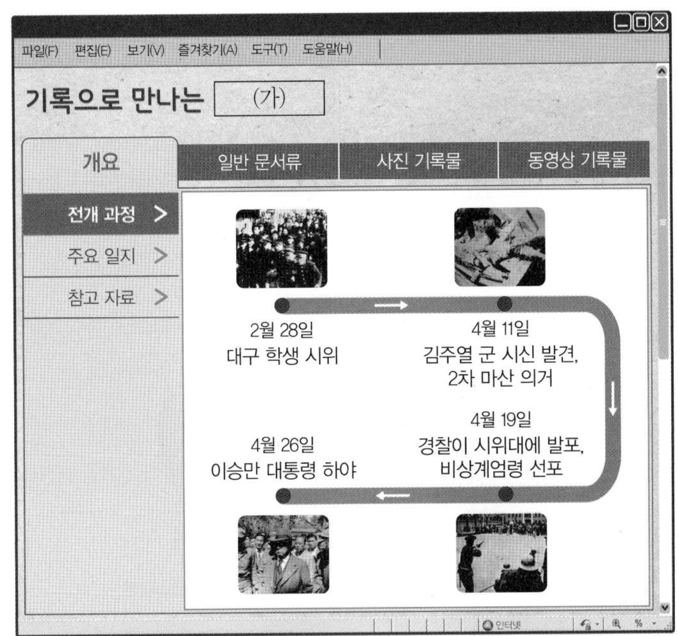

① 3·15 부정 선거에 항의하였다.
② 4·13 호헌 조치 철폐를 요구하였다.
③ 유신 체제가 붕괴하는 계기가 되었다.
④ 신군부의 비상계엄 확대에 반대하였다.

49-449 다음 연설문을 발표한 정부 시기의 경제 상황으로 옳은 것은? [3점]

> 우리 민족의 숙원이던 경부 간 고속 도로의 완전 개통을 보게 된 것을 국민 여러분들과 더불어 경축해 마지않는 바입니다. 이 길은 총 연장 428km로 우리나라의 리(里) 수로 따지면 천 리 하고도 약 칠십 리가 더 되는데, 장장 천릿길을 이제부터는 자동차로 4시간 반이면 달릴 수 있게 됐습니다. …… 이 고속 도로가 앞으로 우리나라 국민 경제의 발전과 산업 근대화에 여러 가지 큰 공헌을 하리라고 믿습니다.

① 서울에서 G20 정상 회의가 개최되었다.
② 한·미 자유 무역 협정(FTA)이 체결되었다.
③ 제2차 경제 개발 5개년 계획이 추진되었다.
④ 경제 협력 개발 기구(OECD)에 가입하였다.

50-450 다음 발표에 해당하는 정부 시기에 있었던 사실로 옳은 것은? [2점]

① 개성 공단이 조성되었다.
② 서울 올림픽 대회가 개최되었다.
③ 베트남 전쟁에 국군이 파병되었다.
④ 국민 기초 생활 보장법이 제정되었다.

제 55 회

12/12

2021년도 제54회 한국사능력검정시험 문제지

1-451 다음 대회 참가자들이 그릴 장면으로 가장 적절한 것은? [1점]

① 가락바퀴로 실을 뽑는 모습
② 반달 돌칼로 벼 이삭을 따는 모습
③ 주먹도끼로 짐승을 사냥하는 모습
④ 거푸집으로 세형 동검을 만드는 모습

2-452 학생들이 공통으로 이야기하고 있는 나라에 대한 설명으로 옳은 것은? [2점]

① 서옥제라는 혼인 풍습이 있었다.
② 소도라고 불리는 신성 구역이 있었다.
③ 범금 8조를 만들어 사회 질서를 유지하였다.
④ 단궁, 과하마, 반어피 등의 특산물이 있었다.

3-453 (가)에 들어갈 내용으로 옳은 것은? [2점]

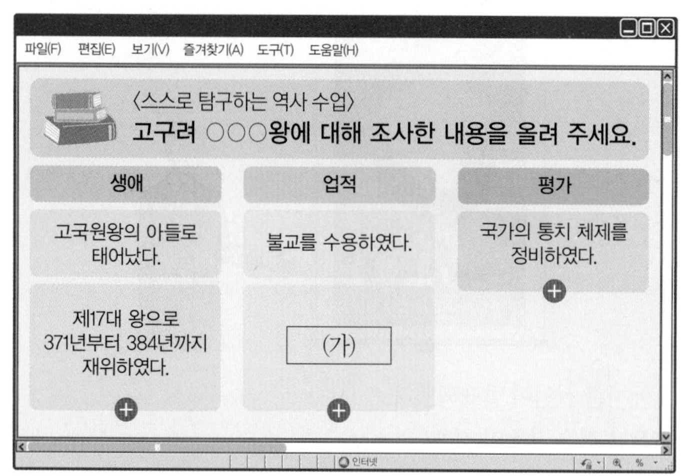

① 태학을 설립하였다.
② 병부를 설치하였다.
③ 화랑도를 정비하였다.
④ 웅진으로 천도하였다.

4-454 다음 전시회에서 볼 수 있는 문화유산으로 옳은 것은? [2점]

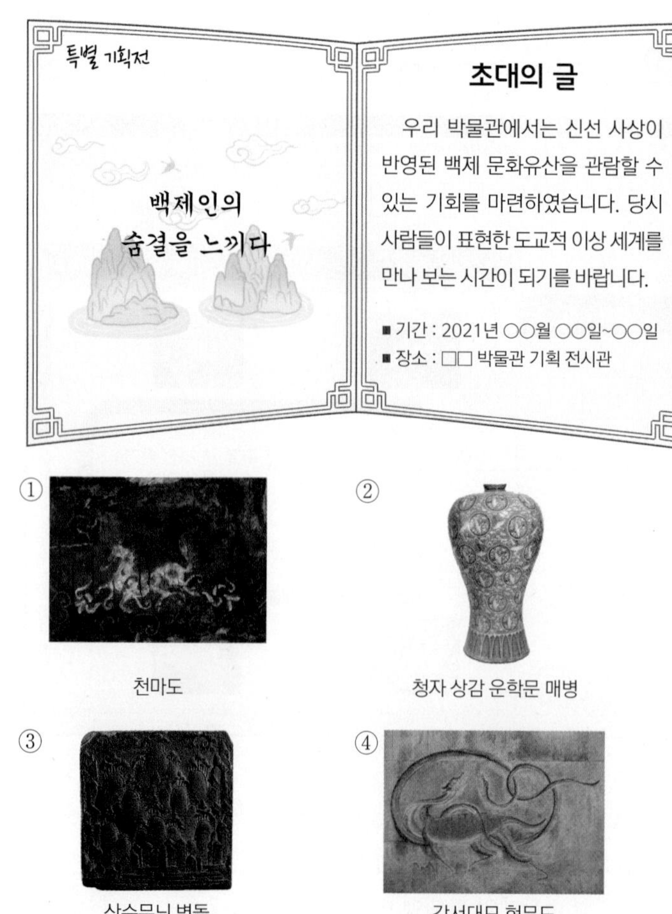

① 천마도
② 청자 상감 운학문 매병
③ 산수무늬 벽돌
④ 강서대묘 현무도

5-455 다음 가상 일기의 밑줄 그은 '이 전투'로 옳은 것은? [2점]

> 676년 ○○월 ○○일
>
> 매소성 전투에서 승리한 우리 신라군이 설인귀가 이끄는 당군을 <u>이 전투</u>에서 또다시 격파하였다는 소식을 들었다. 수많은 사람의 희생 끝에 삼국 통일이 눈앞에 다가왔으니, 이제 백성들이 좀 더 편안하게 살 수 있는 세상이 되었으면 좋겠다.

① 살수 대첩
② 기벌포 전투
③ 안시성 전투
④ 황산벌 전투

6-456 (가) 나라에 대한 탐구 활동으로 가장 적절한 것은? [3점]

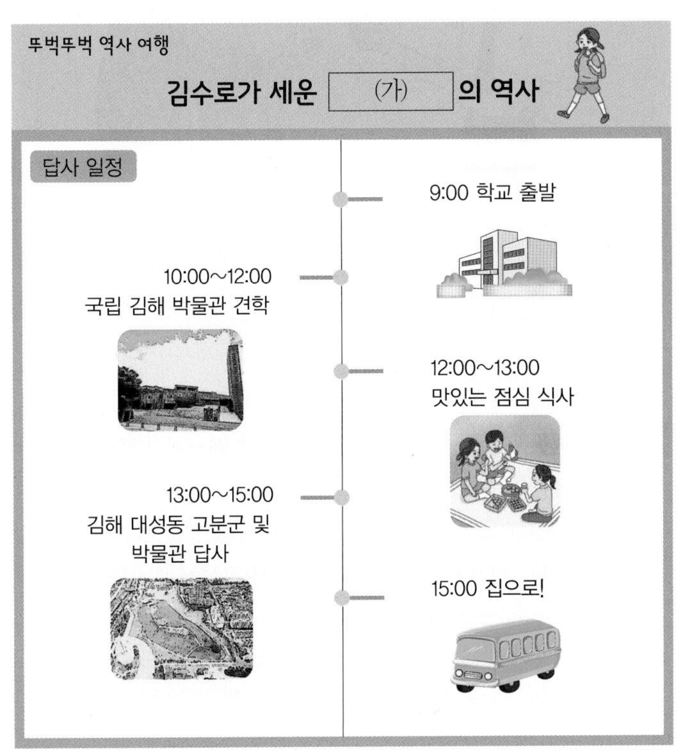

① 사비로 천도한 이유를 파악한다.
② 우산국을 복속한 과정을 살펴본다.
③ 청해진을 설치한 목적을 조사한다.
④ 구지가가 나오는 건국 신화를 분석한다.

7-457 (가)에 들어갈 문화유산으로 옳은 것은? [3점]

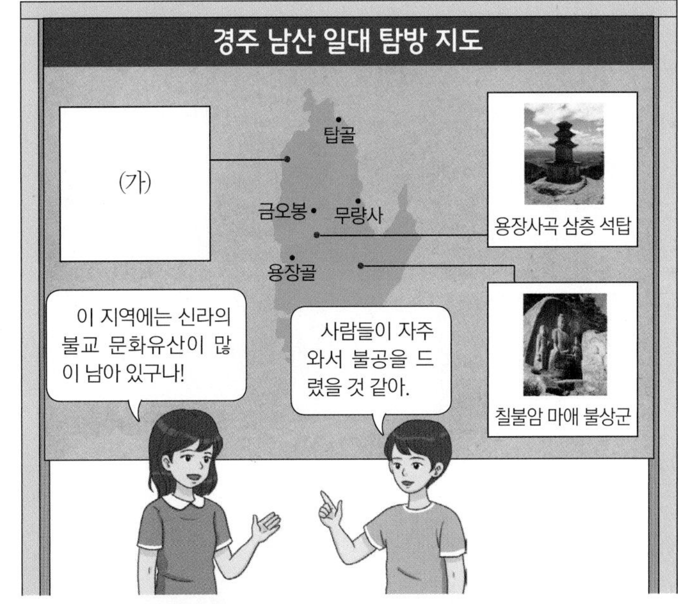

①

배동 석조 여래 삼존 입상

② 관촉사 석조 미륵보살 입상

③

미륵사지 석탑

④

월정사 팔각 구층 석탑

8-458 다음 책에 포함될 내용으로 가장 적절한 것은? [2점]

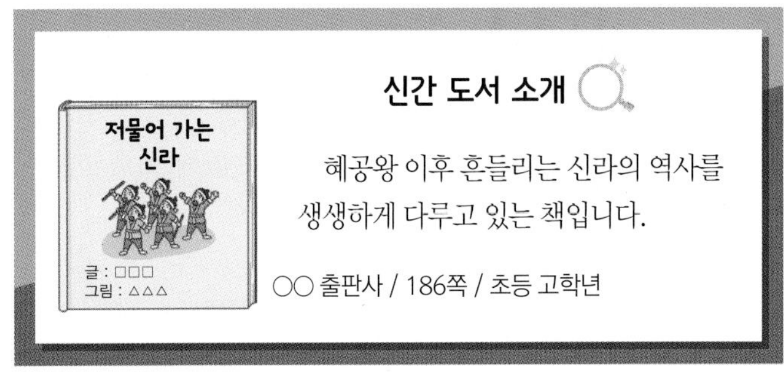

① 갑신정변
② 위화도 회군
③ 김헌창의 난
④ 연개소문의 집권

제 54 회

제54회 한국사능력검정시험 (기본)

9-459 밑줄 그은 '국가'에 대한 설명으로 옳은 것은? [1점]

① 수의 침략을 물리쳤다.
② 기인 제도를 실시하였다.
③ 독서삼품과를 시행하였다.
④ 해동성국이라고도 불렸다.

10-460 (가)에 들어갈 내용으로 옳은 것은? [2점]

- 상주 가은현에서 태어남
- (가)
- 공산 전투에서 고려에 승리함
- 아들 신검에 의해 금산사에 유폐됨
- 고려에 투항함

(앞면) (뒷면)

① 철원으로 천도함
② 후백제를 건국함
③ 훈요 10조를 남김
④ 경주의 사심관으로 임명됨

11-461 밑줄 그은 '이 책'으로 옳은 것은? [1점]

① 발해고 ② 동국통감
③ 동사강목 ④ 삼국유사

12-462 다음 가상 인터뷰에 나타난 사건으로 옳은 것은? [2점]

① 묘청의 난 ② 김흠돌의 난
③ 홍경래의 난 ④ 원종과 애노의 난

13-463 다음 상황이 있었던 국가의 지방 제도에 대한 설명으로 옳은 것은? [3점]

> ㅇ 공주 명학소의 망이·망소이 등이 무리를 모아서 봉기하자, 명학소를 충순현으로 승격하여 그들을 달래고자 하였다.
> ㅇ 사신을 따라 원에 간 유청신이 통역을 잘하였으므로, 그 공을 인정하여 그의 출신지인 고이부곡을 고흥현으로 승격하였다.

① 전국을 8도로 나누었다.
② 22담로에 왕족을 파견하였다.
③ 주요 지역에 5소경을 설치하였다.
④ 군사 행정 구역으로 양계를 두었다.

14-464 다음 외교 문서를 보낸 국가에 대한 고려의 대응으로 옳은 것은? [2점]

> 칸께서 살리타 등이 이끄는 군대를 너희에게 보내 항복할지 아니면 죽임을 당할지 묻고자 하신다. 이전에 칸께서 보낸 사신 저고여가 사라져서 다른 사신이 찾으러 갔으나, 너희들은 활을 쏘아 그를 쫓아냈다. 너희가 저고여를 살해한 것이 확실하니, 이제 그 책임을 묻고 있는 것이다.

① 이자겸이 사대 요구를 수용하였다.
② 서희가 소손녕과 외교 담판을 벌였다.
③ 김윤후 부대가 처인성에서 적장을 사살하였다.
④ 강감찬이 군사를 이끌고 귀주에서 크게 승리하였다.

15-465 (가)에 들어갈 내용으로 옳은 것은? [2점]

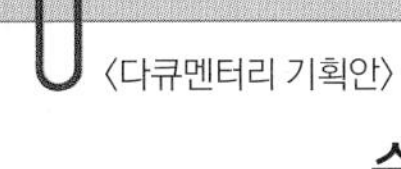

〈다큐멘터리 기획안〉

숙종이 꿈꾸었던 고려

■ **기획 의도**
왕권을 강화하고 문벌 세력을 견제하였던 고려 제15대 왕 숙종의 정책을 조명한다.

■ **내용**
제1회 서적포를 설치하다
제2회 (가)
제3회 남경에 궁궐을 세우다
제4회 별무반을 조직하다

① 규장각을 설치하다
② 해동통보를 제작하다
③ 노비안검법을 실시하다
④ 쌍성총관부를 공격하다

16-466 다음 퀴즈의 정답으로 옳은 것은? [2점]

이 인물은 정혜 결사를 조직하였으며, 선과 교를 함께 닦아야 한다는 정혜쌍수를 주장하였습니다. 보조국사라고도 하는 이 인물은 누구일까요?

① 

② 

③ 

④ 

17-467 교사의 질문에 대한 학생의 답변으로 옳지 않은 것은? [1점]

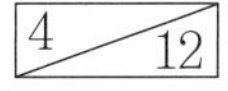

18-468 (가)에 들어갈 내용으로 옳은 것은? [2점]

① 직전법을 제정하였어요.
② 호패법을 시행하였어요.
③ 장용영을 설치하였어요.
④ 척화비를 건립하였어요.

19-469 (가) 왕의 업적으로 옳은 것은? [2점]

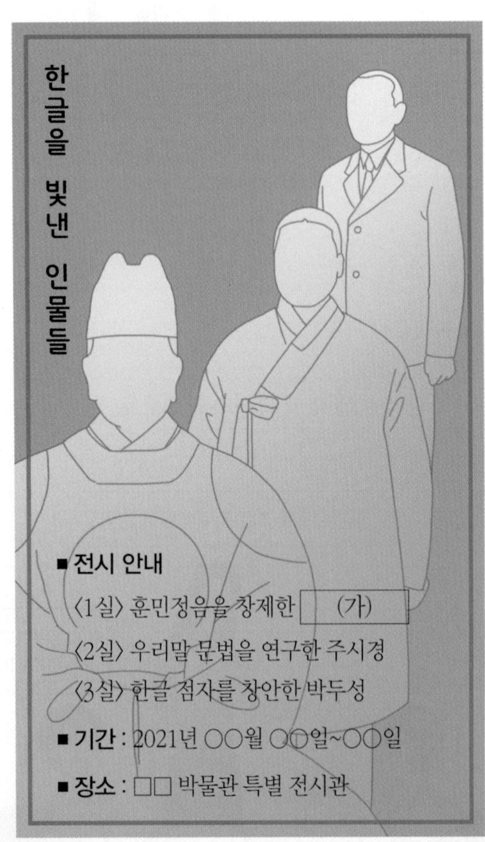

① 만권당을 세웠다.
② 농사직설을 간행하였다.
③ 대전회통을 편찬하였다.
④ 초계문신제를 시행하였다.

20-470 (가)에 해당하는 책으로 옳은 것은? [2점]

①

동의보감

② 경국대전

③
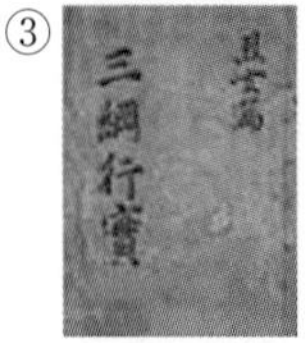
삼강행실도

④

조선왕조실록

21-471 (가) 인물의 활동으로 옳은 것은? [3점]

① 앙부일구를 제작하였다.
② 성학집요를 저술하였다.
③ 시무 28조를 건의하였다.
④ 화통도감 설치를 제안하였다.

제54회 한국사능력검정시험 (기본)

22-472 (가) 전쟁 중에 있었던 사실로 옳은 것은? [2점]

> "징비록"이란 무엇인가? (가) 당시의 일을 기록한 것이다. 이때의 화는 참혹하였다. 수십 일 만에 삼도(三都)*를 잃고 임금께서 수도를 떠나 피란하였다. 그럼에도 오늘날까지 우리나라가 남아 있게 된 것은 하늘이 도운 까닭이다. 그리고 나라를 생각하는 백성들의 마음이 그치지 않았고, 우리나라를 돕기 위해 명의 군대가 여러 차례 출동하였기 때문이다.
>
> *삼도 : 한성, 개성, 평양

① 이종무가 쓰시마섬을 토벌하였다.
② 정문부가 의병을 모아 왜군을 격퇴하였다.
③ 배중손이 삼별초를 이끌고 몽골군과 싸웠다.
④ 최영이 군대를 지휘하여 홍건적을 물리쳤다.

23-473 (가) 왕의 재위 기간에 있었던 사실로 옳은 것은? [2점]

① 집현전이 설치되었다.
② 비변사가 폐지되었다.
③ 대동법이 시행되었다.
④ 4군 6진이 개척되었다.

24-474 밑줄 그은 '이 그림'이 그려진 시기에 볼 수 있는 모습으로 적절하지 않은 것은? [2점]

① 한글 소설을 읽는 여인
② 청화 백자를 만드는 도공
③ 판소리 공연을 하는 소리꾼
④ 초조대장경을 제작하는 장인

25-475 (가) 인물에 대한 설명으로 옳은 것은? [2점]

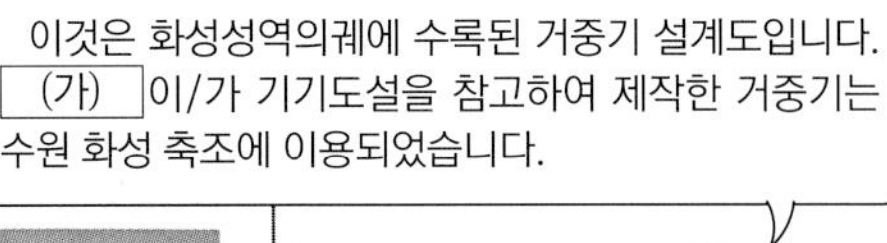

① 여전론을 주장하였다.
② 추사체를 창안하였다.
③ 북학의를 저술하였다.
④ 몽유도원도를 그렸다.

26-476 (가)에 들어갈 지도로 옳은 것은? [1점]

① 동국지도 ② 대동여지도
③ 곤여만국전도 ④ 혼일강리역대국도지도

27-477 (가) 시기에 있었던 사건으로 옳은 것은? [3점]

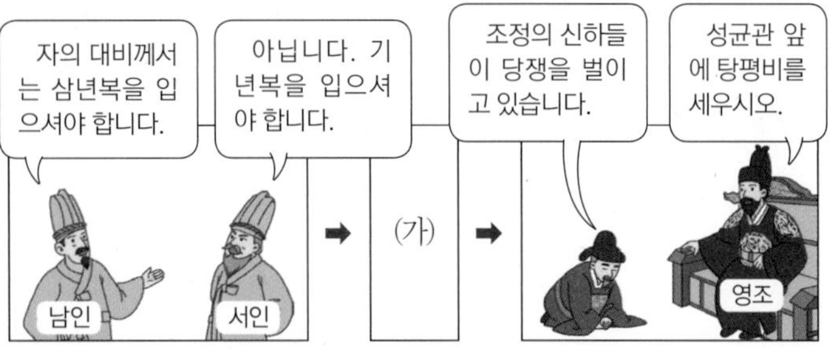

① 무오사화 ② 병자호란
③ 경신환국 ④ 임술 농민 봉기

28-478 (가)에 들어갈 기구로 옳은 것은? [2점]

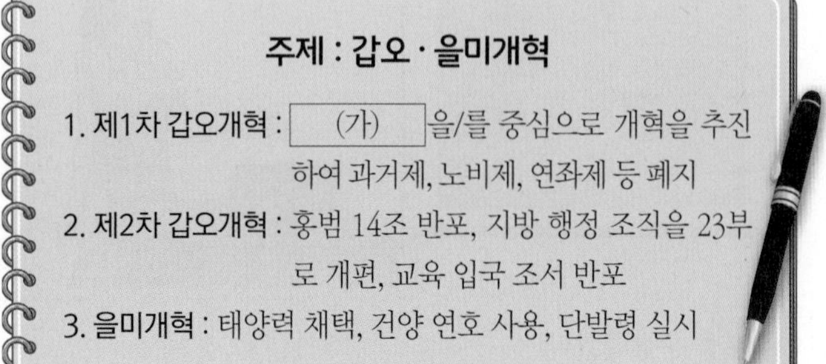

① 정방 ② 교정도감
③ 군국기무처 ④ 통리기무아문

29-479 밑줄 그은 '이 사건'에 대한 설명으로 옳은 것은? [2점]

① 흥선 대원군 집권기에 일어났다.
② 제너럴 셔먼호 사건의 배경이 되었다.
③ 삼정이정청이 설치되는 결과를 가져왔다.
④ 군함 운요호가 강화도에 접근하여 위협하였다.

30-480 (가) 사건에 대한 설명으로 옳은 것은? [2점]

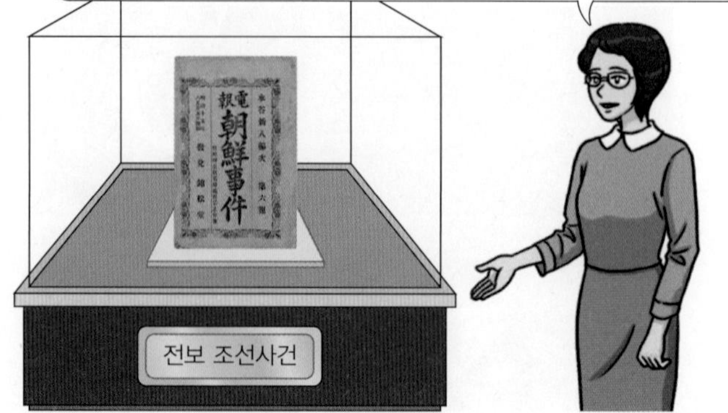

① 청군의 개입으로 진압되었다.
② 조선책략이 유입되는 결과를 가져왔다.
③ 우금치에서 일본군과의 전투가 벌어졌다.
④ 우정총국 개국 축하연에서 정변이 일어났다.

31-481 (가)에 들어갈 사절단으로 옳은 것은? [2점]

① 수신사 ② 보빙사
③ 영선사 ④ 조사 시찰단

32-482 (가)에 해당하는 신문으로 옳은 것은? [1점]

①

독립신문

②

제국신문

③

해조신문

④

대한매일신보

33-483 (가)에 들어갈 문화유산으로 옳은 것은? [2점]

①

불국사 다보탑

②

분황사 모전 석탑

③

정림사지 오층 석탑

④

경천사지 십층 석탑

34-484 (가)~(다)를 일어난 순서대로 옳게 나열한 것은? [3점]

① (가) - (나) - (다) ② (가) - (다) - (나)
③ (나) - (가) - (다) ④ (다) - (나) - (가)

제54회 한국사능력검정시험 (기본)

35-485 밑줄 그은 '전투'가 일어난 시기를 연표에서 옳게 고른 것은? [3점]

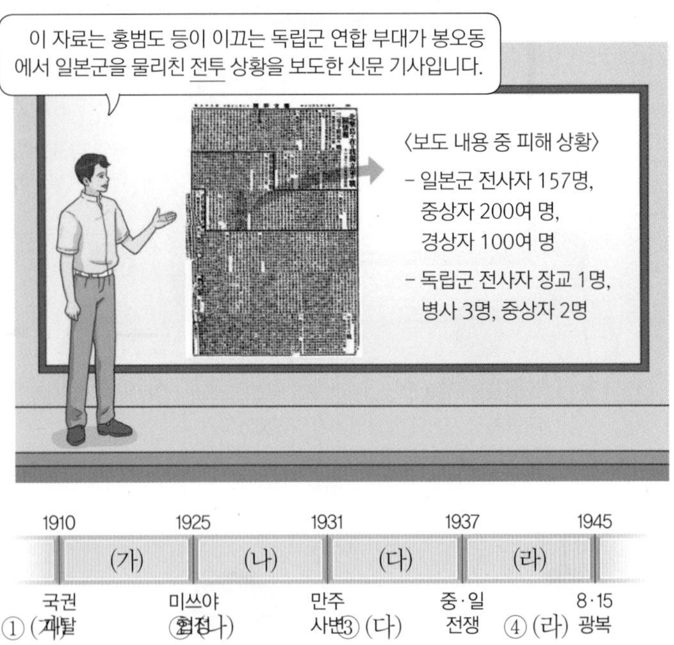

① (가) ② (나) ③ (다) ④ (라)

36-486 (가) 지역에서 있었던 독립운동에 대한 설명으로 옳은 것은? [3점]

① 서전서숙이 세워졌다.
② 권업회가 조직되었다.
③ 신흥 강습소가 설립되었다.
④ 대한인 국민회가 결성되었다.

37-487 다음 가상 뉴스의 (가)에 들어갈 단체로 옳은 것은? [2점]

이상재 선생의 장례가 사회장으로 거행되었습니다. 선생은 '일체의 기회주의를 부인함' 등을 강령으로 내세운 (가) 의 초대 회장으로 민족 유일당 운동에 앞장섰습니다. 마지막까지 민족 운동에 헌신하였던 선생의 죽음을 많은 사람이 애도하였습니다.

① 보안회 ② 신간회
③ 진단 학회 ④ 조선 형평사

38-488 다음 답사가 이루어진 지역을 지도에서 옳게 고른 것은? [2점]

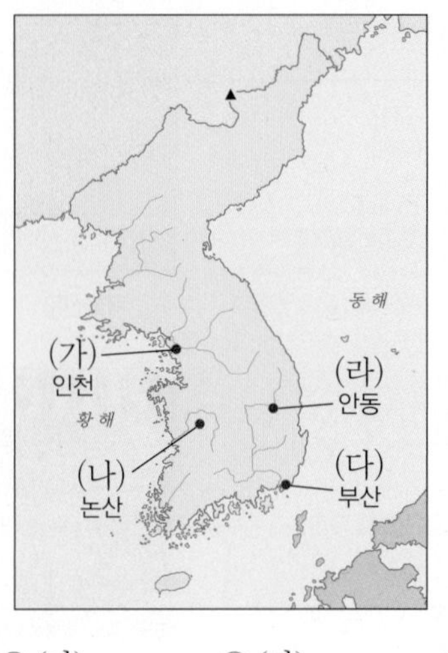

① (가) ② (나) ③ (다) ④ (라)

제54회 한국사능력검정시험 (기본)

해설 BOOK 257~260쪽

39-489 (가)에 들어갈 군사 조직으로 옳은 것은? [2점]

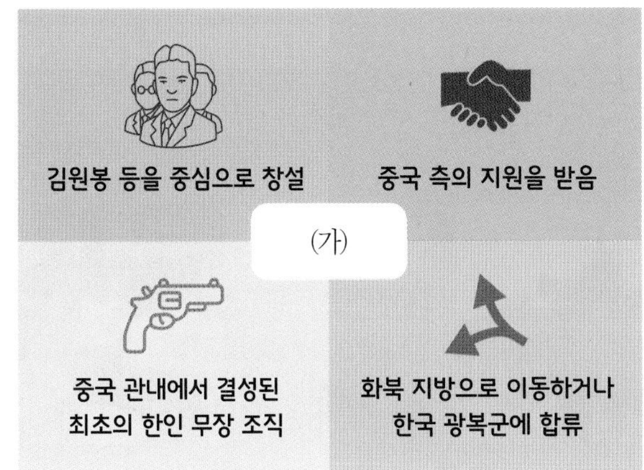

① 별기군 ② 북로 군정서
③ 조선 의용대 ④ 동북 항일 연군

40-490 (가)의 활동으로 옳은 것은? [2점]

독립 공채 상환에 관한 특별 조치 법안 심사 보고서

1983.12. 재무 위원회

……

가. 제안 이유

지금으로부터 64년 전인 1919년, (가) 에서는 항일 독립운동을 전개하기 위한 자금 조달 방법의 하나로 소위 '독립 공채'라는 것을 발행하였음

이 공채는 대부분 해외 교민 및 미국인을 비롯한 외국인을 대상으로 발매되었으며, 이에는 '조국이 광복되고 독립을 승인받은 후 이자를 가산하여 상환할 것을 대한민국의 명예와 신용으로 보증한다.'고 기재되어 있음

……

따라서 3·1 운동 이후 독립운동을 목적으로 발행된 (가) 명의의 공채에 대하여 국가가 이를 상환할 수 있도록 근거법을 마련, 전 국민의 독립 애국정신을 발양하는 동시, 정부의 대내외적인 공신력을 높이고자 함

① 집강소를 설치하였다.
② 만민 공동회를 개최하였다.
③ 연통제와 교통국을 운영하였다.
④ 개벽, 신여성 등의 잡지를 발간하였다.

41-491 (가)에 들어갈 인물로 옳은 것은? [1점]

① 안창호 ② 이육사
③ 한용운 ④ 윤봉길

42-492 밑줄 그은 '사건'으로 옳은 것은? [2점]

문학으로 만나는 한국사

아, 떼죽음 당한 마을이 어디 우리 마을뿐이던가. 이 섬 출신이거든 아무라도 붙잡고 물어보라. 필시 그의 가족 중에 누구 한 사람이, 아니면 적어도 사촌까지 중에 누구 한 사람이 그 북새통에 죽었다고 말하리라. - "순이 삼촌" -

위 소설의 배경이 된 사건은 미 군정기에 시작되어 이승만 정부 수립 이후까지 지속되었습니다. 당시에 남한만의 단독 정부 수립에 반대하는 무장대와 토벌대 간의 무력 충돌과 토벌대의 진압 과정에서 많은 주민이 희생되었습니다.

① 간도 참변 ② 6·3 시위
③ 제주 4·3 사건 ④ 제암리 학살 사건

제54회

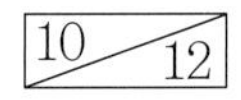

43-493 (가) 정부 시기에 볼 수 있는 모습으로 가장 적절한 것은? [2점]

① 거리에서 장발을 단속하는 경찰
② 조선 건국 준비 위원회에 참여하는 학생
③ 서울 올림픽 대회 개막식을 관람하는 시민
④ 반민족 행위 특별 조사 위원회에서 조사받는 기업인

44-494 다음 퀴즈의 정답으로 옳은 것은? [1점]

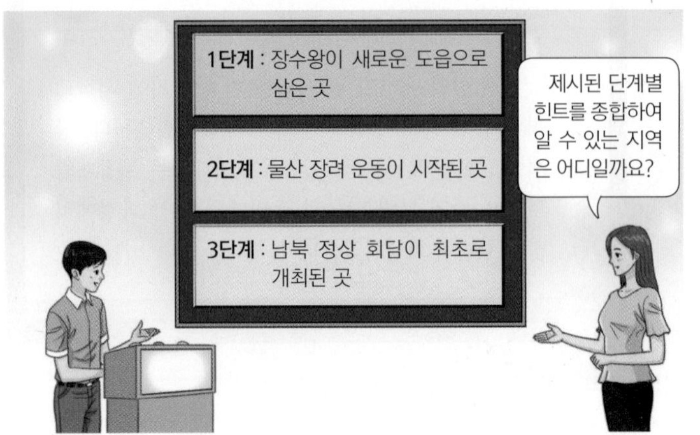

① 원산 ② 서울 ③ 파주 ④ 평양

45-495 (가) 정부 시기에 있었던 사실로 옳은 것은? [3점]

사진으로 보는 (가) 정부

삼청 교육대 운영 | 국풍 81 개최 | 교복 자율화 시행

① 야간 통행금지가 해제되었다.
② 베트남 전쟁에 국군이 파병되었다.
③ 한·미 상호 방위 조약이 체결되었다.
④ 제1차 경제 개발 5개년 계획이 실시되었다.

46-496 (가)에 들어갈 문화유산으로 옳은 것은? [2점]

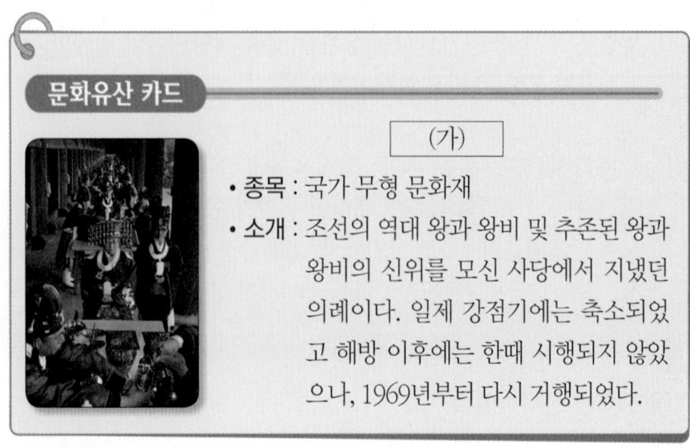

① 연등회 ② 승전무
③ 석전대제 ④ 종묘 제례

47-497 (가) 명절에 행해지는 세시 풍속으로 가장 적절한 것은? [1점]

> **역사 신문**
>
> 제△△호 1989년 ○○월 ○○일
>
> **(가) 의 부활, 3일 연휴 확정**
>
> 우리나라에서는 전통적으로 음력에 근거하여 새해의 첫날을 명절로 보내왔다. 하지만 양력이 사용된 후 일제 강점기를 거치며 음력 새해의 첫날은 '구정(舊正)'으로 불리는 등 등한시되었다. 그럼에도 음력으로 명절을 쇠는 전통은 사라지지 않았고, 1985년에 정부는 이날을 '민속의 날'이라는 이름의 국가 공휴일로 지정하였다. 그리고 1989년 드디어 (가) (이)라는 고유의 명칭으로 변경하고, 연휴로 하는 방안을 확정하였다.

① 화전놀이
② 세배 하기
③ 창포물에 머리 감기
④ 보름달 보며 소원 빌기

48-498 (가)에 들어갈 민주화 운동으로 옳은 것은? [1점]

① 4·19 혁명
② 6월 민주 항쟁
③ 5·18 민주화 운동
④ 3선 개헌 반대 운동

49-499 (가), (나) 사이의 시기에 있었던 사실로 옳은 것은? [3점]

> (가) 마침내 국회에서 유상 매수, 유상 분배를 원칙으로 하는 농지 개혁법이 통과되어 공포일부터 실시될 예정이다. 이 법이 실시되면 지주와 소작인을 구분하는 기존의 관념도 점차 사라질 것으로 보인다.
>
> (나) 유가 및 금리 하락, 달러화 약세 등 '3저(低)'의 호재가 찾아왔다. 제2차 석유 파동이 발생한 지 7년여 만에 맞이한 이 기회를 놓치지 않고 잘 대응한다면, 경제 성장의 커다란 전기를 마련할 수 있을 것으로 기대된다.

① 수출 100억 달러를 처음 달성하였다.
② G20 정상 회의를 서울에서 개최하였다.
③ 미국과 자유 무역 협정(FTA)을 체결하였다.
④ 경제 협력 개발 기구(OECD)에 가입하였다.

50-500 다음 내용을 발표한 정부의 통일 노력으로 옳은 것은? [2점]

① 개성 공단 조성에 합의하였다.
② 남북 기본 합의서를 채택하였다.
③ 남북한이 유엔에 동시 가입하였다.
④ 7·4 남북 공동 성명을 발표하였다.

제54회

큰별쌤 최태성의

별★별 한국사

기출 BOOK

빠른 정답 찾기

기본 제67회 한국사능력검정시험 정답

기출 BOOK 008~019쪽

1	2	3	4	5	6	7	8	9	10	11	12	13	14	15	16	17	18	19	20	21	22	23	24	25
③	②	④	③	②	③	②	①	①	②	①	④	①	③	①	④	③	③	④	④	③	④	①	①	②
26	27	28	29	30	31	32	33	34	35	36	37	38	39	40	41	42	43	44	45	46	47	48	49	50
④	②	①	③	①	③	④	③	①	②	③	②	③	③	④	③	②	④	④	②	②	④	①	④	②

기본 제66회 한국사능력검정시험 정답

기출 BOOK 020~031쪽

1	2	3	4	5	6	7	8	9	10	11	12	13	14	15	16	17	18	19	20	21	22	23	24	25
②	①	②	④	④	③	①	③	②	④	④	①	③	③	②	④	③	④	②	①	①	③	④	④	③
26	27	28	29	30	31	32	33	34	35	36	37	38	39	40	41	42	43	44	45	46	47	48	49	50
②	④	②	①	③	①	②	①	③	①	②	②	①	③	①	②	①	③	②	②	③	④	③	④	③

기본 제64회 한국사능력검정시험 정답

기출 BOOK 032~043쪽

1	2	3	4	5	6	7	8	9	10	11	12	13	14	15	16	17	18	19	20	21	22	23	24	25
④	①	③	②	①	①	④	④	①	④	②	④	③	①	①	③	③	②	①	②	②	②	④	②	④
26	27	28	29	30	31	32	33	34	35	36	37	38	39	40	41	42	43	44	45	46	47	48	49	50
③	③	①	③	③	②	②	④	③	②	④	①	①	④	①	③	③	④	②	③	④	①	④	①	④

기본 제63회 한국사능력검정시험 정답

기출 BOOK 044~055쪽

1	2	3	4	5	6	7	8	9	10	11	12	13	14	15	16	17	18	19	20	21	22	23	24	25
③	①	③	③	①	③	③	④	④	②	③	②	②	②	④	④	①	①	②	②	①	①	②	①	④
26	27	28	29	30	31	32	33	34	35	36	37	38	39	40	41	42	43	44	45	46	47	48	49	50
④	②	③	③	①	①	②	④	③	④	③	②	④	④	①	③	③	④	②	①	③	①	④	①	④

기본 제61회 한국사능력검정시험 정답

기출 BOOK 056~067쪽

1	2	3	4	5	6	7	8	9	10	11	12	13	14	15	16	17	18	19	20	21	22	23	24	25
②	④	③	②	②	③	①	①	②	③	③	①	②	②	②	④	④	②	①	④	③	④	④	①	③
26	27	28	29	30	31	32	33	34	35	36	37	38	39	40	41	42	43	44	45	46	47	48	49	50
④	④	③	③	③	②	③	②	④	①	①	③	③	③	①	①	②	③	②	④	①	②	④	①	①

기본 제60회 한국사능력검정시험 정답

기출 BOOK 068~079쪽

1	2	3	4	5	6	7	8	9	10	11	12	13	14	15	16	17	18	19	20	21	22	23	24	25
①	②	③	④	②	①	①	③	①	①	④	②	③	④	①	②	③	③	②	③	④	②	③	③	①
26	**27**	**28**	**29**	**30**	**31**	**32**	**33**	**34**	**35**	**36**	**37**	**38**	**39**	**40**	**41**	**42**	**43**	**44**	**45**	**46**	**47**	**48**	**49**	**50**
④	③	①	③	④	②	④	②	①	②	④	④	③	③	④	④	③	④	①	①	②	①	③	①	①

기본 제58회 한국사능력검정시험 정답

기출 BOOK 080~091쪽

1	2	3	4	5	6	7	8	9	10	11	12	13	14	15	16	17	18	19	20	21	22	23	24	25
②	④	③	③	①	④	①	①	①	④	③	③	③	②	②	④	②	②	③	②	①	③	①	①	①
26	**27**	**28**	**29**	**30**	**31**	**32**	**33**	**34**	**35**	**36**	**37**	**38**	**39**	**40**	**41**	**42**	**43**	**44**	**45**	**46**	**47**	**48**	**49**	**50**
②	②	③	③	②	④	③	④	④	③	④	③	①	①	④	④	②	①	②	②	④	④	①	③	④

기본 제57회 한국사능력검정시험 정답

기출 BOOK 092~103쪽

1	2	3	4	5	6	7	8	9	10	11	12	13	14	15	16	17	18	19	20	21	22	23	24	25
②	③	④	④	②	②	④	①	④	④	①	①	②	④	④	③	①	②	④	③	①	③	②	①	③
26	**27**	**28**	**29**	**30**	**31**	**32**	**33**	**34**	**35**	**36**	**37**	**38**	**39**	**40**	**41**	**42**	**43**	**44**	**45**	**46**	**47**	**48**	**49**	**50**
①	②	③	④	③	①	③	④	④	①	③	①	③	②	②	①	②	②	①	④	④	③	①	①	②

기본 제55회 한국사능력검정시험 정답

기출 BOOK 104~115쪽

1	2	3	4	5	6	7	8	9	10	11	12	13	14	15	16	17	18	19	20	21	22	23	24	25
④	④	③	③	②	④	①	④	④	③	②	④	①	③	①	①	④	③	②	①	①	①	②	③	③
26	**27**	**28**	**29**	**30**	**31**	**32**	**33**	**34**	**35**	**36**	**37**	**38**	**39**	**40**	**41**	**42**	**43**	**44**	**45**	**46**	**47**	**48**	**49**	**50**
④	②	②	①	①	①	③	②	④	④	④	①	③	②	③	③	④	③	②	③	④	②	①	③	②

기본 제54회 한국사능력검정시험 정답

기출 BOOK 116~127쪽

1	2	3	4	5	6	7	8	9	10	11	12	13	14	15	16	17	18	19	20	21	22	23	24	25
③	②	①	③	②	④	①	③	④	②	④	①	④	③	②	①	③	②	②	④	②	②	③	④	①
26	**27**	**28**	**29**	**30**	**31**	**32**	**33**	**34**	**35**	**36**	**37**	**38**	**39**	**40**	**41**	**42**	**43**	**44**	**45**	**46**	**47**	**48**	**49**	**50**
②	③	③	①	①	②	①	④	①	①	④	②	④	③	③	④	③	①	④	①	④	②	③	①	①

큰별쌤 최태성의

별★별 한국사

기출 500제

한국사능력검정시험

기본(4·5·6급)

최태성 지음

해설 BOOK

이 책의 구성

해설 BOOK

킬러 문항

난도 최상의 킬러 문항을 표시하였어요.

정답 잡는 키워드

정답을 찾을 수 있는 키워드를 한눈에 보여 줍니다. 핵심 키워드를 기억하세요.

자세한 선택지 해설

선택지 하나하나를 꼼꼼하고 자세하게 설명한 친절한 해설을 통해 아는 내용은 다시 확인하고, 부족한 부분은 채워 보세요.

기출 선택지 +α

한국사능력검정시험은 나온 선택지가 또 나옵니다. 나올 만한 기출 선택지를 O/X 문제로 제시하여 빈틈없이 대비할 수 있도록 하였어요.

핵심 개념

반복해서 출제되는 핵심 개념을 정리하였어요. 다시 확인하면서 학습한 내용을 복습하세요.

연표로 흐름잡기

주요 사건의 흐름을 파악할 수 있도록 연표로 정리하였어요.

킬러 문항

18 조선 세종의 업적 정답 ③

다음 가상 대화에 등장하는 왕의 업적으로 옳지 않은 것은? [2점]

명하신 대로 편경을 만들었사옵니다.

우리가 만든 편경의 소리도 음이 잘 맞는구나. 이제 그대가 ❷아악을 체계적으로 정비하도록 하라.

❶박연

정답 잡는 키워드

❶ 박연 ❷ 아악 정비 → 조선 세종

❶, ❷ 세종은 박연에게 명하여 궁중 음악인 아악과 악기를 정비하고 악보를 정리하게 하였어요. 박연은 중국의 각종 고전을 참고하여 악기와 악보를 만들고 궁중 음악을 개혁하였습니다.

① 자격루를 제작하였다.
➡ 조선 **세종** 때 장영실이 왕명을 받아 자격루 등의 기구를 제작하였어요.

② 농사직설을 간행하였다.
➡ 조선 **세종** 때 정초, 변효문 등이 왕명을 받아 "농사직설"을 간행하였어요. "농사직설"은 우리 풍토에 맞는 농사법을 보급하기 위해 각 지역에 있는 노련한 농부들의 경험을 수집하여 만든 책입니다.

③ 악학궤범을 완성하였다.
➡ 조선 성종 때 성현 등이 왕명을 받아 궁중 음악을 집대성하여 "악학궤범"을 완성하였어요.

④ 삼강행실도를 편찬하였다.
➡ 조선 **세종** 때 설순 등이 왕명을 받아 "삼강행실도"를 편찬하였어요. "삼강행실도"는 유교 윤리를 널리 알리기 위하여 충신, 효자, 열녀의 사례를 모아 글과 그림으로 설명한 책입니다.

핵심 개념 **조선 세종의 정책**

구분	내용
정치	• 의정부 서사제 실시, 집현전 설치 • 쓰시마섬(대마도) 정벌(이종무) • 4군 6진 개척(최윤덕, 김종서) • 3포 개항과 계해약조 체결(일본에 제한된 범위에서 무역 허용)
경제	전분6등법(토지의 비옥도 기준), 연분9등법(풍흉 기준)을 시행하여 차등적으로 조세 징수
문화	• 훈민정음 창제·반포 • "농사직설"·"향약집성방"·"칠정산"·"삼강행실도" 등 편찬 • 박연 등이 아악 정비 • 앙부일구(해시계), 자격루(물시계), 측우기 등 제작 • 금속 활자인 갑인자 등 주조 • 화약을 이용한 신무기인 신기전 개발

21 조선 후기의 정치 변화 정답 ①

(가) 시기에 있었던 사실로 옳은 것은? [2점]

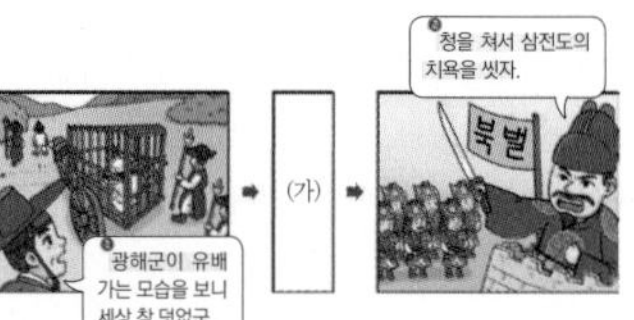

정답 잡는 키워드

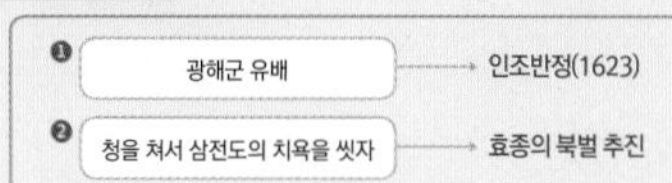

❶ 조선 후기 광해군은 명과 후금 사이에서 중립 외교 정책을 폈어요. 이에 반대하던 서인 세력은 광해군이 이복동생인 영창 대군을 살해하고 인목 대비를 폐위한 것을 빌미로 인조반정을 일으켜 광해군을 왕위에서 몰아내 유배 보내고 인조를 왕위에 올렸어요.

❷ 병자호란 이후 청을 공격하여 삼전도에서 당한 치욕을 씻자는 북벌 운동이 추진되었어요. 청에 볼모로 끌려갔다가 돌아와 왕위에 오른 효종 때 북벌 운동이 왕성하게 추진되었으나 실제로 이루어지지는 못하였어요.

① 병자호란이 일어났다.
➡ **인조반정 이후** 인조와 서인 정권은 친명배금 정책을 추진하였고, 이로 인해 정묘호란과 병자호란을 겪게 되었어요. 병자호란 당시 인조는 남한산성에 들어가 항전하였으나 결국 청에 굴복하였고 삼전도에서 굴욕적인 항복 의식을 치렀어요.

② 4군 6진이 개척되었다.
➡ 조선 세종 때 최윤덕과 김종서를 파견하여 여진을 정벌하고 4군 6진을 개척하였어요.

③ 훈련도감이 창설되었다.
➡ 조선 선조 때 일어난 임진왜란 중에 훈련도감이 창설되었어요.

④ 외규장각 도서가 약탈되었다.
➡ 흥선 대원군 집권 시기에 일어난 병인양요 당시 강화도를 침략한 프랑스군이 퇴각하면서 외규장각 도서를 약탈하였어요.

기출 선택지 +α

⑤ 예송이 발생하였다. (O/X)
⑥ 경국대전이 완성되었다. (O/X)
⑦ 사림이 동인과 서인으로 나뉘었다. (O/X)

연표로 흐름잡기

- 1623 인조반정 → 광해군이 폐위되고 인조가 즉위함
- 1627 정묘호란
- 1636 병자호란 발발 → 인조가 삼전도에서 항복 의식을 치름
- 1649 효종 즉위 → 북벌 정책 추진

기출 선택지 +α 정답 ⑤ ×[조선 현종] ⑥ ×[조선 성종] ⑦ ×[조선 선조]

이 책의 차례

한국사능력검정시험 제65회, 제62회, 제59회, 제56회는 심화만 시행되었습니다.

합격률

40.5%

응시 인원 : 5,321명
합격 인원 : 2,156명

기본

2023년 10월 21일(토) 시행

제67회

해설 강의 바로 보기

시대별 출제 비중

전근대 28문항

선사 2문항
청동기 시대의 생활 모습, 옥저의 사회 모습

고대 8문항
고구려 광개토 태왕의 업적, 백제의 문화유산, 신라 진흥왕의 업적, 가야, 신라의 삼국 통일 과정, 발해의 문화유산, 경주 석굴암 본존불상, 호족

고려 7문항
고려 태조의 정책, 고려의 경제, 서희의 외교 담판, 문벌 사회의 동요, 안향의 활동, 삼별초, 진포 대첩

조선 11문항
조선 세종의 업적, "조선왕조실록", 조선 세조의 정책, 무오사화, 대동법, 병자호란 이후의 사실, 조선 정조의 업적, 조선 후기의 모습, 진주 농민 봉기, 김정희의 활동, 부산의 역사

근현대 22문항

동지

시대 통합 3문항
토지 제도의 변천, 시대의 개혁가들, 한국사 속 여성의 활동

개항기 5문항
동학 농민 운동, 신돌석의 활동, 병인양요, 독립 협회의 활동, 이상설의 활동

일제 강점기 6문항
1910년대 일제의 식민 지배 정책, 3·1 운동, 물산 장려 운동, 신채호의 활동, 윤봉길의 활동, 1940년대의 사실

현대 7문항
좌우 합작 위원회, 제주 4·3 사건, 6·25 전쟁, 4·19 혁명, 노태우 정부 시기의 사실, 박정희 정부 시기의 사실, 전태일의 활동

분류별 출제 비중 고대~조선

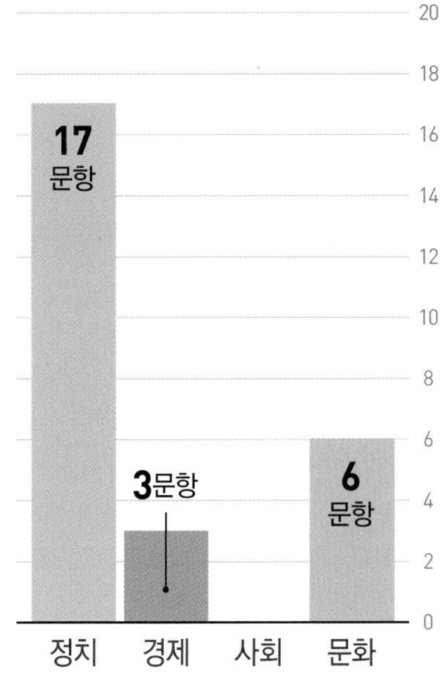

난이도별 출제 비중

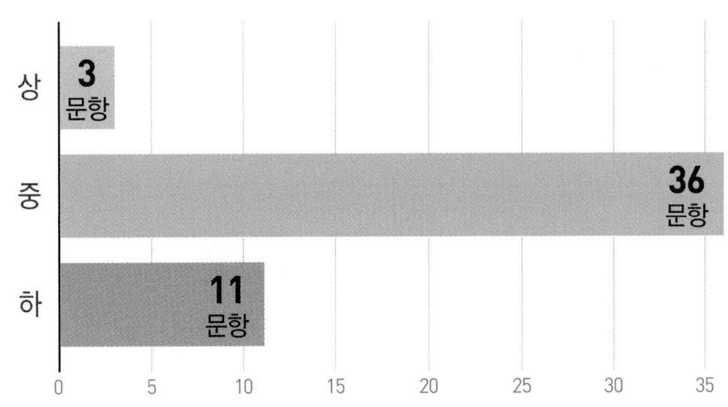

큰별쌤의 한 줄 평

낯선 자료가 조금 나오지만
기본 개념과 흐름 파악으로
충분히 풀 수 있었던 시험

1 청동기 시대의 생활 모습 정답 ③

(가) 시대의 생활 모습으로 가장 적절한 것은? [1점]

정답 잡는 키워드

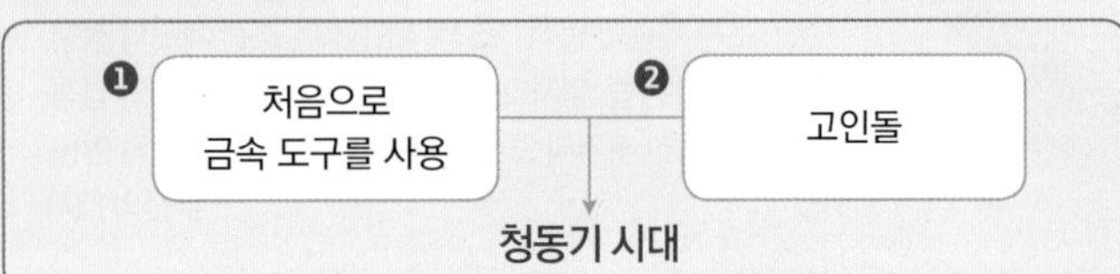

❶ 청동기 시대에 처음으로 금속 도구가 제작되었어요. 청동기 시대 사람들은 구리와 주석, 아연 등의 금속을 섞어 만든 청동을 녹인 후 거푸집을 이용하여 검이나 도끼 같은 무기나 방울·거울과 같은 제사용 도구, 장신구를 만들었어요.

❷ 고인돌은 청동기 시대 지배층의 무덤으로 알려져 있어요. 지배층이 죽으면 고인돌이나 돌널무덤을 만들어 청동 검, 청동 거울 등과 함께 묻었어요.

① 철제 농기구로 농사를 지었다.
➡ 철기 시대부터 철제 농기구로 농사를 지었어요.

② 주로 동굴이나 막집에서 살았다.
➡ 구석기 시대 사람들은 주로 동굴이나 강가의 막집에서 살며 이동 생활을 하였어요.

③ 반달 돌칼로 벼 이삭을 수확하였다.
➡ **청동기 시대** 사람들은 반달 돌칼을 사용하여 벼 등 곡식을 수확하였어요.

④ 빗살무늬 토기에 곡식을 저장하기 시작하였다.
➡ 신석기 시대 사람들은 빗살무늬 토기를 만들어 곡식을 저장하고 음식을 조리하는 데 사용하였어요.

기출 선택지 +α

❺ 우경이 널리 보급되었다.	(O/X)
❻ 비파형 동검을 제작하였다.	(O/X)
❼ 무덤 껴묻거리로 오수전 등을 묻었다.	(O/X)
❽ 실을 뽑기 위해 가락바퀴를 처음 사용하였다.	(O/X)

기출 선택지 +α
정답 ⑤ ×[철기 시대 이후] ⑥ ○ ⑦ ×[철기 시대 이후] ⑧ ×[신석기 시대]

2 옥저의 사회 모습 정답 ②

다음 퀴즈의 정답으로 옳은 것은? [2점]

정답 잡는 키워드

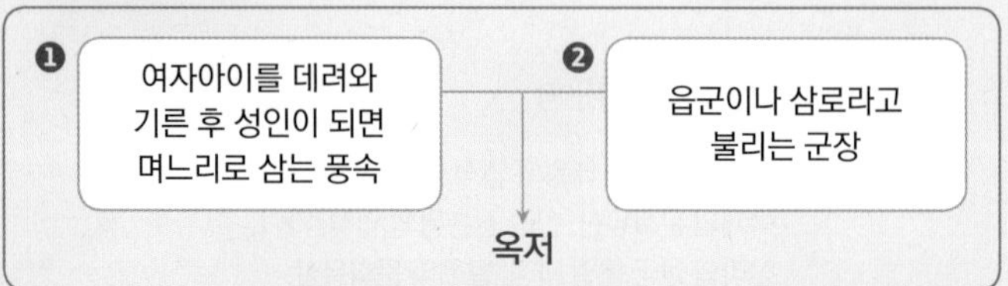

❶ 옥저에는 신랑 집에서 신부가 될 여자아이를 데려와 키우다가 어른이 되면 돌려보낸 뒤 신부 집에 돈 등 예물을 보내고 정식으로 혼인하는 민며느리제의 풍습이 있었어요.

❷ 옥저에는 왕이 없고, 세력 크기에 따라 읍군이나 삼로라고 불리는 군장이 부족을 다스렸어요.

① 부여
➡ 부여에서는 왕이 중앙을 다스리고 마가, 우가, 저가, 구가 등 여러 가(加)들이 별도로 각자의 영역인 사출도를 관장하였어요.

② 옥저
➡ 옥저는 지금의 함경도 지역에 위치하였어요. 고구려에 예속되어 물고기, 소금, 해산물 등의 공물을 바치다가 결국 고구려에 복속되었어요.

③ 동예
➡ 동예도 옥저처럼 왕이 따로 없고, 읍군이나 삼로 등으로 불리는 군장이 부족을 다스렸어요. 한편, 동예에는 읍락 간의 경계를 중시하여 다른 부족의 영역을 침범하면 소나 말, 노비 등으로 변상하도록 하는 책화가 있었어요.

④ 마한
➡ 마한, 변한, 진한의 삼한에는 신지나 읍차 등으로 불리는 군장이 있었으며 이와 별도로 제사장인 천군이 있었어요.

핵심 개념 옥저

위치	함경도의 동해안 지역에 자리 잡고 있어 해산물이 풍부함
정치	왕이 없고, 읍군이나 삼로 등으로 불리는 군장이 부족을 다스림
풍습	• 민며느리제(신랑 집에서 신부가 될 여자아이를 데려와 키우다가 어른이 되면 돌려보낸 뒤 신부 집에 돈 등 예물을 보내고 정식으로 혼인함)라는 혼인 풍습이 있음 • 가족이 죽으면 뼈만 추려 한 목곽에 모아 두는 장례 풍습이 있음(가족 공동 무덤)

3 고구려 광개토 태왕의 업적

정답 ④

밑줄 그은 '나'의 업적으로 옳은 것은? [2점]

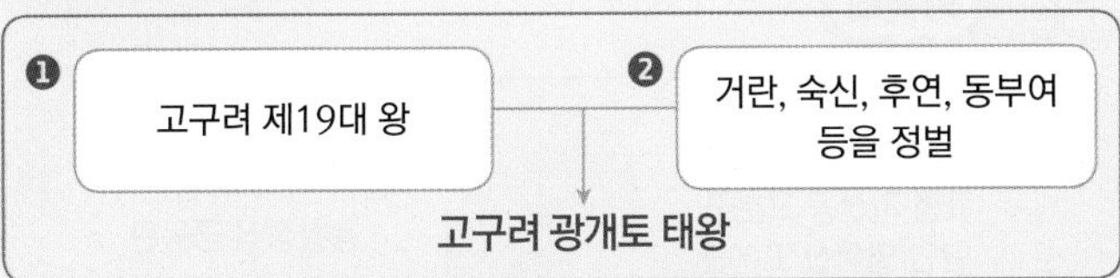

❶, ❷ 고구려 제19대 왕으로 즉위한 광개토 태왕은 거란, 숙신, 후연, 동부여 등을 정벌하여 요동과 만주 지역 대부분을 차지하는 등 영토를 크게 확장하였어요. 또 남쪽으로는 백제를 공격하여 한강 이북 지역까지 차지하였어요.

① 태학을 설립하였다.
➡ 고구려 소수림왕은 인재를 양성하기 위해 태학을 설립하여 유학 교육을 시행하였어요.

② 천리장성을 축조하였다.
➡ 고구려는 당의 침략을 막기 위해 영류왕 때부터 부여성에서 비사성에 이르는 국경 지역에 천리장성을 쌓기 시작하여 보장왕 때 완성하였어요.

③ 도읍을 평양성으로 옮겼다.
➡ 고구려 장수왕은 427년에 국내성에서 평양(성)으로 도읍을 옮기고 본격적으로 남진 정책을 추진하였어요.

④ 신라에 침입한 왜를 격퇴하였다.
➡ **광개토 태왕**은 왜의 침입을 받은 신라 내물 마립간이 고구려에 도움을 요청하자, 군대를 보내 신라에 침입한 왜를 격퇴하였어요.

기출 선택지 +α

⑤ 불교를 수용하였다. (O/X)
⑥ 진대법을 시행하였다. (O/X)
⑦ 낙랑군을 몰아내었다. (O/X)
⑧ 영락이라는 연호를 사용하였다. (O/X)

4 백제의 문화유산

정답 ③

(가)에 들어갈 문화유산으로 적절한 것은? [3점]

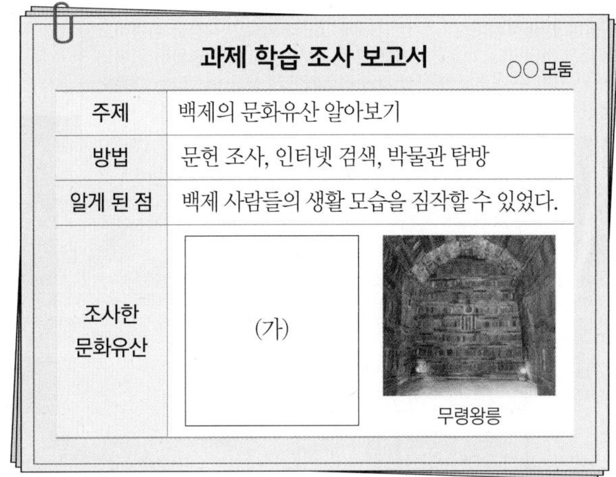

과제 학습 조사 보고서

○○ 모둠

주제	백제의 문화유산 알아보기	
방법	문헌 조사, 인터넷 검색, 박물관 탐방	
알게 된 점	백제 사람들의 생활 모습을 짐작할 수 있었다.	
조사한 문화유산	(가)	무령왕릉

✪ 백제 무령왕과 왕비의 무덤인 무령왕릉은 충청남도 공주에 있는 송산리 고분군(공주 무령왕릉과 왕릉원)에 위치하고 있어요. 무령왕릉은 중국 남조의 영향을 받아 벽돌로 만들어진 벽돌무덤입니다. 도굴되지 않은 채 발견되어 무덤의 주인이 무령왕과 왕비임을 알려 주는 묘지석을 비롯하여 무덤을 지키는 석수(돌짐승), 장식품 등 다양한 유물이 출토되었어요.

①

금동 연가 7년명 여래 입상

➡ 고구려의 금동 연가 7년명 여래 입상은 불상 뒷면에 '연가 7년'이라는 연대가 새겨져 있어 제작 시기를 알 수 있어요.

②

천마총 장니 천마도

➡ 경주 천마총 장니 천마도는 신라의 고분인 천마총에서 발견되었어요. 천마도는 말안장 양쪽에 달아 늘어뜨리는 장니(말다래)에 그려져 있는 그림이에요.

③

몽촌토성

➡ 서울 몽촌토성은 **백제** 초기의 토성으로 자연적인 지형인 언덕을 최대한 이용하여 흙을 쌓아 성벽을 만들었어요. 적의 침입을 방어하기 위해 나무 울타리인 목책을 두르고, 성 주위를 흐르는 물길을 이용하여 해자를 만들었어요. 서울 풍납동 토성, 서울 석촌동 고분군 등과 함께 백제 한성 시기를 대표하는 중요한 유적이에요.

④
장군총

➡ 장군총은 고구려 초기에 많이 만들어진 돌무지무덤 중 하나입니다. 중국 지린성 지안시에 있어요.

기출 선택지 +α
정답 ⑤ ×[고구려 소수림왕] ⑥ ×[고구려 고국천왕] ⑦ ×[고구려 미천왕] ⑧ ○

5 신라 진흥왕의 업적

정답 ②

(가) 왕의 업적으로 옳은 것은? [2점]

정답 잡는 **키워드**

❶ 단양 신라 적성비 → 신라 진흥왕

❶ 진흥왕은 적극적으로 영토 확장에 나섰어요. 백제 성왕과 연합하여 고구려를 공격해 한강 상류 지역을 차지한 뒤에 다시 백제를 공격하여 한강 하류 지역을 빼앗아 한강 유역을 모두 장악하였어요. 또 후기 가야 연맹을 주도하던 대가야를 정복하고 북쪽으로는 함흥평야까지 진출하였어요. 점령한 지역에는 단양 신라 적성비와 4개의 순수비(서울 북한산 신라 진흥왕 순수비, 창녕 신라 진흥왕 척경비, 황초령 순수비, 마운령 순수비)를 세워 영토 확장을 기념하였어요.

① 국학을 설치하였다.
➡ 신라 **신문왕**은 인재를 양성하기 위해 국학을 설치하여 유학을 교육하였어요.

② 화랑도를 정비하였다.
➡ 신라 **진흥왕**은 화랑도를 국가적인 조직으로 개편하여 많은 인재를 양성하였어요.

③ 독서삼품과를 시행하였다.
➡ 신라 **원성왕**은 유학적 소양을 갖춘 인재를 선발하기 위해 독서삼품과를 시행하였어요.

④ 김헌창의 난을 진압하였다.
➡ 신라 **헌덕왕** 때 웅천주 도독 김헌창이 무열왕의 직계 자손인 자신의 아버지 김주원이 왕이 되지 못한 것에 불만을 품고 난을 일으켰으나 관군에 의해 진압되었어요.

기출 선택지 +α

⑤ 녹읍을 폐지하였다.	(O/X)
⑥ 병부를 설치하였다.	(O/X)
⑦ 대가야를 정복하였다.	(O/X)
⑧ 북한산에 순수비를 세웠다.	(O/X)

기출 선택지 +α 정답 ⑤ ×[신라 신문왕] ⑥ ×[신라 법흥왕] ⑦○ ⑧○

6 가야

정답 ③

밑줄 그은 '이 나라'에 대한 설명으로 옳은 것은? [2점]

정답 잡는 **키워드**

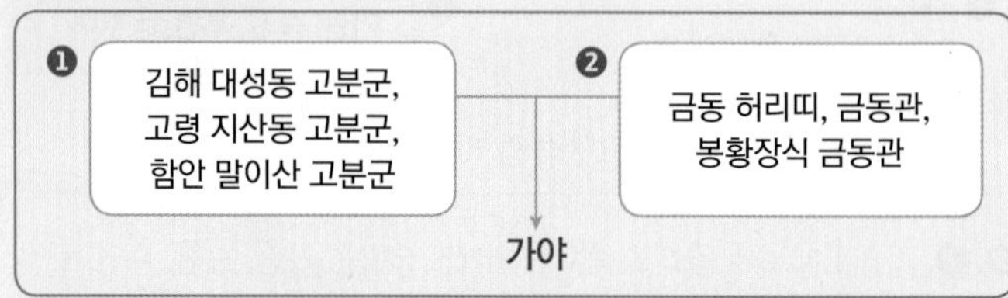

❶, ❷ 김해 대성동 고분군, 고령 지산동 고분군, 함안 말이산 고분군은 낙동강 하류의 변한 지역에서 성장한 가야 연맹의 대표적인 유적입니다. 금동 허리띠는 금관가야 지배층의 무덤으로 알려진 김해 대성동 고분군에서 출토되었으며 용무늬가 있어요. 금동관은 대가야 지배층의 무덤으로 알려진 고령 지산동 고분군에서 출토되었고, 봉황장식 금동관은 아라가야 지배층의 무덤으로 알려진 함안 말이산 고분군에서 출토되었어요. 가야의 고분에서는 철제 갑옷과 투구, 금동관 등 다양한 유물이 출토되었으며, 이들 유물을 통해 가야 사람들의 뛰어난 세공 기술을 짐작할 수 있습니다.

① 지방에 22담로를 두었다.
➡ 담로는 **백제**의 지방 행정 구역이에요. 무령왕은 지방 통제를 강화하기 위해 22담로에 왕족을 파견하였어요.

② 한의 침략을 받아 멸망하였다.
➡ **고조선**은 한 무제의 침략을 받아 기원전 108년에 왕검성이 함락되어 멸망하였어요.

③ 낙랑과 왜에 철을 수출하였다.
➡ **가야**는 철이 풍부하게 생산되어 낙랑과 왜 등에 철을 수출하였어요.

④ 화백 회의에서 중요한 일을 결정하였다.
➡ **신라**는 귀족 회의인 화백 회의에서 나라의 중요한 일을 결정하였어요.

기출 선택지 +α

⑤ 골품제라는 신분 제도가 있었다.	(O/X)
⑥ 물가 조절을 위해 상평창을 두었다.	(O/X)
⑦ 옥저를 정복하고 동해안으로 진출하였다.	(O/X)

기출 선택지 +α 정답 ⑤ ×[신라] ⑥ ×[고려, 조선] ⑦ ×[고구려]

7 신라의 삼국 통일 과정

정답 ②

(가)~(다) 사건을 일어난 순서대로 옳게 나열한 것은? [3점]

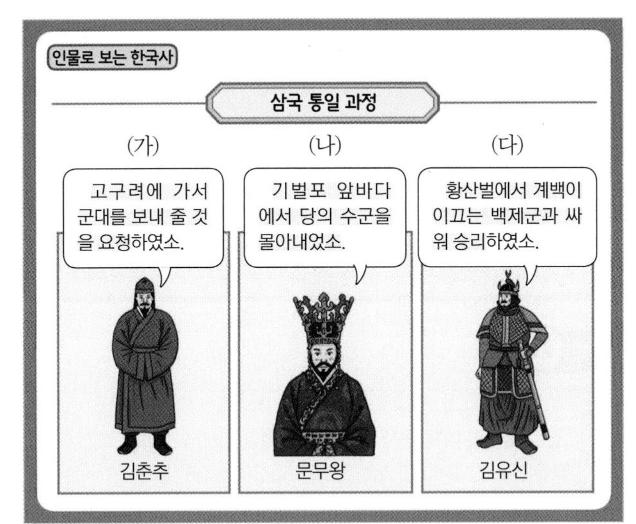

정답 잡는 키워드

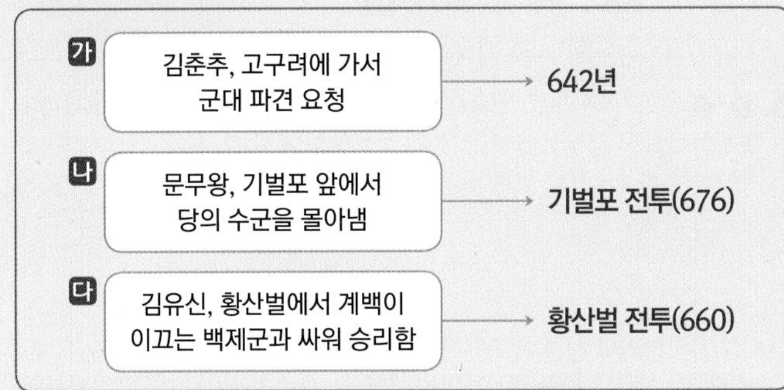

가 신라는 백제를 견제하기 위해 642년에 김춘추를 보내 고구려에 군사 지원을 요청하였어요. 그러나 고구려의 보장왕이 신라에 빼앗긴 죽령 서북 땅을 요구하여 신라와 고구려의 연합은 이루어지지 않았어요. 이후 648년에 김춘추는 당으로 건너가 신라와 당의 군사 동맹을 성사시켰어요.

나 백제와 고구려를 멸망시킨 후 당이 한반도 전체를 지배하려고 하자 신라는 당과 전쟁을 벌였어요. 신라 문무왕 때인 675년에 매소성 전투에서 승리한 신라는 이후 기벌포 앞바다에서 설인귀가 이끄는 당의 수군을 격파하였어요. 이를 기벌포 전투(676)라고 합니다. 이로써 신라는 당 세력을 몰아내고 삼국 통일을 완성하였어요.

다 김유신은 신라군을 이끌고 황산벌에서 계백이 이끄는 백제군과 싸워 승리하였어요. 이를 황산벌 전투(660)라고 합니다. 신라군은 전투 초반에 백제의 5천 결사대에 막혀 고전하였으나 화랑 관창과 반굴의 희생으로 군대의 사기가 올라 승리를 거둘 수 있었어요. 이후 사비성이 함락되고 의자왕이 항복하면서 백제가 멸망하였어요.

① (가) - (나) - (다)

② (가) - (다) - (나)

➡ (가) 신라와 고구려의 연합 실패(642) - (다) 황산벌 전투(660) - (나) 기벌포 전투(676)의 순서대로 전개되었어요.

③ (나) - (가) - (다)

④ (다) - (가) - (나)

8 발해의 문화유산

정답 ①

(가) 국가의 문화유산으로 옳지 않은 것은? [2점]

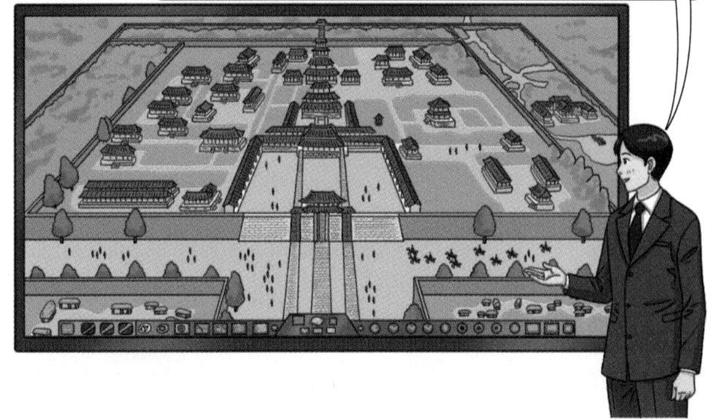

정답 잡는 키워드

❶ 문왕이 당의 도읍 장안성의 구조를 본떠 상경성을 만듦 → 발해

❶ 발해의 문왕은 도읍을 상경으로 옮기고 당의 도읍 장안성의 구조를 본떠 상경성을 건설하였어요. 발해의 5경 중 하나였던 상경 용천부는 문왕이 수도를 옮긴 이후 잠시 동경 용원부로 천도하였던 시기를 제외하고는 멸망할 때까지 발해의 수도였어요.

①

칠지도

➡ 칠지도는 백제에서 만들어 일본에 보낸 것으로 알려진 철제 칼이에요. 이를 통해 당시 백제와 일본의 교류를 알 수 있어요.

②

이불병좌상

➡ 이불병좌상은 **발해**의 불상으로, 두 부처가 나란히 앉아 있는 모습을 표현하였어요. 고구려 불상 양식의 영향을 받았어요.

③

영광탑

➡ 영광탑은 벽돌을 쌓아 만든 전탑으로 완전한 형태로 보존된 유일한 **발해** 탑이에요. 건축 기법 등에서 당의 영향을 받았어요.

④

정효 공주 무덤 벽화

➡ 정효 공주는 **발해** 문왕의 딸이에요. 정효 공주 무덤은 당의 양식과 고구려의 양식이 혼합된 형태로 만들어졌어요.

9 경주 석굴암 본존불상

정답 ①

밑줄 그은 '불상'에 해당하는 것으로 옳은 것은? [1점]

정답 잡는 **키워드**

❶ 석굴암 내부에 있는 불상 → **경주 석굴암 본존불상**

❶ 경주 석굴암은 통일 신라 시기에 화강암으로 만들어진 인공 석굴 사원으로, 내부의 가운데에 본존불상이 모셔져 있고 그 주변으로 보살상과 제자상 등이 조각되어 있어요.

①

➡ 통일 신라 시기에 만들어진 **경주 석굴암 본존불상**이에요. 완벽한 조형미를 보여 주며, 삼국 시대의 불상과 달리 근엄한 표정을 하고 있어요.

②

➡ **서산 용현리 마애 여래 삼존상**은 서산 용현리 바위에 새겨진 백제의 불상이에요. 얼굴 표정이 온화하고 부드러워 '백제의 미소'라고도 불립니다.

③

➡ 삼국 시대에 만들어진 **금동 미륵보살 반가 사유상**이에요.

④

➡ **하남 하사창동 철조 석가여래 좌상**은 하남 하사창동(출토 당시 경기도 광주군 동부면 춘궁리) 절터에서 출토된 고려 시대 불상이에요. 고려 초기에는 이 불상과 같은 대형 철불이 많이 만들어졌어요.

10 호족

정답 ②

(가)에 들어갈 내용으로 적절한 것은? [1점]

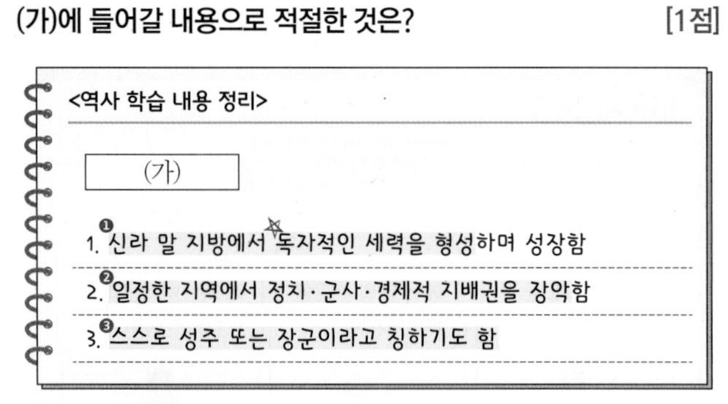
<역사 학습 내용 정리>

(가)

1. ❶신라 말 지방에서 독자적인 세력을 형성하며 성장함
2. ❷일정한 지역에서 정치·군사·경제적 지배권을 장악함
3. ❸스스로 성주 또는 장군이라고 칭하기도 함

정답 잡는 **키워드**

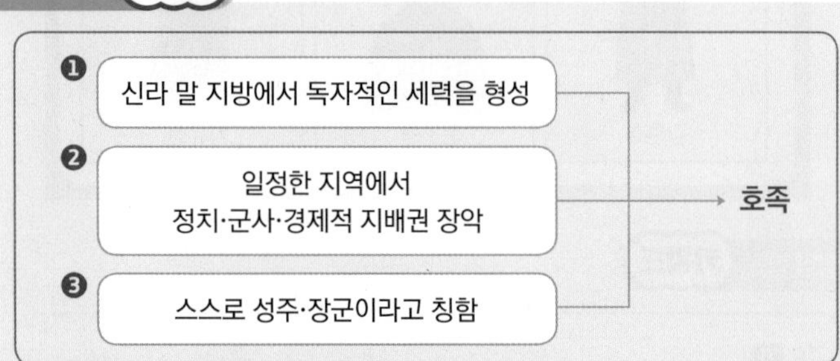

❶, ❷, ❸ 신라 말에 중앙 정치가 혼란해지면서 지방에서 독자적인 세력을 형성한 호족이 등장하였어요. 호족은 지방의 정치·군사·경제적 지배권을 장악하여 실질적으로 지방을 통치하였으며, 스스로 성주, 장군이라고 칭하기도 하였어요.

① 성골

➡ 성골은 신라의 신분 제도인 골품제에서 왕이 될 수 있는 가장 높은 신분이에요. 신라의 제28대 진덕 여왕까지는 모두 성골이 왕위를 차지하였으며, 김춘추가 태종 무열왕이 되면서부터 진골 출신이 왕위에 올랐어요.

② 호족

➡ 신라 말에 중앙 정치가 혼란하여 지방 통치가 약화되면서 지방에서 호족이 성장하였어요. 대표적인 호족으로 장보고, 견훤, 궁예 등을 들 수 있어요.

③ 권문세족

➡ 원 간섭기에 대개 원과의 관계를 배경으로 성장한 권문세족이 새로운 지배 세력으로 등장하였어요. 권문세족은 높은 관직을 독점하고 대농장을 소유하였어요.

④ 신진 사대부

➡ 신진 사대부는 고려 후기에 등장한 새로운 정치 세력으로, 성리학을 수용하여 이를 바탕으로 고려 사회의 모순을 개혁하고자 노력하였어요. 위화도 회군을 계기로 이성계 세력과 결탁하여 본격적으로 개혁을 주도하였는데, 이 과정에서 고려 왕조에 대한 인식과 토지 제도 개혁 등을 둘러싸고 온건 개혁파와 급진 개혁파(혁명파)로 나뉘었어요. 급진 개혁파 신진 사대부와 이성계는 손을 잡고 조선을 건국하였습니다.

11 고려 태조의 정책

정답 ①

(가) 왕의 업적으로 옳은 것은? [2점]

정답 잡는 키워드

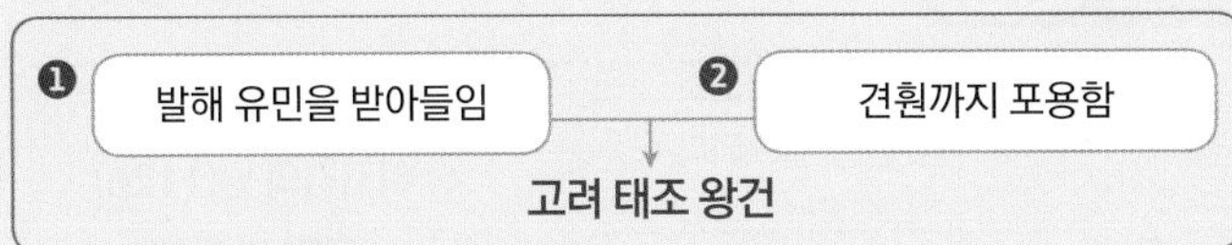

❶ 고려를 세운 태조 왕건은 발해 왕자 대광현 등 발해 유민을 받아들여 민족 통합을 꾀하였어요.
❷ 고려 태조 왕건은 후삼국 통일 과정에서 후백제를 세운 견훤과 세력을 겨루었어요. 그러다 왕실 내분으로 금산사에 갇혔던 견훤이 탈출하여 고려에 투항하자 그를 받아들이고 관직을 주었어요. 이후 후백제를 공격하여 멸망시키고 후삼국 통일을 이루었어요.

① 흑창을 두었다.
➡ **고려 태조 왕건**은 가난한 백성을 구제하기 위해 흑창을 설치하였어요.

② 강화도로 천도하였다.
➡ **고려 고종** 때 몽골의 침입에 대응하기 위해 최고 집권자 최우의 주장에 따라 강화도로 수도를 옮겨 장기적인 항전을 준비하였어요.

③ 과거제를 처음 실시하였다.
➡ **고려 광종**은 쌍기의 건의를 받아들여 과거제를 처음 실시하였어요.

④ 전민변정도감을 설치하였다.
➡ 고려 말에 권문세족이 불법적으로 소유한 토지와 노비를 조사하여 원래대로 되돌리기 위해 전민변정도감이 운영되었어요. 대표적으로 **공민왕**이 신돈을 등용하고 전민변정도감을 설치한 일을 들 수 있어요.

기출 선택지 +α

- ❺ 훈요 10조를 남겼다. (O/X)
- ❻ 만권당을 설립하였다. (O/X)
- ❼ 사심관 제도를 시행하였다. (O/X)
- ❽ 전시과를 처음으로 시행하였다. (O/X)

12 고려의 경제

정답 ④

(가) 국가에서 볼 수 있는 모습으로 적절한 것은? [2점]

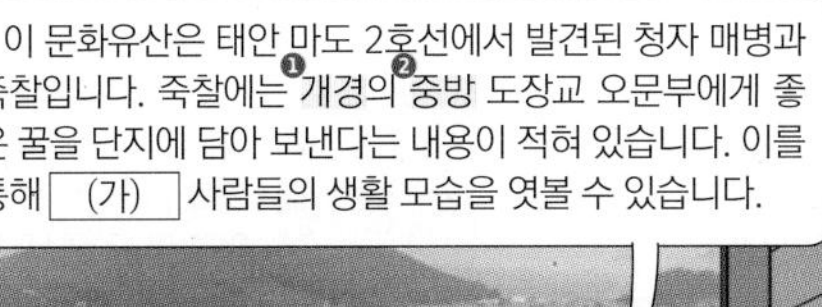

정답 잡는 키워드

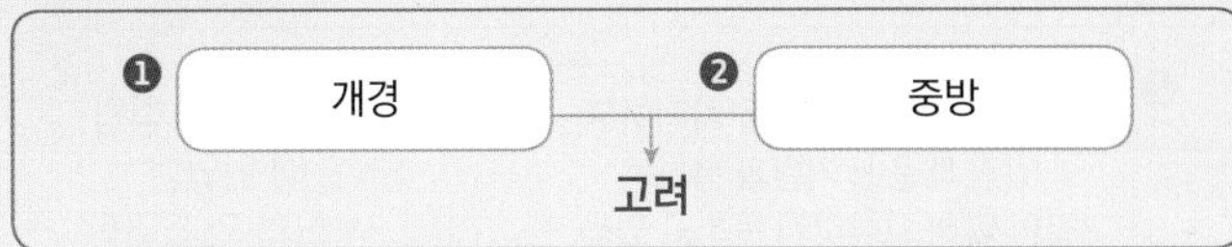

❶ 개경은 고려의 수도예요. 고려 시대에 개경 인근의 벽란도가 국제 무역항으로 번성하여 송, 일본뿐만 아니라 멀리 아라비아 상인까지 왕래하기도 하였어요.
❷ 중방은 고려의 중앙군인 2군 6위의 지휘관들이 모여 군사 문제를 논의하던 회의 기구입니다.

① 광산 개발을 감독하는 덕대
➡ **조선 후기**에 전문 경영인인 덕대가 채굴업자와 노동자를 고용하여 광산을 경영하는 방식이 성행하였어요.

② 신해통공 실시를 알리는 관리
➡ **조선 후기** 정조 때 도성 내 물가 안정과 원활한 상품 유통을 위해 육의전을 제외한 시전 상인의 금난전권을 폐지하는 신해통공이 실시되었어요.

③ 청과의 무역으로 부를 축적하는 만상
➡ **조선 후기**에 농업 생산력이 향상되고 도시 인구가 증가하여 상업이 발달하면서 만상, 내상 등의 사상이 활발하게 활동하였어요. 특히 의주를 활동 근거지로 하는 만상은 청과의 무역으로 부를 축적하였어요.

④ 활구라고도 불린 은병을 제작하는 장인
➡ **고려** 시대에 은 1근으로 우리나라의 지형을 본떠 만든 고액 화폐인 은병이 제작되어 유통되었어요. 은병은 활구라고도 불렸어요.

기출 선택지 +α

- ❺ 고구마를 재배하는 농민 (O/X)
- ❻ 해동통보를 주조하는 장인 (O/X)
- ❼ 대동법 시행에 반대하는 지주 (O/X)

기출 선택지 +α 정답 ⑤○ ⑥ ×[고려 충선왕] ⑦○ ⑧ ×[고려 경종]

기출 선택지 +α 정답 ⑤ ×[조선 후기] ⑥○ ⑦ ×[조선 후기]

13 서희의 외교 담판

정답 ①

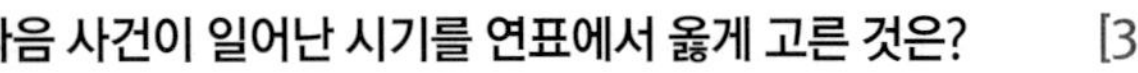

다음 사건이 일어난 시기를 연표에서 옳게 고른 것은? [3점]

정답 잡는 **키워드**

❶ 여진이 압록강 안팎을 차지하고 있기 때문에 거란과 통하는 길이 막혀 교류하지 못하고 있음 → **거란의 1차 침입 때 있었던 서희의 외교 담판**

❶ 고려 성종 때 고려와 송의 연합을 막고자 거란이 고려를 침입하였어요(거란의 1차 침입, 993). 당시 서희는 이러한 거란의 의도를 파악하고 거란 장수 소손녕과 외교 담판을 벌였어요. 서희는 여진이 압록강 동쪽을 차지하고 있어 거란으로 통하는 길이 막혔다고 주장하며, 송과 관계를 끊고 거란과 교류할 것을 약속하는 대신 압록강 동쪽 여진의 거주 지역을 고려의 영토로 인정받고 강동 6주 지역을 확보하였어요.

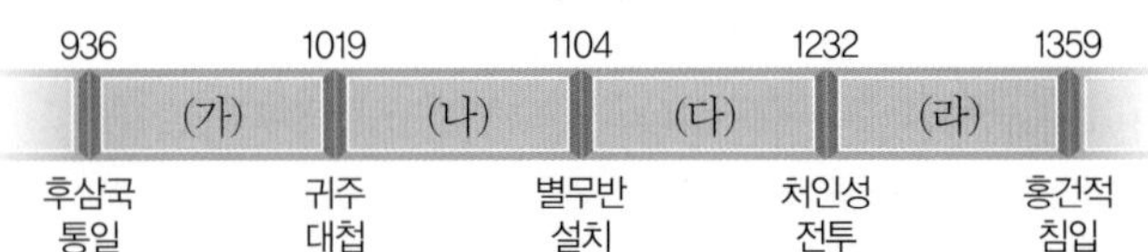

➡ 고려 현종 때 강동 6주의 반환 등을 요구하며 거란의 소배압이 대군을 이끌고 고려에 침입하였어요(거란의 3차 침입). 이때 강감찬이 이끄는 고려군이 귀주에서 거란군을 물리치고 큰 승리를 거두었어요(귀주 대첩).

① (가)
➡ 연표에서 서희의 외교 담판이 있었던 시기는 후삼국 통일과 귀주 대첩 사이인 (가)입니다.

② (나)

③ (다)

④ (라)

연표로 흐름잡기

- **935** 견훤의 투항, 신라 경순왕의 항복
- **936** 신검의 후백제 멸망 → 고려의 후삼국 통일
- **993** 고려 성종 때 거란의 1차 침입 → **서희의 외교 담판**
- **1009** 강조의 정변
- **1010** 고려 현종 때 거란의 2차 침입 → 양규의 활약
- **1018** 고려 현종 때 거란의 3차 침입
- **1019** 강감찬의 귀주 대첩

14 문벌 사회의 동요

정답 ③

(가)에 들어갈 내용으로 가장 적절한 것은? [1점]

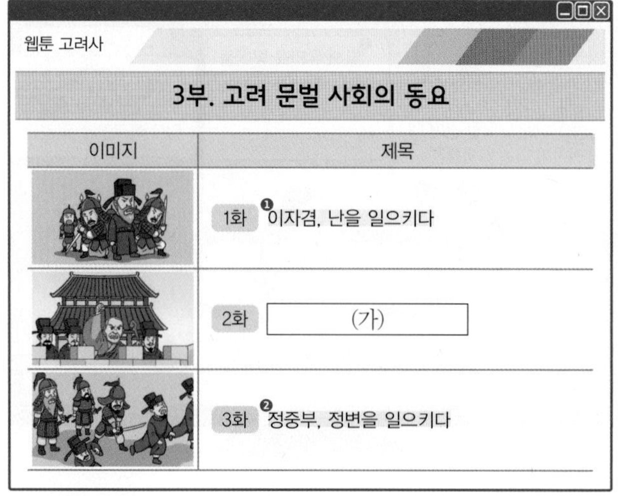

정답 잡는 **키워드**

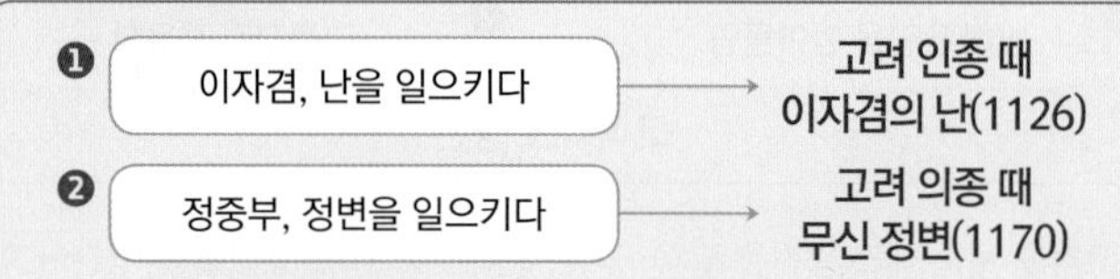

❶ 고려 인종 때 왕실과 중첩된 혼인 관계를 맺고 권력을 독점하던 이자겸이 척준경과 함께 반란을 일으켰어요. 인종은 척준경을 회유하여 반란을 진압하였어요.

❷ 문벌 세력의 권력 독점이 계속되는 상황에서 정중부, 이의방 등이 무신 차별에 대한 불만으로 무신 정변을 일으켜 수많은 문신을 살해하고 의종을 폐위시킨 뒤 정권을 장악하였습니다.

① 이괄, 도성을 점령하다
➡ 조선 인조 때인 1624년에 이괄은 공신 책봉에 불만을 품고 난을 일으켰어요. 이괄은 한때 도성을 점령하였으며, 인조는 도성을 떠나 공주 공산성으로 피란하기도 하였어요.

② 김흠돌, 반란을 도모하다
➡ 신라 신문왕 때인 681년에 왕의 장인인 김흠돌이 반란을 꾀하다 발각되어 처형되었어요. 이를 계기로 신문왕은 진골 귀족 세력을 숙청하고 왕권을 강화하였어요.

③ 묘청, 서경 천도를 주장하다
➡ **이자겸의 난 이후 고려 인종**은 묘청 등 서경 세력을 등용하여 개혁을 꾀하였어요. 서경 세력은 서경으로 수도를 옮기자고 주장하였으나 개경 세력의 반대에 부딪혀 실패하였어요. 이에 1135년에 묘청이 서경에서 난을 일으켰으나 김부식이 이끄는 관군에 의해 진압되었어요.

④ 이성계, 위화도에서 회군하다
➡ 고려 말 우왕 때 요동 정벌에 반대하였으나 왕의 명령에 따라 군대를 이끌고 나간 이성계가 위화도에서 군대를 돌려 개경을 점령하고 권력을 장악하였어요(위화도 회군, 1388).

15 안향의 활동

정답 ①

밑줄 그은 '나'에 해당하는 인물로 옳은 것은? [2점]

정답 잡는 키워드

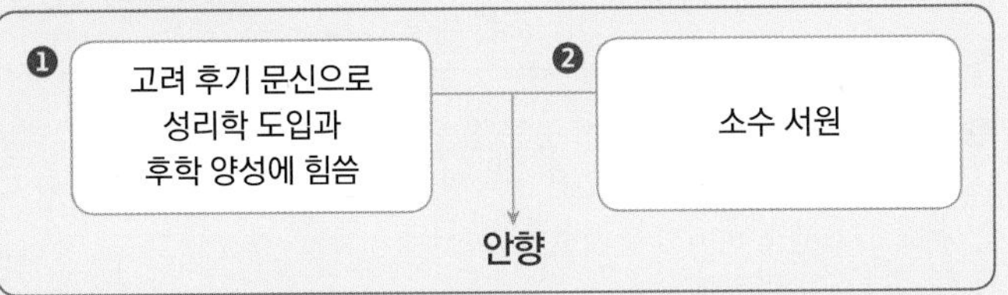

❶, ❷ 안향은 고려 후기의 문신으로 원으로부터 성리학을 도입하여 고려에 처음으로 소개하였다고 알려진 인물이에요. 조선 중종 때 풍기 군수 주세붕은 안향을 기리기 위하여 백운동 서원을 건립하였어요. 백운동 서원은 명종 때 이황의 건의로 나라에서 현판을 하사받아 소수 서원으로 이름이 바뀌었어요.

① 안향
➡ 안향은 고려에 성리학을 처음으로 들여와 연구한 공을 인정받아 문성이라는 시호를 받았어요.

② 김부식
➡ 김부식은 고려 인종 때 관군을 이끌고 묘청의 난을 진압하였으며, 이후 왕명을 받아 기전체 형식의 역사서인 "삼국사기"를 편찬하였어요.

③ 이규보
➡ 이규보는 고려 후기의 문신이자 유명한 문장가로, 고구려 건국 시조의 일대기를 서사시로 표현한 '동명왕편'을 지었어요.

④ 정몽주
➡ 정몽주는 고려 말의 문신이자 학자로, 새 왕조를 세우려는 세력에 맞서 고려를 유지한 채 개혁할 것을 주장하여 이방원 세력에 의해 제거되었어요.

핵심 개념 안향

- 호는 회헌, 시호는 문성
- 고려 후기의 문신으로 충렬왕 때 원으로부터 성리학을 들여왔다고 알려진 인물
- 조선 중종 때 풍기 군수 주세붕이 안향을 기리기 위해 백운동 서원 건립 → 명종 때 풍기 군수 이황의 건의로 소수 서원으로 사액됨

16 삼별초

정답 ④

(가) 군사 조직에 대한 설명으로 옳은 것은? [2점]

정답 잡는 키워드

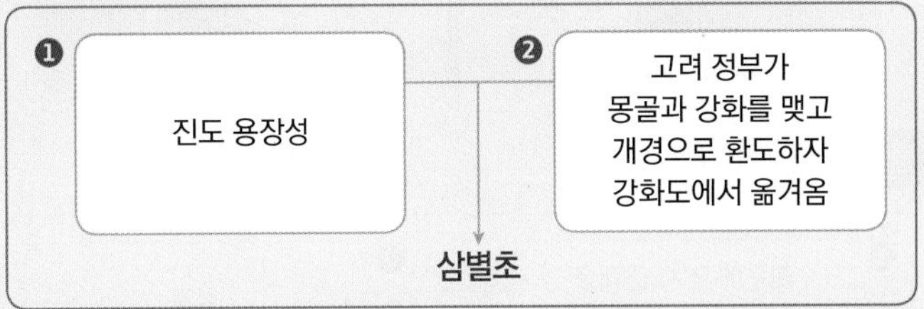

❶, ❷ 삼별초는 고려 정부가 몽골과 강화를 맺고 개경으로 돌아갈 것을 결정하자, 이에 반발하여 강화도에서 봉기하였어요. 곧이어 배중손의 지휘 아래 진도로 이동하여 용장성을 쌓고 대몽 항쟁을 이어 갔습니다. 그러나 고려와 몽골 연합군의 공격으로 진도가 함락되었고, 삼별초의 남은 세력은 다시 제주도로 근거지를 옮겨 대몽 항쟁을 계속하였으나 결국 고려와 몽골 연합군에 의해 진압되었어요.

① 쌍성총관부를 공격하였다.
➡ 공민왕 때 유인우 등이 이끄는 고려군이 쌍성총관부를 공격하여 원에 빼앗겼던 철령 이북의 영토를 되찾았어요.

② 백강 전투에서 활약하였다.
➡ 나·당 연합군의 공격으로 백제가 멸망한 뒤 백제 부흥 운동이 일어났으며, 백제와 긴밀한 관계를 맺고 있던 왜가 군대를 보내 이를 지원하였어요. 백제 부흥군과 왜의 지원군은 663년에 백강에서 나·당 연합군에 맞서 싸웠으나 패배하였어요.

③ 신기군, 신보군, 항마군으로 구성되었다.
➡ 고려 시대 여진 정벌을 위해 편성된 별무반은 기병인 신기군, 보병인 신보군, 승병 부대인 항마군으로 구성되었어요.

④ 최씨 무신 정권의 군사적 기반이 되었다.
➡ **삼별초**는 고려 무신 집권기에 당시 최고 집권자였던 최우가 치안 유지를 위해 설치한 야별초에서 비롯되었으며, 최씨 무신 정권의 군사적 기반이 되었어요.

17 진포 대첩

정답 ③

다음 학생들이 표현하고 있는 사건으로 적절한 것은? [2점]

정답 잡는 키워드

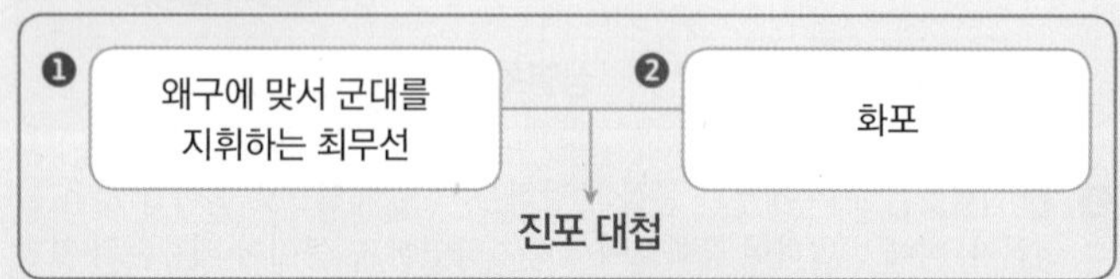

❶, ❷ 최무선은 고려 말에 원에서 온 사람의 도움을 받아 화약 제조 기술을 습득하여 화약 개발에 성공하였어요. 이후 우왕에게 건의하여 화통도감을 설치하고 화약과 화포를 제작하였습니다. 최무선은 화약과 화포를 이용하여 진포에 침입한 왜구를 물리쳤는데, 이를 진포 대첩이라고 합니다.

① 명량 대첩

➡ 명량 대첩은 임진왜란의 휴전 협상이 결렬됨에 따라 일본군이 다시 조선을 침략한 정유재란 당시 이순신이 이끄는 조선 수군이 명량(울돌목)에서 일본 수군에 대승을 거둔 전투입니다.

② 살수 대첩

➡ 살수 대첩은 을지문덕이 이끄는 고구려군이 수의 장수 우중문, 우문술이 이끄는 30만 별동대를 살수에서 격퇴한 전투입니다.

③ 진포 대첩

➡ 진포 대첩은 고려 말 우왕 때 최무선, 나세, 심덕부가 지휘하는 고려군이 진포에서 화약과 화포를 이용하여 왜선을 격퇴한 전투입니다.

④ 행주 대첩

➡ 행주 대첩은 임진왜란 당시 행주산성에서 권율의 지휘하에 관민이 힘을 합쳐 일본군에 큰 승리를 거둔 전투입니다.

핵심 개념 고려 말 왜구의 침입과 격퇴

구분	내용
왜구의 침입	고려 말 잦은 왜구의 노략질로 해안 지방이 황폐화됨
대표적 전투	• 홍산 대첩(1376) : 우왕 때 최영이 홍산(지금의 부여)에서 왜구를 물리침 • 진포 대첩(1380) : 우왕 때 최무선이 나세, 심덕부와 함께 진포(지금의 군산)에서 왜선을 물리침 • 황산 대첩(1380) : 우왕 때 이성계가 황산(지금의 남원)에서 왜구를 물리침

킬러 문항

18 조선 세종의 업적

정답 ③

다음 가상 대화에 등장하는 왕의 업적으로 옳지 않은 것은? [2점]

정답 잡는 키워드

❶ 박연 → 조선 세종 ← ❷ 아악 정비

❶, ❷ 세종은 박연에게 명하여 궁중 음악인 아악과 악기를 정비하고 악보를 정리하게 하였어요. 박연은 중국의 각종 고전을 참고하여 악기와 악보를 만들고 궁중 음악을 개혁하였습니다.

① 자격루를 제작하였다.

➡ 조선 **세종** 때 장영실이 왕명을 받아 자격루 등의 기구를 제작하였어요.

② 농사직설을 간행하였다.

➡ 조선 **세종** 때 정초, 변효문 등이 왕명을 받아 "농사직설"을 간행하였어요. "농사직설"은 우리 풍토에 맞는 농사법을 보급하기 위해 각 지역에 있는 노련한 농부들의 경험을 수집하여 만든 책입니다.

③ 악학궤범을 완성하였다.

➡ 조선 성종 때 성현 등이 왕명을 받아 궁중 음악을 집대성하여 "악학궤범"을 완성하였어요.

④ 삼강행실도를 편찬하였다.

➡ 조선 **세종** 때 설순 등이 왕명을 받아 "삼강행실도"를 편찬하였어요. "삼강행실도"는 유교 윤리를 널리 알리기 위하여 충신, 효자, 열녀의 사례를 모아 글과 그림으로 설명한 책입니다.

핵심 개념 조선 세종의 정책

구분	내용
정치	• 의정부 서사제 실시, 집현전 설치 • 쓰시마섬(대마도) 정벌(이종무) • 4군 6진 개척(최윤덕, 김종서) • 3포 개항과 계해약조 체결(일본에 제한된 범위에서 무역 허용)
경제	전분6등법(토지의 비옥도 기준), 연분9등법(풍흉 기준)을 시행하여 차등적으로 조세 징수
문화	• 훈민정음 창제·반포 • "농사직설"·"향약집성방"·"칠정산"·"삼강행실도" 등 편찬 • 박연 등이 아악 정비 • 앙부일구(해시계), 자격루(물시계), 측우기 등 제작 • 금속 활자인 갑인자 등 주조 • 화약을 이용한 신무기인 신기전 개발

19 조선왕조실록

정답 ④

(가)에 들어갈 문화유산으로 옳은 것은? [1점]

정답 잡는 키워드

❶ 태조에서 철종에 이르는 역사를 역대 왕 별로 기록 → 조선왕조실록

❶ "조선왕조실록"은 조선 태조에서 철종에 이르는 역사를 역대 왕 별로 시간 순서에 따라 기록한 편년체 형식의 역사서입니다. 그 가치를 인정받아 유네스코 세계 기록 유산에 등재되었어요.

① 경국대전
➡ 조선의 기본 법전인 "경국대전"은 세조 때 편찬 작업이 시작되어 성종 때 완성·반포되었어요.

② 동의보감
➡ "동의보감"은 허준이 전통 한의학을 집대성하여 편찬한 의학서로, 조선 광해군 때 완성되었어요.

③ 목민심서
➡ "목민심서"는 조선 후기의 실학자 정약용이 수령이 지켜야 할 덕목에 대해 쓴 책이에요.

④ 조선왕조실록
➡ "조선왕조실록"은 왕이 죽은 뒤 춘추관에 설치된 실록청에서 사초와 시정기 등을 바탕으로 펴낸 역사서예요.

20 조선 세조의 정책

정답 ④

밑줄 그은 '왕'에 대한 설명으로 옳은 것은? [3점]

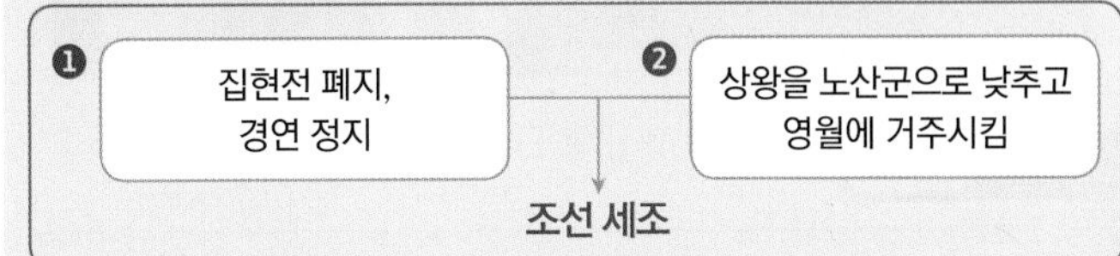
ㅇ 왕께서 명하기를, "❶집현전을 파하고 경연을 정지하며, 거기에 소장하였던 서책은 모두 예문관에서 관장하게 하라."라고 하였다.
ㅇ 왕께서 명령을 내려, "전날 성삼문 등이 상왕도 모의에 참여하였다고 말하였으니 ❷상왕을 노산군으로 낮추고, 궁에서 내보내 영월에 거주시키도록 하라."라고 하였다.

정답 잡는 키워드

❶ 집현전 폐지, 경연 정지 / ❷ 상왕을 노산군으로 낮추고 영월에 거주시킴 → 조선 세조

❶ 세조는 자신의 활동을 견제하던 집현전을 폐지하고 경연을 정지하여 왕권을 강화하였어요.
❷ 세조는 계유정난을 통해 정권을 장악한 후 단종에게 왕위를 양위받아 즉위하였어요. 이에 반대하여 성삼문 등이 상왕, 즉 단종을 복위시키려고 계획을 세운 것이 발각되자 세조는 성삼문 등을 처형하고 단종을 노산군으로 낮추어 영월로 유배를 보냈어요.

① 시헌력을 도입하였다.
➡ 조선 효종 때 김육이 청에서 사용하던 역법인 시헌력의 사용을 건의하여 도입되었어요. 시헌력은 서양의 영향을 받아 태음력에 태양력의 원리를 적용한 역법이에요.

② 탕평책을 실시하였다.
➡ 조선 영조와 정조는 붕당 정치의 폐해를 극복하기 위해 탕평책을 실시하였어요.

③ 한양으로 도읍을 옮겼다.
➡ 조선을 건국한 태조 이성계는 나라의 중앙에 위치한 한양으로 도읍을 옮겼어요.

④ 6조 직계제를 시행하였다.
➡ 조선 태종과 **세조**는 국왕 중심의 정치를 강화하기 위해 6조 직계제를 시행하였어요. 6조 직계제는 의정부를 거치지 않고 6조에서 왕에게 직접 업무를 보고하는 제도입니다.

기출 선택지 +α

⑤ 칠정산을 편찬하였다.	(O/X)
⑥ 직전법을 시행하였다.	(O/X)
⑦ 백두산정계비를 건립하였다.	(O/X)
⑧ 동국여지승람을 편찬하였다.	(O/X)

기출 선택지 +α 정답 ⑤ ×[조선 세종] ⑥ ○ ⑦ ×[조선 숙종] ⑧ ×[조선 성종]

21 무오사화

정답 ③

(가)에 들어갈 사건으로 옳은 것은? [2점]

정답 잡는 키워드

❶ 연산군 때 김종직이 쓴 조의제문이 빌미가 됨 → 무오사화

❶ 조선 연산군 때 김일손이 스승 김종직이 쓴 '조의제문'을 실록 편찬의 기초 자료가 되는 사초에 실은 일이 빌미가 되어 무오사화가 일어났어요. 사화는 사림이 화를 입었다는 뜻으로, 훈구와 사림의 정치적 갈등으로 일어난 사건이에요.

① 경신환국
➡ 조선 숙종 때 집권 붕당이 급격히 교체되는 환국이 여러 차례 발생하였는데, 경신환국(1680)으로 남인이 밀려나고 서인이 집권하였어요.

② 기해예송
➡ 예송은 조선 현종 때 효종과 효종비가 죽은 뒤에 자의 대비가 상복 입는 기간을 둘러싸고 서인과 남인 사이에 두 차례 일어난 논쟁입니다. 효종이 죽은 뒤에 일어난 1차 예송을 기해예송, 효종비가 죽은 뒤에 일어난 2차 예송을 갑인예송이라고 합니다.

③ 무오사화
➡ 무오사화는 연산군 때 훈구 세력이 사초에 실린 김종직의 '조의제문'을 문제 삼아 사림 세력을 공격하여 일어났어요. 이때 김일손을 비롯한 많은 사림이 피해를 입었어요.

④ 신유박해
➡ 신유박해는 조선 후기 순조 때 천주교도를 박해한 사건이에요. 이때 이승훈, 정약용 등이 연루되어 처벌되었어요.

핵심 개념 사화

사화	내용
무오사화	조선 연산군 때 김일손이 김종직의 '조의제문'을 사초에 실은 일을 훈구 세력이 문제 삼아 사림 축출
갑자사화	조선 연산군이 친어머니 폐비 윤씨 사사 사건에 관련된 훈구 세력과 사림 세력 제거
기묘사화	• 배경 : 훈구 세력을 견제하기 위해 조선 중종이 조광조 등 사림 등용 • 조광조의 개혁 정책 : 소격서 폐지, 현량과 실시, 위훈 삭제 등 • 결과 : 훈구 세력이 급진적인 개혁 정치에 반발하여 사림 공격 → 조광조를 비롯한 사림 세력이 제거됨
을사사화	조선 명종 때 외척 세력인 윤원형과 윤임의 권력 다툼 속에서 사림 세력이 피해를 입음

22 대동법

정답 ④

(가) 제도에 대한 설명으로 옳은 것은? [3점]

정답 잡는 키워드

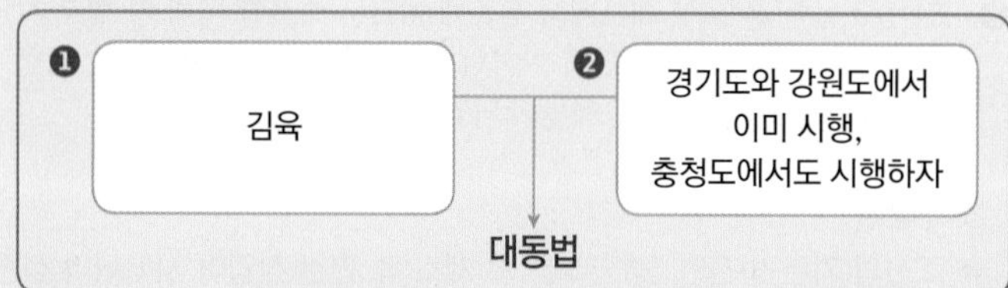

❶ 김육 / ❷ 경기도와 강원도에서 이미 시행, 충청도에서도 시행하자 → 대동법

❶, ❷ 조선 후기에 김육은 대동법의 확대 시행을 위해 노력하였어요. 대동법은 광해군 때 경기도에서 처음 실시되어 인조 때 강원도에서도 시행되었어요. 효종 때 김육의 노력으로 충청도에서도 시행되었고 점차 실시 지역이 확대되었어요. 숙종 때에 이르면 일부 지역을 제외하고 전국적으로 대동법이 실시되었어요.

① 군포를 2필에서 1필로 줄였다.
➡ 조선 영조는 농민의 군포 부담을 덜어 주기 위해 군포를 2필에서 1필로 줄여 주는 균역법을 시행하였어요.

② 양반에게도 군포를 부과하였다.
➡ 조선 고종 때 실권을 잡고 있던 흥선 대원군은 집집마다 군포를 부과하는 호포제를 실시하여 양반에게도 군포를 부과하였어요.

③ 전세를 1결당 4~6두로 고정하였다.
➡ 조선 인조는 영정법을 시행하여 풍흉에 관계없이 전세 납부액을 토지 1결당 4~6두로 고정하였어요.

④ 특산물 대신 쌀, 베 등으로 납부하게 하였다.
➡ **대동법**은 공납을 특산물 대신 쌀이나 베 등의 옷감, 동전 등으로 납부하게 한 법입니다.

핵심 개념 대동법

구분	내용
배경	방납의 폐단으로 농민의 부담 증가
내용	• 각 호(戶)에 부과하여 특산물을 거두던 공납을 소유한 토지 결수를 기준으로 쌀(1결당 12두)·옷감(삼베, 면포)·동전 등으로 납부하게 함 • 조선 광해군 때 경기도에서 처음 실시된 후 점차 전국적으로 확대됨
결과	토지가 적거나 없는 농민의 부담 감소, 공인 등장, 상품 화폐 경제 발달

23 병자호란 이후의 사실

정답 ①

다음 가상 대화 이후에 전개된 사실로 옳은 것은? [2점]

❶남한산성에서 항전하시던 임금께서 삼전도에 나아가 청에 굴욕적인 항복을 하셨다는군.

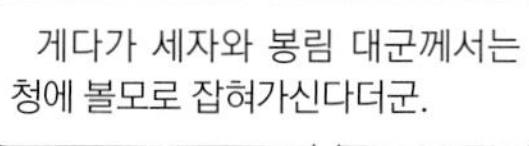

정답 잡는 **키워드**

❶ 남한산성에서 항전하시던 임금께서 삼전도에 나아가 청에 굴욕적인 항복을 함 → **병자호란**

❶ 청의 군신 관계 요구를 조선이 거부하자 청 태종이 군대를 이끌고 조선을 침략하여 병자호란이 일어났어요. 임경업이 백마산성에서 청군의 진로를 막고 기다렸으나 청군은 이를 피해 수도 한성을 향해 진격하였어요. 이에 인조와 신하들은 남한산성으로 피란하여 항전하였으나 청의 강력한 공세를 이겨 낼 수 없었습니다. 결국 인조는 삼전도에서 청과 굴욕적인 화의를 체결하였어요. 이 화의에 따라 조선은 청과 군신 관계를 맺었으며, 청의 강요로 삼전도에 조선이 항복한 사실과 청 태종의 공덕을 칭송하는 내용을 새긴 비석(서울 삼전도비)을 세웠어요. 또 소현 세자와 봉림 대군을 비롯하여 많은 신하와 백성이 청에 볼모로 끌려갔습니다.

① 북벌론이 전개되었다.
➡ **병자호란 이후** 청에 당한 치욕을 씻고 명과의 의리를 지키기 위해 청을 정벌하자는 북벌론이 전개되었어요. 북벌 운동은 청에 볼모로 끌려갔다가 조선에 돌아와 왕이 된 효종(봉림 대군) 때 가장 활발하게 전개되었어요.

② 4군 6진이 개척되었다.
➡ 조선 세종은 최윤덕과 김종서를 북방으로 보내 여진을 정벌하고 4군 6진을 개척하였어요.

③ 삼포왜란이 진압되었다.
➡ 조선 중종 때 부산포, 내이포(제포), 염포에 거주하던 일본인(왜인)들이 난을 일으켜 삼포왜란이 일어났으나 진압되었어요. 삼포왜란을 계기로 비변사가 설치되었어요.

④ 정동행성이 설치되었다.
➡ 원 간섭기 고려 충렬왕 때 일본 원정을 위해 정동행성이 설치되었어요.

기출 선택지 +α

⑤ 쓰시마섬을 정벌하였다. (O/X)
⑥ 훈련도감이 창설되었다. (O/X)
⑦ 천리장성이 축조되었다. (O/X)

24 조선 정조의 업적

정답 ①

밑줄 그은 '왕'의 업적으로 옳은 것은? [1점]

정답 잡는 **키워드**

❶ 배다리를 건너 아버지 사도 세자의 묘에 참배 → **조선 정조**

❶ 정조는 자신의 정치적 이상을 실현할 신도시로 수원 화성을 건설하고 아버지 사도 세자의 묘를 수원으로 옮겼어요. 정조는 사도 세자의 묘에 참배하러 여러 차례 행차하였는데, 강을 건널 때 정약용이 설계한 배다리를 이용하였어요.

① 장용영을 설치하였다.
➡ 조선 **정조**는 국왕 친위 부대인 장용영을 설치하여 왕권을 뒷받침하였어요. 한성에 장용영의 내영을 두고, 수원 화성에 외영을 두었어요.

② 당백전을 발행하였다.
➡ 조선 고종 때 실권을 잡고 있던 흥선 대원군은 경복궁을 중건하면서 필요한 비용을 충당하기 위해 고액 화폐인 당백전을 발행하였어요.

③ 속대전을 편찬하였다.
➡ 조선 영조는 "경국대전" 시행 이후의 법령을 정리하여 "속대전"을 편찬해 통치 체제를 정비하였어요.

④ 훈민정음을 반포하였다.
➡ 조선 세종은 백성을 교화하고 백성이 자신의 생각을 글로 표현할 수 있도록 훈민정음을 창제하여 반포하였어요.

기출 선택지 +α

⑤ 집현전을 설치하였다. (O/X)
⑥ 대전통편을 만들었다. (O/X)
⑦ 탕평비를 건립하였다. (O/X)
⑧ 금난전권을 폐지하였다. (O/X)

기출 선택지 +α 정답 ⑤ ×[조선 세종] ⑥ ×[조선 선조] ⑦ ×[고구려, 고려]

기출 선택지 +α 정답 ⑤ ×[조선 세종] ⑥ ○ ⑦ ×[조선 영조] ⑧ ○

25 토지 제도의 변천

정답 ②

(가)~(다)를 실시한 순서대로 옳게 나열한 것은? [3점]

정답 잡는 **키워드**

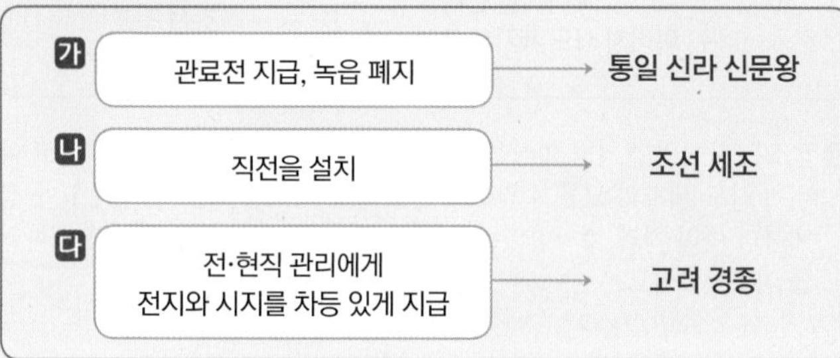

가 통일 신라의 신문왕은 조세만 거둘 수 있는 관료전을 지급하고 조세를 거두고 백성의 노동력도 동원할 수 있는 녹읍을 폐지하여 귀족의 경제 기반을 약화하였어요.

나 조선 세조는 관리에게 지급할 과전이 부족해지자 과전을 혁파하고 현직 관리에게만 수조권을 행사할 수 있는 토지를 지급하는 직전법을 실시하였어요.

다 고려 경종 때 관직 복무에 대한 대가로 전·현직 관리에게 전지와 시지를 차등 있게 지급하는 전시과 제도를 마련하였어요.

① (가) - (나) - (다)

② (가) - (다) - (나)

➡ (가) 관료전 지급, 녹읍 폐지(통일 신라) - (다) 전시과 제도(고려) - (나) 직전법(조선)의 순서대로 실시되었어요.

③ (나) - (가) - (다)

④ (다) - (가) - (나)

26 조선 후기의 모습

정답 ④

다음 가상 대화가 이루어진 시기에 볼 수 있는 모습으로 적절하지 않은 것은? [2점]

정답 잡는 **키워드**

❶ 조선 후기에 감자와 고구마가 전래되어 구황 작물로 재배되었어요. 고구마는 조선 영조 때 통신사 조엄이 쓰시마섬(대마도)에서 고구마의 종자를 들여오면서 재배되기 시작하였다고 알려져 있어요.

① 상평통보로 거래하는 상인

➡ **조선 후기**에 상업 활동이 활발하게 이루어지면서 화폐 사용도 늘어나 숙종 때 공식 화폐로 주조된 상평통보가 널리 유통되었어요.

② 판소리 공연을 구경하는 농민

➡ **조선 후기**에 이야기를 노래와 사설로 엮어 표현한 춘향가, 흥부가 등의 판소리가 유행하였어요.

③ 한글 소설을 읽어 주는 전기수

➡ **조선 후기**에 "홍길동전", "춘향전" 등 한글 소설이 유행하면서 돈을 받고 전문적으로 책을 읽어 주는 전기수가 등장하고, 책을 빌려주는 세책점이 많이 생겨났어요.

④ 황룡사 구층 목탑을 만드는 목수

➡ 신라 진흥왕 때 황룡사가 창건되었으며, 황룡사 9층 목탑은 선덕 여왕 때 자장의 건의로 건립되었어요.

킬러 문항

27 진주 농민 봉기

정답 ②

학생들이 공통으로 이야기하고 있는 사건에 대한 설명으로 옳은 것은? [2점]

정답 잡는 키워드

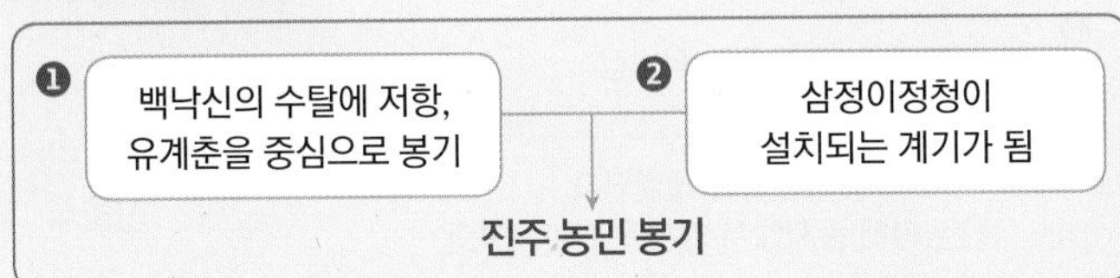

❶, ❷ 조선 후기에 세도 정치로 인한 정치 혼란과 삼정의 문란으로 백성의 삶이 피폐해졌어요. 이러한 상황에서 철종 때인 1862년에 진주에서 경상 우병사 백낙신의 수탈에 저항하여 몰락 양반 유계춘을 중심으로 농민들이 봉기하였어요. 이를 진주 농민 봉기라고 합니다. 이후 농민 봉기는 전국적으로 확산되었고, 1862년이 임술년이라 이해에 일어난 농민 봉기를 임술 농민 봉기라고 합니다. 사태 수습을 위해 조선 정부는 박규수의 건의를 받아들여 삼정의 문란을 바로잡고자 삼정이정청을 설치하였어요.

① 청군의 개입으로 진압되었다.
➡ 임오군란과 갑신정변 등은 청군의 개입으로 진압되었으며, 이후 청의 간섭이 심화되었어요.

② 박규수가 안핵사로 파견되었다.
➡ **진주 농민 봉기**를 수습하고자 조선 정부는 박규수를 안핵사로 진주에 파견하였어요.

③ 조선 형평사의 주도로 전개되었다.
➡ 조선 형평사는 일제 강점기에 진주에서 조직되어 백정에 대한 차별 철폐 운동인 형평 운동을 전개하였어요.

④ 서북 지역민에 대한 차별이 원인이 되었다.
➡ 조선 후기 순조 때 서북 지역에 대한 차별과 세도 정권의 가혹한 수탈에 항거하여 홍경래의 주도 아래 홍경래의 난이 일어났어요.

기출 선택지 +α

❺ 백낙신의 횡포가 계기가 되었다. (O/X)
❻ 서경 천도를 주장하며 일어났다. (O/X)
❼ 보국안민, 제폭구민을 기치로 내걸었다. (O/X)
❽ 흥선 대원군이 재집권하는 결과를 가져왔다. (O/X)

28 김정희의 활동

정답 ①

다음 가상 인터뷰에 등장하는 인물로 옳은 것은? [2점]

정답 잡는 키워드

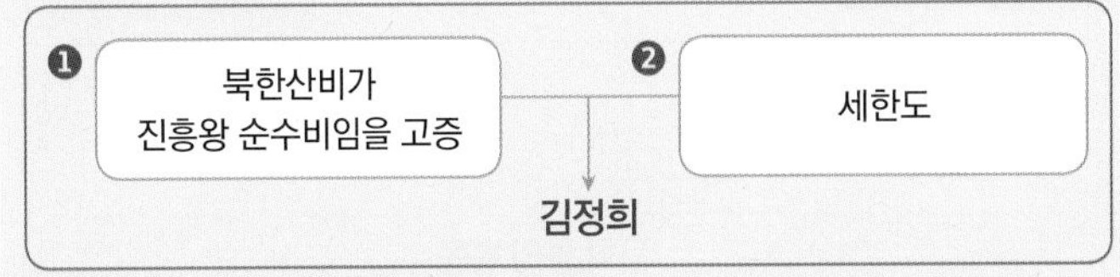

❶ 김정희는 금석학을 연구하여 자신의 저서 "금석과안록"에서 북한산비가 신라 진흥왕 순수비임을 고증하였어요.
❷ 김정희는 제주도에 유배되었을 때 자신을 잊지 않고 책을 보내 준 제자 이상적에게 고마움의 표시로 세한도를 그려 주었어요.

① 김정희
➡ 조선 후기에 김정희는 역대 명필을 연구하여 독창적인 서체인 추사체를 만들었어요.

② 박지원
➡ 박지원은 조선 후기의 실학자로 사절단을 따라 청에 다녀와 그곳에서 보고 들은 내용을 기록하여 "열하일기"를 저술하였어요.

③ 송시열
➡ 송시열은 조선 후기의 학자이자 문신으로 효종과 함께 북벌을 주장하였으며, 현종 때 예송이 일어나자 서인을 대표하여 남인의 허목과 대립하였어요.

④ 유득공
➡ 유득공은 조선 후기의 실학자로 "발해고"에서 발해의 역사를 다루면서 신라와 발해를 '남북국'이라 지칭하여 이 용어를 처음 사용하였어요.

기출 선택지 +α 정답 ⑤ ○ ⑥ ×[묘청의 난] ⑦ ×[동학 농민 운동] ⑧ ×[임오군란]

29 동학 농민 운동

정답 ③

(가) 사건에 대한 설명으로 옳은 것은? [2점]

정답 잡는 키워드

❶ 부패한 지도층과 외세의 침략에 저항
❷ 전봉준
→ 동학 농민 운동

❶, ❷ 고부 군수 조병갑이 만석보를 짓고 강제로 사용하게 한 후 비싼 사용료를 징수하는 등 횡포를 부리자, 전봉준을 중심으로 모인 고부의 농민들이 봉기하여 고부 관아를 점령하였어요. 고부 농민 봉기 이후 사태 수습을 위해 파견된 안핵사 이용태가 봉기에 참여하였던 농민들을 탄압하자 농민들이 다시 봉기하였어요. 백산에서 4대 강령과 격문을 발표한 동학 농민군은 황토현 전투, 황룡촌 전투에서 관군을 물리치고 전주성을 점령하였어요. 전주성 점령 이후 동학 농민군은 조선 정부와 전주 화약을 체결한 후 자진 해산하였어요. 그러나 일본군이 경복궁을 점령하자 일본군 타도를 내걸고 다시 봉기하였어요. 동학 농민군의 남접과 북접이 연합하여 한성을 향해 가던 중에 공주 우금치에서 일본군과 관군에 맞서 싸웠으나 패배하였어요. 이처럼 동학 농민 운동은 부패한 지도층과 외세의 침략에 저항한 반봉건·반외세의 민족 운동이었어요. 조선 백성들이 주체가 되어 자유, 평등, 인권의 보편적 가치를 지향하기 위해 노력하였던 세계사적 중요성을 인정받아 전봉준 공초와 각종 임명장 등 185점의 동학 농민 운동 기록물이 유네스코 세계 기록 유산으로 등재되었어요.

① 9서당을 창설하는 계기가 되었다.
➡ 삼국 통일 이후 신라는 중앙군을 9서당, 지방군을 10정으로 정비하였어요.

② 청산리에서 일본군과 전투를 벌였다.
➡ 1920년 김좌진의 북로 군정서, 홍범도의 대한 독립군 등 독립군 연합 부대는 청산리 일대의 백운평, 천수평, 어랑촌 등지에서 일본군과 싸워 크게 승리하였어요. 이를 청산리 전투라고 합니다.

③ 집강소를 통해 폐정 개혁을 추진하였다.
➡ **동학 농민 운동** 당시 동학 농민군은 조선 정부와 전주 화약을 체결하고 해산한 뒤에 전라도 각지에 집강소를 설치하고 폐정 개혁을 추진하였어요.

④ 제물포 조약이 체결되는 결과를 가져왔다.
➡ 1882년에 구식 군인들이 일으킨 임오군란이 진압된 뒤에 조선 정부는 일본과 제물포 조약을 체결하여 일본 공사관 경비를 위한 일본군의 주둔을 허용하였어요.

30 신돌석의 활동

정답 ①

(가)에 들어갈 인물로 옳은 것은? [1점]

(앞면)

- ❶평민 출신 의병장으로 알려짐
- 을미사변이 발생하자 영해에서 의병으로 활동함
- ❷을사늑약이 체결되자 울진, 평해 등지에서 일본군에 맞서 싸움
- 뛰어난 전술을 펼쳐 ❸태백산 호랑이라고 불림

(뒷면)

정답 잡는 키워드

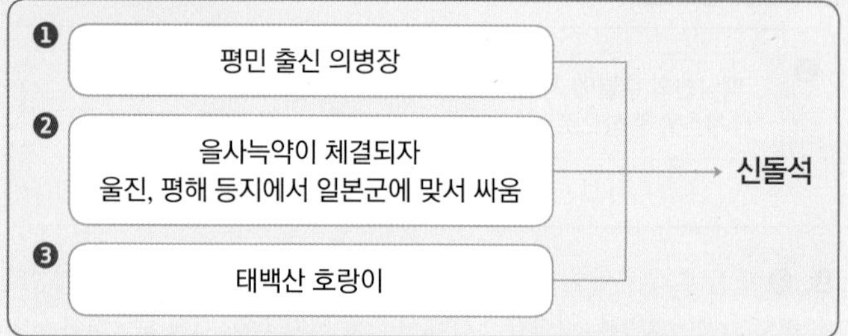

❶, ❷, ❸ 신돌석은 을사의병 때 활약한 평민 출신 의병장으로 울진, 평해 등지에서 유격전을 펼쳐 일본군에 맞서 싸웠어요. 그는 뛰어난 전술로 일본군에 큰 타격을 주어 '태백산 호랑이'라고 불리기도 하였어요.

① 신돌석
➡ 을미사변과 단발령 시행으로 일본에 대한 감정이 극도로 악화된 상황에서 전국 곳곳에서 의병이 일어나자 신돌석은 경상북도 영해에서 의병으로 항일 운동을 전개하였어요. 이후 을사늑약이 체결되어 또다시 각지에서 의병이 일어나자 신돌석은 다시 의병을 모아 일본군에 맞서 싸웠어요.

② 유인석
➡ 유인석은 을미사변과 단발령 시행에 항거하여 충청북도 제천에서 의병을 일으켰어요(을미의병).

③ 최익현
➡ 최익현은 을사늑약 체결에 저항하여 전라북도 태인에서 의병을 일으켰으나 체포되어 쓰시마섬에 유배되었어요. 그리고 그곳에서 순국하였습니다.

④ 홍범도
➡ 고종 황제의 강제 퇴위와 대한 제국 군대 해산에 항거하여 1907년에 전국적으로 의병 봉기(정미의병)가 일어나자, 홍범도는 차도선 등과 산포대를 조직하여 함경도의 삼수, 갑산을 중심으로 의병 항쟁을 전개하였어요. 이후 대한 제국의 국권이 피탈되자 만주로 건너가 독립군으로 활동하였어요. 홍범도는 1920년에 대한 독립군을 이끌고 봉오동 전투에서 일본군을 격퇴하였어요.

31 시대의 개혁가들

정답 ③

(가)~(라)에 들어갈 인물로 옳지 않은 것은? [2점]

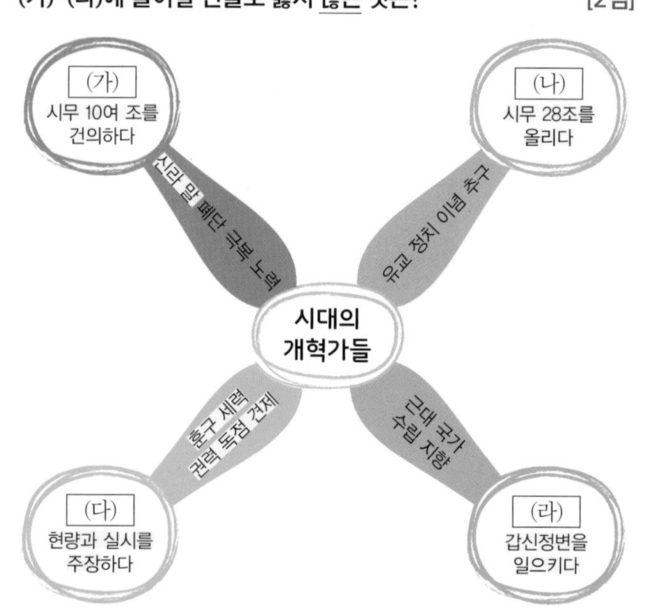

정답 잡는 키워드

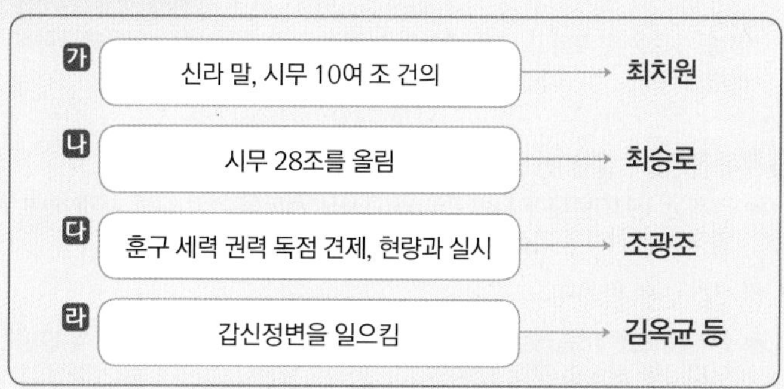

가 최치원은 신라 6두품 출신으로 당으로 유학을 가서 외국인 대상의 과거 시험인 빈공과에 합격하였어요. 신라로 돌아온 후에는 신라 말의 폐단을 개혁하기 위해 진성 여왕에게 시무 10여 조를 올렸으나 진골 귀족들의 반대로 개혁은 실행되지 못하였어요.
나 최승로는 시정 개혁안인 시무 28조를 작성하여 고려 성종에게 올렸어요.
다 조광조는 훈구 세력의 권력 독점을 견제하고 새로운 인사를 등용하기 위해 조선 중종에게 현량과 실시를 건의하였어요.
라 1884년에 우정총국 개국 축하연을 기회로 삼아 김옥균, 서광범, 홍영식, 박영효 등 급진 개화파가 갑신정변을 일으켰어요.

① (가) - 최치원
➡ 최치원은 '토황소격문(격황소서)'과 "계원필경" 등을 남겼어요.

② (나) - 최승로
➡ 최승로는 시무 28조에서 지방관의 파견, 국가적인 불교 행사의 축소, 유교 정치 이념 확립 등을 주장하였어요. 고려 성종은 이를 수용하여 유교 정치 이념에 근거하여 통치 체제를 정비하였어요.

③ (다) - 정도전
➡ 정도전은 이성계를 도와 조선 건국을 주도하였으며 한양 도성을 설계하고 경복궁과 궁궐 내 주요 전각의 이름을 짓는 등 건국 초기 체제 정비에 큰 역할을 하였어요. 또한, 조선의 통치 기준과 운영 원칙을 제시한 "조선경국전"을 지어 태조에게 바쳤어요.

④ (라) - 김옥균
➡ 김옥균 등 급진 개화파는 정변을 일으킨 후 개화당 정부를 구성하고 개혁 정강을 발표하였으나 민씨 세력의 요청을 받은 청군의 개입으로 3일 만에 실패하였어요(삼일천하).

32 병인양요

정답 ④

(가) 사건에 대한 설명으로 옳은 것은? [2점]

정답 잡는 키워드

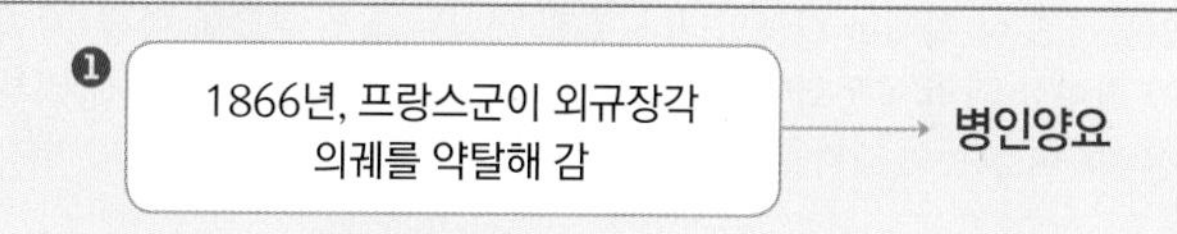

❶ 1866년에 천주교 선교사와 천주교도들이 처형된 병인박해를 구실 삼아 같은 해에 프랑스군이 강화도를 침략하여 **병인양요**가 일어났어요. 이때 조선군의 저항에 프랑스군이 강화도에서 퇴각하면서 외규장각에 보관 중이던 의궤 등 많은 도서를 약탈해 갔어요.

① 제너럴 셔먼호 사건의 배경이 되었다.
➡ 1866년에 미국 상선 제너럴 셔먼호가 평양에서 통상을 요구하며 횡포를 부리다 조선 관민에 의해 불태워진 제너럴 셔먼호 사건을 빌미로 미군이 1871년에 강화도를 침략하여 신미양요가 일어났어요.

② 강화도 조약이 체결되는 계기가 되었다.
➡ 1875년에 조선군 수비대가 강화도를 무단으로 침범한 일본 군함 운요호에 경고 사격을 하자, 운요호가 초지진을 공격하고 일본군이 영종도에 상륙하여 사람들을 살해하였어요. 일본은 이 운요호 사건의 책임을 조선 정부에 돌리고 개항을 강요하였어요. 1876년에 조선 정부는 강화도의 연무당에서 일본과 강화도 조약을 체결하였어요.

③ 오페르트가 남연군 묘 도굴을 시도하였다.
➡ 1868년에 독일 상인 오페르트가 흥선 대원군의 아버지인 남연군의 묘를 도굴하여 그 유해를 통상 요구에 이용하려 하였으나 도굴에 실패하였어요. 이를 오페르트 남연군 묘 도굴 미수 사건이라고 합니다.

④ 양헌수 부대가 정족산성에서 활약하였다.
➡ **병인양요** 당시 양헌수 부대가 정족산성에서, 한성근 부대가 문수산성에서 활약하였어요.

기출 선택지 +α

⑤ 흥선 대원군 집권기에 일어났다. (O/X)
⑥ 한성 조약이 체결되는 계기가 되었다. (O/X)
⑦ 군함 운요호가 강화도에 접근하여 위협하였다. (O/X)

기출 선택지 +α 정답 ⑤ ○ ⑥ ×[갑신정변] ⑦ ×[운요호 사건]

33 독립 협회의 활동 정답 ③

(가) 단체의 활동으로 옳은 것은? [2점]

정답 잡는 키워드

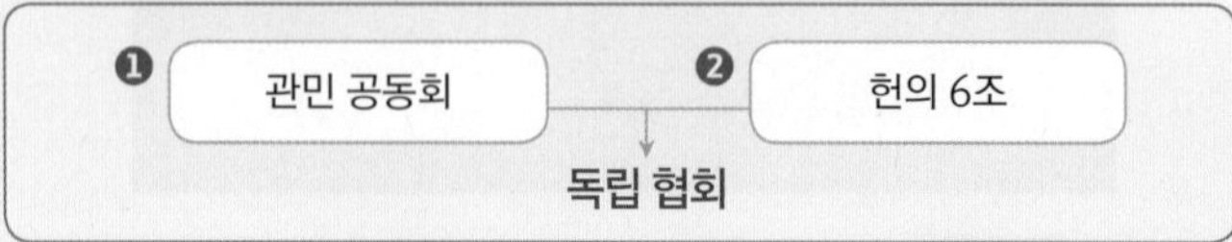

❶, ❷ 독립 협회는 1896년에 서재필을 중심으로 개혁적 관료와 개화 지식인들이 모여 창립한 단체입니다. 독립 협회는 정부 관료와 학생, 시민들이 참여한 관민 공동회에서 개혁안인 헌의 6조를 결의하고 조선 정부에 건의하여 고종의 재가를 받았어요.

① 광혜원을 설립하였다.
➡ 조선 정부는 개항 이후 개화 정책을 추진하는 과정에서 1885년에 알렌의 건의를 받아들여 우리나라 최초의 서양식 근대 병원인 광혜원을 설립하였어요. 광혜원은 곧 제중원으로 이름이 바뀌었어요.

② 태극 서관을 운영하였다.
➡ 신민회는 민족 산업을 육성하기 위해 태극 서관과 자기 회사를 운영하였어요.

③ 독립문 건설을 주도하였다.
➡ **독립 협회**는 우리 민족의 독립 의지를 널리 알리기 위해 중국 사신을 맞이하는 영은문이 있던 자리 부근에 독립문을 건립하였어요.

④ 파리 강화 회의에 대표를 파견하였다.
➡ 중국 상하이에서 결성된 신한 청년당은 파리 강화 회의에 김규식을 대표로 파견하여 한국의 독립을 주장하였어요.

기출 선택지 +α

❺ 형평 운동을 전개하였다. (O/X)
❻ 만민 공동회를 개최하였다. (O/X)
❼ 고종 강제 퇴위를 반대하였다. (O/X)
❽ 러시아의 내정 간섭과 이권 침탈을 규탄하였다. (O/X)

기출 선택지 +α 정답 ⑤ ×[조선 형평사] ⑥ ○ ⑦ ×[대한 자강회] ⑧ ○

34 1910년대 일제의 식민 지배 정책 정답 ①

밑줄 그은 '이 시기'에 볼 수 있는 모습으로 적절한 것은? [2점]

이 사진을 보면 경무부와 헌병대 간판이 나란히 걸려 있네요.

그렇습니다. 이 시기 일제는 군사 경찰인 헌병이 일반 경찰 업무까지 맡는 ❶헌병 경찰 제도를 실시하였습니다.

정답 잡는 키워드

❶ 헌병 경찰 제도 실시 → 1910년대

❶ 일제는 대한 제국의 국권을 강탈하고 1910년대에 헌병 경찰 제도를 바탕으로 강압적인 무단 통치를 실시하였어요. 전국 각지에 경찰 관서와 헌병 기관을 설치하고 군사 경찰인 헌병이 일반 경찰 업무까지 담당하게 하였습니다.

① 제복을 입고 칼을 찬 교사
➡ 일제는 **1910년대**에 일반 관리와 교사도 제복을 입고 칼을 차게 하여 위압적인 분위기를 조성하였어요.

② 한성순보를 발간하는 관리
➡ 한성순보는 1883년에 박문국에서 순 한문으로 10일에 한 번씩 발행된 우리나라 최초의 근대 신문입니다. 한성순보는 1년 만에 종간되었어요.

③ 단발령 시행에 반발하는 유생
➡ 1895년 을미개혁 당시 강제로 남성의 상투를 자르도록 한 단발령이 시행되자, 이에 대한 반발로 을미의병이 일어났어요. 을미의병은 아관 파천(1896)을 단행한 고종이 단발령을 철회하고 해산할 것을 권고하자 스스로 해산하였어요.

④ 경인선 철도 개통식을 구경하는 청년
➡ 1899년에 노량진에서 제물포를 잇는 경인선이 개통되었어요.

기출 선택지 +α

❺ 공출을 독려하는 애국반 반장 (O/X)
❻ 경성 제국 대학에 다니는 학생 (O/X)
❼ 조선 태형령을 관보에 싣는 관리 (O/X)
❽ 회사령을 공포하는 조선 총독부 관리 (O/X)
❾ 치안 유지법 위반으로 구속된 독립운동가 (O/X)

기출 선택지 +α
정답 ⑤ ×[1930년대 후반 이후] ⑥ ×[1924년 이후] ⑦ ○ ⑧ ○ ⑨ ×[1925년 이후]

킬러 문항

35 이상설의 활동

정답 ②

(가)에 들어갈 내용으로 적절한 것은? [3점]

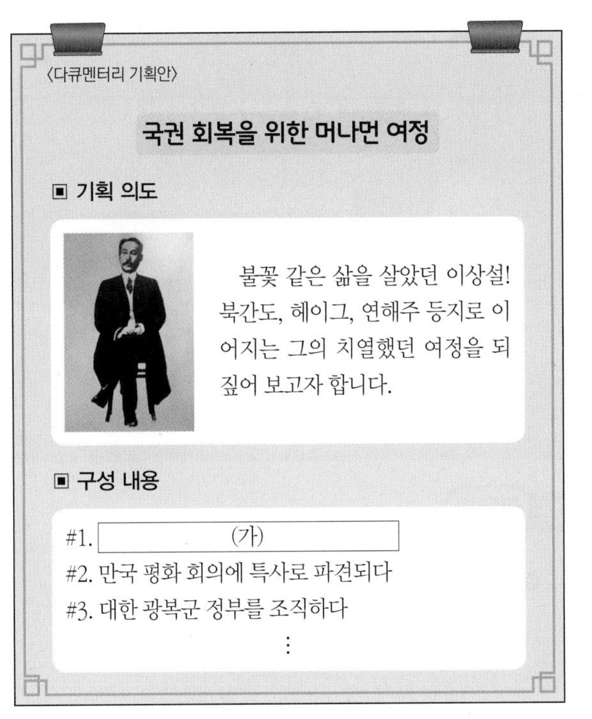

✪ 이상설은 고종이 을사늑약의 부당성을 국제 사회에 알리기 위해 네덜란드 헤이그에서 열린 만국 평화 회의에 파견한 특사 중 한 명이었어요. 국권 피탈 이후 1914년에 연해주에서 권업회 요인을 중심으로 대한 광복군 정부를 조직하였어요.

① 의열단을 조직하다
➡ 김원봉 등은 1919년에 만주에서 의열단을 조직하였어요. 의열단은 식민 통치 기관을 파괴하고 일제 고위 관리와 친일파를 처단하는 의열 투쟁을 전개하였어요.

② 서전서숙을 설립하다
➡ 이상설은 북간도 지역에서 민족 교육 기관인 서전서숙을 설립하였어요.

③ 동양 평화론을 집필하다
➡ 안중근은 이토 히로부미를 처단하고 옥중에서 동양 평화의 실현을 위한 "동양 평화론"을 집필하였으나 사형이 집행되면서 완성하지 못하였어요.

④ 시일야방성대곡을 발표하다
➡ 장지연은 을사늑약의 부당함을 비판한 논설 '시일야방성대곡'을 작성하여 황성신문에 게재하였어요.

기출 선택지 +α

❺ 홍사단을 결성하다 (O/X)
❻ 한국통사를 저술하다 (O/X)
❼ 독립 의군부를 조직하다 (O/X)

핵심 개념 보재 이상설의 활동

시기	활동
대한 제국 시기	• 1905년 을사늑약에 반대하는 상소를 올림 • 1906년 북간도에서 서전서숙 설립 • 1907년 네덜란드 헤이그에 특사로 파견됨
일제 강점기	• 1910년 국권 피탈 직후 연해주에서 성명회 조직 • 1911년 권업회 조직 • 1914년 대한 광복군 정부 수립 주도 → 정통령에 선임됨

기출 선택지 +α 정답 ⑤ ×[안창호] ⑥ ×[박은식] ⑦ ×[임병찬]

36 3·1 운동

정답 ③

밑줄 그은 '만세 시위'에 대한 설명으로 옳은 것은? [2점]

한국을 사랑한 외국인들

특집 스코필드, ❶제암리 학살 사건을 폭로하다

"논둑길을 돌아서자 지금도 잊혀지지 않는 광경이 눈앞에 펼쳐졌다. 마을은 불타버렸고 아직도 여기저기서 연기가 나고 있었다."

프랭크 스코필드 (Frank W. Schofield)

❷1919년 학생과 시민들의 만세 시위가 전국으로 확산하자 일제는 경찰과 군인을 동원하여 탄압하였다. 화성 제암리에서는 주민을 교회에 몰아넣은 후 총을 쏘고 불을 질렀다. 소식을 듣고 달려간 스코필드는 제암리에서 벌어진 학살을 세계에 폭로하였다.

정답 잡는 키워드

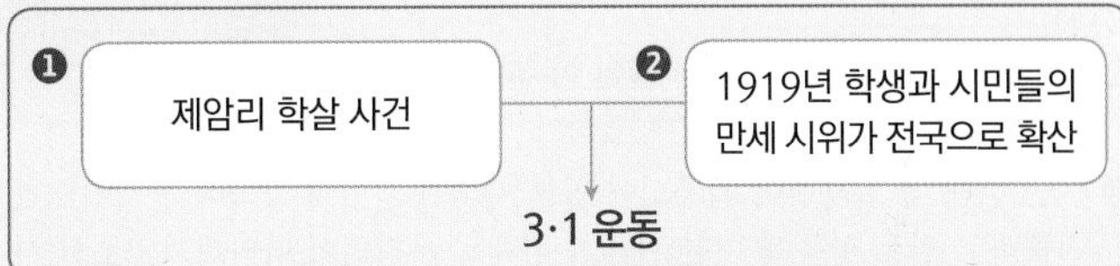

❶, ❷ 1910년대 후반 국외 독립 선언이 이어지자 국내에서도 독립 선언의 움직임이 나타났어요. 그러던 중 고종의 서거를 계기로 종교계 인사와 학생들이 중심이 되어 고종의 인산일에 즈음하여 만세 운동을 계획하였어요. 1919년 3월 1일을 기점으로 학생들과 시민들이 대한 독립 만세를 외치며 시위를 벌였고, 시위가 전국으로 확산되자 일제는 경찰과 군인을 동원하여 탄압하였어요. 3·1 운동 당시 경기도 화성의 제암리에서 만세 운동이 일어나자 일본군이 주민들을 교회에 몰아넣은 뒤 총격을 가하고 불을 질러 학살하였어요(제암리 학살 사건).

① 순종의 인산일에 전개되었다.
➡ 6·10 만세 운동은 1926년 순종의 인산일에 맞추어 학생을 중심으로 일어났어요. 학생들은 장례 행렬을 따라가며 서울 시내 곳곳에서 만세 시위를 벌였고 시민들도 합세하였지만, 일제의 탄압으로 널리 확산되지 못하였어요.

② 대한매일신보의 후원을 받았다.
➡ 대한매일신보의 후원으로 확산된 대표적 민족 운동으로 국채 보상 운동 등을 들 수 있어요. 대한매일신보는 국권 피탈 이후 매일신보로 이름이 바뀌어 조선 총독부의 기관지로 전락하였어요.

③ 대한민국 임시 정부 수립의 계기가 되었다.
➡ 3·1 운동을 계기로 조직적이고 체계적으로 독립운동을 이끌 지도부의 필요성이 제기되어 대한민국 임시 정부가 수립되었어요.

④ 신간회에서 진상 조사단을 파견하여 지원하였다.
➡ 광주 학생 항일 운동이 일어나자 신간회는 진상 조사단을 파견하고 민중 대회 개최를 추진하였어요.

기출 선택지 +α

❺ 신간회 창립의 계기가 되었다. (O/X)
❻ 단발령에 대한 반발로 일어났다. (O/X)
❼ 만주, 연해주, 미주 등지로 시위가 확산되었다. (O/X)

기출 선택지 +α 정답 ⑤ ×[6·10 만세 운동] ⑥ ×[을미의병] ⑦ ○

37 물산 장려 운동 정답 ②

(가)에 들어갈 민족 운동으로 옳은 것은? [2점]

정답 잡는 키워드

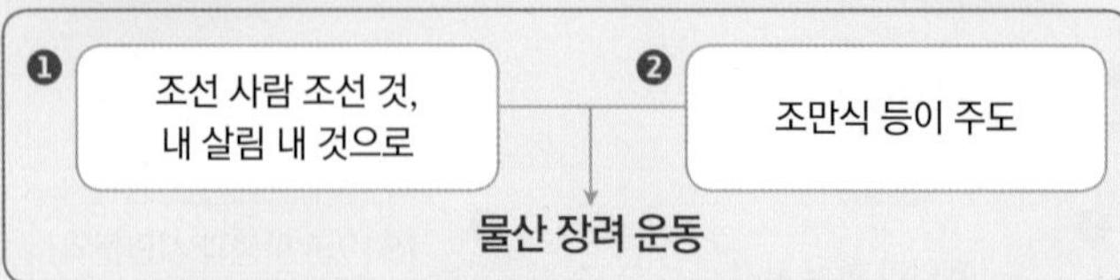

❶ 1920년대 초 회사령이 폐지되어 일본 자본과 기업이 한국에 본격적으로 진출하고 일본 상품에 대한 관세가 철폐될 움직임이 나타나자, '조선 사람 조선 것', '내 살림 내 것으로'라는 구호를 내걸고 민족 경제의 자립을 위한 물산 장려 운동이 전개되었어요.

❷ 물산 장려 운동은 조만식 등의 주도로 평양에서 시작되어 전국적으로 확산되었어요.

① 브나로드 운동

➡ 동아일보사의 주도로 1931년에 농촌 계몽 운동인 브나로드 운동이 시작되었어요. 브나로드는 러시아어로 '민중 속으로'라는 뜻으로 '배우자, 가르치자, 다 함께 브나로드'라는 구호를 내걸었어요.

② 물산 장려 운동

➡ 물산 장려 운동은 조선 물산 장려회를 중심으로 민족 산업을 보호하고 육성하기 위해 토산품 애용, 근검저축, 금주, 단연 등의 활동을 전개하였어요.

③ 국채 보상 운동

➡ 1907년에 대구에서 김광제 등의 발의로 나랏빚을 갚아 국권을 회복하자는 국채 보상 운동이 시작되었어요. 이후 서울에서 국채 보상 기성회가 조직되어 국채 보상 운동을 주도하였어요.

④ 민립 대학 설립 운동

➡ 1920년대에 이상재 등은 한국인의 힘으로 고등 교육을 담당할 민립 대학을 설립하자는 민립 대학 설립 운동을 전개하였어요.

핵심 개념	물산 장려 운동
배경	회사령 폐지, 일본 상품에 대한 관세 철폐 움직임 → 민족 경제의 자립 도모
전개	조만식 등이 평양에서 조선 물산 장려회 조직 → 일본 상품 배격, 토산품 애용 등 강조 → 전국으로 확산
구호	'내 살림 내 것으로', '조선 사람 조선 것' 등
결과	어느 정도 성과를 거두었으나 한국인 기업의 생산량이 늘어난 수요를 따르지 못해 상품 가격이 오름 → 사회주의자들로부터 자본가의 이익만 대변한다는 비판을 받음

38 신채호의 활동 정답 ③

다음 공연의 소재가 된 인물에 대한 설명으로 옳은 것은? [3점]

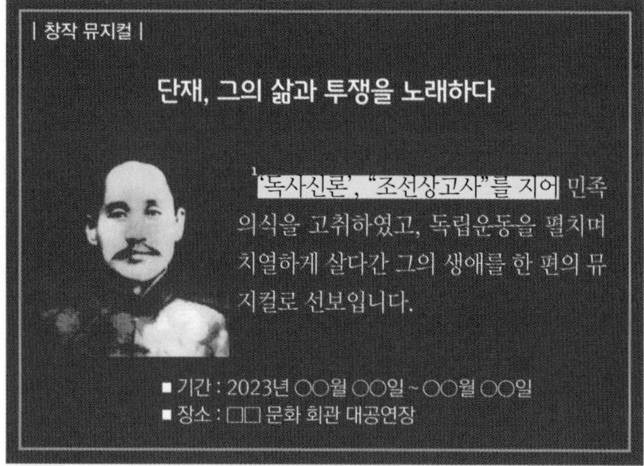

정답 잡는 키워드

❶ '독사신론', "조선상고사"를 지음 → 신채호

❶ 신채호는 '독사신론'을 발표하여 민족주의 사학의 방향을 제시하였으며, 고대사 연구에 주력하여 "조선상고사", "조선사연구초" 등을 저술하였어요. 한편, 개항 이후 국권을 위협당하는 상황 속에서 "을지문덕전"과 "이순신전" 등 민족 영웅의 위인전과 외국의 흥망성쇠를 다룬 책을 펴내 민족의식을 일깨우는 데 기여하였습니다.

① 대한 광복회를 조직하였다.

➡ 박상진 등은 1915년에 대구에서 비밀 결사 형태의 독립운동 단체인 대한 광복회를 조직하였어요. 대한 광복회는 군자금을 마련하기 위해 국내에서 친일 부호를 처단하는 등의 활동을 하였어요.

② 조선 의용군을 창설하였다.

➡ 1938년에 김원봉 등이 중국 우한에서 조선 의용대를 조직하였어요. 조선 의용대의 일부 대원은 적극적인 항일 투쟁을 위해 화북 지역으로 이동하였고, 김원봉과 남은 대원은 한국 광복군에 합류하였어요. 화북 지역으로 이동한 조선 의용대 대원은 조선 의용대 화북 지대를 결성하였어요. 조선 의용대 화북 지대는 1942년에 조선 의용군으로 개편되어, 해당 지역에서 결성된 조선 독립 동맹의 군사 조직으로 활동하였어요.

③ 조선 혁명 선언을 작성하였다.

➡ **신채호**는 김원봉의 요청으로 민중의 직접 혁명을 강조한 '조선 혁명 선언'을 작성하였어요. '조선 혁명 선언'은 의열단의 활동 지침이 되었어요.

④ 조선말 큰사전 편찬을 주도하였다.

➡ 이극로, 이윤재, 최현배 등이 중심이 된 조선어 학회는 "조선말 큰사전" 편찬을 주도하였으나, 조선어 학회 사건으로 회원들이 검거·투옥되어 사전을 완성하지 못하였어요.

기출 선택지 +α

⑤ 대성 학교를 설립하였다. (O/X)
⑥ 파리 강화 회의에 파견되었다. (O/X)
⑦ 조선불교유신론을 저술하였다. (O/X)
⑧ 대조선 국민군단을 창설하였다. (O/X)

기출 선택지 +α 정답 ⑤ ×[안창호] ⑥ ×[김규식] ⑦ ×[한용운] ⑧ ×[박용만]

39 윤봉길의 활동 정답 ③

(가)에 들어갈 인물로 가장 적절한 것은? [1점]

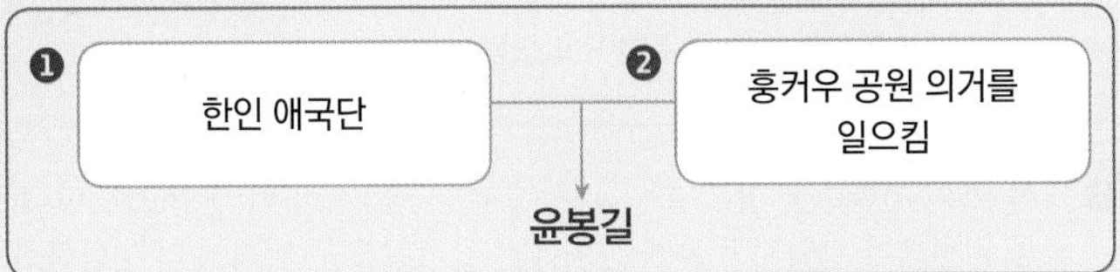

정답 잡는 키워드

❶ 한인 애국단 ❷ 홍커우 공원 의거를 일으킴 → 윤봉길

❶, ❷ 윤봉길은 김구가 침체된 대한민국 임시 정부의 활동에 활기를 불어넣기 위해 조직한 한인 애국단에 가입하였어요. 1932년에 중국 상하이 홍커우 공원에서 열린 일본군 전승 기념식장에 폭탄을 투척하여 일본군 장성과 고위 관리를 처단하였어요.

① 김원봉
➡ 김원봉은 1919년에 만주에서 의열단의 조직을 주도하였으며, 1938년에는 중국 국민당 정부의 도움으로 중국 관내 최초의 한인 무장 부대인 조선 의용대를 결성하였어요.

② 나석주
➡ 나석주는 의열단원으로 1926년에 조선 식산 은행과 동양 척식 주식회사에 폭탄을 던지는 의거를 일으켰어요.

③ 윤봉길
➡ 윤봉길의 의거 이후 중국 국민당 정부가 대한민국 임시 정부를 적극 지원하게 되었어요.

④ 이동휘
➡ 이동휘는 연해주 지역에서 대한 광복군 정부 수립을 주도하여 부통령을 역임하였으며, 대한민국 임시 정부에 참여하여 국무총리 등을 지냈어요.

40 1940년대의 사실 정답 ④

밑줄 그은 '시기'에 볼 수 있는 모습으로 가장 적절한 것은? [2점]

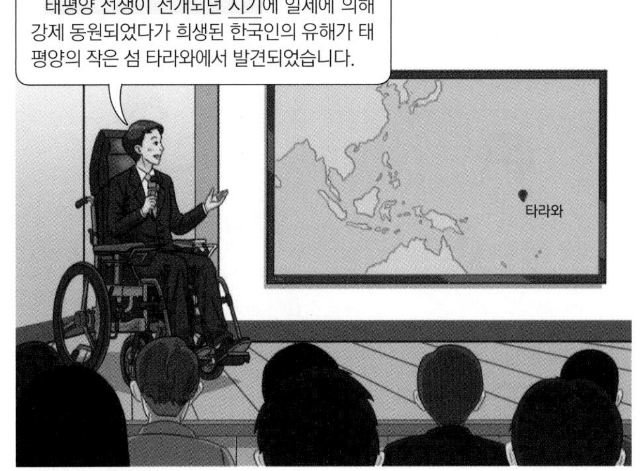

정답 잡는 키워드

❶ 태평양 전쟁이 전개되던 시기 → 1940년대

❶ 일제는 1931년에 만주 사변을 일으켜 만주 일대를 장악한 뒤 1937년에 중·일 전쟁을 도발하여 침략 전쟁을 확대하였어요. 1941년에는 하와이 진주만의 미국 함대를 공격하여 태평양 전쟁을 일으켰어요.

① 근우회에 가입하는 학생
➡ 근우회는 민족주의 계열과 사회주의 계열의 여성 단체들이 1927년에 신간회 창립을 계기로 설립한 신간회의 자매단체입니다. 여성의 권리 신장과 의식 계몽에 앞장섰으며, 기관지 "근우"를 발간하였어요. 1931년 신간회 해소를 전후하여 해산되었어요.

② 6·10 만세 운동에 참여하는 청년
➡ 6·10 만세 운동은 1926년에 순종의 장례일에 맞추어 학생이 중심이 되어 전개되었어요. 대한 제국의 마지막 황제인 순종의 서거를 계기로 민족주의 계열인 천도교, 사회주의 계열, 학생 단체 등이 힘을 합쳐 대규모 만세 시위를 계획하였어요. 이 계획은 사전에 발각되어 많은 사람들이 체포되었으나 학생들은 일제의 감시를 뚫고 만세 시위를 벌였어요.

③ 토지 조사령을 공포하는 일본인 관리
➡ 일제는 1912년에 토지 조사령을 공포하여 본격적으로 토지 조사 사업을 추진하였어요.

④ 미얀마 전선에서 활동하는 한국 광복군 대원
➡ 대한민국 임시 정부는 1940년에 충칭에 정착하고 정규군으로 한국 광복군을 창설하였어요. 한국 광복군의 일부 대원은 영국군의 요청으로 **1943년**부터 인도·미얀마 전선에 투입되어 활동하였어요.

기출 선택지 +α

❺ 원산 총파업에 참여하는 노동자	(O/X)
❻ 만민 공동회에서 연설하는 백정	(O/X)
❼ 공출로 가마솥을 빼앗기는 농민	(O/X)
❽ 황국 신민 서사를 암송하는 학생	(O/X)

기출 선택지 +α 정답 ⑤ ×[1929년] ⑥ ×[1898년] ⑦○ ⑧○

41 좌우 합작 위원회

정답 ③

(가)에 들어갈 단체로 옳은 것은? [2점]

정답 잡는 키워드

❶ 1946년, 미군정의 지원 아래 여운형, 김규식 등이 중심이 되어 결성한 단체 → 좌우 합작 위원회

❶ 모스크바 3국 외상 회의에서 신탁 통치안이 결정되자 이를 두고 좌익과 우익의 대립이 심화되었어요. 이러한 가운데 제1차 미·소 공동 위원회가 미국과 소련의 의견 대립으로 무기한 휴회되고, 이승만이 남한만의 단독 정부 수립을 주장하였어요. 이에 미군정의 지원 아래 여운형과 김규식 등이 중심이 되어 통일 정부 수립을 위해 1946년에 **좌우 합작 위원회**를 조직하고 좌우 합작 운동을 전개하였어요. 좌우 합작 위원회가 좌우 합작 7원칙을 발표하는 등 노력하였으나, 좌우익 세력의 외면 속에 미군정이 지원을 철회하고 여운형이 암살되면서 좌우 합작 운동은 중단되었어요.

① 권업회
➡ 권업회는 1911년에 연해주에서 조직된 독립운동 단체로, 권업신문을 발간하고 강연회를 개최하여 민족의식을 높이기 위해 노력하였어요.

② 대한인 국민회
➡ 대한인 국민회는 장인환·전명운의 스티븐스 저격 사건을 계기로 1910년에 미주 지역의 여러 한인 단체를 통합하여 결성된 단체입니다. 미주 지역의 한인들은 대한인 국민회를 중심으로 외교 활동을 펼쳤어요.

③ 좌우 합작 위원회
➡ 좌우 합작 위원회는 민주주의 임시 정부 수립 요구, 토지 및 친일파 문제 해결 촉구 등을 담은 좌우 합작 7원칙을 발표하였어요.

④ 남북 조절 위원회
➡ 남북 조절 위원회는 7·4 남북 공동 성명의 합의 사항을 이행하기 위한 기구로 설치되었으나 성과를 거두지는 못하였어요.

핵심 개념 좌우 합작 운동

구분	내용
배경	• 좌익과 우익 세력의 대립이 심해짐 • 미국과 소련의 의견 대립 등으로 제1차 미·소 공동 위원회가 무기한 휴회함 • 이승만의 '정읍 발언'으로 남한만의 단독 정부 수립론이 대두함
활동	여운형과 김규식 등 중도 세력이 좌우 합작 위원회를 구성하고, 좌우 합작 7원칙을 발표함
결과	좌우익 세력의 지지를 얻지 못함, 미군정이 지원을 철회함, 여운형이 암살되면서 중단됨

42 제주 4·3 사건

정답 ②

(가)에 들어갈 사건으로 옳은 것은? [2점]

영상 속 역사

학생들이 제작한 영상의 배경이 된 (가) 은/는 미군정기에 시작되어 이승만 정부 수립 이후까지 지속되었습니다. 당시에 ❶남한만의 단독 정부 수립에 반대하는 무장대와 토벌대 간의 무력 충돌과 그 진압 과정에서 많은 주민이 희생되었습니다.

정답 잡는 키워드

❶ 남한만의 단독 정부 수립에 반대하는 무장대와 토벌대 간의 무력 충돌과 진압 과정에서 많은 주민이 희생됨 → 제주 4·3 사건

❶ 광복 이후 대한민국 정부 수립 과정에서 미국과 소련의 대립으로 미·소 공동 위원회가 결렬되고 유엔 총회에서 결의된 인구 비례에 의한 남북한 총선거마저 어려워지자 1948년 유엔 소총회에서 선거가 가능한 지역, 즉 남한에서의 총선거 실시가 결정되었어요. 이에 제주도에서 남한만의 단독 선거에 반대하며 좌익 세력과 일부 주민들이 봉기하였어요. 당시에 남한만의 단독 정부 수립에 반대하는 무장대와 토벌대 간의 무력 충돌과 그 진압 과정에서 많은 제주도민이 희생되었는데, 이를 **제주 4·3 사건**이라고 합니다.

① 6·3 시위
➡ 박정희 정부가 한·일 국교 정상화를 추진하는 과정에서 회담 내용이 알려지자 굴욕적인 수교에 반대하여 1964년에 6·3 시위가 일어났어요.

② 제주 4·3 사건
➡ 제주 4·3 사건 희생자들의 명예 회복을 위해 2000년에 제주 4·3 사건의 진상 규명 및 희생자 명예 회복에 관한 특별법이 제정되었어요.

③ 2·28 민주 운동
➡ 2·28 민주 운동은 이승만 정부와 자유당이 1960년 3월 15일 정·부통령 선거를 앞두고 2월 28일 대구에서 예정된 야당의 선거 유세장에 학생들이 가지 못하도록 일요일인데도 등교하게 하자 이에 반발하여 전개되었어요.

④ 5·16 군사 정변
➡ 1961년에 박정희 등 군부는 5·16 군사 정변을 일으켜 정권을 장악하고 국가 재건 최고 회의를 기반으로 군정을 실시하였어요.

43 6·25 전쟁

정답 ④

(가) 전쟁 중에 있었던 사실로 옳지 않은 것은? [2점]

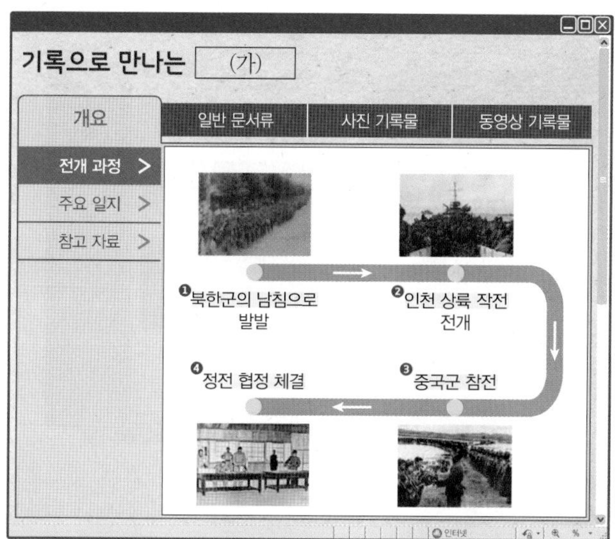

정답 잡는 키워드

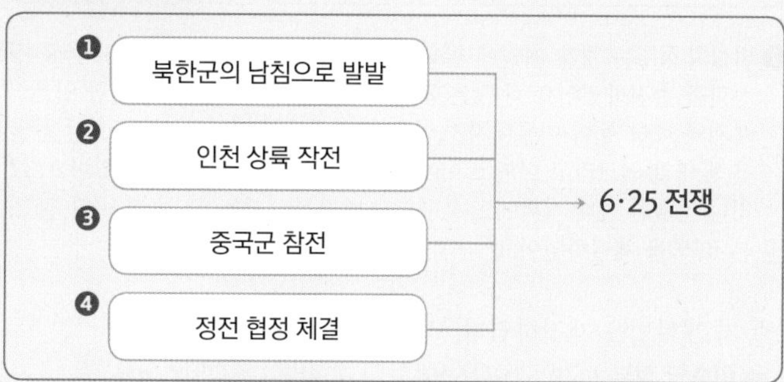

❶, ❷, ❸, ❹ 1950년 6월 25일 북한군의 남침으로 6·25 전쟁이 시작되어 북한군이 3일 만에 서울을 점령하였어요. 북한군의 공세에 밀려 대통령과 각종 정부 기관이 부산으로 이동하였고, 부산을 거점으로 국군과 유엔군은 낙동강 방어선을 구축하였어요. 같은 해 9월에 국군과 유엔군은 인천 상륙 작전에 성공하여 서울을 수복한 뒤 북진하여 압록강 유역까지 진출하였으나 중국군의 참전으로 후퇴하였어요. 이후 38도선 일대에서 서로 밀고 밀리는 공방전을 지속하였어요. 이러한 가운데 소련의 제안으로 1951년 7월에 정전 회담이 시작되었고, 1953년 7월 27일 정전 협정이 체결되었어요.

① 유엔군이 참전하였다.
➡ **6·25 전쟁**이 일어나자 미국을 비롯해 영국, 프랑스 등 16개국으로 구성된 유엔군이 우리나라를 돕기 위해 참전하였어요.

② 흥남 철수 작전이 펼쳐졌다.
➡ **6·25 전쟁** 중 중국군 개입 이후 국군과 유엔군이 북한 지역에서 후퇴하는 과정에서 1950년 12월에 흥남 철수 작전이 펼쳐졌어요.

③ 거제도에 포로수용소가 설치되었다.
➡ **6·25 전쟁** 중에 국군과 유엔군이 사로잡은 북한군 및 중국군 포로를 수용하기 위해 거제도에 포로수용소가 설치되었어요.

④ 13도 창의군이 서울 진공 작전을 전개하였다.
➡ 1907년에 고종의 강제 퇴위와 대한 제국 군대 해산에 대항하여 일어난 정미의병 시기에 의병 활동이 전국으로 확대되면서 유생 의병장을 중심으로 13도 창의군이 결성되었어요. 이들은 서울 진공 작전을 전개하였으나 군사력이 우세한 일본군에 가로막혀 실패하였어요.

44 4·19 혁명

정답 ④

다음 가상 일기에 나타난 민주화 운동에 대한 설명으로 옳은 것은? [2점]

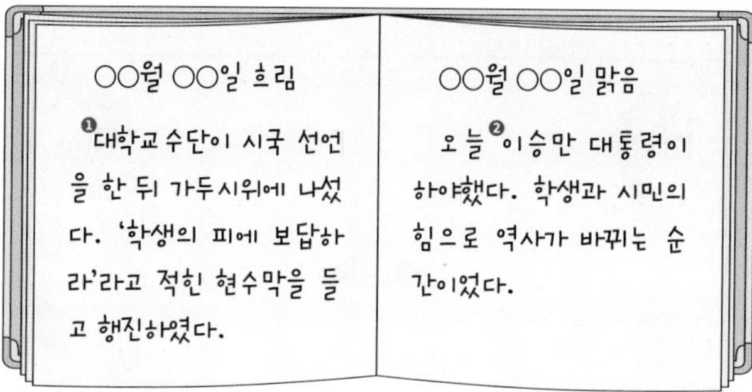

정답 잡는 키워드

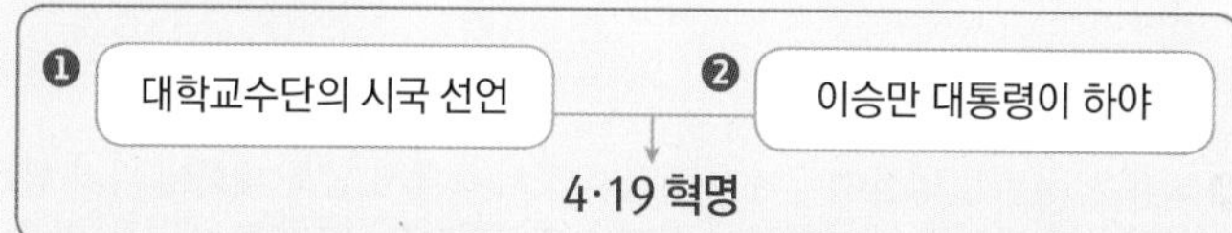

❶, ❷ 1960년 3월 15일 정·부통령 선거에서 이승만 대통령의 당선이 확실시되는 상황에서 이승만 정부와 자유당은 이기붕을 부통령에 당선시키기 위해 부정 선거를 벌였어요. 이에 저항하여 4·19 혁명이 일어났어요. 전국 각지에서 부정 선거에 항의하는 시위가 전개되었고 정부의 무력 진압에도 시위는 계속되었어요. 대학교수단이 대통령의 하야를 요구하는 시국 선언을 발표하고 가두시위를 벌이자 결국 이승만은 대통령직에서 물러났어요.

① 신군부의 무력 진압에 저항하였다.
➡ 5·18 민주화 운동은 1980년에 전두환 등 신군부의 불법적인 정권 탈취와 비상계엄 확대에 항거하여 광주에서 일어난 민주화 운동이에요.

② 대통령 직선제 개헌을 이끌어 냈다.
➡ 6월 민주 항쟁의 결과 대통령 직선제 개헌 요구를 수용한다는 등의 내용을 담은 6·29 민주화 선언이 발표되었어요. 이에 따라 5년 단임의 대통령 직선제 개헌이 이루어졌어요.

③ 유신 체제가 붕괴하는 계기가 되었다.
➡ YH 무역 사건, 부·마 민주 항쟁 등으로 흔들리던 유신 체제는 박정희 대통령이 피살되는 10·26 사태로 사실상 붕괴되었어요.

④ 3·15 부정 선거에 항의하여 일어났다.
➡ 1960년에 3·15 부정 선거에 항의하여 **4·19 혁명**이 일어났어요.

기출 선택지 +α

❺ 4·13 호헌 조치 철폐를 요구하였다. (O/X)
❻ 양원제 국회가 출현하는 결과를 가져왔다. (O/X)

핵심 개념	4·19 혁명(1960)
계기	3·15 부정 선거(자유당 부통령 후보 이기붕의 당선을 위해 각종 부정행위 자행)
전개	부정 선거를 비판하는 시위 전개 → 마산에서 시위에 참여한 고등학생 김주열의 시신 발견 → 시위가 전국으로 확산(4. 19.) → 경찰의 총격으로 많은 사상자 발생 → 대학교수들도 시위에 참여하여 대통령의 하야 요구(4. 25.)
결과	• 이승만 대통령이 물러남 • 허정 과도 정부가 수립되어 제3차 개헌(내각 책임제, 양원제 국회 구성) 단행 → 총선거에서 민주당 승리, 장면 정부 수립(대통령 - 윤보선, 국무총리 - 장면)

기출 선택지 +α 정답 ⑤ ×[6월 민주 항쟁] ⑥ ○

45 노태우 정부 시기의 사실

정답 ②

(가)에 들어갈 내용으로 옳은 것은? [3점]

✪ 노태우 정부는 냉전이 끝나가는 국제 정세 속에서 남북 대화에 나서 남북한이 유엔에 동시 가입하는 성과를 거두었어요. 또 북방 외교를 추진하여 중국을 비롯하여 소련, 동유럽의 사회주의 국가들과 수교를 맺었어요. 한편, 노태우 정부 시기인 1988년에 제24회 서울 올림픽 대회가 성공적으로 개최되었어요.

① 개성 공단 조성
➡ 제1차 남북 정상 회담을 계기로 남북한은 경제 협력 사업의 하나로 개성 공단 조성에 합의하였어요. 김대중 정부의 통일 정책을 이어받아 노무현 정부 시기인 2003년에 개성 공단 건설이 착공되어 2004년에 시범 단지가 완공되었어요.

② 남북 기본 합의서 채택
➡ **노태우 정부** 시기에 남북한이 화해와 불가침 및 교류 협력에 관해 공동 합의한 남북 기본 합의서가 채택되었어요.

③ 7·4 남북 공동 성명 발표
➡ 박정희 정부는 자주·평화·민족 대단결의 평화 통일 3대 원칙에 합의한 7·4 남북 공동 성명을 발표하였어요.

④ 6·15 남북 공동 선언 합의
➡ 김대중 정부 시기에 분단 이후 최초로 남북 정상 회담이 개최되었고 남북 정상은 6·15 남북 공동 선언에 합의하였어요.

기출 선택지 +α

⑤ 남북 이산가족 최초 상봉 (O/X)
⑥ 10·4 남북 정상 선언 발표 (O/X)
⑦ 한반도 비핵화 공동 선언 채택 (O/X)

기출 선택지 +α 정답 ⑤ ×[전두환 정부] ⑥ ×[노무현 정부] ⑦ O

46 박정희 정부 시기의 사실

정답 ②

다음 가상 뉴스에서 보도하는 사건이 일어난 정부 시기의 사실로 옳은 것은? [2점]

정답 잡는 키워드

❶ 한·일 협정 조인식 → 박정희 정부

❶ 박정희 정부는 경제 개발에 필요한 자금을 조달하기 위해 한·일 국교 정상화를 추진하였어요. 수많은 학생과 시민들은 식민 지배에 대한 일본의 사죄와 배상 등이 이루어지지 않은 상태에서 추진되는 한·일 회담을 굴욕적 대일 외교라고 여기고 이에 반대하는 6·3 시위를 전개하였어요. 그러나 격렬한 반대 시위에도 불구하고 박정희 정부는 한·일 협정(한·일 기본 조약)을 체결하였어요.

① 농지 개혁법을 제정하였다.
➡ 이승만 정부 시기인 1949년에 농지 개혁법이 제정되었어요.

② 경부 고속 도로를 개통하였다.
➡ **박정희 정부** 시기인 1970년에 경부 고속 도로가 개통되었어요.

③ 경제 협력 개발 기구(OECD)에 가입하였다.
➡ 김영삼 정부 시기인 1996년에 경제 협력 개발 기구(OECD)에 가입하였어요.

④ 미국과 자유 무역 협정(FTA)을 체결하였다.
➡ 노무현 정부 시기인 2007년에 미국과 자유 무역 협정(FTA)을 체결하였어요.

기출 선택지 +α

⑤ 금융 실명제를 실시하였다. (O/X)
⑥ 수출 100억 달러를 달성하였다. (O/X)
⑦ 서울에서 G20 정상 회의가 개최되었다. (O/X)
⑧ 제2차 경제 개발 5개년 계획이 실시되었다. (O/X)

기출 선택지 +α 정답 ⑤ ×[김영삼 정부] ⑥ O ⑦ ×[이명박 정부] ⑧ O

47 전태일의 활동

정답 ④

(가)에 들어갈 인물로 옳은 것은? [1점]

정답 잡는 키워드

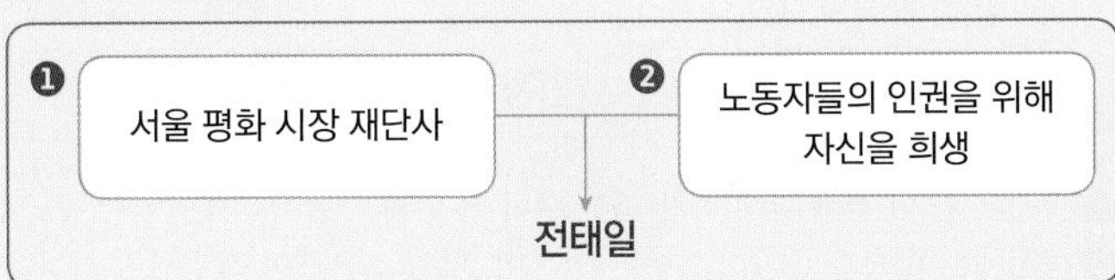

❶, ❷ 1960년대 박정희 정부는 값싼 노동력을 이용한 경공업을 중심으로 경제 성장을 추진하였어요. 이 과정에서 노동자들은 낮은 임금과 열악한 환경 속에서 긴 시간 노동에 시달렸습니다. 전태일은 서울 청계천 부근 평화 시장에서 재단사로 일하면서 노동자들의 인권을 위해 노동 운동을 전개하였어요. 그러나 요구가 받아들여지지 않자 근로 기준법 준수를 요구하며 자신의 몸에 스스로 불을 질러 희생하였어요.

① 윤동주

➡ 윤동주는 명동 학교 출신으로, '서시', '자화상', '별 헤는 밤' 등 일제에 의해 억압받는 민족의 현실을 표현한 시를 남겼어요. 일본 유학 중 독립 운동 혐의로 수감되어 옥사하였어요.

② 이한열

➡ 이한열은 6월 민주 항쟁 당시 시위를 벌이던 중 연세대학교 정문 앞에서 경찰이 쏜 최루탄에 맞아 의식 불명 상태에 빠졌다가 끝내 사망하였어요.

③ 장준하

➡ 장준하는 일제 강점기에 일본군으로 징집되었다가 탈출하여 한국 광복군에 합류하였어요. 또한, 1970년대 유신 체제에 저항하여 민주 회복을 위한 개헌 청원 백만 인 서명 운동을 주도하였어요.

④ 전태일

➡ 전태일은 서울 평화 시장에서 재단사로 일하며 노동자의 처우를 개선하기 위해 노동 운동을 전개하였어요.

48 한국사 속 여성의 활동

정답 ①

(가)에 들어갈 내용으로 적절한 것은? [2점]

〈2023 기획 특강〉

한국사 속 여성, 세상 밖으로 나오다

격동의 역사 속에서 삶의 주체로 당당하게 살아온 여성들의 이야기를 들을 수 있습니다.

강의 내용

1강. 선덕 여왕, 우리나라 최초의 여왕으로 살다
2강. 허난설헌, (가)
3강. 이빙허각, 가정생활을 담은 "규합총서"를 집필하다
4강. 윤희순, 안사람 의병가를 지어 의병 활동을 독려하다

■ 일시 : 2023년 ○○월 ○○일 ○○시
■ 장소 : □□ 문화원 소강당

① 시인으로 이름을 떨치다

➡ **허난설헌**은 조선 중기의 시인으로 본명은 허초희예요. 허균의 누이로, 사후 중국에서 간행된 "난설헌집"을 통해 시인으로 이름을 떨쳤어요.

② 여성 비행사로 활약하다

➡ 권기옥은 대한민국 임시 정부의 추천으로 중국의 육군 항공 학교를 수료하여 우리나라 최초의 여성 비행사가 되었어요. 10여 년간 중국군에서 비행사로 복무하면서 항일 무장 투쟁을 지속하였어요.

③ 임금 삭감에 저항하여 농성을 벌이다

➡ 일제 강점기에 평양의 고무 공장 노동자 강주룡은 회사의 일방적인 임금 삭감에 저항하여 을밀대 지붕에서 고공 농성을 벌였어요.

④ 재산을 기부하여 제주도민을 구제하다

➡ 조선 후기의 상인 김만덕은 제주도에 기근이 들었을 때 자신의 전 재산을 내어 육지에서 곡식을 사 와 굶주린 제주도민을 구제하였어요.

49 부산의 역사

정답 ④

(가) 지역에서 있었던 사실로 옳은 것은? [3점]

뚜벅뚜벅 역사 여행

- 주제 : (가) 에서 만나는 시간과 공간, 그리고 사람들
- 일자 : 2023년 ○○월 ○○일
- 답사 경로 : 동삼동 패총 전시관 - 초량 왜관 - 임시 수도 기념관 - 민주 공원

정답 잡는 키워드

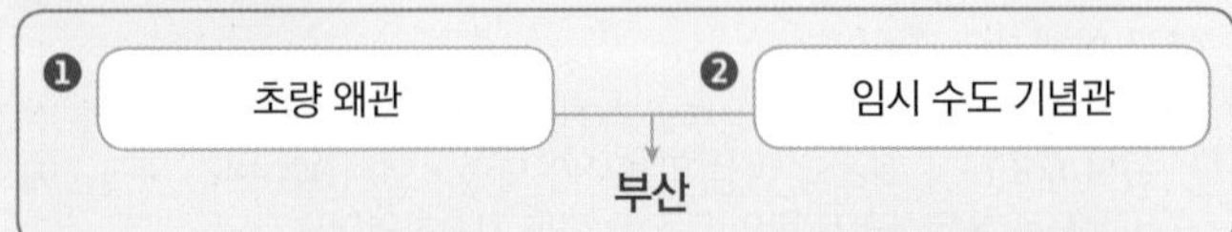

❶ 조선 시대 부산에는 일본인의 출입과 교역을 허가한 왜관이 설치되어 일본과의 교역이 이루어졌어요. 조선 후기에는 부산의 초량에 왜관이 있었습니다.

❷ 1950년 북한의 기습 남침으로 6·25 전쟁이 일어났어요. 전쟁 초기 북한군에 밀려 후퇴를 거듭하던 이승만 정부는 부산을 임시 수도로 정하고 피란하였어요. 한편, 부산에는 신석기 시대 조개더미 유적인 동삼동 패총과 부·마 민주 항쟁을 기념하는 민주 공원이 있습니다.

① 이봉창이 의거를 일으켰다.
➡ 이봉창은 1932년에 일본 도쿄에서 일왕이 탄 마차를 향해 폭탄을 던지는 의거를 일으켰어요.

② 망이·망소이가 봉기하였다.
➡ 망이·망소이는 고려 무신 집권기에 공주 명학소의 주민들과 함께 과도한 세금과 지배층의 가혹한 수탈에 맞서 봉기하였어요.

③ 장보고가 청해진을 설치하였다.
➡ 장보고는 신라 흥덕왕 때 완도에 청해진을 설치하고 해적들을 소탕한 후 해상 무역을 전개하였어요.

④ 송상현이 동래성에서 순절하였다.
➡ 송상현은 임진왜란 때 일본군이 부산에 상륙하자 동래성에서 항전하였으나 순절하였어요.

기출 선택지 +α

❺ 내상의 활동 근거지였다. (O/X)
❻ 만적이 신분 해방을 도모하였다. (O/X)
❼ 삼별초가 최후의 항쟁을 전개하였다. (O/X)

기출 선택지 +α 정답 ⑤○ ⑥×[개성] ⑦×[제주도]

50 동지

정답 ②

(가)에 들어갈 내용으로 옳은 것은? [1점]

정답 잡는 키워드

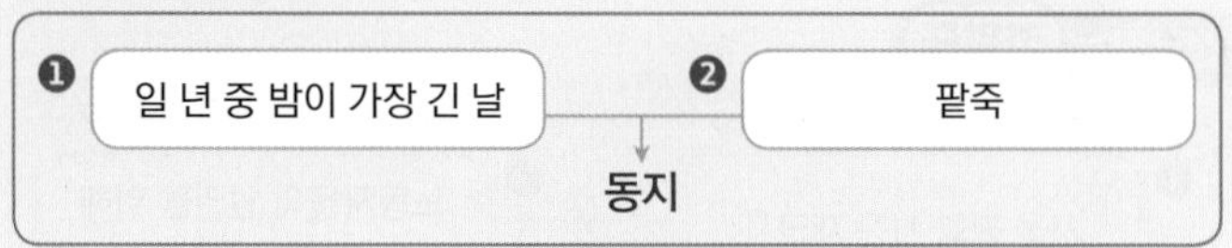

❶ 동지는 일 년 중에 밤이 가장 길고 낮이 가장 짧은 날이에요.

❷ 동지에는 팥죽과 동치미 등을 먹었는데, 팥의 붉은색이 잡귀를 물리친다고 여겨서 집 안 곳곳에 팥죽을 놓아두기도 하였어요.

① 단오
➡ 단오는 음력 5월 5일로 수릿날 또는 천중절이라고도 불렸어요. 이날에는 그네뛰기, 창포물에 머리 감기 등의 풍속을 즐겼어요.

② 동지
➡ 동지는 양력 12월 22일경으로, '아세' 혹은 '작은설'이라고도 불렸어요.

③ 칠석
➡ 칠석은 음력 7월 7일로, 이날 오작교에서 견우와 직녀가 만난다는 이야기가 전해져요.

④ 한식
➡ 한식은 동지에서 105일째 되는 날로, 이날에는 성묘를 하였으며 불을 사용하지 않고 찬 음식을 먹는 풍속이 있었어요.

핵심 개념 시험에 자주 나오는 세시 풍속

명칭	내용
설날	음력 1월 1일로, 차례를 지내고 웃어른께 세배를 드림, 널뛰기·윷놀이 등을 하고 떡국, 만두 등을 먹음
(정월) 대보름	음력 1월 15일로, 부럼 깨기, 달맞이, 쥐불놀이 등의 풍속이 있었음
삼짇날	음력 3월 3일로, '강남 갔던 제비가 돌아오는 날'이라고도 함, 화전놀이 등을 하였고, 진달래화전, 쑥떡 등을 만들어 먹음
한식	동지에서 105일째 되는 날로, 불을 사용하지 않고 찬 음식을 먹는 풍속이 있었음
단오	음력 5월 5일로, 수릿날 또는 천중절이라고도 불렸으며, 그네뛰기, 창포물에 머리 감기 등의 풍속이 있었음
칠석	음력 7월 7일로, 견우와 직녀가 오작교에서 1년에 한 번 만난다는 이야기가 전해짐
추석	음력 8월 15일로, 중추절·한가위라고도 불림, 성묘, 차례를 지내고 송편과 토란국, 제철 과일을 먹음, 강강술래·줄다리기 등을 함
동지	양력 12월 22일경으로, 일 년 중 밤이 가장 긴 날, '작은설'이라고도 하며, 이날에는 팥죽과 동치미를 주로 먹음

합격률

46.2%

응시 인원 : 6,741명
합격 인원 : 3,111명

2023년 8월 13일(일) 시행

기본

제66회

시대별 출제 비중

전근대 28문항

선사 2문항
신석기 시대의 생활 모습, 부여

고대 8문항
고구려 장수왕의 업적, 백제 성왕의 업적, 신라의 삼국 통일 과정, 신라 신문왕의 업적, 익산 미륵사지 석탑, 통일 신라의 경제 상황, 발해의 문화유산, 고려의 후삼국 통일 과정

고려 6문항
고려와 거란의 전쟁, 고려 성종의 업적, 고려의 경제 상황, 고려의 대몽 항쟁, 고려의 문화유산, 고려 공민왕 재위 시기의 사실

조선 12문항
정도전의 활동, 의금부, 조선 세조의 정책, 조선 후기의 정치 변화, 조선 태종의 업적, 양부일구, 조광조의 활동, 임진왜란, 균역법, 신윤복의 작품, 진주 농민 봉기, 정약용의 활동

근현대 22문항

칠석

시대 통합 2문항
사회적 차별에 맞선 사람들, 한글을 빛낸 인물

개항기 10문항
신미양요 이후의 사실, 보빙사, 최익현의 활동, 갑신정변, 거문도 사건, 대성 학교, 국권 피탈 과정, 동학 농민 운동의 전개 과정, 국채 보상 운동, 대한 제국 시기 근대 문물의 도입

일제 강점기 4문항
6·10 만세 운동, 1910년대 일제의 식민 지배 정책, 대한민국 임시 정부의 활동, 조선 의용대

현대 5문항
제주도의 역사, 제헌 국회의 활동, 5·18 민주화 운동, 박정희 정부 시기의 통일 노력, 김영삼 정부 시기의 경제 상황

분류별 출제 비중 고대~조선

난이도별 출제 비중

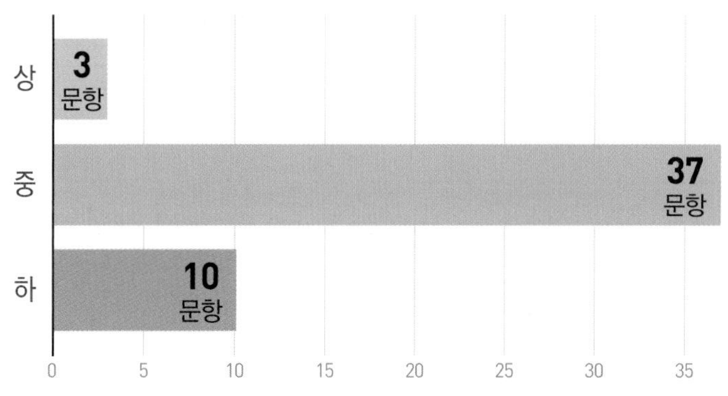

큰별쌤의 한 줄 평

다소 까다로운
주제가 출제된
약간 어려운 시험

1 신석기 시대의 생활 모습 정답 ②

다음 가상 공간에서 체험할 수 있는 활동으로 가장 적절한 것은? [1점]

신석기 시대에 농경과 목축이 시작되었어요. 농경과 목축을 통해 식량을 생산하였으나 사냥과 채집이 여전히 식량을 구하는 중요한 수단이었어요. 또 정착 생활이 이루어져 신석기 시대 사람들은 강가나 바닷가에 마을을 이루어 생활하였어요. 한편, 신석기 시대 사람들은 갈돌과 갈판 등 간석기를 만들어 사용하였으며, 가락바퀴를 이용해 실을 뽑아 뼈바늘로 옷이나 그물을 만들기도 하였어요.

① 청동 방울 흔들기
➡ **청동기 시대**부터 청동 방울, 청동 검 등 청동을 이용한 도구들이 만들어졌어요.

② 빗살무늬 토기 만들기
➡ **신석기 시대** 사람들은 빗살무늬 토기를 만들어 음식을 조리하거나 식량을 저장하였어요.

③ 철제 농기구로 밭 갈기
➡ 철제 농기구는 **철기 시대**부터 만들어지기 시작하였어요.

④ 거친무늬 거울 목에 걸기
➡ 거친무늬 거울은 **청동기 시대**부터 만들어졌어요.

기출 선택지 +α

⑤ 막집 지어 보기	(O/X)
⑥ 가락바퀴로 실뽑기	(O/X)
⑦ 뗀석기로 고기 자르기	(O/X)
⑧ 거푸집으로 청동 검 모형 만들기	(O/X)

기출 선택지 +α 정답 ⑤ ×[구석기 시대] ⑥ ○ ⑦ ×[구석기 시대] ⑧ ×[청동기 시대부터 청동 검 제작]

2 부여 정답 ①

밑줄 그은 '이 나라'에 대한 설명으로 옳은 것은? [2점]

이 유물은 ❶여러 가들이 별도로 사출도를 다스린 이 나라의 금제 허리띠 장식이에요.

날개 달린 말의 모습이 새겨져 있네요.

정답 잡는 키워드

❶ 여러 가들이 별도로 사출도를 다스림 → 부여

❶ 부여는 만주 쑹화강 유역에서 성장한 나라로, 왕이 중앙을 다스리고 마가, 우가, 저가, 구가 등의 여러 가들이 별도로 사출도를 관장하였어요.

① 영고라는 제천 행사를 열었다.
➡ **부여**는 12월에 영고라는 제천 행사를 열었어요.

② 신성 지역인 소도가 존재하였다.
➡ **삼한**에는 제사장인 천군과 신성 지역인 소도가 있었어요. 소도에는 정치 지배자의 힘이 미치지 못하였어요.

③ 혼인 풍습으로 민며느리제가 있었다.
➡ **옥저**에는 남자 집에서 신부가 될 여자아이를 데려와 키우다가 어른이 되면 돌려보낸 뒤 신부 집에 예물을 보내고 정식으로 혼인하는 민며느리제의 풍습이 있었어요.

④ 읍락 간의 경계를 중시하는 책화가 있었다.
➡ **동예**에는 읍락 간의 경계를 중시하여 다른 부족의 영역을 침범하면 소나 말, 노비 등으로 변상하게 하는 책화가 있었어요.

기출 선택지 +α

⑤ 범금 8조가 있었다.	(O/X)
⑥ 서옥제라는 혼인 풍습이 있었다.	(O/X)
⑦ 신지, 읍차 등의 지배자가 있었다.	(O/X)

핵심 개념 부여

구분	내용
위치	만주 쑹화강 유역의 넓은 평야 지대에 자리 잡음 → 농경·목축 발달
정치	중앙은 왕이 다스리고 마가, 우가, 저가, 구가의 여러 가(加)들이 별도로 각자의 영역인 사출도를 관장함 → 왕권이 약함
풍습	• 남의 물건을 도둑질하다 잡히면 훔친 물건의 12배로 갚아야 함(1책 12법), 흰옷을 즐겨 입음 • 12월에 영고라는 제천 행사를 열어 하늘에 제사를 지냄

기출 선택지 +α 정답 ⑤ ×[고조선] ⑥ ×[고구려] ⑦ ×[삼한]

3 고구려 장수왕의 업적 정답 ②

다음 검색창에 들어갈 왕으로 옳은 것은? [2점]

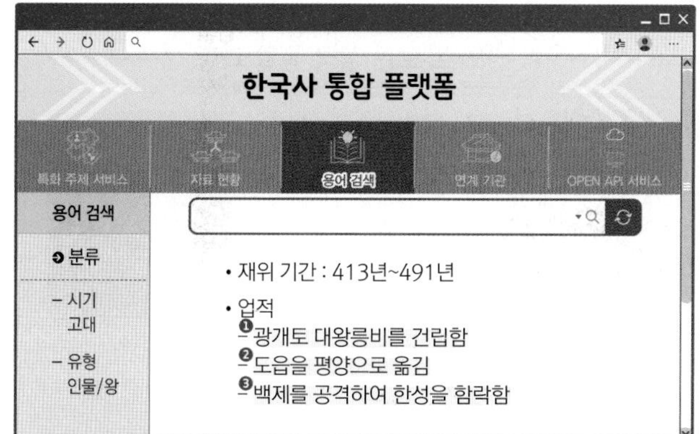

정답 잡는 키워드

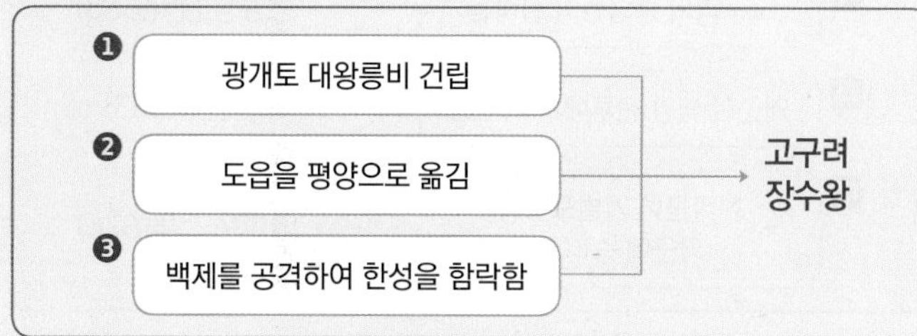

❶ 장수왕은 광개토 태왕의 아들로 아버지의 업적을 기리기 위해 광개토 태왕릉비를 건립하였어요. 광개토 태왕릉비에는 고구려의 건국 이야기와 광개토 태왕의 정복 활동 등이 담겨 있습니다.

❷ 장수왕은 427년에 국내성에서 평양으로 도읍을 옮기고 본격적으로 남진 정책을 추진하였어요.

❸ 장수왕은 475년에 백제를 공격하여 한성을 함락하였으며, 이 과정에서 백제 개로왕이 목숨을 잃었어요. 수도가 함락된 백제는 웅진(지금의 공주)으로 도읍을 옮겼어요.

① 미천왕
➡ 4세기 전반에 고구려 미천왕은 낙랑군과 대방군을 몰아내고 영토를 확장하였어요.

② 장수왕
➡ 남진 정책을 추진한 고구려 장수왕은 한성을 함락하여 한강 유역을 차지하고 한반도 중부 지역까지 영토를 확장하였어요.

③ 고국천왕
➡ 2세기 후반에 고구려 고국천왕은 가난한 백성을 구제하기 위하여 진대법을 실시하였어요.

④ 소수림왕
➡ 4세기 후반에 고구려 소수림왕은 불교를 수용하고 율령을 반포하였어요. 또 태학을 설립하여 인재를 양성하였어요.

핵심 개념 고구려 장수왕의 업적

구분	내용
영토 확장	• 평양으로 도읍을 옮기고 본격적으로 남진(남하) 정책 추진 • 백제를 공격하여 도읍 한성을 함락함(한강 유역 차지, 백제 개로왕 사망) → 이후 백제가 웅진으로 도읍을 옮김 • 한반도 중부 지역까지 영토 확장 → 충주 고구려비를 통해 알 수 있음
기타	• 아버지 광개토 태왕의 업적을 기리기 위해 광개토 태왕릉비 건립 • 중국 남북조와 교류하며 균형 외교 전개

4 칠석 정답 ④

밑줄 그은 '그날'에 해당하는 세시 풍속으로 옳은 것은? [1점]

❶ 일 년 중 한 번 직녀님을 만나는 그날이 곧 오네요. 그녀를 만날 생각에 소 치는 일도 전혀 힘들지 않아요.

까치와 까마귀가 많이 모여 ❷ 오작교를 놓아야 저희가 만날 수 있어요. 여러분이 도와주시겠어요?

정답 잡는 키워드

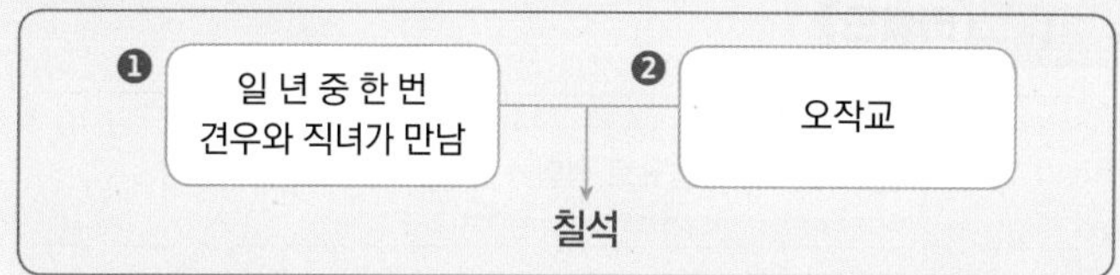

❶, ❷ 칠석에는 헤어져 있던 견우와 직녀가 일 년 중 한 번 오작교에서 다시 만난다는 이야기가 전해집니다. 직녀는 선녀의 옷을 만드는 일을 하였는데 혼인을 하지 못하고 일만 하는 것을 안쓰럽게 여긴 옥황상제가 목동인 견우와 중매를 서서 혼인하였어요. 그러나 혼인 이후 두 사람이 일을 게을리하자 둘을 은하수의 양쪽에 각각 떨어져 살게 하고 1년에 하루, 칠석에만 만날 수 있게 하였어요. 둘이 만나는 날 은하수 때문에 건너갈 수 없게 되자 까마귀와 까치가 모여 오작교를 만들어 주어 만날 수 있었다고 합니다.

① 단오
➡ 단오는 음력 5월 5일로 수릿날이라고도 불려요. 창포물에 머리를 감고, 그네뛰기, 씨름 등을 하였어요.

② 동지
➡ 동지는 양력 12월 22일경으로, 일 년 중 밤이 가장 긴 날이에요. 팥죽과 동치미를 주로 먹었어요.

③ 추석
➡ 추석은 음력 8월 15일로 한가위라고도 합니다. 이날에는 수확에 감사하며 햇곡식과 햇과일로 차례를 지내고 성묘를 하였어요. 또 송편을 만들어 먹고 강강술래, 씨름, 줄다리기 등의 놀이를 즐겼어요.

④ 칠석
➡ 칠석은 음력 7월 7일로, 이날에는 햇볕에 옷과 책을 말리는 풍속이 있었으며, 밀국수, 밀전병, 호박전 등의 음식을 먹었어요.

5 백제 성왕의 업적

정답 ④

(가) 왕에 대한 설명으로 옳은 것은? [2점]

정답 잡는 키워드

❶ 부여를 도읍으로 정함 → **백제 성왕**

❶ 성왕은 웅진에서 넓은 평야가 있고 강을 끼고 있어 교통이 편리한 사비(지금의 부여)로 도읍을 옮겼어요. 또 나라 이름을 남부여로 바꾸었어요.

① 왜에 칠지도를 보냈다.
➡ 칠지도는 백제에서 제작하여 왜에 보낸 철제 칼이에요. 칠지도가 만들어진 시기는 다양한 의견이 있으나 대체로 근초고왕 때로 추정하고 있어요.

② 동진으로부터 불교를 받아들였다.
➡ 백제 침류왕은 동진에서 온 승려 마라난타를 통해 불교를 받아들였어요.

③ 신라를 공격하여 대야성을 점령하였다.
➡ 백제 의자왕은 윤충을 보내 신라를 공격하여 전략적으로 중요한 지역인 대야성을 점령하였어요.

④ 진흥왕과 연합하여 한강 하류 지역을 되찾았다.
➡ 백제 **성왕**은 신라 진흥왕과 연합하여 고구려를 공격해 한강 하류 지역을 되찾았으나, 신라의 공격을 받아 다시 이 지역을 신라에 빼앗겼어요.

기출 선택지 +α

⑤ 사비로 천도하였다.	(O/X)
⑥ 고국원왕을 전사시켰다.	(O/X)
⑦ 지방에 22담로를 두어 왕족을 파견하였다.	(O/X)
⑧ 고흥에게 역사서인 서기를 편찬하게 하였다.	(O/X)

기출 선택지 +α 정답 ⑤○ ⑥×[백제 근초고왕] ⑦×[백제 무령왕] ⑧×[백제 근초고왕]

6 신라의 삼국 통일 과정

정답 ③

(가)~(다)를 일어난 순서대로 옳게 나열한 것은? [3점]

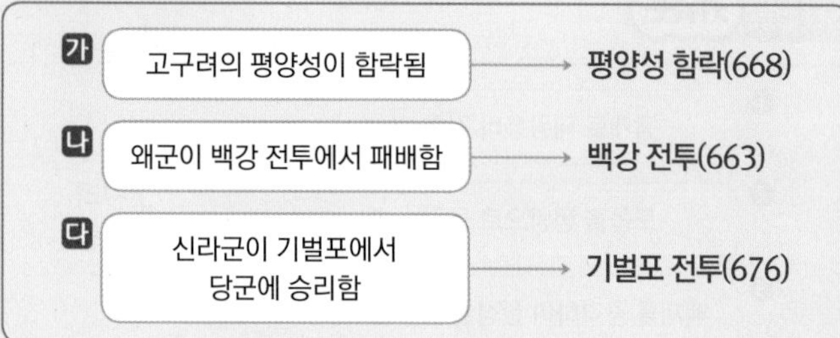

정답 잡는 키워드

가 고구려의 평양성이 함락됨 → **평양성 함락(668)**
나 왜군이 백강 전투에서 패배함 → **백강 전투(663)**
다 신라군이 기벌포에서 당군에 승리함 → **기벌포 전투(676)**

가 668년에 고구려의 평양성이 나·당 연합군의 공격을 받아 함락되었고 고구려가 멸망하였어요.
나 백제 멸망 이후 백제 부흥 운동이 전개되자 왜에서도 지원군을 보냈어요. 663년 백제군과 왜군이 백강 전투에서 나·당 연합군에 패배하였어요.
다 나·당 연합군이 백제와 고구려를 멸망시킨 뒤 당이 한반도 전체를 지배하려고 하자 이에 맞서 신라는 당과 전쟁을 벌였어요. 신라는 매소성 전투(675), 기벌포 전투(676)에서 당군에 승리하고 대동강 남쪽 지역에서 당의 세력을 몰아냈어요.

① (가) - (나) - (다)
② (가) - (다) - (나)
③ (나) - (가) - (다)
➡ (나) 백강 전투(663) - (가) 고구려의 평양성 함락(668) - (다) 기벌포 전투(676)의 순서로 일어났어요.
④ (다) - (가) - (나)

핵심 개념 신라의 삼국 통일 과정

나·당 동맹	신라가 당과 군사 동맹을 맺음(648)
백제 멸망	• 백제 멸망(660) : 나·당 연합군의 공격 → 황산벌 전투, 사비성 함락, 의자왕 항복 • 백제 부흥 운동 : 흑치상지, 도침, 복신이 군사를 일으켜 부흥 운동 전개, 백강 전투(663)에서 나·당 연합군에 패함
고구려 멸망	• 고구려 멸망(668) : 나·당 연합군의 공격으로 평양성 함락 • 고구려 부흥 운동 : 고연무가 오골성에서 부흥 운동을 전개함, 검모잠이 한성(황해도 재령)에서 왕족 안승을 왕으로 추대함 → 안승이 검모잠을 죽이고 신라에 항복함
나·당 전쟁	당이 한반도 전체를 차지하려고 함 → 신라가 문무왕 때 매소성 전투(675)와 기벌포 전투(676)에서 당군을 물리치고 삼국 통일 이룩

7 신라 신문왕의 업적

정답 ①

밑줄 그은 '이 왕'의 업적으로 옳은 것은? [2점]

❶문무왕의 아들인 이 왕은 동해에 작은 산이 떠다닌다는 이야기를 듣고 이견대로 갔어요. 용이 나타나 말하기를, 산에 있는 대나무로 피리를 만들면 천하가 평온해질 것이라고 했어요. 이후 그 대나무로 피리를 만들어 ❷만파식적이라 부르고, 나라의 보물로 삼았어요.

정답 잡는 키워드

❶ 신문왕은 삼국 통일을 완수한 문무왕의 아들로, 아버지의 뒤를 이어 왕이 된 후 왕권 강화를 위해 노력하였어요.
❷ 만파식적은 '만 개의 파도를 잠재워 주는 피리'라는 뜻이에요. 만파식적 설화가 전해지고 있는데, 이것은 신문왕 때 나라가 융성하고 정치적 안정을 이룬 것과 관련 있는 것으로 보여요.

① 국학을 설립하였다.
➡ **신라 신문왕**은 인재 양성을 위해 국학을 설립하여 유학을 교육하였어요.

② 우산국을 정벌하였다.
➡ 신라 지증왕은 이사부를 보내 지금의 울릉도 일대에 있던 작은 나라인 우산국을 정벌하였어요.

③ 천리장성을 축조하였다.
➡ 천리장성은 고구려와 고려 때 축조되었어요. 고구려는 영류왕 때 당의 침입에 대비하여 부여성에서 비사성에 이르는 천리장성을 쌓기 시작하여 보장왕 때 완성하였어요. 한편 고려는 거란의 침입을 물리친 후 거란과 여진의 침략에 대비하여 북쪽 국경에 천리장성을 축조하였어요.

④ 화랑도를 국가 조직으로 개편하였다.
➡ 신라 진흥왕은 인재 양성을 위해 화랑도를 국가 조직으로 개편하였어요.

기출 선택지 +α

❺ 녹읍을 폐지하였다.	(O/X)
❻ 대가야를 정복하였다.	(O/X)
❼ 김헌창의 난을 진압하였다.	(O/X)

기출 선택지 +α 정답 ⑤○ ⑥×[신라 진흥왕] ⑦×[신라 헌덕왕]

8 익산 미륵사지 석탑

정답 ③

(가)에 들어갈 문화유산으로 옳은 것은? [2점]

정답 잡는 키워드

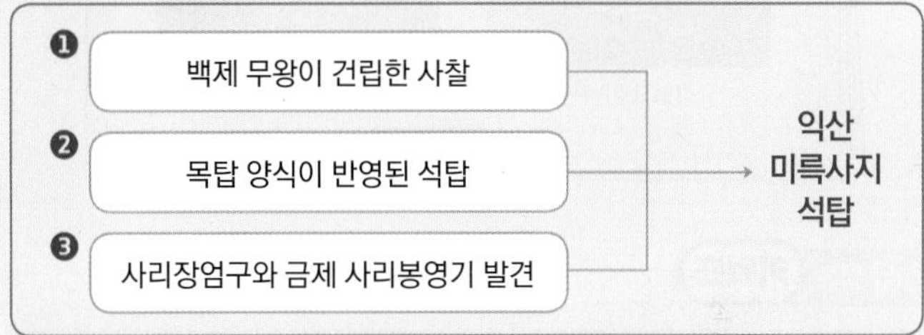

❶, ❷ 익산 미륵사지 석탑은 백제 무왕이 익산에 건립한 미륵사 터에 남아 있는 탑이에요. 목탑 양식이 반영된 석탑으로, 목탑에서 석탑으로 넘어가는 과도기의 모습을 보여 줍니다.
❸ 익산 미륵사지 석탑 복원 공사 중에 사리장엄구와 금제 사리봉영기가 발견되어 석탑의 건립 연도와 건립한 목적이 밝혀졌어요.

①

경천사지 십층 석탑

➡ 개성 경천사지 10층 석탑은 고려 말에 원의 영향을 받아 대리석으로 만들어진 탑이에요.

②

화엄사 사사자 삼층 석탑

➡ 구례 화엄사 4사자 3층 석탑은 통일 신라 시기에 만들어졌으며, 탑의 네 모퉁이를 사자상이 받치고 있는 듯한 모습이 특징이에요.

③

미륵사지 석탑

➡ 익산 미륵사지 석탑은 현재 우리나라에 남아 있는 석탑 중 가장 규모가 큽니다.

④

분황사 모전 석탑

➡ 분황사 모전 석탑은 현재 전해지는 신라의 석탑 가운데 가장 오래된 탑이에요. 돌을 벽돌 모양으로 다듬어 쌓았어요.

9 통일 신라의 경제 상황

정답 ②

밑줄 그은 '이 시기'에 볼 수 있는 모습으로 가장 적절한 것은? [2점]

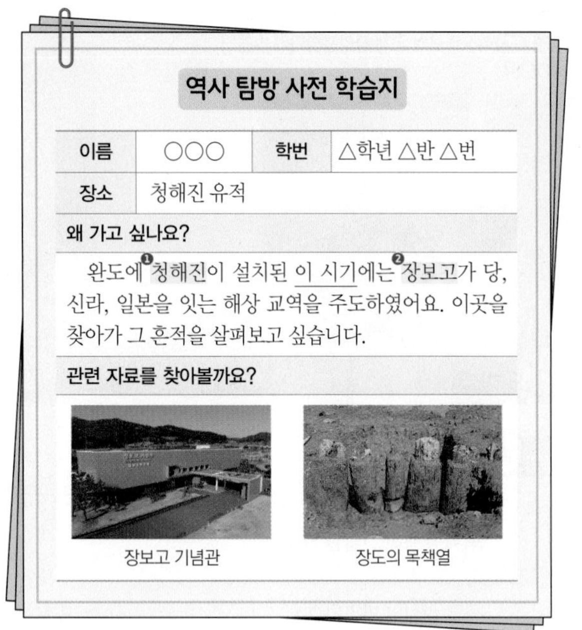

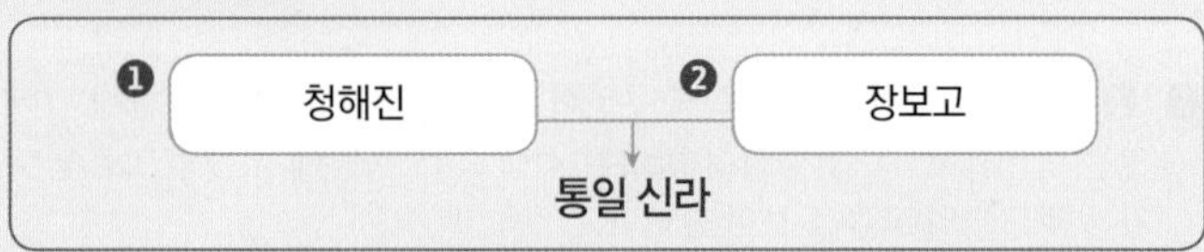

❶, ❷ 장보고는 당으로 건너가서 군인으로 활동하다가 9세기 전반 통일 신라 흥덕왕 때 신라로 돌아와 완도에 청해진을 설치하였어요. 장보고는 청해진을 근거지로 해적을 소탕하고 당, 신라, 일본을 잇는 해상 무역을 장악하였어요.

① 분청사기를 만드는 도공
➡ 분청사기는 조선 전기에 주로 제작되었어요. 분청사기는 회색 또는 회백색의 바탕흙 위에 흰 흙을 발라 장식을 하거나 무늬를 그린 자기입니다.

② 녹읍을 지급받는 진골 귀족
➡ 녹읍은 7세기 후반 신문왕 때 폐지되었다가 8세기 중반 경덕왕 때 부활되어 **신라**가 멸망할 때까지 지급되었어요.

③ 장시에서 책을 읽어 주는 전기수
➡ 조선 후기에 한글 소설이 유행하면서 전기수가 등장하였어요. 전기수는 사람이 많이 모이는 장시 같은 곳에서 돈을 받고 책을 읽어 주었어요.

④ 상평통보로 물건값을 치르는 농민
➡ 조선 후기에 상업 활동이 활발해지면서 화폐 사용도 늘어나 상평통보가 전국적으로 유통되었어요.

10 발해의 문화유산

정답 ④

다음 특별전에 전시될 문화유산으로 적절하지 않은 것은? [1점]

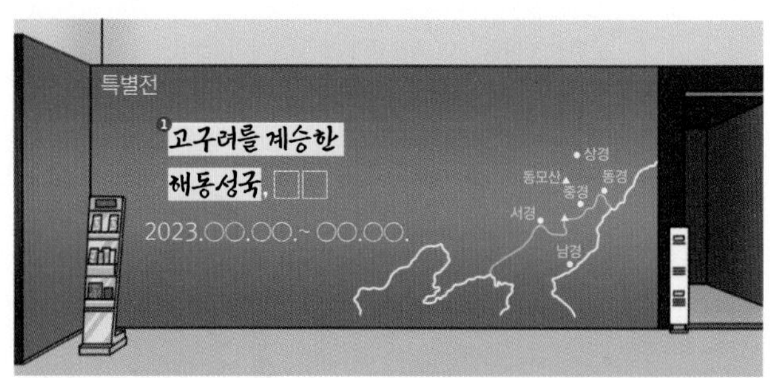

정답 잡는 키워드

❶ 고구려를 계승한 해동성국 → 발해

❶ 발해는 고구려 장수 출신 대조영이 고구려 유민과 말갈인을 이끌고 동모산 부근에서 세운 나라로, 일본에 보낸 외교 문서에서 스스로 '고려(고구려)', '고려 국왕'이라고 표현하며 고구려 계승 의식을 표방하였어요. 발해는 전성기 무렵에 중국으로부터 '바다 동쪽의 융성한 나라'라는 뜻의 해동성국이라고 불리기도 하였어요.

①

치미

➡ **발해**의 수도였던 상경성 터에서 발견된 치미예요.

②

연꽃무늬 수막새

➡ **발해**의 연꽃무늬 수막새예요. 발해 치미와 연꽃무늬 수막새는 고구려의 치미, 연꽃무늬 수막새와 매우 유사하여 발해가 고구려 문화의 영향을 받았음을 알 수 있어요.

③

이불병좌상

➡ **발해**의 이불병좌상이에요. 두 부처가 나란히 앉아 있는 모습으로 고구려 양식의 영향을 받았어요.

④
성덕 대왕 신종

➡ 성덕 대왕 신종은 통일 신라 시기 경덕왕이 아버지 성덕왕을 기리기 위해 만든 종으로 혜공왕 때 완성되었어요. 현존하는 우리나라의 종 가운데 가장 큰 종이에요.

11 고려의 후삼국 통일 과정

정답 ④

다음 사건이 일어난 시기를 연표에서 옳게 고른 것은? [3점]

정답 잡는 키워드

❶ 견훤이 귀부를 청함 → 935년

❶ 후백제에서 왕위 계승을 둘러싼 다툼이 일어나 견훤이 금산사에 갇히게 되었어요. 935년에 견훤은 금산사에서 탈출하여 고려에 귀부하였어요.

887		896		918		927		936
진성 여왕 즉위	(가)	적고적의 난	(나)	고려 건국	(다)	공산 전투	(라)	후삼국 통일

➡ 927년에 견훤의 후백제군은 왕건의 고려군과 공산(지금의 대구)에서 전투를 벌여 이겼어요. 930년에 고려군은 고창(지금의 안동)에서 후백제군을 상대로 크게 승리하였고 후삼국 간 경쟁에서 주도권을 갖게 되었어요. 935년에 후백제의 왕위 계승을 둘러싼 다툼 과정에서 견훤이 금산사에 갇혔다가 탈출하여 고려에 귀부하였고, 힘이 약해진 신라가 나라를 유지하기 어려워지자 고려에 항복하였어요. 이후 936년에 왕건은 견훤과 함께 후백제군을 공격하여 일리천 전투에서 승리한 뒤 후백제를 멸망시키고 후삼국을 통일하였어요.

① (가)
② (나)
③ (다)
④ (라)
➡ 연표에서 견훤이 고려에 귀부한 시기는 공산 전투와 후삼국 통일 사이인 (라)예요.

연표로 흐름잡기

- **927** 공산 전투 → 견훤의 후백제군이 왕건의 고려군을 상대로 승리
- **930** 고창 전투 → 왕건의 고려군이 견훤의 후백제군을 상대로 승리
- **935**
  - 신검에 의해 금산사에 갇혔던 견훤이 탈출하여 고려에 귀부함
  - 신라 경순왕이 고려에 항복함
- **936** 왕건의 고려군이 일리천에서 신검의 후백제군에 승리함, 후백제가 멸망함 → 후삼국 통일

12 고려와 거란의 전쟁

정답 ①

밑줄 그은 '전쟁'에 대한 탐구 활동으로 가장 적절한 것은? [2점]

✪ 고려 전기에 거란이 여러 차례 고려를 침입하였어요. 성종 때 일어난 거란의 1차 침입 때에는 서희의 외교 담판으로 강동 6주를 확보하고 거란군을 물러나게 하였어요. 이후 현종 때 거란의 2차, 3차 침입이 일어났어요. 거란의 2차 침입 때에는 현종이 나주까지 피란하는 등 위기를 겪었으나 양규의 활약으로 많은 고려인 포로를 구해 내기도 하였어요. 거란의 3차 침입 때에는 강감찬의 활약으로 귀주에서 거란군을 크게 물리쳤어요(귀주 대첩). 고려는 거란 등 북방 민족의 침입에 대비하여 강감찬의 건의로 개경에 나성을 건설하였고, 북쪽 국경 지역에는 천리장성을 축조하였어요.

① 귀주 대첩의 의의를 파악한다.
➡ **거란**의 3차 침입 당시 강감찬이 귀주에서 거란군을 크게 물리쳤어요.

② 위화도 회군의 결과를 조사한다.
➡ 고려 말 명이 철령 이북 지역을 요구하자 우왕과 최영을 중심으로 요동 정벌을 추진하였는데, 요동 정벌에 반대하였던 이성계는 위화도에서 회군하여 개경으로 돌아와 우왕과 최영을 몰아내고 정권을 장악하였어요.

③ 안시성 전투의 전개 과정을 살펴본다.
➡ 고구려 보장왕 때 당 태종이 대군을 이끌고 고구려를 침략하였어요. 당군은 안시성을 점령하기 위해 성벽보다 높은 흙산을 쌓기도 하였으나 함락에 실패하고 물러났어요.

④ 진포 전투에서 새롭게 사용된 무기를 찾아본다.
➡ 고려 말 최무선의 건의로 화통도감을 설치하여 화약과 화포를 개발하였어요. 화통도감에서 개발한 화약과 화포는 진포에서 왜구를 물리치는 데 큰 역할을 하였어요.

13 고려 성종의 업적

정답 ③

다음 퀴즈의 정답으로 옳은 것은? [1점]

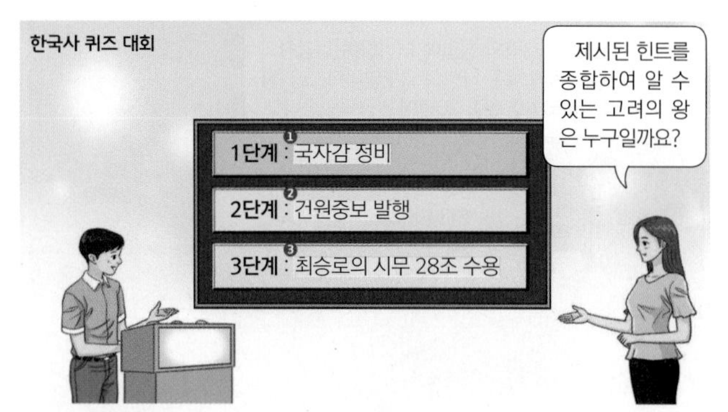

정답 잡는 키워드

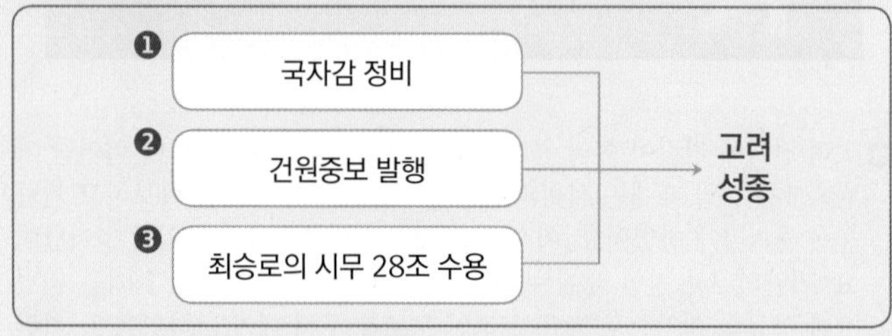

❶ 국자감은 고려 시대 수도 개경에 설치된 국립 교육 기관이에요. 성종은 유학 교육을 장려하면서 국자감을 정비하였어요.
❷ 성종은 우리나라 최초의 금속 화폐인 건원중보를 발행하였어요.
❸ 성종은 최승로가 올린 시무 28조를 수용하여 유교 이념을 바탕으로 통치 체제를 정비하였어요.

① 광종
➡ 고려 광종은 노비안검법을 실시하여 불법으로 노비가 된 사람의 신분을 다시 양인으로 되돌려 주었어요. 또 쌍기의 건의를 받아들여 과거제를 시행하였어요.

② 문종
➡ 고려 문종은 법률을 정비하였으며, 유학을 장려하여 최충의 9재 학당을 비롯한 사학 12도가 융성하였어요.

③ 성종
➡ 고려 성종은 전국의 주요 지역에 12목을 설치하고 지방관을 보냈으며, 지방에 경학박사와 의학박사를 파견하였어요.

④ 예종
➡ 고려 예종은 관학 진흥을 위해 국자감에 전문 강좌인 7재를 개설하고 장학 재단인 양현고를 설치하였어요. 또 윤관이 이끄는 별무반을 파견하여 여진을 정벌하였어요.

핵심 개념 고려 성종의 정책

구분	내용
정치	• 최승로가 올린 시무 28조 수용 → 유교를 통치 이념으로 삼음 • 중국 제도를 참고하여 2성 6부의 중앙 정치 조직 마련 • 전국 주요 지역에 12목을 설치하고 지방관 파견 • 향리 제도 정비
경제	건원중보(우리나라 최초의 금속 화폐) 주조
사회	물가 조절 기구로 상평창 설치
문화	• 국립 교육 기관인 국자감 정비 • 지방에 경학박사와 의학박사 파견

14 고려의 경제 상황

정답 ③

다음 대화가 이루어진 시기의 경제 상황으로 가장 적절한 것은? [2점]

정답 잡는 키워드

❶ 송 사신단이 수도 개경에 도착 → 고려

❶ 개경은 고려의 수도예요. 고려는 중국의 송과 활발하게 교류하여 주로 종이, 나전 칠기, 인삼 등을 수출하고 비단, 서적, 차 등을 수입하였어요.

① 공인이 관청에 물품을 조달하였다.
➡ 조선 후기에 대동법이 시행되면서 관청에서 필요로 하는 물품을 조달하는 공인이 등장하였어요.

② 모내기법이 전국적으로 확산되었다.
➡ 조선 후기에 모내기법이 전국적으로 확산되어 농업 생산력이 증가하였어요.

③ 벽란도가 국제 무역항으로 기능하였다.
➡ **고려** 시대에는 수도 개경 부근에 있는 예성강 하구의 벽란도가 국제 무역항으로 번성하였어요.

④ 고추와 담배가 상품 작물로 재배되었다.
➡ 조선 후기에 고추, 담배 등이 전래되어 상품 작물로 재배되었어요.

기출 선택지 +α

❺ 전시과 제도가 실시되었다. (O/X)
❻ 만상, 내상 등이 활발하게 활동하였다. (O/X)
❼ 시장을 감독하기 위한 동시전이 설치되었다. (O/X)
❽ 활구라고도 불린 은병이 화폐로 사용되었다. (O/X)

기출 선택지 +α 정답 ⑤○ ⑥×[조선 후기] ⑦×[신라] ⑧○

15 고려의 대몽 항쟁

정답 ②

(가)에 들어갈 내용으로 가장 적절한 것은? [2점]

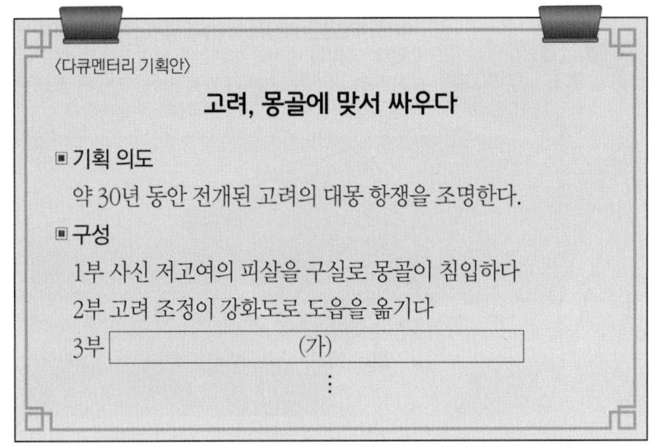

✪ 고려는 13세기에 여러 차례 몽골의 침입을 받았어요. 13세기 칭기즈 칸에 의해 통일된 몽골은 막강한 군사력을 바탕으로 세력을 확장하였어요. 몽골 사신 저고여가 귀국길에 피살된 사건을 빌미로 몽골은 고려를 침략하였어요. 몽골의 침략에 대응하여 고려 정부는 당시 최고 집권자였던 최우의 주장에 따라 장기 항전을 위해 개경에서 강화도로 도읍을 옮겼어요.

① 윤관이 별무반 편성을 건의하다
➡ 고려 숙종 때 윤관은 기병이 주력인 여진을 정벌하기 위해 별무반 편성을 건의하였어요.

② 김윤후가 처인성 전투에서 활약하다
➡ **몽골**이 고려를 침입하였을 때 김윤후 부대가 처인성 전투에서 몽골 장수 살리타를 사살하고 몽골군을 물리쳤어요.

③ 을지문덕이 살수에서 적군을 물리치다
➡ 고구려가 수의 침입을 받았을 때 을지문덕이 수의 별동대를 살수에서 크게 물리쳤어요.

④ 서희가 외교 담판을 통해 강동 6주 지역을 확보하다
➡ 거란의 1차 침입 당시 고려의 서희가 거란 장수 소손녕과 외교 담판을 벌여 거란군을 물러가게 하고 강동 6주 지역을 확보하였어요.

16 고려의 문화유산

정답 ④

(가)에 들어갈 가상 우표로 가장 적절한 것은? [1점]

정답 잡는 **키워드**

❶ 태조 왕건이 세운 국가 → **고려**

❶ 후고구려를 세운 궁예가 미륵불을 자처하며 무리하게 왕권을 강화하다가 신하들에 의해 쫓겨난 뒤 왕건이 왕으로 추대되어 고려를 건국하였어요(918).

①

산수무늬 벽돌

➡ 백제의 문화유산인 산수무늬 벽돌에는 도교의 이상 세계가 표현되어 있어요.

②

도기 바퀴장식 뿔잔

➡ 도기 바퀴장식 뿔잔은 출토된 곳이 알려지지 않은 가야 토기예요.

③

황남 대총 금관

➡ 황남 대총 금관은 신라의 고분인 황남 대총에서 출토된 금관이에요. 신라 금관의 전형적인 모습을 보여 주며, 다른 신라 금관들보다 옥 장식이 많이 달려 있어 더 화려해 보여요.

④

청자 상감 운학문 매병

➡ 청자 상감 운학문 매병은 **고려** 시대에 만들어진 상감 청자예요. 상감 기법은 그릇 표면에 무늬를 새겨 파내고 그 안을 백토나 흑토 등 다른 재질의 재료로 채워 장식하는 고려의 독창적인 도자기 장식 기법이에요.

17 고려 공민왕 재위 시기의 사실 정답 ③

밑줄 그은 '왕'의 재위 기간에 있었던 사실로 옳은 것은? [2점]

정답 잡는 키워드

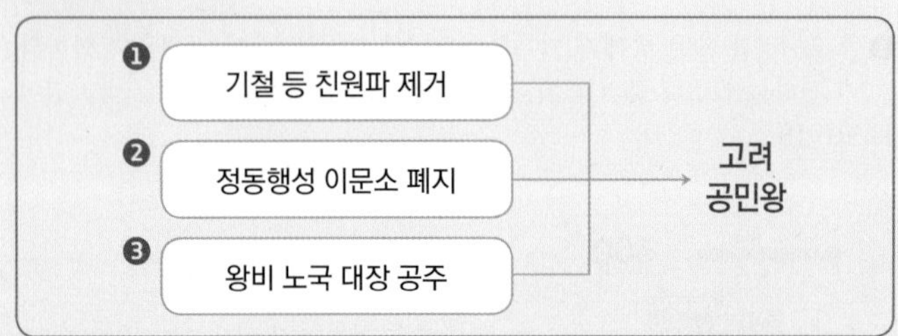

❶ 공민왕은 원의 세력을 등에 업고 권력을 잡아 세도를 부리던 기철 등 친원파를 제거하였어요.
❷ 공민왕은 고려의 내정에 간섭하던 정동행성 이문소를 폐지하였어요.
❸ 원 간섭기에 고려의 왕은 원의 공주와 혼인하였어요. 노국 대장 공주는 공민왕의 왕비로 공민왕의 정책을 지원해 주었어요.

① 동북 9성을 축조하였다.
➡ 고려 예종 때 윤관이 별무반을 이끌고 여진을 정벌한 후 동북 9성을 축조하였어요.

② 독서삼품과가 실시되었다.
➡ 신라 원성왕 때 유학을 공부하여 학문적 능력을 갖춘 인재를 등용하기 위해 독서삼품과를 실시하였어요.

③ 쌍성총관부를 공격하였다.
➡ **고려 공민왕** 때 고려군이 쌍성총관부를 공격하여 원에 빼앗겼던 철령 이북의 영토를 되찾았어요.

④ 백두산정계비가 건립되었다.
➡ 조선 숙종 때 청과의 경계를 정한 백두산정계비가 건립되었어요.

기출 선택지 +α

⑤ 북한산 순수비를 세웠다. (O/X)
⑥ 나선 정벌을 단행하였다. (O/X)
⑦ 노비안검법을 시행하였다. (O/X)
⑧ 전민변정도감을 설치하였다. (O/X)

기출 선택지 +α 정답 ⑤ ×[신라 진흥왕] ⑥ ×[조선 효종] ⑦ ×[고려 광종] ⑧ ○

18 정도전의 활동 정답 ④

(가)에 해당하는 인물로 옳은 것은? [2점]

정답 잡는 키워드

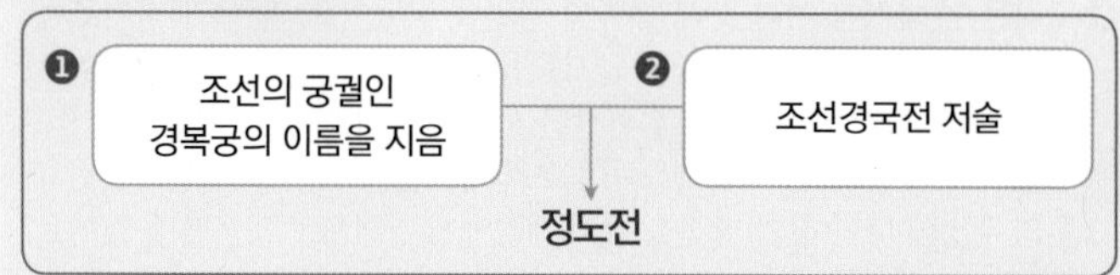

❶ 경복궁은 조선 건국 이후 한양으로 도읍을 옮기면서 가장 먼저 지은 궁궐이에요. 정도전은 경복궁과 주요 건물의 이름을 지었으며 한양 도성을 설계하였어요.
❷ 정도전은 조선의 통치 기준과 운영 원칙을 제시한 법전인 "조선경국전"을 지어 태조에게 바쳤어요.

①

송시열

➡ 송시열은 조선 후기의 학자이자 관리입니다. 효종과 함께 북벌을 주장하였으며, 서인이 노론과 소론으로 분열한 뒤 노론을 이끌었어요.

②

채제공

➡ 채제공은 조선 후기의 관리로 영조와 정조 시기에 활동하였어요. 정조에게 육의전을 제외한 시전 상인의 금난전권을 폐지할 것(신해통공)을 건의하였어요.

③

정몽주

➡ 정몽주는 고려 말의 학자이자 관리로, 성균관 대사성을 역임하였어요. 조선 건국 세력에 맞서 고려 왕조를 지키고자 하였으나 이로 인해 이방원 세력에 의해 죽임을 당하였어요.

④

정도전

➡ 정도전은 이성계를 도와 조선 건국을 주도하였으며, 건국 초기 국가의 기틀을 마련하는 데 큰 역할을 하였어요.

19 의금부

정답 ②

(가)에 들어갈 기구로 옳은 것은? [2점]

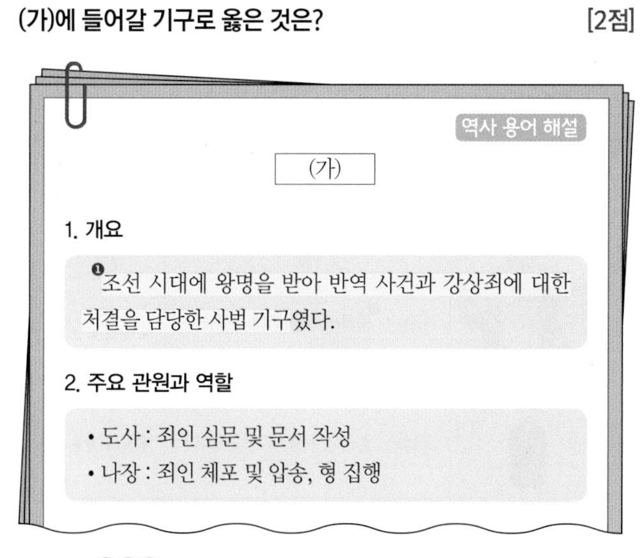

정답 잡는 키워드

❶ 조선 시대에 왕명을 받아 반역 사건과 강상죄에 대한 처결을 담당한 사법 기구 → 의금부

❶ 의금부는 조선 시대에 왕명을 받아 나라의 중죄인을 다스리는 국왕 직속의 사법 기구였어요. 반역죄나 강상죄(유교 윤리에 어긋나는 죄)를 저지른 죄인에 대한 처결을 담당하였어요.

① 사헌부
➡ 사헌부는 관리의 비리를 감찰하고 풍속을 바로잡는 일 등을 한 조선의 중앙 정치 기구입니다. 사헌부의 관리는 사간원의 관리와 함께 대간이라고 불리기도 하였어요.

② 의금부
➡ 의금부는 조옥, 금부라고 불리기도 하였어요.

③ 춘추관
➡ 춘추관은 역사서의 편찬과 보관을 담당하였어요.

④ 홍문관
➡ 홍문관은 궁궐 내 서적을 관리하고 왕의 자문에 응하며 경연을 주관하는 일을 담당한 조선의 중앙 정치 기구입니다. 사헌부, 사간원과 함께 3사로 불리기도 하였어요.

핵심 개념 조선의 중앙 정치 기구

기구	역할	비고
의정부	영의정, 좌의정, 우의정 등 재상들이 정책을 심의·결정하여 국정을 총괄한 최고 기구	
6조	이조, 호조, 예조, 병조, 형조, 공조가 실제 정책 집행 담당	
사헌부	관리의 비리 감찰, 풍속 교정 담당	3사 → 언론 기능 담당
사간원	왕에게 간언을 함	
홍문관	궁궐 내의 서적 관리, 왕의 자문에 응함, 경연 주관	
승정원	왕의 비서 기관, 왕명 출납 담당	왕권 강화
의금부	나라의 중죄인을 다스리는 국왕 직속의 사법 기구	
한성부	수도 한성의 행정과 치안 담당	
춘추관	역사서의 편찬과 보관 담당	
성균관	최고 교육 기관	

20 조선 세조의 정책

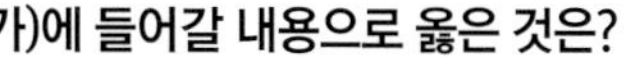

정답 ①

(가)에 들어갈 내용으로 옳은 것은? [3점]

(앞면)

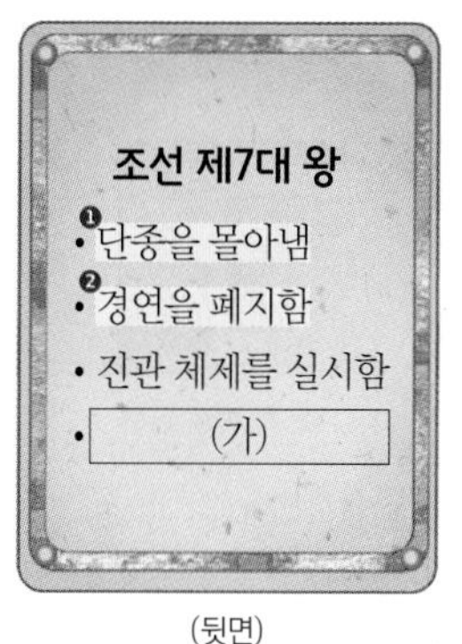

(뒷면)

정답 잡는 키워드

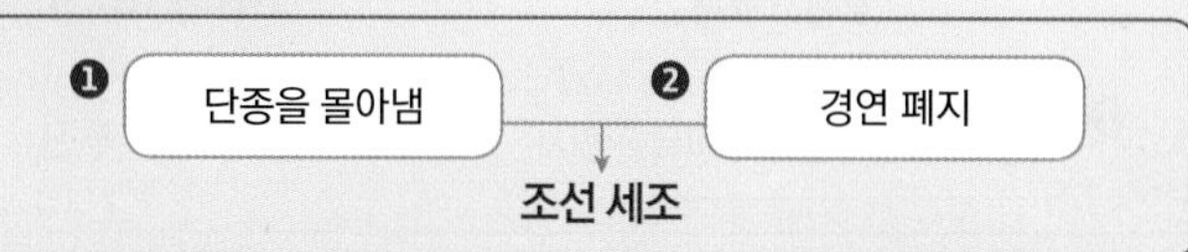

❶ 세조는 계유정난을 통해 정권을 장악한 후 단종을 몰아내고 왕위에 올랐어요.
❷ 세조는 성삼문 등 집현전 출신 학자들이 단종 복위 운동을 일으키자 이를 진압하고, 자신을 견제하던 집현전과 경연을 폐지하였어요.

① 직전법을 시행함
➡ **조선 세조**는 관리에게 수조권을 지급할 토지가 부족해지자 현직 관리에게만 토지의 수조권을 지급하는 직전법을 시행하였어요.

② 탕평비를 건립함
➡ 조선 영조는 탕평의 의지를 널리 알리기 위해 성균관 입구에 탕평비를 건립하였어요.

③ 교정도감을 설치함
➡ 고려 무신 집권기에 최충헌은 교정도감을 설치하여 반대 세력을 감시하고 국가의 중요 정책을 결정하였어요. 교정도감은 최씨 무신 정권의 최고 권력 기구의 역할을 하였어요.

④ 금난전권을 폐지함
➡ 조선 정조는 신해통공을 실시하여 육의전을 제외한 시전 상인의 금난전권을 폐지하였어요.

기출 선택지 +α

- ⑤ 현량과를 실시함 (O/X)
- ⑥ 훈민정음을 창제함 (O/X)
- ⑦ 6조 직계제를 시행함 (O/X)
- ⑧ 5군영 체제를 완성함 (O/X)

핵심 개념 조선 세조의 정책

구분	내용
정치	• 계유정난으로 정권을 장악한 후 즉위 → 왕권 강화 정책 추진 • 6조 직계제를 다시 시행함 • 집현전과 경연을 폐지함 • "경국대전"의 편찬을 시작함 • 군사 제도를 개편하여 지역 단위의 방위 체제인 진관 체제를 실시함
경제	국가 재정을 확보하기 위해 직전법을 실시함

기출 선택지 +α 정답 ⑤ ×[조선 중종] ⑥ ×[조선 세종] ⑦ ○ ⑧ ×[조선 숙종]

21 조선 후기의 정치 변화

정답 ①

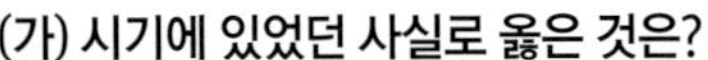

(가) 시기에 있었던 사실로 옳은 것은? [2점]

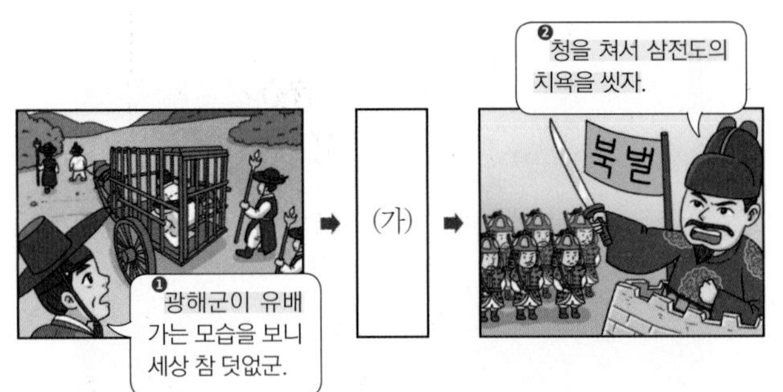

정답 잡는 키워드

❶ 조선 후기 광해군은 명과 후금 사이에서 중립 외교 정책을 폈어요. 이에 반대하던 서인 세력은 광해군이 이복동생인 영창 대군을 살해하고 인목 대비를 폐위한 것을 빌미로 **인조반정**을 일으켜 광해군을 왕위에서 몰아내 유배 보내고 인조를 왕위에 올렸어요.

❷ 병자호란 이후 청을 공격하여 삼전도에서 당한 치욕을 씻자는 북벌 운동이 추진되었어요. 청에 볼모로 끌려갔다가 돌아와 왕위에 오른 **효종** 때 북벌 운동이 왕성하게 추진되었으나 실제로 이루어지지는 못하였어요.

① 병자호란이 일어났다.
➡ **인조반정 이후** 인조와 서인 정권은 친명배금 정책을 추진하였고, 이것이 구실이 되어 정묘호란과 병자호란을 겪게 되었어요. 병자호란 당시 인조는 남한산성에 들어가 항전하였으나 결국 청에 굴복하였고 삼전도에서 굴욕적인 항복 의식을 치렀어요.

② 4군 6진이 개척되었다.
➡ **조선 세종** 때 최윤덕과 김종서를 파견하여 여진을 정벌하고 4군 6진을 개척하였어요.

③ 훈련도감이 창설되었다.
➡ 조선 선조 때 일어난 **임진왜란 중**에 훈련도감이 창설되었어요.

④ 외규장각 도서가 약탈되었다.
➡ 흥선 대원군 집권 시기에 일어난 **병인양요** 당시 강화도를 침략한 프랑스군이 퇴각하면서 외규장각 도서를 약탈하였어요.

기출 선택지 +α

⑤ 예송이 발생하였다. (O/X)
⑥ 경국대전이 완성되었다. (O/X)
⑦ 사림이 동인과 서인으로 나뉘었다. (O/X)

연표로 흐름잡기

- 1623 인조반정 → 광해군이 폐위되고 인조가 즉위함
- 1627 정묘호란
- 1636 병자호란 발발 → 이후 인조가 삼전도에서 항복 의식을 치름(1637)
- 1649 효종 즉위 → 북벌 정책 추진

기출 선택지 +α 정답 ⑤ ×[조선 현종] ⑥ ×[조선 성종] ⑦ ×[조선 선조]

22 조선 태종의 업적

정답 ③

(가) 왕의 업적으로 옳지 않은 것은? [3점]

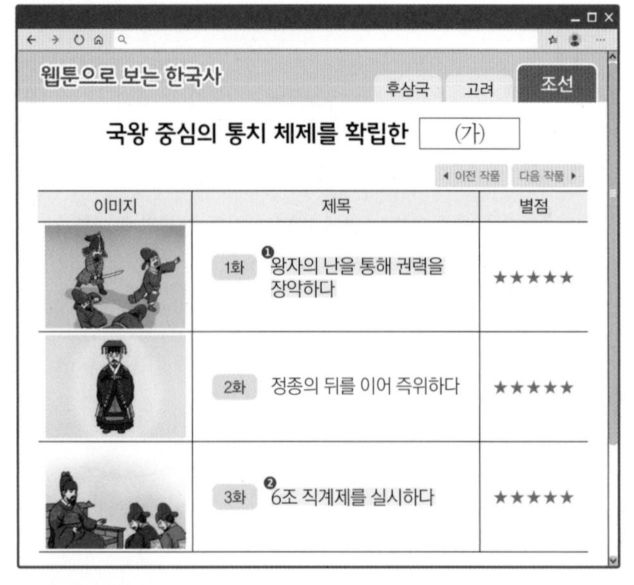

정답 잡는 키워드

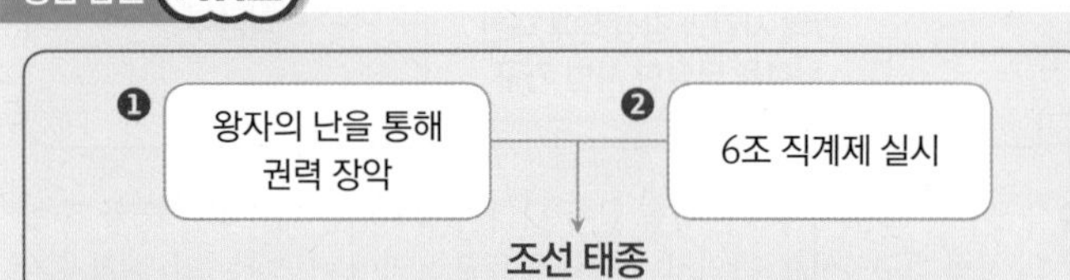

❶ 태종은 두 차례 왕자의 난을 통해 정도전 등 반대 세력을 제거하고 권력을 장악한 후 정종의 뒤를 이어 조선의 제3대 왕이 되었어요.

❷ 태종은 국왕 중심의 통치 체제를 확립하기 위해 의정부를 거치지 않고 6조에서 직접 왕에게 업무를 보고하는 6조 직계제를 실시하였어요.

① 신문고를 설치하였다.
➡ 신문고는 백성의 억울한 일을 해결해 줄 목적으로 궁궐 밖에 달았던 북으로, 조선 **태종**이 처음으로 설치하였어요.

② 계미자를 주조하였다.
➡ 조선 **태종**은 인쇄 업무를 담당하는 관청으로 주자소를 설치하고 이전의 금속 활자를 개량하여 계미자를 주조하게 하였어요.

③ 칠정산을 편찬하였다.
➡ 조선 **세종**은 한양을 기준으로 한 역법서인 "칠정산"을 편찬하였어요.

④ 호패법을 마련하였다.
➡ 조선 **태종**은 16세 이상 모든 남성에게 일종의 신분증인 호패를 차고 다니게 하는 호패법을 처음으로 실시하였어요. 이를 통해 인구를 파악하여 세금 징수와 군역 동원 등에 활용하고자 하였어요.

23 앙부일구 정답 ④

(가)에 들어갈 문화유산으로 옳은 것은? [1점]

정답 잡는 키워드

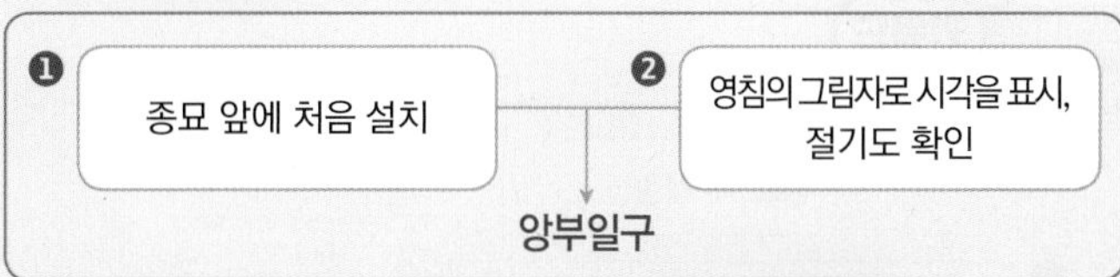

❶ 조선 세종은 앙부일구를 한성의 혜정교와 종묘 앞에 설치하여 많은 백성이 시간을 알 수 있게 하였어요.
❷ 앙부일구는 해그림자로 시각을 알 수 있게 만든 해시계입니다. 계절선으로 절기를 표시하여 시각과 함께 동지나 하지와 같은 절기도 알 수 있었어요.

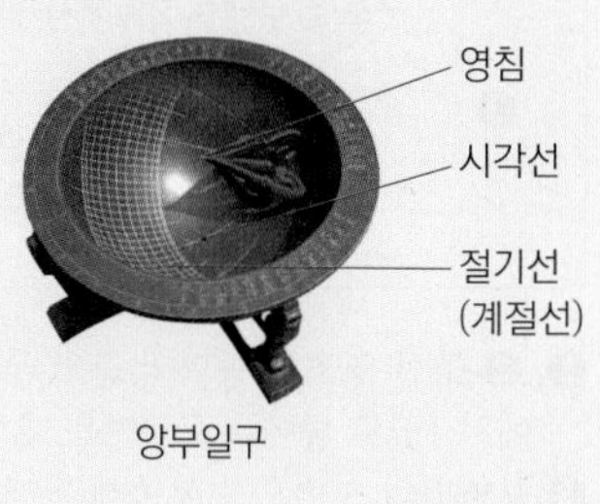

앙부일구

① 자격루
➡ 자격루는 자동으로 시간을 알려 주는 장치를 갖춘 물시계예요. 세종 때 장영실, 이천 등이 처음 만들었어요.

② 측우기
➡ 측우기는 비가 내린 양(강우량)을 측정할 수 있는 기구예요. 세종 때 한성의 천문 관서와 지방 관아에 설치하도록 하여 전국 각지의 강우량을 측량하였어요.

③ 혼천의
➡ 혼천의는 천체의 운행과 위치를 연구하기 위한 천문 관측기구예요.

④ 앙부일구
➡ 앙부일구는 '하늘을 우러르고 있는 가마솥 모양의 해시계'라는 뜻으로 세종 때 처음 만들어졌어요.

24 조광조의 활동 정답 ④

(가) 인물의 활동으로 옳은 것은? [2점]

정답 잡는 키워드

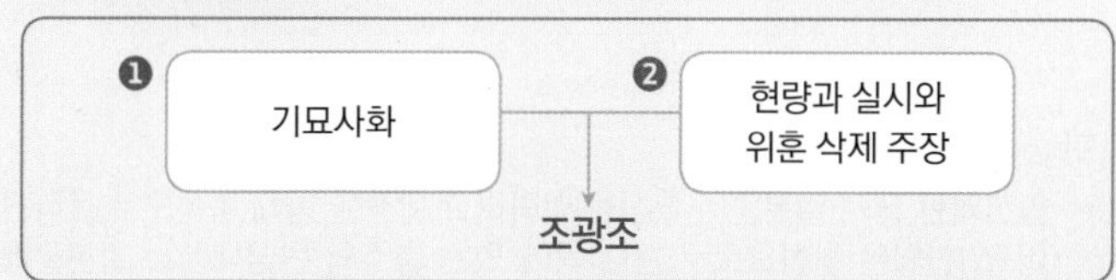

❶, ❷ 조광조는 조선 중종 때 등용되어 추천을 통해 학문과 덕행이 뛰어난 인물을 관리로 뽑는 현량과 실시를 건의하였어요. 또 중종반정으로 공신이 된 사람 중에서 공이 없거나 공을 부풀려 부당하게 공신이 된 사람의 거짓 공훈을 삭제할 것(위훈 삭제)을 주장하였어요. 이에 훈구 세력이 반발하여 기묘사화가 일어나 조광조가 제거되었어요.

① 발해고를 저술하였다.
➡ 조선 후기에 유득공이 "발해고"를 저술하였어요. 유득공은 "발해고"에서 처음으로 신라와 발해를 '남북국'이라고 칭하였어요.

② 대동여지도를 제작하였다.
➡ 조선 후기에 김정호가 대동여지도를 제작하였어요. 대동여지도는 우리나라 전국 지도로, 22첩의 목판본으로 제작되었어요.

③ 백운동 서원을 건립하였다.
➡ 조선 전기에 풍기 군수 주세붕이 백운동 서원을 건립하였어요. 백운동 서원은 우리나라 최초의 서원이며, 이후 이황의 건의로 사액 서원이 되면서 소수 서원으로 이름이 바뀌었어요.

④ 소격서 폐지를 건의하였다.
➡ **조광조**는 도교 의식을 주관하던 소격서의 폐지를 건의하였어요.

기출 선택지 +α

⑤ 추사체를 창안하였다. (O/X)
⑥ 성학집요를 저술하였다. (O/X)
⑦ 시헌력 도입을 주장하였다. (O/X)

핵심 개념	조광조의 활동
등용	중종이 훈구 세력을 견제하기 위해 조광조 등 사림 세력 등용
개혁 정책	도학 정치 추구, 소격서 폐지, 현량과 실시, 위훈 삭제 주장 → 훈구 세력의 반발로 기묘사화가 일어나 사사됨

기출 선택지 +α 정답 ⑤ ×[김정희] ⑥ ×[이이] ⑦ ×[김육]

25 임진왜란

정답 ③

다음 답사가 이루어진 장소로 적절하지 않은 것은? [2점]

① 탄금대

➡ **임진왜란** 당시 일본군이 부산을 함락하고 한성을 향해 북쪽으로 올라왔어요. 신립은 한성으로 가는 길목에 있는 충주의 탄금대에서 일본군에 맞서 싸웠으나 패배하였어요.

② 행주산성

➡ **임진왜란** 당시 행주산성에서 권율의 지휘 아래 관민이 힘을 합쳐 일본군에 큰 승리를 거두었어요(행주 대첩).

③ 수원 화성

➡ **조선 후기 정조**는 자신의 정치적 이상을 담은 신도시로 수원 화성을 건설하였어요.

④ 울산 왜성

➡ 왜성은 **임진왜란** 당시 일본군이 조선에 세운 성곽을 말해요. 조·명 연합군에 쫓긴 일본군이 울산 왜성을 쌓고 이곳에서 저항하였어요.

26 균역법

정답 ②

(가)에 들어갈 제도로 옳은 것은? [1점]

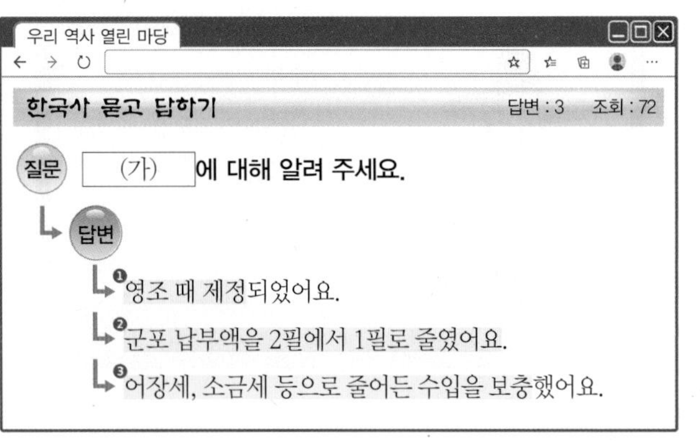

정답 잡는 키워드

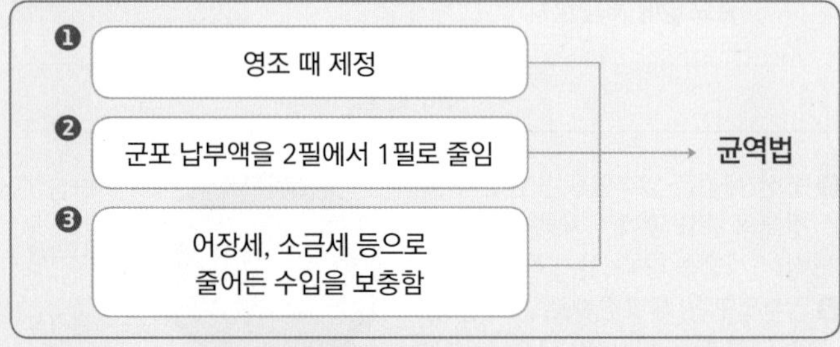

❶, ❷ 조선 영조는 농민의 군역 부담을 덜어 주기 위해 군포 납부액을 2필에서 1필로 줄이는 균역법을 제정하였어요.

❸ 균역법의 시행으로 부족해진 재정 수입을 보충하기 위해 지주에게 토지 1결당 쌀 2두의 결작을 거두고, 일부 부유한 상민에게 선무군관의 칭호를 주고 매년 1필의 선무군관포를 징수하였어요. 또, 왕실 재정으로 들어가던 어장세, 소금세 등을 국가 재정으로 돌렸어요.

① 과전법

➡ 과전법은 관직 복무에 대한 대가로 전·현직 관리에게 경기 지역에 한해 토지의 수조권을 지급한 법이에요. 고려 말 공양왕 때 제정되어 조선 초기까지 시행되었어요.

② 균역법

➡ 균역법은 군대를 가지 않는 대신 납부하는 군포를 2필에서 1필로 줄여 준 법이에요.

③ 대동법

➡ 대동법은 방납의 폐단을 바로잡기 위해 공납을 특산물 대신 소유한 토지 결수에 따라 쌀이나 옷감, 동전 등으로 납부하게 한 법이에요. 조선 광해군 때 경기도에서 처음 실시되어 점차 확대되었어요.

④ 영정법

➡ 영정법은 전세를 풍흉에 관계없이 토지 1결당 쌀 4~6두로 고정시킨 법으로, 조선 인조 때부터 시행되었어요.

27 신윤복의 작품

정답 ④

(가)에 들어갈 그림으로 옳은 것은? [2점]

✪ 혜원 신윤복은 조선 후기 풍속화가로 단오풍정, 미인도 등 양반의 풍류와 여성의 생활을 보여 주는 그림을 많이 남겼어요.

씨름도

➡ 씨름도는 조선 후기 풍속화가 김홍도의 작품이에요.

②

노상알현도

➡ 노상알현도는 조선 후기에 김득신이 길에서 만난 양반과 상민의 모습을 그린 작품이에요.

③

고사관수도

➡ 고사관수도는 조선 전기에 강희안이 그린 그림이에요. 흐르는 물을 바라보는 선비의 모습을 표현하였어요.

④

월하정인

➡ 월하정인은 **신윤복**의 작품으로 한밤중에 만나는 남녀의 모습을 표현하였어요.

28 진주 농민 봉기

정답 ②

밑줄 그은 '봉기'에 대한 설명으로 옳은 것은? [2점]

정답 잡는 키워드

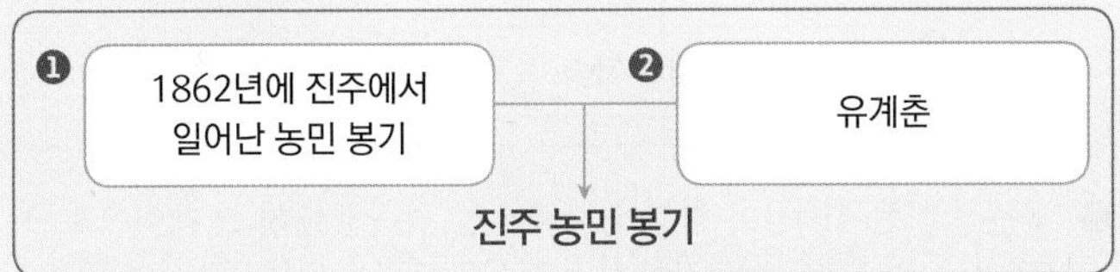

❶, ❷ 조선 후기에 세도 정치로 인한 정치 혼란과 삼정의 문란으로 백성의 삶이 피폐해졌어요. 이러한 상황에서 1862년에 진주에서 경상 우병사 백낙신의 수탈에 항거하여 유계춘의 주도로 농민 봉기가 일어났어요. 진주 농민 봉기 이후 전국 각지에서 농민 봉기가 잇달아 일어났는데, 이해가 임술년이라 이 시기에 일어난 농민 봉기를 임술 농민 봉기라고 합니다.

① 김부식이 이끄는 관군에 진압되었다.

➡ 고려 인종 때 서경 세력이 주장한 서경 천도가 받아들여지지 않자 묘청 등이 서경에서 반란을 일으켰어요. 묘청의 난은 김부식이 이끄는 관군에 진압되었어요.

② 삼정이정청이 설치되는 계기가 되었다.

➡ **진주 농민 봉기**가 일어나자 조선 정부는 사태 수습을 위해 박규수를 안핵사로 파견하였어요. 박규수는 삼정의 문란을 바로잡기 위한 삼정이정청의 설치를 건의하였고, 조선 정부는 이를 수용하여 삼정이정청을 설치하였어요.

③ 서북인에 대한 차별에 반발하여 일어났다.

➡ 조선 순조 때 서북인에 대한 차별과 세도 정권의 수탈에 항거하여 홍경래의 난이 일어났어요.

④ 흥선 대원군이 재집권하는 결과를 가져왔다.

➡ 1882년에 임오군란이 일어나자 조선 고종은 사태 수습을 흥선 대원군에게 맡겼고, 흥선 대원군이 다시 집권하였어요.

기출 선택지 +α

❺ 홍경래가 봉기를 주도하였다.	(O/X)
❻ 백낙신의 횡포가 계기가 되었다.	(O/X)
❼ 남접과 북접이 논산에서 연합하였다.	(O/X)
❽ 우정총국 개국 축하연을 이용하여 일어났다.	(O/X)

기출 선택지 +α 정답 ⑤ ×[홍경래의 난] ⑥ ○ ⑦ ×[동학 농민 운동] ⑧ ×[갑신정변]

29 정약용의 활동 정답 ①

(가) 인물의 활동으로 옳은 것은? [2점]

정답 잡는 키워드

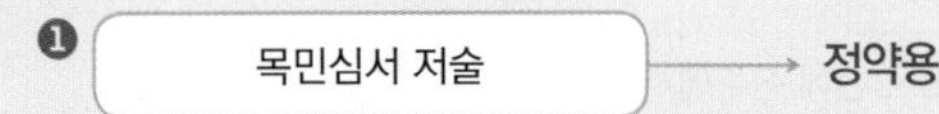

❶ "목민심서"는 정약용이 수령이 지켜야 할 덕목에 대해 쓴 책이에요. 정약용은 조선 후기의 실학자로 토지 제도의 개혁을 위해 여전론을 주장하였어요. 이후 실현이 어려운 여전론 대신 정전제를 주장하였어요. 또한, "목민심서", "경세유표" 등 많은 책을 저술하였어요.

① 거중기를 설계하였다.
➡ **정약용**은 "기기도설"을 참고하여 거중기를 설계하였어요. 거중기는 수원 화성을 축조할 때 이용되었어요.

② 몽유도원도를 그렸다.
➡ 조선 전기의 화원 안견은 안평 대군의 꿈 이야기를 듣고 몽유도원도를 그렸어요.

③ 동의보감을 완성하였다.
➡ 조선 광해군 때 허준은 전통 의학을 집대성한 "동의보감"을 완성하였어요.

④ 열하일기를 저술하였다.
➡ 조선 후기의 실학자 박지원은 사절단을 따라 청에 다녀온 후 그곳에서 보고 들은 것을 기록한 "열하일기"를 저술하였어요.

기출 선택지 +α

⑤ 동학을 창시하였다. (O/X)
⑥ 여전론을 주장하였다. (O/X)
⑦ 북학의를 저술하였다. (O/X)
⑧ 사상 의학을 확립하였다. (O/X)

기출 선택지 +α 정답 ⑤ ×[최제우] ⑥ ○ ⑦ ×[박제가] ⑧ ×[이제마]

30 신미양요 이후의 사실 정답 ③

다음 대화 이후에 있었던 사실로 옳은 것은? [2점]

정답 잡는 키워드

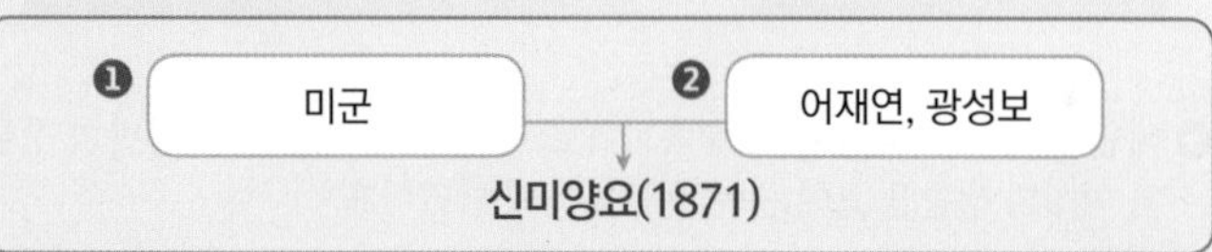

❶, ❷ 1871년에 미군이 제너럴 셔먼호 사건을 빌미로 강화도를 침략하여 신미양요가 일어났어요. 이때 어재연이 이끄는 조선군이 광성보에서 미군에 끝까지 맞서 싸웠으나 패하였고 결국 광성보가 함락되었어요.

① 병인박해가 일어났다.
➡ 1866년에 프랑스 선교사와 많은 천주교도가 처형된 병인박해를 구실로 프랑스군이 강화도를 침략하여 병인양요가 일어났어요.

② 장용영이 창설되었다.
➡ 18세기 후반 조선 정조 때 국왕 친위 부대인 장용영이 창설되었어요.

③ 척화비가 건립되었다.
➡ **신미양요 이후** 흥선 대원군은 서양 세력과의 통상 수교 거부 의지를 담은 척화비를 전국 각지에 세웠어요.

④ 화통도감이 설치되었다.
➡ 고려 말에 최무선의 건의로 화포와 화약 무기를 개발하는 화통도감이 설치되었어요.

기출 선택지 +α

⑤ 제너럴 셔먼호 사건이 발생하였다. (O/X)
⑥ 양헌수가 정족산성에서 항전하였다. (O/X)
⑦ 오페르트가 남연군 묘 도굴을 시도하였다. (O/X)

핵심 개념 신미양요(1871)

원인	미국이 제너럴 셔먼호 사건(1866)을 구실로 조선 정부에 배상금 지불과 통상 요구 → 흥선 대원군이 거부
전개	미군이 강화도를 침략하여 초지진과 덕진진 점령 → 어재연이 이끄는 조선군 수비대가 광성보에서 미군에 맞서 싸움(미군이 어재연 장군의 수자기 탈취) → 끈질긴 조선군의 항전으로 미군 철수
영향	전국 각지에 척화비를 세워 통상 수교 거부 의지를 널리 알림

기출 선택지 +α 정답 ⑤ ×[1866년] ⑥ ×[1866년, 병인양요] ⑦ ×[1868년]

31 보빙사

정답 ①

밑줄 그은 '사절단'으로 옳은 것은? [2점]

❶ 이 그림은 1883년 미국 신문에 실린 삽화입니다. 푸트 미국 공사의 조선 부임에 대한 답례로 파견된 민영익 등의 사절단이 아서 대통령을 만나는 상황을 표현하였습니다.

정답 잡는 키워드

❶ 미국 공사의 조선 부임에 대한 답례로 파견됨 → 보빙사

❶ 1882년에 조선은 미국과 조·미 수호 통상을 체결하였어요. 조·미 수호 통상 조약은 조선이 서양과 체결한 최초의 조약이었어요. 조약 체결 이후 미국에서 조선에 공사를 보내자 조선 정부는 이에 대한 답례로 민영익을 전권대신으로 한 보빙사를 파견하였어요. 보빙사는 미국 대통령을 접견하고 근대 문물과 시설을 시찰한 뒤 돌아왔어요.

① 보빙사
➡ 보빙사는 서양에 파견된 우리나라 최초의 사절단이었어요. 전권대신 민영익을 비롯하여 개화파 인사들과 통역 등으로 구성되었어요.

② 수신사
➡ 수신사는 강화도 조약 체결 이후 일본에 파견한 공식 외교 사절단이에요.

③ 영선사
➡ 영선사는 근대 무기 제조 기술과 군사 훈련법을 배워 오기 위해 청에 파견한 사절단이에요.

④ 조사 시찰단
➡ 조사 시찰단은 일본의 근대 문물을 시찰하기 위해 파견한 사절단이에요. 개화 반대 여론을 고려하여 암행어사 형태로 비밀리에 파견되었어요.

32 최익현의 활동

정답 ②

(가)에 해당하는 인물로 옳은 것은? [1점]

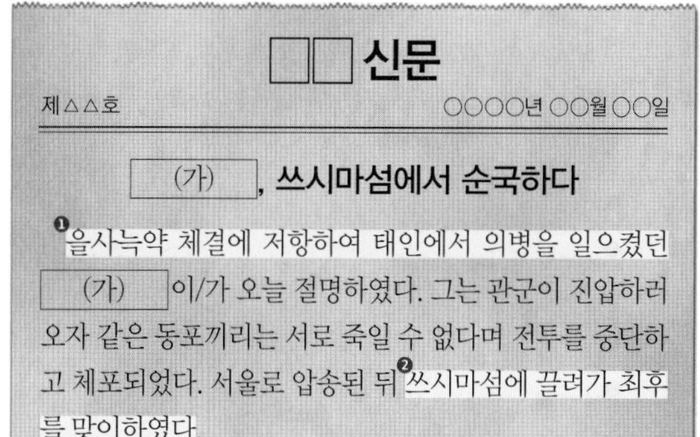

□□ 신문

제△△호 ○○○○년 ○○월 ○○일

(가), 쓰시마섬에서 순국하다

❶ 을사늑약 체결에 저항하여 태인에서 의병을 일으켰던 (가) 이/가 오늘 절명하였다. 그는 관군이 진압하러 오자 같은 동포끼리는 서로 죽일 수 없다며 전투를 중단하고 체포되었다. 서울로 압송된 뒤 ❷ 쓰시마섬에 끌려가 최후를 맞이하였다.

정답 잡는 키워드

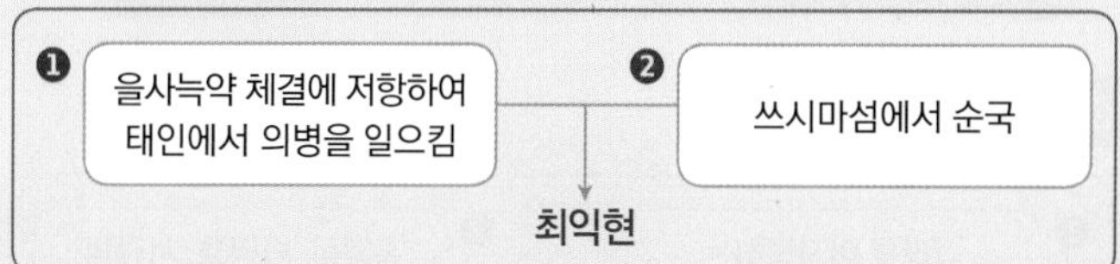

❶, ❷ 최익현은 을사늑약이 체결되자 이에 항거하여 전라북도 태인에서 의병을 일으켰어요(을사의병). 최익현은 체포된 후 쓰시마섬에 유배되었고 그곳에서 순국하였어요.

①

신돌석

➡ 신돌석은 을사의병 당시 활약한 평민 출신 의병장이에요. 경상북도와 강원도 경계 지역에서 주로 활동하였어요.

②

최익현

➡ 최익현은 일본의 요구로 개항이 추진되자 일본과 서양 세력은 본질적으로 같다는 왜양일체론을 주장하며 일본과의 조약 체결에 반대하였어요.

③

안중근

➡ 안중근은 만주 하얼빈에서 을사늑약 체결에 앞장섰던 이토 히로부미를 저격하였어요.

④

홍범도

➡ 홍범도는 대한 독립군을 이끌고 봉오동 전투에서 일본군을 크게 물리쳤어요.

33 갑신정변

정답 ①

밑줄 그은 '비상 수단'에 해당하는 사건으로 옳은 것은? [2점]

❶나라를 어지럽히는 신하를 살해하고, 국왕을 보호하여 정령(政令)*의 남발을 막을 수밖에 없었다. 그러므로 희생을 무릅쓰고 비상 수단을 쓰기로 결심한 것이다.

❷홍영식 : 모의를 총괄한 제1인자
❷박영효 : 실행 총지휘
❷서광범 : 거사 계획 수립
❷김옥균 : 일본 공사관과의 교섭 및 통역
❷서재필 : 병사 통솔

- 박영효의 회고 -

*정령(政令) : 정치상의 명령

정답 잡는 키워드

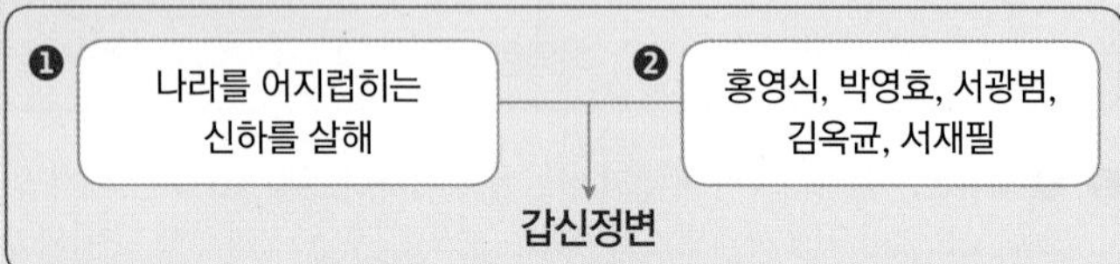

❶, ❷ 홍영식, 박영효, 서광범, 김옥균, 서재필 등 급진 개화파는 1884년에 우정총국 개국 축하연을 기회로 삼아 갑신정변을 일으켜 민씨 세력을 처단하고 개화당 정부를 구성하였어요. 그러나 정변은 청군의 개입으로 3일 만에 실패로 끝나고 김옥균 등은 일본으로 망명하였어요.

① 갑신정변
➡ 갑신정변 당시 급진 개화파는 개화당 정부를 구성하고 청과의 사대 관계 청산, 지조법 개혁, 문벌 폐지 등의 내용을 담은 개혁 정강을 발표하였어요.

② 을미사변
➡ 삼국 간섭 이후 조선이 러시아 세력을 이용하여 일본을 견제하려고 하자 위기감을 느낀 일본이 일본군 수비대 등을 동원하여 명성 황후를 시해하는 을미사변을 일으켰어요.

③ 삼국 간섭
➡ 청·일 전쟁에서 승리한 일본은 청과 시모노세키 조약을 체결하고 청으로부터 랴오둥반도를 넘겨받았어요. 그러자 러시아는 프랑스, 독일과 함께 일본을 압박하여 랴오둥반도를 청에 반환하게 하였어요. 이 사건을 삼국 간섭이라고 합니다.

④ 아관 파천
➡ 을미사변 이후 신변에 위협을 느낀 고종은 1896년에 세자와 함께 러시아 공사관으로 거처를 옮기는 아관 파천을 단행하였어요.

핵심 개념 갑신정변

구분	내용
전개	김옥균, 홍영식, 박영효, 서광범, 서재필 등 급진 개화파가 우정총국 개국 축하연을 이용하여 정변을 일으킴 → 개화당 정부 수립, 개혁 정강 발표 → 청군 개입, 일본군 철수 → 3일 만에 실패(삼일천하)
개혁 정강의 내용	• 정치 : 흥선 대원군의 귀국 주장, 청과의 사대 관계 청산 등 • 경제 : 호조로 재정 일원화, 지조법 개혁, 혜상공국 혁파 등 • 사회 : 문벌 폐지, 인민 평등권 보장 등
결과	• 청의 내정 간섭 심화 • 조선과 일본이 한성 조약 체결 : 조선이 일본 공사관의 신축 비용 부담, 일본에 배상금 지급 • 청과 일본이 톈진 조약 체결 : 양국의 군대 철수, 조선에 파병 시 미리 상대국에 알릴 것 합의

킬러 문항

34 거문도 사건

정답 ③

다음 문서가 작성된 시기를 연표에서 옳게 고른 것은? [3점]

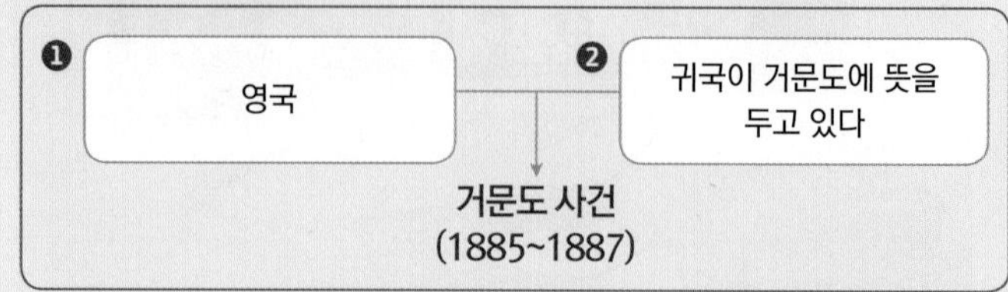

❶영국 공관에 보냄

근래 국내에 전해지는 소문을 통해 ❷귀국이 거문도에 뜻을 두고 있다는 것을 알았습니다. 이 섬은 우리나라의 땅으로, 다른 나라는 점유할 수 없는 곳입니다. 귀국처럼 공법에 밝은 나라가 이처럼 뜻밖의 일을 저지를 줄이야 어떻게 알 수 있었겠습니까?

정답 잡는 키워드

❶ 영국
❷ 귀국이 거문도에 뜻을 두고 있다
거문도 사건 (1885~1887)

❶, ❷ 러시아가 조선과 비밀 협약을 추진하는 등 조선에서 영향력을 확대하려고 하자, 세계 곳곳에서 러시아와 대립하던 영국은 1885년에 러시아의 남하를 막는다는 명목으로 거문도를 불법 점령하는 거문도 사건을 일으켰어요. 영국군은 약 2년간 거문도를 불법 점령하였으며 영국과 러시아의 긴장 관계가 완화되고 청이 중재하면서 거문도에서 철수하였어요.

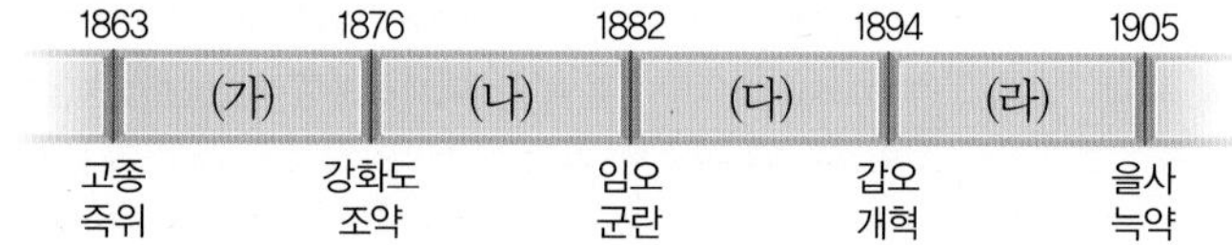

① (가)
② (나)
③ (다)
➡ 연표에서 거문도 사건이 일어난 시기는 임오군란과 갑오개혁 사이인 (다)예요.
④ (라)

연표로 흐름잡기

- 1882 임오군란
- 1884 갑신정변
- 1885 거문도 사건(~1887, 영국군이 거문도 불법 점령)
- 1894 갑오개혁

35 대성 학교

정답 ①

(가)에 들어갈 학교로 옳은 것은? [2점]

역사 인물 카드

- 생몰 : 1878년~1938년
- 호 : ❶도산
- 주요 활동
  - ❷신민회 결성
  - (가) 설립
  - 대한인 국민회 중앙 총회 조직
  - ❸흥사단 창설

정답 잡는 키워드

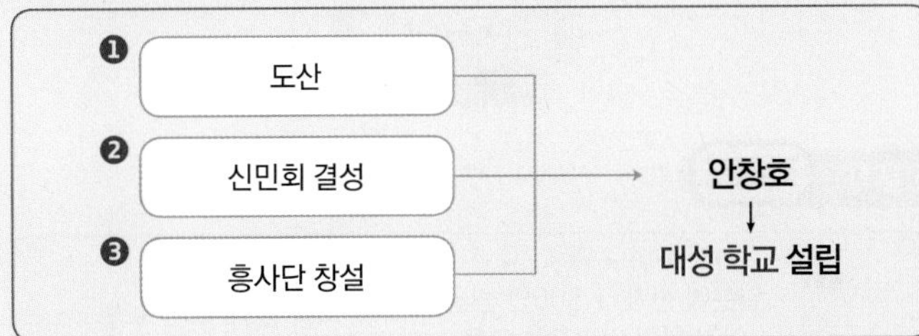

❶, ❷, ❸ 도산은 안창호의 호예요. 안창호는 1907년에 양기탁 등과 함께 비밀 결사인 신민회를 결성하였어요. 신민회는 민족 교육을 위해 오산 학교와 대성 학교를 설립하였어요. 한편 안창호는 1913년에 미국에서 민족의 힘을 기르는 것을 목표로 흥사단을 창설하였어요.

① 대성 학교
➡ 대성 학교는 신민회 결성을 주도한 안창호가 민족 교육을 위해 평양에 세운 학교입니다.

② 원산 학사
➡ 원산 학사는 함경도 덕원 지방의 관민들이 합심하여 설립한 우리나라 최초의 근대 학교예요.

③ 육영 공원
➡ 육영 공원은 조선 정부가 설립한 근대 교육 기관이에요. 헐버트, 길모어 등 미국인 교사를 초빙하여 근대 학문을 교육하였어요.

④ 이화 학당
➡ 이화 학당은 개신교 선교사 스크랜턴이 여성 교육을 위해 설립한 근대 교육 기관이에요.

36 국권 피탈 과정

정답 ②

(가), (나) 사이의 시기에 체결된 조약으로 옳은 것은? [2점]

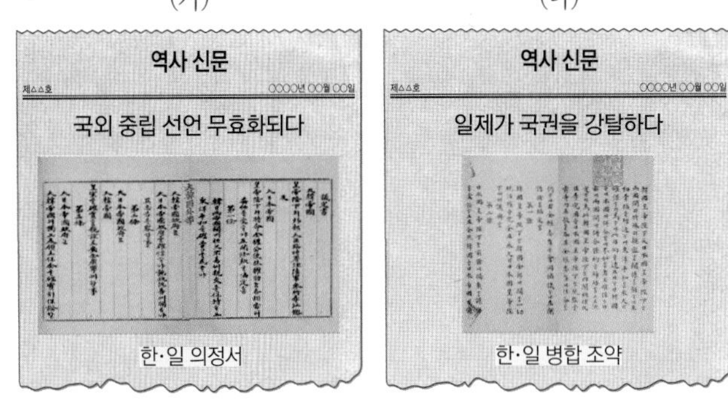

정답 잡는 키워드

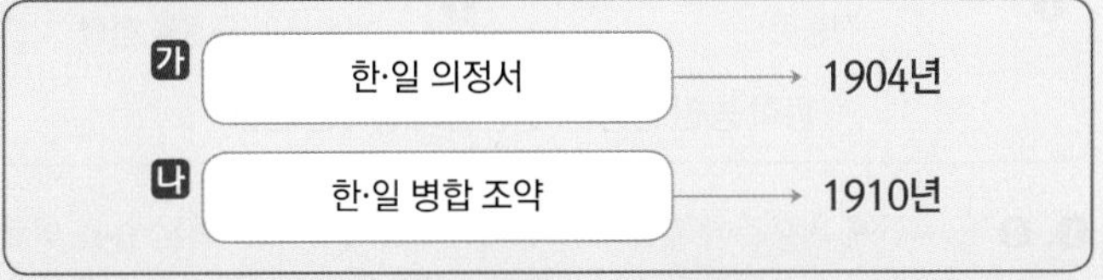

가 러·일 전쟁 중이던 1904년에 일제는 대한 제국에 한·일 의정서를 강요하여 군사적 요충지의 사용 권한을 확보하였어요.
나 1910년에 일제는 이른바 한·일 병합 조약을 체결하여 대한 제국의 국권을 강탈하였어요.

① 톈진 조약
➡ 갑신정변(1884)의 영향으로 1885년에 청과 일본은 톈진 조약을 체결하여 조선에서 양국의 군대를 철수하고 이후 조선에 파병 시 미리 상대국에 알릴 것에 합의하였어요.

② 정미7조약
➡ 1907년에 일제는 헤이그 특사 파견을 빌미로 고종을 강제 퇴위시키고 순종을 즉위시킨 뒤 정미7조약(한·일 신협약)을 체결하였어요. 또 부속 각서를 통해 대한 제국의 군대를 해산하였어요.

③ 제물포 조약
➡ 1882년 임오군란 이후에 조선 정부는 일본과 제물포 조약을 체결하여 일본 공사관 경비를 위한 일본군의 주둔을 허용하였어요.

④ 시모노세키 조약
➡ 1895년 청·일 전쟁에서 승리한 일본은 청과 시모노세키 조약을 체결하여 랴오둥반도를 넘겨받았어요.

연표로 흐름잡기

- 1904
  - 한·일 의정서 → 일본이 한국 내 군사적 요충지의 사용 권한 확보
  - 제1차 한·일 협약 → 외교 고문에 미국인 스티븐스와 재정 고문에 일본인 메가타를 파견함
- 1905 을사늑약(제2차 한·일 협약) → 대한 제국의 외교권 박탈, 통감부 설치
- 1907 정미7조약(한·일 신협약) → 행정 각 부서에 일본인 차관 임명, 부속 각서에 따라 대한 제국의 군대 해산
- 1909 기유각서 → 대한 제국의 사법권 박탈
- 1910
  - 대한 제국의 경찰권 박탈
  - 한·일 병합 조약

37 동학 농민 운동의 전개 과정

정답 ②

다음 시나리오의 상황 이후에 전개된 사실로 옳은 것은? [2점]

S#17. 전주성 안 선화당

농민군 대장 ❶전봉준과 전라감사 김학진이 대화를 나누고 있다.

김학진 : ❷일본군이 궁궐을 점령하여 국가에 큰 위기가 닥쳤소.

전봉준 : 청군과 일본군이 들어와 있는 상황에서 이런 일이 생기다니 참으로 큰일입니다.

정답 잡는 **키워드**

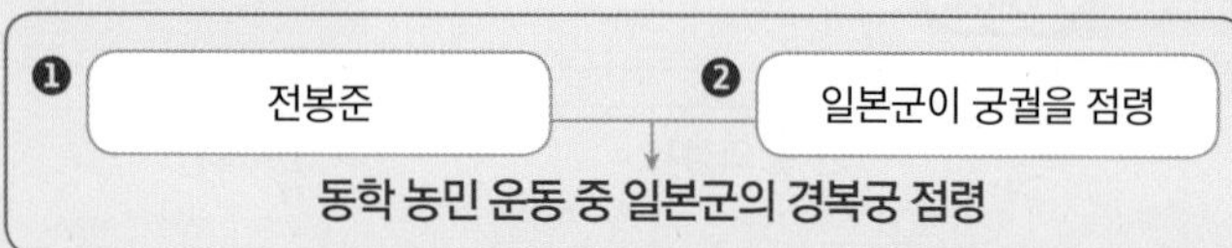

❶, ❷ 1894년에 전봉준이 주도하여 일어난 고부 농민 봉기의 수습을 위해 파견된 안핵사 이용태가 봉기에 가담한 농민들을 탄압하자 동학 농민군은 보국안민과 제폭구민을 내걸고 백산에 집결하였어요. 황토현 전투와 황룡촌 전투에서 관군을 물리친 농민군은 전주성을 점령하였어요. 이때 청군과 일본군이 조선에 들어오자 동학 농민군은 정부와 전주 화약을 체결하고 자진 해산하였어요. 조선 정부는 청군과 일본군에 철수를 요청하였으나 이를 거부한 **일본군이 경복궁을 점령**하고 청·일 전쟁을 일으켰어요.

① 동학을 창시한 최제우가 처형되었다.
➡ **동학 농민 운동 이전**의 일이에요. 1864년에 조선 정부는 동학을 창시한 최제우를 백성을 속이고 세상을 어지럽혔다는 죄목으로 처형하였어요.

② 동학 농민군이 우금치 전투에서 패하였다.
➡ **일본군의 경복궁 점령 이후** 동학 농민군은 일본군 타도를 내걸고 다시 봉기하였어요. 이때 농민군의 남접과 북접이 연합하여 한성을 향해 진격하였으나 공주 우금치 전투에서 일본군과 관군에 패하였어요.

③ 교조 신원을 요구하는 삼례 집회가 열렸다.
➡ **동학 농민 운동 이전**의 일이에요. 최제우가 처형당한 후 제2대 교주인 최시형은 교조 최제우의 누명을 풀어 줄 것과 포교의 자유를 요구하는 교조 신원 운동을 전개하였어요. 1892년에 삼례 집회, 1893년에 보은 집회 등이 열렸어요.

④ 조병갑의 탐학에 맞서 고부 농민 봉기가 일어났다.
➡ 1894년에 고부 군수 조병갑의 탐학에 맞서 농민 봉기가 일어났어요. 고부 농민 봉기는 **동학 농민 운동의 시작**이 된 사건이에요.

핵심 개념 동학 농민 운동

고부 농민 봉기 (1894. 1.)	고부 군수 조병갑의 횡포(농민들에게 만석보를 강제로 사용하게 한 후 세금 징수) → 전봉준이 사발통문을 돌려 봉기 호소, 고부 농민들이 관아 점령 → 정부의 중재로 농민들이 자진 해산
1차 봉기 (1894. 3.)	안핵사 이용태가 봉기 가담자 탄압 → 무장에서 다시 봉기한 동학 농민군이 보국안민과 제폭구민을 내걸고 백산에 집결(4대 강령 발표) → 황토현 전투와 황룡촌 전투에서 관군을 물리침 → 전라도 일대를 장악하고 전주성 점령
전주 화약 체결 (1894. 5.)	정부가 청에 군대 파견 요청, 일본인 보호를 구실로 일본도 군대 파견 → 동학 농민군이 정부와 전주 화약 체결 → 농민군이 전라도 각지에 집강소를 설치하고 개혁 추진
2차 봉기 (1894. 9.)	전주 화약 이후 정부가 청군과 일본군에 철수 요청 → 일본군이 경복궁 점령, 청·일 전쟁 도발 → 동학 농민군이 일본군 타도를 내걸고 다시 봉기 → 남·북접 연합, 한성을 향해 북상 → 공주의 우금치 전투에서 일본군과 관군에 패배, 전봉준 등 주동자 체포·처형

38 국채 보상 운동

정답 ①

다음 장면에 나타난 운동으로 옳은 것은? [1점]

정답 잡는 **키워드**

❶ 일본에 진 빚 1,300만 원을 갚기 위해 의연금을 모음 → **국채 보상 운동**

❶ 1907년에 대한 제국 정부가 일본에 진 빚 1,300만 원을 갚아 국권을 회복하자는 국채 보상 운동이 일어났어요. 국채 보상 운동은 김광제, 서상돈 등을 중심으로 대구에서 시작되었으며 국채 보상 기성회의 주도 아래 전국적으로 확산되었어요.

① 국채 보상 운동
➡ 국채 보상 운동은 대한매일신보, 황성신문 등 언론의 지원을 받아 전국적으로 확산되었어요.

② 문자 보급 운동
➡ 1920년대 후반 조선일보사는 '아는 것이 힘, 배워야 산다'라는 구호를 내걸고 문자 보급 운동을 전개하였어요.

③ 물산 장려 운동
➡ 물산 장려 운동은 1920년대 초에 전개된 토산품 애용 운동이에요. '조선 사람 조선 것', '내 살림 내 것으로' 등의 구호를 내걸었어요.

④ 민립 대학 설립 운동
➡ 민립 대학 설립 운동은 1920년대 초 우리 민족의 힘으로 고등 교육을 담당할 대학을 설립하기 위해 전개된 운동이에요. '한민족 1천만이 한 사람 1원씩'이라는 구호를 내걸었어요.

핵심 개념 국채 보상 운동

배경	일본의 차관 도입 강요로 대한 제국의 경제적 예속 심화 → 국민의 성금으로 나랏빚(국채)을 갚아 국권을 수호하자는 경제적 구국 운동
전개	서상돈, 김광제 등의 주도로 대구에서 시작(1907) → 국채 보상 기성회의 주도 아래 여러 단체와 대한매일신보, 황성신문 등 언론이 동참하여 전국으로 확산
결과	통감부의 탄압과 방해로 중단
의의	국채 보상 운동 기록물이 유네스코 세계 기록 유산으로 등재됨

킬러 문항

39 대한 제국 시기 근대 문물의 도입

정답 ③

밑줄 그은 ㉠에 해당하는 내용으로 적절하지 않은 것은? [3점]

정답 잡는 키워드

❶ 대한 제국 시기 → 1897~1910년

❶ 러시아 공사관에 머물던 고종이 경운궁(지금의 덕수궁)으로 환궁한 뒤 우리나라가 자주독립국임을 널리 알리기 위해 1897년에 환구단에서 황제 즉위식을 거행하고 대한 제국의 수립을 선포하였어요. 대한 제국 정부는 광무개혁을 추진하면서 근대 문물을 도입하였어요. 1899년에 서대문에서 청량리를 잇는 우리나라 최초의 전차가 개통되었어요.

① 극장인 원각사가 세워졌다.
➡ 원각사는 우리나라 최초의 서양식 극장으로 **1908년**에 세워졌어요.

② 덕수궁에 중명전이 건립되었다.
➡ 중명전은 덕수궁 안에 지어진 서양식 건물로, 황실 도서관으로 계획되어 **1901년**에 건립되었어요.

③ 박문국에서 한성순보가 발행되었다.
➡ 1883년에 박문국에서 우리나라 최초의 근대 신문인 한성순보가 발행되었어요. 한성순보는 순 한문으로 10일에 한 번씩 발행되었는데, 1884년에 갑신정변이 일어나 박문국의 인쇄 시설이 불에 타는 바람에 발행이 중단되었어요.

④ 서울과 부산을 잇는 경부선 철도가 부설되었다.
➡ 일제는 러·일 전쟁 중인 **1905년**에 군사적 목적으로 서울과 부산을 잇는 경부선을 개통하였어요.

40 6·10 만세 운동

정답 ①

다음 상황 이후에 일어난 사실로 옳은 것은? [2점]

정답 잡는 키워드

❶ 대한 제국의 마지막 황제 승하 → 1926년

❶ 1926년에 대한 제국의 마지막 황제인 순종이 서거하였어요. 이를 계기로 민족주의 계열인 천도교와 사회주의 계열, 학생들이 힘을 합쳐 대규모 만세 시위를 계획하였어요. 이 계획은 사전에 일제 경찰에 발각되어 많은 사람들이 체포되었으나 학생들은 일제의 감시를 뚫고 시위를 전개하였어요.

① 6·10 만세 운동이 일어났다.
➡ **1926년 순종의 인산일**에 6·10 만세 운동이 일어나 종로 등지에서 학생들이 격문을 뿌리며 독립 만세 운동을 전개하였어요.

② 헤이그 특사가 파견되었다.
➡ 1907년에 고종은 을사늑약의 부당함을 국제 사회에 알리기 위해 네덜란드 헤이그에서 열린 만국 평화 회의에 이상설, 이준, 이위종을 특사로 파견하였어요.

③ 토지 조사 사업이 실시되었다.
➡ 1910년대 일제는 식민 통치에 필요한 재정을 확보하고 토지를 수탈하기 위해 토지 조사 사업을 실시하였어요.

④ 제너럴 셔먼호 사건이 발생하였다.
➡ 1866년에 미국 상선 제너럴 셔먼호가 평양까지 들어와 조선 정부에 통상을 요구하며 횡포를 부리다가 평양 관민에 의해 배가 불태워진 제너럴 셔먼호 사건이 일어났어요. 이 사건을 구실로 미국은 1871년에 신미양요를 일으켰어요.

핵심 개념	6·10 만세 운동(1926)
전개	순종의 서거 이후 민족주의 계열인 천도교와 사회주의 계열, 학생들이 순종의 인산일(장례일)에 맞춰 만세 시위를 계획함 → 지도부가 일제에 의해 검거됨 → 학생들은 예정대로 시위를 전개함
영향	민족주의 계열과 사회주의 계열 연대의 공감대가 형성되는 계기가 됨 → 신간회 결성에 영향을 미침

제 66 회

41 1910년대 일제의 식민 지배 정책

정답 ②

밑줄 그은 '시기'에 볼 수 있는 모습으로 가장 적절한 것은? [2점]

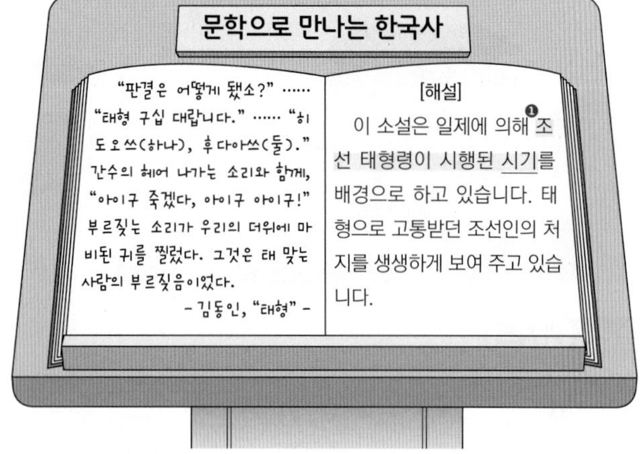

정답 잡는 **키워드**

❶ 조선 태형령이 시행된 시기 → 1910년대

❶ 대한 제국의 국권을 빼앗은 일제는 1910년대에 강압적인 무단 통치를 실시하였어요. 헌병 경찰 제도를 시행하고 언론·출판·집회·결사의 자유를 억압하는 등 기본권을 제한하기도 하였어요. 또 조선 태형령을 시행하여 한국인에게만 신체에 직접적 고통을 주는 태형을 가하였어요. 조선 태형령은 1912년에 제정되어 3·1 운동(1919) 이후 1920년에 폐지되었어요.

① 경성 제국 대학에 다니는 학생
➡ 일제는 민립 대학 설립 운동을 무마하기 위해 1924년에 경성 제국 대학을 설립하였어요.

② 제복을 입고 칼을 찬 헌병 경찰
➡ 일제는 **1910년대** 헌병 경찰 제도를 실시하면서 헌병 경찰은 물론 일반 관리와 교원까지도 제복을 입고 칼을 차게 하는 등 억압적인 분위기를 조성하였어요. 헌병 경찰 제도는 3·1 운동 이후 보통 경찰 제도로 바뀌었어요.

③ 조선책략 유포에 반발하는 유생
➡ 1880년에 제2차 수신사로 일본에 파견되었던 김홍집이 들여온 "조선책략"이 유포되자 유생들이 반발하였어요. 1881년에 이만손을 중심으로 한 영남 유생들이 만인소를 올려 정부의 개화 정책과 미국과의 수교에 반대하였어요.

④ 국민 징용령에 의해 끌려가는 청년
➡ 일제는 중·일 전쟁을 도발하고 침략 전쟁을 확대하면서 1939년에 국민 징용령을 제정하였어요. 이후 한국 청년들을 끌고 가 강제로 노동력을 수탈하였어요.

기출 선택지 +α

❺ 제복을 입고 칼을 찬 교사	(O/X)
❻ 원산 총파업에 참여하는 노동자	(O/X)
❼ 공출로 가마솥을 빼앗기는 농민	(O/X)
❽ 황국 신민 서사를 암송하는 학생	(O/X)
❾ 회사령을 공포하는 조선 총독부 관리	(O/X)

42 대한민국 임시 정부의 활동

정답 ①

(가)의 활동으로 옳은 것은? [2점]

정답 잡는 **키워드**

❶ 3·1 운동을 계기로 상하이에 수립됨 → 대한민국 임시 정부

❶ 3·1 운동을 계기로 독립운동을 체계적으로 이끌 지도부의 필요성이 제기되어 중국 상하이에서 대한민국 임시 정부가 수립되었어요.

① 독립 공채를 발행하였다.
➡ **대한민국 임시 정부**는 독립운동 자금을 마련하기 위해 독립 공채를 발행하였어요.

② 만민 공동회를 개최하였다.
➡ 독립 협회는 민중 계몽을 위해 근대적 민중 집회인 만민 공동회를 개최하였어요.

③ 신흥 강습소를 설립하였다.
➡ 신민회는 남만주(서간도) 삼원보 지역에 독립군 양성을 위해 신흥 강습소를 설립하였어요. 신흥 강습소는 이후 신흥 무관 학교로 발전하였어요.

④ 잡지 어린이를 발간하였다.
➡ 방정환이 중심이 된 천도교 소년회는 소년 운동을 전개하며 잡지 "어린이"를 발간하였어요.

기출 선택지 +α

❺ 연통제를 실시하였다.	(O/X)
❻ 구미 위원부를 설치하였다.	(O/X)
❼ 대한국 국제를 반포하였다.	(O/X)
❽ 개벽, 신여성 등의 잡지를 발간하였다.	(O/X)

기출 선택지 +α 정답 ⑤○ ⑥×[1929년] ⑦×[1930년대 후반 이후] ⑧×[1930년대 후반 이후] ⑨○

기출 선택지 +α 정답 ⑤○ ⑥○ ⑦×[대한 제국] ⑧×[천도교]

43 조선 의용대

정답 ③

(가)에 들어갈 군사 조직으로 옳은 것은? [2점]

정답 잡는 키워드

❶ 중국 관내 최초의 한인 무장 부대 → 조선 의용대

❶ 1938년에 김원봉은 중국 국민당 정부의 지원을 받아 우한에서 조선 의용대를 창설하였어요. 조선 의용대는 조선 민족 전선 연맹의 군사 조직으로 중국 관내에서 조직된 최초의 한인 무장 부대입니다.

① 대한 독립군
➡ 대한 독립군은 1919년에 만주에서 조직되었으며, 총사령관은 홍범도였어요. 봉오동 전투, 청산리 전투 등에서 활약하였어요.

② 북로 군정서
➡ 북로 군정서는 북만주 지역의 중광단이 발전하여 조직된 독립군 부대로 김좌진의 지휘 아래 청산리 전투에서 활약하였어요.

③ 조선 의용대
➡ 1940년대 초 조선 의용대의 일부 대원은 적극적인 무장 투쟁을 위해 화북 지방으로 이동하였으며, 김원봉과 남은 대원은 한국 광복군에 합류하였어요.

④ 조선 혁명군
➡ 조선 혁명군은 남만주 국민부 계열 조선 혁명당의 군사 조직이에요. 총사령 양세봉의 지휘 아래 중국 의용군과 연합하여 영릉가 전투, 흥경성 전투 등에서 일본군에 맞서 싸웠어요.

44 제주도의 역사

정답 ②

(가) 지역에 대한 탐구 활동으로 가장 적절한 것은? [2점]

정답 잡는 키워드

❶ 김만덕 ❷ 4·3 사건 → 제주도

❶ 김만덕은 **제주도**에서 성공한 조선 후기의 상인이에요. 제주도에 큰 흉년이 들자 자신의 재산을 모두 내어 육지에서 식량을 구해 제주도민들을 구하였어요. 김만덕의 선행을 들은 정조는 상으로 금강산 유람을 보내 주고, '만덕전'이라는 글을 지어 김만덕의 선행을 널리 알리도록 하였어요.

❷ 1948년에 **제주도**에서 남한만의 단독 선거에 반대하여 좌익 세력과 일부 주민이 봉기하였어요. 이를 진압하는 과정에서 많은 주민이 희생된 제주 4·3 사건이 일어났어요.

① 운요호 사건의 과정을 검색한다.
➡ 1875년에 강화도 앞바다를 무단으로 침범한 일본 군함 운요호에 조선군 수비대가 경고 사격을 하자, 운요호가 강화도 초지진을 공격하고 일본군이 영종도에 상륙하여 사람들을 살해하였어요.

② 삼별초의 최후 항쟁지를 조사한다.
➡ 몽골의 침입에 대응하여 고려 정부는 장기 항쟁을 위해 개경에서 강화도로 도읍을 옮겼어요. 그러나 결국 고려 정부가 몽골과 화의를 맺고 개경으로 돌아갈 것을 결정하자 이에 반대하여 삼별초가 봉기하였어요. 삼별초는 강화도에서 진도, 제주도로 차례로 근거지를 옮겨 가며 대몽 항쟁을 이어 갔으나 **제주도**에서 고려와 몽골 연합군에 의해 진압되었어요.

③ 고려 왕릉이 조성된 지역을 찾아본다.
➡ 고려 왕릉은 당시 수도인 개경(지금의 개성) 주변에 주로 조성되었으며, 몽골의 침입을 받아 강화도로 도읍을 옮겼던 시기에 재위하였던 왕들의 무덤이 강화도에 일부 남아 있어요.

④ 대한 제국 칙령 제41호의 내용을 파악한다.
➡ 대한 제국 정부는 1900년에 칙령 제41호를 통해 울릉도를 울도군으로 승격시키고 독도를 관할하도록 하여 독도가 우리 땅임을 분명히 하였어요.

45 사회적 차별에 맞선 사람들

정답 ②

(가)~(다)에 대한 설명으로 옳은 것은? [3점]

한국사 탐구 보고서

▣ 주제 : 사회적 차별에 맞선 사람들
▣ 목적 : 우리 역사 속 사회적 차별에 맞선 사람들의 주장을 조사하여 그 의미를 되새겨 본다.
▣ 방법 : 문헌 조사, 인터넷 검색 등
▣ 시대별 탐구 내용

시대	탐구 내용
고려 시대	"장군과 재상에 어찌 씨가 있겠는가?", 만적을 비롯한 많은 (가) 이/가 신분 해방을 도모하다.
조선 시대	"적자가 아니라는 이유로 관직을 제한하는 법을 풀어 주십시오.", 상소를 올려 (나) 에 대한 차별 폐지를 요청하다.
일제 강점기	"공평은 사회의 근본이요, 애정은 인류의 본성이라.", 조선 형평사를 조직하여 (다) 에 대한 차별 철폐를 주장하다.

정답 잡는 **키워드**

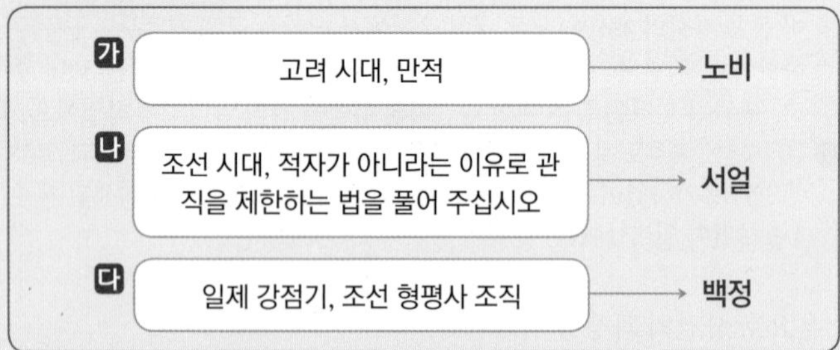

가 고려 시대에 만적을 비롯한 노비들은 신분 해방 운동 성격의 봉기를 계획하였으나 사전에 발각되어 실패하였어요.
나 조선 후기에 서얼은 자신들에 대한 관직 진출 제한을 철폐해 달라는 집단 상소를 올리며 통청 운동을 전개하였어요.
다 갑오개혁으로 신분제가 폐지되었으나 백정에 대한 사회적 차별은 계속되었어요. 일제 강점기인 1923년에 백정들은 진주에서 조선 형평사를 조직하고 백정에 대한 사회적 차별 철폐를 목표로 형평 운동을 전개하였어요.

① (가) - 고려 시대에 공음전을 지급받았다.
➡ 고려 시대에 공신이나 **5품 이상 고위 관리**는 자손에게 상속이 가능한 공음전을 지급받았어요.

② (나) - 일부가 규장각 검서관에 기용되었다.
➡ 조선 후기에 서얼에 대한 차별이 점차 완화되어 정조 때 **서얼** 출신인 유득공, 박제가, 이덕무 등이 규장각 검서관에 기용되었어요.

③ (다) - 골품에 따라 관직 승진의 제한을 받았다.
➡ 신라에는 골품제라는 신분 제도가 있어 왕족인 진골을 제외한 6~1두품의 귀족은 골품에 따라 관직 승진의 제한을 받았어요.

④ (가), (나), (다) - 매매, 상속, 증여의 대상이 되었다.
➡ **노비**는 재산으로 취급을 받아 매매, 상속, 증여의 대상이 되었어요.

46 제헌 국회의 활동

정답 ③

밑줄 그은 '국회'의 활동으로 적절하지 않은 것은? [3점]

이 자료는 ❶유엔 결의에 따라 치러진 총선거로 출범한 국회 개회식 광경을 담은 화보입니다.

朝鮮畫報

정답 잡는 **키워드**

❶ 유엔 결의에 따라 치러진 총선거로 출범한 국회 → 5·10 총선거로 구성된 제헌 국회

❶ 1948년에 유엔 소총회에서 선거가 가능한 지역에서의 총선거 실시를 결의하여 같은 해 5월 10일 남한 지역에서는 우리나라 최초의 민주적 선거인 5·10 총선거가 치러졌어요. 5·10 총선거로 선출된 국회 의원으로 제헌 국회가 구성되었으며, 제헌 국회는 헌법을 제정하여 선포하였어요.

① 제헌 헌법을 제정하였다.
➡ **제헌 국회**는 우리나라 최초의 헌법인 제헌 헌법을 제정하여 1948년 7월 17일에 공포하였어요.

② 반민족 행위 처벌법을 가결하였다.
➡ **제헌 국회**는 일제 식민 지배에 협력한 반민족 행위자 처벌을 위한 반민족 행위 처벌법을 가결하였어요.

③ 한·미 상호 방위 조약을 비준하였다.
➡ 한·미 상호 방위 조약은 **제2대** 국회 때인 1953년에 비준되었어요. 제헌 국회 의원의 임기는 2년이었고, 6·25 전쟁 직전인 1950년 5월 30일에 임기 4년의 제2대 국회 의원 총선거가 치러졌어요.

④ 이승만을 초대 대통령으로 선출하였다.
➡ **제헌 국회**는 이승만을 초대 대통령으로, 이시영을 초대 부통령으로 선출하였어요. 이승만 대통령은 1948년 8월 15일 대한민국 정부 수립을 선포하였어요.

핵심 개념 제헌 국회의 활동

구분	내용
제헌 헌법 제정(1948)	대한민국이 3·1 운동으로 수립된 대한민국 임시 정부를 계승한 민주 공화국임을 명시함
대통령·부통령 선출(1948)	제헌 국회에서 이승만을 초대 대통령, 이시영을 초대 부통령으로 선출함(간선제)
반민족 행위 처벌법 제정(1948)	• 친일파 청산을 목적으로 함 • 반민족 행위 특별 조사 위원회(반민특위)를 구성하여 박흥식, 최린, 최남선, 이광수 등 일제 식민 지배에 협력한 반민족 행위자 체포 → 이승만 정부와 친일파가 반민특위 활동 방해 → 반민특위의 활동 위축, 법안 개정으로 활동 기간 단축
농지 개혁법 제정(1949)	• 유상 매수·유상 분배 방식 : 한 가구당 3정보를 초과한 농지를 정부가 사들여 농민에게 유상으로 분배 • 지주·소작제가 거의 사라졌으며, 자작농이 증가함

47 5·18 민주화 운동

정답 ④

(가)에 들어갈 내용으로 옳은 것은? [1점]

정답 잡는 키워드

❶ 시민군의 항쟁 중심지였던 옛 전남도청 → 5·18 민주화 운동

❶ 12·12 사태(12·12 군사 반란)로 전두환 등 신군부가 권력을 장악하자 신군부 퇴진과 유신 헌법 철폐를 요구하는 대규모 시위가 일어났어요. 신군부는 비상계엄을 전국으로 확대하였고 이에 맞서 전라남도 광주에서 시위가 일어나자, 신군부는 계엄군을 보내 시위를 폭력적으로 진압하였어요(5·18 민주화 운동). 광주 시민들은 시민군을 조직하여 대항하였으나 계엄군은 이를 무력으로 진압하였고 이 과정에서 많은 희생자가 발생하였어요.

① 4·19 혁명
➡ 4·19 혁명은 이승만 정부의 독재와 3·15 부정 선거가 원인이 되어 일어났어요. 그 결과 이승만이 대통령직에서 물러났어요.

② 부·마 민주 항쟁
➡ 부·마 민주 항쟁은 YH 무역 사건에 항의하던 야당 총재 김영삼이 국회의원직에서 제명된 사건을 계기로 부산과 마산 일대에서 일어난 대규모 유신 반대 시위예요.

③ 6월 민주 항쟁
➡ 6월 민주 항쟁은 전두환 정부의 강압적인 통치와 국민의 대통령 직선제 개헌 요구를 묵살한 4·13 호헌 조치에 항거하여 일어났어요.

④ 5·18 민주화 운동
➡ 5·18 민주화 운동은 1980년대 민주화 운동의 토대가 되었으며, 다른 나라의 민주화 운동에도 영향을 주었어요. 그 가치가 인정되어 5·18 민주화 운동 기록물은 유네스코 세계 기록 유산으로 등재되었어요.

48 박정희 정부 시기의 통일 노력

정답 ③

다음 뉴스가 보도된 정부 시기의 통일 노력으로 옳은 것은? [3점]

정답 잡는 키워드

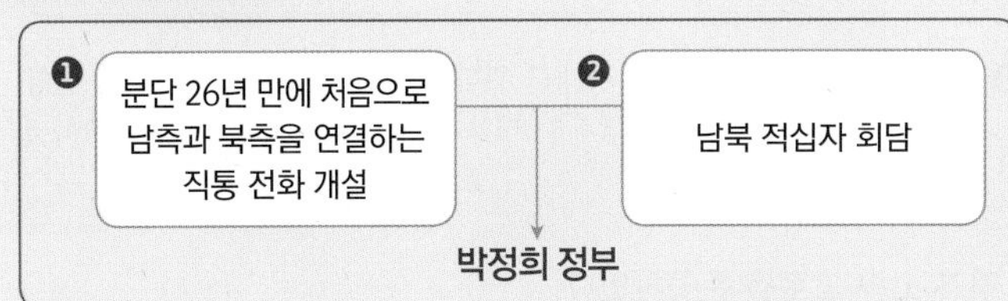

❶, ❷ 박정희 정부 시기인 1971년에 남북 대화를 원활히 추진하기 위해 분단 이후 처음으로 남북 직통 전화가 개설되었어요. 이후 서울과 평양에서 이산가족 상봉을 위한 남북 적십자 회담이 개최되었어요.

① 금강산 관광 사업을 시작하였다.
➡ 김대중 정부 시기에 금강산 관광 사업이 시작되었어요.

② 남북한이 유엔에 동시 가입하였다.
➡ 노태우 정부 시기에 남북한이 유엔에 동시 가입하였어요.

③ 7·4 남북 공동 성명을 발표하였다.
➡ 박정희 정부 시기에 남북한은 자주, 평화, 민족 대단결이라는 평화 통일의 3대 원칙에 합의한 7·4 남북 공동 성명을 발표하였어요.

④ 최초로 남북 정상 회담을 개최하였다.
➡ 김대중 정부 시기인 2000년에 평양에서 분단 이후 최초로 남북 정상 회담이 개최되었어요.

기출 선택지 +α

❺ 개성 공단 조성에 합의하였다.	(O/X)
❻ 남북 조절 위원회를 개최하였다.	(O/X)
❼ 남북 기본 합의서를 채택하였다.	(O/X)
❽ 6·15 남북 공동 선언을 발표하였다.	(O/X)

기출 선택지 +α 정답 ⑤ ×[김대중 정부] ⑥ ○ ⑦ ×[노태우 정부] ⑧ ×[김대중 정부]

49 김영삼 정부 시기의 경제 상황

정답 ④

다음 연설이 있었던 정부 시기의 경제 상황으로 옳은 것은? [2점]

정답 잡는 **키워드**

❶ 금융 실명제 실시 → 김영삼 정부

❶ 김영삼 정부는 투명한 금융 거래를 위하여 본인의 실제 이름으로만 금융 거래를 하도록 한 금융 실명제를 대통령 긴급 명령으로 전격 실시하였어요.

① 경부 고속 도로를 준공하였다.
➡ **박정희 정부** 시기인 1970년에 경부 고속 도로가 준공되었어요.

② 3저 호황으로 수출이 증가하였다.
➡ **전두환 정부** 시기인 1980년대 중·후반에 저금리, 저유가, 저달러의 3저 호황으로 수출이 증가하였어요.

③ 제1차 경제 개발 5개년 계획을 추진하였다.
➡ **박정희 정부** 시기인 1962년부터 경공업 중심의 제1차 경제 개발 5개년 계획이 추진되었어요.

④ 경제 협력 개발 기구(OECD)에 가입하였다.
➡ **김영삼 정부** 시기인 1996년에 경제 협력 개발 기구(OECD)에 가입하였어요.

기출 선택지 +α

⑤ 수출 100억 달러를 처음 달성하였다. (O / X)
⑥ 서울에서 G20 정상 회의가 개최되었다. (O / X)
⑦ 한·미 자유 무역 협정(FTA)이 체결되었다. (O / X)
⑧ 제2차 경제 개발 5개년 계획이 추진되었다. (O / X)
⑨ 국제 통화 기금(IMF)에 긴급 구제 금융을 요청하였다. (O / X)

킬러 문항

50 한글을 빛낸 인물

정답 ③

(가)~(다)에 대한 설명으로 옳은 것은? [3점]

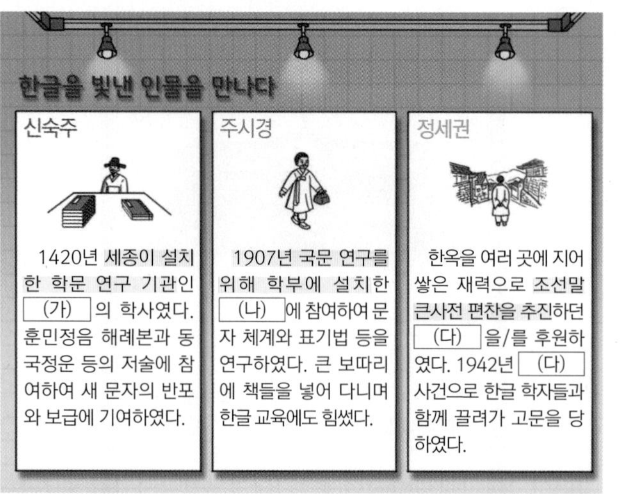

정답 잡는 **키워드**

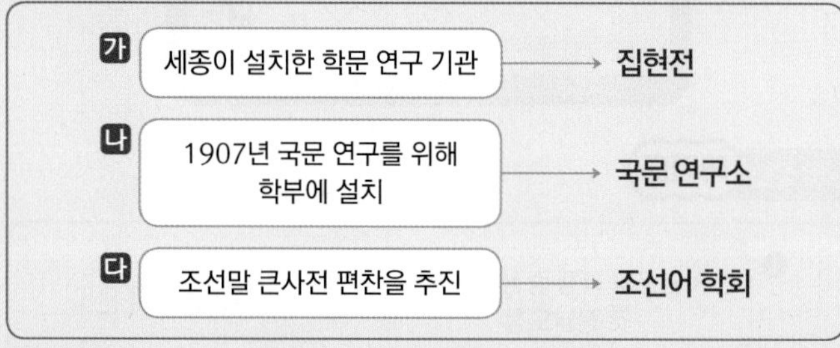

가 세종이 설치한 학문 연구 기관 → 집현전
나 1907년 국문 연구를 위해 학부에 설치 → 국문 연구소
다 조선말 큰사전 편찬을 추진 → 조선어 학회

가 조선 세종은 학문 연구 기관인 집현전을 설치하였어요. 신숙주는 집현전 학사로 "훈민정음 해례본"과 "동국정운" 등의 저술에 참여하였어요.
나 대한 제국 정부는 1907년에 국문 연구를 위해 학부에 국문 연구소를 설치하였어요. 주시경은 국문 연구소에 참여하여 한글 연구를 체계화하는 데 앞장섰어요.
다 일제 강점기에 조선어 학회는 "조선말 큰사전"의 편찬을 추진하였으나 조선어 학회 사건으로 회원들이 체포되어 조직이 와해되면서 완성하지 못하였어요. 정세권은 부동산업으로 크게 성공한 인물로 조선어 학회의 활동을 적극적으로 후원하였어요.

① (가) - 삼강행실도 언해본을 편찬하였다.
➡ 조선 세종 때 편찬된 "삼강행실도"의 내용을 줄이고 한글 번역을 추가한 "삼강행실도 언해본"은 **성종** 때 처음 편찬된 것으로 보여요. 집현전은 그 이전인 세조 때 폐지되었어요.

② (나) - 한글 신문인 독립신문을 간행하였다.
➡ **서재필** 등은 우리나라 최초의 민간 신문이자 한글 신문인 독립신문을 간행하였어요. 우리나라의 소식을 외국인에게도 알리기 위해 영문판도 발행하였어요.

③ (다) - 한글 맞춤법 통일안을 제정하였다.
➡ **조선어 학회**는 한글 맞춤법 통일안과 표준어를 제정하였어요.

④ (가), (나), (다) - 창덕궁 후원에 설치되었다.
➡ 조선 정조는 왕실 도서관이자 학문 연구 기관인 **규장각**을 창덕궁 후원에 설치하였어요.

기출 선택지 +α

정답 ⑤ ×[박정희 정부] ⑥ ×[이명박 정부] ⑦ ×[노무현 정부] ⑧ ×[박정희 정부] ⑨ ○

합격률

45.9%

응시 인원 : 6,555명
합격 인원 : 3,010명

2023년 4월 15일(토) 시행

기본 제64회

해설 강의 바로 보기

시대별 출제 비중

전근대 29문항

선사 2문항
청동기 시대의 생활 모습, 동예

고대 7문항
백제 근초고왕의 업적, 고구려 후기의 사실, 골품 제도, 경주 분황사 모전 석탑, 신라 말의 상황, 견훤의 활동, 발해의 문화유산

고려 8문항
고려 광종의 업적, 고려와 여진의 관계, 해동통보, 팔만대장경판, 문벌 사회의 동요, 고려 태조의 업적, 원 간섭기의 모습, 이성계의 활동

조선 12문항
조선 세종의 업적, 조선 태종의 정책, 대동법, 임진왜란, 명·청 교체기 조선의 대외 관계, 을사사화, 인왕제색도, 조선 후기의 경제 상황, 조선 정조의 업적, 홍경래의 난, 독도, 의궤,

근현대 21문항

시대 통합 2문항
역사 속 승려들의 활동, 시대별로 보는 교육 기관

개항기 7문항
강화도 조약의 체결 배경, 임오군란, 안중근의 활동, 양기탁의 활동, 전차 개통 이후의 사실, 대한 제국 시기의 사실, 인천의 역사

일제 강점기 7문항
서간도 지역의 민족 운동, 1910년대 일제의 식민 지배 정책, 청산리 전투, 대한민국 임시 정부의 활동, 이봉창의 활동, 1930년대 후반 이후의 모습, 근우회

현대 5문항
6월 민주 항쟁, 김규식의 활동, 6·25 전쟁, 박정희 정부 시기의 사실, 김대중 정부의 통일 노력

분류별 출제 비중 고대~조선

정치	경제	사회	문화
16문항	3문항	1문항	7문항

난이도별 출제 비중

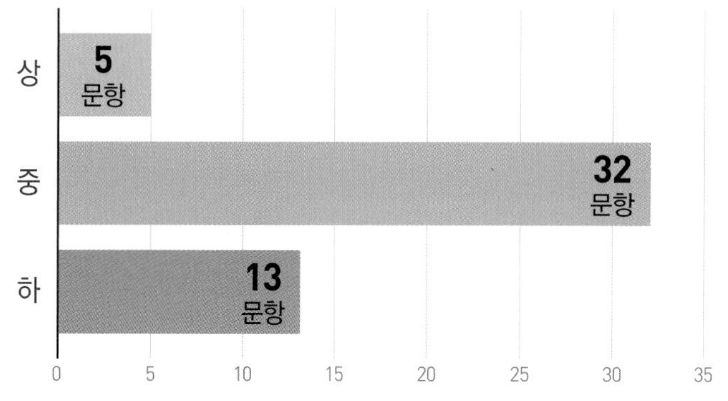

큰별쌤의 한 줄 평

다소 낯선 자료와 선택지가 나온 약간 어려운 시험

1 청동기 시대의 생활 모습

정답 ④

(가) 시대의 생활 모습으로 옳은 것은? [1점]

정답 잡는 키워드

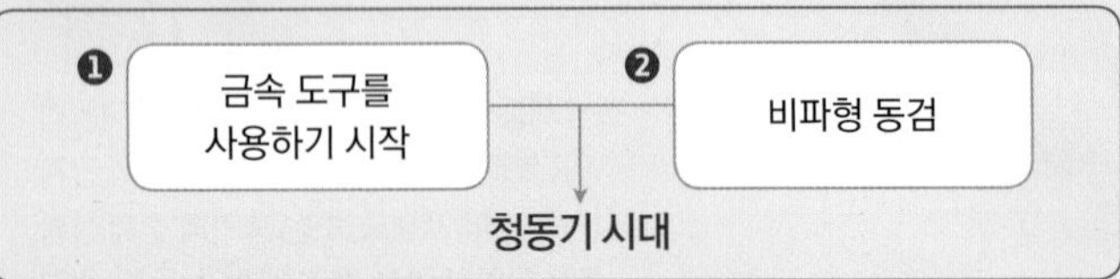

❶, ❷ 청동기 시대부터 청동을 이용한 금속 도구를 만들어 사용하기 시작하였어요. 비파형 동검은 청동기 시대를 대표하는 유물로, 악기 비파와 생김새가 비슷하여 '비파형' 동검이라는 이름이 붙여졌어요. 거푸집은 청동 등의 금속을 녹여 부어 도구를 만드는 틀이에요.

① 우경이 널리 보급되었다.
➡ 우경은 **철기 시대 이후** 널리 보급된 것으로 보여요.

② 철제 농기구를 사용하였다.
➡ 철제 농기구는 **철기 시대**부터 사용되었어요.

③ 주로 동굴이나 막집에서 살았다.
➡ **구석기 시대** 사람들은 식량을 찾아 이동 생활을 하였으며 주로 동굴이나 막집에서 살았어요.

④ 지배층의 무덤으로 고인돌을 만들었다.
➡ 고인돌은 **청동기 시대** 지배자의 무덤으로 알려져 있어요. 청동기 시대에는 사유 재산과 계급이 발생하였고 지배자가 등장하여 부족을 다스렸어요.

기출 선택지 +α

❺ 무덤 껴묻거리로 오수전 등을 묻었다. (O/X)
❻ 의례 도구로 청동 방울 등을 사용하였다. (O/X)
❼ 거푸집을 사용하여 청동기를 제작하였다. (O/X)
❽ 실을 뽑기 위해 가락바퀴를 처음 사용하였다. (O/X)

핵심 개념 청동기 시대

구분	내용
도구	• 청동기 : 주로 지배 계급의 무기나 장신구, 제사용 도구 제작(비파형 동검, 거친무늬 거울 등) • 농기구 등 생활 도구 : 돌과 나무로 만들어 사용(반달 돌칼 등) • 토기 : 민무늬 토기(미송리식 토기 등)
경제·사회	한반도 일부 지역에 벼농사 보급, 농업 발달 → 인구 증가, 빈부 차이와 계급 발생, 지배층의 무덤으로 고인돌 제작

기출 선택지 +α 정답 ⑤ ×[철기 시대] ⑥○ ⑦○ ⑧ ×[신석기 시대]

2 동예

정답 ①

(가)에 들어갈 나라로 옳은 것은? [1점]

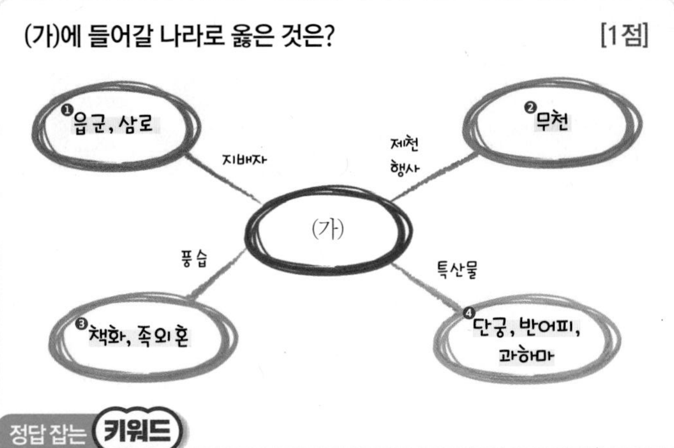

정답 잡는 키워드

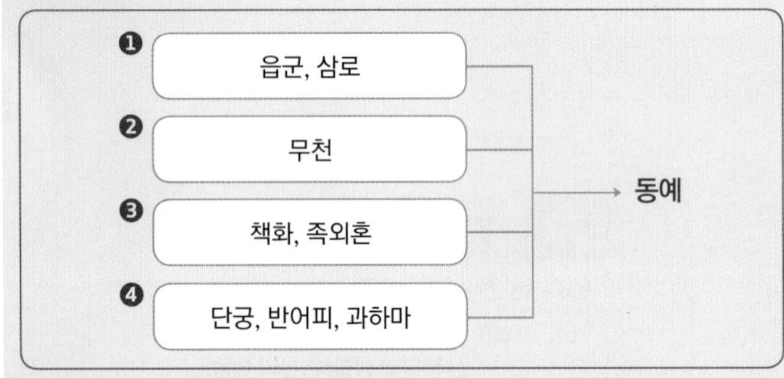

❶ 동예에는 왕이 없고 세력 크기에 따라 읍군, 삼로라고 불린 지배자가 부족을 다스렸어요.
❷ 동예는 해마다 10월에 무천이라는 제천 행사를 열었으며, 이때 하늘에 제사를 지내고 술을 마시고 노래와 춤을 즐겼어요.
❸ 동예에는 읍락 간의 경계를 중시하여 다른 부족의 영역을 침범하면 소나 말, 노비 등으로 변상하도록 하는 책화가 있었어요. 또 씨족 사회의 전통이 남아 있어 같은 씨족끼리 혼인하지 않는 족외혼을 엄격하게 지켰어요.
❹ 동예에는 박달나무로 만든 단궁이라는 활, 바다표범의 가죽인 반어피, 키가 작은 말인 과하마가 특산물로 유명하였어요.

① 동예
➡ 동예는 지금의 강원도 북부 동해안 지역을 중심으로 성장하였어요.

② 부여
➡ 부여는 만주 지역에서 성장하였으며 넓은 평야 지대에 자리 잡아 농경과 목축이 발달하였어요.

③ 삼한
➡ 삼한은 한반도 남부에서 성장한 마한, 변한, 진한을 말해요. 신지, 읍차 등으로 불린 지배자가 있었으며 천군이라는 제사장이 종교 행사를 주관하였어요.

④ 옥저
➡ 옥저는 지금의 함경도 지역에 위치하였어요. 민며느리제라는 혼인 풍습과 가족 공동 무덤을 만드는 장례 풍습이 있었어요.

3 백제 근초고왕의 업적

정답 ③

(가)에 들어갈 내용으로 옳은 것은? [2점]

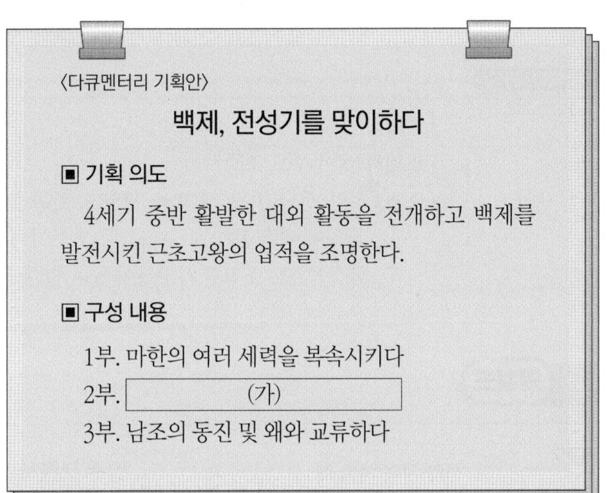

〈다큐멘터리 기획안〉

백제, 전성기를 맞이하다

▣ 기획 의도

4세기 중반 활발한 대외 활동을 전개하고 백제를 발전시킨 근초고왕의 업적을 조명한다.

▣ 구성 내용

1부. 마한의 여러 세력을 복속시키다
2부. (가)
3부. 남조의 동진 및 왜와 교류하다

✪ 근초고왕은 4세기 중반 백제의 전성기를 이끈 왕으로 마한 지역의 여러 세력을 복속시키고 남해안으로 진출하였으며, 대외적으로는 중국의 동진, 왜 등과 교류하였어요. 또한 고흥에게 역사서인 "서기"를 편찬하게 하였어요.

① 사비로 천도하다
➡ 백제 성왕은 웅진(지금의 공주)에서 사비(지금의 부여)로 도읍을 옮기고 국호를 남부여로 바꾸었어요.

② 22담로를 설치하다
➡ 담로는 백제의 지방 행정 구역이에요. 백제가 웅진에 도읍하였던 시기에 22개의 담로를 두었다고 전해집니다. 근초고왕이 재위하던 시기에 백제의 도읍은 한성이었어요.

③ 고국원왕을 전사시키다
➡ **백제 근초고왕**은 고구려의 평양성을 공격하여 고국원왕을 전사시켰어요.

④ 독서삼품과를 시행하다
➡ 신라 원성왕은 국학의 재학생을 대상으로 유교 경전의 이해 수준을 평가하여 관리 선발에 활용하는 독서삼품과를 실시하였어요.

기출 선택지 +α

⑤ 국학을 설립하다 (O/X)
⑥ 진대법을 시행하다 (O/X)
⑦ 웅진으로 천도하다 (O/X)

핵심 개념	백제 근초고왕의 업적
영토 확장	• 마한의 남은 세력을 정복하여 남해안으로 진출하고 가야에 영향력을 행사함 • 고구려의 평양성을 공격하여 고국원왕을 전사시킴 → 황해도 일부 지역을 차지함
대외 교류	중국의 동진, 왜의 규슈와 교류함
문화	고흥에게 역사서인 "서기"를 편찬하게 함

기출 선택지 +α 정답 ⑤ ×[신라 신문왕] ⑥ ×[고구려 고국천왕] ⑦ ×[백제 문주왕]

킬러 문항

4 고구려 후기의 사실

정답 ②

(가) 시기에 있었던 사실로 옳은 것은? [2점]

정답 잡는 키워드

❶ 수의 군대를 살수에서 크게 물리침 → **살수 대첩(612)**
❷ 고구려, 안시성에서 당군을 물리침 → **안시성 전투(645)**

❶ 중국을 통일한 수는 대군을 동원하여 고구려를 공격하였어요. 612년에 을지문덕이 이끄는 고구려군이 살수(지금의 청천강)에서 수의 군대를 크게 물리쳤는데, 이를 살수 대첩이라고 합니다.
❷ 수에 이어 중국을 통일한 당은 영토 확장 정책을 추진하면서 고구려를 압박하였어요. 고구려에서 연개소문이 정변을 일으켜 권력을 잡자 당 태종은 이를 구실로 고구려를 공격하였어요. 당의 공격으로 요동성과 백암성이 함락되기도 하였으나 고구려군은 안시성에서 당의 군대를 물리쳤어요. 이를 안시성 전투(645)라고 합니다.

① 김흠돌이 반란을 도모하였다.
➡ 신라 신문왕 때인 7세기 후반 681년에 김흠돌이 반란을 도모하였으나 진압되었어요.

② 연개소문이 정변을 일으켰다.
➡ **7세기 중반 642년**에 연개소문이 정변을 일으켜 영류왕을 죽이고 보장왕을 세웠어요. 권력을 장악한 연개소문은 당에 대해 강경한 입장을 취하였어요.

③ 장문휴가 당의 산둥반도를 공격하였다.
➡ 8세기 전반 732년에 발해 무왕은 장문휴를 보내 당의 산둥반도를 공격하였어요.

④ 검모잠이 고구려 부흥 운동을 전개하였다.
➡ 고구려 멸망(668) 이후 7세기 후반에 검모잠이 한성(지금의 황해도 재령)에서 안승을 왕으로 추대하고 고구려 부흥 운동을 전개하였어요.

기출 선택지 +α

⑤ 원종과 애노가 봉기하였다. (O/X)
⑥ 백제가 수도를 사비로 옮겼다. (O/X)
⑦ 흑치상지가 백제 부흥 운동을 전개하였다. (O/X)
⑧ 김춘추가 당과의 군사 동맹을 성사시켰다. (O/X)

기출 선택지 +α 정답 ⑤ ×[신라 진성 여왕 때인 889년] ⑥ ×[백제 성왕 때인 538년] ⑦ ×[백제 멸망(660) 이후] ⑧ ×[신라 진덕 여왕 때인 648년]

5 골품 제도

정답 ①

다음 퀴즈의 정답으로 옳은 것은? [1점]

정답 잡는 키워드

❶ 혈통에 따라 관직 진출뿐만 아니라 일상생활까지 차별한 신라의 신분 제도 → 골품 제도

❶ 골품 제도는 혈통에 따라 관직 진출뿐만 아니라 일상생활까지 차별한 신라의 신분 제도입니다. 골품, 즉 개인의 혈통에 따라 올라갈 수 있는 관등의 상한이 정해져 있었어요. 진골은 모든 관등에 오를 수 있었지만 다른 신분은 아무리 능력이 뛰어나도 정해진 관등 이상 올라갈 수 없었어요. 또, 골품에 따라 집의 크기, 옷차림, 수레의 크기 등 일상생활까지 규제되었어요.

① 
골품 제도

➡ 골품 제도는 지배층을 성골과 진골, 6~1두품으로 구분한 신라의 신분 제도입니다.

② 

➡ 기인 제도는 호족 세력을 견제하고 지방 통치를 보완하기 위해 지방 호족의 자제를 일정 기간 수도에 머물도록 하는 제도로, 고려 태조 때 시작되었어요.

③ 

➡ 음서는 고려 시대에 왕실의 자손과 나라에 공을 세운 공신, 5품 이상 고위 관리의 자손에게 과거를 거치지 않고 관직을 준 제도를 말해요.

④ 

➡ 상수리 제도는 신라에서 지방 세력을 견제하기 위해 지방 세력가나 그 자제를 일정 기간 수도에 머물도록 하는 제도입니다.

핵심 개념 골품 제도

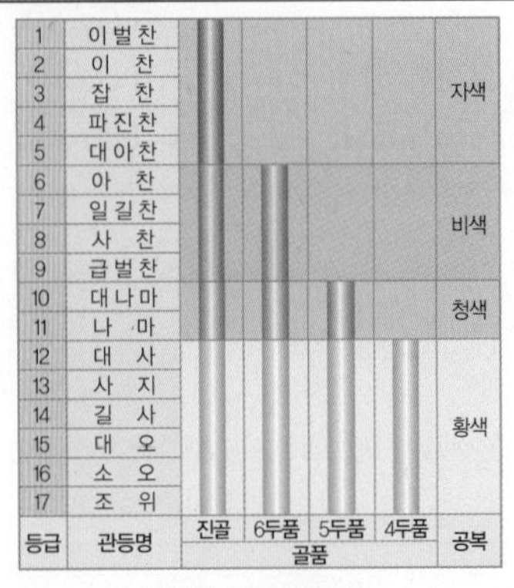

등급	관등명	진골	6두품	5두품	4두품	공복
1	이벌찬					자색
2	이찬					
3	잡찬					
4	파진찬					
5	대아찬					
6	아찬					비색
7	일길찬					
8	사찬					
9	급벌찬					
10	대나마					청색
11	나마					
12	대사					황색
13	사지					
14	길사					
15	대오					
16	소오					
17	조위					
		골품				

신라의 골품과 관등표

- 지배층을 성골과 진골, 6~1두품으로 구분한 신라의 신분 제도
- 골품에 따라 관등 승진에 제한이 있었고, 집의 크기, 옷차림, 수레의 크기 등 일상생활까지 규제함

6 경주 분황사 모전 석탑

정답 ①

(가)에 들어갈 문화유산으로 옳은 것은? [1점]

문화유산 카드

(가)

- 종목 : 국보
- 소재지 : 경상북도 경주시
- 소개 : ❶신라 선덕 여왕 때 벽돌 모양으로 돌을 다듬어 쌓은 탑으로, 기단 위 모퉁이에 화강암으로 조각한 사자상이 놓여 있다.

정답 잡는 키워드

❶ 신라 선덕 여왕 때 벽돌 모양으로 돌을 다듬어 쌓은 탑 → 경주 분황사 모전 석탑

❶ 경주 분황사 모전 석탑은 신라 선덕 여왕 때 돌을 벽돌 모양으로 다듬어 쌓은 탑이에요. 이러한 양식의 석탑을 흙을 구워 만든 벽돌을 쌓아 올린 전탑을 모방하였다고 하여 모전 석탑이라고 해요. 선덕 여왕 때 분황사 모전 석탑 외에 첨성대, 황룡사 9층 목탑도 축조되었어요.

① 
분황사 모전 석탑

➡ 경주 분황사 모전 석탑은 현재 남아 있는 신라의 석탑 가운데 가장 오래되었어요.

②
정림사지 오층 석탑

➡ 부여 정림사지 5층 석탑은 목탑 양식이 남아 있는 백제의 석탑으로, 당의 장수 소정방이 백제를 정벌한 공을 기리는 글이 탑신에 새겨져 있어 '평제탑'이라고 불리기도 하였어요.

③ 
월정사 팔각 구층 석탑

➡ 평창 월정사 8각 9층 석탑은 고려 시대에 만들어진 다각 다층탑이에요.

④ 
화엄사 사사자 삼층 석탑

➡ 통일 신라 시기에 만들어진 구례 화엄사 4사자 3층 석탑은 탑의 네 모퉁이에 있는 사자상이 탑을 받치고 있는 듯한 모습이 특징이에요.

7 신라 말의 상황

정답 ④

다음 사건이 일어난 시기를 연표에서 옳게 고른 것은? [2점]

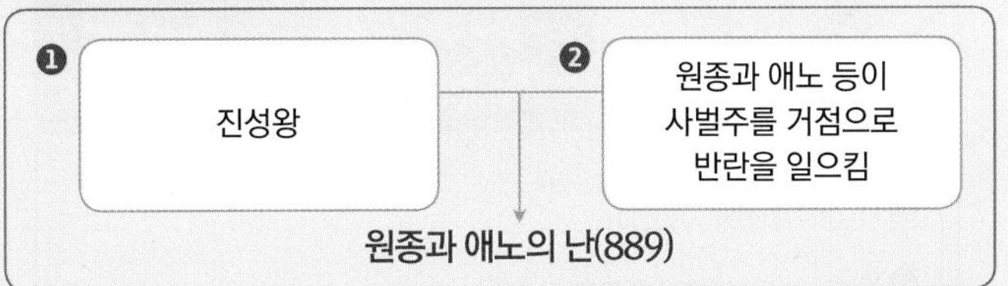
❶진성왕 3년, 나라 안의 모든 주와 군에서 공물과 부세를 보내지 않아 창고가 텅 비어 나라의 재정이 궁핍해졌다. 왕이 관리를 보내 독촉하니 곳곳에서 도적이 벌떼처럼 일어났다. 이때 ❷원종과 애노 등이 사벌주를 거점으로 반란을 일으켰다. - "삼국사기" -

정답 잡는 **키워드**

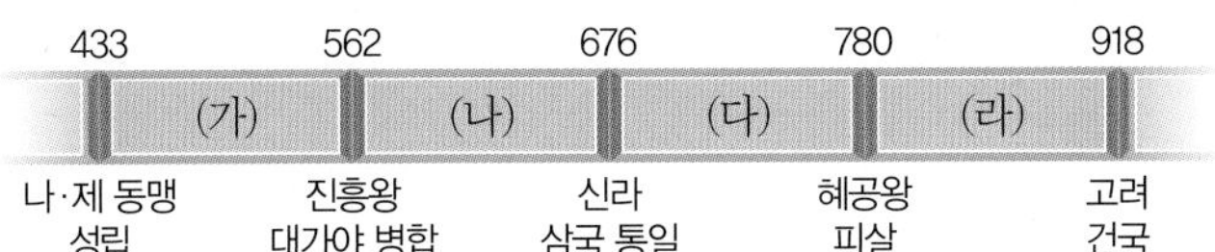

❶, ❷ 9세기 후반 신라 진성 여왕 때 농민의 삶이 피폐한 상황에서 중앙 정부가 세금을 독촉하자, 사벌주(지금의 상주)에서 원종과 애노를 중심으로 농민들이 봉기하였는데, 이를 원종과 애노의 난(889)이라고 해요.

433		562		676		780		918
	(가)		(나)		(다)		(라)	
나·제 동맹 성립		진흥왕 대가야 병합		신라 삼국 통일		혜공왕 피살		고려 건국

➡ 8세기 후반 어린 나이에 즉위한 혜공왕이 피살된 이후 신라에서는 150여 년 동안 20여 명의 왕이 바뀌는 등 왕위 쟁탈전으로 통치 질서가 어지러워졌어요. 중앙 정치가 혼란한 가운데 귀족들의 수탈과 자연재해까지 겹치면서 농민의 삶은 더욱 어려워졌어요. 이러한 상황에서 원종과 애노의 난을 비롯한 농민 봉기가 전국 각지에서 일어났어요. 농민 봉기가 확산되고 중앙 정부의 힘이 약해진 틈을 타 지방에서 호족이 성장하였어요. 호족들은 서로 연합하여 힘을 키워 나갔고, 세력을 확대한 유력 호족에 의해 후백제, 후고구려가 성립하여 신라와 함께 후삼국을 이루었어요. 송악의 호족인 왕건은 후고구려를 세운 궁예의 신하가 되어 후백제의 금성(지금의 나주)을 점령하는 등 공을 세웠어요. 이후 민심을 잃은 궁예가 왕위에서 쫓겨나고 왕건이 신하들의 추대를 받아 왕이 되어 고려를 세웠어요.

① (가)

② (나)

③ (다)

④ (라)

➡ 연표에서 원종과 애노의 난이 일어난 시기는 혜공왕 피살과 고려 건국 사이인 (라)입니다.

연표로 흐름잡기

- 780 신라 혜공왕 피살
- 822 신라 헌덕왕 때 김헌창의 난
- 828 신라 흥덕왕 때 장보고가 청해진 설치
- 889 신라 진성 여왕 때 **원종과 애노의 난**
- 896 신라 진성 여왕 때 적고적의 난
- 900 견훤, 후백제 건국
- 901 궁예, 후고구려 건국
- 918 왕건, 고려 건국

8 견훤의 활동

정답 ④

밑줄 그은 '인물'에 대한 설명으로 옳은 것은? [2점]

정답 잡는 **키워드**

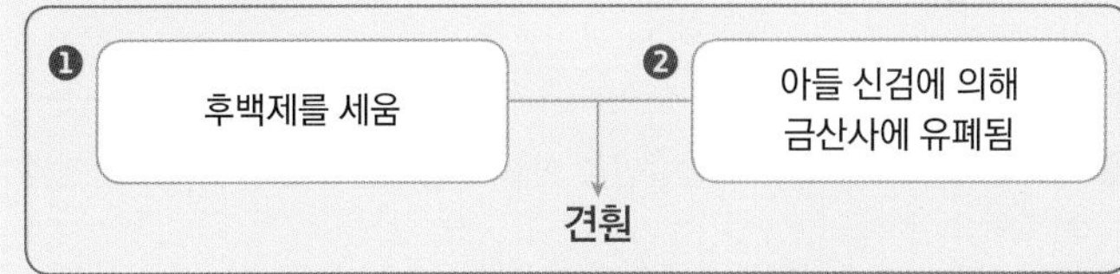

❶ 견훤은 상주 출신으로 신라의 군인이었어요. 농민 봉기를 틈타 세력을 키워 완산주(지금의 전주)를 도읍으로 후백제를 건국하였어요(900).

❷ 후백제에서 왕위 계승을 둘러싸고 다툼이 일어나 견훤이 아들 신검에 의해 금산사에 갇혔어요. 견훤은 금산사를 탈출하여 고려 태조에게 귀순하였어요.

① 청해진을 설치하였다.

➡ 장보고는 당에서 군인으로 활동하다가 신라 흥덕왕 때 신라로 돌아와 지금의 완도에 군사·무역 기지인 청해진을 설치하였어요.

② 국호를 마진으로 하였다.

➡ 후고구려를 세운 궁예는 나라 이름을 마진으로 바꾸고 철원으로 천도하였어요. 이후 다시 국호를 태봉으로 바꾸었어요.

③ 경주의 사심관으로 임명되었다.

➡ 신라의 마지막 왕인 경순왕 김부는 고려에 항복한 이후 경주의 사심관으로 임명되었어요.

④ 공산 전투에서 고려에 승리하였다.

➡ **견훤**의 후백제군은 지금의 대구 팔공산 일대에서 있었던 공산 전투에서 왕건의 고려군에 승리하였어요.

기출 선택지 +α

❺ 훈요 10조를 남겼다. (O/X)
❻ 백제 계승을 내세웠다. (O/X)
❼ 국호를 태봉으로 바꾸었다. (O/X)

기출 선택지 +α 정답 ⑤ ×[고려 태조 왕건] ⑥ ○ ⑦ ×[궁예]

제64회

9 발해의 문화유산

정답 ①

다음 자료에 해당하는 국가의 문화유산으로 옳은 것은? [2점]

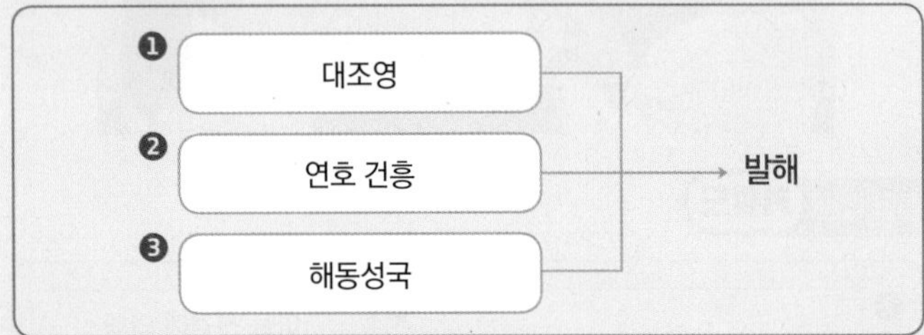
○ ❶대조영은 마침내 그 무리를 거느리고 동쪽으로 가서 계루부의 옛 땅을 차지하고, 동모산에 웅거하여 성을 쌓고 살았다.
○ 대인수가 왕위에 올라 ❷연호를 건흥으로 바꾸었다. …… 여러 차례 학생들을 유학 보내어 고금의 제도를 익히게 하니, 비로소 ❸해동성국에 이르렀다.

정답 잡는 키워드

❶ 대조영 / ❷ 연호 건흥 / ❸ 해동성국 → 발해

❶ 대조영은 고구려 유민과 말갈인을 이끌고 동모산 부근에서 발해를 건국하였어요.
❷ 발해 선왕은 건흥이라는 독자적인 연호를 사용하였어요.
❸ 발해는 전성기에 중국으로부터 '바다 동쪽의 융성한 나라'라는 뜻에서 해동성국이라고 불리기도 하였어요.

①

영광탑

➡ 영광탑은 **발해**의 탑으로 벽돌을 쌓아 만든 전탑이에요. 건축 기법 등에서 당의 영향을 받았어요.

②

금관총 금관

➡ 금관총 금관은 경주에 있는 신라의 고분에서 발견되었어요. 신라의 금관은 현재 금관총 금관 등 6점이 남아 있는데 이를 통해 신라의 수준 높은 금세공 기술을 알 수 있어요.

③

금동 대향로

➡ 백제 금동 대향로는 불교와 도교 사상이 반영된 백제의 문화유산으로 부여 능산리 고분군 근처의 절터에서 출토되었어요.

④

판갑옷과 투구

➡ 고령 지산동 고분군에서 출토된 판갑옷과 투구예요. 가야는 철이 풍부하게 생산되었으며 우수한 제철 기술을 가지고 있었어요.

10 고려 광종의 업적

정답 ④

(가)에 들어갈 내용으로 옳은 것은? [2점]

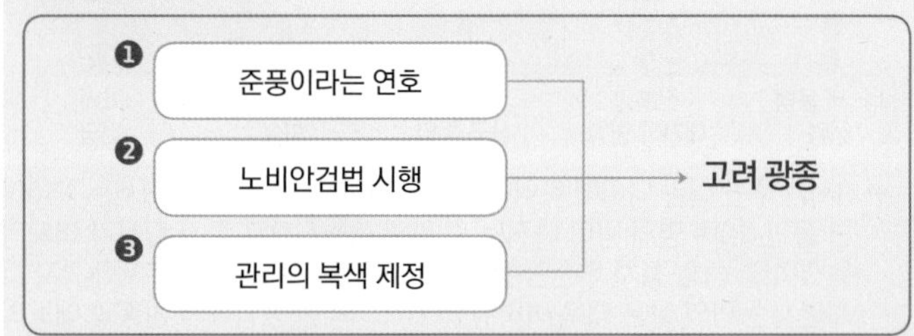

정답 잡는 키워드

❶ 준풍이라는 연호 / ❷ 노비안검법 시행 / ❸ 관리의 복색 제정 → 고려 광종

❶ 광종은 광덕, 준풍 등의 연호를 사용하였어요.
❷ 광종은 노비를 조사하여 불법적으로 노비가 된 사람을 양인 신분으로 되돌려 주는 노비안검법을 시행하였어요. 이를 통해 국가 재정을 확충하고 왕권을 강화하였어요.
❸ 광종은 관리들이 나랏일을 할 때 입는 옷의 색깔을 서열에 따라 네 가지로 다르게 정하였어요. 이를 통해 관리의 기강을 확립하였어요.

① 강화도로 천도했어요.
➡ 고려 고종 때 몽골의 침입에 대응하여 당시 최고 집권자였던 최우의 주장에 따라 강화도로 도읍을 옮겨 장기 항쟁을 준비하였어요.

② 쌍성총관부를 수복했어요.
➡ 고려 공민왕 때 쌍성총관부를 공격하여 철령 이북의 영토를 수복하였어요.

③ 지방에 12목을 설치했어요.
➡ 고려 성종은 최승로의 시무 28조를 받아들여 지방에 12목을 설치하고 지방관을 파견하였어요.

④ 과거제를 처음으로 시행했어요.
➡ **고려 광종**은 쌍기의 건의를 받아들여 일정한 시험을 통해 관리를 뽑는 과거제를 처음으로 시행하였어요.

기출 선택지 +α

⑤ 호패법을 시행하였다. (O/X)
⑥ 교정도감을 설치하였다. (O/X)
⑦ 기철 등 친원파를 숙청하였다. (O/X)

기출 선택지 +α

정답 ⑤ ×[조선 태종이 처음 시행] ⑥ ×[고려 희종 때 당시 최고 집권자 최충헌이 설치] ⑦ ×[고려 공민왕]

11 고려와 여진의 관계

정답 ②

(가) 시기에 있었던 사실로 옳은 것은? [2점]

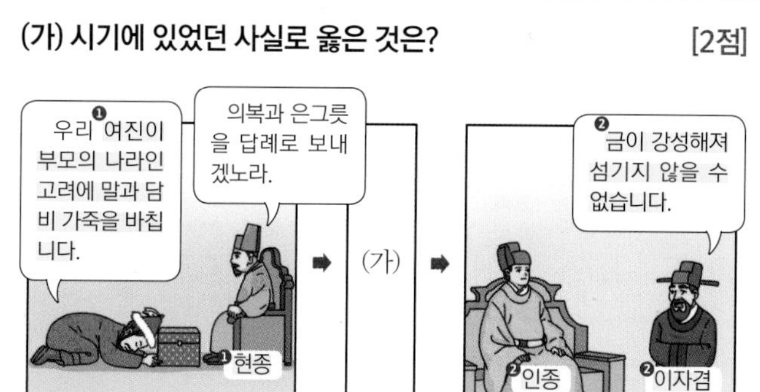

정답 잡는 키워드

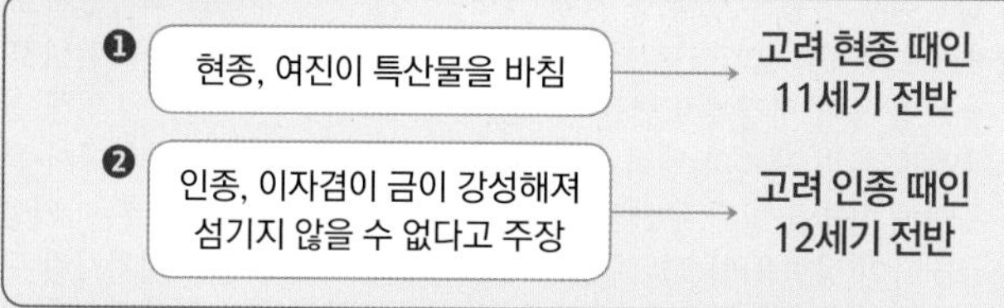

❶ 현종, 여진이 특산물을 바침 → 고려 현종 때인 11세기 전반

❷ 인종, 이자겸이 금이 강성해져 섬기지 않을 수 없다고 주장 → 고려 인종 때인 12세기 전반

❶ 여진은 고려의 동북부 지역에 부족 단위로 흩어져 살았어요. 고려 초부터 대부분의 여진은 고려에 특산물을 바치고 고려를 부모의 나라로 섬겼어요. 고려 현종 때인 11세기 전반에도 여진은 고려에 말과 담비 가죽 등의 특산물을 바쳤고 고려는 이에 대한 답례품을 주었어요.

❷ 12세기에 들어와 부족을 통일하고 세력을 키운 여진은 고려의 국경 지역을 자주 침범하였어요. 이에 고려 숙종 때 윤관의 건의로 별무반을 편성하였어요. 윤관은 예종 때 별무반을 이끌고 여진을 공격하여 동북 지역에 9성을 쌓았어요. 그러나 여진의 요청과 방비의 어려움 등으로 1년여 만에 동북 9성을 여진에 돌려주었어요. 이후 여진은 세력을 더욱 키워 금을 건국하고 거란이 세운 요를 정벌한 뒤 12세기 전반 고려 인종 때 고려에 금을 섬길 것을 요구하였어요. 이에 당시 집권자였던 이자겸이 금의 강성함을 이유로 들어 금의 요구를 받아들였어요.

① 박위가 대마도를 정벌하였다.
➡ 14세기 고려 창왕 때 박위가 왜구의 근거지인 대마도(쓰시마섬)를 정벌하였어요.

② 윤관이 별무반 설치를 건의하였다.
➡ **12세기 초 고려 숙종 때** 윤관이 여진을 정벌하기 위해 별무반의 설치를 건의하였어요.

③ 김윤후가 처인성 전투에서 승리하였다.
➡ 13세기 몽골이 고려에 침입하였을 때 김윤후 부대가 처인성 전투에서 몽골 장수 살리타를 사살하고 몽골군에 승리하였어요.

④ 김춘추가 당과의 군사 동맹을 성사시켰다.
➡ 7세기 중반 신라의 김춘추가 당으로 건너가 군사 동맹을 성사시켰어요.

기출 선택지 +α

⑤ 윤관이 동북 9성을 축조하였다. (O/X)
⑥ 최영이 홍산에서 왜구를 물리쳤다. (O/X)
⑦ 서희가 소손녕과 외교 담판을 벌였다. (O/X)

기출 선택지 +α 정답 ⑤ ○ ⑥ ×[14세기] ⑦ ×[10세기]

12 해동통보

정답 ④

(가)에 들어갈 화폐로 옳은 것은? [1점]

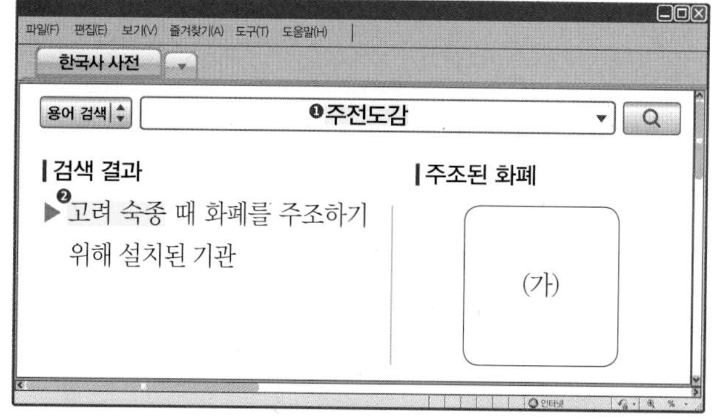

정답 잡는 키워드

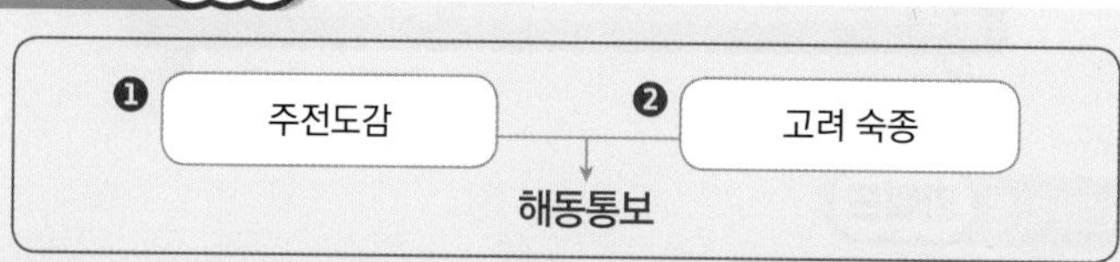

❶ 주전도감 ❷ 고려 숙종 → 해동통보

❶, ❷ 고려 숙종은 아우인 승려 의천의 건의를 받아들여 화폐 주조 기관으로 주전도감을 설치하고 해동통보 등을 만들었어요.

①

명도전

➡ 명도전은 우리나라의 철기 시대 유적 등에서 발견되는 중국 화폐예요.

②
당백전

➡ 당백전은 조선 고종 때 흥선 대원군의 주도로 경복궁 중건에 필요한 비용을 충당하기 위해 발행한 고액 화폐예요.

③

백동화

➡ 백동화는 1892년부터 전환국에서 발행한 금속 화폐로, 1904년에 전환국이 폐지되면서 주조가 중단되었어요. 제1차 한·일 협약(1904)에 따라 대한 제국의 재정 고문으로 파견된 메가타의 주도로 백동화 등을 일본 제일 은행권으로 교환하도록 한 화폐 정리 사업이 시행되었어요.

④

해동통보

➡ 고려 숙종은 주전도감을 설치하여 은화인 은병(활구), 동전인 해동통보 등의 화폐를 발행하였으나 널리 유통되지 못하였어요.

13 팔만대장경판

정답 ③

(가)에 들어갈 문화유산으로 옳은 것은? [2점]

정답 잡는 키워드

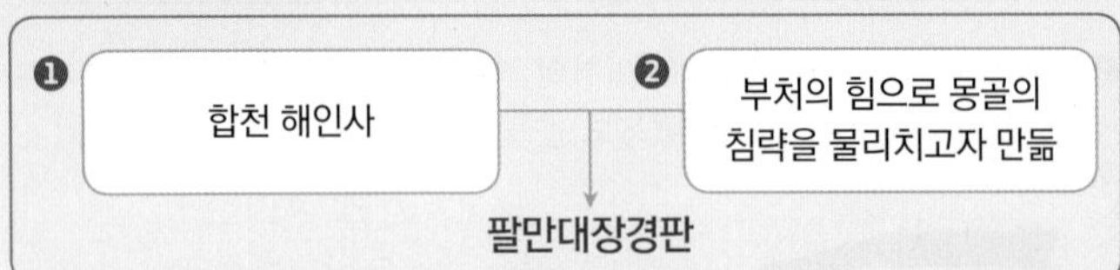

❶ 합천 해인사 장경판전은 조선 시대에 지어진 건축물로 팔만대장경판이 보관되어 있어요. 합천 해인사 장경판전은 팔만대장경판을 잘 보존하는 데 필요한 온도, 습도, 통풍 등이 자연적으로 조절될 수 있게 설계된 과학적 건축물이에요. 이러한 가치를 인정받아 유네스코 세계 유산으로 등재되었어요.

❷ 고려는 11세기에 부처의 힘으로 거란의 침략을 물리치고자 하는 염원을 담아 초조대장경을 만들었는데, 13세기 몽골의 침입으로 초조대장경이 불에 탔어요. 이에 부처의 힘으로 몽골의 침략을 물리치고자 다시 팔만대장경판(재조대장경판)을 만들었어요.

① 초조대장경

➡ 초조대장경은 11세기 고려 현종 때 있었던 거란의 침입을 부처의 힘으로 이겨 내고자 하는 염원을 담아 만들어졌어요.

② 직지심체요절

➡ "직지심체요절"은 고려 말에 청주 흥덕사에서 금속 활자로 인쇄되었어요. 현재 남아 있는 세계에서 가장 오래된 금속 활자본으로 유네스코 세계 기록 유산으로 등재되었으며, 현재 프랑스 국립 도서관에 보관되어 있어요.

③ 팔만대장경판

➡ 팔만대장경판(고려대장경판 및 제경판)은 현재 합천 해인사에 보관되어 있으며, 유네스코 세계 기록 유산으로 등재되어 있어요.

④ 무구정광대다라니경

➡ 8세기 통일 신라 시기에 간행된 것으로 보이는 무구정광대다라니경은 현재 남아 있는 세계에서 가장 오래된 목판 인쇄물이에요. 경주 불국사 3층 석탑을 보수하는 과정에서 발견되었어요.

14 문벌 사회의 동요

정답 ①

(가) 시기에 볼 수 있는 장면으로 옳은 것은? [3점]

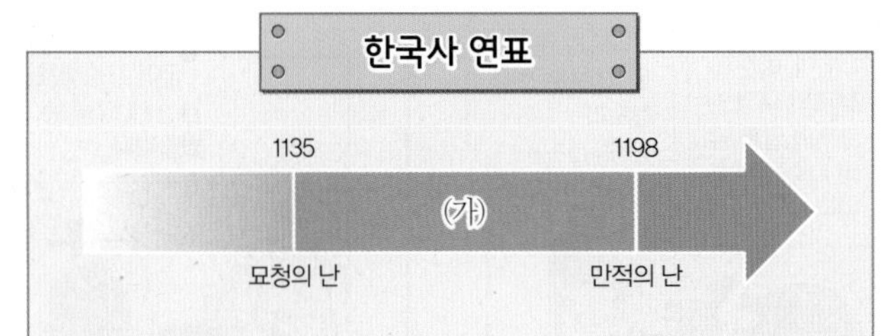

✪ 고려 인종 때 왕실과의 중첩된 혼인 관계를 통해 권력을 장악한 경원 이씨 가문의 이자겸이 척준경과 반란을 일으켰다가 진압되었어요(이자겸의 난). 이후 인종은 묘청 등 서경 세력을 기용하여 개혁을 꾀하였어요. 서경으로 수도를 옮기자는 서경 세력의 주장이 받아들여지지 않자 1135년에 묘청 등이 서경에서 난을 일으켰어요. 묘청의 난은 관군에 의해 진압되었고, 문벌 세력의 권력 독점은 계속되었어요. 이러한 상황에서 문신에 비해 차별을 받던 무신의 불만이 쌓여 갔어요. 결국 정중부, 이의방 등 무신들이 정변을 일으켜 수많은 문신을 살해하고 의종을 폐위시킨 뒤 정권을 장악하였어요(무신 정변, 1170). 무신 집권기에 망이·망소이의 난, 김사미와 효심의 난, 만적의 난 등 농민과 천민의 봉기가 여러 차례 일어났어요.

①

➡ 12세기 고려 의종 때 정중부, 이의방 등이 정변을 일으켜 많은 문신을 살해하고 정권을 장악하였는데, 이를 **무신 정변(1170)**이라고 합니다.

②

➡ 고려 말 14세기 후반에 최무선 등이 화통도감에서 제작한 화포와 화약 무기를 이용해 진포에서 왜구를 물리쳤어요. 이를 진포 대첩(1380)이라고 합니다.

③

➡ 11세기 고려 현종 때 일어난 거란의 3차 침입 당시 강감찬이 이끄는 고려군이 흥화진에서 거란군을 물리쳤어요(1018). 이후 물러나는 거란군을 귀주에서 다시 크게 물리쳤어요(귀주 대첩, 1019).

④

➡ 13세기에 고려 정부가 몽골과 강화를 맺고 개경으로 환도할 것을 결정하자, 이에 반대하여 배중손이 삼별초를 이끌고 봉기하였어요. 삼별초는 강화도에서 진도, 제주도로 근거지를 옮겨 가며 몽골군에 맞서 싸웠으나 결국 진압되었어요. 이를 삼별초의 항쟁(1270~1273)이라고 합니다.

15 고려 태조의 업적

정답 ①

밑줄 그은 '이 왕'의 업적으로 옳은 것은? [2점]

정답 잡는 키워드

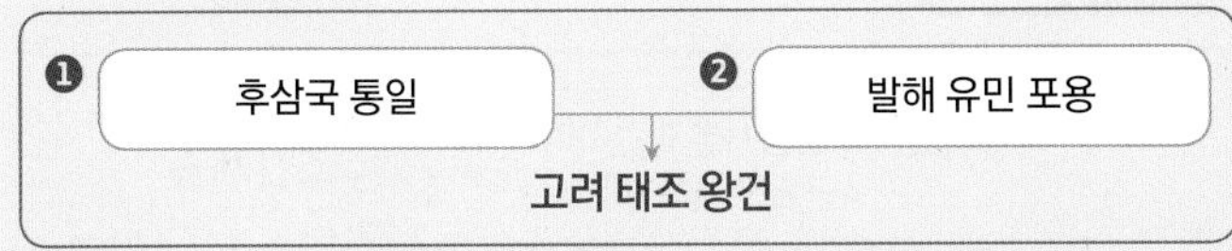

❶ 고려를 건국한 태조 왕건은 신라의 항복을 받은 뒤에 후백제를 공격하여 멸망시키고 후삼국을 통일하였어요.
❷ 고려 태조 왕건은 발해 왕자 대광현 등 발해 유민을 받아들여 민족 통합을 꾀하였어요.

① 흑창을 만들었다.
➡ **고려 태조**는 가난한 백성을 구제하기 위해 흑창을 만들어 먹을 것이 부족할 때 곡식을 빌려주고 추수한 후에 갚도록 하였어요.

② 천리장성을 축조하였다.
➡ 고려는 거란과 여진의 침입을 막기 위해 국경 지역에 천리장성을 축조하였어요. 천리장성은 덕종 때 쌓기 시작하여 정종 때 완성되었어요.

③ 전민변정도감을 설치하였다.
➡ 전민변정도감은 고려 말에 권문세족이 불법으로 차지한 토지와 노비를 조사하여 원래대로 되돌리기 위해 설치된 기구입니다. 대표적으로 공민왕이 신돈을 등용하고 전민변정도감을 설치한 사례를 들 수 있어요.

④ 전시과를 처음으로 시행하였다.
➡ 고려 경종 때 관직 복무 등에 대한 대가로 관리에게 전지와 시지를 지급하는 전시과를 처음으로 시행하였어요.

기출 선택지 +α

❺ 만권당을 설립하였다. (O/X)
❻ 화통도감을 설치하였다. (O/X)
❼ 사심관 제도를 실시하였다. (O/X)
❽ 활구라고 불린 은병을 제작하였다. (O/X)

기출 선택지 +α 정답 ⑤ ×[고려 충선왕] ⑥ ×[고려 우왕] ⑦ ○ ⑧ ×[고려 숙종]

16 원 간섭기의 모습

정답 ③

밑줄 그은 '이 시기'에 볼 수 있는 모습으로 적절하지 않은 것은? [2점]

왼쪽 그림에서는 발립을 쓴 관리의 모습, 오른쪽 그림에서는 ❶변발과 호복을 한 무사의 모습을 볼 수 있습니다. 이러한 복식은 이 시기 지배층 사이에서 유행하였습니다.

복식으로 배우는 한국사

이조년 초상 / 천산대렵도(일부)

정답 잡는 키워드

❶ 변발과 호복 등의 복식이 지배층 사이에서 유행 → 원 간섭기

❶ 몽골과 강화를 맺고 개경으로 돌아오면서 고려 정부는 본격적으로 몽골이 세운 원의 간섭을 받게 되었어요. 원 간섭기에 고려와 원의 교류가 활발해지면서 고려에서 몽골의 풍습이 유행하였어요. 대표적인 예로 지배층 사이에서 유행한 변발과 호복을 들 수 있어요.

① 매를 조련시키는 응방 관리
➡ **원 간섭기**에 원은 고려에서 금, 은, 인삼, 매 등 특산물을 거두어 갔어요. 응방은 매의 사육과 사냥을 맡은 관서로, 원에 보낼 매를 구하기 위해 처음 설치되었어요.

② 원에 공녀로 끌려가는 여인
➡ **원 간섭기**에 결혼도감을 통해 많은 고려의 여성들이 원에 공녀로 끌려갔어요.

③ 황룡사 구층 목탑을 세우는 목공
➡ 신라 선덕 여왕 때 자장의 건의로 황룡사 9층 목탑이 건립되었어요.

④ 권문세족에게 땅을 빼앗기는 농민
➡ **원 간섭기**에 대개 원과의 관계를 배경으로 성장한 권문세족이 새로운 지배 세력으로 등장하였어요. 이들은 높은 관직을 독점하였으며, 개간을 하고 농민의 토지를 빼앗아 대농장을 경영하기도 하였어요.

핵심 개념	원 간섭기
영토 축소	원이 화주에 쌍성총관부, 서경에 동녕부, 제주도에 탐라총관부를 설치하여 고려 영토의 일부를 직접 통치함
내정 간섭	• 고려 왕은 원의 공주와 혼인함 → 원의 부마국이 됨 • 고려 왕실의 호칭과 관제의 격을 낮춤 • 정동행성 설치 → 고려 정치에 간섭함
물자와 인력 수탈	• 결혼도감을 통해 고려의 여성들이 원에 공녀로 끌려감 • 매년 금, 은, 인삼, 매 등 특산물을 원에 바침
몽골풍 유행	지배층을 중심으로 변발·호복 등 몽골식 복장, 음식, 몽골어 등 몽골식 풍습이 유행함
권문세족의 성장	• 원의 세력에 기대어 권력을 얻음, 대부분 친원파 • 음서를 통해 관직 세습, 고위 관직 독점, 도평의사사(도당) 장악 • 대농장 소유

17 이성계의 활동 정답 ③

(가) 인물에 대한 설명으로 옳은 것은? [3점]

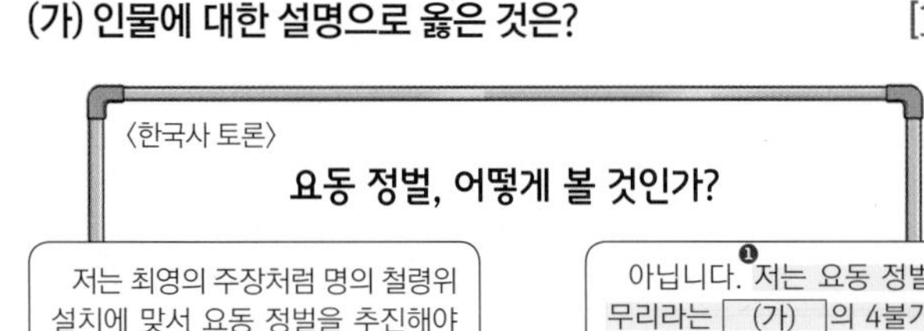

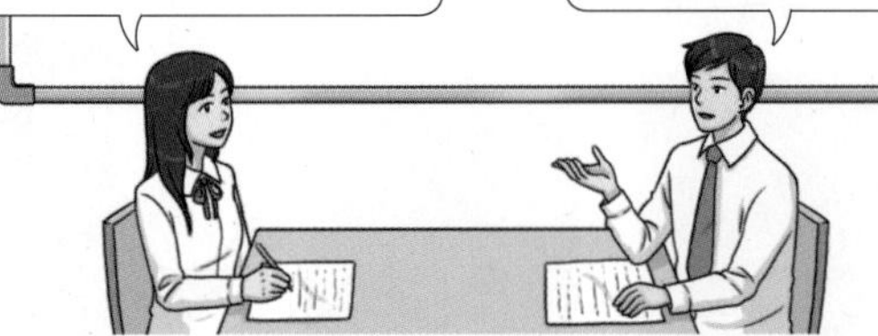

정답 잡는 **키워드**

❶ 요동 정벌은 무리라는 4불가론 → 이성계

❶ 고려 말에 명이 고려가 원으로부터 되찾은 철령 이북 지역을 요구하자 우왕과 최영이 중심이 되어 요동 정벌을 추진하였어요. 이성계는 요동 정벌이 가능하지 않은 4가지 이유(4불가론)를 들어 요동 정벌에 반대하였어요. 그러나 최영과 우왕이 요동 정벌을 강행하자 위화도에서 군사를 돌려 개경에 돌아와 권력을 장악하였어요.

① 강동 6주를 획득하였다.
➡ **서희**는 고려 성종 때 있었던 거란의 1차 침입 당시 거란 장수 소손녕과 외교 담판을 벌여 강동 6주 지역을 확보하였어요.

② 비격진천뢰를 제작하였다.
➡ 조선 선조 때 **이장손**이 일종의 폭탄인 비격진천뢰를 제작하였어요.

③ 황산에서 왜구를 물리쳤다.
➡ 고려 말 우왕 때 **이성계**는 황산(지금의 남원)에서 왜구를 크게 물리쳤어요.

④ 매소성 전투를 승리로 이끌었다.
➡ **신라 문무왕**(김법민)은 당군을 상대로 한 매소성 전투를 승리로 이끌었어요.

기출 선택지 +α

⑤ 우산국을 정벌하였다. (O/X)
⑥ 5군영 체제를 완성하였다. (O/X)
⑦ 위화도 회군을 단행하였다. (O/X)

기출 선택지 +α 정답 ⑤ ×[신라 지증왕 때 이사부] ⑥ ×[조선 숙종] ⑦○

18 조선 세종의 업적 정답 ②

다음 가상 인터뷰에 등장하는 왕의 업적으로 옳은 것은? [2점]

조선의 북방 영토를 넓힌 과정을 말씀해 주세요.

여진의 침입이 잦아 ❶최윤덕과 김종서를 파견하여 4군 6진을 개척하였습니다.

정답 잡는 **키워드**

❶ 최윤덕과 김종서를 파견하여 4군 6진 개척 → 조선 세종

❶ 세종은 최윤덕과 김종서를 보내 압록강과 두만강 유역의 여진을 몰아내고 4군 6진을 개척하였어요. 이로써 현재와 비슷한 국경선이 확정되었어요.

① 비변사를 폐지하였다.
➡ **조선 고종 때** 왕의 친아버지로 실권을 장악한 **흥선 대원군**의 주도로 국정을 총괄하던 비변사의 기능을 축소하여 사실상 폐지하고 의정부의 기능을 되살렸어요.

② 칠정산을 편찬하였다.
➡ **조선 세종**은 이순지, 김담 등에게 명하여 한양을 기준으로 천체 운동을 계산한 "칠정산"을 편찬하게 하였어요.

③ 동의보감을 간행하였다.
➡ **조선 광해군 때 허준**이 전통 한의학을 집대성한 "동의보감"을 완성하여 간행하였어요.

④ 백두산정계비를 건립하였다.
➡ **조선 숙종** 때 청과 국경을 확정하고 백두산정계비를 건립하였어요.

기출 선택지 +α

⑤ 한양으로 천도하였다. (O/X)
⑥ 자격루를 제작하였다. (O/X)
⑦ 농사직설을 간행하였다. (O/X)
⑧ 전국을 8도로 나누었다. (O/X)
⑨ 초계문신제를 실시하였다. (O/X)

기출 선택지 +α 정답 ⑤ ×[조선 태조] ⑥○ ⑦○ ⑧ ×[조선 태종] ⑨ ×[조선 정조]

19 조선 태종의 정책

정답 ①

(가)에 들어갈 왕으로 옳은 것은? [1점]

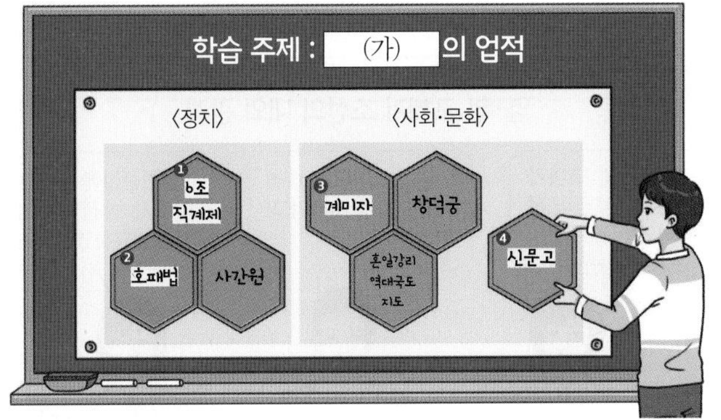

정답 잡는 키워드

❶ 태종은 왕권을 강화하기 위해 6조에서 의정부를 거치지 않고 왕에게 직접 업무를 보고하고 왕의 명령을 받아 정책을 시행하는 6조 직계제를 시행하였어요.

❷ 태종은 16세 이상 모든 남성에게 이름, 태어난 연도, 신분 등을 새긴 호패를 차고 다니게 한 호패법을 처음으로 실시하였어요.

❸ 태종은 활자 주조 기관인 주자소를 설치하고 이전의 금속 활자를 개량하여 계미자를 주조하였어요.

❹ 태종은 백성의 억울한 일을 해결해 줄 목적으로 궁궐 밖에 신문고라는 북을 달아 억울한 일을 당한 사람은 누구든 북을 울려 자신의 사정을 알릴 수 있게 하였어요.

① 태종

➡ 태종 이방원은 두 차례 왕자의 난을 통해 정도전 등 반대파를 제거하고 왕위에 올랐어요. 왕위에 오른 태종은 문하부를 없애고 의정부를 설치하면서 문하부 낭사를 사간원으로 독립시켰어요. 또 창덕궁을 지었으며, 현재 남아 있는 동아시아에서 가장 오래된 세계 지도인 혼일강리역대국도지도를 만들었어요.

② 세조

➡ 세조는 계유정난으로 정권을 장악한 후 단종에게 양위를 받아 즉위하였어요. 세조는 왕권 강화를 위해 6조 직계제를 부활시켰어요.

③ 중종

➡ 중종은 연산군을 몰아낸 훈구 세력 등의 추대를 받아 왕위에 올랐어요(중종반정). 중종은 조광조를 비롯한 사림을 등용하여 훈구 세력을 견제하려고 하였어요. 그러나 조광조 등 사림의 급진적인 개혁 정책에 부담을 느낀 중종과 훈구 세력의 반발로 기묘사화가 일어났어요.

④ 영조

➡ 영조는 탕평 정책을 추진하였으며 탕평의 의지를 널리 알리기 위해 성균관 앞에 탕평비를 세웠어요.

20 대동법

정답 ②

밑줄 그은 '제도'로 옳은 것은? [2점]

정답 잡는 키워드

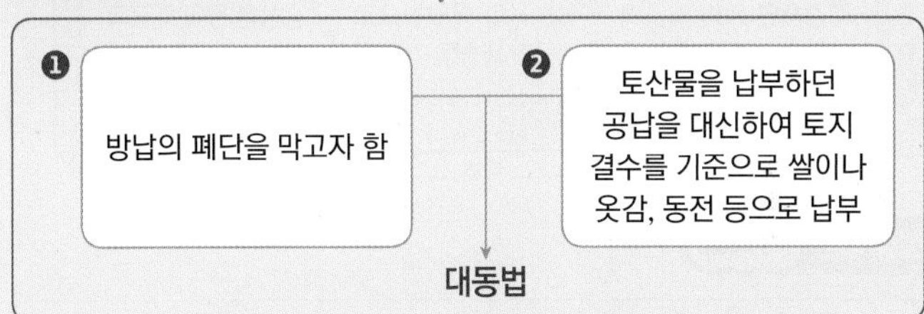

❶, ❷ 공납은 토산물을 거두는 세금 제도입니다. 하급 관리나 상인이 공납을 대신 내고 과도한 대가를 챙기는 방납의 폐단이 심해져 백성들이 큰 부담을 안게 되었어요. 이에 방납의 폐단을 막고자 조선 광해군 때 경기도에서 대동법을 처음 실시하였어요. 대동법은 공납을 토산물 대신 토지 결수를 기준으로 쌀이나 옷감, 동전 등으로 납부하도록 한 제도입니다.

① 균역법

➡ 균역법은 농민의 군포 부담을 덜어 주기 위해 농민에게 군포 1필을 거둔 제도로, 조선 영조 때부터 시행되었어요.

② 대동법

➡ 대동법은 조선 광해군 때 경기도에서 처음으로 실시된 후 점차 확산되어 숙종 때 평안도 등을 제외한 전국에서 시행되었어요.

③ 영정법

➡ 영정법은 풍흉에 관계없이 전세 납부액을 토지 1결당 4~6두로 고정한 제도로, 조선 인조 때부터 시행되었어요.

④ 직전법

➡ 직전법은 관리에게 지급할 토지가 부족해지자 현직 관리에게만 수조권을 행사할 수 있는 토지를 지급한 제도로, 조선 세조 때부터 시행되었어요.

핵심 개념 조선 후기 수취 체제의 정비

제도	내용
영정법	• 인조 때 시행 • 풍흉에 관계없이 전세 납부액을 토지 1결당 쌀 4~6두로 고정
대동법	• 광해군 때 경기도에서 처음 실시하여 점차 전국으로 확대 • 공납을 토산물 대신 소유한 토지 결수를 기준으로 쌀, 옷감, 동전 등으로 납부하게 함 • 관청에 물품을 조달하는 공인이 등장하는 배경이 됨
균역법	• 영조 때 시행 • 농민의 군포 부담을 덜어 주기 위해 군포를 2필에서 1필로 줄여 줌 • 부족한 재정을 보충하기 위해 결작과 선무군관포를 징수하고 왕실 재정으로 들어가던 어장세와 소금세 등을 국가 재정으로 사용함

21 임진왜란 정답 ②

(가) 전쟁에 대한 설명으로 옳지 않은 것은? [3점]

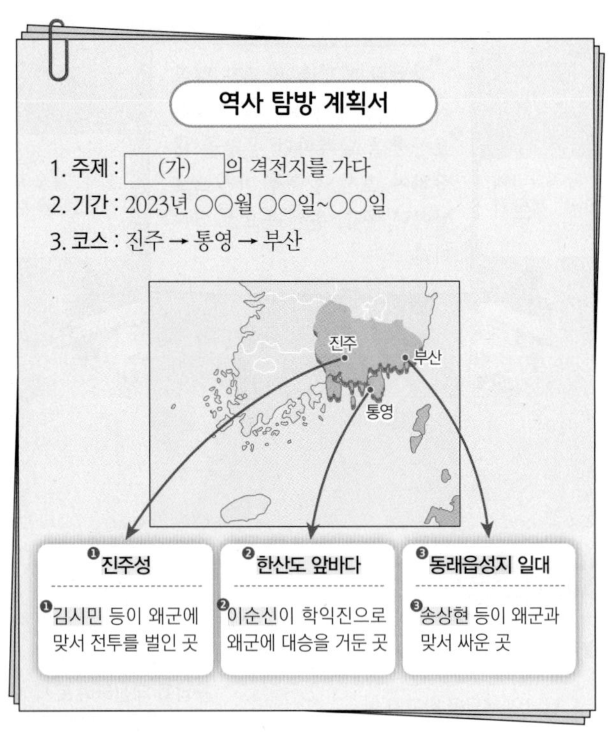

정답 잡는 키워드

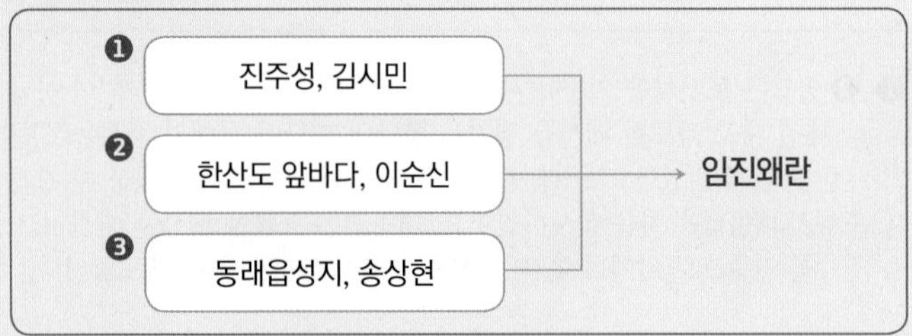

❶ 임진왜란 당시 진주성에서 김시민이 이끄는 관군과 백성이 힘을 합쳐 일본군을 격퇴하였는데, 이를 진주 대첩이라고 해요.

❷ 임진왜란 당시 일본군은 부산진과 동래성을 함락하고 충주의 방어선도 뚫으며 빠른 속도로 북상하였어요. 하지만 이순신이 이끄는 수군은 여러 해전에서 일본군을 격퇴하여 우위를 점하였어요. 특히 한산도 앞바다에서 학이 날개를 펼친 듯한 형태로 적을 포위하여 공격하는 학익진 전술로 대승을 거두었는데 이 해전을 한산도 대첩이라고 해요. 한산도 대첩은 진주 대첩, 행주 대첩과 함께 임진왜란 3대첩으로 꼽힙니다.

❸ 1592년에 일본이 조선을 침략하여 임진왜란이 시작되었어요. 일본군이 부산에 상륙하자 동래 부사였던 송상현이 동래(읍)성에서 일본군에 맞서 싸웠으나 패배하였어요.

① 조헌이 금산에서 의병을 이끌었다.
➡ **임진왜란** 당시 조헌이 이끄는 700명의 의병이 금산에서 일본군에 맞서 싸우다가 모두 전사하였어요.

② 임경업이 백마산성에서 항전하였다.
➡ **병자호란** 당시 임경업이 백마산성에서 청의 군대에 항전하였어요.

③ 곽재우가 의병을 일으켜 정암진에서 싸웠다.
➡ **임진왜란** 당시 곽재우가 의령에서 의병을 일으켰어요. 곽재우가 이끄는 의병은 남강 유역의 정암진에서 일본군을 기습 공격하여 큰 피해를 입혔어요.

④ 신립이 탄금대에서 배수의 진을 치고 전투를 벌였다.
➡ **임진왜란** 당시 신립이 충주의 탄금대에서 배수의 진을 치고 일본군에 맞서 싸웠으나 패배하였어요.

22 명·청 교체기 조선의 대외 관계 정답 ②

(가)~(다) 학생이 발표한 내용을 일어난 순서대로 옳게 나열한 것은? [3점]

정답 잡는 키워드

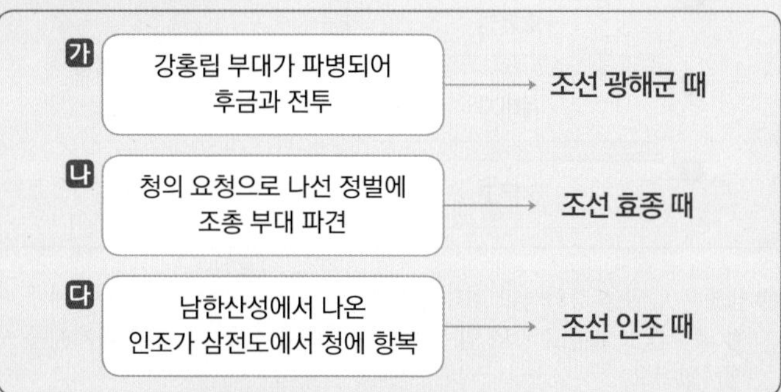

가 17세기 전반 광해군 때 명이 쇠약해지고 후금이 강성해지는 상황에서 후금과 대립하고 있는 명의 요청으로 강홍립의 부대가 파병되었어요. 명과 후금 사이에서 후금과의 전면적인 충돌을 피하는 중립 외교를 펼치던 광해군은 강홍립에게 상황에 맞게 대처하라고 지시하였어요. 강홍립 부대는 명의 군대와 함께 후금과 전투를 벌였으나 패배하여 상황이 어렵게 되자 후금에 항복하였고, 조선은 후금과 마찰을 피할 수 있었어요. 그러나 광해군의 중립 외교 등에 반발한 서인의 주도로 인조반정이 일어나 광해군이 왕위에서 쫓겨났어요.

나 17세기 중반 효종 때 청의 요청으로 나선 정벌에 두 차례 조총 부대를 파견하였어요. 병자호란 이후 청에 볼모로 끌려갔다가 돌아온 효종은 청에 당한 치욕을 갚기 위해 북벌 정책을 추진하여 군대를 양성하고 성곽을 수리하였으며 조총·화포 등의 신무기를 개량하였어요. 그러나 이미 강성해진 청을 공격하기에는 현실적인 어려움이 있어 북벌이 실행되지는 못하였어요.

다 17세기 전반 인조 때 조선이 청의 군신 관계 요구를 거부하자 청군이 조선을 침략하여 병자호란(1636~1637)이 일어났어요. 인조는 남한산성으로 피신하여 청에 항전하였으나 결국 삼전도에서 청에 항복하였어요. 이후 소현 세자와 봉림 대군(후에 효종)을 비롯하여 많은 신하와 백성이 청에 볼모로 끌려갔습니다.

① (가) - (나) - (다)

② (가) - (다) - (나)
➡ 명·청 교체기 조선의 대외 관계를 순서대로 나열하면 (가) 광해군 때 강홍립 부대 파병 - (다) 인조 때 삼전도에서 청에 항복 - (나) 효종 때 나선 정벌에 조총 부대 파견의 순입니다.

③ (나) - (가) - (다)

④ (다) - (나) - (가)

23 을사사화

정답 ④

(가)에 해당하는 사건으로 옳은 것은? [2점]

정답 잡는 키워드

❶ 명종 즉위 후 왕의 외척들 간 권력 다툼으로 일어남 → 을사사화

❶ 16세기 중반 조선 인종의 뒤를 이어 명종이 어린 나이에 왕위에 올랐어요. 명종 즉위 후 명종의 외척 윤원형과 선왕인 인종의 외척 윤임의 권력 다툼으로 을사사화가 일어났어요.

① 경신환국

➡ 조선 숙종 때 집권 붕당이 급격하게 교체되는 환국이 여러 차례 발생하였어요. 경신환국은 1680년에 서인의 고발로 허적 등 남인이 중앙 정계에서 대거 밀려나고 서인이 집권한 사건이에요.

② 기해예송

➡ 조선 현종 때 효종과 효종비의 국장을 치르는 과정에서 자의 대비가 상복 입는 기간을 두고 서인과 남인이 두 차례 예송을 벌였어요. 기해예송(1차 예송)은 1659년에 효종의 국장을 둘러싸고 일어났는데, 이때에는 서인의 의견이 채택되어 남인이 권력을 잃고 서인이 정치적 주도권을 잡았어요.

③ 병인박해

➡ 조선 고종 때인 1866년에 왕의 친아버지로 실권을 잡고 있던 흥선 대원군의 주도로 프랑스 선교사와 수많은 천주교도들이 처형당한 병인박해가 일어났어요. 이후 병인박해를 구실 삼아 프랑스군이 강화도를 침략하여 병인양요가 일어났어요.

④ 을사사화

➡ 조선 명종이 어린 나이에 즉위하면서 왕의 어머니인 문정 왕후가 수렴청정을 하였어요. 이 시기에 문정 왕후의 동생인 윤원형이 선왕인 인종의 외척 윤임 일파를 제거하기 위해 을사사화를 일으켰어요.

24 인왕제색도

정답 ②

다음 특별전에서 볼 수 있는 작품으로 옳은 것은? [2점]

정답 잡는 키워드

❶ 겸재 정선 → 인왕제색도

❶ 겸재 정선은 조선 후기에 진경산수화를 개척한 화가예요. 조선 후기에 중국의 산수화를 모방하는 데에서 벗어나 실제 우리나라의 산천을 사실적으로 표현하는 진경산수화가 등장하였어요. 대표적인 화가 정선은 실제 조선의 풍경을 사실적으로 담은 금강전도, 인왕제색도 등의 작품을 남겼습니다.

①
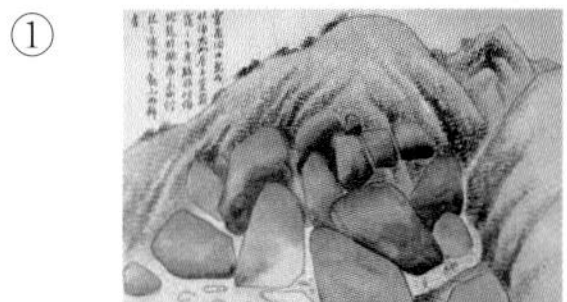
영통동구도

➡ 영통동구도는 조선 후기에 강세황이 그린 진경산수화예요. 서양 화법이 접목된 모습을 볼 수 있어요.

②

인왕제색도

➡ 인왕제색도는 조선 후기에 **겸재 정선**이 그린 진경산수화예요. 소나기가 지나간 뒤 인왕산의 모습을 사실적으로 묘사하였어요.

③

세한도

➡ 세한도는 조선 후기에 김정희가 제주도에 유배되었을 때 중국에서 구한 귀한 책을 보내 준 제자 이상적에게 답례로 그려 준 그림이에요.

④
몽유도원도

➡ 몽유도원도는 조선 전기에 화원 안견이 안평 대군이 꿈에서 본 이상 세계에 대한 이야기를 듣고 그린 그림입니다.

25 조선 후기의 경제 상황 정답 ④

선생님의 질문에 대한 학생의 대답으로 옳지 않은 것은? [2점]

정답 잡는 **키워드**

❶ 상평통보가 전국에 유통된 시기 → **조선 후기**

❶ 조선 후기에 농업과 상업의 발달로 상품 유통이 활발해지면서 화폐 사용도 늘어나 숙종 때 공식 화폐로 주조된 상평통보가 전국에서 널리 유통되었어요.

① 정기 시장인 장시가 전국 각지에서 열렸어요.
➡ **조선 후기**에 정기 시장인 장시가 전국 각지에서 열렸으며, 보부상이 전국의 장시를 돌면서 활동하였어요.

② 관청에 물품을 조달하는 공인이 활동했어요.
➡ **조선 후기**에 대동법이 시행되면서 관청에 필요한 물품을 조달하는 공인이 등장하여 활동하였어요.

③ 송상이 각지에 송방이라는 지점을 설치했어요.
➡ **조선 후기**에 상업이 발달하면서 송상을 비롯한 사상의 활동이 활발하게 이루어졌어요. 개성을 활동 근거지로 한 송상은 인삼의 재배와 판매를 주도하였으며, 전국의 주요 지역에 송방이라는 지점을 설치하여 그 지역의 상품 유통을 담당하게 하였어요.

④ 벽란도에서 활발한 국제 무역이 이루어졌어요.
➡ 고려 시대에는 예성강 하구의 벽란도가 국제 무역항으로 번성하였어요. 벽란도에서는 송을 비롯해 멀리 아라비아 상인까지 왕래하여 활발한 국제 무역이 이루어졌어요.

26 조선 정조의 업적 정답 ③

밑줄 그은 '이 왕'의 업적으로 옳은 것은? [2점]

화면에 펼쳐진 자료에 대해 설명해 주시겠습니까?

네, 이것은 ❶초계문신제를 시행한 <u>이 왕</u>이 ❷규장각의 관원 등을 초대하여 함께 지은 시를 모은 것입니다.

정답 잡는 **키워드**

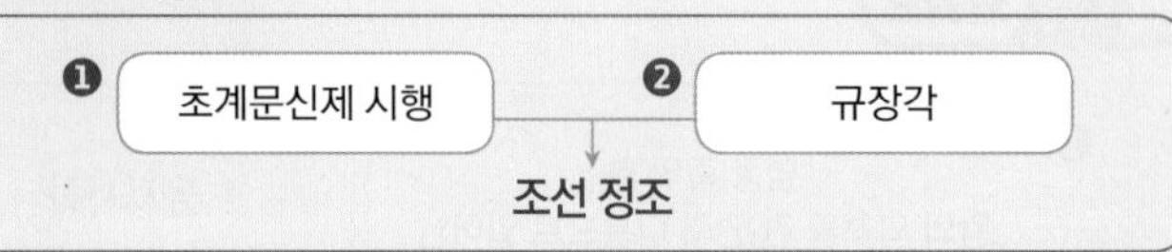

❶, ❷ 정조는 창덕궁 후원에 주합루를 세우고 왕실 도서를 보관하는 규장각을 두어 학문과 정책을 연구하는 기관으로 삼았어요. 이후 자신의 정책을 뒷받침할 인재를 양성하기 위해 젊은 문신을 선발하여 규장각에 소속시켜 재교육하는 초계문신제를 시행하였어요. 한편 정조는 서얼 출신인 유득공, 박제가 등을 규장각 검서관에 등용하였어요.

① 경복궁을 중건하였다.
➡ 조선 고종 때 왕의 친아버지로 실권을 잡고 있던 흥선 대원군의 주도로 임진왜란 때 불에 탄 경복궁을 중건하였어요.

② 영선사를 파견하였다.
➡ 조선 고종 때 개화 정책을 추진하면서 청에 영선사를 파견하여 근대 무기 제조 기술과 군사 훈련법을 배워 오게 하였어요.

③ 장용영을 창설하였다.
➡ **조선 정조**는 왕권 강화를 위해 국왕 친위 부대인 장용영을 창설하였어요.

④ 훈민정음을 창제하였다.
➡ 조선 세종은 백성을 교화하고 백성이 자신의 생각을 글로 표현할 수 있도록 훈민정음을 창제하였어요.

기출 선택지 +α

❺ 대전통편을 만들었다.	(O/X)
❻ 탕평비를 건립하였다.	(O/X)
❼ 금난전권을 폐지하였다.	(O/X)
❽ 동국여지승람을 편찬하였다.	(O/X)

기출 선택지 +α 정답 ⑤○ ⑥ ×[조선 영조] ⑦○ ⑧ ×[조선 성종]

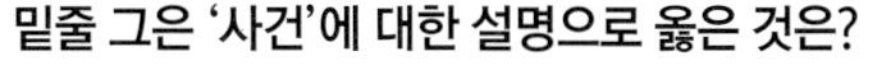

27 홍경래의 난

정답 ③

밑줄 그은 '사건'에 대한 설명으로 옳은 것은? [2점]

정주성공함작전도(모사본)

정답 잡는 키워드

❶ 홍경래가 주도하여 일으킴 → **홍경래의 난**

❶ 홍경래의 난은 조선 순조 때인 1811년에 홍경래, 우군칙 등의 주도 아래 중소 상공인과 광산 노동자, 가난한 농민 등이 봉기한 농민 운동이었어요. 이들은 청천강 이북 지역을 5개월여간 장악하였으나 정주성에서 관군에 의해 진압되었어요.

① 보국안민, 제폭구민을 기치로 내걸었다.
➡ 동학 농민 운동은 보국안민과 제폭구민을 기치로 내걸었어요.

② 한성 조약이 체결되는 결과를 가져왔다.
➡ 갑신정변이 진압된 후 조선 정부는 일본 공사관의 신축 비용 부담, 일본에 배상금 지불 등을 규정한 한성 조약을 일본과 체결하였어요.

③ 서북 지역민에 대한 차별에 반발하여 일어났다.
➡ **홍경래의 난**은 서북 지역민에 대한 차별과 세도 정권의 가혹한 수탈에 반발하여 일어났어요.

④ 전개 과정에서 선혜청과 일본 공사관을 공격하였다.
➡ 임오군란 당시 구식 군인들은 선혜청과 일본 공사관을 공격하였어요.

기출 선택지 +α

⑤ 백낙신의 횡포가 계기가 되었다. (O/X)
⑥ 남접과 북접이 논산에서 연합하였다. (O/X)
⑦ 세도 정치 시기의 수탈과 지역 차별에 반발하여 일어났다. (O/X)

핵심 개념 19세기 농민 봉기

구분	내용
배경	세도 정치로 인한 삼정의 문란과 탐관오리의 수탈 등
홍경래의 난	서북 지역(평안도)에 대한 차별과 가혹한 세금 수탈에 반발하여 홍경래가 중소 상공인, 광산 노동자, 가난한 농민 등과 함께 봉기 → 한때 청천강 이북 지역을 장악하였으나 관군에 의해 진압됨
임술 농민 봉기	경상 우병사 백낙신의 횡포 → 진주에서 유계춘을 중심으로 농민들이 봉기함(진주 농민 봉기) → 경상도, 전라도, 충청도 지역을 중심으로 전국적으로 확산(임술 농민 봉기) → 정부가 개혁을 약속하고 삼정이정청을 설치하였으나 성과를 거두지 못함

기출 선택지 +α 정답 ⑤ ×[진주 농민 봉기] ⑥ ×[동학 농민 운동] ⑦ ○

28 강화도 조약의 체결 배경

정답 ①

(가)에 들어갈 사건으로 옳은 것은? [1점]

역 사 신 문

제△△호 ○○○○년 ○○월 ○○일

일본과의 조약이 체결되다

무력시위하는 일본 군인들

작년 가을 ❶강화도와 영종도 일대에서 (가) 을 일으킨 일본과의 회담이 최근 수차례 열렸다. 일본이 피해 보상과 조선의 개항을 일방적으로 요구하자, 조정에서는 이에 대한 찬반 논쟁 끝에 신헌을 파견하여 ❷조·일 수호 조규를 체결하였다.

정답 잡는 키워드

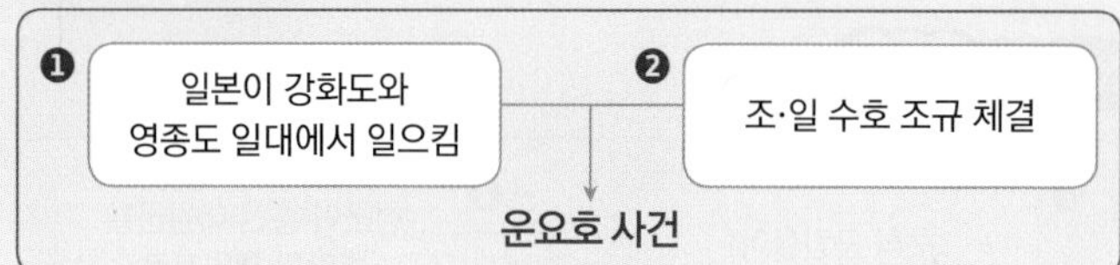

❶ 일본이 강화도와 영종도 일대에서 일으킴 / ❷ 조·일 수호 조규 체결 → **운요호 사건**

❶ 1875년에 일본 군함 운요호가 허가 없이 강화도 초지진에 접근해 오자, 조선군 수비대가 일본 배를 향해 경고 포격을 가하였어요. 이를 구실 삼아 운요호는 초지진을 포격하고 영종도에 보복 공격을 하였는데, 이를 운요호 사건이라고 해요.
❷ 운요호 사건을 계기로 1876년에 조·일 수호 조규, 즉 강화도 조약이 체결되었어요.

① 운요호 사건
➡ 1875년에 일본이 일으킨 운요호 사건을 계기로 이듬해 우리나라 최초의 근대적 조약인 강화도 조약이 체결되었어요.

② 105인 사건
➡ 1911년에 일제는 데라우치 총독 암살 미수 사건을 조작하여 독립운동가들을 잡아들인 105인 사건을 일으켰어요. 이 사건으로 신민회는 조직이 드러나 와해되었어요.

③ 제너럴 셔먼호 사건
➡ 제너럴 셔먼호 사건은 1866년에 미국인 소유의 상선 제너럴 셔먼호가 평양까지 들어와 통상을 요구하며 횡포를 부리다 조선 관민에 의해 불태워져 침몰한 사건이에요.

④ 오페르트 도굴 사건
➡ 오페르트 도굴 사건은 1868년에 독일 상인 오페르트가 흥선 대원군의 아버지인 남연군의 유해를 이용하여 조선에 통상을 요구하기 위해 남연군의 묘를 도굴하려다 실패한 사건이에요.

29 임오군란 정답 ③

밑줄 그은 '변란'으로 옳은 것은? [2점]

정답 잡는 키워드

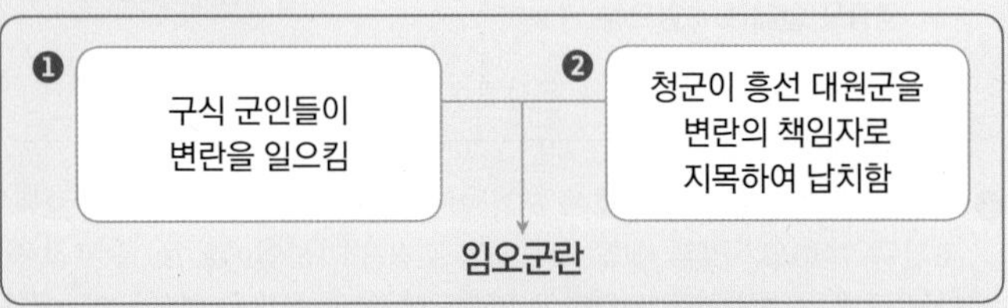

❶ 임오군란은 1882년에 신식 군대인 별기군과 차별 대우를 받던 구식 군인들이 밀린 봉급으로 받은 쌀에 겨와 모래가 섞여 있자 쌓인 분노가 폭발하여 일어났어요. 구식 군인들은 도시 하층민과 합세하여 일본 공사관과 궁궐을 습격하였어요. 1882년이 임오년이라 임오년에 일어난 군인들의 난이라는 뜻에서 임오군란이라고 합니다.

❷ 임오군란이 일어나자 명성 황후는 궁궐 밖으로 피신하였고 조선 고종은 사태 수습을 위해 흥선 대원군에게 정권을 맡겼어요. 흥선 대원군은 통리기무아문과 별기군을 폐지하는 등 개화 정책을 중단시켰어요. 이후 민씨 세력의 요청으로 개입한 청군이 군란의 책임자로 흥선 대원군을 지목하여 톈진으로 납치하였고 군란을 진압하였어요.

① 갑신정변
➡ 갑신정변은 1884년에 김옥균, 박영효, 서광범 등 급진 개화파가 우정총국 개국 축하연을 기회로 삼아 일으킨 정변이에요. 이들은 개화당 정부를 구성하고 지조법 개혁, 문벌 폐지 등의 내용을 담은 개혁 정강을 발표하였으나 청군의 개입으로 3일 만에 실패하였어요.

② 신미양요
➡ 신미양요는 제너럴 셔먼호 사건을 빌미로 1871년에 미군이 강화도를 침략한 사건이에요.

③ 임오군란
➡ 임오군란은 1882년에 조선 정부의 개화 정책과 구식 군인 차별에 대한 불만으로 일어났으며 청군에 의해 진압되었어요. 이후 조선에 군대를 주둔시키고 고문을 파견하는 등 청의 내정 간섭이 심화되었어요.

④ 임술 농민 봉기
➡ 1862년에 진주에서 경상 우병사 백낙신의 수탈에 맞서 유계춘 등의 주도로 농민 봉기가 일어났어요. 이후 전국 각지에서 농민 봉기가 이어졌는데, 1862년이 임술년이라 이해에 일어난 농민 봉기를 임술 농민 봉기라고 합니다.

30 안중근의 활동 정답 ③

밑줄 그은 '나'에 대한 설명으로 옳은 것은? [2점]

정답 잡는 키워드

❶ 이토 히로부미를 하얼빈역에서 처단 → 안중근

❶ 안중근은 1909년에 만주 하얼빈에서 을사늑약 체결에 앞장선 이토 히로부미를 처단하였어요. 의거 직후 체포된 안중근은 뤼순 감옥에 수감되었어요.

① 중광단을 결성하였다.
➡ 대종교도를 중심으로 중광단이 결성되었으며, 서일을 단장으로 하였어요. 중광단은 이후 북로 군정서로 확대 개편되었어요.

② 독립 의군부를 조직하였다.
➡ 의병장 출신 임병찬은 고종의 밀지를 받아 독립 의군부를 조직하였어요.

③ 동양 평화론을 집필하였다.
➡ **안중근**은 옥중에서 동양 평화의 실현을 위한 "동양 평화론"을 집필하였으나 사형이 집행되면서 완성하지 못하였어요.

④ 시일야방성대곡을 발표하였다.
➡ 장지연은 을사늑약의 부당함을 비판한 논설 '시일야방성대곡'을 황성신문에서 처음으로 발표하였어요.

기출 선택지 +α

❺ 신흥 강습소를 설립하였다.	(O/X)
❻ 조선 의용대를 창설하였다.	(O/X)
❼ 헤이그에 특사로 파견되었다.	(O/X)

기출 선택지 +α 정답 ⑤ ×[이회영 등] ⑥ ×[김원봉 등] ⑦ ×[이상설, 이준, 이위종]

31 서간도 지역의 민족 운동

정답 ②

(가)에 해당하는 지역을 지도에서 옳게 찾은 것은? [2점]

정답 잡는 키워드

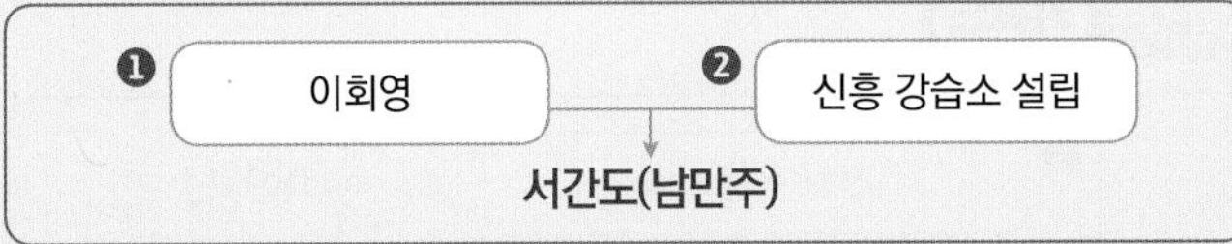

❶ 신민회의 간부였던 이회영은 일제에 국권을 빼앗기자 형제들과 함께 집안의 재산을 정리한 후 가족을 이끌고 서간도 지역 삼원보로 이주하여 독립운동 기지를 건설하였어요.

❷ 이회영은 서간도 지역 삼원보에서 자치 기관인 경학사를 조직하고 독립군 양성을 위해 신흥 강습소를 설립하는 데 앞장섰어요. 신흥 강습소는 이후 신흥 무관 학교로 발전하였어요.

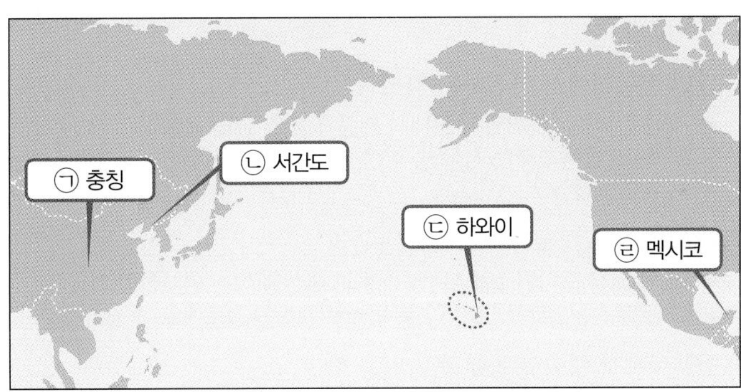

① ㉠

➡ 충칭은 대한민국 임시 정부가 윤봉길의 의거 이후 상하이를 떠나 여러 지역을 거쳐 마지막으로 정착한 곳이에요. 대한민국 임시 정부는 1940년에 충칭에서 한국 광복군을 창설하였어요.

② ㉡

➡ 신민회 회원들은 서간도 지역 삼원보에서 장기적인 무장 독립 투쟁을 위한 국외 독립운동 기지 건설에 앞장섰어요.

③ ㉢

➡ 하와이는 대한 제국 시기에 우리나라 최초의 공식 이민이 이루어진 곳이에요. 1914년에 박용만의 주도로 대조선 국민군단이 조직되기도 하였어요.

④ ㉣

➡ 대한 제국 시기에 멕시코로 노동 이민이 시작되었어요. 이곳으로 이주한 초기에 한국인들은 주로 에네켄 농장에서 일하였어요. 멕시코의 한국인들은 고된 노동 환경 속에서도 성금을 모아 1910년에 숭무 학교를 세워 항일 무장 투쟁을 준비하였어요.

32 1910년대 일제의 식민 지배 정책

정답 ②

다음 공고가 발표된 시기 일제의 정책으로 옳은 것은? [2점]

토지 조사 사무원 생도 모집

❶ 조선 총독부에서는 토지 조사 사업을 진행할 사무원 및 기술원 생도를 모집합니다.

■ 모집 인원 : 150명
■ 수업 기간 : 6개월 이내
■ 담당 기관 : 임시 토지 조사국 사무원 양성과

정답 잡는 키워드

❶ 조선 총독부에서 토지 조사 사업 진행 → 1910년대

❶ 1910년대 조선 총독부는 식민 통치의 경제적 토대를 마련하기 위해 1910년부터 1918년까지 토지 조사 사업을 실시하였어요. 토지 소유권을 인정받으려면 정해진 기간 안에 토지 소유주가 직접 신고해야 하였어요. 신고되지 않은 토지나 국공유지는 조선 총독부가 차지하였어요.

① 농광 회사를 설립하였다.

➡ 러·일 전쟁 중에 일제가 황무지 개간권을 요구하며 토지를 약탈하려 하자 민간 실업가들과 관리들이 1904년에 개간 사업을 목적으로 농광 회사를 설립하였어요.

② 조선 태형령을 시행하였다.

➡ 일제는 **1910년대** 한국인에게만 태형을 적용하는 조선 태형령을 시행하였어요. 조선 태형령은 1912년에 제정되었고 1920년에 폐지되었어요.

③ 산미 증식 계획을 실시하였다.

➡ 일제는 자국의 식량 문제를 해결하기 위해 1920년부터 한국에서 산미 증식 계획을 실시하였어요.

④ 화폐 정리 사업을 추진하였다.

➡ 1905년에 재정 고문 메가타가 주도하여 백동화 등을 일본 제일 은행권으로 교환하도록 하는 화폐 정리 사업이 추진되었어요.

기출 선택지 +α

❺ 미곡 공출제를 시행하였다. (O/X)
❻ 남면북양 정책을 추진하였다. (O/X)
❼ 헌병 경찰 제도를 실시하였다. (O/X)

핵심 개념 1910년대 일제의 식민 지배 정책

정치	• 무단 통치 • 헌병 경찰 제도 시행 : 헌병 경찰이 즉결 처분권 행사 • 조선 태형령 시행 : 한국인에게만 태형 적용 • 일반 관리와 교사도 제복을 입고 칼을 차게 함 • 언론·출판·집회·결사의 자유 억압
경제	• 토지 조사 사업 실시 • 회사령 제정 • 어업령, 삼림령, 광업령 등을 제정하여 자원 수탈

기출 선택지 +α 정답 ⑤ ×[1930년대 후반 이후] ⑥ ×[1930년대] ⑦ ○

33 양기탁의 활동

정답 ④

(가)에 들어갈 인물로 옳은 것은? [2점]

정답 잡는 키워드

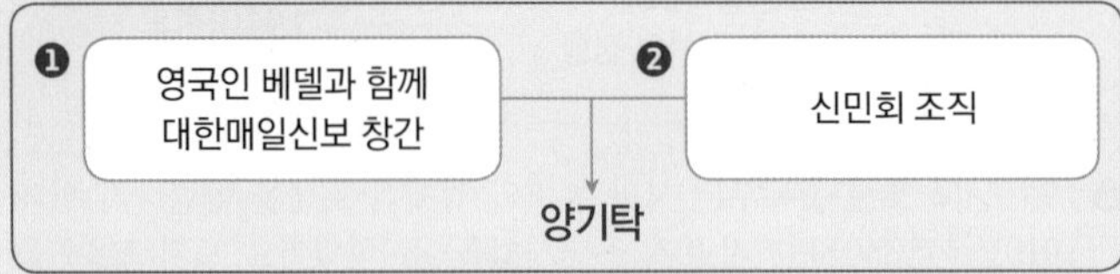

❶ 양기탁은 영국인 베델과 함께 대한매일신보를 창간하였어요. 대한매일신보는 영국인이 발행인이었기 때문에 일제의 검열에서 비교적 자유로워 일제에 비판적인 기사를 실을 수 있었어요.

❷ 양기탁은 안창호 등과 함께 비밀 결사인 신민회를 조직하였어요. 신민회는 국권 회복과 공화 정체의 근대 국가 건설을 목표로 활동한 애국 계몽 운동 단체였어요.

① 김원봉
➡ 김원봉은 의열단과 민족 혁명당의 조직을 주도하였으며, 조선 의용대를 창설하였어요.

② 나석주
➡ 나석주는 의열단원으로 조선 식산 은행과 동양 척식 주식회사에 폭탄을 던지는 의거를 일으켰어요.

③ 신익희
➡ 신익희는 대한민국 임시 정부 초창기부터 내무 차관, 내무 총장, 법무 총장 등을 두루 역임하였어요. 광복 이후에는 대한민국 국회 의원을 지냈으며, 1956년에 당시 대통령이었던 이승만에 맞서 대통령 선거에 출마하였으나 갑작스럽게 사망하였어요.

④ 양기탁
➡ 양기탁은 독립 협회에 가입하였으며 만민 공동회의 간부로 활동하였어요. 또 대한민국 임시 정부에도 참여하여 국무위원으로 선임되기도 하였어요.

킬러 문항

34 전차 개통 이후의 사실

정답 ③

다음 상황 이후에 볼 수 있는 모습으로 가장 적절한 것은? [3점]

정답 잡는 키워드

❶ 1899년에 우리나라에서 처음으로 전차가 개통되어 서대문에서 종로, 동대문을 거쳐 청량리까지 운행을 시작하였어요. 대한 제국 시기에는 근대 시설을 확충하면서 전화를 가설하고 전차와 철도를 개통하였어요.

① 한성순보를 발간하는 직원
➡ 한성순보는 1883년에 박문국에서 발간되기 시작하였어요. 그러나 1884년에 일어난 갑신정변으로 박문국이 피해를 입어 발간이 중단되었어요.

② 만민 공동회에서 연설하는 백정
➡ 독립 협회는 1898년에 근대적 민중 집회인 만민 공동회를 개최하였어요. 만민 공동회에는 지식인, 학생, 상인, 백정 등 다양한 계층의 사람들이 참여하였어요.

③ 경부선 철도 개통식에 참석하는 관리
➡ 러·일 전쟁 중이던 **1905년**에 서울과 부산을 잇는 경부선이 개통되었어요. 경부선은 경인선에 이어 두 번째로 개통된 철도예요.

④ 동문학에서 영어를 공부하고 있는 학생
➡ 동문학은 1883년에 조선 정부에서 설립한 외국어 교육 기관이에요. 1886년에 육영 공원이 세워지면서 문을 닫았어요.

핵심 개념 근대 시설의 도입

구분	내용
교통·통신	• 전신 : 국내 및 청, 일본과 연결 • 우편 : 우정총국 설치(1884) • 전차 : 1899년에 서대문 ~ 청량리 구간 개통 • 철도 : 1899년에 경인선(노량진 ~ 제물포)이 처음으로 개통된 이후 경부선(1905), 경의선(1906) 개통
전기	• 경복궁에 전등 설치(1887) • 한성 전기 회사 설립(1898) : 한성의 전차와 전등 사업 운영
의료 시설	광혜원(제중원, 1885), 대한 의원(1907) 등 설립
건축	독립문, 명동 성당, 덕수궁 석조전 등 건립

35 청산리 전투

정답 ②

(가)에 들어갈 전투로 옳은 것은? [1점]

한국사 웹툰

웹툰으로 배우는 일제 강점기

시즌 2, 1920년대 국외 독립운동

이미지	제 목	
	1화	봉오동 전투, 홍범도의 지휘 아래 일본군을 격파하다
	2화	(가) , ❶독립군 연합 부대가 백운평·어랑촌 등에서 일본군을 대파하다
	3화	간도 참변, 독립운동의 근거지가 파괴되다

정답 잡는 **키워드**

❶ 독립군 연합 부대가 백운평·어랑촌 등에서 일본군을 대파 → **청산리 전투**

❶ 봉오동 전투 이후 일제는 독립군을 토벌하기 위해 만주에 대규모 군대를 파견하였어요. 김좌진의 북로 군정서, 홍범도의 대한 독립군 등 독립군 연합 부대는 청산리 일대의 백운평, 어랑촌 등에서 일본군을 크게 물리쳤어요. 이를 청산리 전투라고 합니다.

① 영릉가 전투

➡ 영릉가 전투는 1932년에 양세봉이 이끄는 조선 혁명군이 중국 의용군과 연합하여 영릉가에서 일본군에 승리를 거둔 전투예요.

② 청산리 전투

➡ 1920년에 독립군 연합 부대가 청산리 일대에서 일본군을 크게 물리쳤어요.

③ 흥경성 전투

➡ 흥경성 전투는 1933년에 조선 혁명군이 중국 의용군과 함께 흥경성 일대에서 일본군에 맞서 싸운 전투예요.

④ 대전자령 전투

➡ 대전자령 전투는 1933년에 지청천이 이끄는 한국 독립군이 중국 호로군과 연합하여 대전자령에서 일본군을 격퇴한 전투예요.

36 대한민국 임시 정부의 활동

정답 ④

(가)의 활동으로 옳은 것은? [2점]

정답 잡는 **키워드**

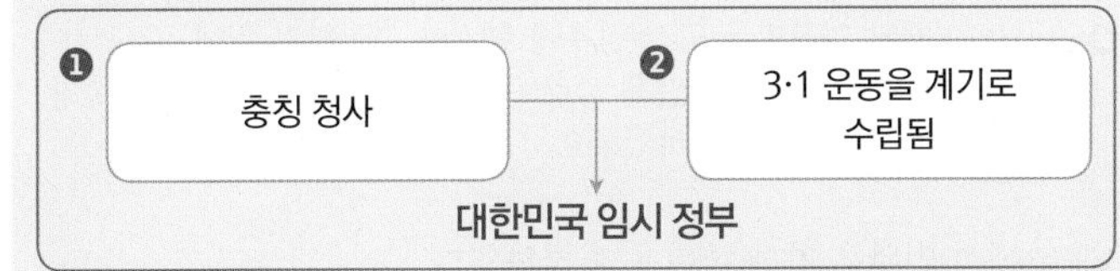

❶ 대한민국 임시 정부는 1919년에 중국 상하이에서 수립되었어요. 윤봉길 의거(1932) 이후 상하이를 떠나 여러 지역을 거쳐 1940년에 충칭에 정착하였어요.

❷ 3·1 운동을 계기로 독립운동을 이끌 지도부의 필요성이 제기되어 대한민국 임시 정부가 수립되었어요.

① 독립문을 건립하였다.

➡ 독립 협회는 우리 민족의 독립 의지를 널리 알리기 위해 독립문을 건립하였어요.

② 서전서숙을 설립하였다.

➡ 이상설, 이동녕 등이 민족 교육을 실시하기 위해 북간도 지역에 서전서숙을 설립하였어요.

③ 대한국 국제를 반포하였다.

➡ 대한 제국 정부는 대한국 국제를 반포하여 황제의 절대 권한을 규정하였어요.

④ 한국 광복군을 창설하였다.

➡ **대한민국 임시 정부**는 충칭에 정착한 후 정규군으로 한국 광복군을 창설하였어요.

기출 선택지 +α

❺ 집강소를 설치하였다. (O/X)
❻ 독립 공채를 발행하였다. (O/X)
❼ 잡지 어린이를 발간하였다. (O/X)
❽ 연통제와 교통국을 운영하였다. (O/X)

기출 선택지 +α 정답 ⑤ ×[동학 농민군] ⑥ ○ ⑦ ×[천도교 소년회] ⑧ ○

37 이봉창의 활동

정답 ①

(가)에 들어갈 내용으로 옳은 것은? [2점]

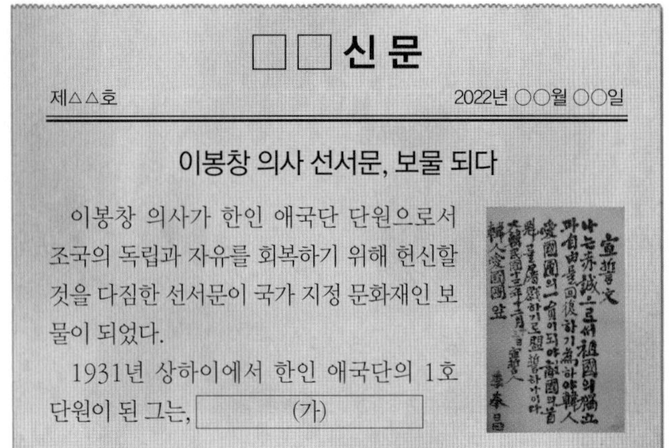
□□신문

제△△호 2022년 ○○월 ○○일

이봉창 의사 선서문, 보물 되다

이봉창 의사가 한인 애국단 단원으로서 조국의 독립과 자유를 회복하기 위해 헌신할 것을 다짐한 선서문이 국가 지정 문화재인 보물이 되었다.

1931년 상하이에서 한인 애국단의 1호 단원이 된 그는, (가)

✪ 김구는 침체된 대한민국 임시 정부에 활기를 불어넣기 위해 1931년에 중국 상하이에서 한인 애국단을 결성하였어요. 한인 애국단에는 이봉창, 윤봉길 등이 가입하여 활동하였어요.

① 도쿄에서 일왕을 향해 폭탄을 투척하였다.
➡ **이봉창**은 일본 도쿄에서 일왕이 탄 마차를 향해 폭탄을 투척하는 의거를 일으켰어요.

② 훙커우 공원에서 일본군 장성 등을 살상하였다.
➡ **윤봉길**은 중국 상하이 훙커우 공원에서 열린 일본군 전승 기념식장에 폭탄을 던져 일본군 장성 등을 살상하였어요.

③ 명동 성당 앞에서 이완용을 습격하여 중상을 입혔다.
➡ **이재명**은 명동 성당 앞에서 이완용을 습격하여 중상을 입혔어요.

④ 샌프란시스코에서 친일 인사인 스티븐스를 사살하였다.
➡ **전명운**과 **장인환**은 미국 샌프란시스코에서 대한 제국의 외교 고문이었던 친일 미국인 스티븐스를 사살하였어요.

핵심 개념 한인 애국단

결성	대한민국 임시 정부의 침체를 극복하기 위해 김구가 중국 상하이에서 조직(1931)
활동	• 이봉창 의거(1932) : 일본 도쿄에서 일왕의 마차를 향해 폭탄 투척 • 윤봉길 의거(1932) : 중국 상하이 훙커우 공원에서 열린 일본군 전승 기념식장에 폭탄을 투척하여 일본군 장성과 고위 관리 처단
영향	중국 국민당 정부가 대한민국 임시 정부를 본격적으로 지원하는 계기 마련

38 대한 제국 시기의 사실

정답 ①

(가) 시기에 있었던 사실로 옳은 것은? [2점]

정답 잡는 키워드

❶ 고종이 러시아 공사관에서 경운궁으로 돌아와 황제로 즉위 → 대한 제국

❶ 고종은 을미사변 이후 신변에 위협을 느껴 러시아 공사관으로 피신하였어요(1896). 러시아 공사관에 머물던 고종은 1년여 만에 지금의 덕수궁인 경운궁으로 돌아와 환구단에서 황제 즉위식을 올리고 대한 제국의 수립을 선포하였어요(1897).

① 지계가 발급되었다.
➡ **대한 제국** 정부는 광무개혁을 추진하면서 양전 사업을 실시하고 토지 소유 증명서인 지계를 발급하였어요.

② 척화비가 건립되었다.
➡ **흥선 대원군 집권 시기**에 병인양요와 신미양요를 겪은 후 서양 세력과의 통상 수교 거부 의지를 널리 알리기 위해 종로와 전국 각지에 척화비를 건립하였어요.

③ 육영 공원이 설립되었다.
➡ 대한 제국 수립 이전인 **1886년**에 조선 정부는 우리나라 최초의 근대적 관립 학교인 육영 공원을 설립하였어요.

④ 군국기무처가 설치되었다.
➡ 대한 제국 수립 이전인 **1894년**에 군국기무처가 설치되어 제1차 갑오개혁을 추진하였어요.

기출 선택지 +α

⑤ 훈련도감이 설치되었다. (O/X)
⑥ 홍범 14조가 반포되었다. (O/X)
⑦ 치안 유지법이 제정되었다. (O/X)
⑧ 대한국 국제가 제정되었다. (O/X)

기출 선택지 +α

정답 ⑤ ×[조선 선조 때 임진왜란 중에 설치됨] ⑥ ×[1895년] ⑦ ×[일제 강점기인 1925년] ⑧ ○

39 1930년대 후반 이후의 모습 정답 ④

밑줄 그은 '이 시기'에 볼 수 있는 모습으로 적절하지 않은 것은? [3점]

정답 잡는 **키워드**

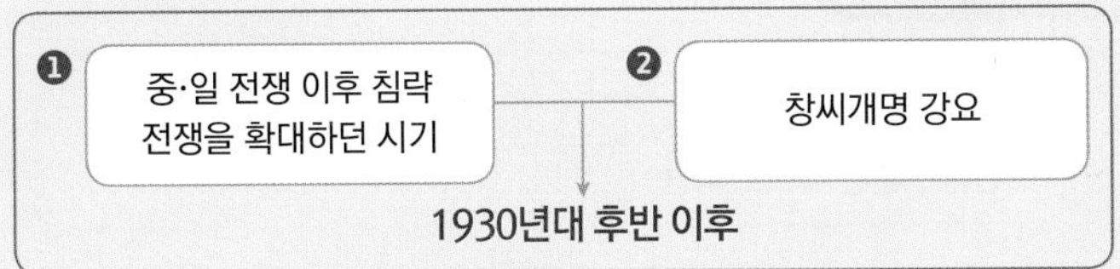

❶, ❷ 일제는 1937년에 중·일 전쟁을 일으키고 침략 전쟁을 확대하면서 한국인을 전쟁에 쉽게 동원하기 위해 민족의식을 말살하는 정책을 강화하였어요. 이러한 정책의 하나로 한국인의 성과 이름을 일본식으로 바꾸게 하는 창씨개명을 강요하였어요.

① 공출을 독려하는 애국반 반장
➡ **1930년대 후반 이후** 일제는 침략 전쟁을 확대하면서 공출제를 실시하여 전쟁 수행에 필요한 식량과 물자를 강제로 빼앗아 갔어요. 또 애국반을 조직하여 한국인의 생활을 통제하였어요.

② 황국 신민 서사를 암송하는 학생
➡ **1930년대 후반 이후** 일제는 일왕에게 충성을 맹세하는 황국 신민 서사의 암송을 강요하였어요.

③ 국민 징용령에 의해 끌려가는 청년
➡ **1939년**에 일제는 국민 징용령을 제정하고 전쟁 수행에 필요한 노동력을 강제로 동원하였어요.

④ 회사령을 공포하는 조선 총독부 관리
➡ 일제는 1910년에 회사를 설립할 때 조선 총독의 허가를 받도록 하는 회사령을 공포하였어요. 회사령은 1920년에 폐지되었어요.

핵심 개념 1930년대 이후 일제의 식민 지배 정책

구분	내용
민족 말살 통치	• 배경 : 대공황으로 경제 위기 확산, 일본의 군국주의 가속화 → 침략 전쟁 확대(만주 사변, 중·일 전쟁, 태평양 전쟁) • 목적 : 한국인의 민족의식을 말살하여 침략 전쟁에 쉽게 동원하고자 본격적으로 추진 • 내용 : 내선일체와 일선동조론 강조, 창씨개명·궁성 요배·신사 참배·황국 신민 서사 암송 등 강요, 소학교를 국민학교로 변경, 우리말 사용 금지, 한국어 과목 사실상 폐지 등
경제 수탈	• 농촌 진흥 운동 : 소작 쟁의 억제와 농촌 통제를 목적으로 실시 • 남면북양 정책 : 일본에서 필요한 공업 원료를 생산하기 위해 한반도의 남부 지방에 면화 재배, 북부 지방에 양 사육 강요 • 병참 기지화 정책 : 대륙 침략에 필요한 군수 물자를 공급하기 위해 적극 추진(북부 지방에 중화학 공업 집중 육성 등) • 국가 총동원 체제 : 국가 총동원법 제정(1938) - 물자 수탈 : 공출제(미곡과 금속류 등 공출), 식량 배급제 등 실시 - 병력 동원 : 지원병제, 학도 지원병제, 징병제 실시 - 노동력 동원 : 국민 징용령, 여자 정신 근로령 제정

40 근우회 정답 ①

다음 퀴즈의 정답으로 옳은 것은? [1점]

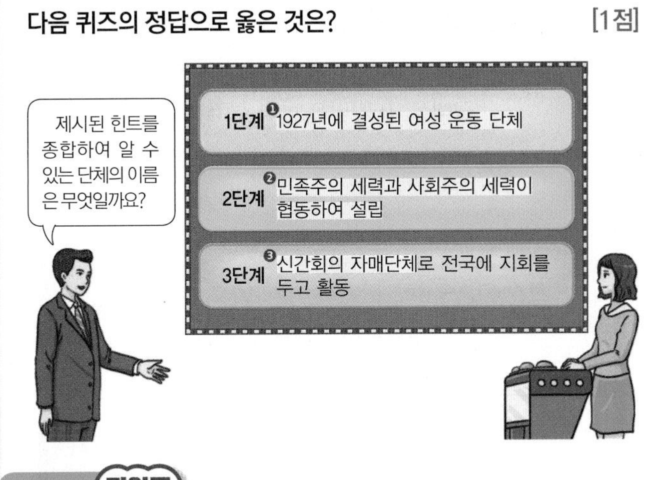

정답 잡는 **키워드**

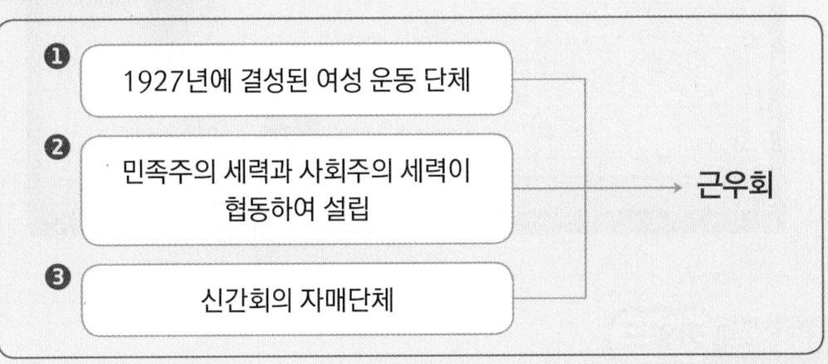

❶, ❷, ❸ 민족 유일당을 만들기 위한 노력의 하나로 1927년에 비타협적 민족주의 세력과 사회주의 세력이 연합하여 신간회를 결성하였어요. 신간회 창립은 여성 운동에도 영향을 미쳐 민족주의 세력과 사회주의 세력의 여성 운동 단체가 연합하여 신간회의 자매단체로 **근우회**를 결성하였어요. 근우회는 여성의 단결과 지위 향상을 목표로 활동하였어요.

① 근우회
➡ 근우회는 전국에 지회를 조직하고 강연회를 개최하였으며, 기관지 "근우"를 발간하였어요.

② 보안회
➡ 보안회는 일제가 대한 제국 정부에 황무지 개간권을 요구하며 토지를 약탈하려 하자 반대 운동을 전개하여 이를 저지하였어요.

③ 송죽회
➡ 송죽회는 1913년 평양에서 조직된 여성 독립운동 단체예요.

④ 색동회
➡ 색동회는 방정환이 중심이 되어 1923년에 조직한 단체로 소년 운동과 아동 문학을 위한 다양한 활동을 전개하였어요.

핵심 개념 근우회

구분	내용
조직	• 민족주의 계열과 사회주의 계열의 여성 단체들이 1927년 신간회 창립을 계기로 결성 • 신간회의 자매단체
활동	• 전국에 지회를 두고 순회강연을 하며 야학을 여는 등 여성의 권리 신장과 의식 계몽에 앞장섬 • 기관지로 "근우"를 발간함

41 6월 민주 항쟁

정답 ③

밑줄 그은 '이 민주화 운동'에 대한 설명으로 옳은 것은? [3점]

정답 잡는 키워드

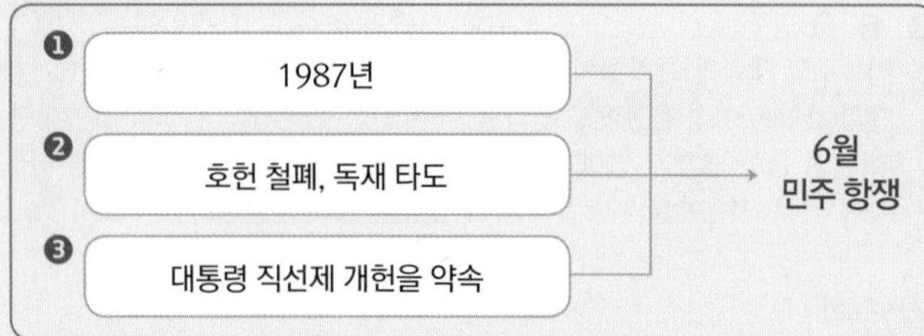

❶, ❷, ❸ 1987년에 전두환 정부는 국민들의 대통령 직선제 개헌 요구에 개헌 논의를 금지하고 기존의 헌법을 지키겠다는 4·13 호헌 조치를 발표하였어요. 국민들의 민주화 열망을 무시한 4·13 호헌 조치가 발표되고 박종철 고문치사 사건의 진상이 알려지면서 국민들의 분노가 폭발하여 6월 민주 항쟁이 전국적으로 확산되었어요. 시민들은 호헌 철폐, 독재 타도를 외치며 시위를 전개하였어요. 그 결과 대통령 직선제 개헌 요구를 수용한다는 등의 내용을 담은 6·29 민주화 선언이 발표되었어요. 이에 따라 5년 단임의 대통령 직선제 개헌이 이루어졌어요.

① 유신 체제가 붕괴되는 계기가 되었다.
➡ YH 무역 사건, 부·마 민주 항쟁 등으로 흔들리던 유신 체제는 박정희 대통령이 피살되는 10·26 사태로 사실상 붕괴되었어요.

② 양원제 국회가 출현하는 결과를 가져왔다.
➡ 4·19 혁명의 결과 내각 책임제와 양원제 국회 구성을 주요 내용으로 하는 개헌이 이루어져 양원제 국회가 출현하였어요.

③ 박종철과 이한열 등의 희생으로 확산되었다.
➡ **6월 민주 항쟁**은 박종철 고문치사 사건의 진상이 알려지면서 전국적으로 확산되었어요. 또 시위 중에 이한열이 경찰이 쏜 최루탄에 맞는 사건이 일어나면서 범국민적인 운동으로 전개되었어요.

④ 전개 과정에서 시민군이 자발적으로 조직되었다.
➡ 5·18 민주화 운동의 전개 과정에서 계엄군의 진압에 맞서 자발적으로 시민군이 조직되었어요.

킬러 문항

42 김규식의 활동

정답 ③

(가)에 들어갈 내용으로 옳은 것은? [3점]

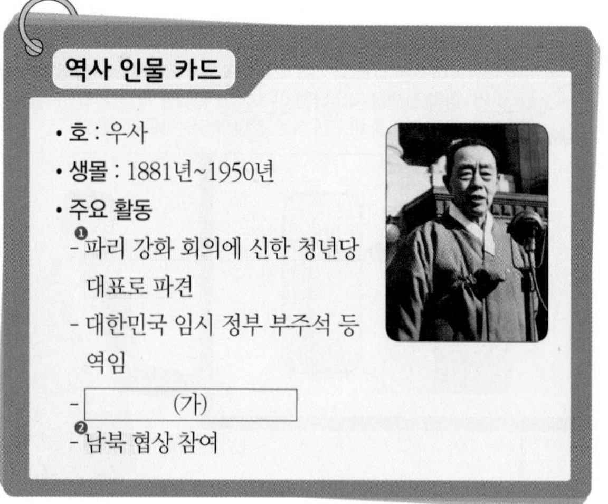

정답 잡는 키워드

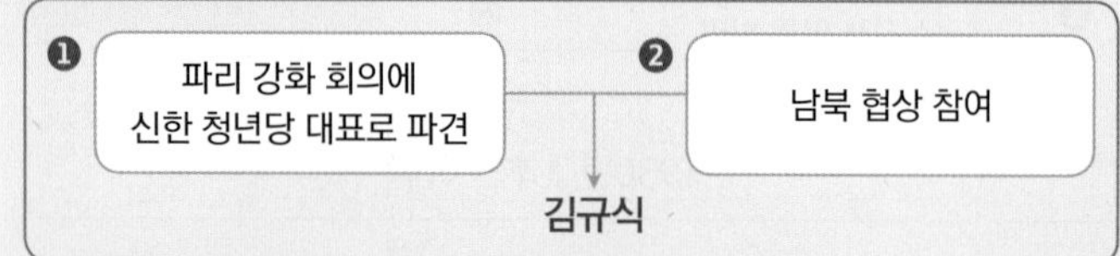

❶ 김규식은 제1차 세계 대전이 끝난 후 전후 처리 문제를 논의하기 위해 열린 파리 강화 회의에 신한 청년당의 대표로 파견되어 한국의 독립을 주장하였어요.
❷ 김규식은 유엔 소총회에서 남한만의 단독 선거가 결의되어 남북 분단의 가능성이 높아지자 1948년에 김구와 함께 통일 정부 수립을 위한 남북 협상에 참여하였어요.

① 대성 학교 설립
➡ 안창호는 민족 교육을 실시하기 위해 평양에 대성 학교를 설립하였어요.

② 조선 혁명 선언 작성
➡ 신채호는 의열단 단장 김원봉의 요청을 받아 '조선 혁명 선언'을 작성하였어요. 의열단은 '조선 혁명 선언'을 활동 지침으로 삼았어요.

③ 좌우 합작 위원회 결성
➡ 제1차 미·소 공동 위원회가 무기한 휴회되자 이승만이 정읍에서 남한만의 단독 정부 수립을 주장하였어요. 단독 정부 수립론이 대두되는 상황에서 여운형과 **김규식** 등이 좌우 합작 위원회를 결성하고 좌우 합작 운동을 전개하였어요.

④ 한국독립운동지혈사 저술
➡ 박은식은 "한국독립운동지혈사"를 저술하여 우리 민족의 독립 투쟁 과정을 정리하였어요.

핵심 개념	우사 김규식의 활동
일제 강점기	• 파리 강화 회의에 신한 청년당의 대표로 파견됨 • 민족 혁명당 설립에 참여함 • 대한민국 임시 정부 부주석 등을 역임함
광복 이후	• 여운형과 함께 좌우 합작 운동을 주도함 • 김구와 함께 남북 협상에 참여함

43 6·25 전쟁 정답 ④

(가) 전쟁 중에 있었던 사실로 옳지 않은 것은? [2점]

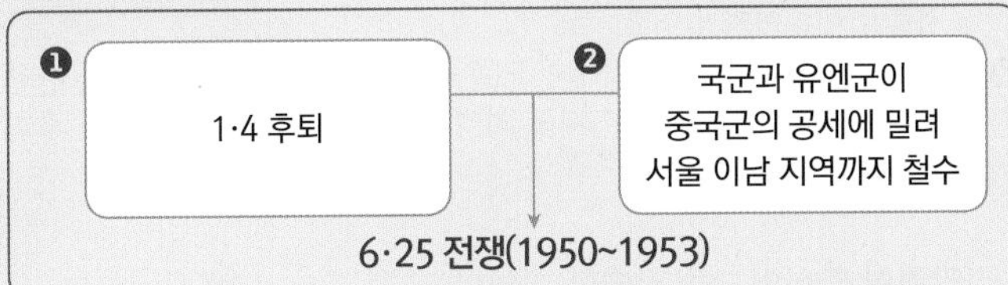

❶, ❷ 1950년 6월 25일, 북한군의 기습 남침으로 6·25 전쟁이 일어났어요. 3일 만에 서울이 함락되고 국군은 낙동강 유역까지 후퇴하였어요. 낙동강을 사이에 두고 북한군과 치열한 전투를 벌이던 국군과 유엔군은 인천 상륙 작전에 성공하여 압록강 유역까지 진출하였어요. 그러나 북한군을 돕기 위해 중국군이 참전하면서 국군과 유엔군은 다시 서울을 빼앗기고 서울 이남 지역까지 철수하였는데, 이 사건을 1·4 후퇴라고 합니다.

① 흥남 철수 전개
➡ **6·25 전쟁** 당시 중국군의 공세에 밀린 국군과 유엔군이 함경남도 흥남에서 대규모 철수 작전을 전개하였어요.

② 발췌 개헌안 통과
➡ **6·25 전쟁** 중이던 1952년에 임시 수도 부산에서 대통령 간선제를 직선제로 바꾸는 발췌 개헌안이 통과되었어요.

③ 인천 상륙 작전 개시
➡ **6·25 전쟁** 당시 국군과 유엔군이 인천 상륙 작전을 전개하여 전세를 뒤집고 압록강 유역까지 진출하였어요.

④ 반민족 행위 처벌법 제정
➡ 1948년에 제헌 국회에서 친일파 청산을 위한 반민족 행위 처벌법을 제정하였어요. 이에 따라 반민족 행위 특별 조사 위원회가 조직되었어요.

핵심 개념 6·25 전쟁

배경	미군과 소련군이 한반도에서 철수, 소련의 북한 지원, 미국의 애치슨 선언
전개	북한군의 남침(1950), 3일 만에 서울 점령 → 유엔군 참전, 낙동강 방어선 구축 → 국군과 유엔군의 인천 상륙 작전 성공 → 서울 수복 → 압록강 유역까지 진격 → 중국군 참전 → 흥남 철수, 1·4 후퇴(서울을 북한군에게 내줌) → 38도선 일대에서 전투 지속 → 정전(휴전) 협상 진행 → 정전에 반대하여 이승만 정부가 반공 포로 석방 → 판문점에서 정전 협정 체결(1953)

44 박정희 정부 시기의 사실 정답 ②

(가) 정부 시기에 있었던 사실로 옳은 것은? [2점]

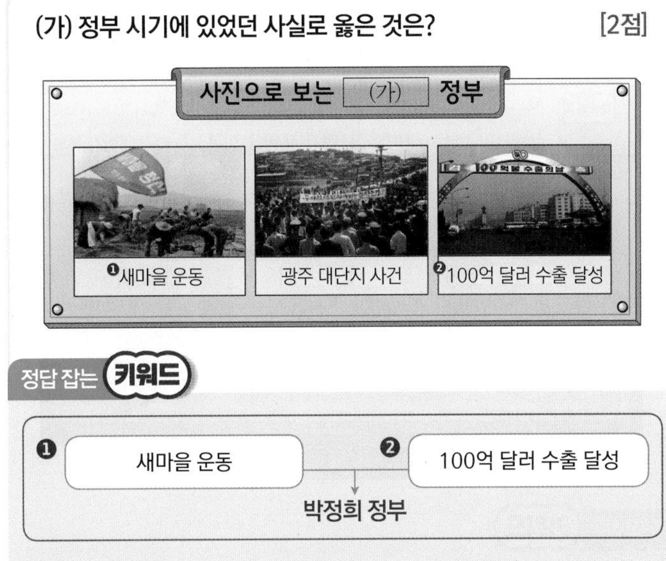

정답 잡는 키워드

❶ 새마을 운동 ❷ 100억 달러 수출 달성 → 박정희 정부

❶ 박정희 정부는 도시와 농촌의 격차를 줄이고 농촌의 생활 환경을 개선하기 위해 1970년부터 새마을 운동을 추진하였어요.
❷ 박정희 정부 시기인 1977년에 처음으로 수출액 100억 달러를 달성하였어요.

① 농지 개혁법이 제정되었다.
➡ 이승만 정부 시기에 제헌 국회에서 유상 매수, 유상 분배 원칙의 농지 개혁법이 제정되었어요.

② 경부 고속 도로를 준공하였다.
➡ **박정희 정부** 시기인 1970년에 경부 고속 도로를 준공하였어요.

③ 금융 실명제를 전면 실시하였다.
➡ 김영삼 정부는 투명한 금융 거래를 위하여 금융 실명제를 전면 실시하였어요.

④ 경제 협력 개발 기구(OECD)에 가입하였다.
➡ 김영삼 정부 시기에 경제 협력 개발 기구(OECD)에 가입하였어요.

기출 선택지 +α

⑤ 3저 호황으로 수출이 증가하였다. (O/X)
⑥ 미국과 자유 무역 협정(FTA)을 체결하였다. (O/X)
⑦ 제2차 경제 개발 5개년 계획이 실시되었다. (O/X)

기출 선택지 +α 정답 ⑤ ×[전두환 정부] ⑥ ×[노무현 정부] ⑦ ○

45 김대중 정부의 통일 노력

정답 ③

밑줄 그은 '정부'의 통일 노력으로 옳은 것은? [2점]

정답 잡는 키워드

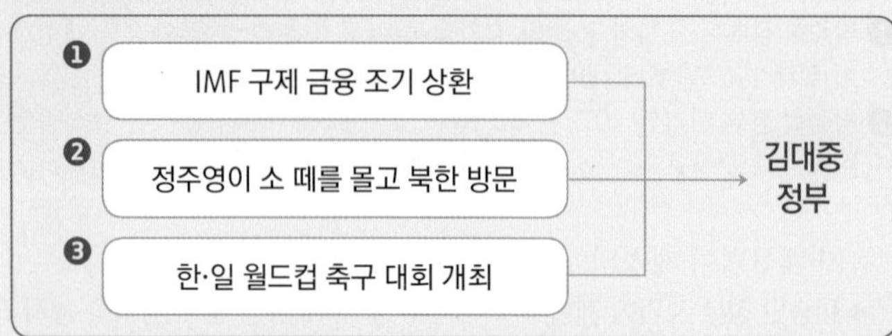

❶ 김영삼 정부 시기인 1997년 말에 외환 보유액 부족으로 경제 위기를 맞은 우리나라는 국제 통화 기금(IMF)으로부터 긴급 구제 금융을 지원받고 IMF의 관리를 받게 되었어요. 김대중 정부 시기에 IMF 구제 금융을 조기 상환하여 IMF 관리 체제에서 벗어났어요.
❷ 김대중 정부 시기인 1998년에 기업인 정주영이 두 차례에 걸쳐 소 떼를 이끌고 북한을 방문하였어요. 이를 계기로 남북한의 교류와 협력이 본격화되면서 금강산 관광 사업이 시작되었어요.
❸ 김대중 정부 시기인 2002년에 한·일 월드컵 축구 대회가 개최되었어요.

① 남북 기본 합의서를 채택하였다.
➡ 노태우 정부 시기인 1991년에 남북한 상호 체제 인정, 상호 불가침 등에 합의한 남북 기본 합의서를 채택하였어요.

② 남북한이 유엔에 동시 가입하였다.
➡ 노태우 정부 시기인 1991년에 남북한이 유엔에 동시 가입하였어요.

③ 6·15 남북 공동 선언을 발표하였다.
➡ **김대중 정부** 시기인 2000년에 분단 이후 최초로 남북 정상 회담을 개최하고 6·15 남북 공동 선언을 발표하였어요.

④ 최초로 남북 간 이산가족 상봉을 성사시켰다.
➡ 전두환 정부 시기인 1985년에 남북 이산가족 고향 방문이 이루어져 분단 이후 최초로 남북 간 이산가족 상봉이 성사되었어요.

기출 선택지 +α

❺ 개성 공단 조성에 합의하였다. (O/X)
❻ 7·4 남북 공동 성명을 발표하였다. (O/X)
❼ 10·4 남북 정상 선언을 발표하였다. (O/X)

기출 선택지 +α 정답 ⑤ ○ ⑥ ×[박정희 정부] ⑦ ×[노무현 정부]

46 독도

정답 ④

밑줄 그은 '이 섬'에 대한 설명으로 옳은 것은? [1점]

정답 잡는 키워드

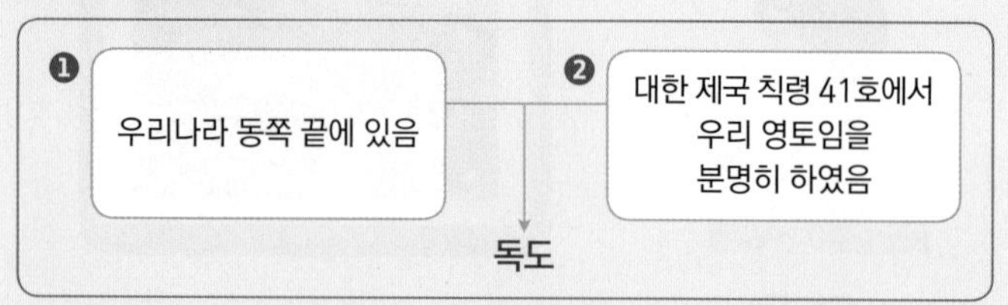

❶ 독도는 우리나라 동쪽 끝에 있으며, 동도와 서도 두 개의 섬과 여러 부속 도서들로 이루어져 있어요.
❷ 대한 제국 정부는 1900년에 울릉도를 울도군으로 승격시켜 독도를 관할하도록 한다는 내용의 대한 제국 칙령 제41호를 반포하여 독도가 우리 영토임을 분명히 하였어요.

① 정약전이 자산어보를 저술한 섬이다.
➡ 정약전은 흑산도에 유배 가 있는 동안 근처의 수산 생물을 조사하여 "자산어보"를 저술하였어요.

② 하멜 일행이 표류하다 도착한 섬이다.
➡ 조선 효종 때 하멜 일행이 일본으로 가던 중에 풍랑을 만나 표류하다가 제주도에 도착하였어요.

③ 이종무가 왜구를 소탕하기 위해 정벌한 섬이다.
➡ 조선 세종 때 이종무가 왜구를 소탕하기 위해 왜구의 근거지인 쓰시마섬(대마도)을 정벌하였어요.

④ 안용복이 일본에 가서 우리 영토임을 확인받은 섬이다.
➡ 조선 숙종 때 안용복은 울릉도와 독도 주위에서 어업 활동을 하던 일본 어부를 쫓아내고 일본으로 건너가 울릉도와 **독도**가 조선 영토임을 확인받고 돌아왔어요.

기출 선택지 +α

❺ 러시아가 조차를 요구한 섬이다. (O/X)
❻ 영국이 불법적으로 점령한 섬이다. (O/X)
❼ 삼별초가 최후의 항쟁을 전개한 섬이다. (O/X)

기출 선택지 +α 정답 ⑤ ×[절영도(부산 영도)] ⑥ ×[거문도] ⑦ ×[제주도]

47 의궤

정답 ①

(가) 문화유산으로 옳은 것은? [2점]

정답 잡는 키워드

❶ 조선 시대 왕실이나 국가의 중대한 행사를 글과 그림으로 기록한 책 → 의궤

❶ 조선 시대에 왕실이나 국가에서 거행한 중대한 행사를 글과 그림으로 기록한 "의궤"가 제작되었어요. "의궤"에는 왕과 왕비의 결혼, 세자 책봉, 왕의 행차 등의 행사가 상세히 기록되어 있어요. 정조 때에는 정조와 혜경궁의 화성 행차를 다룬 "원행을묘정리의궤", 수원 화성 건설에 관련된 내용을 기록한 "화성성역의궤" 등이 만들어졌어요.

① 의궤
➡ "조선왕조의궤"는 기록의 가치를 인정받아 2007년에 유네스코 세계 기록 유산으로 등재되었어요.

② 경국대전
➡ "경국대전"은 조선의 기본 법전으로 세조 때 만들기 시작해 성종 때 완성되었어요.

③ 삼강행실도
➡ "삼강행실도"는 모범이 될 만한 충신, 효자, 열녀의 사례를 모아 글과 그림으로 설명한 책이에요. 조선 세종 때 편찬되었어요.

④ 조선왕조실록
➡ "조선왕조실록"은 태조에서 철종에 이르는 역사를 시간 순서대로 기록한 편년체 형식의 역사서입니다. 왕이 죽으면 실록청이 설치되어 사초와 시정기 등을 바탕으로 실록을 편찬하였어요. "조선왕조실록"은 그 가치를 인정받아 1997년에 유네스코 세계 기록 유산으로 등재되었어요.

킬러 문항

48 인천의 역사

정답 ④

(가)에 들어갈 지역으로 옳은 것은? [2점]

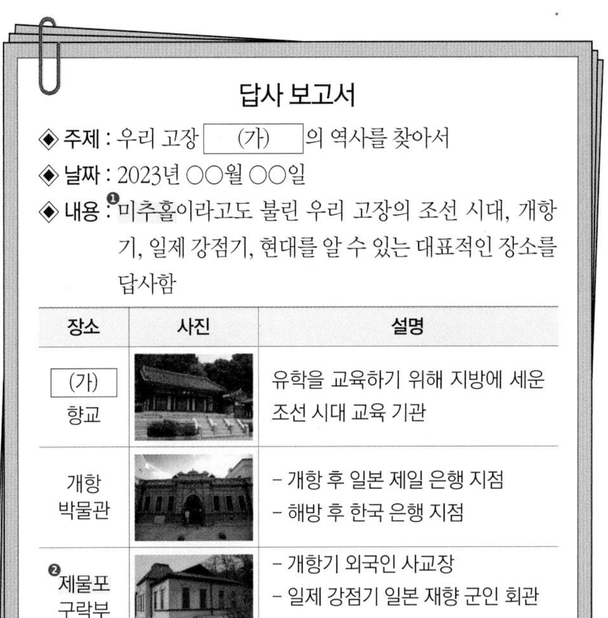

답사 보고서

◈ 주제 : 우리 고장 (가) 의 역사를 찾아서
◈ 날짜 : 2023년 ○○월 ○○일
◈ 내용 : ❶미추홀이라고도 불린 우리 고장의 조선 시대, 개항기, 일제 강점기, 현대를 알 수 있는 대표적인 장소를 답사함

장소	사진	설명
(가) 향교		유학을 교육하기 위해 지방에 세운 조선 시대 교육 기관
개항 박물관		- 개항 후 일본 제일 은행 지점 - 해방 후 한국 은행 지점
❷제물포 구락부		- 개항기 외국인 사교장 - 일제 강점기 일본 재향 군인 회관 - 해방 후 미군 장교 클럽

정답 잡는 키워드

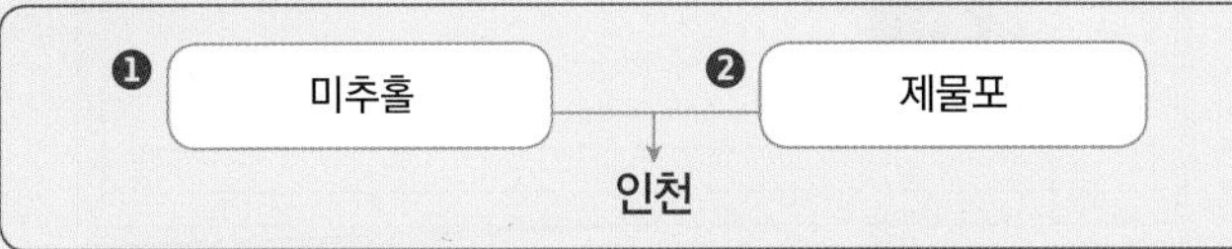

❶ 미추홀은 인천의 옛 이름으로 백제를 세운 온조의 형 비류가 미추홀에 자리를 잡고 나라를 세우려 하였다는 이야기가 전해집니다.
❷ 제물포는 인천에 있었던 조선 시대 포구의 이름이에요. 강화도 조약에 따라 부산이 가장 먼저 개항되고, 원산에 이어 인천이 개항되었어요. 구락부는 동호회나 동아리 등을 가리키는 말로, 제물포 구락부는 대한 제국 시기에 인천에 거주하던 외국인들의 사교 모임 장소로 이용하기 위해 건립한 건물이에요.

① 군산
➡ 군산은 일제 강점기에 일본과의 교역량이 늘어나면서 항만 도시로 발달하였어요. 일제 강점기에 군산과 목포를 통해 많은 쌀이 일본으로 유출되었어요.

② 마산
➡ 마산은 3·15 부정 선거에 반발하여 대규모 시위가 일어난 곳이며, 박정희 정부 시기 유신 체제에 저항한 부·마 민주 항쟁이 일어난 지역이에요.

③ 목포
➡ 일제 강점기에 목포를 통해 많은 쌀이 일본으로 유출되었어요.

④ 인천
➡ 6·25 전쟁 중에 인천 상륙 작전이 전개되었으며, 2014년에 제17회 아시아 경기 대회가 인천에서 개최되었어요.

킬러 문항

49 역사 속 승려들의 활동 정답 ①

(가)~(라)에 들어갈 내용으로 옳은 것은? [3점]

한국사 학습지	한국사에 큰 업적을 남긴 승려	이름 :

※ 아래 제시된 역사 인물들의 활동을 조사해 봅시다.

인물	활동
원효	• 무애가를 지어 불교 대중화에 기여함 • (가)
혜초	• 인도·중앙아시아 지역을 순례하고 왕오천축국전을 씀 • (나)
지눌	• 돈오점수와 정혜쌍수를 내세움 • (다)
유정	• 임진왜란 시기 의병을 일으켜 활약함 • (라)

❶ (가) - 십문화쟁론을 저술함

➡ 신라의 승려 **원효**는 일반 백성이 불교 교리를 쉽게 받아들일 수 있도록 '무애가'를 지어 불러 불교 대중화에 기여하였어요. 또 "십문화쟁론", "대승기신론소", "금강삼매경론" 등을 저술하여 불교 교리 연구에 힘썼어요.

② (나) - 해동 천태종을 창시함

➡ 고려 전기의 승려 의천은 송에서 유학하고 고려로 돌아와 해동 천태종을 창시하였어요.

③ (다) - 세속 5계를 지음

➡ 신라의 승려 원광은 화랑에게 다섯 가지 계율, 즉 세속 5계를 가르쳐 주었어요.

④ (라) - 수선사 결사를 제창함

➡ 고려 후기의 승려 지눌은 참선과 노동에 힘쓸 것을 강조하며 수선사 결사를 제창하여 불교계를 개혁하고자 하였어요. 사명대사라고도 불리는 유정은 임진왜란 때 의병을 일으켜 활약하였으며, 평양성을 탈환하는 데에도 큰 역할을 하였어요.

50 시대별로 보는 교육 기관 정답 ④

(가)~(다)를 설립한 순서대로 옳게 나열한 것은? [3점]

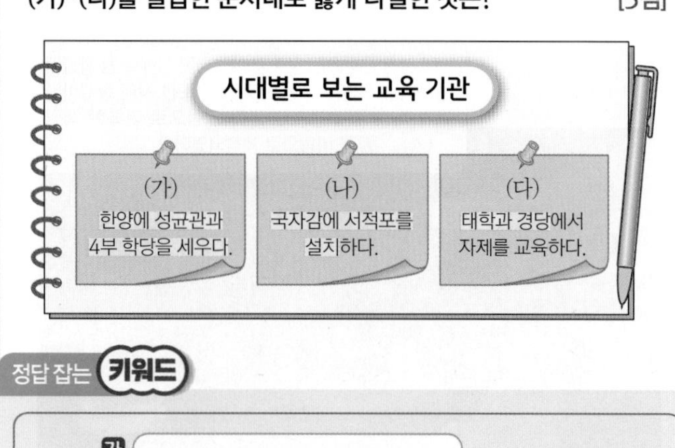

정답 잡는 키워드

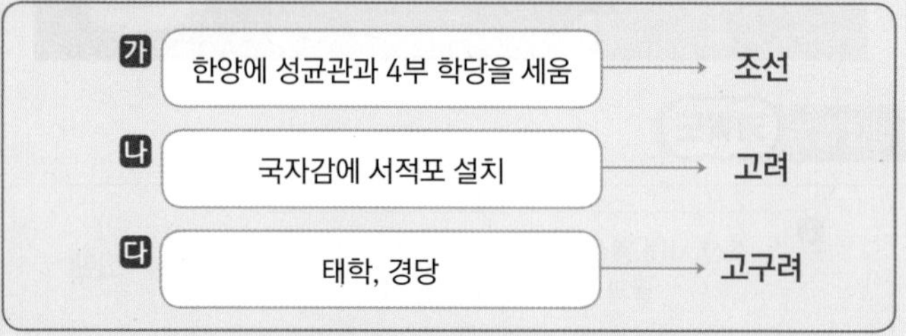

가 조선 시대에는 수도 한양(한성)에 최고 교육 기관으로 성균관을 설립하고, 중등 교육 기관으로 동학, 서학, 중학, 남학의 4부 학당을 세웠어요.

나 고려는 수도 개경에 최고 교육 기관으로 국자감을 두었어요. 이후 문헌공도 등 사학 12도가 번성하여 국자감 등 관학이 위축되자, 고려 정부는 관학을 진흥하기 위해 출판을 담당하는 서적포를 국자감에 설치하였어요. 또 전문 강좌인 7재를 개설하고 장학 재단인 양현고를 두었어요.

다 고구려는 소수림왕 때 인재 양성을 위해 국립 교육 기관인 태학을 두었어요. 또한, 지방에는 경당을 두어 학문과 무예를 가르쳤어요.

① (가) - (나) - (다)

② (가) - (다) - (나)

③ (나) - (가) - (다)

❹ (다) - (나) - (가)

➡ 교육 기관을 설립한 순서대로 나열하면 (다) 태학과 경당(고구려) - (나) 국자감의 서적포(고려) - (가) 성균관과 4부 학당(조선) 순입니다.

기본 제63회

2023년 2월 11일(토) 시행

해설 강의 바로 보기

합격률 **46.1%**

응시 인원 : 11,081명
합격 인원 : 5,106명

시대별 출제 비중

전근대 29문항

선사 2문항
신석기 시대의 생활 모습, 고조선

고대 7문항
연개소문의 활동, 신라, 백제의 문화유산, 발해, 신라의 중앙 행정 기구 - 집사부, 신라의 경제, 최치원의 활동

고려 8문항
고려 태조의 정책, 문벌 사회의 동요, 고려의 지방 통치 제도, 고려의 교육 기관, 원 간섭기의 사실, 고려 공민왕의 업적, 고려의 문화유산, 귀주 대첩

조선 12문항
과전법, 조선 세종 재위 시기의 사실, 조선 성종의 정책, 사림의 분화, 조선 후기의 경제, 이황의 활동, 병자호란 이후의 사실, 훈련도감, 세도 정치 시기의 사실, 홍대용의 활동, 수원 화성, 독도

근현대 21문항

정월 대보름

시대 통합 1문항
우리나라 음악의 역사

개항기 7문항
흥선 대원군 집권 시기의 사실, 조·미 수호 통상 조약, 우정총국, 군국기무처, 독립신문, 을미사변 이후의 사실, 신민회

일제 강점기 7문항
강우규의 활동, 손병희의 활동, 민립 대학 설립 운동, 강주룡의 활동, 조선 혁명군, 1940년대 일제의 식민 지배 정책, 진주의 역사

현대 5문항
조선 건국 동맹, 제헌 국회의 활동, 박정희 정부 시기의 사실, 전두환 정부 시기의 경제 상황, 김대중의 활동

분류별 출제 비중 고대~조선

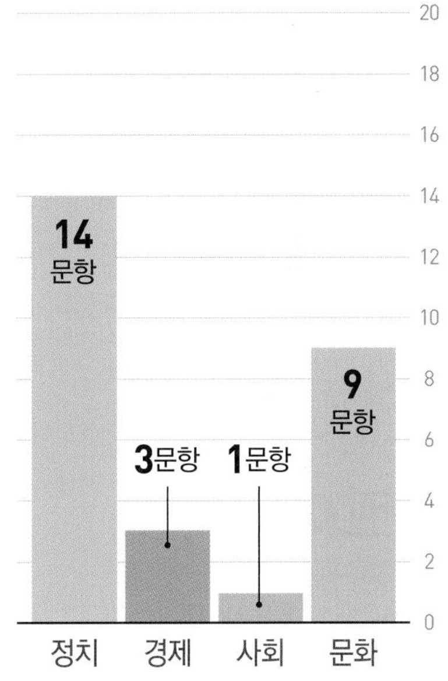

난이도별 출제 비중

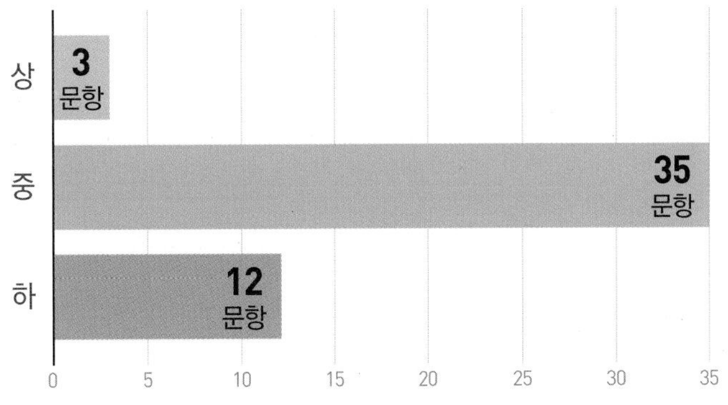

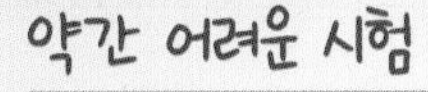

낯선 자료와 선택지가
다소 출제된
약간 어려운 시험

1 신석기 시대의 생활 모습

정답 ③

(가)에 들어갈 내용으로 가장 적절한 것은? [1점]

✪ 신석기 시대부터 농경과 목축이 시작되었고 정착 생활이 이루어졌어요. 신석기 시대 사람들은 갈돌과 갈판 등 간석기를 사용하였으며, 가락바퀴를 이용하여 실을 뽑았어요.

① 거친무늬 거울 닦기
➡ 거친무늬 거울은 청동기 시대에 제작되었어요. 청동기 시대부터 청동검, 청동 방울, 청동 거울 등 청동으로 도구를 만들기 시작하였어요.

② 비파형 동검 제작하기
➡ 비파형 동검은 청동기 시대에 제작되었어요. 악기 비파와 생김새가 비슷하여 '비파형' 동검이라는 이름이 붙여졌어요.

③ 빗살무늬 토기 만들기
➡ 빗살무늬 토기는 **신석기 시대**의 대표적인 유물이에요. 신석기 시대 사람들은 빗살무늬 토기를 만들어 식량을 저장하거나 음식을 조리하였어요.

④ 철제 농기구로 밭 갈기
➡ 철기 시대부터 철제 농기구를 이용하여 농사를 지었어요.

기출 선택지 +α

- ⑤ 가락바퀴로 실뽑기 (O/X)
- ⑥ 철제 갑옷 입어 보기 (O/X)
- ⑦ 뗀석기로 고기 자르기 (O/X)

핵심 개념 신석기 시대

도구	• 갈돌과 갈판 등 간석기 사용 • 빗살무늬 토기 : 신석기 시대의 대표적 토기, 식량 저장과 음식 조리 등에 사용 • 가락바퀴, 뼈바늘 : 실을 뽑아 그물을 만들거나 옷을 지어 입음
주거	강가나 바닷가에 움집을 짓고 생활(정착 생활)
경제	농경과 목축의 시작(조, 수수, 피 등의 곡식 재배), 사냥과 채집, 물고기잡이도 계속 이루어짐
사회	계급이 없는 평등한 사회

기출 선택지 +α 정답 ⑤ ○ ⑥ ×[철기 시대 이후] ⑦ ×[구석기 시대]

2 고조선

정답 ①

(가) 나라에 대한 설명으로 옳은 것은? [2점]

정답 잡는 키워드

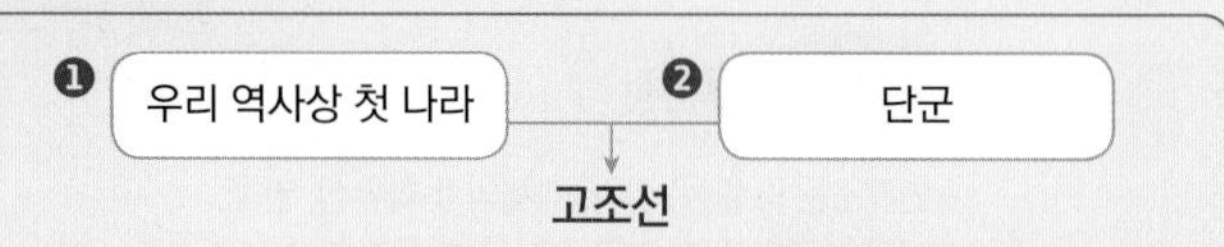

❶, ❷ 고조선은 우리 역사 최초의 나라이며, "삼국유사"에 실려 있는 단군의 건국 이야기에 따르면 환웅과 웅녀 사이에서 태어난 단군왕검이 아사달을 도읍으로 고조선을 세웠다고 합니다. 청동기 문화를 기반으로 성립한 고조선은 위만 집권 이후 본격적으로 철기 문화를 수용하였어요. 고조선은 한 무제의 공격을 받아 기원전 108년에 멸망하였어요.

① 범금 8조가 있었다.
➡ **고조선**에는 사회 질서를 유지하기 위한 범금 8조(8조법)가 있었어요. 현재 3개 조항이 전해지고 있어 당시 사회 모습을 짐작할 수 있어요.

② 책화라는 풍습이 있었다.
➡ 동예에는 읍락 간의 경계를 중시하는 책화라는 풍습이 있었어요.

③ 낙랑군과 왜에 철을 수출하였다.
➡ 삼한 가운데 변한과 이후 이 지역에서 성장한 가야는 철이 풍부하게 생산되어 낙랑과 왜에 철을 수출하였어요.

④ 제가 회의에서 나라의 중요한 일을 결정하였다.
➡ 고구려는 귀족들이 모인 제가 회의에서 나라의 중요한 일을 결정하였어요.

기출 선택지 +α

- ⑤ 신지, 읍차 등의 지배자가 있었다. (O/X)
- ⑥ 건국 이야기가 삼국유사에 실려 있다. (O/X)
- ⑦ 단궁, 과하마, 반어피 등의 특산물이 있었다. (O/X)
- ⑧ 여러 가(加)들이 별도로 사출도를 주관하였다. (O/X)

핵심 개념 고조선

건국	• 기원전 2333년 단군왕검(제정일치의 지배자)이 건국 • 청동기 문화를 기반으로 만주와 한반도 지역의 주변 부족을 통합하면서 국가 형성
발전과 멸망	• 위만이 준왕을 몰아내고 왕위 차지 → 본격적으로 철기 문화 수용, 중국의 한과 한반도 남부 사이에서 중계 무역을 통해 경제 성장 • 한 무제의 침입을 받아 멸망(기원전 108)
법률	사회 질서를 유지하기 위한 8조법(범금 8조)이 있었음

기출 선택지 +α 정답 ⑤ ×[삼한] ⑥ ○ ⑦ ×[동예] ⑧ ×[부여]

3 연개소문의 활동

정답 ③

다음 가상 인터뷰의 주인공으로 옳은 것은? [2점]

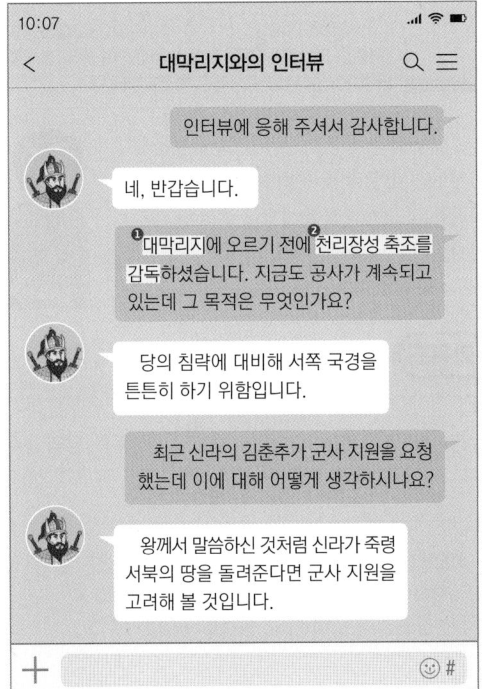

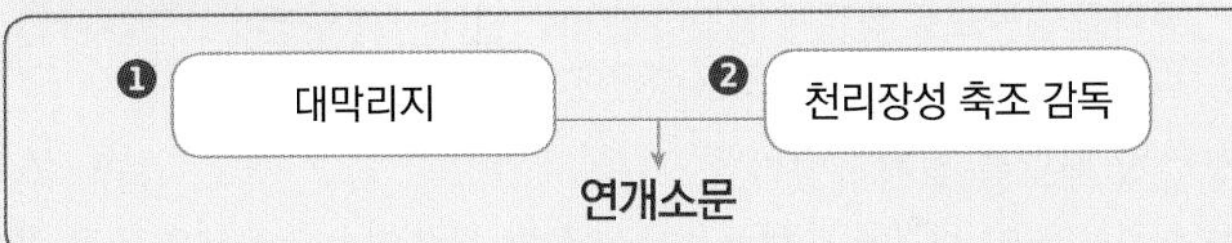

❶, ❷ 고구려는 영류왕 때 당의 침략에 대비하여 국경 지역에 천리장성을 축조하기 시작하였는데 연개소문이 공사의 최고 감독자였어요. 연개소문은 천리장성 축조 중에 정변을 일으켜 영류왕을 죽인 뒤 보장왕을 왕위에 올리고 스스로는 대막리지가 되어 정권을 장악하였어요(642). 같은 해 백제군의 공격으로 위기를 느낀 신라가 김춘추를 고구려에 보내 군사 지원을 요청하였어요. 그러나 보장왕이 신라에 빼앗긴 죽령 서북 땅을 요구하여 신라와 고구려의 연합은 이루어지지 않았어요.

① 김유신
➡ 김유신은 신라의 장수로, 백제와의 황산벌 전투에서 승리를 거두는 등 신라의 삼국 통일에 큰 공을 세웠어요.

② 장보고
➡ 9세기 전반 신라 흥덕왕 때 장보고는 지금의 완도에 청해진을 설치하고 해적을 소탕한 후 황해와 남해의 해상 무역권을 장악하였어요.

③ 연개소문
➡ 연개소문은 당에 대해 강경한 입장을 취하였어요. 당 태종이 연개소문의 정변을 구실로 고구려를 공격하자, 고구려는 안시성 전투에서 당군을 물리치고 당의 침입을 막아 냈어요(645).

④ 흑치상지
➡ 흑치상지는 백제의 장수로, 백제 멸망 이후 임존성에서 백제 부흥 운동을 전개하였어요.

4 신라

정답 ③

밑줄 그은 '이 국가'에 대한 설명으로 옳은 것은? [2점]

정답 잡는 키워드

❶ 골품제 → 신라

❶ 신라에는 골품제라는 신분 제도가 있었어요. 골품에 따라 오를 수 있는 관등의 범위가 정해져 있었고, 집의 크기, 옷의 색깔 등 일상생활까지 골품의 규제를 받았어요.

① 진대법을 실시하였다.
➡ 고구려는 고국천왕 때 가난한 백성을 구제하기 위해 진대법을 실시하였어요.

② 영고라는 제천 행사를 열었다.
➡ 부여는 12월에 영고라는 제천 행사를 열었어요.

③ 화백 회의라 불리는 합의 기구가 있었다.
➡ **신라**는 귀족들이 참가하는 화백 회의에서 만장일치로 나라의 중요한 일을 결정하였어요.

④ 왕족인 부여씨와 8성의 귀족이 지배층을 이루었다.
➡ 백제는 왕족인 부여씨를 비롯한 8성의 귀족이 지배층을 이루었어요.

기출 선택지 +α

❺ 국학을 설립하였다.	(O/X)
❻ 주몽이 건국하였다.	(O/X)
❼ 신성 지역인 소도가 있었다.	(O/X)

기출 선택지 +α 정답 ⑤○ ⑥×[고구려] ⑦×[삼한]

제63회

5 백제의 문화유산

정답 ①

(가)에 들어갈 문화유산으로 옳은 것은? [1점]

✪ 백제의 뛰어난 세공 기술을 보여 주는 백제 금동 대향로에는 도교와 불교 사상이 함께 반영되어 있어요. 또 공주 무령왕릉은 중국 남조의 영향을 받아 축조된 벽돌무덤으로 무덤의 주인이 알려진 유일한 백제 무덤이에요.

①

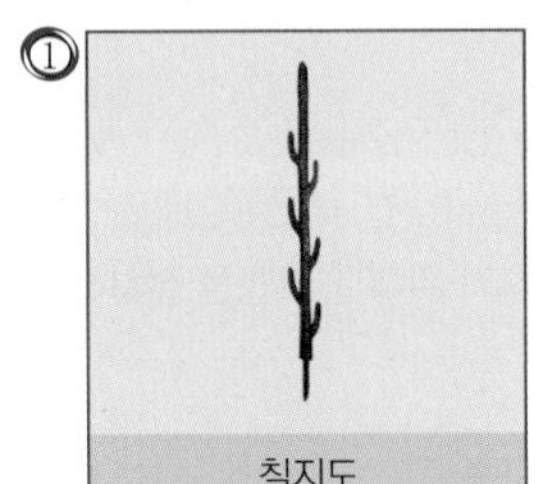
칠지도

➡ **백제**의 칠지도는 칼날이 가지처럼 뻗어 있는 모양의 철제 칼이에요. 백제에서 만들어 왜에 전한 것으로 알려져 있는데, 이를 통해 백제와 왜가 교류하였음을 알 수 있어요.

②

청자 상감 운학문 매병

➡ 청자 상감 운학문 매병은 고려의 독창적인 상감 기법으로 만들어진 청자예요.

③

천마총 장니 천마도

➡ 천마도는 말안장 양쪽에 달아 늘어뜨리는 장니(말다래)에 그려져 있는 그림으로, 신라 시대 무덤인 경주 천마총에서 출토되었어요.

④

호우총 청동 그릇

➡ 호우총 청동 그릇은 신라 시대 무덤인 경주 호우총에서 출토된 고구려의 청동 그릇이에요. 그릇 밑바닥에 광개토 태왕을 나타내는 글자가 새겨져 있어 이를 통해 당시 신라와 고구려의 관계를 짐작할 수 있어요.

6 발해

정답 ③

(가) 국가에 대한 설명으로 옳은 것은? [2점]

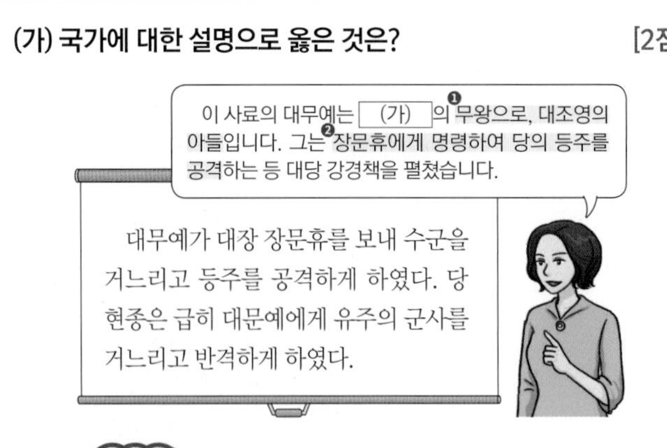

정답 잡는 키워드

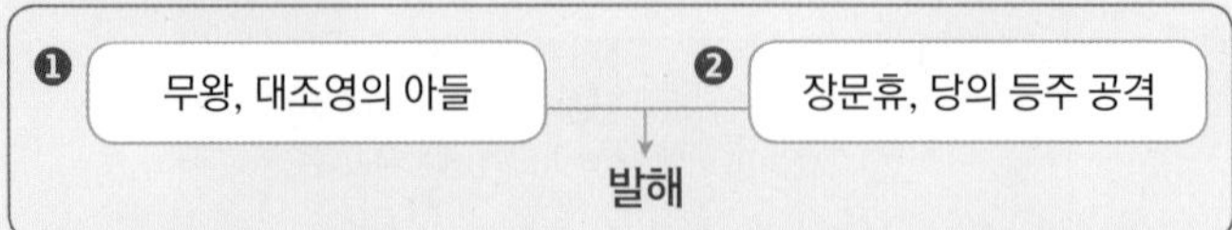

❶ 무왕은 대조영의 뒤를 이어 즉위한 발해의 제2대 왕으로, 당에 대해 강경한 입장을 취하였어요.
❷ 발해 무왕은 장문휴를 보내 당의 등주를 공격하였어요.

① 마한의 소국 중 하나였다.
➡ 마한은 지금의 경기도, 충청도, 전라도 지역에 분포한 여러 소국들로 이루어진 나라입니다. 백제는 마한의 소국 중 하나로 출발하였지만 한강 유역을 발판으로 빠르게 성장하였어요. 발해는 대조영이 고구려 유민과 말갈인을 이끌고 만주 동모산 부근에서 세운 나라입니다.

② 상수리 제도를 실시하였다.
➡ 신라는 지방 세력을 견제하기 위해 지방 세력가나 그 자제를 일정 기간 수도에 머무르게 하는 상수리 제도를 실시하였어요.

③ 전성기에 해동성국이라 불렸다.
➡ **발해**는 전성기에 중국으로부터 '바다 동쪽의 융성한 나라'라는 뜻에서 해동성국이라 불렸어요.

④ 광덕, 준풍 등의 연호를 사용하였다.
➡ 고려 광종은 광덕, 준풍 등의 독자적인 연호를 사용하였어요.

기출 선택지 +α

❺ 수의 침략을 물리쳤다. (O/X)
❻ 대조영이 동모산에서 건국하였다. (O/X)
❼ 영락이라는 독자적 연호를 사용하였다. (O/X)
❽ 중앙 정치 조직을 3성 6부로 정비하였다. (O/X)

핵심 개념	발해의 성립과 발전
건국	고구려 장수였던 대조영이 지린성 동모산 부근에서 발해 건국(698)
무왕	• 장문휴를 보내 산둥반도에 위치한 당의 등주 공격 • 인안이라는 독자적인 연호 사용
문왕	• 당과 친선 관계 수립 → 중앙 정치 조직으로 3성 6부 운영 • 상경으로 천도, 대흥·보력이라는 독자적인 연호 사용
선왕	연해주에서 요동 지방까지 이르는 최대 영토 확보 → 이후 중국으로부터 해동성국이라 불림, 건흥이라는 독자적인 연호 사용
멸망	거란의 침입을 받아 멸망(926)

기출 선택지 +α 정답 ⑤ ×[고구려] ⑥ ○ ⑦ ×[고구려 광개토 태왕] ⑧ ○

7 신라의 중앙 행정 기구 - 집사부

정답 ③

다음 퀴즈의 정답으로 옳은 것은? [2점]

정답 잡는 키워드

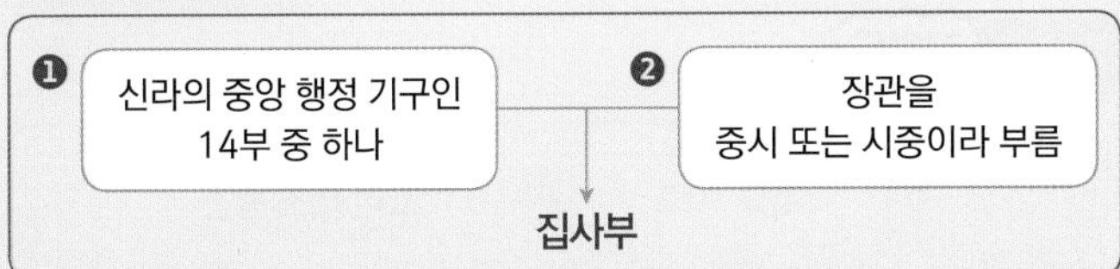

❶ 삼국 통일 이후 신라는 집사부를 비롯해 사정부, 위화부, 영객부 등 14부의 중앙 행정 조직을 정비하였고, 집사부를 중심으로 중앙 행정 기구를 운영하였어요.

❷ 집사부의 장관은 중시라 불렸으며 진골 출신이 임명되었어요. 중시는 경덕왕 때 시중으로 명칭이 바뀌었어요.

①

➡ 의정부는 조선 시대 최고 행정 기구로 재상들이 합의하여 정책을 심의하고 결정하였어요.

②

➡ 정당성은 발해의 3성 가운데 하나로, 6부의 행정을 총괄하였어요.

③

➡ 집사부는 신라의 국왕 직속 기구로, 왕명을 수행하며 국가 기밀 사무를 담당하였어요.

④

➡ 도병마사는 중서문하성과 중추원의 고위 관리들이 모여 국방과 군사 문제를 논의하던 고려의 독자적인 정치 기구입니다.

8 신라의 경제

정답 ④

(가) 국가의 경제 상황으로 옳은 것은? [3점]

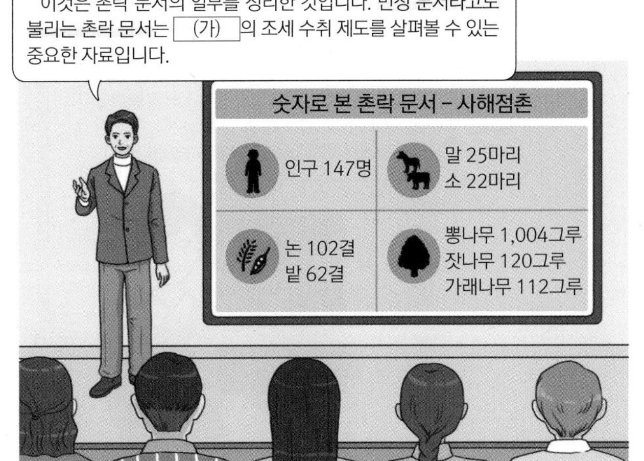

정답 잡는 키워드

❶ 민정 문서라고도 불리는 촌락 문서 → 신라

❶ 일본에서 발견된 민정 문서라고도 불리는 신라 촌락 문서에는 마을의 크기, 논밭의 종류와 넓이, 인구수, 소와 말의 수, 나무의 종류와 수 등이 기록되어 있어요. 세금을 거두고 노동력을 파악하기 위해 이 문서를 작성한 것으로 보여요.

① 활구라고 불리는 은병이 유통되었다.
➡ 고려 시대에 은으로 만든 은병이라는 고액 화폐가 발행되었어요. 은병은 주둥이 부분이 넓어서 활구라고도 불렸어요.

② 고추, 담배 등이 상품 작물로 재배되었다.
➡ 조선 후기에 고추, 담배 등이 시장에 내다 팔기 위한 상품 작물로 재배되었어요.

③ 관청에 물품을 조달하는 공인이 활동하였다.
➡ 조선 후기에 대동법이 시행되면서 관청에 물품을 조달하는 공인이 활동하였어요.

④ 시장을 감독하기 위한 기구로 동시전이 설치되었다.
➡ 신라 지증왕 때 수도 금성에 시장인 동시와 이를 감독하기 위한 기구로 동시전이 설치되었어요.

기출 선택지 +α

❺ 목화가 처음 전래되었다. (O/X)
❻ 고구마, 감자가 널리 재배되었다. (O/X)
❼ 물가 조절을 위해 상평창을 두었다. (O/X)
❽ 청해진을 중심으로 해상 무역을 전개하였다. (O/X)

기출 선택지 +α 정답 ⑤ ×[고려 말] ⑥ ×[조선 후기] ⑦ ×[고려, 조선] ⑧ ○

제 63 회

9 최치원의 활동

정답 ④

밑줄 그은 '이 인물'로 옳은 것은? [1점]

정답 잡는 **키워드**

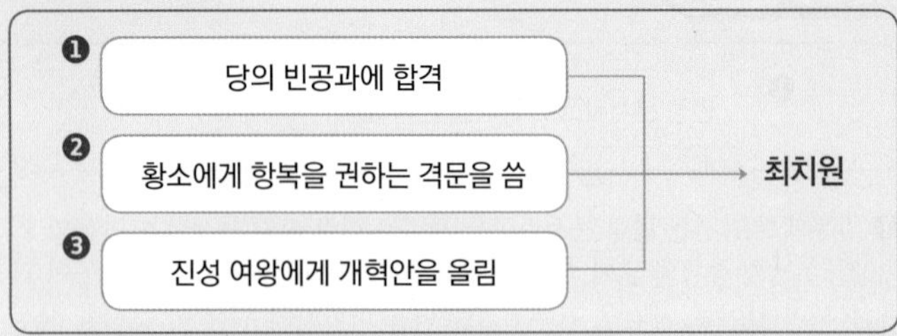

❶, ❷ 신라 6두품 출신 최치원은 당으로 건너가 외국인을 대상으로 한 빈공과에 합격하여 당에서 관직 생활을 하였어요. 이때 난을 일으킨 황소에게 항복을 권하는 격문, 즉 '토황소격문(격황소서)'를 써서 문장가로도 이름을 날렸어요.

❸ 최치원은 신라로 귀국한 후 진성 여왕에게 개혁안으로 시무 10여 조를 올렸으나 진골 귀족들의 반발로 개혁이 실행되지 못하였어요.

① 강수

➡ 강수는 신라의 유학자로, 글을 잘 짓기로 유명하였어요. 특히 외교 문서 작성에 능하여 당에 인질로 잡혀 있던 무열왕의 아들 김인문의 석방을 요구하는 '청방인문표'를 지었어요.

② 설총

➡ 설총은 원효의 아들로, 신라 6두품 출신이에요. 이두를 정리하였으며 '화왕계'를 지어 신문왕에게 바쳤어요.

③ 김부식

➡ 김부식은 고려의 유학자로, 서경에서 묘청 등이 난을 일으키자 군사를 이끌고 가서 난을 진압하였어요. 또 현재 남아 있는 우리나라에서 가장 오래된 역사서인 "삼국사기"의 편찬을 주도하였어요.

④ 최치원

➡ 최치원은 진성 여왕에게 건의한 개혁이 실행되지 못하자 은둔 생활을 하였다고 전해지며, 저서로 "계원필경" 등을 남겼어요.

핵심 개념	통일 신라의 대표적 유학자
강수	유학자이자 문장가로, 외교 문서 작성에 능함('청방인문표' 등)
설총	• 신라 6두품 출신으로 원효의 아들 • '화왕계'를 지어 신라 신문왕에게 바침 • 한자의 음과 훈을 빌려 우리말을 표기하는 이두를 정리함
최치원	• 신라 6두품 출신으로 당의 빈공과에 합격함 • 귀국 후에 신라의 진성 여왕에게 개혁안으로 시무 10여 조를 올림 • '토황소격문(격황소서)', "계원필경" 등을 저술함

10 고려 태조의 정책

정답 ②

(가) 왕에 대한 설명으로 옳은 것은? [2점]

정답 잡는 **키워드**

❶ 훈요 10조 ⟶ **고려 태조 왕건**

❶ 고려를 세운 태조 왕건은 세상을 떠날 무렵에 후대 왕에게 정책의 방향을 제시하는 내용을 담은 훈요 10조를 남겼어요. 태조는 여기에서 서경을 중시할 것, 연등회와 팔관회 등 불교 행사를 소홀히 하지 말 것 등을 당부하였어요.

① 집현전을 설치하였다.

➡ 조선 세종은 학문과 정책 연구를 위해 궁궐 안에 집현전을 설치하였어요.

② 기인 제도를 실시하였다.

➡ **고려 태조**는 호족 세력을 견제하고 지방 통치를 보완하기 위해 지방 호족의 자제를 수도에 머물게 하는 기인 제도를 실시하였어요.

③ 나선 정벌을 단행하였다.

➡ 조선 효종은 청의 요청에 따라 두 차례의 나선 정벌에 조총 부대를 파견하였어요. 나선은 러시아를 말해요.

④ 노비안검법을 시행하였다.

➡ 고려 광종은 왕권을 강화하고 국가 재정을 확충하기 위해 노비안검법을 시행하여 본래 양인이었다가 억울하게 노비가 된 사람들을 양인 신분으로 되돌려 주었어요.

기출 선택지 +α

❺ 흑창을 두었다. (O/X)

❻ 우산국을 정벌하였다. (O/X)

❼ 과거제를 도입하였다. (O/X)

❽ 지방에 12목을 설치하였다. (O/X)

핵심 개념	고려 태조의 정책
민족 통합책	대광현 등 발해 유민 포용
민생 안정책	세금을 줄여 줌, 빈민 구제 기관인 흑창 설치
호족 정책	주요 호족과 혼인 관계를 맺음, 유력한 호족에게 왕씨 성을 줌(사성 정책), 공신에게 역분전 지급, 사심관 제도와 기인 제도 실시
북진 정책	서경(평양) 중시, 북쪽으로 영토 확장(청천강 ~ 영흥만)
기타	"정계"·"계백료서" 저술, 후대의 왕에게 훈요 10조를 남김

기출 선택지 +α 정답 ⑤ ○ ⑥ ×[신라 지증왕] ⑦ ×[고려 광종] ⑧ ×[고려 성종]

11 문벌 사회의 동요 정답 ③

(가)~(다)를 일어난 순서대로 옳게 나열한 것은? [3점]

(가) (나) (다)

정답 잡는 **키워드**

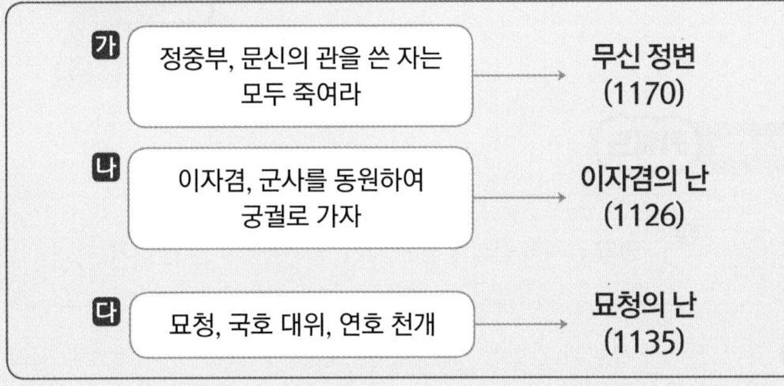

	키워드		사건
가	정중부, 문신의 관을 쓴 자는 모두 죽여라	→	무신 정변 (1170)
나	이자겸, 군사를 동원하여 궁궐로 가자	→	이자겸의 난 (1126)
다	묘청, 국호 대위, 연호 천개	→	묘청의 난 (1135)

가 문벌 세력의 권력 독점이 계속되는 상황에서 일부 젊은 문신이 무신을 모욕하는 일이 일어나 문신과 차별 대우를 받던 무신들의 불만이 쌓여 갔어요. 결국 정중부, 이의방 등이 주도하여 **무신 정변**을 일으켜 의종과 문신을 내쫓고 정권을 장악하였어요(1170).

나 경원 이씨 가문의 이자겸이 왕실과 중첩된 혼인 관계를 맺고 왕권을 위협할 정도로 막강한 권력을 행사하자 고려 인종이 이자겸을 제거하려 하였어요. 이에 이자겸이 척준경과 함께 반란을 일으켰으나, 인종이 척준경을 회유하여 반란을 진압하였어요(**이자겸의 난**, 1126). 이후 인종은 왕권의 회복과 민심 수습을 위해 서경 세력을 등용하여 개혁 정치를 추진하였습니다.

다 이자겸의 난 이후 묘청 등 서경 세력은 풍수지리설을 내세워 서경 천도를 추진하였어요. 그러나 개경 세력의 반대로 서경 천도가 좌절되자, 묘청 등이 서경에서 국호를 대위, 연호를 천개라 하고 반란을 일으켰어요(1135). **묘청의 난**은 김부식 등이 이끄는 관군에 의해 진압되었어요.

① (가) - (나) - (다)

② (나) - (가) - (다)

③ (나) - (다) - (가)

➡ 이자겸의 난과 묘청의 난으로 동요된 문벌 사회는 무신 정변을 계기로 붕괴되었어요. 이를 일어난 순서대로 나열하면 (나) 이자겸의 난(1126) - (다) 묘청의 난(1135) - (가) 무신 정변(1170) 순이에요.

④ (다) - (나) - (가)

12 고려의 지방 통치 제도 정답 ②

다음 사건이 있었던 국가의 지방 통치에 대한 설명으로 옳은 것은? [2점]

> **역사 신문**
>
> 제△△호 ○○○○년 ○○월 ○○일
>
> **공주 명학소, 충순현으로 승격**
>
> ❶공주 명학소 사람 망이·망소이가 무리를 불러 모아 난을 일으켜 공주를 함락하였다. 이에 정부는 명학소를 충순현으로 승격하는 조치를 취했다. 이는 소의 주민으로서 그들이 겪어야 했던 차별이 철폐됨을 의미하는 것으로, 정부의 이번 조치가 해결책이 될 수 있을지 결과가 주목된다.

정답 잡는 **키워드**

❶ 공주 명학소 사람 망이·망소이가 난을 일으킴 → 고려

❶ 고려 시대에 특수 행정 구역인 향·부곡·소의 주민은 일반 군현민에 비해 세금 부담이 컸으며 과거 응시에 제한을 받는 등 차별을 받았어요. 무신 집권기에 공주 명학소의 주민들이 지배층의 수탈과 과도한 세금 징수에 항거하여 망이·망소이를 중심으로 봉기하였어요.

① 지방에 22담로를 두었다.

➡ 담로는 백제의 지방 행정 구역이에요. 무령왕은 22담로에 왕족을 파견하여 지방 통제를 강화하였어요.

② 양계에 병마사를 파견하였다.

➡ **고려**는 지방을 일반 행정 구역인 5도와 군사 행정 구역인 양계(동계, 북계)로 나누었어요. 5도에는 안찰사를, 국경 지역인 양계에는 병마사를 파견하였어요.

③ 주요 지역에 5소경을 설치하였다.

➡ 삼국 통일 이후 신라는 전국을 9주로 나누고 수도가 영토의 동남쪽에 치우친 것을 보완하기 위해 주요 지역에 5소경을 설치하였어요.

④ 전국을 5경 15부 62주로 나누었다.

➡ 발해는 넓은 영토를 효율적으로 다스리기 위해 5경 15부 62주의 지방 행정 제도를 갖추었어요.

기출 선택지 +α

⑤ 전국을 8도로 나누었다. (O / X)

⑥ 전국을 5도 양계로 나누어 통치하였다. (O / X)

기출 선택지 +α 정답 ⑤ ×[조선] ⑥ ○

13 고려의 교육 기관

정답 ②

교사의 질문에 대한 답변으로 옳지 않은 것은? [2점]

고려 정부는 관리 양성과 유학 교육을 위해 학교를 세우고 교육을 장려하였어요. 수도 개경에는 최고 교육 기관으로 국자감을 두었고, 지방에는 향교를 설치하여 지방 관리와 서민 자제의 유학 교육을 담당하게 하였어요. 한편, 고려 중기에 최충의 문헌공도(9재 학당)를 비롯한 사학 12도가 융성하였어요. 사학에서 교육을 받은 학생이 과거에서 좋은 성적을 거두자 국자감의 관학 교육이 위축되었어요. 이에 고려 정부는 관학 진흥을 위하여 국자감에 전문 강좌인 7재와 장학 재단인 양현고를 두는 등의 정책을 폈습니다.

① 최고 국립 교육 기관으로 국자감을 두었어요.
➡ 국자감은 **고려** 시대에 설치된 최고 교육 기관으로, 성종 때 유학 교육을 장려하면서 정비되었어요. 국자감에서는 유학과 기술 교육이 이루어졌어요.

② 경당에서 글과 활쏘기를 가르쳤어요.
➡ 경당은 **고구려**의 지방 교육 기관으로, 학문과 무술을 교육하였어요.

③ 문헌공도 등 사학 12도가 번성하였어요.
➡ **고려** 시대에 최충이 세운 문헌공도를 비롯하여 사학 12도가 번성하였어요.

④ 지방에 유학 교육을 담당하는 향교가 있었어요.
➡ **고려**는 지방에 유학 교육 기관으로 향교를 두었어요. 향교는 조선 시대로 이어졌어요.

14 원 간섭기의 사실

정답 ②

밑줄 그은 '시기'에 있었던 사실로 옳은 것은? [2점]

중앙 정치 기구의 변화

중서문하성 상서성	➡	첨의부
6부	➡	4사
중추원(추밀원)	➡	밀직사
어사대	➡	감찰사

❶원의 정치적 간섭을 받던 시기에 화면과 같이 관제가 격하되었습니다.

정답 잡는 **키워드**

❶ 원의 정치적 간섭을 받던 시기 ⟶ **원 간섭기**

❶ 고려 정부가 몽골과 강화를 맺고 개경으로 돌아오면서 본격적으로 원의 정치적 간섭을 받게 되었어요. 13세기 후반부터 14세기 전반에 이르는 원 간섭기에 고려의 왕이 원 황제의 사위가 되면서 왕실 호칭이 부마국의 지위에 맞춰 낮아졌고, 중앙 정치 기구의 명칭도 격이 낮아졌어요.

① 별무반이 편성되었다.
➡ 별무반은 **12세기 초 고려 숙종** 때 여진 정벌을 위해 편성된 군사 조직이에요.

② 정동행성이 설치되었다.
➡ **원 간섭기**인 고려 충렬왕 때 일본 원정을 위한 기구로 정동행성이 설치되었어요.

③ 6조 직계제가 실시되었다.
➡ **15세기 조선 태종**과 **세조** 때 6조 직계제가 실시되었어요. 6조 직계제는 6조가 의정부를 거치지 않고 왕에게 직접 업무를 보고하고 왕의 명령을 받아 정책을 추진하는 제도입니다.

④ 김흠돌의 난이 진압되었다.
➡ **7세기 신라 신문왕** 때 김흠돌의 난이 진압되었어요. 김흠돌의 난을 계기로 신문왕은 진골 귀족 세력을 숙청하였어요.

기출 선택지 +α

⑤ 3포 왜란이 일어났다. (O/X)
⑥ 김부식이 삼국사기를 편찬하였다. (O/X)
⑦ 권문세족이 높은 관직을 독점하였다. (O/X)
⑧ 지배층을 중심으로 변발과 호복이 유행하였다. (O/X)

기출 선택지 +α

정답 ⑤ ×[16세기 조선 중종 때] ⑥ ×[12세기 전반 고려 인종 때] ⑦○ ⑧○

15 고려 공민왕의 업적

정답 ④

(가) 왕의 업적으로 옳은 것은? [2점]

정답 잡는 키워드

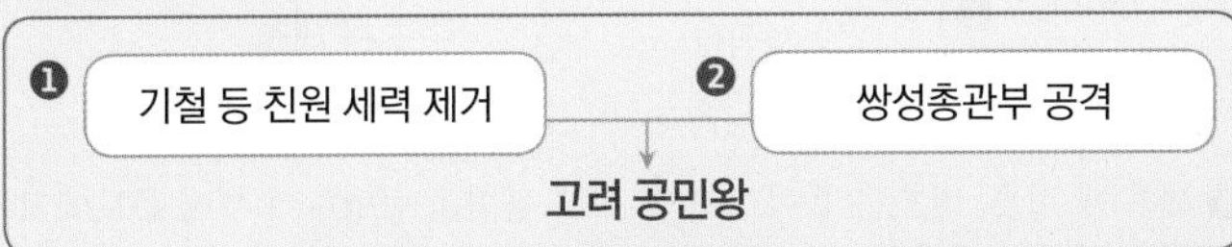

❶ 공민왕은 원이 쇠퇴하는 틈을 타 반원 자주 정책을 추진하였어요. 이 과정에서 원의 세력에 기대어 권력을 잡은 기철 등 친원 세력을 제거하였어요.

❷ 공민왕은 쌍성총관부를 공격하여 원에 빼앗겼던 철령 이북의 영토를 되찾았어요.

① 사비로 천도하였다.
➡ 백제 성왕은 웅진(지금의 공주)에서 사비(지금의 부여)로 천도하고 국호를 남부여로 바꾸었어요.

② 북한산 순수비를 세웠다.
➡ 신라 진흥왕은 한강 유역을 차지한 뒤 영토 확장을 기념하여 북한산에 순수비를 세웠어요.

③ 독서삼품과를 실시하였다.
➡ 신라 원성왕은 유학적 소양을 갖춘 인재를 등용하기 위하여 독서삼품과를 실시하였어요.

④ 전민변정도감을 설치하였다.
➡ **고려 공민왕**은 권문세족이 불법적으로 소유한 토지와 노비를 바로잡기 위해 신돈을 등용하고 전민변정도감을 설치하였어요.

기출 선택지 +α

❺ 균역법을 시행하였다. (O/X)
❻ 삼강행실도를 편찬하였다. (O/X)
❼ 철령 이북의 땅을 되찾았다. (O/X)

핵심 개념 고려 공민왕의 개혁 정책

반원 자주 정책	• 쌍성총관부를 공격하여 철령 이북의 영토 수복 • 정동행성 이문소 폐지 • 기철 등 친원 세력 제거 • 몽골풍을 금지하고 고려의 전통을 되살림 • 고려의 관제 복구
왕권 강화 정책	• 신돈 등용, 전민변정도감 설치 • 정방 폐지 • 신진 사대부 적극 등용

기출 선택지 +α 정답 ⑤ ×[조선 영조] ⑥ ×[조선 세종] ⑦ ○

16 고려의 문화유산

정답 ④

(가)에 들어갈 문화유산으로 가장 적절한 것은? [2점]

문화유산 조사 보고서

◈ 주제 : 고려 시대의 목조 건축
◈ 방법 : 문헌 조사, 현장 답사 등
◈ 조사 내용
- 현재 남아 있는 고려 시대 주요 목조 건축물
- 배흘림기둥과 주심포 양식의 특징
◈ 조사 대상

(가)
수덕사 대웅전
봉정사 극락전

✪ 고려 시대의 목조 건축물은 현재 후기에 만들어진 안동 봉정사 극락전, 영주 부석사 무량수전, 예산 수덕사 대웅전 등이 남아 있어요. 세 건축물 모두 공포를 기둥 위에만 설치한 주심포 양식으로 지어졌으며, 건물이 안정감 있게 보이도록 기둥의 가운데 부분이 살짝 불룩한 배흘림기둥이 사용되었어요.

①

종묘 정전

➡ 종묘는 조선 시대 왕과 왕비의 신주를 모신 사당이에요. 종묘의 중심 건물인 정전에는 19명의 왕과 그 왕비의 신위를 모셨어요.

②

경복궁 근정전

➡ 경복궁 근정전은 조선의 정궁인 경복궁의 중심 건물로 국왕이 조회를 하거나 외국 사신을 맞이하는 등 중요한 행사를 거행하던 정전이에요.

③

법주사 팔상전

➡ 보은 법주사 팔상전은 조선 후기에 지어졌으며, 현재 우리나라에 남아 있는 가장 오래된 5층 목탑이에요.

④

부석사 무량수전

➡ 영주 부석사 무량수전은 고려 시대에 지어진 주심포 양식의 목조 건물이에요. 무량수전 안에 신라의 불상 양식을 계승한 소조 여래 좌상이 모셔져 있어요.

17 과전법

정답 ①

다음 건의를 받아들여 제정한 법으로 옳은 것은? [3점]

> 전하께서는 무릇 수도에 거주하는 ❶관료에게는 단지 경기 안의 토지만을 지급하고, 그 밖의 토지는 허락하지 마십시오. 이를 법으로 제정하셔서 백성과 더불어 다시 시작하십시오. 그렇게 하여 국가 재정을 넉넉하게 하고, 백성의 삶을 풍요롭게 하며, 조정의 선비들을 우대하고, 군대의 군량을 넉넉하게 하십시오.
>
> – ❷조준의 상소 –

정답 잡는 키워드

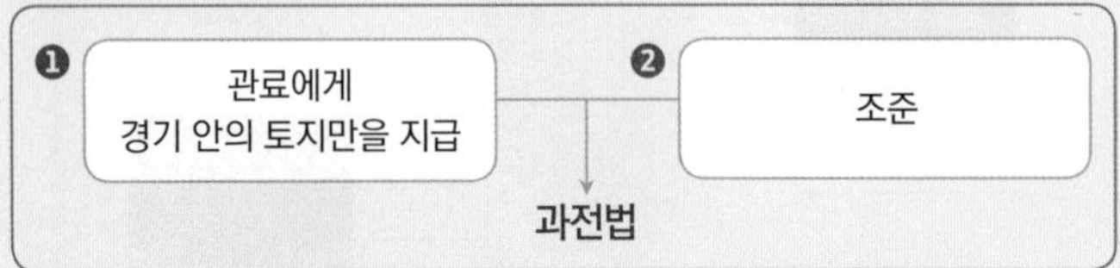

❶, ❷ 고려 말 공양왕 때 문란한 토지 제도를 바로잡기 위해 조준 등 신진 사대부의 주도로 권문세족이 불법적으로 차지한 농장을 몰수하고 과전법을 실시하였어요. 과전법은 경기 지역의 토지를 대상으로 하여 전·현직 관리에게 토지의 수조권(조세를 거둘 수 있는 권리)을 지급한 제도입니다. 과전법의 시행으로 신진 관리의 경제 기반이 마련되었어요.

① 과전법
➡ 과전법은 조선 초기까지 시행되었어요.

② 대동법
➡ 대동법은 조선 후기에 방납의 폐단을 바로잡기 위해 공납을 특산물 대신 소유한 토지 결수에 따라 쌀이나 옷감, 동전 등으로 납부하게 한 법이에요.

③ 영정법
➡ 영정법은 전세를 풍흉에 관계없이 토지 1결당 쌀 4~6두로 고정시킨 법으로, 조선 인조 때부터 시행되었어요.

④ 호패법
➡ 호패법은 16세 이상 모든 남성에게 이름, 태어난 연도, 신분 등을 새긴 호패를 차고 다니게 한 제도로, 조선 태종 때 처음 실시되었어요.

핵심 개념	전시과와 과전법
전시과	• 고려의 토지 제도 • 관직 복무 등에 대한 대가로 등급에 따라 관리에게 전지와 시지 지급(수조권 지급) • 경종 때 처음 실시되었으며, 목종과 문종 때 제도를 고침
과전법	• 고려 말 공양왕 때 시행되어 조선 초기까지 이어진 토지 제도 • 경기 지역의 토지를 대상으로 전·현직 관리에게 등급에 따라 토지의 수조권 지급 • 죽거나 반역을 하면 반환하는 것이 원칙, 일부가 수신전·휼양전 등으로 세습됨

18 조선 세종 재위 시기의 사실

정답 ①

밑줄 그은 '왕'의 재위 시기에 있었던 사실로 옳은 것은? [2점]

정답 잡는 키워드

❶ 농사직설 → 조선 세종

❶ 세종 때 정초, 변효문 등이 농민의 실제 경험을 반영하여 우리 풍토에 맞는 농사법을 정리한 "농사직설"을 편찬하였어요.

① 자격루가 제작되었다.
➡ **조선 세종** 때 장영실이 중심이 되어 자격루를 제작하였어요. 자격루는 자동으로 시간을 알려 주는 장치를 갖춘 물시계입니다.

② 화통도감이 설치되었다.
➡ 고려 말 우왕 때 최무선의 건의로 화포와 화약 무기를 제작하는 화통도감이 설치되었어요.

③ 삼국유사가 저술되었다.
➡ 고려 후기에 승려 일연이 "삼국유사"를 저술하였어요.

④ 백두산정계비가 건립되었다.
➡ 조선 숙종 때 조선과 청의 국경을 정한 백두산정계비가 건립되었어요.

핵심 개념	조선 세종 때 문화와 과학 기술의 발달
훈민정음	우리 고유의 문자인 훈민정음 창제·반포
삼강행실도	모범이 될 만한 충신, 효자, 열녀의 이야기를 모아 글과 그림으로 설명한 책
칠정산	우리 역사상 최초로 한양을 기준으로 천체 운동을 계산하여 조선 실정에 맞게 만든 역법서
향약집성방	우리 고유의 약재와 치료법을 정리한 의학서
농사직설	농민의 실제 경험을 반영하여 우리 풍토에 맞는 농사법을 정리한 농서
음악	박연 등이 새로 아악 정리
과학 기구	• 혼천의와 간의를 만들어 천체 관측 • 물시계인 자격루, 해시계인 앙부일구를 만들어 시간 측정 • 강우량 측정 기구인 측우기 제작
금속 활자	이전의 금속 활자를 개량하여 갑인자 등 주조

19 조선 성종의 정책

정답 ②

밑줄 그은 '왕'에 대한 설명으로 옳은 것은? [2점]

정답 잡는 키워드

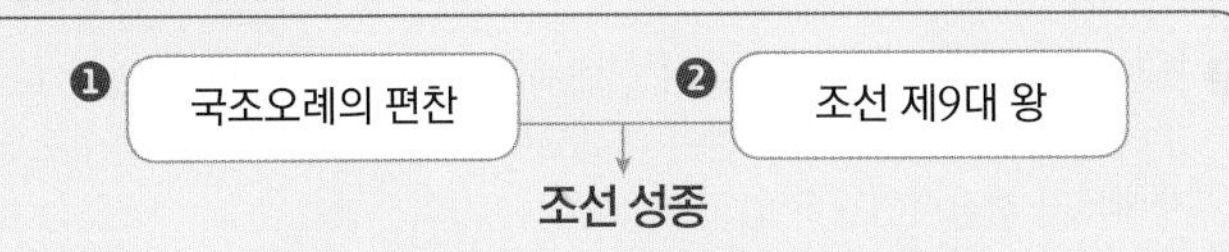

❶, ❷ 조선의 제9대 왕인 성종은 국가의 의례를 정비한 "국조오례의", 궁중 음악을 집대성한 "악학궤범" 등을 편찬하였어요.

① 훈민정음을 창제하였다.

➡ 조선 **세종**은 우리 고유의 문자인 훈민정음을 창제하였어요.

② 경국대전을 완성하였다.

➡ 조선 **성종**은 세조 때부터 편찬하기 시작한 "경국대전"을 완성하였어요. "경국대전"은 국가 운영 전반에 대한 법률과 규정 등을 수록한 조선의 기본 법전이에요.

③ 초계문신제를 시행하였다.

➡ 조선 **정조**는 젊은 문신을 선발하여 재교육하는 초계문신제를 시행하였어요.

④ 위화도 회군을 단행하였다.

➡ 고려 말 **이성계**는 위화도 회군을 단행하고 개경으로 돌아와 정권을 장악하였어요. 이후 급진 개혁파 신진 사대부와 연합하여 조선을 건국하였어요.

기출 선택지 +α

❺ 직전법을 실시하였다. (O/X)
❻ 대전회통을 편찬하였다. (O/X)
❼ 5군영 체제를 완성하였다. (O/X)

기출 선택지 +α 정답 ⑤ ×[조선 세조] ⑥ ×[조선 고종] ⑦ ×[조선 숙종]

20 사림의 분화

정답 ②

(가), (나) 사이의 시기에 있었던 사실로 옳은 것은? [3점]

정답 잡는 키워드

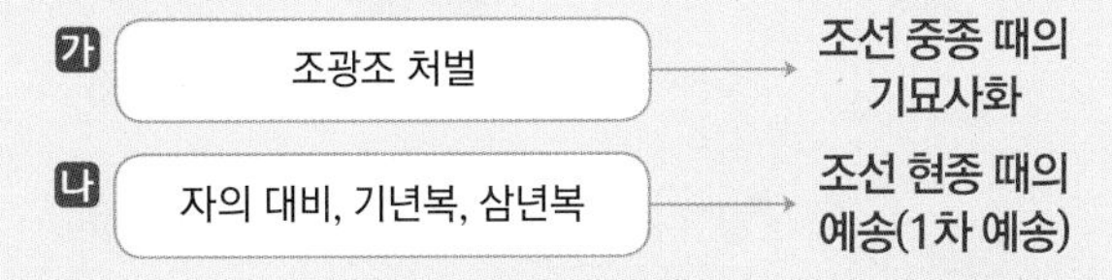

가 중종 때 조광조는 소격서 폐지, 현량과 실시 등의 개혁을 추진하였어요. 또 중종반정으로 공신이 된 사람 중에 부당하게 공신이 된 사람의 거짓 공훈을 삭제하자고 주장하다가 훈구 세력의 반발로 기묘사화가 일어나 죽임을 당하였어요.

나 현종 때 두 차례의 예송이 벌어졌어요. 효종이 사망하자 인조의 계비인 자의 대비의 상복 입는 기간을 두고 서인과 남인 사이에 논쟁이 벌어졌는데 서인은 기년복(1년복)을, 남인은 삼년복을 주장하였어요.

① 김옥균 등이 갑신정변을 일으켰다.

➡ 조선 **고종** 때인 **1884년**에 김옥균, 서광범 등 급진 개화파가 갑신정변을 일으키고 개화당 정부를 세웠으나 청군의 개입으로 3일 만에 실패하였어요.

② 사림이 동인과 서인으로 나뉘었다.

➡ 조선 **선조** 때 척신 정치의 잔재 청산과 이조 전랑 임명 문제 등을 둘러싸고 사림이 동인과 서인으로 나뉘었어요.

③ 성균관 입구에 탕평비가 건립되었다.

➡ 조선 **영조**는 탕평에 대한 의지를 널리 알리고자 탕평비를 건립하였어요.

④ 왕자의 난으로 정도전 등이 피살되었다.

➡ **조선 태조** 때 이방원이 일으킨 왕자의 난으로 정도전 등이 피살되었어요.

기출 선택지 +α

❺ 무오사화로 김일손 등이 처형되었다. (O/X)
❻ 서인 정권이 친명 배금을 추진하였다. (O/X)

연표로 흐름잡기

1519 중종 때 기묘사화 발생
1545 명종 때 을사사화 발생
1575 선조 때 사림이 나뉘어 동인과 서인의 붕당 형성
1592 선조 때 임진왜란 발발
1608 광해군 즉위
1623 인조반정
1627 인조 때 정묘호란 발발
1636 인조 때 병자호란 발발
1654 효종 때 1차 나선 정벌(2차 - 1658년)
1659 현종 때 1차 예송(기해예송) 발생

기출 선택지 +α 정답 ⑤ ×[조선 연산군] ⑥ O[조선 인조]

21 귀주 대첩

정답 ①

(가)에 들어갈 내용으로 옳은 것은? [1점]

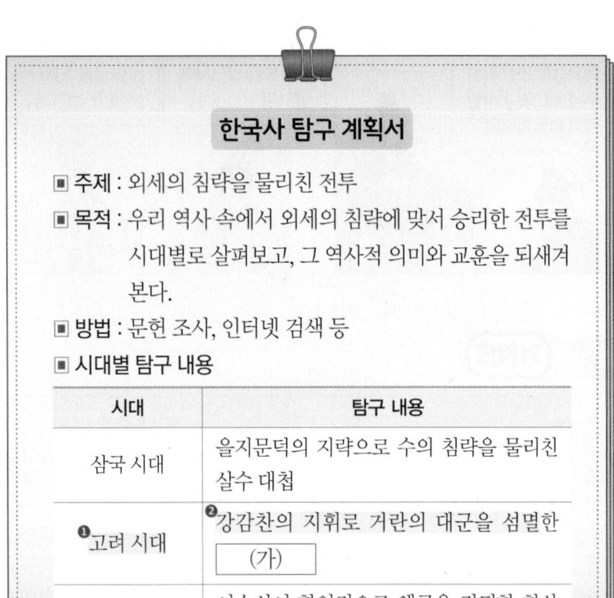

한국사 탐구 계획서

▣ **주제** : 외세의 침략을 물리친 전투

▣ **목적** : 우리 역사 속에서 외세의 침략에 맞서 승리한 전투를 시대별로 살펴보고, 그 역사적 의미와 교훈을 되새겨 본다.

▣ **방법** : 문헌 조사, 인터넷 검색 등

▣ **시대별 탐구 내용**

시대	탐구 내용
삼국 시대	을지문덕의 지략으로 수의 침략을 물리친 살수 대첩
❶고려 시대	❷강감찬의 지휘로 거란의 대군을 섬멸한 (가)
조선 시대	이순신이 학익진으로 왜군을 격퇴한 한산도 대첩

정답 잡는 **키워드**

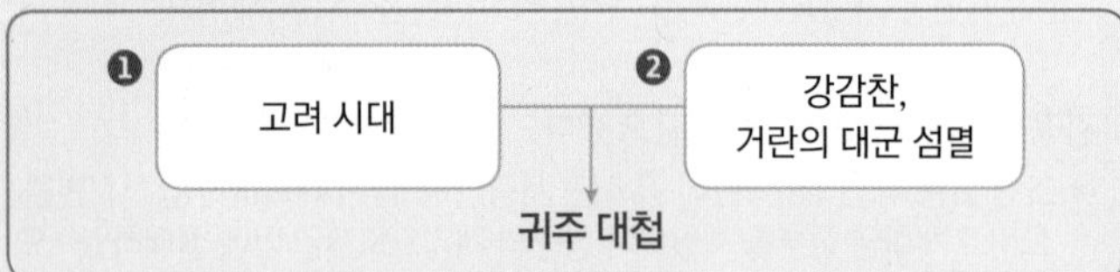

❶, ❷ 11세기에 거란이 강동 6주의 반환 등을 요구하며 세 번째로 고려에 침입하였어요. 이때 강감찬의 지휘로 고려군이 귀주에서 거란의 대군을 섬멸하였는데, 이를 귀주 대첩(1019)이라고 합니다.

① 귀주 대첩

➡ 귀주 대첩은 고려 현종 때 있었던 거란의 3차 침입 당시 강감찬의 지휘로 고려군이 귀주에서 거란군을 크게 물리친 전투예요.

② 진포 대첩

➡ 진포 대첩은 고려 말 우왕 때 최무선 등이 진포에서 화포를 이용하여 왜구를 크게 물리친 전투예요.

③ 행주 대첩

➡ 행주 대첩은 조선 선조 때 있었던 임진왜란 당시 권율의 지휘 아래 관민이 힘을 합쳐 행주산성에서 일본군을 크게 물리친 전투예요.

④ 황산 대첩

➡ 황산 대첩은 고려 말 우왕 때 이성계가 황산에서 왜구를 크게 물리친 전투예요.

22 조선 후기의 경제

정답 ①

다음 대화에 나타난 시기의 경제 상황으로 옳은 것은? [2점]

정답 잡는 **키워드**

❶ 조엄이 고구마를 들여옴 → **조선 후기**

❶ 조선 후기에 고구마, 감자 등이 전래되어 구황 작물로 재배되었어요. 고구마는 영조 때 통신사 조엄이 대마도에서 고구마의 종자를 들여오면서 재배되기 시작하였다고 알려져 있어요.

① 상평통보가 유통되었다.

➡ **조선 후기** 숙종 때부터 상평통보가 공식 화폐로 주조되어 널리 유통되었어요.

② 전시과 제도가 실시되었다.

➡ 전시과 제도는 관리 등에게 곡물을 거둘 수 있는 전지와 땔감을 얻을 수 있는 시지를 지급한 고려 시대 토지 제도입니다.

③ 벽란도가 국제 무역항으로 번성하였다.

➡ 고려 시대에 수도 개경 부근 예성강 하구의 벽란도가 국제 무역항으로 번성하였어요.

④ 팔관회의 경비 마련을 위해 팔관보가 설치되었다.

➡ 고려 시대에 국가적인 종교 행사로 팔관회가 개최되었는데, 이에 필요한 경비를 마련하기 위해 개경과 서경에 팔관보를 설치하였어요. 보는 기금을 마련하여 여기서 나오는 이자로 여러 사업을 펼치던 재단을 말해요.

기출 선택지 +α

- ❺ 건원중보를 발행하였다. (O/X)
- ❻ 모내기법이 전국으로 확산되었다. (O/X)
- ❼ 내상이 일본과의 무역을 주도하였다. (O/X)
- ❽ 정기 시장인 장시가 전국 각지에서 열렸다. (O/X)

기출 선택지 +α 정답 ⑤ ×[고려] ⑥○ ⑦○ ⑧○

23 이황의 활동

정답 ②

(가)에 들어갈 인물로 옳은 은? [1점]

정답 잡는 키워드

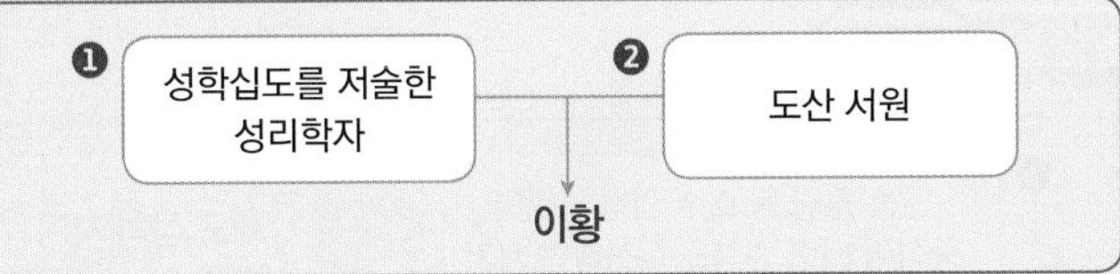

❶ 이황은 군주의 도를 도식으로 설명한 "성학십도"를 저술하여 조선 선조에게 바쳤어요.

❷ 이황은 관직을 사임하고 고향인 안동으로 내려가 서당을 열어 제자를 양성하고 저술 활동에 전념하였어요. 이황이 죽은 뒤에 제자들이 스승의 학문과 덕행을 추모하기 위해 도산 서당 뒤편에 도산 서원을 조성하고 이황의 위패를 모셨어요.

① 서희
➡ 서희는 고려 성종 때 거란의 장수 소손녕과 외교 담판을 벌여 거란의 침략을 막아 내고 압록강 동쪽의 강동 6주 지역을 확보하였어요.

② 이황
➡ 이황은 풍기 군수, 성균관 대사성 등의 관직을 지냈으며, 일본 성리학 발전에도 큰 영향을 끼쳤어요.

③ 박제가
➡ 박제가는 조선 후기의 실학자로, 상공업 중심의 개혁론을 주장하였어요. 청에 다녀온 뒤 청의 제도와 문물을 소개한 "북학의"를 저술하였어요.

④ 정몽주
➡ 정몽주는 고려 말의 유학자로, 고려 왕조를 유지한 채 개혁할 것을 주장하여 이방원 세력에 의해 제거되었어요.

핵심 개념 퇴계 이황의 활동

출생과 관직	• 1501년 안동에서 출생 • 풍기 군수(백운동 서원의 사액 건의), 성균관 대사성 등을 지냄
활동	• 인간 심성의 근본을 강조 • "주자서절요"·"성학십도" 등 저술 • 일본 성리학 발전에 영향을 줌('동방의 주자'라고도 불림) • 예안 향약을 만들어 보급함 • 안동에 도산 서당을 세워 제자를 양성함 → 이황이 죽은 뒤 제자들이 이황을 기리며 도산 서원을 설립함

24 병자호란 이후의 사실

정답 ①

다음 상황 이후에 전개된 사실로 옳은 것은? [2점]

> ❶남한산성을 나와 삼전도에 도착한 왕께서 청 황제 앞에 나아가 항복의 예를 행하였다. 예를 마치고 해 질 무렵이 되자 청 황제가 왕에게 도성으로 돌아가도록 허락하였다. 포로로 사로잡힌 이들이 도성으로 돌아가는 왕을 보고 "우리 임금이시여, 우리 임금이시여. 우리를 버리고 가십니까."라며 울부짖는데, 그 수가 만 명을 헤아렸다.

정답 잡는 키워드

❶ 남한산성을 나와 삼전도에 도착한 왕이 청 황제 앞에 나아가 항복의 예를 행함 → 병자호란

❶ 정묘호란 이후 국력이 더욱 강해진 후금이 나라 이름을 청으로 바꾸고 조선에 군신 관계를 요구하였어요. 조선이 이를 거부하자 청군이 조선을 침략하여 병자호란이 일어났어요. 인조는 남한산성으로 피란하여 항전하였으나 결국 청에 항복하고 삼전도에서 굴욕적인 항복 의식을 행하였어요.

① 북벌이 추진되었다.
➡ **병자호란 이후** 조선에서는 청에 당한 수모를 씻고 명에 대한 의리를 지키기 위해 청을 정벌하자는 북벌론이 일어났어요. 특히 청에 인질로 끌려갔다가 돌아와 인조의 뒤를 이어 즉위한 효종 때 북벌 운동이 가장 왕성하게 추진되었어요.

② 강화도로 천도하였다.
➡ 13세기에 고려 정부는 몽골의 침략에 대응하기 위해 집권자 최우의 주장에 따라 강화도로 도읍을 옮기고 장기적인 항쟁을 준비하였어요.

③ 쓰시마섬을 정벌하였다.
➡ 고려 말에서 조선 초에 왜구가 해안 지역을 침략하여 약탈하는 일이 잦아 여러 차례 왜구의 근거지인 쓰시마섬(대마도)을 정벌하였어요. 대표적으로 고려 말 창왕 때 박위, 조선 세종 때 이종무의 쓰시마섬 정벌을 들 수 있어요.

④ 최씨 무신 정권이 붕괴하였다.
➡ 고려 시대에 최충헌이 이의민을 제거하고 집권한 이후 4대 60여 년간 최씨 무신 정권이 이어졌으나, 제4대 집권자 최의가 부하들에게 살해되면서 최씨 무신 정권이 붕괴하였어요.

기출 선택지 +α

⑤ 송시열이 북벌론을 주장하였다. (O/X)
⑥ 서희가 강동 6주를 확보하였다. (O/X)
⑦ 김윤후가 적장 살리타를 사살하였다. (O/X)
⑧ 광해군이 인조반정으로 폐위되었다. (O/X)
⑨ 곽재우가 의령에서 의병을 일으켰다. (O/X)

기출 선택지 +α
정답 ⑤ ○ ⑥ ×[고려] ⑦ ×[고려] ⑧ ×[1623년, 병자호란 이전] ⑨ ×[임진왜란]

25 훈련도감

정답 ④

(가)에 들어갈 부대로 옳은 것은? [2점]

네덜란드 알크마르에 세워진 이 동상의 주인공은 벨테브레이로, 조선에 정착하여 박연이라는 이름으로 살았다. 네덜란드 출신이었던 그는 조선 연안에 표류한 후 서울로 압송되었고, 이후 (가) 에 소속되어 서양의 화포 기술을 전수하였다. ❶임진왜란 중 설치된 (가) 은/는 ❷포수, 사수, 살수의 삼수병으로 구성되었다.

정답 잡는 키워드

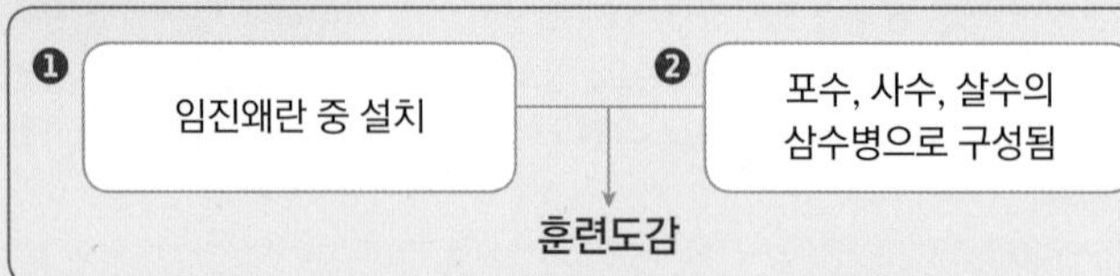

❶ 훈련도감은 임진왜란 중에 유성룡의 건의로 설치된 군사 조직이에요.
❷ 훈련도감은 조총을 다루는 포수, 활을 다루는 사수, 칼이나 창을 다루는 살수의 삼수병으로 구성되었어요. 네덜란드 출신 박연(벨테브레이)이 훈련도감에 소속되어 서양의 화포 기술을 조선군에 전수하였어요.

① 9서당
➡ 9서당은 통일 신라의 핵심적인 중앙 군사 조직이에요. 9서당에는 신라인뿐만 아니라 고구려인, 백제인, 말갈인까지 있었는데, 이는 유민을 포용하여 민족 융합을 꾀하려는 조치였어요.

② 별기군
➡ 별기군은 조선 정부가 개화 정책을 추진하면서 1881년에 창설한 신식 군대예요. 일본인 교관을 초빙하여 군사 훈련을 시행하였어요.

③ 삼별초
➡ 삼별초는 고려 무신 집권기에 최우가 치안 유지를 위해 설치한 야별초에서 비롯되었어요. 좌별초·우별초·신의군으로 구성된 삼별초는 최씨 무신 정권의 군사적 기반이었어요.

④ 훈련도감
➡ 훈련도감은 대부분 급료를 받는 상비군으로 직업 군인의 성격을 띠었어요.

핵심 개념 훈련도감

구분	내용
설치	• 조선 후기 5군영의 하나로 가장 먼저 설치됨 • 임진왜란 중에 선조가 유성룡의 건의를 받아들여 편성함
특징	• 포수, 사수, 살수의 삼수병으로 구성됨 • 급료를 받는 상비군이 주축을 이룸

26 세도 정치 시기의 사실

정답 ④

밑줄 그은 '시기'의 사실로 옳은 것은? [3점]

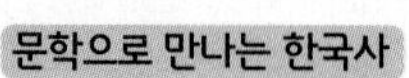

구만 리 긴 하늘에도 머리 들기 어렵고
삼천리 넓은 땅에서도 발을 펴기 어렵도다.
늦은 밤 누대에 오르니 달을 감상하고자 함이 아니요
삼 일 동안 곡기를 끊었으니 신선이 되기 위함이 아니로다.

[해설] 김삿갓으로 널리 알려진 김병연은 ❶안동 김씨 등 소수 외척 가문이 중심이 되어 권력을 독점하던 시기에 전국을 방랑하며 많은 시를 남겼다. 그는 안동 김씨였으나 할아버지가 반역죄로 처형당했기에 관직에 진출하지 못하였다. 김병연이 지은 것으로 전해지는 위 시에는 그의 이러한 처지가 잘 나타나 있다.

정답 잡는 키워드

❶ 안동 김씨 등 소수 외척 가문이 중심이 되어 권력을 독점하던 시기 → 세도 정치 시기

❶ 정조가 사망하고 순조가 어린 나이에 즉위하면서 일부 외척 세력이 정권을 장악하였어요. 이후 순조, 헌종, 철종 3대에 걸쳐 60여 년 동안 안동 김씨, 풍양 조씨 등 소수 외척 가문이 권력을 독점하는 세도 정치가 전개되었어요. 세도 정치 시기에 전정, 군정, 환곡의 삼정이 문란해지고 관리들의 부정부패가 심해지면서 백성의 생활이 피폐해졌어요.

① 최승로가 시무 28조를 올렸다.
➡ 고려 성종 때 최승로가 시무 28조의 개혁안을 국왕에게 올렸어요.

② 수양 대군이 계유정난을 일으켰다.
➡ 조선 전기에 수양 대군(후에 세조)이 계유정난을 일으켜 정권을 장악한 후 단종을 물러나게 하고 왕위에 올랐어요.

③ 지방 세력 통제를 위해 사심관 제도가 실시되었다.
➡ 고려 태조는 지방 세력 통제를 위해 지방 출신의 고위 관리를 출신 지역의 사심관으로 임명하여 그 지역을 통제하게 하는 사심관 제도를 실시하였어요. 사심관 제도는 고려 말에 폐지되었어요.

④ 삼정의 문란을 바로잡기 위해 삼정이정청이 설치되었다.
➡ **세도 정치 시기**인 철종 때 임술 농민 봉기가 일어나자 봉기의 주원인으로 지목된 삼정의 문란을 바로잡기 위해 삼정이정청이 설치되었어요.

기출 선택지 +α

❺ 무신들이 정권을 장악하였다. (O/X)
❻ 최치원이 시무 10여 조를 건의하였다. (O/X)
❼ 수령과 향리의 수탈로 삼정이 문란하였다. (O/X)

기출 선택지 +α 정답 ⑤ ×[고려 무신 집권기] ⑥ ×[통일 신라 진성 여왕] ⑦ ○

27 홍대용의 활동 정답 ②

밑줄 그은 '이 인물'에 대한 설명으로 옳은 것은? [2점]

정답 잡는 키워드

❶ 의산문답, 무한 우주론 → 홍대용

❶ 홍대용은 조선 후기 북학파 실학자로 청의 문물 수용과 상공업 진흥을 주장하였어요. 또, "의산문답", "임하경륜" 등을 저술하였는데, 홍대용은 "의산문답"에서 지전설과 무한 우주론을 주장하며 중국 중심의 세계관을 비판하였어요.

① 추사체를 창안하였다.
➡ 김정희는 역대 서체를 연구하여 자신만의 독창적인 서체인 추사체를 창안하였어요. '추사'는 김정희의 호예요.

② 지전설을 주장하였다.
➡ **홍대용**은 지구가 하루에 한 번씩 돌아 낮과 밤이 나타난다는 지전설을 주장하였어요.

③ 사상 의학을 정립하였다.
➡ 이제마는 같은 병이라도 사람의 체질에 맞게 처방해야 한다는 사상 의학을 정립하였어요.

④ 대동여지도를 제작하였다.
➡ 김정호는 우리나라 전국 지도인 대동여지도를 제작하였어요. 대동여지도는 총 22첩의 목판본 지도입니다.

기출 선택지 +α

⑤ 동학을 창시하였다. (O/X)
⑥ 북학의를 저술하였다. (O/X)
⑦ 여전론을 주장하였다. (O/X)

28 수원 화성 정답 ③

(가)에 들어갈 문화유산으로 옳은 것은? [1점]

조사 보고서

△학년 △반 이름 : ○○○

■ 주제 : (가) 의 축조와 복원

(가) 은 ❶정조의 명에 의해 축조된 성으로, ❷거중기 등을 이용하여 공사 기간과 경비를 줄일 수 있었다. 일제 강점기와 6·25 전쟁을 거치면서 일부 훼손되었지만, 의궤의 기록을 바탕으로 원형에 가깝게 복원되었다. 아래의 사진과 그림은 이 성의 일부인 남포루가 엄밀한 고증을 거쳐 복원되었음을 보여 준다.

훼손된 모습

의궤에 묘사된 포루

복원 후 모습

정답 잡는 키워드

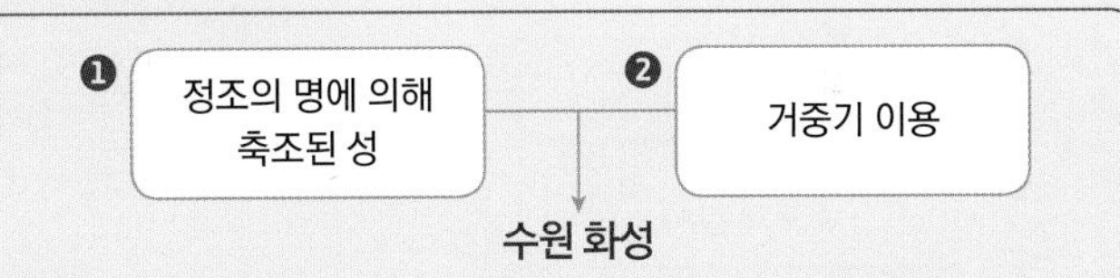

❶, ❷ 정조는 자신의 정치적 이상을 담은 신도시로 수원 화성을 축조하였어요. 이때에 정약용이 고안한 거중기가 사용되었어요. 수원 화성은 일제 강점기와 6·25 전쟁을 거치면서 일부 훼손되었지만, 기본 계획, 비용, 설계도, 사용된 기구 등 수원 화성 건설에 관련된 내용을 글과 그림으로 자세하게 기록한 "화성성역의궤"가 남아 있어 원형에 가깝게 복원되었어요.

① 공산성
➡ 공산성은 백제가 한성(지금의 서울)에서 웅진(지금의 공주)으로 천도한 후 외적을 방어하기 위해 쌓은 산성이에요. 당시에는 웅진성이라고 불렸어요.

② 전주성
➡ 전주성은 조선 시대 전주부에 쌓은 읍성으로, 지금은 성의 남쪽 문인 풍남문만 남아 있어요.

③ 수원 화성
➡ 정조는 수원 화성을 축조하고 여러 차례 직접 행차하기도 하였어요. 수원 화성은 현재 유네스코 세계 유산으로 등재되어 있어요.

④ 한양 도성
➡ 조선 건국 이후 수도 한양을 방어하기 위해 정도전의 설계로 한양 도성이 축조되었어요.

기출 선택지 +α 정답 ⑤ ×[최제우] ⑥ ×[박제가] ⑦ ×[정약용]

29 흥선 대원군 집권 시기의 사실

정답 ③

(가)에 들어갈 내용으로 가장 적절한 것은? [2점]

정답 잡는 키워드

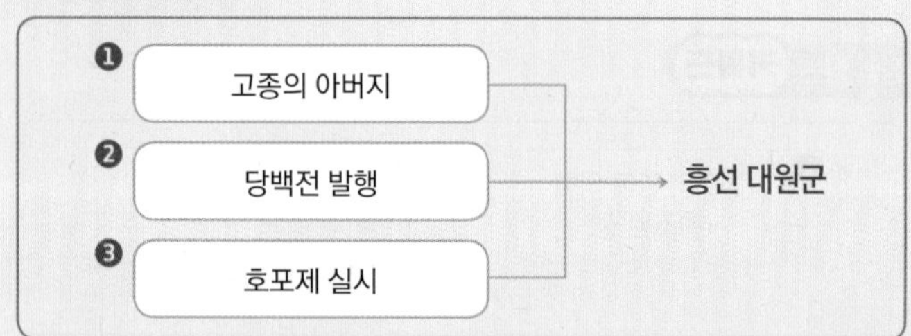

❶ 고종이 어린 나이에 즉위하자 고종의 친아버지인 이하응이 흥선 대원군에 봉해져 국정을 장악하였어요.
❷ 흥선 대원군은 왕실의 위엄을 세우기 위해 임진왜란 때 불에 탄 경복궁을 다시 지었는데, 이에 필요한 재원을 마련하기 위해 고액 화폐인 당백전을 발행하였어요.
❸ 흥선 대원군은 삼정의 문란을 바로잡는 과정에서 군정 문제를 해결하기 위해 호포제를 실시하여 양반에게도 군포를 부과하였어요.

① 녹읍이 폐지되었어요.
➡ 신라 신문왕은 관리에게 조세만 거둘 수 있는 관료전을 지급하고 조세 수취와 노동력 징발이 가능한 녹읍을 폐지하여 귀족들의 경제 기반을 약화하였어요.

② 장용영이 설치되었어요.
➡ 조선 정조는 왕권을 강화하기 위해 국왕 친위 부대인 장용영을 설치하였어요.

③ 척화비가 건립되었어요.
➡ **흥선 대원군**은 신미양요 이후 서양 세력과의 통상 수교 거부 의지를 널리 알리기 위해 전국 각지에 척화비를 건립하였어요.

④ 요동 정벌이 추진되었어요.
➡ 고려 말에 명이 고려가 원으로부터 되찾은 철령 이북 지역을 직접 다스리려 하자 우왕과 최영을 중심으로 요동 정벌이 추진되었어요.

기출 선택지 +α

❺ 칠정산이 편찬되었어요.	(O/X)
❻ 4군 6진이 개척되었어요.	(O/X)
❼ 경복궁 중건이 추진되었어요.	(O/X)

기출 선택지 +α 정답 ⑤ ×[조선 세종] ⑥ ×[조선 세종] ⑦ ○

30 우리나라 음악의 역사

정답 ①

(가)~(다)를 일어난 순서대로 옳게 나열한 것은? [3점]

정답 잡는 키워드

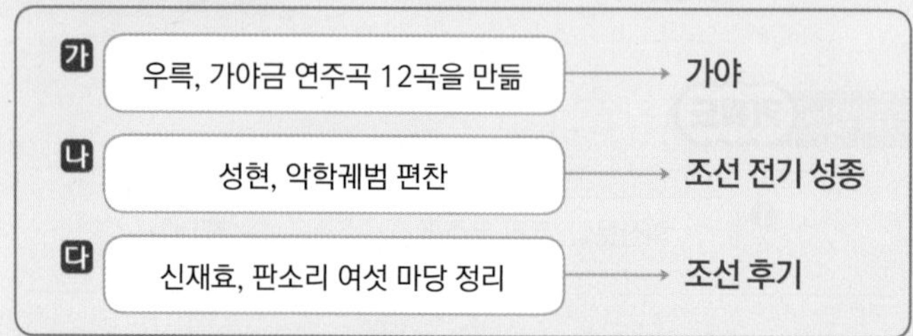

가 우륵은 가야의 음악가로, 왕명을 받아 가야금 연주곡 12곡을 만들었어요. 진흥왕 때 신라에 투항하여 신라에서 가야금 연구와 제자 양성에 힘썼어요.
나 조선 전기 성종 때 성현 등이 왕명에 따라 궁중 음악을 집대성한 "악학궤범"을 편찬하였어요.
다 조선 후기에 이야기를 노래와 사설로 엮어 표현한 춘향가, 흥부가 등의 판소리가 유행하였어요. 신재효는 다양하게 불려오던 판소리 여섯 마당을 정리하였어요.

① (가) - (나) - (다)
➡ (가) 가야 - (나) 조선 전기 성종 - (다) 조선 후기 순이에요.

② (나) - (가) - (다)
③ (나) - (다) - (가)
④ (다) - (나) - (가)

31 조·미 수호 통상 조약 정답 ①

밑줄 그은 '조약'에 대한 설명으로 옳은 것은? [3점]

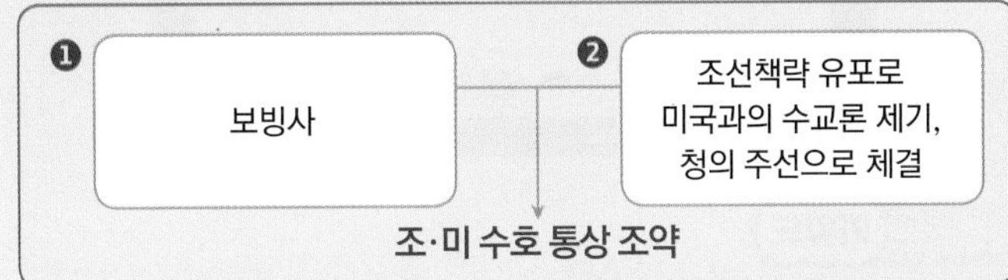

❶ 조·미 수호 통상 조약 체결 이후 미국 공사가 한성에 부임하자 조선 정부는 답례 차원에서 민영익을 대표로 하는 보빙사를 미국에 파견하였어요.
❷ 제2차 수신사로 일본에 파견된 김홍집이 "조선책략"을 가지고 귀국하였어요. "조선책략"은 청의 외교관 황준헌이 쓴 책으로, 조선이 러시아를 견제하기 위해서는 청, 일본, 미국과 연대해야 한다는 내용이 담겨 있어요. "조선책략"이 유포되어 미국과 수교를 맺어야 한다는 주장이 제기되는 상황에서 조선 정부는 청의 주선으로 미국과 조·미 수호 통상 조약을 체결하였어요.

① 최혜국 대우가 규정되어 있다.
➡ **조·미 수호 통상 조약**은 조선이 서양 국가와 체결한 최초의 조약이에요. 한 나라가 외국에 부여하고 있는 가장 유리한 대우를 조약 상대국에도 부여하는 최혜국 대우 조항이 규정되어 있어요.

② 통감부가 설치되는 결과를 가져왔다.
➡ 1905년에 대한 제국의 외교권이 박탈되는 을사늑약(제2차 한·일 협약)이 체결되었고 이를 근거로 일제는 이듬해 한성에 통감부를 설치하였어요.

③ 부산, 원산, 인천을 개항하는 배경이 되었다.
➡ 강화도 조약의 체결로 부산, 원산, 인천이 차례로 개항되었어요.

④ 일본 공사관에 경비병이 주둔하는 계기가 되었다.
➡ 임오군란 이후 조선 정부는 일본 공사관에 경비병 주둔을 허용하는 내용을 담은 제물포 조약을 일본과 체결하였어요.

핵심 개념 조·미 수호 통상 조약(1882)

구분	내용
배경	"조선책략"의 유포와 청의 알선
내용	영사 재판권, 최혜국 대우, 거중 조정, 관세 부과 등을 규정
의의	조선이 서양 국가와 체결한 최초의 근대적 조약
영향	조약 체결 후 미국이 한성에 공사 파견 → 이에 대한 답례로 조선 정부가 보빙사 파견(1883), 박정양이 초대 주미 공사로 파견됨(1887)

32 우정총국 정답 ②

(가)에 들어갈 내용으로 옳은 것은? [2점]

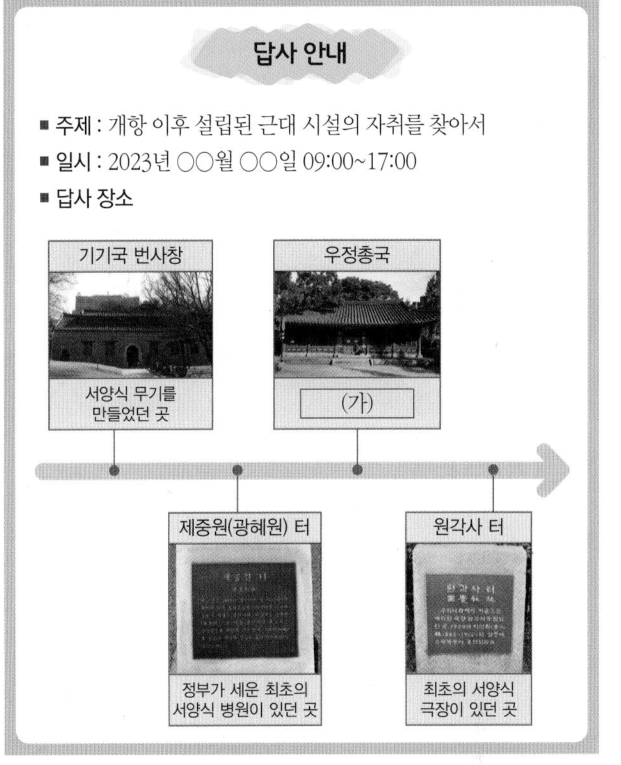

✪ 개항 이후 서양의 과학 기술을 받아들여 부국강병을 이루어야 한다는 인식이 점차 확산되었어요. 이에 따라 1880년대부터 유학생을 파견하고 외국인 기술자와 교사를 초빙하였어요. 또 여러 근대 시설이 설치되었는데, 서양식 무기를 만들던 기기창, 우리나라 최초의 서양식 병원인 광혜원(제중원), 근대적 우편 업무를 담당하는 우정총국 등이 대표적이에요. 한편, 원각사는 1908년에 서울에 세워진 우리나라 최초의 서양식 극장입니다.

① 나운규의 아리랑이 개봉되었던 곳
➡ 나운규 감독의 영화 '아리랑'은 1926년에 서울 종로의 단성사에서 개봉되었어요.

② 근대적 우편 업무를 담당하였던 곳
➡ **우정총국**은 1884년에 근대적 우편 업무를 담당하는 관청으로 설치되었어요. 그러나 개국 축하연이 있던 날 갑신정변이 일어나면서 폐쇄되었어요.

③ 순 한문 신문인 한성순보가 발간되었던 곳
➡ 한성순보는 우리나라 최초의 근대적 신문으로 박문국에서 순 한문으로 발간되었어요. 박문국은 1883년에 조선 정부가 인쇄·출판에 관한 업무를 관장하기 위해 설치한 근대 시설입니다.

④ 헐버트를 교사로 초빙해 근대 학문을 가르쳤던 곳
➡ 1886년에 설립된 육영 공원은 헐버트, 길모어 등 미국인을 교사로 초빙하여 현직 관리와 양반 자제에게 영어를 비롯한 지리학, 정치학 등 근대 학문을 가르쳤어요.

33 군국기무처

정답 ④

(가)에 들어갈 기구로 옳은 것은? [2점]

정답 잡는 키워드

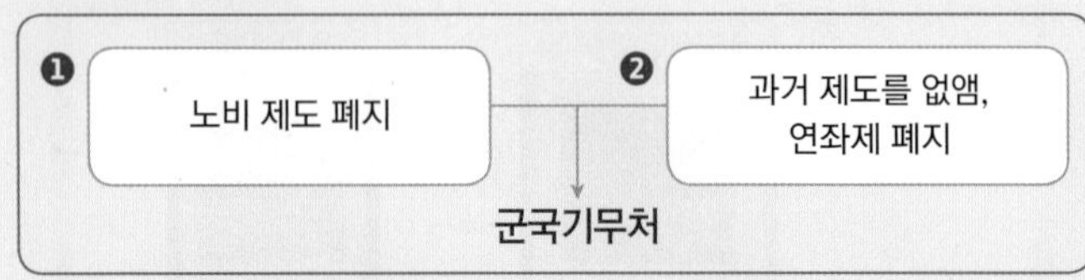

❶, ❷ 1894년에 군국기무처가 설치되어 제1차 갑오개혁을 주도하였어요. 군국기무처는 공·사노비 제도와 과거 제도, 연좌제를 폐지하는 개혁 안건을 통과시켰어요. 이 외에도 6조를 8아문으로 개편, 조혼 금지, 과부의 재가 허용 등 다양한 개혁을 추진하였어요.

① 비변사

➡ 비변사는 외적의 침입이 있을 때 국방 문제를 다루기 위해 설치된 임시 회의 기구였으나 조선 명종 때 을묘왜변을 거치며 상설 기구가 되었어요. 양 난 이후 국정 전반을 총괄하는 최고 통치 기구가 되었으며 흥선 대원군 집권 시기에 사실상 혁파되었어요.

② 원수부

➡ 원수부는 대한 제국 시기에 설치된 황제 직속의 군 통수 기관이에요. 이를 통해 황제가 군권을 장악하였어요.

③ 홍문관

➡ 홍문관은 조선 성종 때 집현전을 계승하여 설치되었으며, 경연을 담당하고 왕의 정책 자문에 응하였어요.

④ 군국기무처

➡ 군국기무처는 제2차 김홍집 내각(김홍집·박영효 연립 내각)이 수립되면서 폐지되었고, 이후 제2차 갑오개혁이 추진되었어요.

핵심 개념 갑오·을미개혁과 광무개혁

갑오 개혁	제1차	군국기무처가 개혁 주도 → 궁내부 설치(왕실과 정부 사무의 분리), 6조를 8아문으로 개편, 과거제 폐지, 탁지아문으로 재정 일원화, 도량형 통일, 은 본위 화폐 제도 확립, 조세의 금납화, 신분제와 노비제 폐지, 과부의 재가 허용, 조혼 금지, 고문과 연좌제 폐지
	제2차	• 군국기무처 폐지, 고종이 홍범 14조 반포 • 의정부를 내각으로 개편, 8아문을 7부로 개편, 8도를 23부로 개편, 재판소 설치, 교육 입국 조서 반포(한성 사범 학교·소학교·외국어 학교에 관한 법규 마련)
을미 개혁		을미사변 이후 구성된 친일 성향의 김홍집 내각 주도 → '건양' 연호 제정, 태양력 채택, 단발령 실시, 종두법 시행, 우편 사무 재개, 소학교 설치 등
광무 개혁		구본신참의 개혁 방향 → 원수부 설치, 양전 사업 실시, 지계 발급, 근대식 공장과 회사 및 각종 관립 학교 설립, 전화 가설, 전차와 경인선 개통

34 독립신문

정답 ③

밑줄 그은 '이 신문'에 대한 설명으로 옳은 것은? [2점]

정답 잡는 키워드

❶ 서재필이 창간한 우리나라 최초의 민간 신문 → 독립신문

❶ 갑신정변 이후 일본을 거쳐 미국으로 망명하였던 서재필은 조선으로 귀국한 후 민중 계몽을 위해 독립신문을 창간하였어요. 독립신문은 우리나라 최초의 민간 신문으로 누구나 읽을 수 있게 순 한글로 발행되었어요.

① 천도교의 기관지였다.

➡ 천도교는 민중 계몽을 위한 기관지로 만세보를 발행하였어요.

② 박문국에서 발간하였다.

➡ 박문국은 조선 정부가 인쇄·출판 업무를 관장하기 위해 설치한 기구입니다. 박문국에서 한성순보, 한성주보 등의 신문을 발간하였어요.

③ 한글판과 영문판으로 발행되었다.

➡ **독립신문**은 순 한글로 발행되었으며 외국인에게도 국내 정세를 알리기 위해 영문판도 발행되었어요.

④ 시일야방성대곡이라는 논설을 실었다.

➡ 을사늑약이 체결되자 황성신문은 을사늑약 체결을 비판한 장지연의 '시일야방성대곡'이라는 논설을 처음으로 실었어요.

35 을미사변 이후의 사실

정답 ④

다음 가상 뉴스가 보도된 이후에 전개된 사실로 옳은 것은? [2점]

정답 잡는 키워드

❶ 일본군 수비대 등이 궁궐에 침입하여 왕비 시해 → 을미사변(1895)

❶ 삼국 간섭 이후 조선 정부가 러시아를 이용하여 일본을 견제하기 위해 친러 정책을 펴자 위기감을 느낀 일본은 친러 정책의 배후가 명성 황후라고 생각하고 1895년에 명성 황후를 시해하는 을미사변을 일으켰어요.

① 외규장각 도서가 약탈되었다.
➡ 1866년 병인양요 당시 프랑스군이 철수하면서 강화도 외규장각에 보관 중이던 의궤 등 도서를 약탈해 갔어요.

② 김윤식이 영선사로 파견되었다.
➡ 1881년에 청에 영선사 김윤식이 이끄는 유학생과 기술자를 파견하여 근대 무기 제조 기술과 군사 훈련법을 배워 오게 하였어요.

③ 제너럴 셔먼호 사건이 발생하였다.
➡ 1866년 미국 상선 제너럴 셔먼호가 평양까지 들어와 조선 정부에 통상을 요구하며 횡포를 부리다가 평양 관민에 의해 배가 불태워지고 선원들이 몰살되는 제너럴 셔먼호 사건이 발생하였어요.

④ 고종이 러시아 공사관으로 피신하였다.
➡ **을미사변 이후** 신변에 위협을 느낀 고종은 1896년에 세자와 함께 러시아 공사관으로 거처를 옮기는 아관 파천을 단행하였어요.

기출 선택지 +α

❺ 영국이 거문도를 점령하였다.	(O/X)
❻ 대한 제국 수립이 선포되었다.	(O/X)
❼ 신식 군대인 별기군이 창설되었다.	(O/X)

36 신민회

정답 ③

(가)에 들어갈 단체로 옳은 것은? [1점]

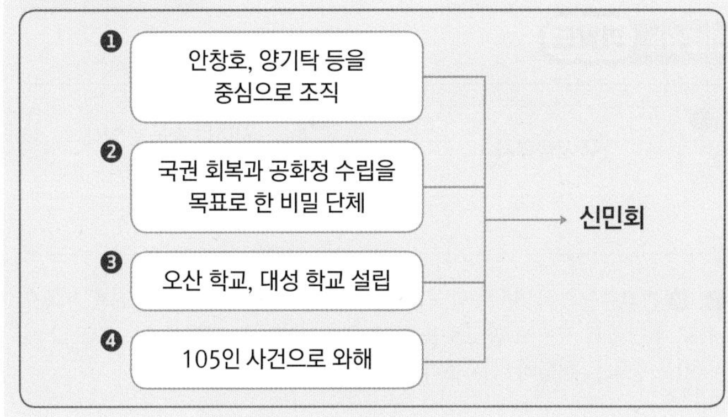

정답 잡는 키워드

❶ 안창호, 양기탁 등을 중심으로 조직
❷ 국권 회복과 공화정 수립을 목표로 한 비밀 단체
❸ 오산 학교, 대성 학교 설립
❹ 105인 사건으로 와해
→ 신민회

❶, ❷ 신민회는 1907년에 안창호, 양기탁 등을 중심으로 조직된 비밀 단체로, 국권 회복과 공화정 수립을 목표로 하였어요.
❸ 신민회는 민족 교육을 위해 정주에 오산 학교, 평양에 대성 학교를 설립하였어요.
❹ 신민회는 일제가 데라우치 총독 암살 미수 사건을 조작하여 독립운동가들을 잡아들인 105인 사건으로 조직이 드러나 와해되었어요.

① 근우회
➡ 근우회는 민족주의 계열과 사회주의 계열의 여성 단체들이 신간회 창립을 계기로 설립한 단체로, 여성의 권리 신장과 의식 계몽에 앞장섰어요.

② 보안회
➡ 보안회는 일제가 황무지 개간권을 요구하며 토지를 약탈하려 하자 반대 운동을 전개하여 이를 저지하였어요.

③ 신민회
➡ 신민회는 민족 교육을 실시하고 민족 산업을 육성하기 위해 노력하였으며, 독립운동을 위해 국외에 독립운동 기지를 건설하였어요.

④ 조선어 학회
➡ 조선어 학회는 조선어 연구회를 계승해 조직되었으며, 한글 맞춤법 통일안과 표준어를 제정하였어요. 또한, "우리말(조선말) 큰사전"의 편찬을 추진하였으나 조선어 학회 사건으로 사전 편찬이 중단되었어요.

기출 선택지 +α 정답 ⑤ ×[1885년] ⑥ ○[1897년] ⑦ ×[1881년]

37 강우규의 활동

정답 ②

(가)에 들어갈 인물로 옳은 것은? [2점]

정답 잡는 키워드

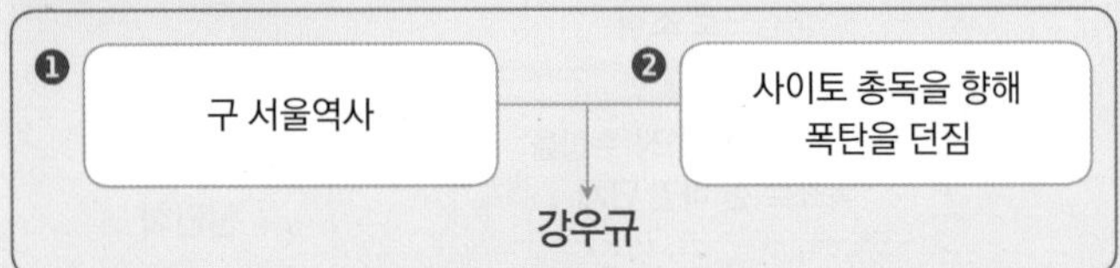

❶, ❷ 강우규는 1919년에 남대문역(지금의 서울역)에서 새로 조선 총독으로 부임하는 사이토 마코토를 향해 폭탄을 던지는 의거를 일으켰으나 사이토 총독을 처단하지는 못하였어요.

① 김구

➡ 김구는 1931년에 침체된 대한민국 임시 정부에 활기를 불어넣기 위해 의열 투쟁 단체인 한인 애국단을 조직하였어요. 또 대한민국 임시 정부의 주석을 역임하였으며, 광복 후에는 김규식과 남북 협상에 참여하였어요.

② 강우규

➡ 강우규는 국권 피탈 이후 만주로 건너가 교육 사업을 전개하였으며, 3·1 운동 이후 다시 연해주로 건너가 노인 동맹단(노인단)에 가입하였어요.

③ 윤봉길

➡ 윤봉길은 한인 애국단 소속으로, 1932년에 중국 상하이 훙커우 공원에서 열린 일본군 전승 기념식장에 폭탄을 던졌어요.

④ 이승만

➡ 이승만은 대한민국 임시 정부의 초대 대통령으로 선출되어 외교 활동을 전개하였으나 국제 연맹에 위임 통치를 건의하여 탄핵되었어요. 광복 이후에는 대한민국 초대 대통령으로 선출되었고 장기 집권을 꾀하다가 4·19 혁명으로 하야하였어요.

38 손병희의 활동

정답 ④

다음 인물에 대한 설명으로 옳은 것은? [3점]

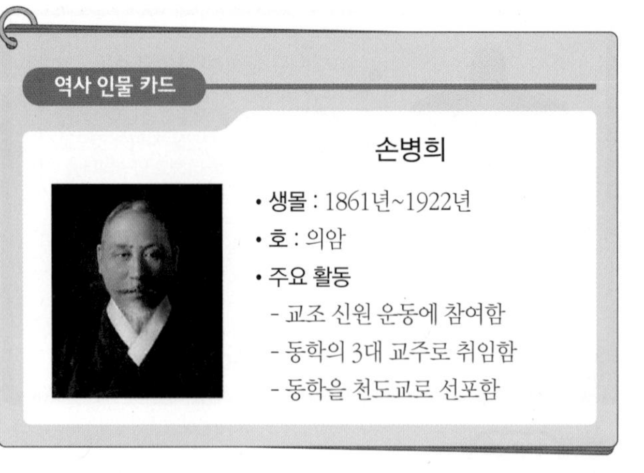

✪ 손병희는 1890년대 초반에 동학을 만든 교조 최제우의 억울함을 풀어 줄 것과 포교의 자유를 요구하는 교조 신원 운동에 참여하였고, 동학 농민 운동 당시에는 북접 아래의 동학교도를 통솔하였어요. 최시형에 이어 동학의 제3대 교주가 되었고, 동학을 천도교로 개칭하였어요.

① 청산리 전투를 승리로 이끌었다.

➡ 김좌진이 이끄는 북로 군정서, 홍범도가 이끄는 대한 독립군을 비롯한 독립군 연합 부대가 청산리 전투에서 일본군을 크게 물리쳤어요.

② 하얼빈에서 이토 히로부미를 처단하였다.

➡ 안중근은 1909년에 만주 하얼빈에서 을사늑약 체결에 앞장선 이토 히로부미를 처단하였어요.

③ 헤이그 만국 평화 회의에 특사로 파견되었다.

➡ 고종은 1907년에 을사늑약의 부당함을 국제 사회에 알리기 위해 이상설, 이준, 이위종을 네덜란드 헤이그에서 열린 만국 평화 회의에 특사로 파견하였어요.

④ 민족 대표 33인 중 한 명으로 독립 선언에 참여하였다.

➡ **손병희**는 천도교를 대표해 3·1 운동을 주도하여 민족 대표 33인의 한 명으로 독립 선언에 참여하였어요. 태화관에서 독립 선언식을 거행한 후에 일제 경찰에 스스로 체포되었어요.

기출 선택지 +α

❺ 대성 학교를 설립하였다. (O/X)

❻ 동양 평화론을 집필하였다. (O/X)

❼ 조선 혁명 선언을 작성하였다. (O/X)

기출 선택지 +α 정답 ⑤ ×[안창호] ⑥ ×[안중근] ⑦ ×[신채호]

39 민립 대학 설립 운동

정답 ④

(가)에 들어갈 민족 운동으로 옳은 것은? [1점]

검색 결과입니다.

1920년대 초반 실력 양성 운동의 일환으로 ❶이상재, 이승훈 등이 고등 교육 기관을 설립하기 위해 전개한 운동입니다.

❷1년 내 1천만 원 조성을 목표로 모금 활동을 추진하였으나, 조선 총독부의 방해와 자연재해 등으로 성과를 거두지 못하였습니다.

정답 잡는 키워드

❶ 이상재, 이승훈 등이 고등 교육 기관을 설립하기 위해 전개

❷ 1년 내 1천만 원 조성을 목표로 모금 활동 추진

→ 민립 대학 설립 운동

❶ 1920년대 초에 이상재, 이승훈 등이 한국인의 힘으로 고등 교육을 담당할 대학을 설립하자는 민립 대학 설립 운동을 전개하였어요.

❷ 민립 대학 설립 운동은 '한민족 1천만이 한 사람 1원씩'이라는 구호를 내걸고 1년 내 1천만 원 조성을 목표로 모금 활동을 추진하였어요.

① 6·10 만세 운동

➡ 6·10 만세 운동은 1926년 순종의 인산일에 전개된 만세 운동으로 민족주의 계열과 사회주의 계열이 연대하는 계기가 되었어요.

② 물산 장려 운동

➡ 1920년대 초에 전개된 물산 장려 운동은 '내 살림 내 것으로', '조선 사람 조선 것' 등의 구호를 내걸고 민족 산업을 보호하고 육성하기 위해 토산품 애용, 근검저축, 금주, 단연 등을 주장하였어요.

③ 광주 학생 항일 운동

➡ 1929년에 한·일 학생 간의 충돌이 계기가 되어 광주 학생 항일 운동이 일어났어요. 광주 지역의 학생들은 민족 차별 중지와 차별 교육 철폐를 주장하며 시위를 전개하였어요.

④ 민립 대학 설립 운동

➡ 민립 대학 설립 운동은 조선 총독부의 방해와 자연재해 등으로 성과를 거두지 못하였어요. 일제는 한국인의 대학 설립 요구를 무마하기 위해 경성 제국 대학을 설립하였어요.

핵심 개념 민립 대학 설립 운동

구분	내용
배경	한국인에 대한 교육 차별, 제2차 조선 교육령 공포(대학 설립 가능)
목적	한국인의 힘으로 고등 교육 기관을 설립하여 인재 육성
전개	이상재 등이 조선 민립 대학 기성회 조직 → '한민족 1천만이 한 사람 1원씩'이라는 구호를 내걸고 전국적인 모금 운동 전개
결과 및 영향	• 조선 총독부의 방해와 탄압, 자연재해 등으로 모금 실적 저조 • 일제가 경성 제국 대학을 설립함

킬러 문항

40 강주룡의 활동

정답 ①

(가)에 해당하는 인물로 옳은 것은? [2점]

신문으로 보는 일제 강점기 노동 운동

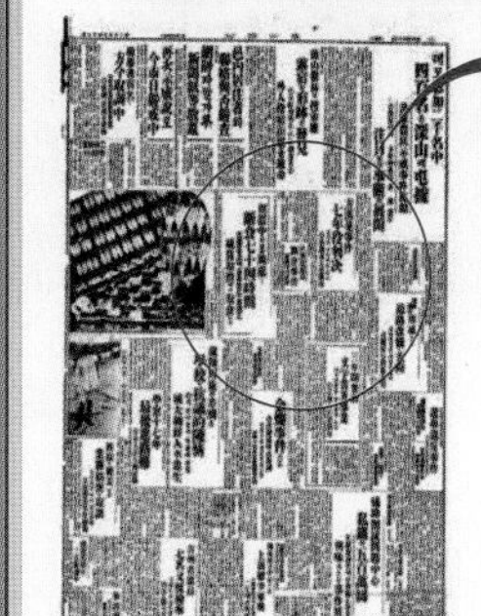

내용 살펴보기

❶평양 을밀대 지붕 위에 올라갔다가 평양 경찰서에 검속되어 있는 ❷평원 고무 공장 파업 여공 (가) 이 31일 밤까지 단식을 계속하고 있다. ……그는 평원 고무 공장이 임금 삭감을 취소하지 않으면 먹지 않겠다고 버티는 중이다.

정답 잡는 키워드

❶ 평양 을밀대 지붕 위에 올라감

❷ 평원 고무 공장 파업 여공

→ 강주룡

❶, ❷ 1931년에 평원 고무 공장에서 일하던 강주룡은 회사가 일방적으로 임금을 깎자 이에 반발하여 동료들과 함께 파업과 시위를 전개하였어요. 일제 경찰이 시위대를 강제 해산하자, 강주룡은 평양 을밀대 지붕 위에 올라가 임금 삭감에 항의하며 농성을 벌이다 체포되었어요.

①

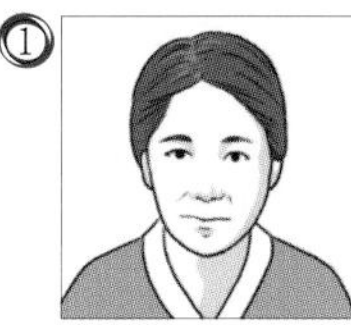
강주룡

➡ 강주룡은 평양 을밀대에서 일제 경찰에 의해 강제로 끌어내려져 체포된 후에도 단식 투쟁을 이어 갔으며, 이후에 다시 체포되어 단식 투쟁을 하다가 옥중에서 얻은 병으로 31세의 나이로 숨을 거두었어요. 강주룡은 한국 최초의 여성 노동 운동가로 평가받습니다.

②

남자현

➡ 남자현은 서로 군정서에서 활동하였으며, 독립운동과 여성 계몽 활동에 힘썼어요. 국제 연맹 조사단이 하얼빈에 오자 '조선 독립원'이라는 혈서를 전달하고자 하였어요.

③

유관순

➡ 유관순은 이화 학당 재학 중 3·1 운동이 일어나자 만세 운동에 참여하였어요. 일제가 휴교령을 내리자 고향인 천안으로 내려가 아우내 장터에서 만세 운동을 주도하였어요. 일제 경찰에 체포된 유관순은 서대문 형무소에서 순국하였어요.

④

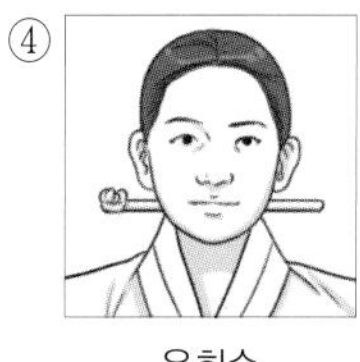
윤희순

➡ 윤희순은 대표적인 여성 의병 지도자로, '안사람 의병가' 등 8편의 가사를 지어 여성과 청년의 의병 활동을 독려하였어요. 인재 양성을 위해 노학당을 설립하였으며, 항일 투쟁을 위해 중국 무순(푸순)에서 조선 독립단을 조직하기도 하였어요.

41 조선 혁명군 정답 ③

(가)에 들어갈 무장 투쟁 단체로 옳은 것은? [3점]

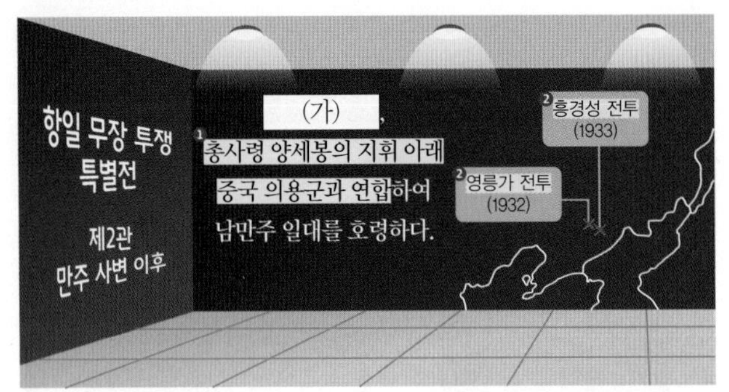

정답 잡는 키워드

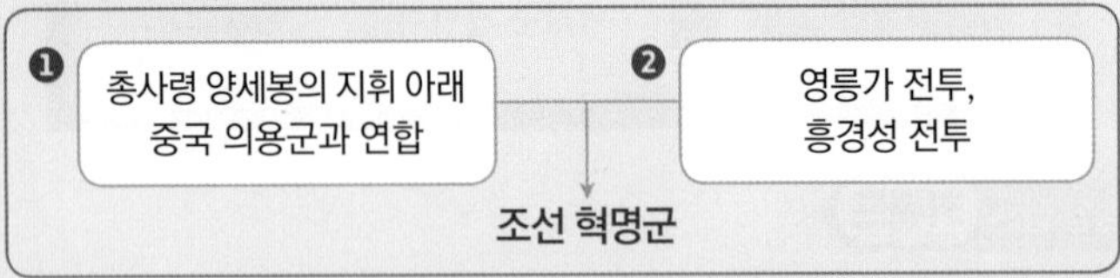

❶, ❷ 만주 사변(1931) 이후 중국 내에서 항일 감정이 높아지면서 만주 지역에서 한국의 독립군과 중국의 항일군이 일제를 공동의 적으로 삼아 연합 작전을 전개하였어요. 조선 혁명군은 남만주 지역에서 총사령 양세봉의 지휘 아래 중국 의용군과 연합하여 영릉가 전투, 흥경성 전투에서 일본군에 맞서 싸웠어요.

① 의열단
➡ 의열단은 1919년에 만주에서 김원봉 등이 조직한 독립운동 단체이며, 식민 통치 기관 파괴와 일제 요인 암살 등의 활동을 하였어요. 박재혁, 김익상, 김상옥, 김지섭, 나석주 등이 단원이었어요.

② 북로 군정서
➡ 북로 군정서는 대종교도를 중심으로 이루어진 중광단이 1919년에 통합·발전한 무장 독립운동 단체입니다. 김좌진의 지휘 아래 청산리 전투에서 활약하였어요.

③ 조선 혁명군
➡ 조선 혁명군은 남만주의 국민부가 조선 혁명당을 결성하고 그 아래에 둔 군사 조직이에요.

④ 한국 광복군
➡ 한국 광복군은 대한민국 임시 정부가 1940년 중국 충칭에 정착한 뒤 창설한 정규군이에요. 제2차 세계 대전 당시 인도·미얀마 전선에서 활동하였으며, 미국과 연합하여 국내 진공 작전을 계획하였으나 일제의 패망으로 작전을 실행하지는 못하였어요.

42 1940년대 일제의 식민 지배 정책 정답 ③

밑줄 그은 '시기'에 볼 수 있는 모습으로 가장 적절한 것은? [2점]

저는 지금 제주 송악산에 있는 일제 동굴 진지에 와 있습니다. 동굴 진지는 ❶ 일제가 일으킨 태평양 전쟁이 전개되던 시기에 송악산 주변 군사 시설 경비와 연안으로 침투하는 연합군에 대한 대비를 위해 만들어졌습니다.

정답 잡는 키워드

❶ 일제가 일으킨 태평양 전쟁이 전개되던 시기 → 1940년대

❶ 일제는 1937년에 중·일 전쟁을 일으켜 침략 전쟁을 확대하면서 한국에서 전쟁에 필요한 자원을 본격적으로 동원하였어요. 1941년에는 하와이 진주만의 미국 함대를 공격하여 태평양 전쟁을 일으키고 우리 민족에 대한 인적·물적 자원의 수탈을 더욱 강화하였어요.

① 원산 총파업에 참여하는 노동자
➡ 1929년에 원산 인근의 라이징 선 석유 회사에서 일본인 감독이 한국인 노동자를 구타한 사건이 발단이 되어 원산 총파업이 일어났어요.

② 만민 공동회에서 연설하는 백정
➡ 만민 공동회는 고종 때인 1898년에 독립 협회가 주도하여 열린 민중 집회입니다. 백정을 포함한 여러 계층의 사람들이 참여하여 다양한 의견을 주고받았어요.

③ 황국 신민 서사를 암송하는 학생
➡ 일제는 1930년대 후반 침략 전쟁을 확대하면서 전쟁에 쉽게 동원하기 위해 한국인의 민족정신을 말살하는 정책을 본격적으로 추진하였어요. **1940년대**에 신사 참배와 황국 신민 서사 암송을 강요하는 등의 민족 말살 정책이 강화되었어요.

④ 조선 태형령을 관보에 싣는 관리
➡ 일제는 1912년에 한국인에게만 태형을 적용하는 조선 태형령을 제정하였어요. 조선 태형령은 3·1 운동 이후 1920년에 폐지되었어요.

기출 선택지 +α

❺ 강제 징용으로 끌려가는 청년 (O/X)
❻ 공출로 가마솥을 빼앗기는 농민 (O/X)
❼ 회사령을 공포하는 총독부 관리 (O/X)
❽ 암태도 소작 쟁의에 참여하는 농민 (O/X)

기출 선택지 +α 정답 ⑤○ ⑥○ ⑦ ×[1910년] ⑧ ×[1923년]

43 조선 건국 동맹 정답 ④

(가)에 들어갈 단체로 옳은 것은? [2점]

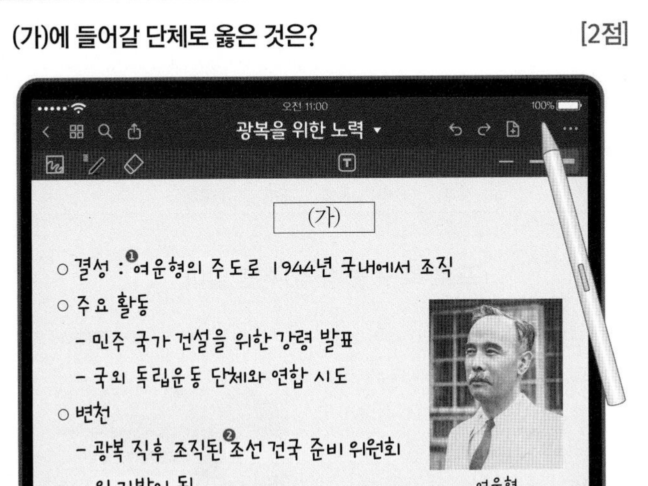

정답 잡는 키워드

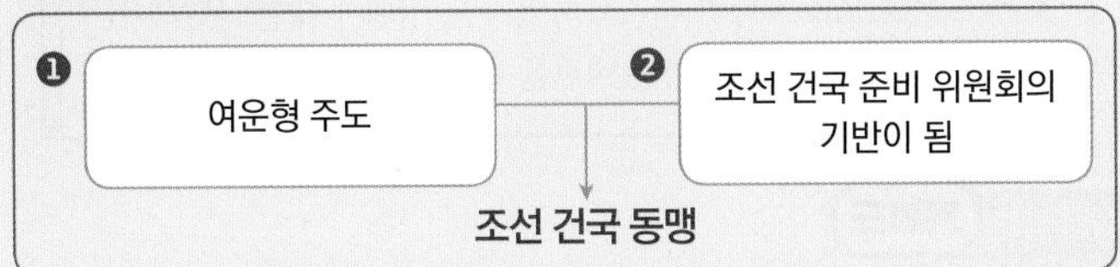

❶, ❷ 여운형은 일제가 패망할 조짐을 보이자 1944년에 국내에서 조선 건국 동맹을 조직하였어요. 1945년 광복 직후에 여운형은 조선 건국 동맹을 기반으로 조선 건국 준비 위원회를 조직하여 위원장에 취임하였어요. 조선 건국 준비 위원회는 국내의 치안과 질서 유지 활동을 전개하였어요.

① 독립 의군부
➡ 독립 의군부는 임병찬이 고종의 밀지를 받아 1912년에 조직한 독립운동 단체예요.

② 민족 혁명당
➡ 민족 혁명당은 1935년에 중국에서 활동하던 민족주의 계열과 사회주의 계열이 연합하여 조직한 독립운동 단체예요.

③ 조선 의용대
➡ 조선 의용대는 1938년에 김원봉이 주도하여 중국 우한에서 조직되었으며, 중국 관내에서 조직된 최초의 한인 무장 부대입니다.

④ 조선 건국 동맹
➡ 조선 건국 동맹은 1944년에 여운형이 주도하여 광복을 대비하여 만든 비밀 조직이에요.

44 제헌 국회의 활동 정답 ②

밑줄 그은 '국회'에 대한 설명으로 옳은 것은? [3점]

정답 잡는 키워드

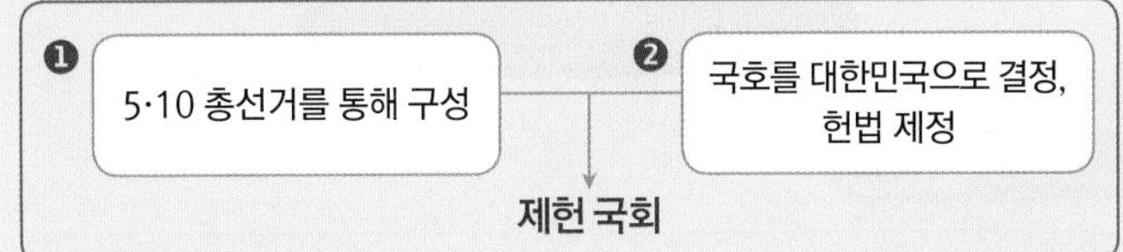

❶, ❷ 1948년에 치러진 5·10 총선거는 우리 역사 최초의 민주 선거입니다. 5·10 총선거를 통해 뽑힌 국회 의원으로 초대 국회가 구성되었는데, 초대 국회 의원의 임기는 2년이었어요. 초대 국회는 나라의 기틀이 되는 헌법을 제정하여 제헌 국회라고 불립니다. 제헌 국회는 국호를 대한민국으로 결정하고 헌법을 제정하여 1948년 7월 17일에 공포하였어요.

① 3선 개헌안을 통과시켰다.
➡ 박정희 정부 시기인 1969년에 대통령의 3회 연임을 허용하는 3선 개헌안이 통과되었어요. 당시 국회는 제7대 국회였어요.

② 농지 개혁법을 제정하였다.
➡ **제헌 국회**는 1949년에 유상 매수, 유상 분배의 원칙을 담은 농지 개혁법을 제정하였어요. 이듬해 개정된 농지 개혁법에 따라 정해진 면적 이상의 농지는 정부가 지가 증권을 발급하여 매입하고, 농민에게 농지를 유상으로 분배하는 농지 개혁이 이루어졌어요.

③ 5·16 군사 정변으로 해산되었다.
➡ 1961년에 박정희를 중심으로 한 일부 군인 세력이 5·16 군사 정변을 일으켜 정권을 장악하고 국회를 해산하였어요. 당시 국회는 제5대 국회였어요.

④ 국회 의원의 3분의 1을 대통령이 추천하였다.
➡ 박정희 정부 시기인 1972년에 제정·공포된 유신 헌법에 따라 대통령이 국회 의원의 3분의 1을 추천할 수 있었어요. 유신 체제하에서 1973년 제9대 국회 의원 선거와 1978년 제10대 국회 의원 선거가 실시되었으며, 국회 의원의 3분의 1이 대통령의 추천을 받아 통일 주체 국민 회의에서 선출되었어요. 1980년에 제8차 개헌이 이루어지면서 대통령이 갖던 국회 의원 3분의 1 추천권이 삭제되었어요.

기출 선택지 +α

❺ 사사오입 개헌안을 가결하였다. (O/X)
❻ 반민족 행위 처벌법을 제정하였다. (O/X)

기출 선택지 +α 정답 ⑤ ×[1954년, 제3대 국회] ⑥ ○

45 박정희 정부 시기의 사실 정답 ①

밑줄 그은 '정부' 시기에 볼 수 있는 사회 모습으로 가장 적절한 것은? [2점]

정답 잡는 키워드

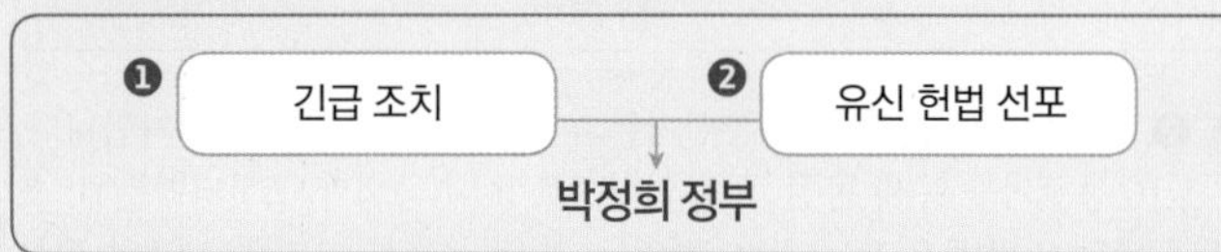

❶, ❷ 박정희 정부는 1972년 10월 유신을 단행하였어요. 비상계엄령을 선포하고 국회를 해산한 뒤 비상 국무 회의에서 마련한 헌법 개정안(유신 헌법)을 국민 투표로 확정해 박정희 대통령이 장기 집권할 수 있는 토대를 만들었어요. 유신 헌법에 따라 대통령은 국회를 해산할 수 있었으며, 국민의 기본권을 포괄적으로 제한할 수 있는 긴급 조치권을 행사할 수 있었어요.

① 부·마 민주 항쟁에 참여하는 학생
➡ **박정희 정부** 시기인 1979년에 YH 무역 사건에 항의하던 신민당 총재 김영삼이 국회 의원직에서 제명된 사건을 계기로 유신 철폐와 독재 반대를 외치며 부·마 민주 항쟁이 일어났어요.

② 서울 올림픽 대회 개막식을 관람하는 시민
➡ **노태우 정부** 시기인 1988년에 서울 올림픽 대회가 개최되었어요.

③ 금융 실명제 시행 속보를 시청하는 회사원
➡ **김영삼 정부** 시기인 1993년에 대통령 긴급 명령으로 금융 실명제가 실시되었어요.

④ 반민족 행위 특별 조사 위원회에 체포되는 친일 행위자
➡ **이승만 정부** 시기인 1948년에 친일 반민족 행위자 처벌을 위한 반민족 행위 처벌법이 제정되고 반민족 행위 특별 조사 위원회가 구성되었어요. 반민족 행위 특별 조사 위원회는 1949년까지 활동하였어요.

46 전두환 정부 시기의 경제 상황 정답 ③

(가) 정부 시기의 경제 상황으로 옳은 것은? [2점]

2023년 △△월 △△일

○○ 신문

정치 경제 사회 문화 스포츠

스포츠〉축구

프로 축구 출범 40주년 맞아

프로 축구가 올해로 출범 40주년을 맞게 된다. '슈퍼 리그'라는 이름 아래 다섯 팀으로 시작하였던 프로 축구는 현재 팀 수가 크게 늘어나 승강제가 시행될 정도로 규모가 확대되었다.

슈퍼 리그 개막 행사

❶5·18 민주화 운동이 진압된 이후 집권한 (가) 정부는 ❷프로 야구 출범 이듬해인 1983년에 프로 축구를 출범시켰다. 이로써 프로 스포츠 시대가 본격화하였지만, 정치에 대한 국민의 관심을 돌리기 위한 조치였다는 비판을 받기도 한다.

정답 잡는 키워드

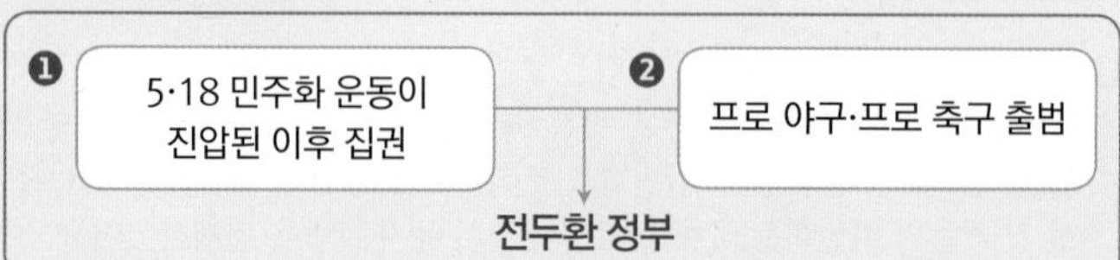

❶, ❷ 1979년에 12·12 사태(12·12 군사 반란)를 일으켜 권력을 장악한 전두환은 1980년에 5·18 민주화 운동이 진압된 이후 통일 주체 국민 회의에서 제11대 대통령으로 선출되었어요. 이후 대통령 선거인단이 7년 단임의 대통령을 선출하는 내용의 개헌이 이루어졌고, 개정된 새 헌법에 따라 1981년에 전두환이 제12대 대통령으로 선출되었어요. 전두환 정부는 강압 정책에 대한 국민들의 불만을 무마하기 위해 야간 통행금지 해제, 중고생의 두발과 교복 자율화, 해외여행 자유화, 프로 스포츠 육성 등의 유화 조치를 취하였어요. 이에 1982년에 프로 야구, 1983년에 프로 축구가 출범하였어요.

① 제1차 경제 개발 5개년 계획이 수립되었다.
➡ 장면 정부 시기에 경제 개발 계획이 마련되었으며, 5·16 군사 정변을 일으켜 정권을 장악한 **박정희** 등 군부 세력이 이를 수정·보완하여 1962년부터 제1차 경제 개발 5개년 계획이 추진되었어요.

② 경제 협력 개발 기구(OECD)에 가입하였다.
➡ **김영삼 정부** 시기인 1996년에 경제 협력 개발 기구(OECD)에 가입하였어요.

③ 저금리·저유가·저달러의 3저 호황이 있었다.
➡ **전두환 정부** 시기인 1980년대 중·후반에 저금리·저유가·저달러의 3저 호황으로 물가가 안정되고 수출이 증가하였어요.

④ 미국과의 자유 무역 협정(FTA)이 체결되었다.
➡ **노무현 정부** 시기인 2007년에 미국과의 자유 무역 협정(FTA)이 체결되었어요.

기출 선택지 +α

❺ 수출 100억 달러를 처음 달성하였다. (O/X)
❻ 서울에서 G20 정상 회의가 개최되었다. (O/X)

기출 선택지 +α 정답 ⑤ ×[박정희 정부] ⑥ ×[이명박 정부]

47 김대중의 활동

정답 ①

학생들이 공통으로 이야기하는 인물로 옳은 것은? [2점]

정답 잡는 키워드

❶ 분단 이후 처음으로 남북 정상 회담 개최, 6·15 남북 공동 선언 발표 → 김대중

❶ 제15대 대통령 선거에서 김대중이 당선되면서 평화적 여야 정권 교체가 이루어졌어요. 1998년에 출범한 김대중 정부는 '햇볕 정책'이라고도 불린 대북 화해 협력 정책을 추진하여 남북 화해 분위기가 조성되었어요. 2000년에 평양에서 분단 이후 처음으로 남북 정상 회담이 개최되었고 통일 방안과 경제 협력 등의 내용을 담은 6·15 남북 공동 선언이 발표되었어요.

① 김대중
➡ 김대중은 2000년에 한국인 최초로 노벨 평화상을 수상하였어요.

② 김영삼
➡ 김영삼은 제14대 대통령으로 당선되었어요. 김영삼 정부 시기에 금융 실명제를 실시하였고 경제 협력 개발 기구(OECD)에 가입하였어요.

③ 윤보선
➡ 윤보선은 4·19 혁명으로 이승만 정부가 무너지고 1960년 8월에 국회에서 이루어진 제4대 대통령 선거에서 당선되었어요. 윤보선 대통령이 지명한 장면이 국회의 동의를 얻어 국무총리에 취임하고 장면 정부가 출범하였어요. 윤보선은 5·16 군사 정변(1961)으로 인하여 1962년에 대통령직에서 사임하였어요.

④ 최규하
➡ 최규하는 1979년에 박정희 대통령이 피살된 이후 통일 주체 국민 회의에서 선출된 제10대 대통령이었어요. 그러나 전두환 중심의 신군부가 일으킨 12·12 사태(12·12 군사 반란)로 인하여 8개월 만에 대통령직을 사임하였어요.

핵심 개념 김대중 정부(1998~2003)

구분	내용
민주주의 발전	선거를 통해 평화적으로 여야 정권 교체를 이룸
경제	금융 기관과 부실기업 구조 조정 단행, 국민의 금 모으기 운동 등으로 국제 통화 기금(IMF)의 긴급 구제 금융을 조기에 상환하여 외환 위기 극복
통일 정책	• 대북 화해 협력 정책('햇볕 정책') 추진 → 기업인 정주영의 소 떼 방북, 금강산 해로 관광 시작 • 분단 이후 최초로 남북 정상 회담 개최, 6·15 남북 공동 선언 발표(2000) → 개성 공단 조성에 합의, 이산가족 방문과 서신 교환, 금강산 육로 관광과 경의선 연결 공사 추진

48 정월 대보름

정답 ④

(가)에 들어갈 명절로 옳은 것은? [1점]

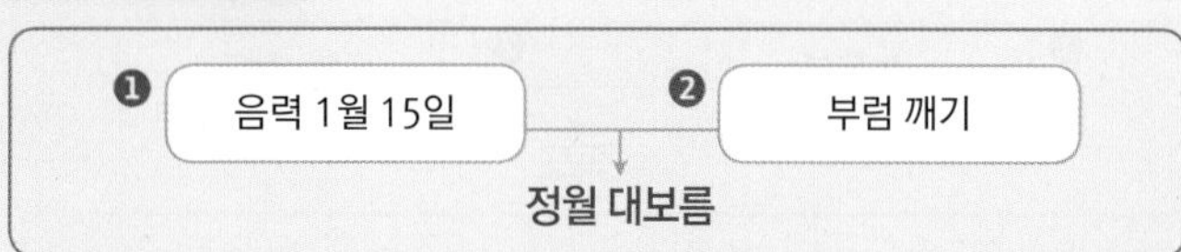

정답 잡는 키워드

❶ 음력 1월 15일 + ❷ 부럼 깨기 → 정월 대보름

❶, ❷ 정월 대보름은 음력 1월 15일로, 한 해의 첫 보름이에요. 정월 대보름에는 부스럼을 예방하고 이가 튼튼해진다는 믿음에서 호두, 땅콩, 은행, 잣 등 견과류를 깨무는 부럼 깨기를 하였어요.

① 단오
➡ 단오는 음력 5월 5일로, 수릿날 또는 천중절이라고도 해요. 단옷날에는 쑥떡이나 수리취떡 등을 만들어 먹고, 창포물에 머리 감기, 그네뛰기 등을 하였어요.

② 동지
➡ 동지는 일 년 중 밤이 가장 긴 날로 보통 양력 12월 22일 무렵이에요. 이날에는 팥죽과 동치미를 먹었으며, 팥의 붉은색이 잡귀를 물리친다고 여겨 집 안 곳곳에 팥죽을 놓아두기도 하였어요.

③ 한식
➡ 한식은 동지에서 105일째 되는 날로, 이날에는 조상의 묘를 찾아 돌보고 제사를 지냈으며, 불을 사용하지 않고 찬 음식을 먹는 풍속이 있었어요.

④ 정월 대보름
➡ 정월 대보름에는 논둑이나 밭둑에 불을 붙이는 쥐불놀이를 하였으며, 다섯 가지 곡식을 섞어 지은 오곡밥과 묵은 나물 등을 먹었어요.

49 독도 정답 ①

(가)에 들어갈 섬으로 옳은 것은? [1점]

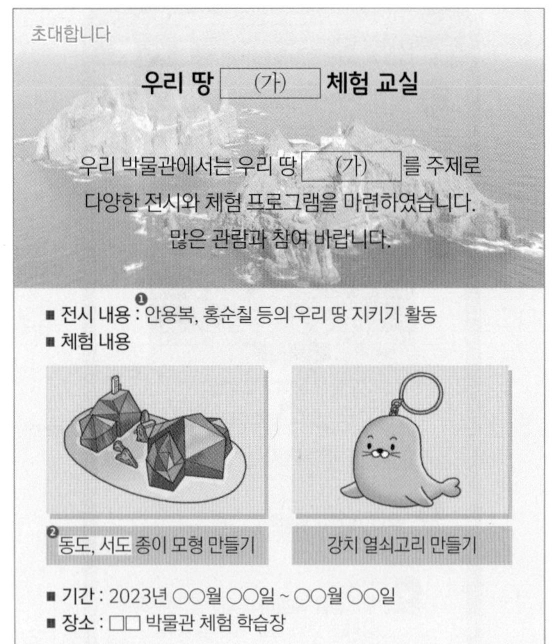

■ 전시 내용 : ❶안용복, 홍순칠 등의 우리 땅 지키기 활동
■ 체험 내용

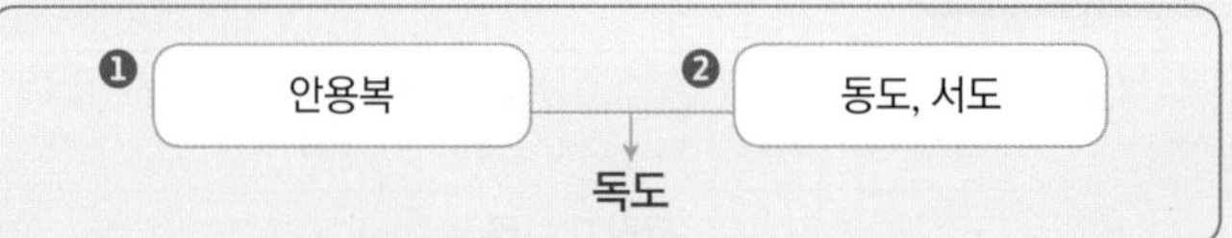

❷동도, 서도 종이 모형 만들기	강치 열쇠고리 만들기

■ 기간 : 2023년 ○○월 ○○일 ~ ○○월 ○○일
■ 장소 : □□ 박물관 체험 학습장

정답 잡는 키워드

❶ 안용복 / ❷ 동도, 서도 → 독도

❶ 안용복은 조선 숙종 때의 인물로, 울릉도와 독도 주위에서 어업 활동을 하던 일본 어부를 쫓아내고, 일본으로 건너가 울릉도와 독도가 조선 영토임을 확인받고 돌아왔어요. 한편, 홍순칠은 1954년에 독도 의용 수비대를 결성하여 독도와 인근 해상에 대한 경비 활동을 하였어요.
❷ 독도는 우리나라의 가장 동쪽에 위치해 있으며 동도와 서도 2개의 섬으로 이루어져 있어요. 한편, 19세기까지 독도를 비롯한 동해 연안에 수만 마리의 강치(바다사자)가 서식하였어요. 1905년에 일본 정부가 독도를 자국 영토로 불법 편입하고 일본 어민에 강치잡이를 허가하였어요. 이후 일본 어민들의 무분별한 포획 등으로 독도 강치의 개체 수가 크게 줄었고 지금은 멸종된 것으로 알려져 있어요.

① 독도
➡ 독도는 신라 지증왕 때 울릉도와 함께 신라의 영토로 편입된 이후 계속 우리의 영토였어요. 일본이 러·일 전쟁 중 독도를 자국의 영토로 불법 편입하였으나 광복 이후 독도에 대한 영토 주권을 회복하였어요.

② 진도
➡ 진도는 삼별초의 근거지 중 하나입니다. 몽골과 강화를 맺은 고려 정부가 개경으로의 환도를 결정하자 삼별초는 강화도에서 진도, 진도에서 제주도로 근거지를 옮겨 가며 대몽 항쟁을 이어 갔어요.

③ 거문도
➡ 영국군이 러시아의 남하를 견제한다는 구실로 거문도를 불법으로 점령하였어요(1885~1887).

④ 제주도
➡ 제주도는 조선 시대 김만덕이 빈민 구제 활동을 하였던 곳이며, 일제 강점기에는 알뜨르 비행장이 건설되었어요. 광복 이후에는 제주 4·3 사건이 일어났습니다.

50 진주의 역사 정답 ④

학생들이 공통으로 이야기하는 지역으로 옳은 것은? [2점]

모둠별 학습 활동
주제 : ○○의 역사 알아보기

고려 시대 12목의 하나였어.
❶임진왜란 때 김시민 장군이 왜군에 맞서 싸운 장소지.
❷조선 후기에 유계춘의 주도로 농민 봉기가 일어난 곳이야.
❸일제 강점기에 조선 형평사 창립 대회가 개최되었어.

정답 잡는 키워드

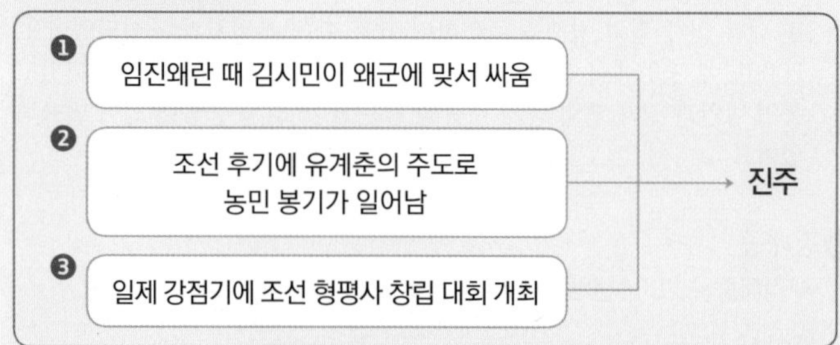

❶ 임진왜란 당시 진주 목사 김시민의 지휘로 관군과 의병이 진주성에서 일본군을 크게 물리쳤어요. 이 진주 대첩은 한산도 대첩, 행주 대첩과 함께 임진왜란 3대첩으로 꼽힙니다.
❷ 조선 철종 때 삼정의 문란과 경상 우병사 백낙신의 횡포가 원인이 되어 진주에서 유계춘의 주도로 농민 봉기가 일어났어요.
❸ 일제 강점기인 1923년에 진주에서 조선 형평사가 창립되어 백정에 대한 사회적 차별 철폐 운동인 형평 운동을 전개하였어요.

① 강릉
➡ 강릉은 율곡 이이가 태어난 오죽헌이 있는 곳이에요.

② 군산
➡ 군산은 일제 강점기에 일본과의 교역량이 늘어나면서 항만 도시로 발달하였어요. 일제 강점기에 군산과 목포를 통해 많은 쌀이 일본으로 유출되었어요.

③ 대구
➡ 대구는 고려와 후백제 사이에 공산 전투가 있었던 곳이며, 1907년 국채 보상 운동이 시작된 곳이에요. 이승만 정부 시기에는 독재 정권에 저항한 2·28 민주 운동이 일어났어요.

④ 진주
➡ 진주는 고려 시대 12목의 하나였으며 임진왜란 당시 논개가 적장을 끌어안고 뛰어들었다고 하는 남강이 있는 곳이에요.

합격률

44.5%

응시 인원 : 7,162명
합격 인원 : 3,187명

기본

2022년 10월 22일(토) 시행

제61회

해설 강의 바로 보기

시대별 출제 비중

전근대 27문항

선사 2문항
청동기 시대의 생활 모습, 부여

고대 7문항
고구려 광개토 태왕의 업적, 삼국 시대의 문화유산, 백제, 살수 대첩, 신라의 삼국 통일 과정, 경주 불국사, 발해

고려 10문항
개성의 역사, 고려 태조의 정책, 최충의 활동, 고려의 경제, 고려의 대외 관계, 팔만대장경의 조성, 무신 정변 이후의 사실, 도병마사, 최영의 활동, 고려 시대 구휼 제도

조선 8문항
경복궁, 조선 세조 재위 시기의 사실, 임진왜란, 홍문관, 인조반정, 조선 후기의 모습, 박지원의 활동, 세도 정치 시기 삼정의 문란

근현대 23문항

정월 대보름

시대 통합 1문항
관리 등용 제도의 변화

개항기 9문항
이화 학당, 병인양요, 개화 정책의 추진과 반발, 수신사, 동학 농민 운동, 독립 협회, 을사늑약, 대한 제국의 정책, 13도 창의군의 활동

일제 강점기 6문항
청산리 전투, 이육사의 활동, 산미 증식 계획, 1940년대 일제 식민 지배 정책, 윤봉길의 활동, 한국 광복군

현대 6문항
대한민국 정부 수립 과정, 5·18 민주화 운동, 노태우 정부 시기의 통일 노력, 김영삼 정부 시기의 사실, 김대중 정부 시기의 경제 상황, 대구의 역사

분류별 출제 비중 고대~조선

난이도별 출제 비중

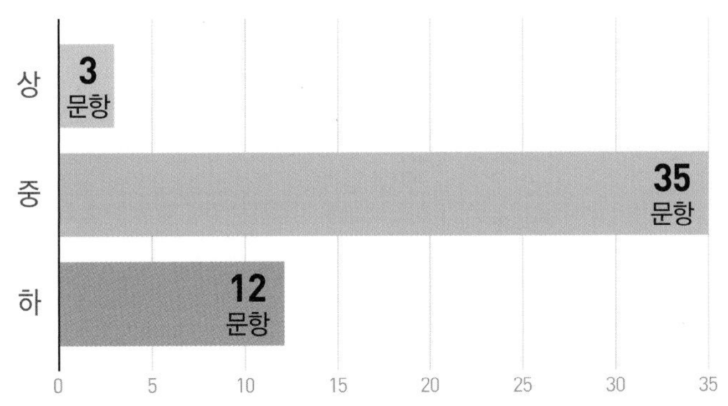

큰별쌤의 한 줄 평

기본 개념에
충실하지만 다소
까다로웠던 시험

1 청동기 시대의 생활 모습 정답 ②

다음 축제에서 체험할 수 있는 활동으로 적절한 것은? [1점]

✪ 비파형 동검은 청동기 시대를 대표하는 유물로, 악기 비파와 생김새가 비슷하여 '비파형' 동검이라는 이름이 붙여졌어요. 청동기 시대에는 잉여 생산물의 증가로 사유 재산과 계급이 발생하였고, 유력한 지배자가 등장하여 부족을 다스렸어요. 청동기 시대의 대표적인 유적으로 부여 송국리 유적 등이 있어요.

① 막집 지어 보기
➡ 구석기 시대 사람들은 추위 등을 피해 주로 동굴이나 바위 그늘에 살았으며, 강가에 막집을 짓고 살기도 하였어요.

② 민무늬 토기 만들기
➡ **청동기 시대**에는 무늬가 없고 바닥이 평평한 민무늬 토기가 제작되었어요.

③ 철제 갑옷 입어 보기
➡ 철제 도구는 철기 시대부터 제작되었어요. 특히 가야는 풍부한 철 생산지와 우수한 제철 기술을 바탕으로 철제 갑옷을 비롯하여 다양한 철제 무기와 도구를 제작하였어요.

④ 주먹도끼로 나무 손질하기
➡ 주먹도끼는 구석기 시대에 사용된 대표적인 뗀석기입니다. 찍고, 자르고, 동물의 가죽을 벗기는 등 다양한 용도로 쓰였어요.

기출 선택지 +α

⑤ 뗀석기로 고기 자르기	(O/X)
⑥ 점토로 빗살무늬 토기 빚기	(O/X)
⑦ 거푸집으로 청동 검 모형 만들기	(O/X)

기출 선택지 +α 정답 ⑤ ×[구석기 시대] ⑥ ×[신석기 시대] ⑦ ○

2 고구려 광개토 태왕의 업적 정답 ④

(가)에 들어갈 내용으로 옳은 은 것은? [2점]

• 고구려 제19대 왕
• ❶영락이라는 연호를 사용함
• (가)
• ❷한강 이북 지역을 차지함
• ❸숙신, 후연, 거란, 동부여 등을 정벌함

(앞면) (뒷면)

정답 잡는 키워드

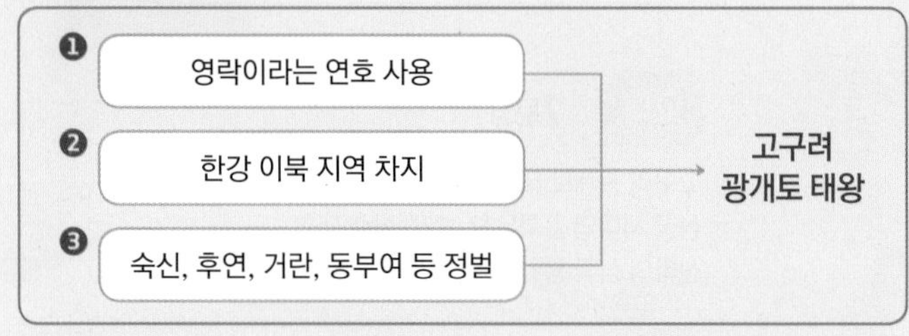

❶ 광개토 태왕은 영락이라는 독자적인 연호를 사용하였어요.
❷, ❸ 광개토 태왕은 백제를 공격하여 한강 이북 지역을 차지하고, 숙신, 후연, 거란, 동부여 등을 정벌하여 요동과 만주 일대를 장악하는 등 영토를 크게 넓혔어요.

① 태학을 설립함
➡ 고구려 소수림왕은 인재 양성을 위해 태학을 설립하였어요.

② 평양으로 천도함
➡ 고구려 장수왕은 국내성에서 평양으로 도읍을 옮기고 본격적으로 남진 정책을 추진하였어요.

③ 천리장성을 축조함
➡ 고구려 영류왕은 당의 침입에 대비하여 천리장성 축조를 추진하고 연개소문을 책임자로 파견하였어요. 천리장성은 보장왕 때 완성되었어요.

④ 신라에 침입한 왜를 격퇴함
➡ 고구려 **광개토 태왕**은 신라 내물 마립간의 지원 요청을 받아 군대를 보내 신라에 침입한 왜를 격퇴하였어요.

핵심 개념 고구려의 발전

소수림왕	불교 수용, 태학 설립, 율령 반포 → 중앙 집권 체제 강화
광개토 태왕	• 영락이라는 독자적인 연호 사용 • 백제를 공격하여 한강 이북 지역 차지 • 신라에 침입한 왜 격퇴, 그 과정에서 가야 연맹을 공격하여 낙동강 하류까지 진출 • 숙신, 후연, 거란, 동부여 등을 정벌하여 요동과 만주 일대 장악
장수왕	• 평양 천도 후 본격적으로 남진 정책 추진 • 백제를 공격하여 한성을 함락함(한강 유역 차지) • 한반도 중부 지역까지 영토 확장 → 충주 고구려비를 통해 알 수 있음 • 아버지 광개토 태왕의 업적을 기리기 위해 광개토 태왕릉비 건립 • 중국 남북조와 교류하며 균형 외교 추진

3 부여

정답 ③

다음 퀴즈의 정답으로 옳은 것은? [2점]

정답 잡는 키워드

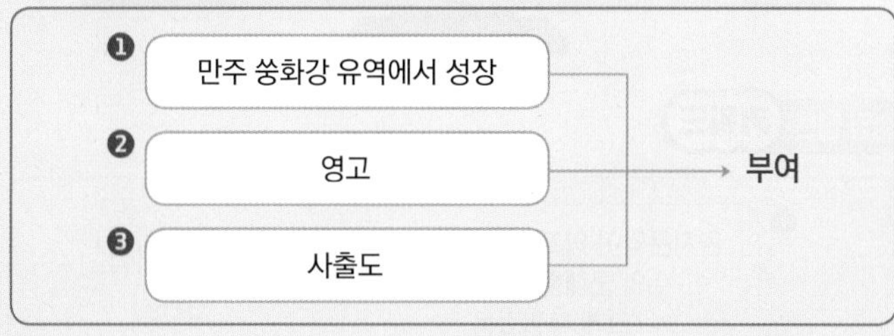

❶ 부여는 만주 쑹화강 유역의 평야 지대에 자리 잡고 성장하였어요.
❷ 부여는 12월에 영고라는 제천 행사를 열었어요. 이때에 사람들이 모여 하늘에 제사를 지내고 노래와 춤을 즐겼어요. 또 감옥에 갇힌 죄수를 석방하기도 하였어요.
❸ 부여는 왕이 중앙을 다스리고 가축의 이름을 딴 마가·우가·저가·구가 등의 여러 가(加)들이 사출도라고 불린 지역을 독자적으로 주관하였어요.

① 가야
➡ 가야는 낙동강 하류의 변한 지역에서 성장하였어요.

② 동예
➡ 동예는 지금의 강원도 북부 동해안 지역을 중심으로 성장하였으며, 10월에 무천이라는 제천 행사를 열었어요.

③ 부여
➡ 부여는 철기 문화를 바탕으로 성장하였으며 넓은 평야 지대에 자리 잡아 농경과 목축이 발달하였어요.

④ 옥저
➡ 옥저는 지금의 함경도 지역에서 성장하였으며 해산물이 풍부하게 생산되었어요.

4 삼국 시대의 문화유산

정답 ②

(가)에 들어갈 문화유산으로 옳지 않은 것은? [2점]

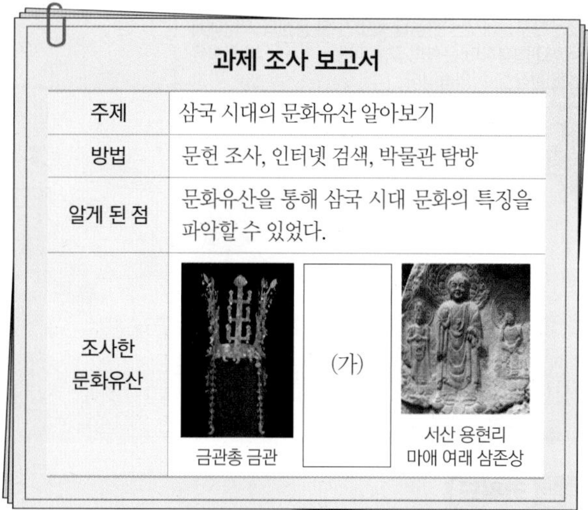

과제 조사 보고서

주제	삼국 시대의 문화유산 알아보기		
방법	문헌 조사, 인터넷 검색, 박물관 탐방		
알게 된 점	문화유산을 통해 삼국 시대 문화의 특징을 파악할 수 있었다.		
조사한 문화유산	금관총 금관	(가)	서산 용현리 마애 여래 삼존상

✪ 삼국 시대의 문화유산을 묻는 문항입니다. 금관총 금관을 비롯하여 신라의 고분에서 금관 여러 점이 발견되었는데, 이를 통해 신라의 금세공 기술 수준이 높았음을 알 수 있어요. 서산 용현리 마애 여래 삼존상은 서산 용현리 바위에 새겨진 백제의 불상이에요. 얼굴 표정이 온화하고 부드러워 '백제의 미소'라고도 불립니다.

①

금동 연가 7년명 여래 입상

➡ **고구려**의 금동 연가 7년명 여래 입상이에요. 불상 뒷면에 '연가 7년'이라는 연대가 새겨져 있어 제작 시기를 알 수 있어요.

②

논산 관촉사 석조 미륵보살 입상

➡ 고려의 논산 관촉사 석조 미륵보살 입상은 개성 있는 모습을 하고 있으며, 고려 시대의 불상 가운데 가장 큽니다.

③

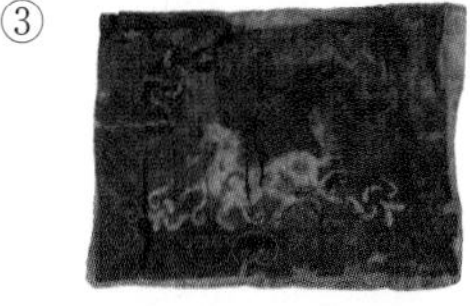

천마총 장니 천마도

➡ 경주 천마총 장니 천마도는 **신라**의 고분인 천마총에서 발견되었어요. 천마도는 말안장 양쪽에 달아 늘어뜨리는 장니(말다래)에 그려진 그림이에요.

④

장군총

➡ 장군총은 **고구려** 초기에 많이 만들어진 돌무지무덤 중 하나입니다. 중국 지린성 지안시에 있어요.

5 백제

정답 ②

(가) 국가에 대한 설명으로 옳은 것은? [2점]

정답 잡는 키워드

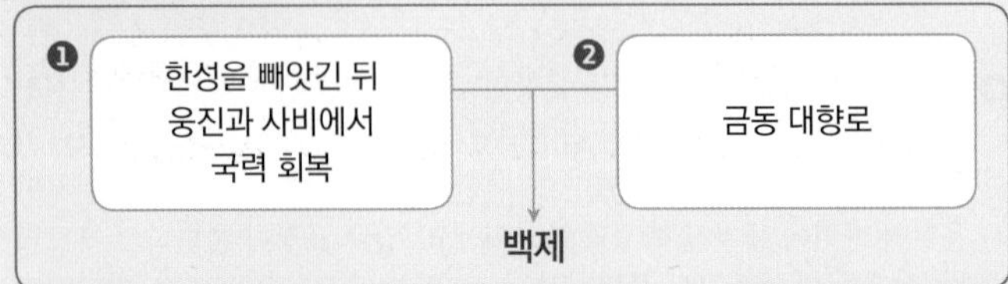

❶ 백제는 고구려 장수왕의 공격으로 수도 한성이 함락되자 웅진(지금의 공주)으로 도읍을 옮기고 중흥을 위해 노력하였어요. 이후 무령왕의 아들인 성왕은 대외 진출에 유리한 사비(지금의 부여)로 천도하고 국호를 남부여로 바꾸었으며 중앙 정치 조직을 정비하는 등 중흥을 위한 노력을 이어 갔어요.

❷ 백제 금동 대향로는 도교와 불교 사상이 함께 반영된 백제의 문화유산으로, 부여 능산리 고분군 근처의 절터에서 출토되었어요.

① 주몽이 건국하였다.
➡ 주몽이 졸본을 도읍으로 고구려를 건국하였어요.

② 지방에 22담로를 두었다.
➡ 담로는 **백제**의 지방 행정 구역이에요. 무령왕은 지방 통제를 강화하기 위해 22담로에 왕족을 파견하였어요.

③ 8조법으로 백성을 다스렸다.
➡ 고조선은 8조법(범금 8조)으로 백성을 다스리고 사회 질서를 유지하였어요. 현재는 8조법 중 3개 조항만 전해지고 있어요.

④ 골품제라는 신분 제도가 있었다.
➡ 신라에는 골품에 따라 정치 활동과 옷차림, 집의 크기 등 일상생활까지 규제하는 골품제라는 신분 제도가 있었어요.

기출 선택지 +α

❺ 진대법을 시행하였다. (O/X)
❻ 상수리 제도를 두었다. (O/X)
❼ 화백 회의에서 중요한 일을 결정하였다. (O/X)

기출 선택지 +α 정답 ⑤ ×[고구려] ⑥ ×[신라] ⑦ ×[신라]

6 살수 대첩

정답 ③

다음 가상 뉴스에서 보도하고 있는 사건이 일어난 시기를 연표에서 옳게 고른 것은? [3점]

정답 잡는 키워드

❶ 을지문덕이 이끄는 고구려군이 수의 군대를 살수에서 크게 무찔렀음 → 살수 대첩(612)

❶ 중국을 통일한 수는 대군을 보내 고구려를 공격하였어요. 수의 양제는 많은 군사를 동원하여 요동성을 공격하였으나 고구려군의 저항으로 함락에 실패하였어요. 이에 우중문, 우문술에게 30만 명의 별동대를 이끌고 고구려의 수도 평양을 공격하게 하였어요. 이때 을지문덕이 이끄는 고구려군이 수의 군대를 살수(지금의 청천강)에서 크게 물리쳤는데, 이를 살수 대첩(612)이라고 합니다.

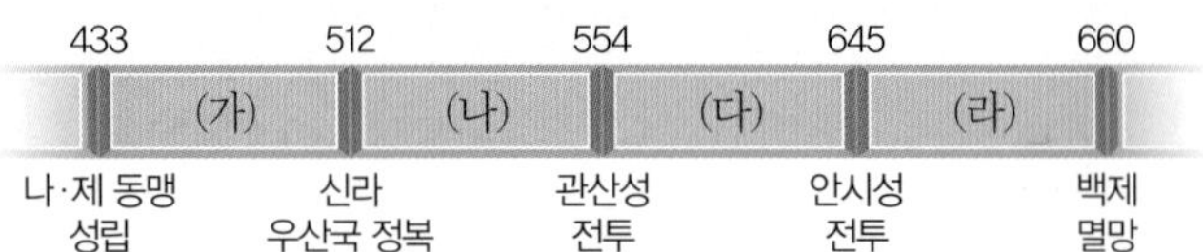

➡ 살수 대첩 이후에도 수는 몇 차례 고구려를 공격하였으나 실패하였고 국력이 크게 쇠퇴하여 멸망하였어요. 수의 뒤를 이어 당 역시 고구려를 여러 차례 공격하였으나, 고구려는 안시성 전투에서 승리하는 등 당의 침입을 막아 냈어요.

① (가)

② (나)

③ (다)
➡ 연표에서 살수 대첩(612)이 일어난 시기는 관산성 전투와 안시성 전투 사이인 (다)입니다.

④ (라)

연표로 흐름잡기

- 554 관산성 전투(백제 성왕 전사)
- 589 수의 중국 통일
- 598 수 문제의 침입
- 612 수 양제의 침입 → 살수 대첩
- 618 당 건국
- 642 연개소문의 정변
- 645 당 태종의 침입 → 안시성 전투

7 신라의 삼국 통일 과정

정답 ①

(가)~(다)를 일어난 순서대로 옳게 나열한 것은? [3점]

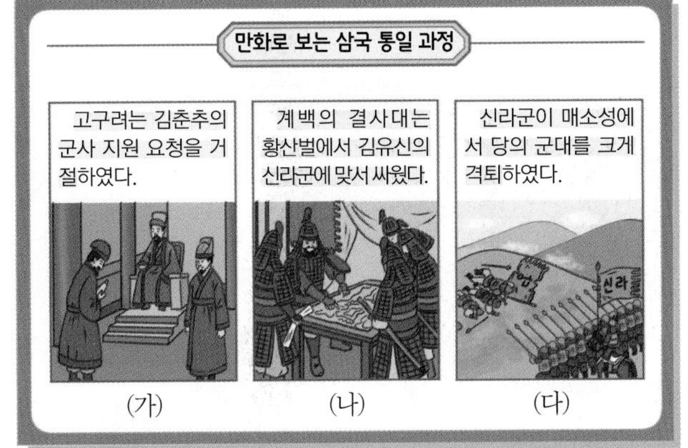

정답 잡는 키워드

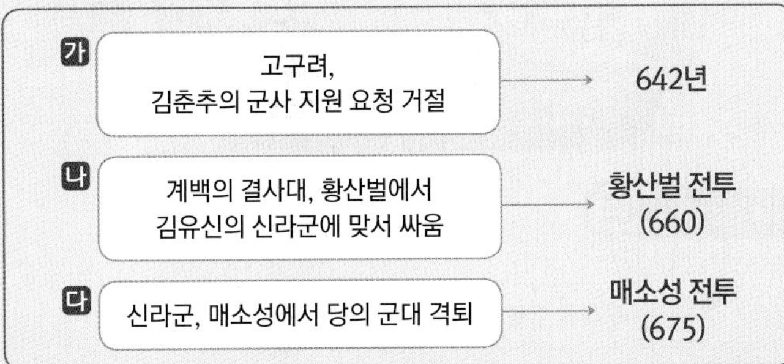

가 642년에 백제군의 공격으로 40여 개 성과 대야성이 함락되자 위기를 느낀 신라는 김춘추를 고구려에 보내 군사 지원을 요청하였어요. 그러나 고구려의 보장왕이 신라에 빼앗긴 죽령 서북 땅을 요구하여 신라와 고구려의 연합은 이루어지지 않았어요. 고구려와의 연합에 실패한 김춘추는 648년에 당에 건너가 군사 지원을 요청하였고, 신라와 당의 동맹이 체결되었어요.

나 나·당 연합군이 660년에 백제를 공격하자, 의자왕은 계백에게 결사대를 이끌고 신라군에 대항하도록 하였어요. 계백이 이끄는 백제 결사대는 황산벌 전투에서 김유신이 이끄는 신라군에 패배하였습니다. 이후 사비성이 함락되고 의자왕이 항복하면서 백제는 멸망하였어요.

다 나·당 연합군이 668년에 고구려를 공격하여 멸망시켰어요. 백제와 고구려의 멸망 후 당이 한반도 전체를 차지하려는 욕심을 드러내자, 신라는 당과 전쟁을 벌였어요. 신라는 매소성 전투(675)와 기벌포 전투(676)에서 승리하여 대동강 남쪽 지역에서 당군을 몰아내고 삼국 통일을 이룩하였어요.

① (가) - (나) - (다)
➡ (가) 고구려가 신라의 군사 지원 요청 거절(642) - (나) 황산벌 전투(660) - (다) 매소성 전투(675)의 순서대로 일어났어요.

② (나) - (가) - (다)

③ (나) - (다) - (가)

④ (다) - (나) - (가)

8 경주 불국사

정답 ①

다음 일기의 소재가 된 절에서 볼 수 있는 문화유산으로 옳은 것은? [1점]

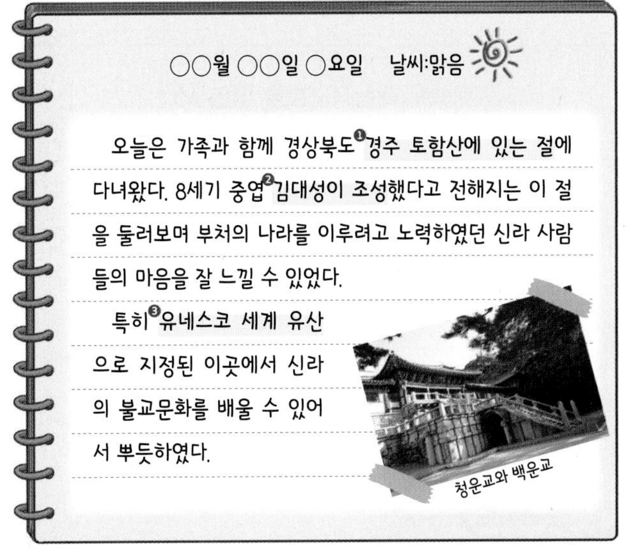

정답 잡는 키워드

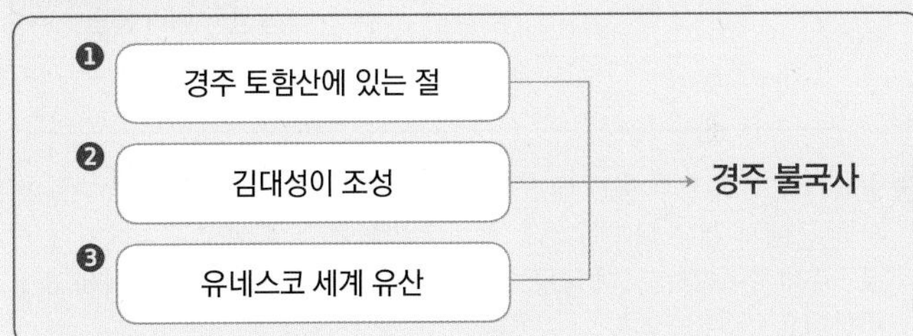

❶, ❷, ❸ 불국사는 경주 토함산에 있는 신라의 사찰(절)이에요. 8세기 중반에 김대성이 조성하였다고 전해집니다. 경주 불국사는 석굴암과 함께 유네스코 세계 유산으로 지정되었어요.

①

불국사 삼층 석탑

➡ **경주 불국사**에는 3층 석탑(석가탑)과 다보탑, 불교의 이상 세계와 현실 세계를 이어 주는 다리인 청운교와 백운교 등 많은 불교 문화유산이 있어요.

②

쌍봉사 철감선사탑

➡ 쌍봉사 철감선사탑은 전라남도 화순 쌍봉사에 있는 승탑이에요. 신라 말에 선종이 유행하면서 승탑과 탑비가 많이 만들어졌어요.

③

이불병좌상

➡ 발해의 불상인 이불병좌상이에요. 현재 일본 도쿄 국립 박물관에 소장되어 있어요.

④

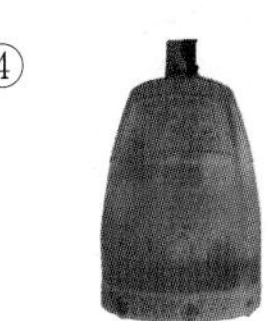
성덕 대왕 신종

➡ 성덕 대왕 신종은 신라 경덕왕이 아버지 성덕왕을 기리고자 만들기 시작하여 혜공왕 때 완성한 동종이에요. 에밀레종이라고도 불리며, 지금은 국립 경주 박물관에 소장되어 있어요.

9 발해

정답 ②

(가) 국가에 대한 설명으로 옳은 것은? [2점]

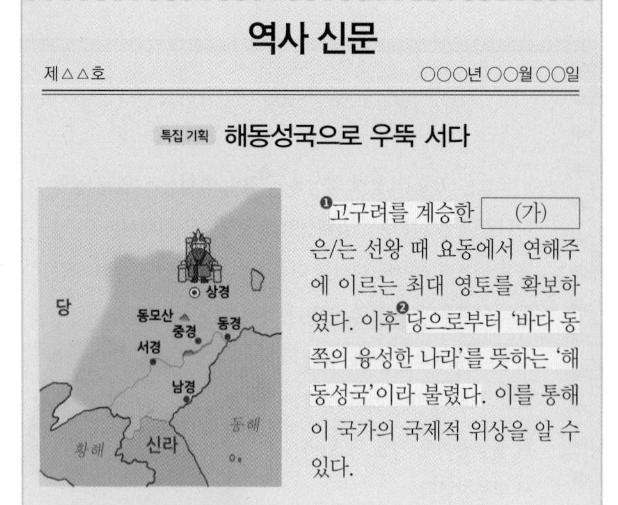
역사 신문

제△△호 ○○○년 ○○월 ○○일

특집 기획 해동성국으로 우뚝 서다

❶고구려를 계승한 (가) 은/는 선왕 때 요동에서 연해주에 이르는 최대 영토를 확보하였다. 이후 ❷당으로부터 '바다 동쪽의 융성한 나라'를 뜻하는 '해동성국'이라 불렸다. 이를 통해 이 국가의 국제적 위상을 알 수 있다.

정답 잡는 키워드

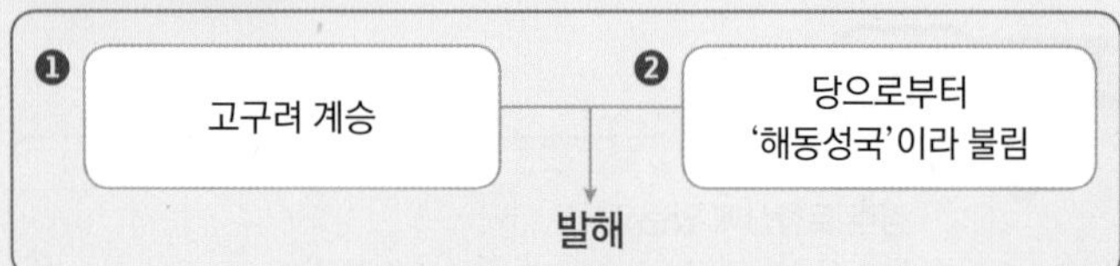

❶ 발해는 고구려 장수 출신 대조영이 고구려 유민과 말갈인을 이끌고 동모산 부근에서 세운 나라입니다. 발해는 일본에 보낸 외교 문서에서 스스로 '고려(고구려)', '고려 국왕'이라고 표현하며 고구려 계승 의식을 표방하였어요.

❷ 전성기 무렵 발해는 당으로부터 '바다 동쪽의 융성한 나라'라는 뜻에서 해동성국이라고 불리기도 하였어요. 한편, 발해의 무왕은 인안, 문왕은 대흥, 선왕은 건흥이라는 독자적인 연호를 사용하였습니다.

① 한의 침략을 받아 멸망하였다.

➡ 고조선은 한 무제의 침입을 받아 기원전 108년에 왕검성이 함락되어 멸망하였어요.

② 중앙 정치 조직을 3성 6부로 정비하였다.

➡ **발해**는 문왕 때 당의 문물을 받아들여 중앙 정치 조직을 3성 6부로 정비하였어요.

③ 정사암에서 국가의 중대사를 결정하였다.

➡ 백제에서는 귀족들이 정사암에 모여 재상을 선출하고 나랏일을 논의하였어요.

④ 화랑도를 국가적인 조직으로 운영하였다.

➡ 신라는 진흥왕 때 화랑도를 국가적인 조직으로 개편하여 많은 인재를 양성하였어요.

기출 선택지 +α

⑤ 9주 5소경을 설치하였다.	(O/X)
⑥ 대조영이 동모산에서 건국하였다.	(O/X)
⑦ 옥저를 정복하고 동해안으로 진출하였다.	(O/X)
⑧ 인안, 대흥 등의 독자적 연호를 사용하였다.	(O/X)

기출 선택지 +α 정답 ⑤ ×[통일 신라] ⑥ ○ ⑦ ×[고구려] ⑧ ○

10 개성의 역사

정답 ③

(가) 지역에서 있었던 사실로 옳은 것은? [2점]

정답 잡는 키워드

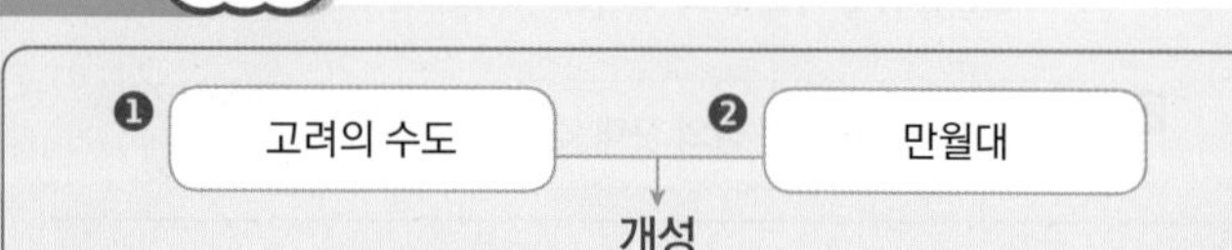

❶, ❷ 고려의 수도였던 개성에는 궁궐터인 만월대를 비롯하여 공민왕릉, 고려 첨성대, 고려 성균관, 고려 말에 정몽주가 이방원 세력에 피살된 곳이라는 이야기가 전해지는 선죽교 등 고려와 관련된 많은 문화유산이 있습니다.

① 묘청이 난을 일으켰다.

➡ 고려 인종 때 서경 천도를 주장한 묘청이 천도 계획이 좌절되자 지금의 평양인 서경에서 반란을 일으켰어요. 그러나 1년여 만에 김부식이 이끄는 관군에 진압되었어요.

② 원이 쌍성총관부를 설치하였다.

➡ 원(몽골)은 함경남도 영흥 지역인 화주에 쌍성총관부를 설치하고 철령 이북 지역을 직접 통치하였어요.

③ 만적이 신분 해방을 도모하였다.

➡ 고려 무신 집권기에 만적은 지금의 **개성**인 개경에서 신분 해방을 도모하여 봉기를 모의하였으나 사전에 발각되어 실패하였어요.

④ 삼별초가 최후의 항쟁을 전개하였다.

➡ 삼별초는 고려 정부의 개경 환도 결정에 반발하여 강화도에서 봉기하여 진도, 제주도로 근거지를 옮겨 가며 대몽 항쟁을 이어 갔어요.

기출 선택지 +α

⑤ 안창호가 대성 학교를 설립하였다.	(O/X)
⑥ 동학 농민군이 정부와 화약을 맺은 곳이다.	(O/X)
⑦ 국보 제 9호인 정림사지 오층 석탑이 있다.	(O/X)
⑧ 조선 후기 송상이 근거지로 삼아 활동하였다.	(O/X)

기출 선택지 +α 정답 ⑤ ×[평양] ⑥ ×[전주] ⑦ ×[부여] ⑧ ○

11 고려 태조의 정책 정답 ③

(가) 왕이 추진한 정책으로 옳은 것은? [2점]

정답 잡는 **키워드**

❶ 후삼국 통일 → 고려 태조 왕건

❶ 고려를 세운 태조 왕건은 신라 경순왕의 항복을 받고, 신검이 이끄는 후백제군과의 전투에서 승리한 이후 936년에 후삼국을 통일하였어요. 태조는 대광현 등 발해 유민을 받아들여 민족 통합을 꾀하였어요.

① 노비안검법을 시행하였다.
➡ 고려 광종은 공신과 호족 세력을 약화하고 왕권을 강화하기 위해 노비를 조사하여 불법으로 노비가 된 사람을 다시 양인 신분으로 되돌리는 노비안검법을 시행하였어요.

② 지방에 12목을 설치하였다.
➡ 고려 성종은 최승로의 시무 28조를 받아들여 처음으로 지방에 12목을 설치하고 지방관을 파견하였어요.

③ 사심관 제도를 실시하였다.
➡ **고려 태조**는 지방 통치를 보완하고 호족 세력을 견제하기 위해 사심관 제도를 실시하였어요.

④ 활구라고 불린 은병을 제작하였다.
➡ 고려 숙종은 주전도감을 설치하여 은병(활구), 해동통보 등의 화폐를 발행하였으나 널리 유통되지는 못하였어요.

기출 선택지 +α

❺ 훈요 10조를 남겼다. (O/X)
❻ 만권당을 설립하였다. (O/X)
❼ 과거제를 시행하였다. (O/X)
❽ 기인 제도를 실시하였다. (O/X)

12 최충의 활동 정답 ①

다음 인물의 활동으로 옳은 것은? [3점]

✪ 최충은 고려 목종 때 과거에 합격하여 50여 년 동안 관직 생활을 하였어요. 지공거가 되어 과거 시험을 주관하기도 하였고, 문종 때에는 고려 시대 최고 관직인 문하시중을 지냈어요. 최충은 문장과 글씨에 능하여 '해동공자'로 불렸으며, 고려 유학을 크게 발전시켰습니다. 벼슬에서 물러난 뒤에는 개경에 학교를 세우고 제자 양성에 힘썼어요. 강원특별자치도 홍천에 있는 노동 서원은 최충을 기리기 위해 세워졌어요.

① 9재 학당을 열었다.
➡ **최충**은 관직에서 물러난 뒤 9재 학당을 열어 유학을 교육하였는데, 9재 학당은 최충의 시호를 따서 '문헌공도'라고도 불렸어요. 9재 학당이 번성하자 이와 비슷한 11개의 사학이 개설되어 9재 학당을 포함해 사학 12도라고 불렸어요.

② 삼국유사를 집필하였다.
➡ 고려 후기에 승려 일연은 고구려, 백제, 신라의 역사를 다룬 "삼국유사"를 집필하였어요. 그는 우리 민족의 기원을 고조선으로 보고 "삼국유사"에 단군의 고조선 건국 이야기를 수록하였어요.

③ 제왕운기를 저술하였다.
➡ 고려 후기에 이승휴는 중국과 우리나라의 역사를 서사시로 표현한 "제왕운기"를 저술하였어요. "제왕운기"에는 단군의 고조선 건국 이야기가 기록되었어요.

④ 시무 28조를 작성하였다.
➡ 최승로는 시정 개혁안인 시무 28조를 작성하여 고려 성종에게 건의하였어요.

기출 선택지 +α 정답 ⑤○ ⑥ ×[고려 충선왕] ⑦ ×[고려 광종] ⑧○

13 고려의 경제 정답 ②

(가) 국가의 경제 상황으로 옳은 것은? [2점]

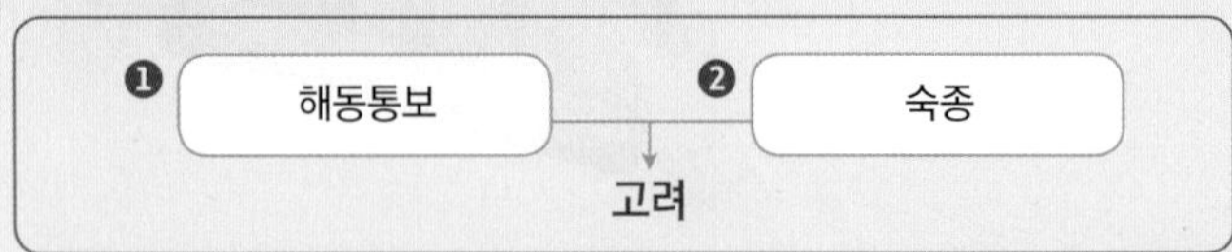

정답 잡는 키워드

❶ 해동통보 ❷ 숙종 → 고려

❶, ❷ 고려 숙종은 주전도감을 설치하여 활구라고도 불린 은병, 동전인 해동통보 등의 화폐를 발행하여 유통시키려고 하였으나 널리 유통되지는 못하였어요.

① 모내기법이 전국적으로 확산되었다.
➡ 조선 후기에 모내기법이 전국으로 보급되었어요.

② 벽란도가 국제 무역항으로 번성하였다.
➡ **고려** 시대에는 벽란도가 국제 무역항으로 번성하여 이곳에서 송, 일본, 아라비아 상인 등과 활발히 교류하였어요.

③ 낙랑군과 왜 사이에서 중계 무역을 하였다.
➡ 금관가야는 철이 많이 생산되고 해상 교통이 편리한 낙동강 하류 지역에 자리를 잡고 있어 낙랑군과 왜를 연결하는 중계 무역으로 번성하였어요.

④ 청해진을 중심으로 해상 무역을 전개하였다.
➡ 신라 흥덕왕 때 장보고는 지금의 완도에 군사 기지인 청해진을 설치하여 해적을 소탕하고 해상 무역을 전개하였어요.

기출 선택지 +α

- ❺ 전시과 제도가 실시되었다. (O/X)
- ❻ 보부상이 전국의 장시를 연결하였다. (O/X)
- ❼ 사원에서 종이와 기와를 만들어 팔았다. (O/X)
- ❽ 시장을 감독하기 위한 동시전이 설치되었다. (O/X)
- ❾ 농민들이 고추, 담배 등의 상품 작물을 재배하였다. (O/X)

14 고려의 대외 관계 정답 ②

(가), (나) 사이의 시기에 있었던 사실로 옳은 것은? [3점]

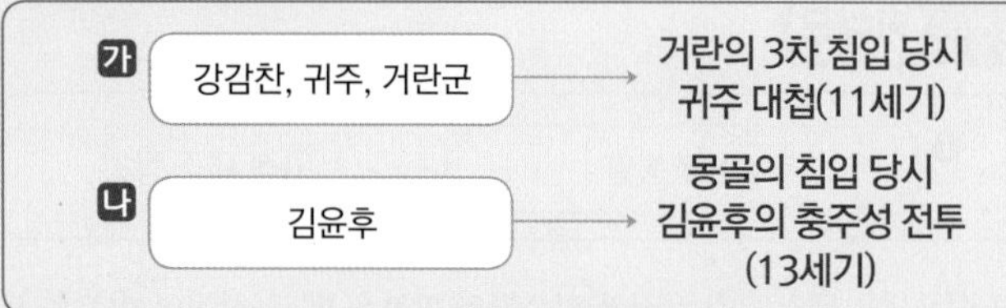

정답 잡는 키워드

가 강감찬, 귀주, 거란군 → 거란의 3차 침입 당시 귀주 대첩(11세기)

나 김윤후 → 몽골의 침입 당시 김윤후의 충주성 전투 (13세기)

가 11세기에 거란은 강동 6주의 반환 등을 요구하며 세 번째로 고려에 침입하였습니다. 이때 귀주에서 강감찬이 이끄는 고려군이 거란군을 물리치고 큰 승리를 거두었어요(귀주 대첩, 1019).

나 13세기 몽골이 고려를 침입하였을 때 김윤후는 처인성에서 부곡민을 이끌고 몽골군에 맞서 싸워 몽골 장수 살리타를 사살하는 전과를 올렸어요(처인성 전투, 1232). 이후 충주성에서도 노비 등 주민들과 함께 몽골군을 물리쳤어요(충주성 전투, 1253).

① 서희가 강동 6주를 획득하였다.
➡ 10세기 말에 고려의 서희는 거란이 고려를 침략하자(거란의 1차 침입), 거란 장수 소손녕과 외교 담판을 벌여 강동 6주를 확보하였어요.

② 윤관이 동북 9성을 축조하였다.
➡ **12세기**에 윤관은 별무반을 이끌고 여진을 정벌한 뒤 동북 9성을 쌓았어요.

③ 박위가 쓰시마섬을 토벌하였다.
➡ 14세기 고려 창왕 때 박위가 왜구의 근거지인 쓰시마섬(대마도)을 정벌하였어요(1389).

④ 최무선이 진포에서 왜구를 물리쳤다.
➡ 14세기 고려 우왕 때 최무선은 화통도감에서 제작한 화포를 이용하여 진포에 침입한 왜구를 격퇴하였어요(진포 대첩, 1380).

기출 선택지 +α 정답 ⑤○ ⑥ ×[조선 후기] ⑦○ ⑧ ×[신라] ⑨ ×[조선 후기]

15 팔만대장경의 조성 정답 ②

밑줄 그은 '그 일'에 해당하는 내용으로 옳은 것은? [2점]

❶몽골군의 침략으로 부인사에 보관된 대장경판이 남김없이 불에 탔습니다. 이런 큰 보배가 없어졌는데 어찌 감히 일이 어려운 것을 염려하여 다시 만들지 않겠습니까? 이제 왕과 신하 모두 한마음으로 담당 관청을 설치하고 <u>그 일</u>을 맡아 시작할 것을 다짐합니다. 원하옵건대 ❷부처님께서는 신통한 힘으로 흉악한 오랑캐를 물리치시고 다시는 우리 땅을 밟는 일이 없게 해 주소서.

정답 잡는 키워드

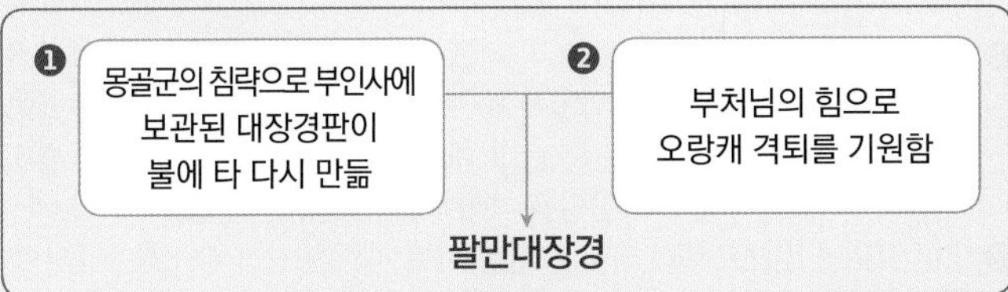

❶, ❷ 11세기에 거란이 침입하였을 때 고려는 부처의 힘으로 거란의 침입을 물리치고자 초조대장경을 만들었어요. 이후 13세기에 몽골의 침입으로 부인사에 보관되어 있던 초조대장경 목판이 불에 타자, 고려는 대장도감을 설치하여 팔만대장경(재조대장경)을 제작하였습니다. 팔만대장경에는 부처의 힘으로 몽골의 침입을 격퇴하고자 하는 고려인의 염원이 담겨 있습니다.

① 삼국사기 편찬
➡ 고려 인종 때 김부식 등이 왕명을 받아 고구려, 백제, 신라의 역사를 다룬 "삼국사기"를 편찬하였어요.

② 팔만대장경 제작
➡ 팔만대장경판은 오늘날까지 전해져 합천 해인사 장경판전에 보관되어 있으며, 그 가치를 인정받아 유네스코 세계 기록 유산으로 등재되었어요.

③ 직지심체요절 간행
➡ "직지심체요절"은 고려 말에 청주 흥덕사에서 금속 활자로 간행되었어요. 현존하는 세계에서 가장 오래된 금속 활자본으로 공인받고 있습니다.

④ 무구정광대다라니경 인쇄
➡ 통일 신라 시기에 만들어진 경주 불국사 3층 석탑을 보수하는 과정에서 현존하는 세계에서 가장 오래된 목판 인쇄물인 무구정광대다라니경이 발견되었어요.

16 무신 정변 이후의 사실 정답 ④

다음 상황 이후에 일어난 사실로 옳은 것은? [2점]

정답 잡는 키워드

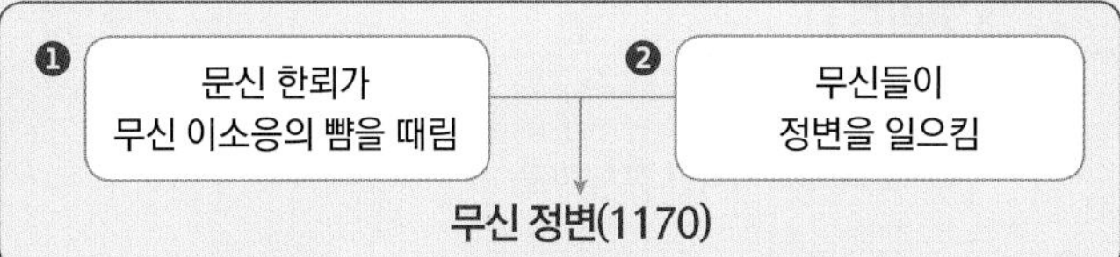

❶, ❷ 고려 의종이 신하들과 보현원으로 가던 중 젊은 문신 한뢰가 무술 겨루기에서 기권한 나이 든 무신 이소응의 뺨을 때리며 모욕을 주는 일이 있었어요. 이를 계기로 무신들의 불만이 폭발하여 무신들은 정중부와 이의방 등을 중심으로 정변을 일으켜 문신들을 제거하고 권력을 장악하였어요. 이를 무신 정변(1170)이라고 합니다. 정변을 주도한 정중부 등은 의종을 폐위하고 명종을 세웠어요.

① 김헌창이 난을 일으켰다.
➡ 신라 헌덕왕 때 김헌창이 자신의 아버지 김주원이 왕이 되지 못한 것에 불만을 품고 난을 일으켰어요(822).

② 장문휴가 등주를 공격하였다.
➡ 발해 무왕 때 장문휴가 당의 산둥반도 등주를 공격하였어요(732).

③ 최치원이 시무 10여 조를 건의하였다.
➡ 신라 말에 최치원이 진성 여왕에게 개혁안으로 시무 10여 조를 건의하였으나 귀족들의 반발로 개혁이 실행되지 못하였어요(894).

④ 망이·망소이가 공주 명학소에서 봉기하였다.
➡ **고려 무신 집권기**에 공주 명학소에서 과도한 세금과 지배층의 수탈에 항거하여 망이, 망소이 형제를 중심으로 봉기가 일어났어요(1176).

기출 선택지 +α

❺ 이자겸이 난을 일으켰다.	(O/X)
❻ 원종과 애노가 봉기하였다.	(O/X)
❼ 최우가 정방을 설치하였다.	(O/X)

기출 선택지 +α

정답 ⑤ ×[고려 인종, 1126년] ⑥ ×[신라 진성 여왕, 889년]
⑦ ○[고려 무신 집권기, 1225년]

17 도병마사

정답 ④

학생들이 공통으로 이야기하는 기구로 옳은 것은?  [2점]

정답 잡는 키워드

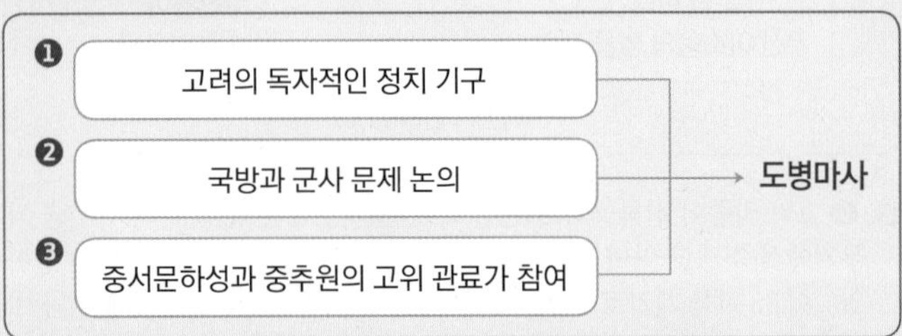

❶, ❷, ❸ 고려에는 중서문하성과 중추원의 고위 관리가 모여 국가의 중대사를 논의하는 회의 기구로 도병마사와 식목도감이 있었어요. 이 가운데 도병마사는 국방과 군사 문제를 담당하였어요.

① 도방

➡ 도방은 고려 시대 무신 정권의 사병 집단으로, 경대승이 신변 보호를 위해 조직하였어요. 폐단이 커서 해체되었는데, 최충헌이 다시 설치하였어요.

② 어사대

➡ 어사대는 고려 시대에 관리 감찰과 풍속 교정을 담당한 중앙 정치 기구입니다.

③ 의금부

➡ 의금부는 조선 시대에 국왕 직속의 특별 사법 기구로 반역죄, 강상죄 등을 저지른 중죄인을 다스렸어요.

④ 도병마사

➡ 도병마사는 충렬왕 때 도평의사사로 명칭이 바뀌고 구성과 기능이 확대되었어요.

핵심 개념 고려의 중앙 정치 조직

구분	내용	
중서문하성	국정을 총괄하는 최고 관서, 재신(고위 관리, 정책 심의와 결정)과 낭사(정치의 잘잘못 비판)로 구성	
상서성	정책 집행(행정 실무를 담당하는 이·병·호·형·예·공부의 6부 통솔)	
중추원	군사 기밀(추밀), 왕명 출납(승선)	
어사대	관리 감찰, 풍기 단속	
삼사	화폐와 곡식의 출납 및 회계 담당	
도병마사	국방과 군사 문제 담당	중서문하성과 중추원의 고위 관리인 재신과 추밀이 모여 국가 중대사 논의 → 고려의 독자적인 회의 기구
식목도감	법 제정, 각종 시행 규칙 논의	
대간	• 어사대의 관원과 중서문하성의 낭사로 구성 • 간쟁·봉박·서경의 권한 행사 → 정치권력의 견제와 균형 추구	

18 최영의 활동

정답 ②

(가)에 들어갈 인물로 옳은 것은? [2점]

정답 잡는 키워드

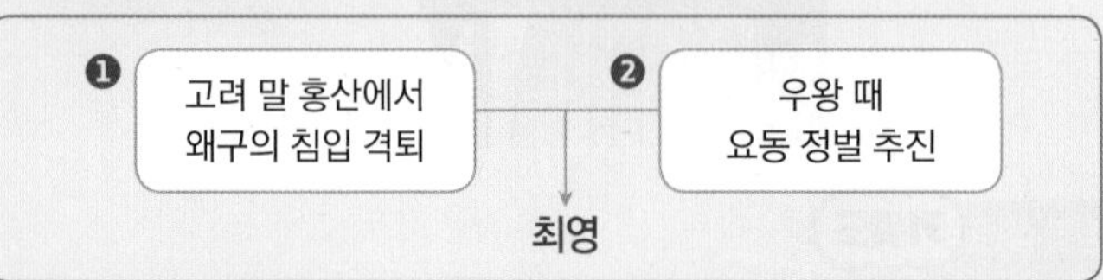

❶ 고려 말에 왜구의 잦은 침입으로 해안 지방이 황폐화되었어요. 게다가 왜구가 내륙까지 들어와 노략질하여 그 피해가 극심하였어요. 고려 정부는 최영, 이성계, 최무선 등을 보내 왜구를 토벌하였는데, 최영은 홍산(지금의 부여)에서 왜구의 침입을 격퇴하였어요(홍산 대첩).

❷ 명이 고려가 원으로부터 되찾은 철령 이북 지역을 직접 다스리겠다고 통보하자, 우왕과 최영은 요동 정벌을 추진하였어요. 이성계는 요동 정벌이 불가한 네 가지 이유(사불가론)를 들어 이에 반대하였어요. 그러나 요청은 받아들여지지 않았고, 우왕과 최영은 이성계에게 군대를 주어 요동 정벌에 나서게 하였습니다. 군대를 이끌고 나선 이성계는 위화도에서 다시 요동 정벌의 중지를 요청하였으나 받아들여지지 않자, 회군하여 개경으로 돌아와 우왕과 최영을 몰아내고 정권을 장악하였어요. 이후 최영은 유배되었다가 처형되었어요.

① 양규

➡ 양규는 거란의 2차 침입 당시 활약한 고려의 장수로, 거란군에게 잡힌 많은 고려인 포로를 구하였어요.

② 최영

➡ 최영은 고려를 침입한 한족 반란군인 홍건적과 해적 집단인 왜구를 격퇴하여 큰 공을 세웠어요.

③ 이종무

➡ 이종무는 조선 세종 때 왜구의 근거지인 쓰시마섬(대마도)을 정벌하였어요.

④ 정몽주

➡ 정몽주는 고려 말의 문신으로, 고려 왕조를 지키고자 하였으나 이방원 세력에 의해 피살되었어요.

19 경복궁

정답 ①

(가)에 들어갈 문화유산으로 옳은 것은? [1점]

정답 잡는 키워드

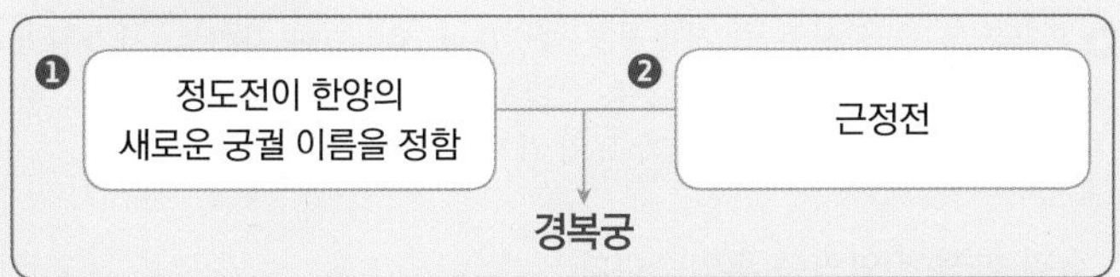

❶, ❷ 정도전은 조선 건국 초 나라의 기틀을 다지는 데 기여하였으며, 한양의 새로운 궁궐과 주요 전각의 이름을 지었어요. 경복궁은 한양을 도읍으로 정하고 가장 먼저 지은 궁궐로 조선의 정궁이었어요. 중심 건물인 근정전은 국가의 중요한 행사를 치르던 장소입니다. 경복궁은 임진왜란 때 불에 탄 채 방치되다가 고종 때 흥선 대원군의 주도로 다시 지어졌어요.

① 경복궁
➡ 경복궁은 조선 건국 이후 가장 먼저 지어진 궁궐로 북쪽에 있어서 북궐이라고 불리기도 하였어요.

② 경운궁
➡ 경운궁은 아관 파천 이후 고종이 환궁한 곳으로 순종에게 양위한 고종이 이곳에 머물게 되면서 고종의 장수를 빈다는 의미에서 덕수궁으로 이름이 바뀌었어요.

③ 경희궁
➡ 경희궁은 광해군 때 지어졌으며 경복궁의 서쪽에 있어 서궐이라고도 불렸어요. 본래 경덕궁으로 불렸는데, 영조 때 경희궁으로 바꾸었어요.

④ 창경궁
➡ 창경궁은 성종 때 대비들을 모시기 위해 수강궁을 확장하여 지은 궁궐이며, 창덕궁과 함께 동궐로 불렸어요.

핵심 개념 경복궁

- 가장 먼저 지어진 조선의 정궁(법궁) : 정도전이 '경복궁'이라는 이름과 궁궐 내 주요 전각의 이름을 지음
- 북궐이라고도 불림
- 임진왜란 때 불탄 것을 고종 때 흥선 대원군의 주도로 다시 지음
- 주요 건물 : 근정전, 경회루, 광화문 등

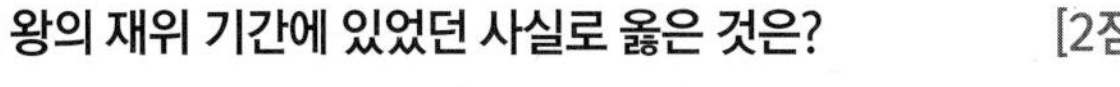

20 조선 세조 재위 시기의 사실

정답 ④

(가) 왕의 재위 기간에 있었던 사실로 옳은 것은? [2점]

정답 잡는 키워드

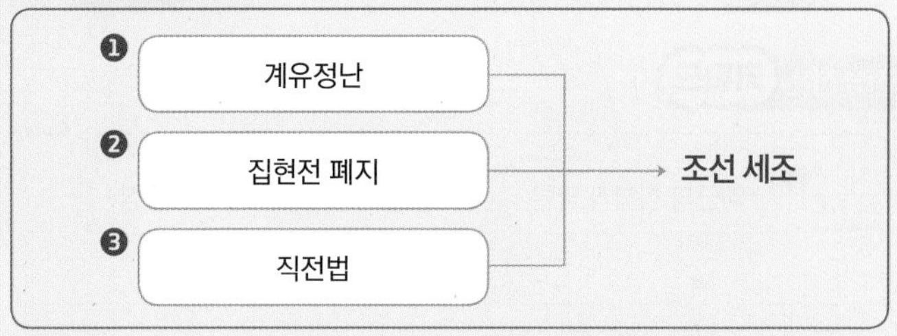

❶ 세조는 계유정난을 일으켜 단종을 보좌하던 황보인, 김종서 등을 제거하고 정권을 차지한 후 단종을 물러나게 하고 즉위하였어요.
❷ 세조는 성삼문 등 집현전 출신 학자들이 단종의 복위를 꾀하자 이를 진압하고, 자신의 활동을 견제하던 집현전과 경연 제도를 폐지하였어요.
❸ 세조는 관리에게 지급할 과전이 부족해지자 현직 관리에게만 수조권을 지급하는 직전법을 실시하고 수신전, 휼양전 등을 폐지하였어요.

① 계미자가 주조되었다.
➡ 조선 태종 때 주자소가 설치되어 금속 활자인 계미자가 주조되었어요.

② 균역법이 실시되었다.
➡ 조선 영조는 농민의 군포 부담을 덜어 주기 위해 군포를 2필에서 1필로 줄여 주는 균역법을 실시하였어요.

③ 기묘사화가 일어났다.
➡ 조선 중종 때 조광조의 위훈 삭제 등에 반발한 훈구 세력이 기묘사화를 일으켜 조광조를 제거하고 사림에 큰 피해를 입혔어요.

④ 6조 직계제가 시행되었다.
➡ 조선 태종과 세조 때 6조 직계제가 시행되었어요. **세조**는 국왕 중심의 정치를 강화하기 위해 의정부 서사제를 폐지하고, 의정부를 거치지 않고 6조에서 왕에게 직접 업무를 보고하는 6조 직계제를 다시 시행하였어요.

기출 선택지 +α

❺ 3포 왜란이 일어났다.	(O / X)
❻ 4군 6진이 개척되었다.	(O / X)
❼ 경국대전이 완성되었다.	(O / X)

기출 선택지 +α 정답 ⑤ ×[조선 중종] ⑥ ×[조선 세종] ⑦ ×[조선 성종]

21 임진왜란

정답 ③

밑줄 그은 '이 전쟁' 중에 있었던 사실로 옳은 것은? [3점]

정답 잡는 **키워드**

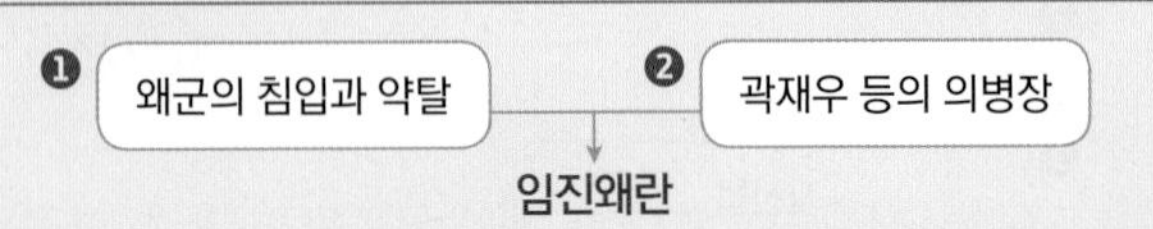

❶, ❷ 1592년에 일본군(왜군)이 조선을 침략하여 임진왜란이 일어났어요. 전쟁 초기에 일본군이 수도 한성을 함락하고 북쪽으로 진격하여 조선은 큰 위기를 맞았어요. 그러나 이순신이 이끄는 수군과 곽재우, 조헌, 김덕령 등 전국 각지에서 일어난 의병의 활약, 명군의 지원 등으로 전세를 역전시킬 수 있었어요.

① 별기군 창설
➡ 개항 이후 조선 정부는 개화 정책을 추진하여 1881년에 신식 군대인 별기군을 창설하였어요.

② 2군 6위 편성
➡ 2군 6위는 고려의 중앙 군사 조직이에요. 2군은 왕의 친위 부대이고, 6위는 수도 경비와 국경 방어 등을 담당하였어요.

③ 훈련도감 설치
➡ 조선 선조는 **임진왜란 중**에 유성룡의 건의를 수용하여 훈련도감을 설치하였어요. 훈련도감은 포수, 사수, 살수의 삼수병으로 편성되었어요.

④ 나선 정벌 단행
➡ 17세기 조선 효종은 청의 요청에 따라 두 차례의 나선 정벌에 조총 부대를 파견하였어요. 나선은 러시아를 말해요.

22 홍문관

정답 ④

(가)에 들어갈 내용으로 옳은 것은? [2점]

✪ 홍문관은 조선 성종 때 집현전을 계승하여 설치되어 사헌부, 사간원과 함께 3사로 불리며 언론 기능을 담당하였어요. 옥당, 옥서 등으로도 불린 홍문관에는 대제학, 부제학 등의 관직이 있었습니다.

① 수원 화성에 외영을 두었습니다.
➡ 조선 후기에 정조는 국왕의 친위 부대로 장용영을 창설하고 한성에 내영을, 수원 화성에 외영을 두었어요.

② 한양의 치안과 행정을 맡았습니다.
➡ 조선 시대에 한성부는 수도 한양(한성)의 치안과 행정을 담당하였어요.

③ 재정의 출납과 회계를 관장하였습니다.
➡ 조선 시대에 6조 가운데 호조 등에서 재정의 출납과 회계 등을 주관하였어요. 고려 시대에는 삼사가 화폐와 곡식의 출납과 회계를 담당하였어요.

④ 왕의 정책 자문과 경연을 담당하였습니다.
➡ **홍문관**은 궁중의 서적과 문서를 관리하고 왕의 정책 자문에 응하며 왕에게 경서와 사서를 강론하는 경연을 주관하였어요.

기출 선택지 +α

❺ 왕명 출납을 관장하였습니다. (O/X)
❻ 왕의 각종 자문에 응하였습니다. (O/X)
❼ 외국어 통역 업무를 담당하였습니다. (O/X)

기출 선택지 +α 정답 ⑤ ×[조선 시대 승정원] ⑥ ○ ⑦ ×[사역원]

23 인조반정

정답 ④

다음 검색창에 들어갈 사건으로 옳은 것은? [1점]

정답 잡는 키워드

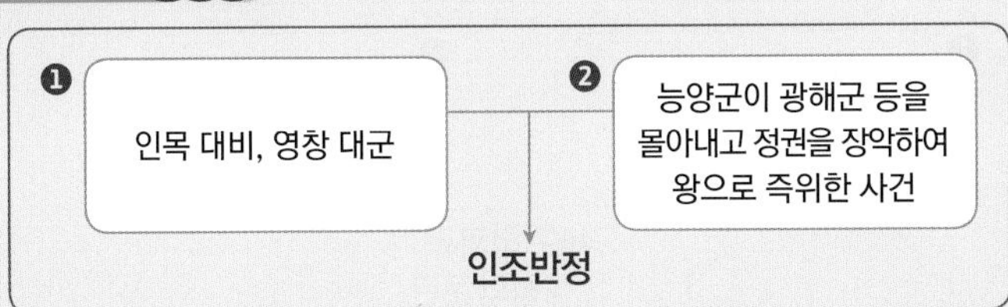

❶, ❷ 광해군의 중립 외교 등에 반대하던 서인은 광해군이 영창 대군을 살해하고 인목 대비를 폐위하자 이를 빌미로 1623년에 **인조반정**을 일으켰어요. 인조반정으로 광해군이 폐위되고 능양군이 즉위하여 인조가 되었습니다.

① 경신환국

➡ 조선 숙종은 집권 붕당을 전격적으로 교체하는 환국을 통해 왕권 강화를 꾀하였어요. 경신환국은 서인의 고발로 허적 등 남인이 중앙 정계에서 대거 쫓겨나고 서인이 집권한 사건이에요.

② 무오사화

➡ 조선 연산군 때 김일손이 스승 김종직이 지은 '조의제문'을 사초에 실은 일이 문제가 되어 무오사화가 일어났어요.

③ 신유박해

➡ 신유박해는 조선 정조가 죽고 순조가 즉위한 직후인 1801년(신유년)에 일어난 천주교 박해 사건이에요. 조선 정부가 천주교를 사교로 규정하고 천주교도를 탄압하여 많은 사람이 처형되었어요.

④ 인조반정

➡ 인조반정으로 집권한 인조와 서인 정권은 명과 가깝게 지내고 (후)금을 배척하는 친명배금 정책을 추진하였는데, 이는 정묘호란의 빌미가 되었어요.

24 조선 후기의 모습

정답 ①

다음 대화가 이루어진 시기에 볼 수 있는 모습으로 적절하지 않은 것은? [2점]

정답 잡는 키워드

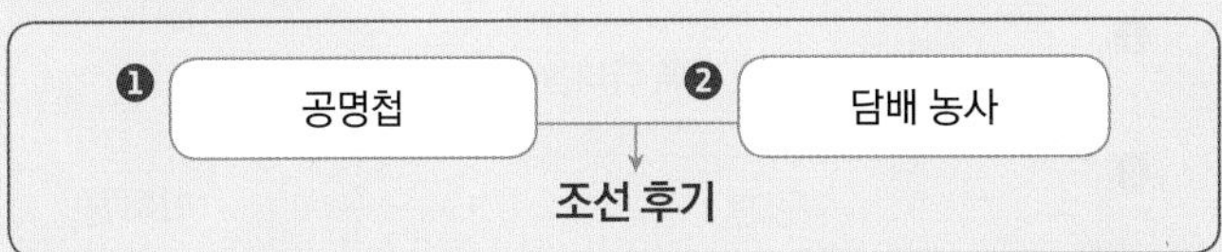

❶ 공명첩은 이름을 적는 곳이 비어 있는 명목상의 관직 임명장이에요. 조선 후기에 왜란과 호란으로 나라 살림이 어려워지자 정부는 부유한 사람들에게 돈이나 곡식을 받고 공명첩을 팔았어요. 이로 인해 양반의 수가 많이 늘어났어요.

❷ 담배는 조선 후기에 전래되어 시장에 내다 팔기 위한 상품 작물로 재배되었어요.

① 녹읍을 지급받는 귀족

➡ 녹읍은 신라에서 관료 귀족에게 녹(봉급)으로 읍(지방 행정 구역)을 지급한 것으로, 해당 토지에서 조세 수취와 노동력 동원이 가능하였어요. 신문왕 때 폐지되었다가 경덕왕 때 부활하여 신라가 멸망할 때까지 지급되었어요.

② 고구마를 재배하는 농민

➡ **조선 후기**에 감자, 고구마 등이 전래되어 구황 작물로 재배되었어요.

③ 관청에 물품을 조달하는 공인

➡ **조선 후기**에 공납을 특산물 대신 쌀, 옷감, 동전 등으로 내게 한 대동법이 실시되면서 관청에 필요한 물품을 조달하는 공인이 등장하였어요.

④ 청과의 무역으로 부를 축적한 만상

➡ **조선 후기**에 의주에 근거지를 두고 활동한 만상은 청과의 무역으로 부를 축적하였어요.

핵심 개념 조선 후기의 경제

구분	내용
농업	• 전국적으로 모내기법(이앙법) 확산 → 광작 유행, 벼와 보리의 이모작 확대 • 인삼, 배추, 담배, 고구마, 감자, 고추 등 상품 작물의 재배 확대
상업	• 대동법 시행 이후 공인 등장, 송상(개성)·내상(동래)·만상(의주)·경강상인(한강 일대) 등 사상이 활발히 활동함 • 전국 곳곳에서 정기 시장인 장시가 열림(대개 5일장) → 보부상의 활동으로 전국의 장시가 연결됨 • 포구가 상업의 중심지로 성장, 객주와 여각(매매 중개, 운송·창고업 등에 종사)이 포구와 큰 장시에서 활동함
화폐	전국적으로 상평통보가 유통됨
수공업	민영 수공업 발달, 선대제 성행, 18세기 후반 독립 수공업자 등장
광업	민영 광산 증가, 상인이 물주가 되어 투자하고 전문 경영인인 덕대가 채굴업자와 노동자를 고용해 경영하는 형태로 운영됨

제61회

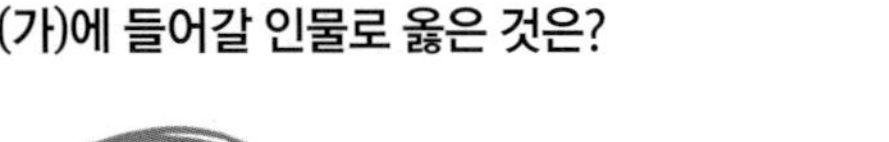

25 박지원의 활동

정답③

(가)에 들어갈 인물로 옳은 것은? [1점]

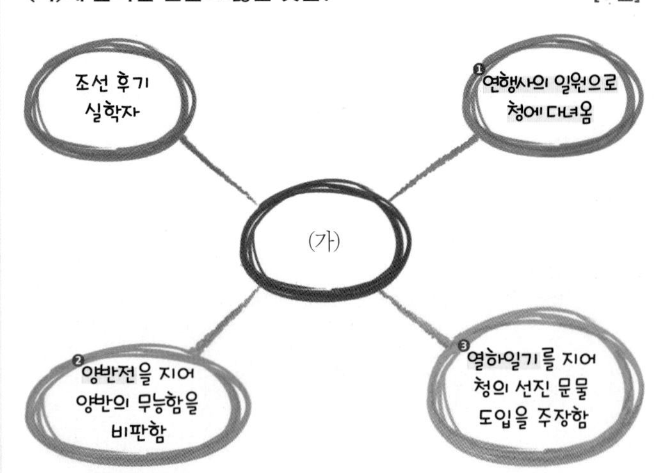

정답 잡는 키워드

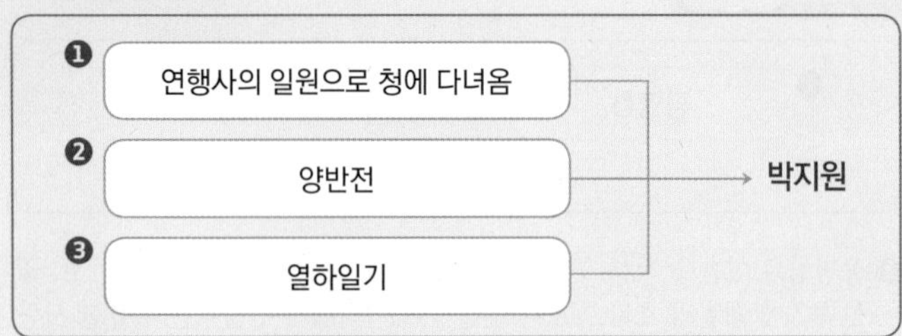

❶, ❸ 박지원은 사절단인 연행사를 따라 청에 다녀온 후 그곳에서 보고 들은 것을 기록하여 "열하일기"를 저술하였어요.
❷ 박지원은 '양반전', '허생전' 등의 한문 소설을 저술하여 양반을 비롯한 당시 집권층의 위선과 무능을 비판하였어요.

①

이이

➡ 이이는 조선 중기의 관리이자 학자로 군주가 수양해야 할 덕목과 지식을 담은 "성학집요", 수취 제도의 개혁 등 다양한 개혁 방안을 제시한 "동호문답" 등을 저술하였어요.

②

김정희

➡ 김정희는 조선 후기의 관리이자 학자로 "금석과안록"에서 북한산비가 신라 진흥왕 순수비임을 고증하였어요. 또 추사체라는 독창적인 서체를 창안하였으며, 그림에도 능하여 세한도 등의 작품을 남겼어요.

③

박지원

➡ 박지원은 조선 후기의 실학자로 "열하일기"에서 수레와 선박의 필요성을 강조하고 화폐의 원활한 유통을 주장하였어요.

④

송시열

➡ 송시열은 조선 후기의 관리이자 학자로 효종과 함께 북벌을 주장하였으며, 숙종 때 서인이 노론과 소론으로 나뉘자 노론을 이끌었어요.

26 세도 정치 시기 삼정의 문란

정답④

다음 자료에 대한 탐구 활동으로 적절한 것은? [2점]

문학으로 만나는 한국사

❶시아버지 죽어 이미 상복 입었고,
갓난아기 배냇물은 아직 마르지도 않았는데,
삼대(三代) 이름은 군적에 모두 올랐네.
달려가서 억울함을 호소해도,
호랑이 같은 문지기가 가로막고,
이정(里正)은 호통치며 외양간 소마저 끌고 가네.

이것은 정약용의 여유당전서에 실린 시의 일부입니다. ❷정약용은 유배 당시에 전해 들은 농민들의 비참함과 원통함을 시로 표현하였습니다.

정답 잡는 키워드

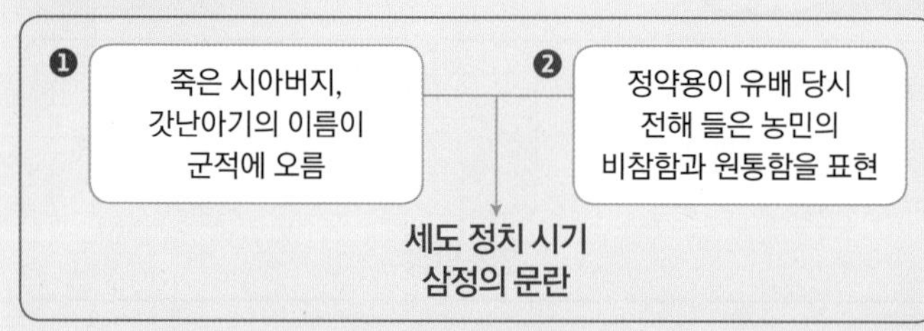

❶, ❷ 정조 사망 이후 나이 어린 순조가 즉위하면서 외척 등 소수 가문이 권력을 장악한 세도 정치가 시작되었어요. 세도 정치 시기에 전정, 군정, 환곡의 삼정이 문란해지면서 백성의 생활이 피폐해졌어요. 군적은 군역을 지는 사람의 신상 정보를 기록한 문서입니다. 조선 시대에 군역은 16~59세까지의 양인 남자가 부담하였는데, 시에 나오는 것처럼 이미 죽은 사람이나 갓난아기까지 군적에 올려 세금을 징수하는 폐단이 빈번하게 일어나 백성의 부담이 가중되었어요. 정약용은 조선 후기의 실학자로 정조가 죽은 이후 유배 생활을 하면서 당시에 세도 정권과 관리들의 부정부패로 인한 농민의 비참한 현실을 시로 표현하였어요.

① 과전법 실시의 배경에 대해 살펴본다.

➡ 과전법은 고려 공양왕 때 토지 제도를 개혁하고 신진 사대부의 경제 기반을 마련하기 위해 제정되어 조선 초기까지 실시되었어요.

② 조선 형평사의 활동 내용을 조사한다.

➡ 백정들은 사회적 차별 철폐를 위해 1923년에 조선 형평사를 조직하고 형평 운동을 전개하였어요.

③ 전민변정도감이 설치되는 과정을 알아본다.

➡ 고려 후기에 권문세족이 불법적으로 소유한 토지와 노비를 조사하여 원래대로 되돌리기 위해 전민변정도감이 운영되었어요.

④ 세도 정치 시기 삼정의 문란에 대해 찾아본다.

➡ **세도 정치 시기**에 전정, 군정, 환곡의 **삼정의 문란**으로 인해 백성의 생활이 피폐해졌어요. 전정은 토지에서 거두어들이는 세금과 관련된 행정, 군정은 직접 군대에 가지 않는 대신에 내는 군포와 관련된 행정, 환곡은 가난한 사람에게 곡식을 빌려주고 약간의 이자를 더해 갚도록 하는 제도입니다. 조선 후기에 관리들의 부정부패와 국가 재정의 부족으로 삼정의 운영이 문란해졌어요.

27 이화 학당 정답 ④

밑줄 그은 '학교'로 옳은 것은? [2점]

할머니, 이 사진은 무엇인가요?

이것은❶ 1886년에 선교사 스크랜턴이 여성의 신학문 교육을 위해 세운 학교 사진이야. 최초의 여의사 박에스더, 3·1 운동으로 순국한 유관순 등이 이 학교에서 공부했지.

정답 잡는 키워드

❶ 1886년에 선교사 스크랜턴이 여성의 신학문 교육을 위해 세운 학교 → 이화 학당

❶ 1886년에 미국 개신교 선교사 스크랜턴은 여성의 신학문 교육을 위해 지금의 서울특별시 중구에 이화 학당을 설립하였어요.

① 배재 학당
➡ 배재 학당은 개신교 선교사 아펜젤러가 세운 사립 학교입니다.

② 오산 학교
➡ 오산 학교는 신민회 회원 이승훈이 민족 교육을 위해 평안북도 정주에 설립한 학교입니다.

③ 육영 공원
➡ 육영 공원은 근대식 관립 교육 기관으로 헐버트와 길모어 등 미국인 교사를 초빙하여 현직 관리와 양반 자제에게 근대 학문을 가르쳤어요.

④ 이화 학당
➡ 우리나라 최초의 여의사 박에스더가 이화 학당 출신이에요. 이 밖에도 이화 학당은 송죽회, 대한 애국 부인회 등에서 독립운동을 한 황애시덕, 3·1 운동 당시 천안 아우내 장터에서 만세 운동을 주도하다 일제에 붙잡혀 순국한 유관순 등 많은 독립운동가를 배출하였어요.

핵심 개념 근대 교육의 발달

1880년대	• 동문학(1883) : 정부가 세운 통역관 양성소, 영어·일어 등 외국어를 가르침 • 원산 학사(1883) : 함경도 덕원·원산의 관민이 세운 우리나라 최초의 근대식 학교, 근대 학문과 외국어를 가르침 • 육영 공원(1886) : 정부가 세운 관립 학교, 헐버트와 길모어 등 미국인 교사를 초빙하여 양반 자제와 관리에게 영어와 근대 학문을 가르침 • 개신교 선교사들이 배재 학당(아펜젤러), 이화 학당(스크랜턴) 등 근대 교육 기관을 세움
1890년대	• 갑오개혁으로 학무아문 설치, 교육 입국 조서 반포 → 각종 근대 학교 법규 제정 • 소학교, 한성 사범 학교, 외국어 학교 등 각종 관립 학교를 설립함
1900년대	• 을사늑약 이후 애국 계몽 운동가들이 학교를 설립하여 교육 구국 운동 전개 → 오산 학교(이승훈, 정주), 대성 학교(안창호, 평양) 등 • 만주 지역에 용정촌, 명동촌 등 한인 집단촌이 형성됨 → 서전서숙(이상설)과 명동 학교(김약연)가 설립되어 민족 교육 실시

28 병인양요 정답 ③

(가) 사건에 대한 설명으로 옳은 것은? [2점]

한국의 문화유산을 지켜 낸 박병선 박사

프랑스 국립 도서관 사서였던 박병선 박사는 (가) 때❶ 프랑스군이 약탈해 간 외규장각 의궤의 소재를 확인하였다.

그는 오랜 노력 끝에 의궤의 목록을 만들어 세상에 공개하였고, 2011년 의궤가 145년 만에 우리 땅으로 돌아오게 하는 데 기여하였다.

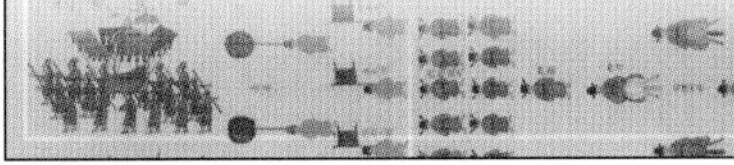

정답 잡는 키워드

❶ 프랑스군이 외규장각 의궤를 약탈해 감 → 병인양요

❶ 1866년에 천주교 선교사와 신자들이 처형된 병인박해를 구실 삼아 같은 해에 프랑스군이 강화도를 침략하여 병인양요가 일어났어요. 이때 프랑스군이 조선군의 저항에 강화도에서 퇴각하면서 외규장각에 보관 중이던 의궤 등 많은 도서를 약탈해 갔어요.

① 청군의 개입으로 진압되었다.
➡ 병인양요는 조선군의 항전으로 프랑스군이 물러나면서 끝이 났어요. 청군의 개입으로 진압된 사건으로 임오군란, 갑신정변 등을 들 수 있어요.

② 제너럴 셔먼호 사건이 배경이 되었다.
➡ 제너럴 셔먼호 사건을 빌미로 미군이 강화도를 침략하여 신미양요가 일어났어요. 제너럴 셔먼호 사건은 미국 상선 제너럴 셔먼호가 평양에서 통상을 요구하며 횡포를 부리다 조선 관민에 의해 불태워진 사건입니다.

③ 양헌수 부대가 정족산성에서 활약하였다.
➡ **병인양요** 당시 양헌수 부대가 정족산성에서, 한성근 부대가 문수산성에서 활약하였어요.

④ 제물포 조약이 체결되는 결과를 가져왔다.
➡ 임오군란 이후 조선 정부는 일본과 제물포 조약을 체결하여 일본 공사관 경비를 위한 일본군의 주둔을 허용하였어요.

기출 선택지 +α

❺ 흥선 대원군 집권기에 일어났다. (O/X)
❻ 삼국 간섭이 일어나는 배경이 되었다. (O/X)
❼ 삼정이정청이 설치되는 결과를 가져왔다. (O/X)

기출 선택지 +α
정답 ⑤ ○ ⑥ ×[청·일 전쟁에서 승리한 일본이 청과 시모노세키 조약을 맺어 랴오둥(요동) 반도를 넘겨받음] ⑦ ×[임술 농민 봉기]

29 개화 정책의 추진과 반발

정답 ③

(가) 시기에 있었던 사실로 옳은 것은? [3점]

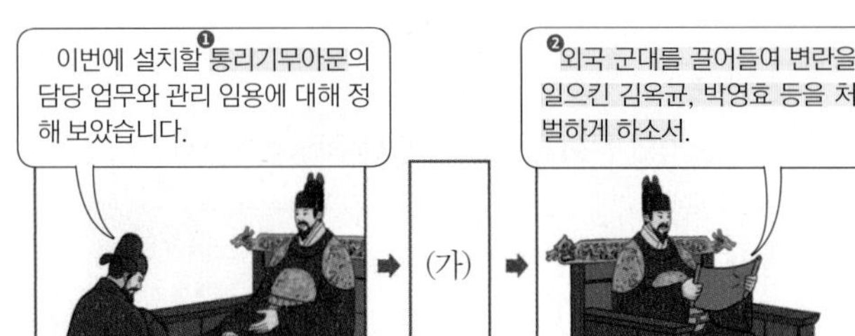

정답 잡는 키워드

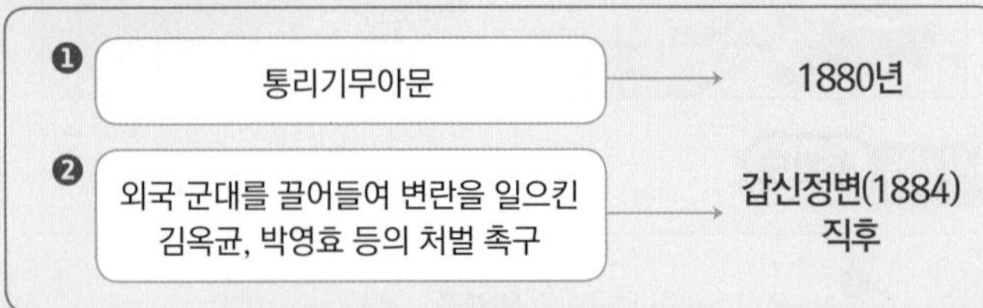

❶ 조선 정부는 1880년에 개화 정책을 추진할 기구로 통리기무아문을 설치하고 그 아래 실무를 담당하는 12사를 두었어요.

❷ 일본의 군사적 지원을 약속받은 김옥균, 박영효 등 급진 개화파는 우정총국 개국 축하연을 기회로 삼아 1884년에 갑신정변을 일으켰어요. 이들은 개화당 정부를 구성하고 개혁 정강을 발표하였으나 청군의 개입으로 3일 만에 실패하였어요. 김옥균, 박영효 등 정변의 주동자들은 대부분 일본으로 망명하였습니다.

① 탕평비가 건립되었다.
➡ 조선 영조 때 탕평의 의지를 널리 알리기 위해 성균관 입구에 탕평비를 세웠어요.

② 간도 협약이 체결되었다.
➡ 1909년에 일본은 청과 간도 협약을 체결하여 간도를 청의 영토로 인정하고 남만주 철도 부설권을 얻었어요.

③ 구식 군인들이 임오군란을 일으켰다.
➡ 1882년에 정부의 개화 정책에 대한 불만과 구식 군인들에 대한 차별 대우로 임오군란이 일어났어요.

④ 어영청을 강화하며 북벌이 추진되었다.
➡ 조선 효종 때 청에 당한 치욕을 갚기 위해 어영청을 강화하며 북벌을 추진하였어요.

기출 선택지 +α

⑤ 조사 시찰단이 파견되었다. (O/X)
⑥ 백두산정계비가 건립되었다. (O/X)
⑦ 우정총국 개국 축하연에서 정변이 일어났다. (O/X)

연표로 흐름잡기

- 1876 강화도 조약 체결로 개항
- 1880 통리기무아문 설치 : 개화 정책 추진
- 1881 조사 시찰단과 영선사 파견, 별기군 창설
- 1882 조·미 수호 통상 조약 체결, **임오군란**, 조·청 상민 수륙 무역 장정 체결
- 1884 갑신정변

기출 선택지 +α 정답 ⑤ ○[1881년] ⑥ ×[조선 숙종, 1712년] ⑦ ○[갑신정변]

30 수신사

정답 ③

(가)에 들어갈 사절단으로 옳은 것은? [2점]

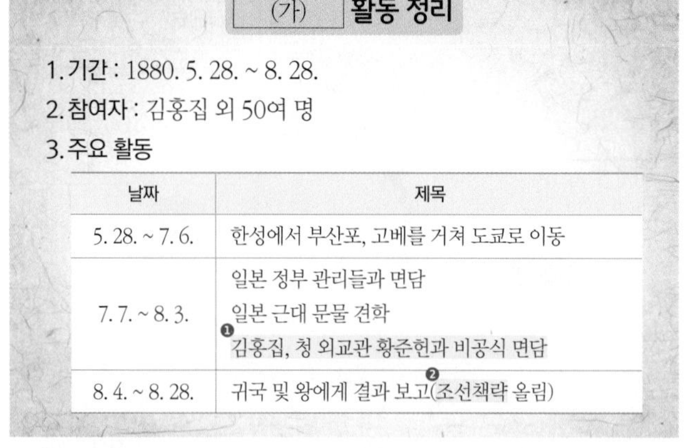

(가) 활동 정리

1. 기간 : 1880. 5. 28. ~ 8. 28.
2. 참여자 : 김홍집 외 50여 명
3. 주요 활동

날짜	제목
5. 28. ~ 7. 6.	한성에서 부산포, 고베를 거쳐 도쿄로 이동
7. 7. ~ 8. 3.	일본 정부 관리들과 면담 일본 근대 문물 견학 ❶김홍집, 청 외교관 황준헌과 비공식 면담
8. 4. ~ 8. 28.	귀국 및 왕에게 결과 보고(❷조선책략 올림)

정답 잡는 키워드

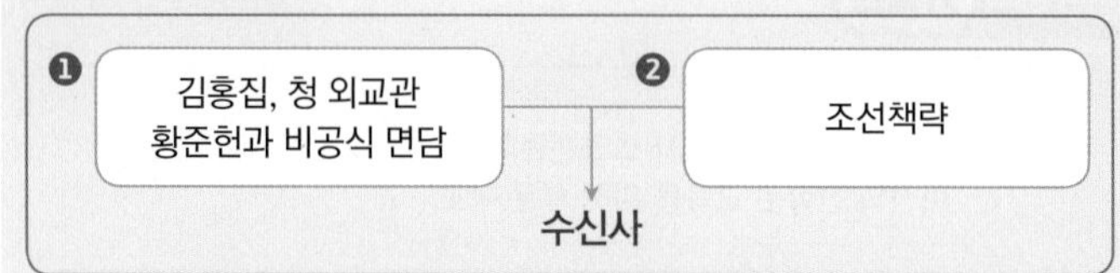

❶, ❷ 조선 정부는 1880년에 김홍집을 제2차 수신사로 임명하여 일본에 파견하였어요. 김홍집은 일본에서 청의 외교관 황준헌과 비공식 면담을 하고, 황준헌이 조선의 외교 정책에 대해 쓴 "조선책략"을 국내에 들여와 고종에게 바쳤어요. 황준헌은 "조선책략"에서 조선이 러시아의 남하를 막기 위해 청, 일본, 미국과 연대해야 한다고 주장하였어요.

① 보빙사
➡ 조·미 수호 통상 조약 체결 이후 조선 정부는 주한 미국 공사 부임에 대한 답방 형식으로 미국에 보빙사를 파견하였어요.

② 성절사
➡ 조선이 중국에 파견한 사절단은 파견 시기와 목적에 따라 동지사, 정조사, 성절사 등으로 불렸어요. 성절사는 중국의 황제나 황후의 생일을 축하하기 위해 보내던 사절을 말합니다.

③ 수신사
➡ 수신사는 강화도 조약 체결 이후 조선 정부가 일본에 공식적으로 보낸 외교 사절을 말해요. 조선 정부는 1876년에 제1차 수신사, 1880년에 제2차 수신사를 파견하였어요.

④ 영선사
➡ 개항 이후 조선 정부는 청에 영선사를 파견하여 근대식 무기 제조 기술과 군사 훈련법을 배워 오게 하였어요.

핵심 개념 개항 이후 사절단과 시찰단의 파견

구분	파견국	활동
수신사	일본	• 제1차 김기수(1876) : 강화도 조약 체결 직후 파견, 일본의 근대 시설 시찰 • 제2차 김홍집(1880) : "조선책략"을 가지고 귀국함
조사 시찰단	일본	1881년 박정양, 어윤중, 홍영식 등의 관료를 비밀리에 일본에 파견함 → 일본 정부의 각 기관과 근대 시설 등을 둘러보고 왕에게 보고서를 올림
영선사	청	1881년 김윤식이 이끄는 유학생과 기술자를 파견하여 근대 무기 제조 기술과 군사 훈련법을 배워 오게 함 → 귀국 후 근대식 무기 제조 공장인 기기창 설립을 주도함
보빙사	미국	조·미 수호 통상 조약 체결 후 미국 공사가 한성에 부임하자 1883년 미국에 답례차 사절단을 파견하여 근대 시설을 살펴보게 함

31 동학 농민 운동

정답 ②

(가) 운동에 대한 설명으로 옳은 것은? [2점]

정답 잡는 키워드

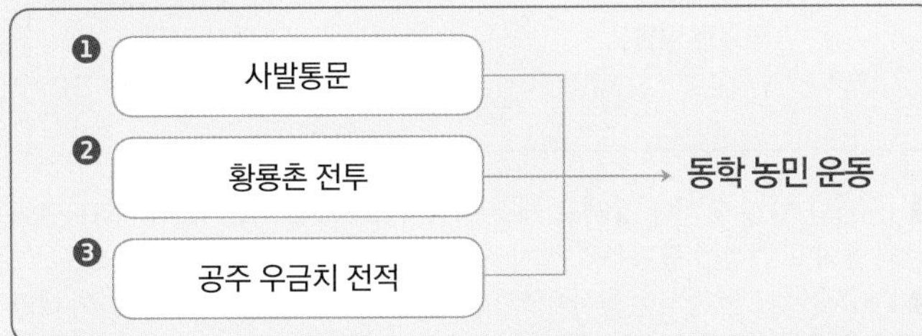

❶, ❷, ❸ 고부 군수 조병갑이 만석보를 짓고 강제로 사용하게 한 후 비싼 사용료를 징수하는 등 횡포를 부리자, 전봉준이 사발통문을 돌려 봉기를 호소하였어요. 사발통문은 주모자가 누군지 드러나지 않도록 사발을 엎어서 그린 원을 중심으로 참가자의 이름을 빙 둘러가며 적은 문서입니다. 전봉준을 중심으로 모인 고부의 농민들은 관아를 점령하였으나 조선 정부의 중재로 스스로 해산하였어요(고부 농민 봉기). 고부 농민 봉기 이후 사태 수습을 위해 파견된 안핵사 이용태가 봉기에 참여하였던 농민들을 탄압하자, 전봉준은 손화중과 함께 농민군을 모아 무장에서 대규모로 봉기하였어요. 백산에서 4대 강령과 격문을 발표한 동학 농민군은 황토현 전투, 황룡촌 전투에서 관군을 물리치고 전주성을 점령하였어요. 전주성 함락에 당황한 조선 정부는 청에 군사 지원을 요청하였고, 청이 군대를 파견하자 일본도 조선 내 일본인을 보호한다는 구실로 군대를 파견하였어요. 외세의 개입을 우려한 동학 농민군은 정부와 전주 화약을 체결한 후 자진 해산하였어요. 그러나 일본군이 경복궁을 점령하자 일본군 타도를 내걸고 다시 봉기하였어요. 동학 농민군의 남접과 북접이 연합하여 한성을 향해 가던 중에 공주 우금치에서 일본군과 관군에 맞서 싸웠으나 패배하였어요. 이후 동학 농민군의 지도자들이 체포되고 동학 농민 운동은 끝이 났습니다.

① 박규수가 안핵사로 파견되었다.
➡ 조선 철종 때 진주에서 백낙신의 수탈에 맞서 유계춘을 중심으로 농민 봉기가 일어나자, 조선 정부는 사태 수습을 위해 박규수를 안핵사로 파견하였어요.

② 전개 과정에서 집강소가 설치되었다.
➡ **동학 농민 운동** 당시 동학 농민군은 조선 정부와 전주 화약을 체결하고 해산한 뒤 전라도 각지에 집강소를 설치하고 폐정 개혁을 추진하였어요.

③ 한성 조약이 체결되는 결과를 가져왔다.
➡ 갑신정변이 진압된 이후 조선 정부는 일본 공사관의 신축 비용 부담, 배상금 지불 등을 규정한 한성 조약을 일본과 체결하였어요.

④ 평안도 지역 차별에 반발하여 일어났다.
➡ 조선 순조 때 평안도 지역에 대한 차별과 가혹한 세금 수탈에 반발하여 홍경래의 난이 일어났어요.

32 관리 등용 제도의 변화

정답 ③

(가)~(라) 제도에 대한 설명으로 옳은 것은? [3점]

> **기록으로 보는 관리 등용 제도**
>
> (가) 처음으로 독서삼품을 정하여 관리를 선발하였다.
>
> (나) 쌍기의 말을 받아들여 과거로 관리를 뽑았으며, 이로부터 학문을 숭상하는 풍조가 비로소 일어났다.
>
> (다) 천거한 사람들을 한곳에 모아 시험을 치르면 많은 인재를 얻을 수 있을 것입니다. 이는 한(漢)에서 시행한 현량과의 뜻을 이은 것입니다.
>
> (라) 군국기무처에서 올린 의안에, …… 과거제의 변통에 대한 재가를 받아 별도로 선거조례(選擧條例)를 정한다.

정답 잡는 키워드

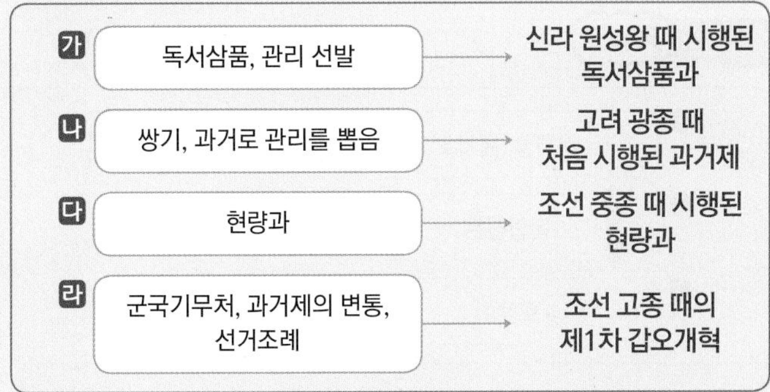

가 신라 원성왕은 유학적 소양을 갖춘 인재를 등용하기 위해 독서삼품과를 시행하였어요. 독서삼품과는 국학의 학생들을 대상으로 유교 경전의 이해 수준을 상, 중, 하의 3품으로 평가하여 관리 선발에 참고한 제도입니다.

나 고려 광종 때 쌍기의 건의를 받아들여 시험을 통해 관리를 뽑는 과거제가 처음 시행되었어요.

다 조선 중종 때 조광조 등 사림 세력의 건의로 현량과가 실시되었어요. 현량과는 학문과 덕행이 뛰어난 사람을 추천을 통해 관리로 선발하는 제도입니다.

라 군국기무처의 주도로 추진된 제1차 갑오개혁 때 과거제가 폐지되고, 중앙 정부의 관리 임용 제도로 선거조례가 새로 만들어졌어요.

① (가) - 문과, 무과, 잡과로 구분하여 선발하였다.
➡ 조선의 과거제는 문관을 선발하는 문과, 무관을 선발하는 무과, 기술관을 선발하는 잡과로 구분되었어요.

② (나) - 신라 원성왕 재위 시기에 시행되었다.
➡ 신라 원성왕 재위 시기에 시행된 관리 등용 제도는 독서삼품과입니다.

③ (다) - 조광조 등 사림 세력이 실시를 주장하였다.
➡ 조선 중종 때 조광조 등 사림 세력의 건의로 **현량과**가 실시되었어요. 현량과의 실시로 사림 세력이 대거 중앙 정계에 진출하였어요.

④ (라) - 광무개혁의 일환으로 단행되었다.
➡ 제1차 갑오개혁의 일환으로 과거제가 폐지되고 선거조례가 마련되었어요. 대한 제국 정부는 광무개혁을 추진하면서 각종 관립 학교를 설립하였어요.

33 독립 협회 정답 ②

(가)에 들어갈 단체로 옳은 것은? [1점]

정답 잡는 키워드

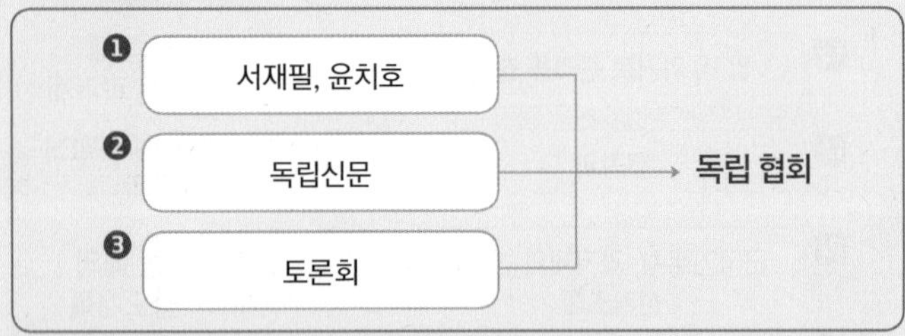

❶, ❷ 서재필은 1896년에 윤치호, 이상재 등 개혁 사상을 가진 지식인 등과 함께 독립신문을 창간하였어요. 이후 이들은 독립문 건립 등을 주도하며 독립 협회를 창립하였어요.

❸ 독립 협회는 민중 계몽을 위해 토론회를 열고, 만민 공동회를 개최하였어요. 만민 공동회는 우리나라 최초로 민중이 참여한 정치 집회였어요.

① 신민회

➡ 신민회는 1907년에 서울에서 비밀리에 조직된 애국 계몽 운동 단체입니다. 1911년에 일제가 조작한 105인 사건으로 조직이 드러나 해체되었어요.

② 독립 협회

➡ 독립 협회는 독립문과 독립관 건립을 주도하였으며, 만민 공동회를 통해 이권 수호 운동을 전개하였어요. 또한 관민 공동회에서 헌의 6조를 결의하고 정부에 건의하기도 하였어요.

③ 대한 자강회

➡ 대한 자강회는 1906년에 서울에서 조직된 애국 계몽 운동 단체입니다. 입헌 군주제를 주장하였으며, 1907년에 고종 황제 강제 퇴위 반대 운동을 벌이다가 통감부의 탄압을 받아 해산되었어요.

④ 조선어 학회

➡ 조선어 학회는 조선어 연구회를 계승하였으며, 한글 맞춤법 통일안과 표준어를 제정하였어요. 또 "우리말(조선말) 큰사전"의 편찬을 추진하였으나 조선어 학회 사건으로 회원들이 검거되어 사전 편찬이 중단되었어요.

34 을사늑약 정답 ④

밑줄 그은 '이 조약'에 대한 설명으로 옳은 것은? [2점]

정답 잡는 키워드

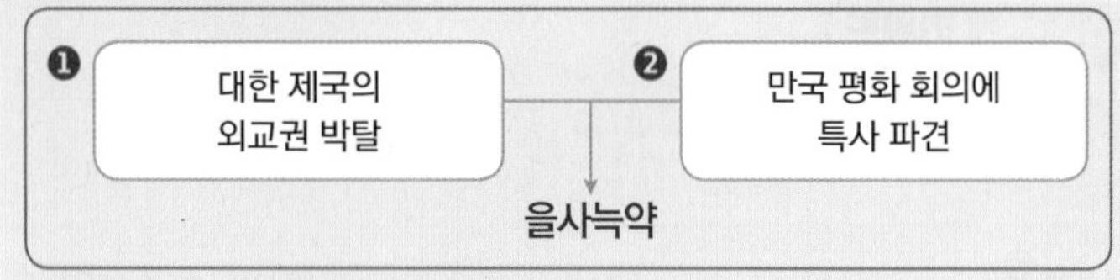

❶ 1905년 일제에 의해 강제로 체결된 을사늑약으로 대한 제국의 외교권이 박탈되고 한성에 통감부가 설치되었어요.

❷ 1907년에 고종 황제는 을사늑약의 부당함을 국제 사회에 알리기 위해 네덜란드 헤이그에서 열린 만국 평화 회의에 이상설, 이위종, 이준을 특사로 파견하였어요.

① 청·일 전쟁의 배경이 되었다.

➡ 갑신정변 이후 청과 일본은 톈진 조약을 체결하여 조선에서 군대를 동시에 철수하고, 앞으로 조선에 파병할 때 상대국에 미리 알릴 것을 약속하였어요. 동학 농민 운동 당시에 조선 정부가 청에 지원을 요청하자 청은 톈진 조약에 따라 이를 일본에 알리고 조선에 군대를 보냈어요. 일본도 조선 내 일본인 보호를 구실 삼아 파병하였어요. 이후 청·일 양국의 군대가 조선의 지배권을 둘러싸고 전쟁을 벌였는데, 이를 청·일 전쟁이라고 합니다.

② 최혜국 대우의 조항이 들어 있다.

➡ 을사늑약에는 최혜국 대우 조항이 들어 있지 않아요. 최혜국 대우 조항은 한 나라가 외국에 부여하고 있는 가장 유리한 대우를 조약 상대국에도 부여하는 것으로, 1882년에 체결된 조·미 수호 통상 조약에서 처음으로 규정되었어요.

③ 운요호 사건을 계기로 체결되었다.

➡ 운요호 사건을 계기로 1876년에 강화도 조약이 체결되었어요.

④ 통감부가 설치되는 결과를 가져왔다.

➡ **을사늑약**의 체결로 통감부가 설치되고 이토 히로부미가 초대 통감으로 임명되었어요. 이토 히로부미는 외교뿐만 아니라 내정 전반을 간섭하였어요.

35 대한 제국의 정책

정답 ①

(가) 시기에 시행된 정책으로 옳은 것은? [2점]

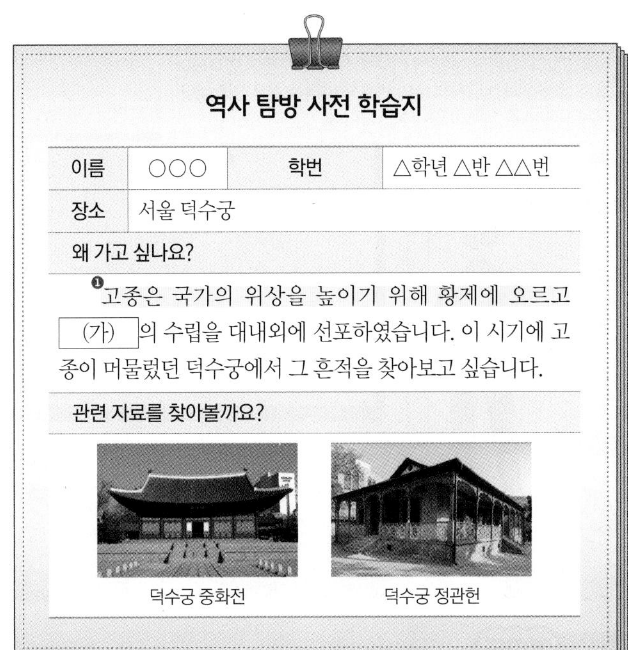
역사 탐방 사전 학습지

이름	○○○	학번	△학년 △반 △△번
장소	서울 덕수궁		

왜 가고 싶나요?

❶고종은 국가의 위상을 높이기 위해 황제에 오르고 (가) 의 수립을 대내외에 선포하였습니다. 이 시기에 고종이 머물렀던 덕수궁에서 그 흔적을 찾아보고 싶습니다.

관련 자료를 찾아볼까요?

덕수궁 중화전 / 덕수궁 정관헌

정답 잡는 키워드

❶ 고종이 황제에 오름 → 대한 제국

❶ 고종은 을미사변 이후 신변에 위협을 느껴 러시아 공사관에 피신하였다가 1년여 만인 1897년에 지금의 덕수궁인 경운궁으로 환궁하였어요. 이후 고종은 환구단에서 황제 즉위식을 올리고 대한 제국의 수립을 선포하였어요. 대한 제국 정부는 옛것을 근본으로 하여 새것을 참조한다는 구본신참을 원칙으로 광무개혁을 추진하였어요. 1899년에 대한국 국제를 반포하여 황제에게 무한한 권한이 있음을 규정하고 원수부를 설치하여 황제가 군대를 통솔하게 하였어요.

① 지계가 발급되었다.
➡ **대한 제국** 정부는 광무개혁을 추진하면서 양전 사업을 실시하고 근대적 토지 소유 증명서인 지계를 발급하였어요.

② 척화비가 건립되었다.
➡ 흥선 대원군 집권 시기에 병인양요와 신미양요를 겪은 후 서양 세력과의 통상 수교 거부 의지를 널리 알리기 위해 전국에 척화비를 건립하였어요.

③ 홍범 14조가 반포되었다.
➡ 대한 제국 수립 이전 제2차 갑오개혁 추진 과정에서 조선 고종이 홍범 14조를 반포하였어요.

④ 치안 유지법이 제정되었다.
➡ 일제는 1925년에 천황제를 유지하고 사회주의 운동이 확산되는 것을 막기 위해 치안 유지법을 제정하고, 이 법을 통해 독립운동가와 사회주의자를 탄압하였어요.

기출 선택지 +α

❺ 과거제를 폐지하였다. (O/X)
❻ 원수부를 설치하였다. (O/X)
❼ 단발령을 시행하였다. (O/X)
❽ 대한국 국제를 제정하였다. (O/X)

기출 선택지 +α 정답 ⑤ ×[제1차 갑오개혁, 1894년] ⑥ ○ ⑦ ×[을미개혁, 1895년] ⑧ ○

36 13도 창의군의 활동

정답 ①

밑줄 그은 '이 부대'에 대한 설명으로 옳은 것은? [2점]

○○에게
이보게, 나는 마침내 의병에 합류하였네.
❶황제 폐하께서 강제로 그 자리에서 내려오셔야 했던 사건은 여전히 울분을 참을 수 없게 만드네. 일제가 끝내 우리 군대를 강제로 해산시키는 과정에서 동료들의 죽음을 보며 가만히 있을 수 없었네. 나는 ❷13도의 의병이 모여 조직되고 이인영 총대장이 지휘하는 이 부대에 가담하여 끝까지 나라를 지키려고 하네.
자네도 우리와 뜻을 같이하면 좋겠네.
옛 동료가

정답 잡는 키워드

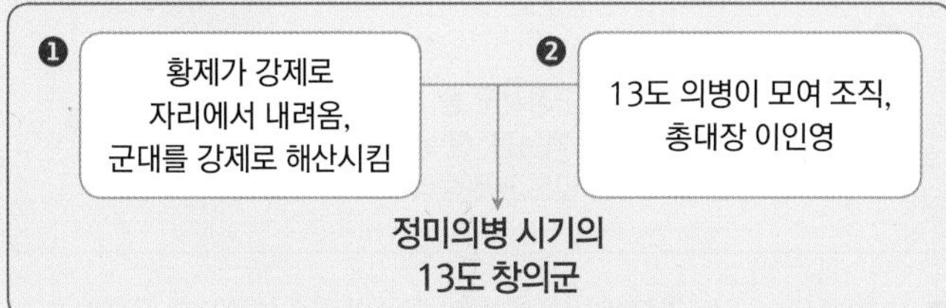
❶ 황제가 강제로 자리에서 내려옴, 군대를 강제로 해산시킴
❷ 13도 의병이 모여 조직, 총대장 이인영
→ 정미의병 시기의 13도 창의군

❶, ❷ 1907년에 일제는 네덜란드 헤이그에서 열린 만국 평화 회의에 특사를 파견한 사건을 구실 삼아 고종 황제를 강제로 퇴위시키고 순종을 즉위시켰어요. 이어 한·일 신협약(정미7조약)과 부속 각서를 강제로 체결하고 이에 따라 대한 제국의 군대를 해산하였습니다. 이에 반발하여 전국 각지에서 정미의병이 일어났으며, 각지의 해산 군인이 의병에 합류하여 전투력이 강화되었어요. 의병 활동이 전국으로 확대·발전되면서 유생 의병장을 중심으로 전국의 의병이 모여 이인영을 총대장으로 하는 13도 창의군을 결성하였습니다. 이들은 각국 영사관에 격문을 보내 의병을 국제법상의 교전 단체로 인정해 줄 것을 요구하였어요.

① 서울 진공 작전을 전개하였다.
➡ **13도 창의군**은 서울 진공 작전을 전개하였으나 군사력이 우세한 일본군에 가로막혀 실패하였어요.

② 일제의 탄압을 피해 자유시로 이동하였다.
➡ 간도 참변 이후 만주 지역의 독립군 부대들은 러시아의 지원 약속을 믿고 자유시로 이동하였으나 자유시 참변으로 큰 피해를 입었어요.

③ 어재연의 지휘 아래 광성보에서 활약하였다.
➡ 신미양요 당시 어재연이 이끄는 조선군이 광성보에서 미군에 항전하였어요.

④ 황푸 군관 학교에서 군사 훈련을 실시하였다.
➡ 의열단의 일부 단원이 황푸 군관 학교에 입학하여 군사 훈련을 받았어요.

기출 선택지 +α

❺ 독립 공채를 발행하였다. (O/X)
❻ 을미사변에 반발하여 일어났다. (O/X)
❼ 정부에 헌의 6조를 건의하였다. (O/X)
❽ 국제법상의 교전 단체로 인정해 줄 것을 요구하였다. (O/X)

기출 선택지 +α 정답 ⑤ ×[대한민국 임시 정부] ⑥ ×[을미의병] ⑦ ×[독립 협회] ⑧ ○

킬러 문항

37 청산리 전투

정답 ③

밑줄 그은 '전투'로 옳은 것은? [1점]

정답 잡는 키워드

❶ 1920년, 김좌진의 북로 군정서군 등 독립군 연합 부대가 백운평, 천수평, 어랑촌 일대에서 일본군에 승리 → 청산리 전투

❶ 1920년에 봉오동 전투에서 패배한 일제는 만주에 대규모의 군대를 파견하여 독립군을 토벌하고자 하였어요. 김좌진의 북로 군정서, 홍범도의 대한 독립군 등 독립군 연합 부대는 청산리 일대의 백운평, 천수평, 어랑촌 등지에서 일본군과 싸워 크게 승리하였어요. 이를 청산리 전투라고 합니다.

① 백강 전투
➡ 나·당 연합군의 공격으로 백제가 멸망한 뒤 백제 부흥 운동이 일어났으며, 백제와 긴밀한 관계를 맺고 있던 왜가 군대를 보내 이를 지원하였어요. 백제 부흥군과 왜의 지원군은 663년에 백강에서 나·당 연합군에 맞서 싸웠으나 패배하였어요.

② 진주성 전투
➡ 임진왜란 당시 1592년에 진주성에서 김시민의 지휘 아래 관군과 백성이 힘을 합쳐 일본군을 격퇴하였어요.

③ 청산리 전투
➡ 1920년에 독립군 연합 부대가 청산리 일대에서 일본군을 크게 물리쳤어요.

④ 대전자령 전투
➡ 일제가 만주 사변(1931)을 일으키자 만주의 독립군 부대와 중국 항일군이 연합하여 항일 무장 투쟁을 전개하였어요. 지청천이 이끄는 한국 독립군은 1933년에 중국 호로군과 연합하여 대전자령에서 일본군을 격퇴하였어요.

핵심 개념 봉오동 전투와 청산리 전투

구분	내용
봉오동 전투 (1920. 6.)	만주의 독립군이 국경 부근의 국내에 진입하여 일본군과 경찰서를 공격하여 전과를 올림 → 일제가 독립군의 근거지를 파괴하기 위해 봉오동 지역 습격 → 홍범도가 이끄는 대한 독립군 등 독립군 연합 부대가 봉오동에서 일본군 격파
청산리 전투 (1920. 10.)	봉오동 전투에서 패배한 일제가 독립군 토벌을 위해 만주 지역에 대규모 군대 파견 → 김좌진의 북로 군정서, 홍범도의 대한 독립군 등 독립군 연합 부대가 청산리 일대에서 대승을 거둠

38 이육사의 활동

정답 ③

(가)에 해당하는 인물로 옳은 것은? [2점]

정답 잡는 키워드

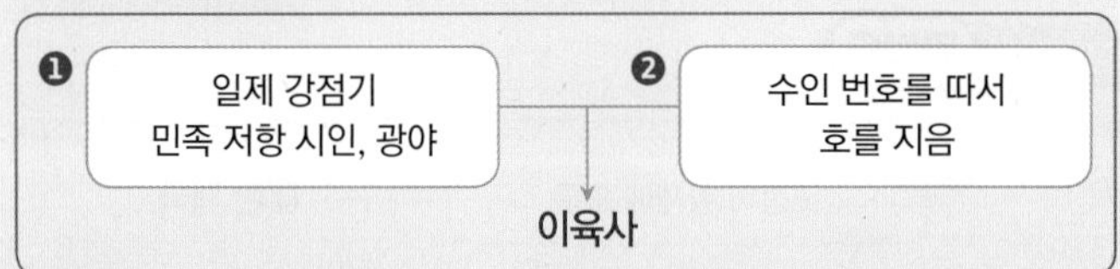

❶ 이육사는 일제 강점기 대표적인 민족 저항 시인으로 '광야', '청포도' 등의 시를 남겼어요.
❷ 이육사의 본명은 이원록이었는데, 조선 은행 대구 지점 폭파 사건에 연루되어 수감 생활을 하던 당시의 수인 번호 264번을 따서 육사라고 호를 지었어요.

①

심훈

➡ 심훈은 브나로드 운동을 소재로 한 소설 "상록수"를 지었으며, 저항시 '그날이 오면'을 남겼어요.

②

윤동주

➡ 윤동주는 '서시', '별 헤는 밤', '자화상' 등 일제에 의해 억압받는 민족의 현실을 표현한 시를 남겼으며, 일본 유학 중 독립운동 혐의로 수감되어 옥사하였어요.

③

이육사

➡ 이육사는 의열단에 가입하고 조선 혁명 간부 학교에 입학하는 등 적극적으로 독립운동을 전개하였어요.

④

한용운

➡ 만해 한용운은 3·1 운동 당시 민족 대표 33인으로 참여한 독립운동가이자 시인으로 시집 "님의 침묵" 등을 남겼어요.

39 산미 증식 계획

정답 ③

밑줄 그은 '이 정책'으로 옳은 것은? [2점]

정답 잡는 키워드

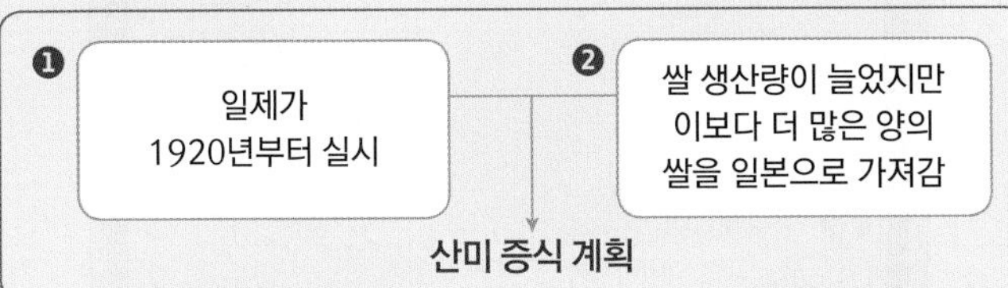

❶, ❷ 일제는 급격한 공업화와 농촌의 황폐화로 자국의 식량 사정이 악화하자 식량 부족 문제를 해결하기 위해 1920년부터 한국에서 산미 증식 계획을 실시하였어요. 수리 시설 개선, 품종 개량, 개간 등을 통해 쌀 생산량이 늘었지만 증가한 생산량보다 더 많은 양의 쌀을 일본으로 가져가 한국의 식량 사정은 더욱 나빠졌어요.

① 방곡령

➡ 조·일 통상 장정에 조선 정부가 자연재해 등으로 식량이 부족할 때 곡물 유출을 막기 위해 방곡령을 선포할 수 있으며, 1개월 전에 지방관이 일본 영사관에 이를 통보하도록 규정하였어요. 이를 근거로 황해도와 함경도의 지방관이 방곡령을 내렸으나 일본은 1개월 전 통보 규정을 어겼다며 방곡령 철회와 배상금을 요구하였어요.

② 신해통공

➡ 조선 후기에 정조는 신해통공을 실시하여 육의전을 제외한 시전 상인의 금난전권을 철폐하였어요. 금난전권은 허가받지 않고 상업 활동을 하는 난전을 단속할 수 있는 권리입니다.

③ 산미 증식 계획

➡ 산미 증식 계획으로 한국의 식량 사정이 더욱 나빠지자 일제는 만주에서 조, 수수 등 잡곡을 수입해 이를 보충하였어요.

④ 토지 조사 사업

➡ 일제는 1910년대 토지 조사 사업을 실시하여 식민 지배에 필요한 재정을 확보하고 토지를 수탈하였어요.

핵심 개념	산미 증식 계획
목적	제1차 세계 대전 이후 일본에서 쌀 부족 문제 발생, 쌀값 폭등 → 부족한 쌀을 한국에서 확보할 목적으로 실시
전개	수리 시설 개선, 품종 개량, 개간, 경지 정리 등의 사업 실시로 쌀 생산량 증가
결과	증가한 생산량보다 더 많은 양의 쌀이 일본으로 유출됨, 수리 조합비와 비료 대금 등이 농민에게 떠넘겨짐 → 국내 농촌 경제와 식량 사정 악화, 만주로부터 잡곡 수입 증가

40 1940년대 일제 식민 지배 정책

정답 ①

다음 다큐멘터리에서 볼 수 있는 장면으로 적절하지 않은 것은? [3점]

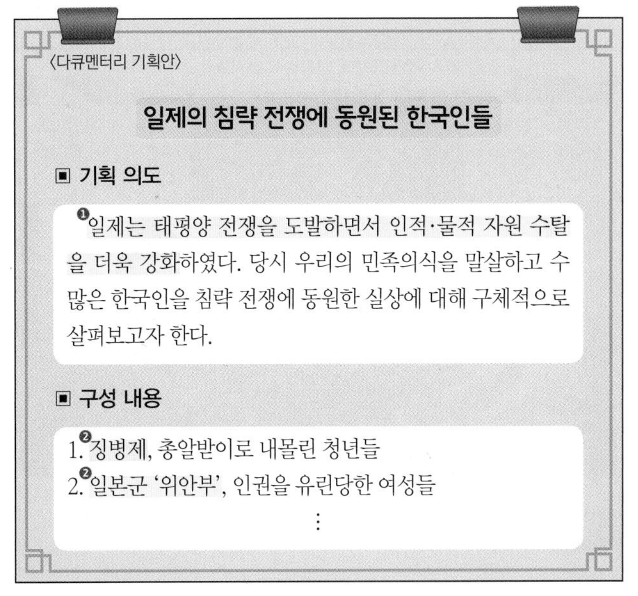
〈다큐멘터리 기획안〉

일제의 침략 전쟁에 동원된 한국인들

■ 기획 의도

❶일제는 태평양 전쟁을 도발하면서 인적·물적 자원 수탈을 더욱 강화하였다. 당시 우리의 민족의식을 말살하고 수많은 한국인을 침략 전쟁에 동원한 실상에 대해 구체적으로 살펴보고자 한다.

■ 구성 내용

1. ❷징병제, 총알받이로 내몰린 청년들
2. ❷일본군 '위안부', 인권을 유린당한 여성들

⋮

정답 잡는 키워드

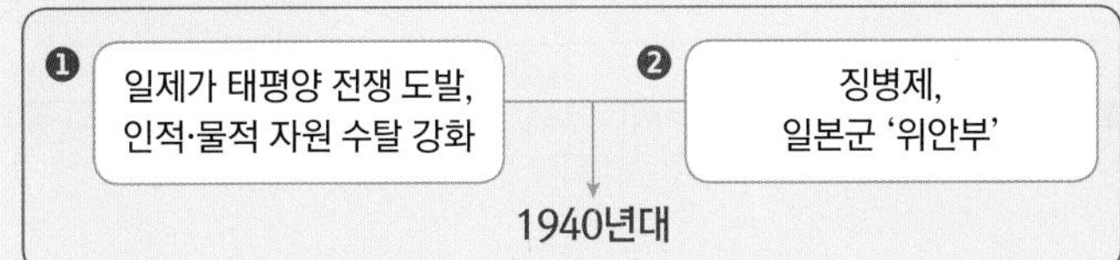

❶ 일제는 1930년대 후반 이후 침략 전쟁을 확대하면서 한국에서 전쟁에 필요한 자원을 본격적으로 동원하였어요. 1941년에 하와이 진주만의 미국 함대를 공격하여 태평양 전쟁을 도발하면서 인적·물적 자원의 수탈을 더욱 강화하였어요.

❷ 일제는 1944년부터 징병제를 실시하여 한국의 청년들을 강제로 전쟁터에 끌고 갔어요. 또한, 여자 정신 근로령 등을 제정하여 여성을 군수 공장 등에 강제로 동원하였어요. 여성 가운데 일부는 일본군 '위안부'로 끌려가기도 하였어요.

① 태형을 집행하는 헌병 경찰

➡ 1910년대 일제는 헌병 경찰 제도를 실시하였으며 조선 태형령을 제정하여 한국인에게만 태형을 적용하였어요. 3·1 운동(1919) 이후 일제가 '문화 통치'를 내세우면서 헌병 경찰 제도는 보통 경찰 제도로 바뀌고 조선 태형령도 폐지되었어요.

② 강제 징용으로 끌려가는 청년

➡ 일제는 1939년에 국민 징용령을 공포하여 한국 청년들을 강제로 동원해 노동력을 수탈하였어요. **1940년대**에는 트럭을 몰고 농촌에 가서 일하고 있는 사람을 강제로 끌고 가기도 하였어요.

③ 공출로 가마솥을 빼앗기는 농민

➡ 일제는 1939년부터 공출 제도를 실시하여 **1940년대**에는 식량과 전쟁 물자를 강제로 빼앗아 갔어요. 일제는 쌀뿐만 아니라 금속 제품이면 놋그릇, 숟가락, 가마솥 등의 일상생활 용품까지 강탈해 갔어요.

④ 황국 신민 서사를 암송하는 학생

➡ 일제는 **1930년대 후반 이후** 우리 민족을 전쟁에 쉽게 동원하기 위해 민족의식을 말살하는 정책을 강화하였어요. 그 일환으로 일왕에게 충성을 맹세하는 황국 신민 서사의 암송을 강요하였어요.

제61회

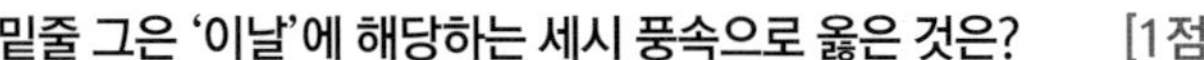

41 단오

정답 ①

밑줄 그은 '이날'에 해당하는 세시 풍속으로 옳은 것은? [1점]

정답 잡는 키워드

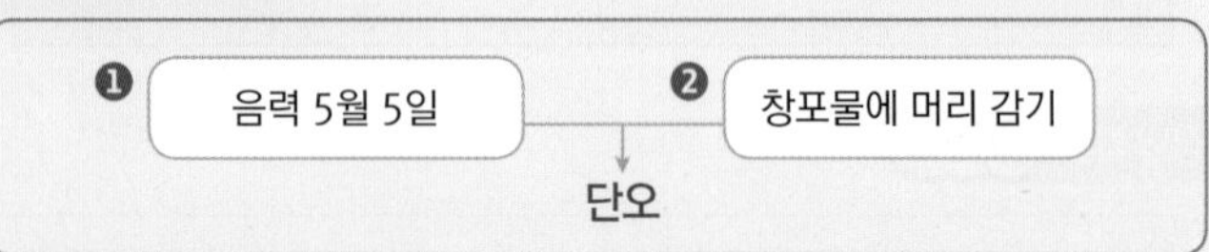

❶, ❷ 단오는 음력 5월 5일로, 이날에는 창포물에 머리 감기, 씨름 등의 풍속이 있었어요. 또 쑥떡이나 수리취떡 등을 만들어 먹었습니다.

① 단오
➡ 단오는 수릿날 또는 천중절이라고도 해요. 이날에는 창포물에 머리 감기, 씨름, 그네뛰기 등을 하였어요.

② 동지
➡ 동지는 일 년 중에 밤이 가장 길고 낮이 가장 짧은 날이에요. 이날에는 팥죽과 동치미 등을 먹었는데, 팥의 붉은색이 잡귀를 물리친다고 여겨서 집 안 곳곳에 팥죽을 놓아두기도 하였어요.

③ 추석
➡ 추석은 음력 8월 15일로, 한가위 또는 중추절이라고도 해요. 추석에는 수확에 감사하며 햇과일과 햇곡식으로 차례를 지내고 성묘를 하였어요.

④ 한식
➡ 한식은 동지에서 105일째 되는 날로, 이날에는 성묘를 하였으며 불을 사용하지 않고 찬 음식을 먹는 풍속이 있었어요.

42 윤봉길의 활동

정답 ②

(가)에 들어갈 인물로 옳은 것은? [1점]

정답 잡는 키워드

❶ 한인 애국단 소속으로 훙커우 공원에서 의거를 일으킴 → 윤봉길

❶ 한인 애국단 소속의 윤봉길은 1932년에 중국 상하이 훙커우 공원에서 열린 일본군 전승 기념식장에 폭탄을 투척하여 일본군 장성과 고위 관리를 처단하였어요. 매헌은 윤봉길의 호입니다.

① 나석주
➡ 나석주는 의열단원으로 1926년에 조선 식산 은행과 동양 척식 주식회사에 폭탄을 던지는 의거를 일으켰어요.

② 윤봉길
➡ 윤봉길의 의거 이후 중국 국민당 정부가 대한민국 임시 정부를 적극 지원하게 되었어요.

③ 이봉창
➡ 이봉창은 한인 애국단원으로 1932년에 일본 도쿄에서 일왕이 탄 마차에 폭탄을 투척하였어요.

④ 이회영
➡ 이회영과 그의 형제들은 국권 피탈 직후 집안의 재산을 정리하고 서간도(남만주) 삼원보로 이주하여 독립운동 기지 건설을 위해 노력하였어요.

43 한국 광복군 정답 ③

(가) 군대에 대한 설명으로 옳은 것은? [2점]

뮤지컬로 역사를 만나다

작전명 독수리

"오늘 이 시간부터 아메리카 합중국과 대한민국 임시 정부의 비밀공작이 시작되었다."

❶대한민국 임시 정부의 (가) 와/과 ❷미국의 전략 정보국(OSS)이 합작한 국내 진공 작전, 일명 '독수리 작전'에 대한 이야기를 뮤지컬로 보여 드립니다.

■ 일시 : 2022년 ○○월 ○○일 오후 7시
■ 장소 : △△ 문화 회관 ◇◇홀

정답 잡는 키워드

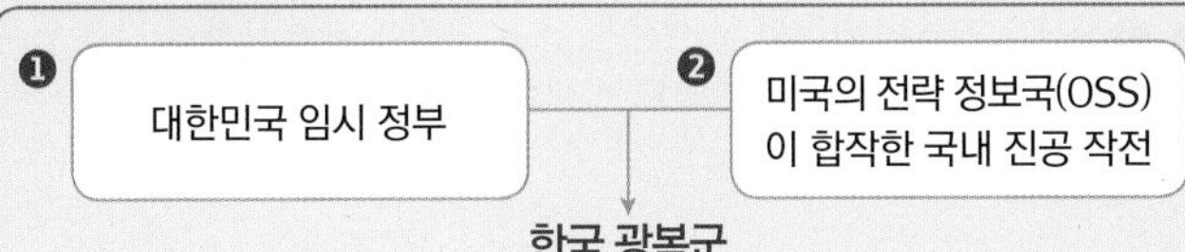

❶, ❷ 한국 광복군은 대한민국 임시 정부의 정규군으로, 미국 전략 정보국(OSS)과 합작하여 국내 진공 작전을 계획하였으나 일본의 패망으로 작전을 실행하지는 못하였어요.

① 고종의 밀지를 받아 조직되었다.
➡ 의병장이었던 임병찬은 고종의 밀지를 받아 1912년에 독립 의군부를 조직하였어요.

② 조선 혁명 선언을 활동 지침으로 삼았다.
➡ 의열단은 신채호가 작성한 '조선 혁명 선언'을 활동 지침으로 삼았어요.

③ 지청천을 총사령관으로 하여 창설되었다.
➡ **한국 광복군**은 1940년에 중국 충칭에서 지청천을 총사령관으로 하여 창설되었어요.

④ 영릉가 전투에서 한·중 연합 작전을 전개하였다.
➡ 조선 혁명군은 1932년에 중국 의용군과 영릉가 전투에서 한·중 연합 작전을 전개하여 일본군을 격퇴하였어요.

기출 선택지 +α

⑤ 봉오동 전투에서 일본군을 격퇴하였다. (O/X)
⑥ 인도·미얀마 전선에 대원을 투입하였다. (O/X)
⑦ 홍경성 전투에서 중국 의용군과 연합 작전을 펼쳤다. (O/X)

기출 선택지 +α 정답 ⑤ ×[대한 독립군 등 독립군 연합 부대] ⑥ ○ ⑦ ×[조선 혁명군]

44 대한민국 정부 수립 과정 정답 ②

다음 사진전에 전시될 사진으로 적절하지 않은 것은? [2점]

사진으로 보는

대한민국 정부 수립 과정

우리 학교 역사 동아리에서는 광복 이후 정부 수립에 이르기까지 격동의 역사를 주제로 사진전을 기획하였습니다.

관심 있는 학생들의 많은 관람 바랍니다.

■ 기간 : 2022년 ○○월 ○○일~○○월 ○○일
■ 장소 : △△ 역사 동아리실

✪ 1945년 8·15 광복 이후 모스크바 3국 외상 회의가 열려 한반도에 민주적인 임시 정부를 수립할 것과 이를 지원할 미·소 공동 위원회의 설치, 정부가 수립되기 전 미국, 영국, 소련, 중국에 의한 최대 5년간의 신탁 통치 협약 작성 등이 결정되었어요. 신탁 통치 소식이 국내에 전해지자 이를 둘러싸고 좌익과 우익의 대립이 격화되었습니다. 이러한 상황에서 미국과 소련의 의견 대립으로 1946년에 열린 제1차 미·소 공동 위원회가 무기한 휴회되자 이승만이 남한만의 단독 정부 수립을 주장하였어요('정읍 발언'). 이에 여운형과 김규식 등 중도 세력은 통일 정부 수립을 위해 좌우 합작 운동을 전개하였으나 성과를 거두지 못하였어요. 1947년에 열린 제2차 미·소 공동 위원회도 결렬되자 한반도 문제는 유엔으로 넘어갔어요. 유엔에서는 인구 비례에 의한 남북한 총선거를 실시하여 한반도에 정부를 수립하자고 결의하였으나, 소련은 총선거를 감독할 유엔 한국 임시 위원단의 입북을 거부하였어요. 유엔은 소총회를 열어 선거가 가능한 지역에서의 총선거 실시를 결의하였어요. 남한만의 단독 정부가 수립되어 남북이 분단될 위기에 처하자 김구와 김규식 등이 남북 협상을 추진하였으나 결실을 맺지 못하였어요. 이후 1948년 5월 10일 5·10 총선거가 시행되었고, 같은 해 8월 15일 대한민국 정부 수립이 선포되었습니다.

①

5·10 총선거 실시

➡ **1948년 5월 10일**에 헌법을 제정할 국회 의원을 선출하기 위한 총선거가 실시되었어요.

②

6·10 만세 운동 전개

➡ 1926년 순종의 인산일에 6·10 만세 운동이 전개되었어요.

③

좌우 합작 위원회 활동

➡ **1946년**에 중도 세력인 여운형과 김규식을 중심으로 좌우 합작 위원회가 조직되어 통일 정부 수립을 위한 좌우 합작 운동을 전개하였어요.

④

제1차 미·소 공동 위원회 개최

➡ **1946년**에 덕수궁 석조전에서 제1차 미·소 공동 위원회가 개최되었으나 미국과 소련의 의견 대립으로 무기한 휴회되었어요.

45 5·18 민주화 운동

정답 ④

(가)에 들어갈 민주화 운동으로 옳은 것은? [1점]

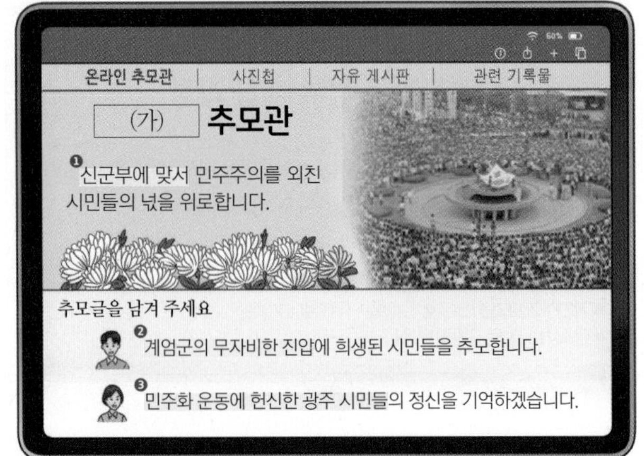

정답 잡는 키워드

❶ 신군부에 맞섬
❷ 계엄군의 무자비한 진압
❸ 광주 시민들
→ 5·18 민주화 운동

❶, ❷, ❸ 1980년에 신군부의 불법적인 정권 탈취와 비상계엄 확대에 저항하여 광주에서 5·18 민주화 운동이 일어났어요. 신군부는 공수 부대를 계엄군으로 동원하여 폭력적으로 시위를 진압하였고 이 과정에서 많은 시민들이 희생되었어요.

① 4·19 혁명
➡ 1960년에 이승만 정부와 자유당이 저지른 3·15 부정 선거가 원인이 되어 4·19 혁명이 일어났어요.

② 6월 민주 항쟁
➡ 1987년에 전두환 정부의 강압 통치와 국민의 대통령 직선제 개헌 요구를 묵살한 4·13 호헌 조치에 맞서 6월 민주 항쟁이 전개되었어요.

③ 부·마 민주 항쟁
➡ 1979년에 야당인 신민당 총재 김영삼이 국회 의원직에서 제명된 사건을 계기로, 부산과 마산에서 박정희 정부의 유신 체제 철폐와 독재 반대를 외치며 부·마 민주 항쟁이 전개되었어요.

④ 5·18 민주화 운동
➡ 5·18 민주화 운동의 진상 규명을 위한 특별법이 제정되었으며, 5·18 민주화 운동 관련 기록물은 유네스코 세계 기록 유산으로 등재되었어요.

46 노태우 정부 시기의 통일 노력

정답 ①

다음 자료에 나타난 정부 시기의 통일 노력으로 옳은 것은? [3점]

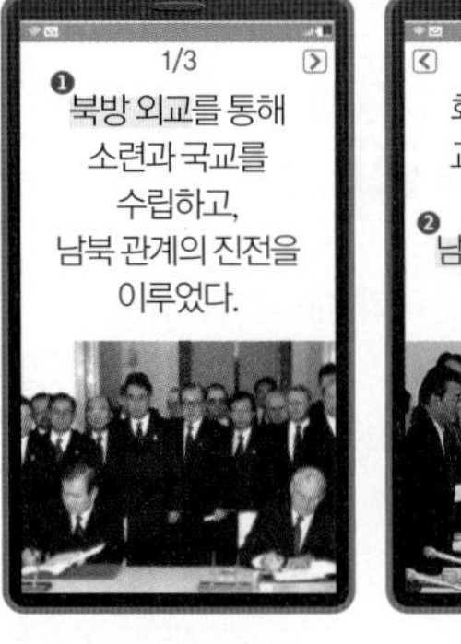

정답 잡는 키워드

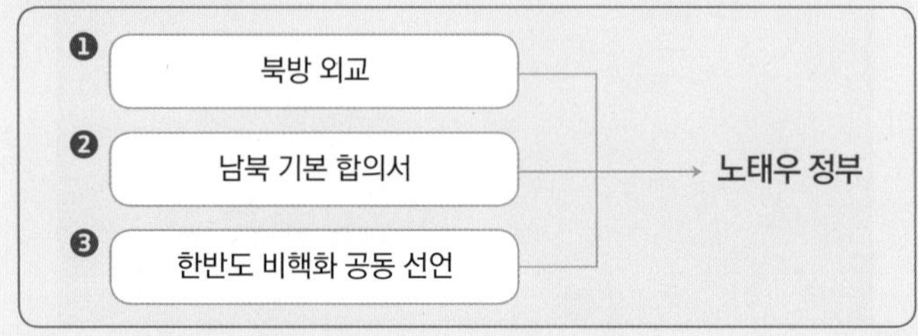

❶ 노태우 정부는 북방 외교를 통해 소련과 중국, 동유럽의 사회주의 국가들과 국교를 수립하였어요.

❷, ❸ 노태우 정부는 화해와 불가침 및 교류 협력에 관한 내용을 담은 남북 기본 합의서를 채택하고 한반도 비핵화 공동 선언에 합의하는 등 남북 관계를 개선하였어요.

① 남북한 유엔 동시 가입
➡ **노태우 정부**는 냉전이 끝나가는 국제 정세 속에서 남북 대화에 나서 남북한이 유엔에 동시 가입하는 성과를 거두었어요.

② 남북 이산가족 최초 상봉
➡ 전두환 정부 시기에 남북 이산가족 고향 방문이 이루어져 분단 이후 최초로 남북 간 이산가족 상봉이 성사되었어요.

③ 7·4 남북 공동 성명 발표
➡ 박정희 정부 시기에 자주·평화·민족 대단결의 평화 통일 3대 원칙에 합의한 7·4 남북 공동 성명이 발표되었어요.

④ 6·15 남북 공동 선언 채택
➡ 김대중 정부 시기에 분단 이후 최초로 남북 정상 회담이 개최되고 6·15 남북 공동 선언이 채택되었어요.

핵심 개념 노태우 정부(1988~1993) 시기의 사실

구분	내용
성립	9차 개헌(5년 단임의 대통령 직선제) 후 치러진 대통령 선거에서 여당 후보인 노태우 당선
활동	• 제24회 서울 올림픽 대회(1988) 개최 • 북방 외교 추진 : 소련, 중국 등 사회주의 국가와 수교 • 3당 합당(1990) : 여당인 민주 정의당 + 야당인 김영삼의 통일 민주당 + 야당인 김종필의 신민주 공화당 → 거대 여당인 민주 자유당 창당 • 통일 정책 : 남북한 유엔 동시 가입, 남북 기본 합의서 채택, 한반도 비핵화 공동 선언 합의

킬러 문항

47 김영삼 정부 시기의 사실 정답 ②

밑줄 그은 '정부' 시기에 있었던 사실로 옳은 것은? [3점]

□□ 신문

제△△호 ○○○○년 ○○월 ○○일

국민학교 명칭, 역사 속으로 사라지다

정부는 광복 50주년을 맞이하여 일제 강점기에 황국 신민의 양성을 목적으로 지어진 ❶국민학교 명칭을 초등학교로 변경한다고 발표했다. 이에 따라 내년 2월 말까지 전국 국민학교의 간판을 초등학교로 바꿔 달고 학교의 직인과 생활 기록부 등에 적혀 있는 국민학교라는 명칭도 모두 바꾸기로 하였다.

정답 잡는 키워드

❶ 국민학교 명칭을 초등학교로 변경 → 김영삼 정부

❶ 김영삼 정부가 국민학교 명칭을 초등학교로 변경하여 1996년부터 초등학교의 명칭이 사용되었어요. 1941년에 일제는 국민학교령을 통해 소학교 명칭을 '황국 신민의 학교'라는 의미를 지닌 국민학교로 바꾸었어요. 김영삼 정부 시기에 광복 이후에도 계속 사용되던 국민학교의 명칭을 초등학교로 변경하였어요.

① 삼청 교육대가 운영되었다.
➡ 전두환 정부 초기에 사회 정화를 명분으로 삼청 교육대가 운영되어 인권이 침해되었어요.

② 조선 총독부 건물이 철거되었다.
➡ **김영삼 정부**는 '역사 바로 세우기'의 하나로 조선 총독부 건물을 철거하였어요.

③ 반민족 행위 처벌법이 제정되었다.
➡ 이승만 정부 시기인 1948년에 제헌 국회에서 일제 식민 지배에 협력한 반민족 행위자 처벌을 위한 반민족 행위 처벌법이 제정되었어요.

④ 서울에서 G20 정상 회의가 개최되었다.
➡ 이명박 정부 시기인 2010년에 서울에서 G20 정상 회의가 개최되었어요.

기출 선택지 +α

⑤ 금융 실명제를 실시하였다. (O/X)
⑥ 사사오입 개헌안을 가결하였다. (O/X)
⑦ 베트남 전쟁에 한국군을 파병하였다. (O/X)
⑧ 경제 협력 개발 기구(OECD)에 가입하였다. (O/X)
⑨ 국제 통화 기금(IMF)에 긴급 구제 금융을 요청하였다. (O/X)

킬러 문항

48 김대중 정부 시기의 경제 상황 정답 ④

다음 뉴스가 보도된 정부 시기의 경제 상황으로 옳은 것은? [2점]

정답 잡는 키워드

❶ 한·일 월드컵 축구 대회 → 김대중 정부

❶ 김대중 정부 시기인 2002년에 제17회 한·일 월드컵 축구 대회가 개최되었어요. 김영삼 정부 말에 외환 부족으로 외환 위기를 맞아 국제 통화 기금(IMF)의 긴급 구제 금융을 지원받았어요. 이어 출범한 김대중 정부는 외환 위기 극복을 위해 부실기업을 정리하고 금융 기관과 대기업의 구조 조정을 단행하였어요. 국민도 금 모으기 운동을 벌이는 등 정부와 기업, 국민이 경제 위기를 극복하기 위해 노력하였어요.

① 경부 고속 도로를 준공하였다.
➡ 박정희 정부 시기인 1970년에 경부 고속 도로가 개통되었어요.

② 세계 무역 기구(WTO)에 가입하였다.
➡ 김영삼 정부 시기인 1995년에 세계 무역 기구에 가입하였어요.

③ 제1차 경제 개발 5개년 계획이 추진되었다.
➡ 박정희 정부 시기인 1962년부터 제1차 경제 개발 5개년 계획이 추진되었어요.

④ 국제 통화 기금(IMF)의 구제 금융을 조기 상환하였다.
➡ **김대중 정부** 시기에 국제 통화 기금(IMF)의 구제 금융을 조기 상환하여 IMF 관리 체제에서 벗어났어요.

기출 선택지 +α

⑤ 3저 호황으로 수출이 증가하였다. (O/X)
⑥ 수출 100억 달러를 처음 달성하였다. (O/X)
⑦ 미국과 자유 무역 협정(FTA)을 체결하였다. (O/X)

기출 선택지 +α 정답 ⑤○ ⑥×[이승만 정부] ⑦×[박정희 정부] ⑧○ ⑨○

기출 선택지 +α 정답 ⑤×[전두환 정부] ⑥×[박정희 정부] ⑦×[노무현 정부]

49 고려 시대 구휼 제도 정답 ①

(가)에 들어갈 내용으로 옳은 것은? [2점]

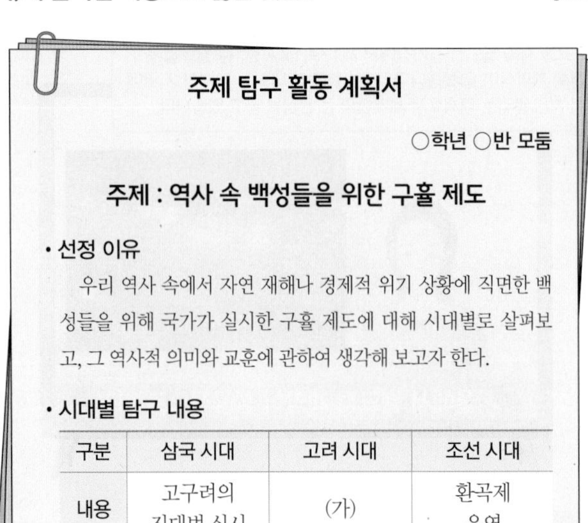
주제 탐구 활동 계획서

○학년 ○반 모둠

주제 : 역사 속 백성들을 위한 구휼 제도

• 선정 이유

우리 역사 속에서 자연 재해나 경제적 위기 상황에 직면한 백성들을 위해 국가가 실시한 구휼 제도에 대해 시대별로 살펴보고, 그 역사적 의미와 교훈에 관하여 생각해 보고자 한다.

• 시대별 탐구 내용

구분	삼국 시대	고려 시대	조선 시대
내용	고구려의 진대법 실시	(가)	환곡제 운영

고려 시대에 운영된 구휼 제도를 묻는 문항입니다. 고려는 백성을 구휼하기 위해 의창을 운영하여 경제적으로 어려울 때 곡식을 빌려주고 수확한 후에 갚도록 하였어요. 또 기금을 모아 그 이자로 빈민을 구제하는 제위보를 운영하였어요. 이 외에도 서민의 질병을 치료하기 위해 혜민국을 설치하고, 재해가 일어나거나 전염병이 돌면 임시 기구로 구제도감을 설치하여 백성을 구호하였어요.

① 의창 설치

➡ **고려** 태조는 **가난한 백성을 구제**하기 위해 흑창을 설치하였어요. 흑창은 성종 때 의창으로 이름이 바뀌어 조선 시대까지 이어졌어요.

② 신문고 운영

➡ 신문고는 백성들의 억울한 일을 해결해 줄 목적으로 궁궐 밖에 달았던 북이에요. 조선 태종 때 처음 설치되었어요.

③ 제중원 설립

➡ 개항 이후인 1885년에 우리나라 **최초의 서양식 근대 병원**인 광혜원이 설립되었는데, 곧 제중원으로 이름이 바뀌었어요.

④ 호포제 실시

➡ 조선 고종의 친아버지로 권력을 장악한 흥선 대원군은 **군정의 폐단**을 해결하기 위해 양반에게도 군포를 거두는 호포제를 실시하였어요.

50 대구의 역사 정답 ①

(가)에 들어갈 지역으로 옳은 것은? [2점]

정답 잡는 키워드

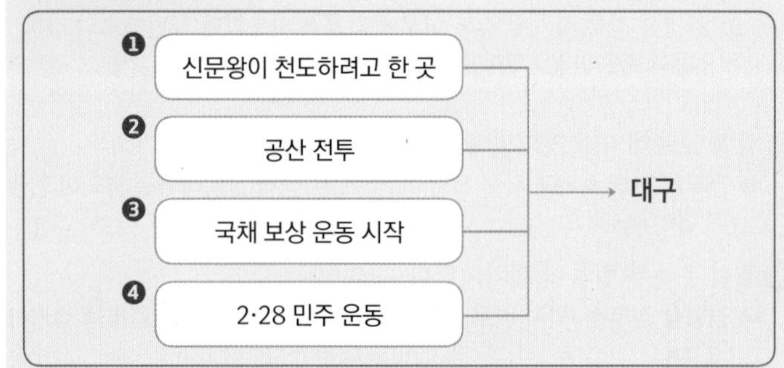

❶ 신라의 삼국 통일 이후 신문왕은 지금의 대구 지역인 달구벌로 천도를 하려고 하였으나 진골 귀족들의 반발과 비용 부담 등으로 중단하였어요.
❷ 고려와 후백제는 927년에 지금의 대구 팔공산 일대에서 치열한 전투를 벌였는데, 이 공산 전투에서 후백제군이 크게 승리하였어요.
❸ 1907년에 대구에서 김광제, 서상돈 등을 중심으로 국채 보상 운동이 시작되었어요. 국채 보상 운동은 대한매일신보 등 언론의 지원을 받아 전국적으로 확산되었어요.
❹ 이승만 정부와 자유당이 1960년 3월 15일 정·부통령 선거를 앞두고 당시 야당인 민주당의 대구 유세에 학생들이 가지 못하도록 일요일인데도 등교 지시를 내리자 학생들을 중심으로 2·28 민주 운동이 일어났어요.

① 대구

➡ 1915년에 박상진은 대구에서 비밀 결사 형태의 독립운동 단체인 대한 광복회를 조직하였어요.

② 안동

➡ 공산 전투 이후 지금의 안동 지역에서 고려와 후백제 사이에 고창 전투가 일어나 고려군이 승리하였어요. 또 고려 말에 공민왕은 홍건적의 침입을 피해 안동까지 피란하였어요.

③ 울산

➡ 울산은 통일 신라 시대 국제 무역항으로 번성하였어요.

④ 청주

➡ 청주는 통일 신라 때 5소경 중 하나인 서원경이 설치된 곳이에요. 또 고려 말에 청주 흥덕사에서 "직지심체요절"이 금속 활자로 간행되었어요.

합격률

44.5%

응시 인원 : 7,659명
합격 인원 : 3,408명

기본

2022년 8월 6일(토) 시행

제60회

시대별 출제 비중

전근대 28문항

선사 2문항
신석기 시대의 생활 모습, 삼한

고려 6문항
삼국유사, 개성 경천사지 10층 석탑, 고려와 거란의 관계, 교정도감, 지눌의 활동, 원 간섭기의 문화

고대 8문항
진대법, 백제의 문화유산, 금관가야, 신라 지증왕의 업적, 신라의 삼국 통일 과정, 신라 말의 상황, 발해 무왕의 업적, 궁예의 활동

조선 12문항
독도, 정몽주의 활동, 15세기 조선의 과학 기술 발전, 사헌부, 성리학, 병자호란, 조선 현종과 영조 사이 시기의 일, 홍경래의 난, 조선 후기의 문화, 대동법, 조선 정조의 정책, 유형원의 활동

근현대 22문항

한식

시대 통합 2문항
한국사 속 대외 무역, 사회 개혁을 위해 노력한 역사 인물

개항기 7문항
대한 제국 시기의 사실, 갑신정변, 을미의병, 신미양요 이후의 사실, 이준의 활동, 국채 보상 운동, 강화도의 역사

일제 강점기 6문항
3·1 운동의 영향, 대한 광복회, 이회영의 활동, 1930년대 후반 이후 일제의 식민 지배 정책, 광주 학생 항일 운동, 한국 광복군

현대 6문항
남북 협상, 제주 4·3 사건, 6·25 전쟁, 6월 민주 항쟁, 김영삼 정부 시기의 사실, 노태우 정부의 통일 노력

분류별 출제 비중 고대~조선

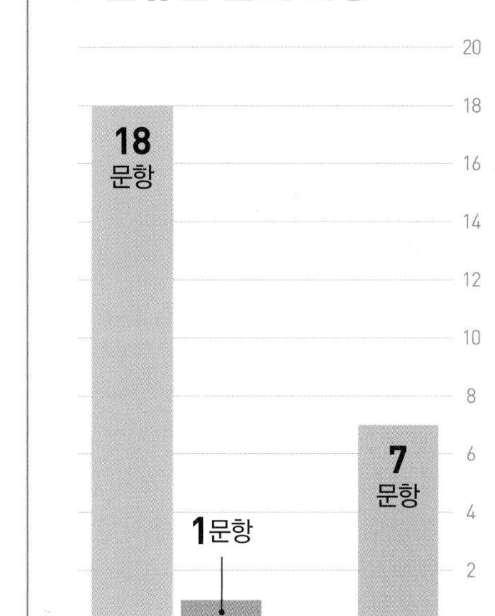

난이도별 출제 비중

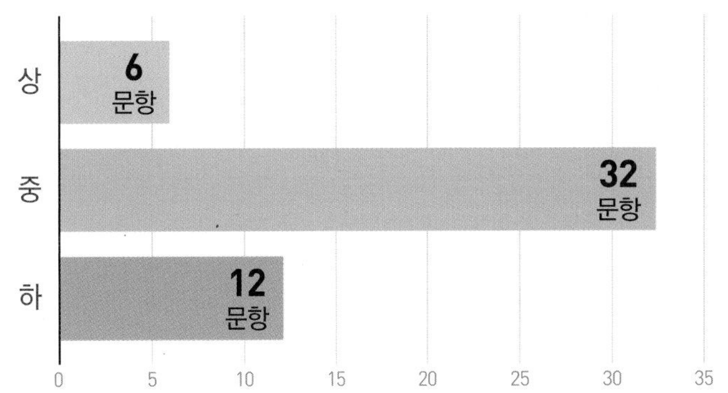

큰별쌤의 한 줄 평

까다로운 문항이
많이 출제된
어려웠던 시험

1 신석기 시대의 생활 모습

정답 ①

(가) 시대의 생활 모습으로 옳은 것은? [2점]

정답 잡는 키워드

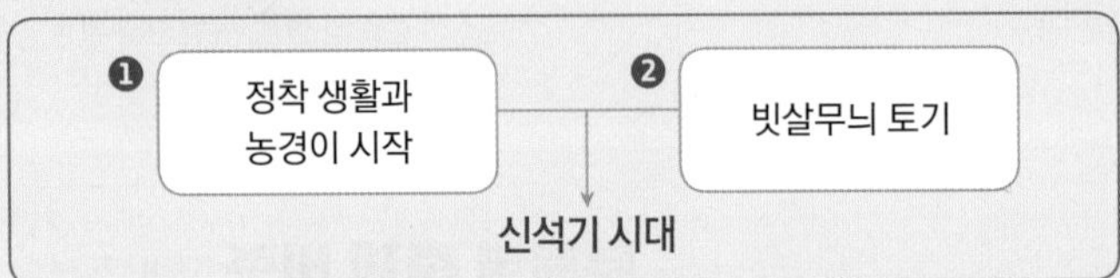

❶ 신석기 시대에 농경이 시작되었고, 사람들이 점차 마을을 이루고 정착 생활을 하기 시작하였어요.
❷ 신석기 시대 사람들은 빗살무늬 토기를 만들어 식량을 저장하거나 음식을 조리하는 데 사용하였어요.

① 가락바퀴를 이용하여 실을 뽑았다.
➡ **신석기 시대** 사람들은 처음으로 가락바퀴를 이용하여 실을 뽑았어요.

② 무덤 껴묻거리로 오수전 등을 묻었다.
➡ 우리나라에 있는 철기 시대의 유적에서 중국과의 교류를 보여 주는 오수전, 명도전 등의 중국 화폐가 발견되었어요.

③ 철제 농기구를 사용하여 농사를 지었다.
➡ 철기 시대부터 철제 농기구를 사용하여 농사를 지었어요.

④ 의례 도구로 청동 방울 등을 사용하였다.
➡ 청동기 시대부터 청동 검, 청동 방울, 청동 거울 등 청동으로 도구를 만들어서 사용하였어요.

기출 선택지 +α

❺ 토기를 만들어 식량을 저장하였다.	(O/X)
❻ 주로 동굴이나 막집에서 거주하였다.	(O/X)
❼ 지배층의 무덤으로 고인돌을 만들었다.	(O/X)
❽ 거푸집을 사용하여 비파형 동검을 제작하였다.	(O/X)

기출 선택지 +α 정답 ⑤○ ⑥×[구석기 시대] ⑦×[청동기 시대] ⑧×[청동기 시대]

2 삼한

정답 ②

(가) 나라에 대한 설명으로 옳은 것은? [3점]

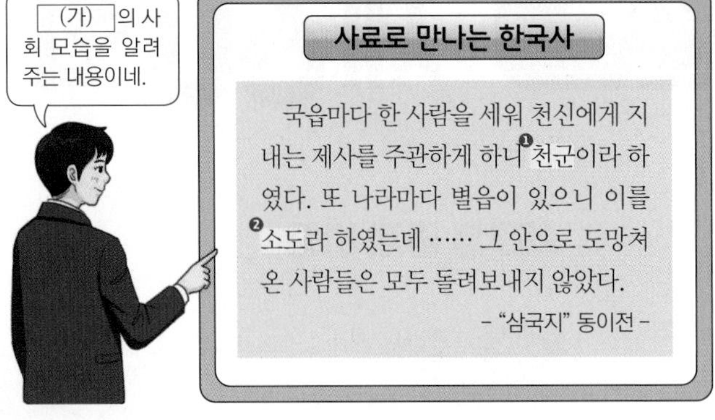

정답 잡는 키워드

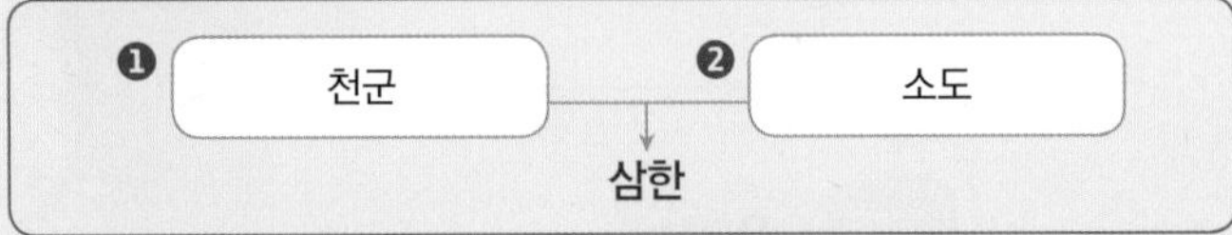

❶ 삼한에는 정치적 지배자 외에 제사장인 천군이 따로 있어 이들이 제사를 주관하였어요.
❷ 삼한에는 소도라고 불린 신성 지역이 있었어요. 이곳에는 정치적 지배자의 권력이 미치지 못하였어요. 한편 삼한에서는 씨뿌리기를 끝낸 5월과 추수를 마친 10월에 계절제를 지냈습니다.

① 영고라는 제천 행사가 있었다.
➡ 부여에서는 12월에 영고라는 제천 행사가 열렸어요.

② 신지, 읍차 등의 지배자가 있었다.
➡ **삼한**에는 신지, 읍차 등으로 불린 지배자가 있었어요.

③ 혼인 풍습으로 민며느리제가 있었다.
➡ 민며느리제는 옥저의 혼인 풍습이에요. 신랑 집에서 신부가 될 여자아이를 데려와 키우다가 어른이 되면 돌려보낸 뒤 신부 집에 돈 등 예물을 보내고 정식으로 혼인하는 풍습이었어요.

④ 읍락 간의 경계를 중시하는 책화가 있었다.
➡ 동예에는 읍락 간의 경계를 중시하여 다른 부족의 영역을 침범하면 소나 말, 노비 등으로 변상하도록 하는 책화가 있었어요.

기출 선택지 +α

❺ 범금 8조로 백성을 다스렸다.	(O/X)
❻ 서옥제라는 혼인 풍습이 있었다.	(O/X)
❼ 단궁, 과하마, 반어피 등의 특산물이 있었다.	(O/X)
❽ 5월과 10월에 농경과 관련된 계절제를 지냈다.	(O/X)

기출 선택지 +α 정답 ⑤×[고조선] ⑥×[고구려] ⑦×[동예] ⑧○

3 진대법

정답 ③

밑줄 그은 '제도'로 옳은 것은? [2점]

정답 잡는 키워드

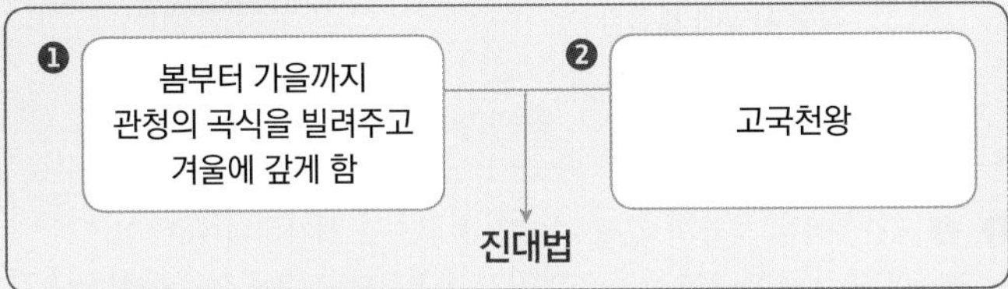

❶, ❷ 고구려의 고국천왕은 을파소를 등용하여 개혁 정치를 펴면서 진대법을 실시하였어요. 진대법은 흉년이 들거나 봄부터 가을까지 먹을 것이 부족할 때 백성에게 곡식을 빌려주고 가을걷이가 끝난 후에 갚도록 한 제도예요.

① 흑창

➡ 흑창은 고려 태조가 처음 설치한 빈민 구제 기관이에요. 태조는 흑창을 설치하여 진대법과 마찬가지로 먹을 것이 부족할 때 곡식을 빌려주고 추수한 후에 갚도록 하였어요. 흑창은 고려 성종 때 의창으로 바뀌었어요.

② 상평창

➡ 상평창은 고려 성종 때 설치된 물가 조절 기구로 조선 시대까지 이어졌어요. 상평창은 풍년이 들어 곡식이 흔해 가격이 떨어지면 적정량을 사들여 가격의 폭락을 막고, 반대로 흉년이 들어 시중에 곡식이 부족해 가격이 지나치게 오르면 저장해 놓은 곡식을 풀어 가격 폭등을 막아 물가를 조절하였어요.

③ 진대법

➡ 진대법과 같이 가난한 백성에게 먹을 것이 부족한 봄에 곡식을 빌려주고 수확한 후에 갚게 하는 방식을 춘대추납이라고 합니다. 이러한 방식의 빈민 구제 제도는 고려와 조선 시대에도 이어졌어요.

④ 제위보

➡ 제위보는 고려 시대에 만들어진 일종의 재단으로, 기금을 마련하여 그 이자를 이용해 가난한 백성을 구제하였어요.

4 독도

정답 ④

(가) 섬에 대한 설명으로 옳은 것은? [1점]

정답 잡는 키워드

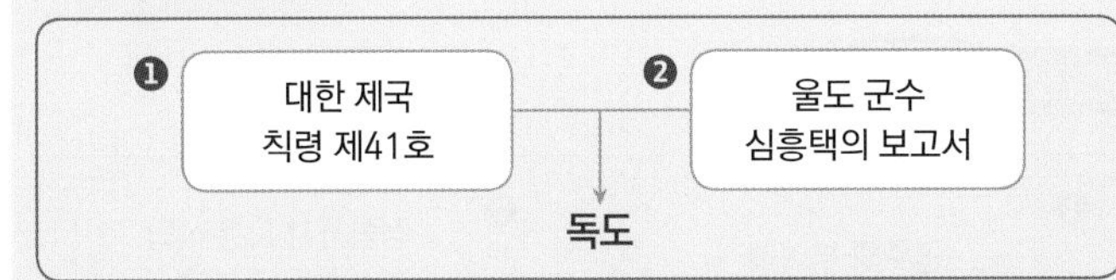

❶ 대한 제국 정부는 1900년에 칙령 제41호를 통해 울릉도를 울도군으로 승격시키고 석도, 즉 독도를 관할하도록 하였어요.
❷ 러·일 전쟁 중에 일본이 독도를 자국 영토로 불법 편입하였다는 사실을 알게 된 울도 군수 심흥택은 1906년에 이 내용을 정부에 보고하였어요.

① 러시아가 조차를 요구한 섬이다.

➡ 러시아는 석탄 저장소(저탄소)를 설치하기 위해 절영도(지금의 부산 영도)의 조차를 요구하였어요. 독립 협회가 만민 공동회를 열어 이를 규탄하여 저지하였어요.

② 영국이 불법적으로 점령한 섬이다.

➡ 1885년에 영국은 러시아의 남하를 견제한다는 구실로 거문도를 불법적으로 점령하였어요.

③ 하멜 일행이 표류하다 도착한 섬이다.

➡ 조선 효종 때인 1653년에 하멜 일행은 일본으로 향하던 중 표류하여 제주도에 도착하였어요.

④ 안용복이 일본으로 건너가 우리 영토임을 주장한 섬이다.

➡ 조선 숙종 때 안용복은 일본으로 건너가 울릉도와 **독도**가 우리 영토임을 확인받고 돌아왔어요.

핵심 개념 독도

시기	내용
신라	지증왕 때 이사부가 우산국 복속
조선	• "세종실록지리지"에 우산이라 기록되어 있음 • 안용복의 활약 : 숙종 때 안용복이 일본으로 건너가 울릉도와 독도가 조선의 영토임을 확인받고 돌아옴
대한 제국	• 대한 제국 칙령 제41호 반포 : 울릉도를 울도군으로 승격시키고 독도를 관할하게 함 • 일제의 불법 편입 : 러·일 전쟁 중 일제가 불법적으로 독도를 일본 시마네현에 편입시킴

5 백제의 문화유산

정답 ②

(가)에 들어갈 가상 우표로 적절한 것은? [2점]

정답 잡는 키워드

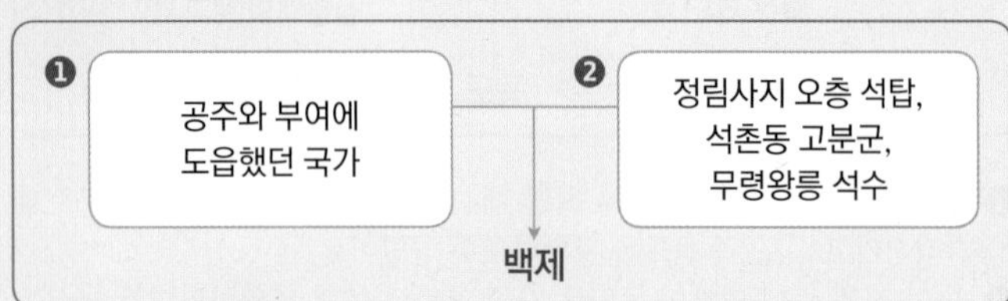

❶, ❷ 고구려의 공격으로 수도 한성(지금의 서울)이 함락되고 개로왕이 죽임을 당하자, 백제는 지금의 공주 지역인 웅진으로 도읍을 옮겼어요. 이후 성왕 때 지금의 부여 지역인 사비로 도읍을 옮기고 국호를 남부여로 바꾸었어요. 정림사지 5층 석탑은 부여, 석촌동 고분군은 서울에 있는 백제의 문화유산이며, 무령왕릉 석수는 공주 무령왕릉에서 발견되었어요.

①

➡ 첨성대는 신라 선덕 여왕 때 축조된 천문 관측대로 알려져 있으며 경주에 있어요.

②

➡ 익산 미륵사지 석탑은 **백제** 무왕 때 건립된 미륵사에 세워진 탑이에요. 미륵사지 석탑은 목탑에서 석탑으로 넘어가는 과도기적 모습을 띠고 있어요.

③

➡ 고구려 고분인 무용총에는 수렵도, 무용도, 접객도 등의 벽화가 그려져 있어 이를 통해 당시 사람들의 생활 모습을 짐작해 볼 수 있어요.

④

➡ 성덕 대왕 신종은 신라의 경덕왕이 아버지 성덕왕을 기리기 위해 만든 종으로 경덕왕의 아들인 혜공왕 때 완성되었어요. 현존하는 우리나라에서 가장 큰 종이에요.

6 금관가야

정답 ①

밑줄 그은 '이 나라'에 대한 설명으로 옳은 것은? [2점]

정답 잡는 키워드

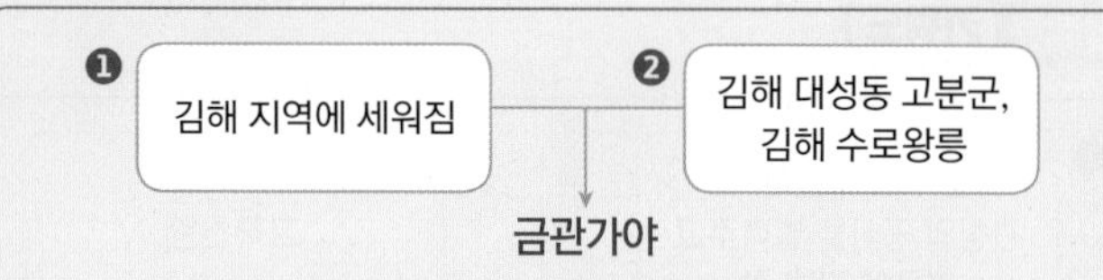

❶, ❷ 금관가야는 지금의 김해 지역을 중심으로 성장하였어요. 알에서 나온 김수로가 세웠다는 건국 이야기가 전해집니다. 대표적인 유적으로 김해 대성동 고분군이 있는데, 이 고분에서 금관가야의 우수한 철기 문화를 알 수 있는 철제 무기와 갑옷 등이 출토되었어요. 낙동강 하류에 위치한 금관가야는 해상 교역이 발달하여 낙랑과 왜에 철을 수출하였어요.

① 전기 가야 연맹을 주도하였다.

➡ **금관가야**는 전기 가야 연맹을 주도하였으나, 신라 내물 마립간의 지원 요청을 받은 고구려 광개토 태왕이 군대를 보내 신라에 침입한 왜를 격퇴하는 과정에서 피해를 입고 쇠퇴하였어요.

② 교육 기관인 국학을 설치하였다.

➡ 신라 신문왕은 교육 기관인 국학을 설치하여 유학을 가르치고 인재를 양성하였어요.

③ 옥저를 정복하고 동해안으로 진출하였다.

➡ 고구려 태조왕은 옥저를 정복하고 동해안으로 진출하였어요.

④ 지방에 22담로를 두어 왕족을 파견하였다.

➡ 백제 무령왕은 지방 통제를 강화하기 위해 22담로에 왕족을 파견하였어요.

기출 선택지 +α

❺ 낙랑과 왜에 철을 수출하였다. (O/X)
❻ 신분 제도인 골품제가 있었다. (O/X)
❼ 활구라고도 불린 은병을 제작하였다. (O/X)
❽ 여러 가(加)들이 별도로 사출도를 주관하였다. (O/X)

기출 선택지 +α 정답 ⑤○ ⑥ ×[신라] ⑦ ×[고려] ⑧ ×[부여]

7 신라 지증왕의 업적

정답 ①

밑줄 그은 '왕'의 업적으로 옳은 것은? [2점]

> ○ 왕이 영을 내려❶순장을 금하게 하였다. 이전에는 국왕이 죽으면 남녀 다섯 명씩 순장하였는데, 이때에 이르러 금하게 한 것이다.
> ○ 여러 신하들이 한뜻으로 ❷'신라 국왕'이라는 호칭을 올리니, 왕이 이를 따랐다.
>
> - "삼국사기" -

정답 잡는 키워드

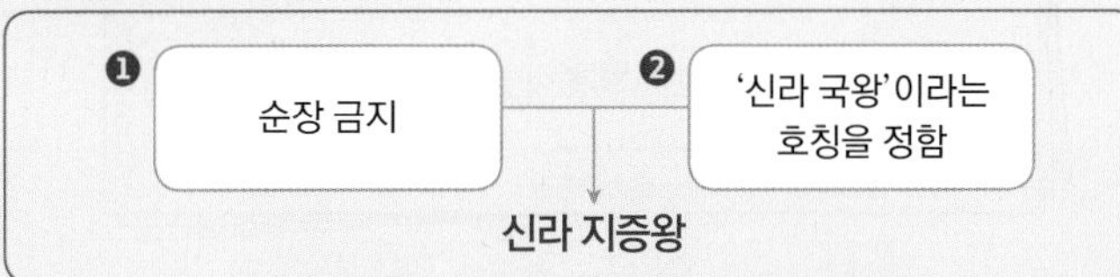

❶ 지증왕은 지배 계급의 장례를 치를 때 거느리던 사람을 스스로 목숨을 끊게 하거나 강제로 죽여서 함께 묻는 순장을 금지하였어요.
❷ 지증왕은 국호를 신라, 최고 지배자의 칭호를 왕으로 정하였으며, 이사부를 보내 우산국을 정복하였어요.

① 우경을 장려하였다.
➡ 신라 **지증왕**은 농업 생산력을 높이기 위해 소를 이용해 농사를 짓는 우경을 장려하였어요.

② 율령을 반포하였다.
➡ 신라 법흥왕은 율령을 반포하여 국가 체제를 정비하였어요.

③ 독서삼품과를 실시하였다.
➡ 신라 원성왕은 유학을 공부하여 학문적 능력을 갖춘 인재를 등용하기 위해 독서삼품과를 실시하였어요.

④ 화랑도를 국가 조직으로 개편하였다.
➡ 신라 진흥왕은 화랑도를 국가 조직으로 개편하여 인재를 양성하였어요.

기출 선택지 +α

⑤ 태학을 설립하였다.	(O / X)
⑥ 병부를 설치하였다.	(O / X)
⑦ 우산국을 정벌하였다.	(O / X)
⑧ 북한산에 순수비를 세웠다.	(O / X)

핵심 개념 신라 지증왕의 업적

구분	내용
정치	• 나라 이름을 신라로 정하고 왕이라는 칭호를 사용함 • 이사부를 보내 우산국을 정벌함 • 순장을 금지함
경제	• 우경을 장려함 • 수도 금성에 시장인 동시와 감독관청인 동시전을 설치함

기출 선택지 +α
정답 ⑤ ×[고구려 소수림왕] ⑥ ×[신라 법흥왕] ⑦○ ⑧ ×[신라 진흥왕]

8 한식

정답 ③

(가)에 들어갈 세시 풍속으로 옳은 것은? [1점]

정답 잡는 키워드

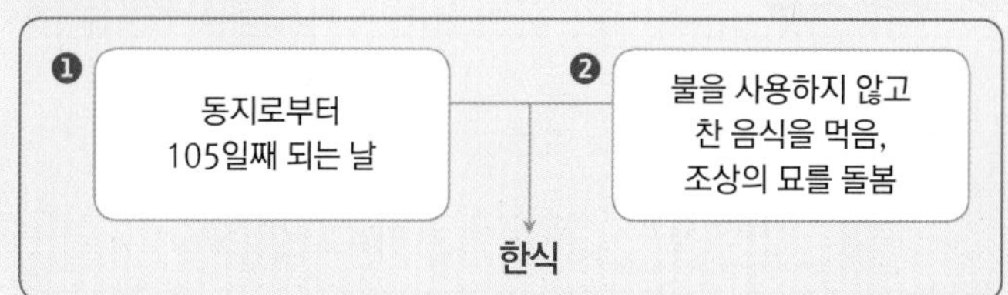

❶, ❷ 한식은 동지에서 105일째 되는 날로 대략 양력 4월 5일 안팎이에요. 중국 춘추 시대에 충신 개자추가 불에 타 죽은 것을 기리기 위해 불을 사용하지 않고 찬 음식을 먹는 한식이 시작되었다는 이야기가 전해집니다. 또 이 시기에 농사가 시작되므로 조상의 묘를 돌보고 성묘를 하며 풍년을 기원하는 풍속이 있었어요.

① 단오
➡ 단오는 음력 5월 5일로 수릿날 또는 천중절이라고도 불렸어요. 이날에는 그네뛰기, 창포물에 머리 감기 등의 풍속을 즐겼어요.

② 칠석
➡ 칠석은 음력 7월 7일로, 이날 오작교에서 견우와 직녀가 만난다는 이야기가 전해져요.

③ 한식
➡ 한식은 설날, 단오, 추석과 함께 중요한 명절로 여겨졌어요.

④ 삼짇날
➡ 삼짇날은 음력 3월 3일로, '강남 갔던 제비가 돌아오는 날'이라고도 해요. 이날에는 진달래화전, 쑥떡 등을 만들어 먹었어요.

킬러 문항

9 신라의 삼국 통일 과정

정답 ①

(가), (나) 사이의 시기에 있었던 사건으로 옳은 것은? [3점]

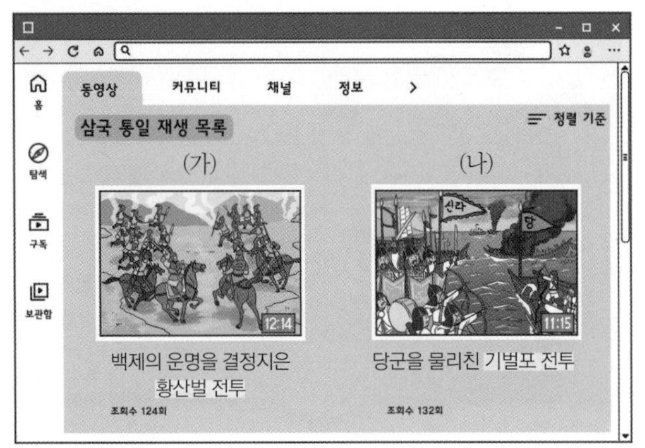

정답 잡는 키워드

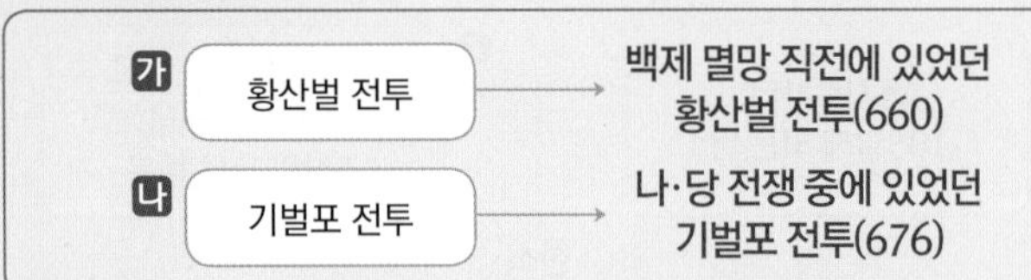

가 660년에 나·당 연합군이 공격해 오자, 백제의 계백이 결사대를 이끌고 황산벌에서 김유신이 이끄는 신라군에 맞서 싸웠으나 패배하였어요. 이후 수도 사비성이 함락되고 의자왕이 항복하여 백제는 멸망하였어요.

나 백제를 멸망시킨 신라와 당은 고구려까지 멸망시켰어요. 당이 한반도 전체를 지배하려는 욕심을 드러내자 신라는 당과 전쟁을 벌였습니다. 신라는 675년에 매소성 전투, 676년에 기벌포 전투에서 당군을 격퇴하여 대동강 남쪽 지역에서 당군을 몰아내고 삼국 통일을 이룩하였어요.

① 백강 전투
➡ **백제 멸망 이후** 흑치상지, 도침, 복신 등이 백제 부흥 운동을 전개하였어요. **663년**에 백제 부흥군과 왜에서 보낸 지원군이 백강에서 나·당 연합군에 맞서 싸웠으나 패배하였어요.

② 살수 대첩
➡ 612년에 을지문덕이 이끈 고구려군이 수의 군대를 살수에서 크게 물리쳤어요.

③ 관산성 전투
➡ 백제 성왕은 신라의 진흥왕과 연합하여 고구려에 빼앗긴 한강 하류 지역을 되찾았지만 신라 진흥왕의 공격으로 이 지역을 신라에 빼앗겼어요. 이에 성왕이 신라를 공격에 나섰다가 554년 관산성 전투에서 전사하였어요.

④ 처인성 전투
➡ 1232년에 몽골이 고려를 침략하자 김윤후는 부곡민을 이끌고 처인성에서 몽골 장수 살리타를 사살하고 몽골군을 격퇴하였어요.

연표로 흐름잡기

660	나·당 연합군의 공격 → 황산벌 전투(계백의 백제군 vs. 김유신의 신라군)에서 백제 패배, 백제 멸망 → 백제 부흥 운동 전개
663	백제 부흥군과 왜의 지원군이 백강에서 나·당 연합군에 패배 (백강 전투)
668	나·당 연합군의 공격으로 고구려 멸망 → 고구려 부흥 운동 전개
670	나·당 전쟁 시작
675	신라, 매소성 전투에서 승리
676	신라, 기벌포 전투에서 승리 → 신라의 삼국 통일 완성

10 신라 말의 상황

정답 ①

다음 기획서에 나타난 시기에 발생한 사건으로 옳은 것은? [2점]

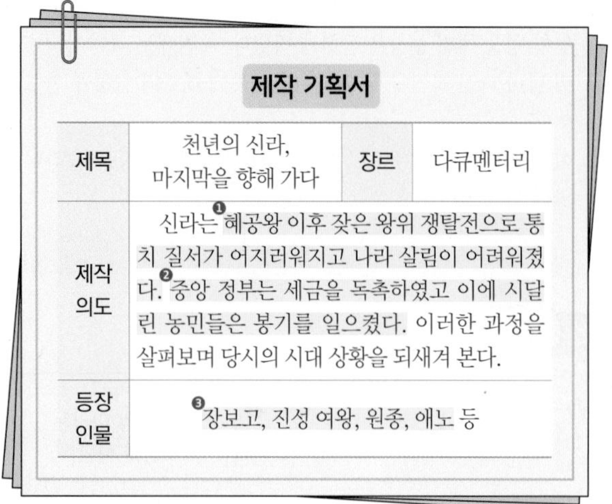

제작 기획서

제목	천년의 신라, 마지막을 향해 가다	장르	다큐멘터리
제작 의도	신라는 ❶혜공왕 이후 잦은 왕위 쟁탈전으로 통치 질서가 어지러워지고 나라 살림이 어려워졌다. ❷중앙 정부는 세금을 독촉하였고 이에 시달린 농민들은 봉기를 일으켰다. 이러한 과정을 살펴보며 당시의 시대 상황을 되새겨 본다.		
등장 인물	❸장보고, 진성 여왕, 원종, 애노 등		

정답 잡는 키워드

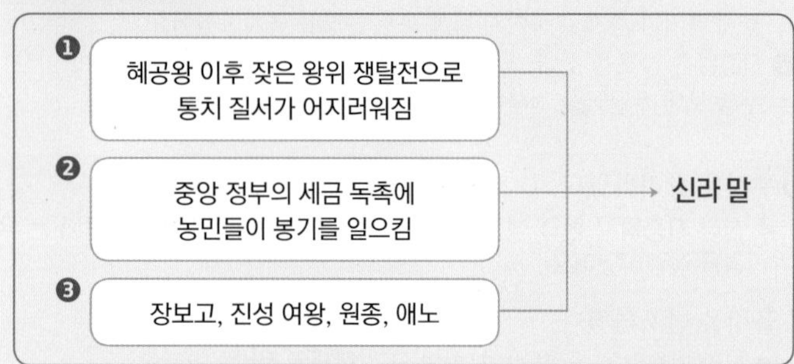

❶, ❷, ❸ 신라는 어린 나이에 즉위한 혜공왕이 진골 귀족의 반란에 시달리다 살해된 이후 마지막 경순왕까지 150여 년 동안 20여 명의 왕이 바뀌는 등 통치 질서가 어지러워졌어요. 진골 귀족의 왕위 쟁탈전으로 인해 왕권이 약해지면서 김헌창의 난과 같이 지방에서 반란이 일어나기도 하였으며, 청해진을 배경으로 힘을 키운 장보고가 왕위 계승 분쟁에 개입하기도 하였어요. 중앙 정치가 혼란한 가운데 자연재해가 빈번하게 일어나고 귀족의 수탈도 날로 심해져 백성의 생활이 더욱 피폐해졌어요. 이러한 상황에서 9세기 말 진성 여왕 때 중앙 정부가 관리를 보내 세금을 독촉하자 농민의 분노가 폭발하여 원종과 애노의 난을 비롯한 농민 봉기가 전국 각지에서 일어났어요.

① 김헌창의 난
➡ **신라 말** 헌덕왕 때 웅천주 도독 김헌창이 자신의 아버지 김주원이 왕위에 오르지 못한 것에 불만을 품고 반란을 일으켰어요.

② 이자겸의 난
➡ 고려 인종 때 왕실과 중첩된 혼인 관계를 맺어 권력을 장악한 경원 이씨 가문의 이자겸이 척준경과 함께 반란을 일으켰으나 진압되었어요.

③ 김사미·효심의 난
➡ 고려 무신 집권기에 지배층의 수탈과 무거운 세금 부담으로 살기가 어려워진 하층민의 봉기가 각지에서 일어났어요. 경상도 지역에서는 김사미와 효심의 주도로 반란이 일어났어요.

④ 망이·망소이의 난
➡ 고려 무신 집권기에 공주 명학소의 주민들이 과도한 세금과 지배층의 가혹한 수탈에 저항하여 망이·망소이 형제를 중심으로 봉기를 일으켰어요.

11 발해 무왕의 업적 정답 ④

(가)에 들어갈 사실로 옳은 것은? [2점]

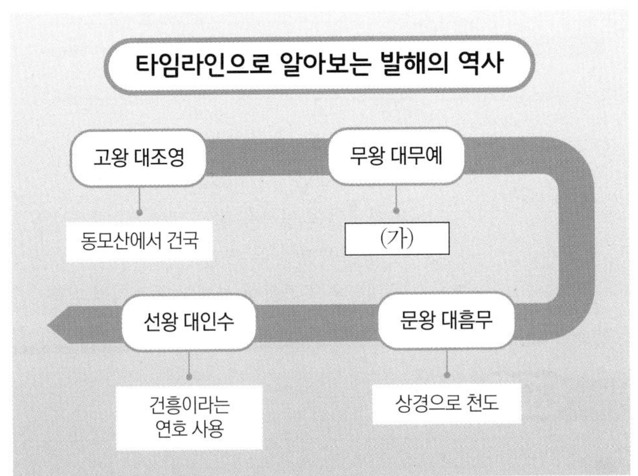

✪ 발해 무왕 대무예의 업적을 묻는 문항이에요. 대조영의 뒤를 이어 즉위한 무왕은 인안이라는 독자적인 연호를 사용하고, 여러 말갈족을 복속하여 영토를 넓혔어요. 이에 당이 흑수 말갈과 신라를 이용하여 발해를 견제하자 무왕은 돌궐, 일본 등과 친선 관계를 맺어 대응하는 한편, 장문휴를 보내 당의 산둥반도 등주를 공격하였어요.

① 대마도 정벌
➡ 고려 말에서 조선 초에 왜구가 해안 지역에 침략하여 약탈하는 일이 잦았어요. 이에 여러 차례 왜구의 근거지인 대마도(쓰시마섬)를 정벌하였는데, 고려 창왕 때 박위의 대마도 정벌과 조선 세종 때 이종무의 대마도 정벌이 대표적이에요.

② 4군 6진 개척
➡ 조선 세종 때 최윤덕과 김종서가 북방의 여진을 정벌하고 4군 6진을 개척하였어요.

③ 동북 9성 축조
➡ 고려 예종 때 윤관이 별무반을 이끌고 여진을 정벌한 후 동북 9성을 축조하였어요. 그러나 여진의 요청으로 1년여 만에 동북 9성을 돌려주었어요.

④ 산둥반도의 등주 공격
➡ **발해 무왕**은 장문휴를 보내 당의 산둥반도 등주를 공격하였어요.

핵심 개념 발해 주요 국왕의 업적

고왕 대조영	고구려 유민과 말갈인을 이끌고 이동하여 지린성 동모산에서 발해 건국(698)
무왕 대무예	• 인안이라는 독자적인 연호 사용 • 여러 말갈족을 복속하여 영토 확장 • 돌궐, 일본 등과 친선 관계 체결 • 장문휴를 보내 당의 산둥반도 등주 공격
문왕 대흠무	• 대흥·보력이라는 독자적인 연호 사용 • 일본에 보낸 외교 문서에서 '고려(고구려)', '고려 국왕'이라는 명칭 사용 • 당과 친선 관계를 형성하고 당의 문물 수용 → 중앙 정치 조직을 3성 6부로 정비 • 상경으로 도읍을 옮기고 당의 장안성을 본떠 상경성 건설 • 상설 교통로(신라도)를 설치하고 신라와 교류
선왕 대인수	• 건흥이라는 독자적인 연호 사용 • 연해주에서 요동 지방까지 이르는 최대 영토 확보 → 이후 중국으로부터 '해동성국'이라 불림

12 궁예의 활동 정답 ②

(가)에 들어갈 인물로 옳은 것은? [2점]

정답 잡는 키워드

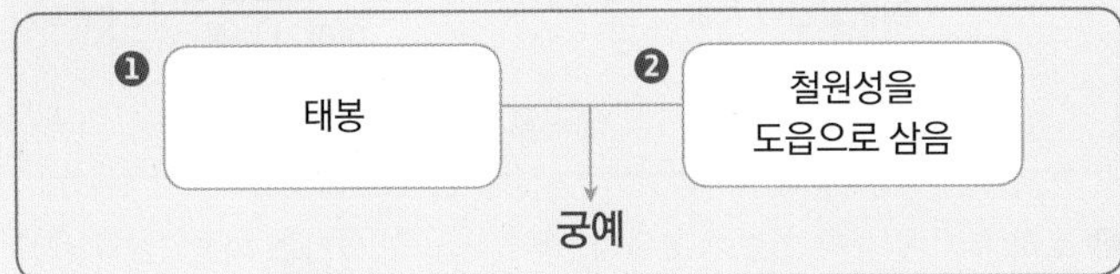

❶, ❷ 송악(지금의 개성)을 도읍으로 정하고 후고구려를 건국한 궁예는 나라 이름을 마진으로 바꾸고 철원으로 도읍을 옮겼어요. 이후 다시 국호를 태봉으로 고쳤어요.

① 견훤
➡ 견훤은 완산주(지금의 전주)를 도읍으로 후백제를 건국하였어요.

② 궁예
➡ 궁예는 스스로 미륵불을 칭하며 왕권을 강화하기 위한 정책을 추진하다가 민심을 잃었고 결국 신하들에 의해 왕위에서 쫓겨났어요.

③ 온조
➡ 온조는 한강 유역의 위례성에서 백제를 건국하였어요.

④ 주몽
➡ 주몽은 졸본을 도읍으로 고구려를 건국하였어요.

핵심 개념 후백제와 후고구려

후백제	• 견훤이 완산주(전주)에 도읍을 정하고 후백제 건국(900) • 군사력을 키워 신라 압박 • 통치 조직을 정비하고 중국과 교류하면서 세력 확장 • 충청도와 전라도의 옛 백제 지역을 대부분 차지함
후고구려	• 궁예가 송악(개성)에 도읍을 정하고 후고구려 건국(901) → 나라 이름을 마진으로 바꿈 → 철원으로 천도 → 나라 이름을 다시 태봉으로 바꿈 • 광평성 등 여러 관부를 설치하여 중앙 정치 조직 정비 • 경기도 일대, 황해도, 강원도 등을 장악하여 넓은 영토 차지

13 삼국유사 정답 ③

밑줄 그은 '이 책'으로 옳은 것은? [1점]

정답 잡는 키워드

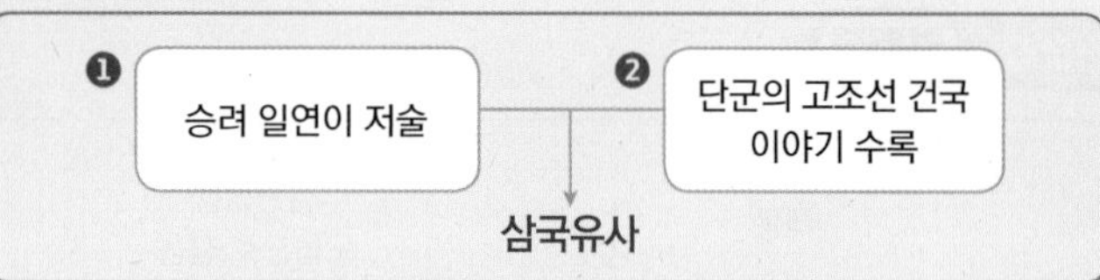

❶ 고려 후기에 승려 일연이 고구려, 백제, 신라의 역사를 다룬 "삼국유사"를 저술하였어요. 일연은 불교사를 중심으로 고대의 민간 설화, 전설 등을 기록하였어요.

❷ 일연은 "삼국유사"에서 우리 역사의 시작을 고조선으로 보고 단군의 고조선 건국 이야기를 수록하였어요.

① 동국통감

➡ "동국통감"은 조선 성종 때 서거정 등이 편찬한 역사서로 고조선부터 고려까지의 역사를 기록하였어요.

② 동사강목

➡ "동사강목"은 조선 후기에 안정복이 저술한 역사서로 우리 역사의 독자적 정통론을 주장하였어요.

③ 삼국유사

➡ "삼국유사"에는 곰과 호랑이가 하늘에서 내려온 환웅에게 사람이 되기를 빌었는데, 어려움을 이겨 낸 곰만 사람으로 변하여 환웅과 혼인하고 단군왕검을 낳았으며 단군왕검이 (고)조선을 건국하였다는 고조선의 건국 이야기가 실려 있어요.

④ 제왕운기

➡ "제왕운기"는 고려 후기에 이승휴가 중국과 우리나라의 역사를 시로 표현한 역사서예요. 상권에서는 중국의 역사를, 하권에서는 단군의 고조선부터 고려 충렬왕 때까지의 우리나라 역사를 서사시로 정리하였어요.

14 개성 경천사지 10층 석탑 정답 ④

(가)에 들어갈 문화유산으로 옳은 것은? [2점]

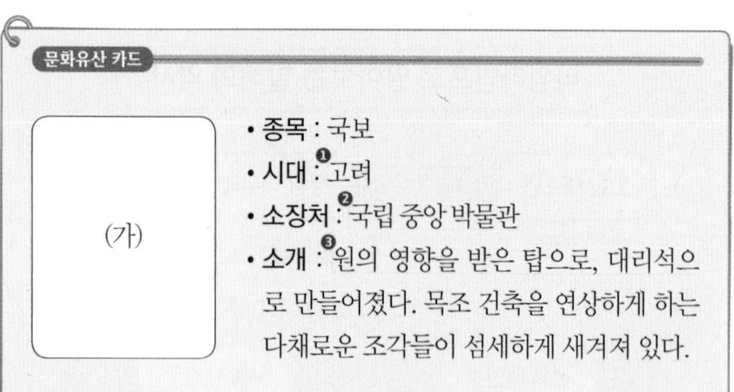

정답 잡는 키워드

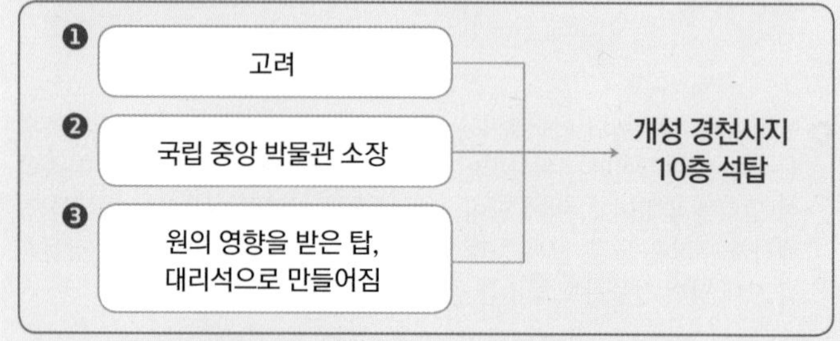

❶, ❸ 개성 경천사지 10층 석탑은 고려 후기에 원의 영향을 받아 대리석으로 만들어진 다각 다층탑이에요.

❷ 개성 경천사지 10층 석탑은 대한 제국 시기에 일본인에게 약탈되었다가 베델과 헐버트 등의 노력으로 반환되었어요. 지금은 국립 중앙 박물관 실내에 전시되어 있어요.

①

불국사 삼층 석탑

➡ 경주 불국사 3층 석탑은 통일 신라 시기에 만들어진 석탑으로 보수 과정에서 무구정광대다라니경이 발견되었어요. 무구정광대다라니경은 현존하는 세계에서 가장 오래된 목판 인쇄물이에요.

②

분황사 모전 석탑

➡ 경주 분황사 모전 석탑은 돌을 벽돌 모양으로 다듬어 쌓은 신라의 석탑이에요.

③

영광탑

➡ 영광탑은 발해의 탑으로 벽돌로 세운 전탑이에요.

④

경천사지 십층 석탑

➡ 개성 경천사지 10층 석탑은 조선 전기에 만들어진 서울 원각사지 10층 석탑에 영향을 주었어요.

15 고려와 거란의 관계

정답 ①

(가)~(다)를 일어난 순서대로 옳게 나열한 것은? [3점]

정답 잡는 키워드

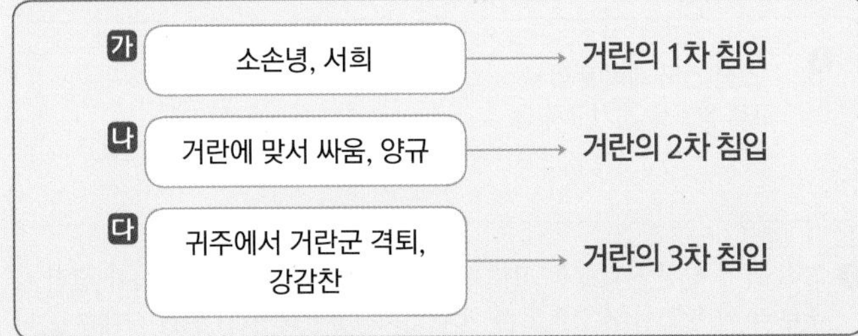

가 거란은 송과 고려의 연합을 우려하여 고려에 침입하였어요(거란의 1차 침입). 서희는 이러한 거란의 의도를 파악하고 거란 장수 소손녕과 외교 담판을 벌여 송과의 관계를 끊고 거란과 교류할 것을 약속하는 대신 거란군을 물러가게 하고 강동 6주를 확보하였어요.

나 고려가 송과의 관계를 유지하자 거란은 고려의 장수 강조가 목종을 폐위하고 현종을 세운 강조의 정변을 구실 삼아 다시 고려를 침략하였어요(거란의 2차 침입). 이에 국왕인 현종이 나주까지 피란하는 등 위기를 맞았으나, 양규가 거란군의 배후를 공격하여 포로로 잡힌 많은 고려 백성을 구해 내기도 하였어요.

다 고려가 왕이 직접 거란에 가겠다는 철군 조건을 지키지 않고 강동 6주의 반환 요구 또한 거부하자 거란은 다시 고려를 침략하였어요(거란의 3차 침입). 이때 강감찬이 이끄는 고려군이 귀주에서 거란군을 크게 물리쳤어요.

① (가) - (나) - (다)
➡ (가) 거란의 1차 침입 때 서희의 외교 담판 - (나) 거란의 2차 침입 때 양규의 활약 - (다) 거란의 3차 침입 때 귀주 대첩 순입니다.

② (가) - (다) - (나)

③ (나) - (가) - (다)

④ (다) - (가) - (나)

핵심 개념 거란의 침입과 격퇴

구분	내용
1차 침입	성종 때 거란(요)이 침략함(993) → 서희가 거란 장수 소손녕과 외교 담판을 벌여 강동 6주 확보
2차 침입	현종 때 강조의 정변(고려의 장수 강조가 목종을 폐위하고 현종을 즉위시킴)을 구실로 거란이 침략함(1010) → 양규의 활약으로 많은 고려인 포로를 구출하고 거란의 기세를 꺾음
3차 침입	현종 때 강동 6주의 반환 등을 요구하며 거란 장수 소배압이 대군을 이끌고 침략함(1018) → 강감찬이 귀주에서 거란군을 크게 물리침(귀주 대첩, 1019)
영향	초조대장경 제작, 개경에 나성 축조, 국경 지역에 천리장성 축조

16 교정도감

정답 ②

다음 퀴즈의 정답으로 옳은 것은? [2점]

1단계 ❶ 고려 무신 정권기의 최고 권력 기구입니다.
2단계 임시 기구로 출발하였습니다.
3단계 ❷ 최충헌이 설치하였습니다.

제시된 단계별 힌트를 종합하여 알 수 있는 기구는 무엇일까요?

한국사 300 290 퀴즈왕

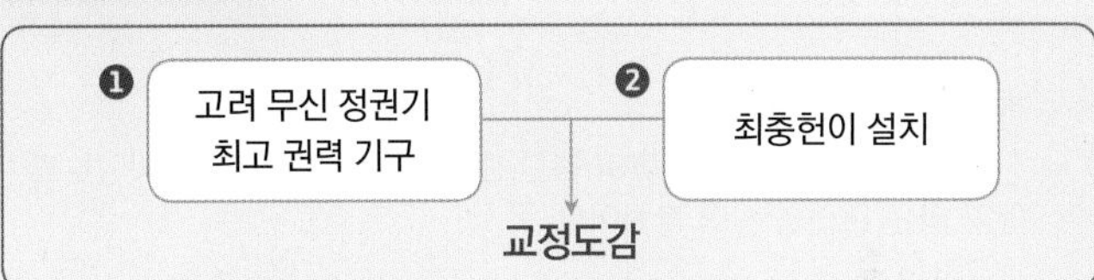

❶, ❷ 무신 정권 초기에는 무신들의 치열한 권력 쟁탈전으로 여러 차례 최고 권력자가 바뀌었으나, 최충헌이 이의민을 제거하고 정권을 장악한 이후 60여 년간 최씨 무신 정권이 이어졌습니다. 최고 권력자가 된 최충헌은 교정도감을 설치하여 최고 권력 기구로 삼았어요.

① 중방
➡ 중방은 고려 시대에 중앙군인 2군 6위의 지휘관들이 모여 군사 문제를 논의하던 회의 기구입니다. 무신 정권 초기에 실질적인 최고 권력 기구의 역할을 하였으나 최충헌이 집권한 이후에는 교정도감이 최고 권력 기구가 되었어요.

② 교정도감
➡ 교정도감을 설치한 최충헌은 교정도감의 수장인 교정별감이 되어 국정 전반을 장악하였어요.

③ 도병마사
➡ 도병마사는 중서문하성과 중추원의 고위 관리들이 모여 국방과 군사 문제를 논의하던 고려의 독자적인 회의 기구입니다.

④ 식목도감
➡ 식목도감은 도병마사와 마찬가지로 중서문하성과 중추원의 고위 관리들로 구성된 고려의 독자적인 회의 기구입니다. 식목도감에서는 법 제정이나 각종 시행 규칙을 논의하였어요.

제 60 회

17 지눌의 활동 정답 ③

다음 가상 인터뷰의 (가)에 들어갈 내용으로 적절한 것은? [3점]

✪ 고려 후기에 활동한 지눌은 불교계의 타락과 세속화를 비판하면서 불교 개혁 운동을 전개하였어요. 수행 방법으로 참선과 교리 공부를 함께해야 한다는 정혜쌍수와 단번에 깨닫고 깨달은 후에도 수행을 계속해야 한다는 돈오점수를 주장하였어요. 지눌은 죽은 뒤에 '불일보조국사'라는 시호를 받았습니다.

① 무애가를 지었습니다.
➡ 신라의 승려 원효는 백성들이 불교 교리를 쉽게 받아들일 수 있도록 '무애가'라는 노래를 지어 불렀어요.

② 천태종을 개창하였습니다.
➡ 고려 전기의 승려 의천은 송에서 화엄종과 천태학을 공부하고 돌아와 해동 천태종을 개창하였어요. 의천은 '대각국사'라는 시호를 받았어요.

③ 수선사 결사를 제창하였습니다.
➡ **지눌**은 불교 개혁을 위해 수선사 결사를 제창하여 참선과 노동에 힘쓸 것을 강조하였어요.

④ 왕오천축국전을 저술하였습니다.
➡ 신라의 승려 혜초는 인도와 중앙아시아를 다녀온 후 이 지역의 풍물을 기록한 "왕오천축국전"을 저술하였어요.

기출 선택지 +α

⑤ 세속 5계를 지었습니다. (O/X)
⑥ 십문화쟁론을 저술하였습니다. (O/X)
⑦ 영주 부석사를 건립하였습니다. (O/X)
⑧ 정혜쌍수와 돈오점수를 강조하였습니다. (O/X)

핵심 개념 지눌의 활동

불교 개혁 운동	승려 본연의 자세로 돌아가 참선과 노동에 힘쓸 것을 강조하며 수선사 결사(정혜 결사) 제창
불교 통합 운동	선종을 중심으로 교종을 통합하고자 함
수행 방법	정혜쌍수와 돈오점수 강조

기출 선택지 +α 정답 ⑤ ×[원광] ⑥ ×[원효] ⑦ ×[의상] ⑧ ○

18 정몽주의 활동 정답 ③

(가)에 들어갈 인물로 옳은 것은? [1점]

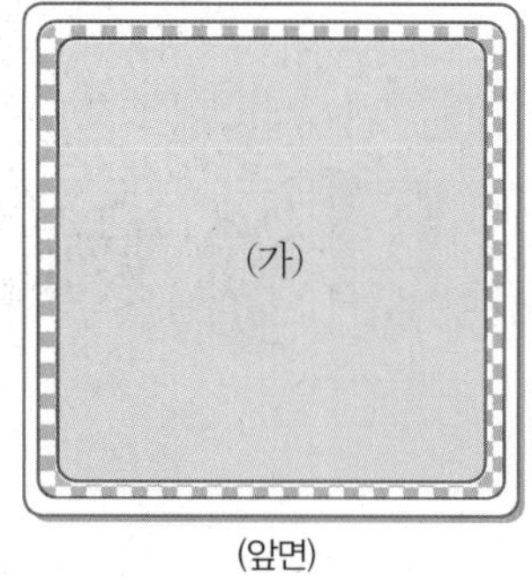

(앞면)

- 고려 시대 학자
- 성균관 대사성 역임
- 사신으로 명, 일본 왕래
- ❶조선 건국 세력에 맞서 고려 왕조를 지키고자 함
- 문집으로 ❷포은집이 있음

(뒷면)

정답 잡는 키워드

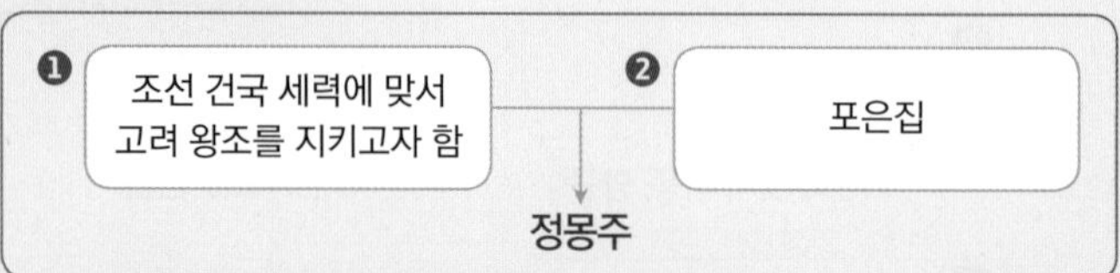

❶ 고려 말에 신진 사대부는 고려 왕조를 지키려고 한 온건 개혁파 신진 사대부와 새 왕조를 개창하고자 한 급진 개혁파(혁명파) 신진 사대부로 나뉘었어요. 이 가운데 정몽주는 대표적인 온건 개혁파였어요.
❷ 조선 건국 이후 정몽주의 시문을 모은 "포은집"이 간행되었어요. '포은'은 정몽주의 호입니다.

①

박지원
➡ 박지원은 조선 후기의 실학자로 사절단을 따라 청에 다녀와 그곳에서 보고 들은 내용을 기록하여 "열하일기"를 저술하였어요.

②

송시열
➡ 송시열은 조선 후기 노론의 대표 인물이에요. 효종에게 상소를 올려 명에 대한 의리를 내세우고 청에 대한 복수를 주장하였어요.

③

정몽주
➡ 정몽주는 조선 건국에 반대하여 이방원 세력에 의해 죽임을 당하였어요.

④

정도전
➡ 정도전은 이성계를 도와 조선 건국을 주도하였으며, 건국 초기 나라의 기틀을 마련하는 데 큰 역할을 하였어요.

19 15세기 조선의 과학 기술 발전

정답 ②

(가)에 들어갈 내용으로 옳은 것은? [2점]

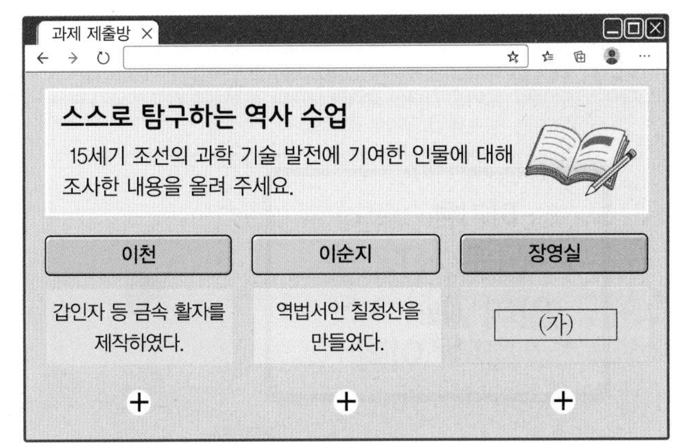

조선 전기에는 국가의 지원 속에 과학 기술이 발달하였어요. 고려의 금속 활자를 개량하는 데 힘써 태종 때 계미자, 세종 때 갑인자 등의 금속 활자를 만들었습니다. 또 천문 관측 기술이 발전하여 한양을 기준으로 한 역법서인 "칠정산"이 편찬되었어요. 특히 세종 때 이천, 이순지, 장영실 등이 활약하였는데, 장영실은 왕명을 받아 자격루, 간의 등 각종 기구를 제작하였어요.

① 거중기를 설계하였다.
➡ 조선 후기 정조 때 정약용은 작은 힘으로 무거운 물건을 들 수 있는 기계인 거중기를 설계하였어요. 거중기는 수원 화성 축조에 사용되었어요.

② 자격루를 제작하였다.
➡ 조선 세종 때 **장영실**은 자동으로 시간을 알려 주는 장치를 갖춘 물시계인 자격루를 제작하였어요.

③ 대동여지도를 만들었다.
➡ 조선 후기에 김정호는 총 22첩의 목판으로 된 우리나라 전국 지도인 대동여지도를 만들었어요. 대동여지도는 10리마다 눈금을 표시하여 거리를 알기 쉽게 하였어요.

④ 동의보감을 완성하였다.
➡ 조선 후기 광해군 때 허준은 전통 한의학을 체계적으로 정리하여 "동의보감"을 완성하였어요.

기출 선택지 +α

⑤ 북학의를 저술하였다. (O/X)
⑥ 비격진천뢰를 발명하였다. (O/X)
⑦ 화통도감 설치를 건의하였다. (O/X)

핵심 개념	조선 전기 과학 기술의 발달
천문학	천상열차분야지도(천문도, 태조), 혼천의·간의 제작(천문 관측기구, 세종)
역법	"칠정산"(한양을 기준으로 천체 운동을 계산한 역법서, 세종)
시계	세종 때 앙부일구(해시계), 자격루(물시계) 등 제작
농업 관련	• 측우기(강우량 측정 기구, 세종) • "농사직설"(우리 풍토에 맞는 농사법을 정리한 농서, 세종)
의학	"향약집성방"(우리 고유의 약재와 치료법을 정리한 의약서, 세종)
인쇄술	주자소 설치(태종), 계미자(태종)·갑인자(세종) 등 금속 활자 주조

기출 선택지 +α 정답 ⑤ ×[박제가] ⑥ ×[이장손] ⑦ ×[최무선]

20 원 간섭기의 문화

정답 ③

선생님의 질문에 대한 학생의 대답으로 옳지 않은 것은? [2점]

고려 정부가 몽골과 강화를 맺고 개경으로 돌아오면서 고려는 본격적으로 몽골이 세운 원의 정치적 간섭을 받게 되었어요. 이 시기를 원 간섭기라고 합니다. 이 시기에 고려와 원의 교류가 활발해져 고려에서는 몽골 풍습(몽골풍)이, 원에서는 고려 풍습(고려양)이 유행하였어요.

① 지배층을 중심으로 변발이 유행하였어요.
➡ **원 간섭기**에 지배층을 중심으로 몽골의 풍습인 변발과 호복이 유행하였어요.

② 증류 방식으로 소주를 제조하였어요.
➡ **원 간섭기**에 원으로부터 증류로 술을 만드는 방식이 도입되어 소주가 제조되었어요. 증류는 액체에 열을 가해 생긴 기체를 차게 하여 다시 액체로 만드는 일을 말해요.

③ 고추를 넣어 김치를 담갔어요.
➡ 고추는 **조선 후기**에 전래되었어요.

④ 아랫도리에 주름을 잡은 철릭을 입었어요.
➡ 철릭은 **원 간섭기**에 들어온 몽골식 의복으로 추정돼요. 윗옷과 아랫도리를 따로 재단하여 이어 붙인 옷으로, 아랫도리에 주름을 잡아 활동하기에 편하였어요.

21 사헌부

정답 ④

(가) 기구에 대한 설명으로 옳은 것은? [2점]

정답 잡는 키워드

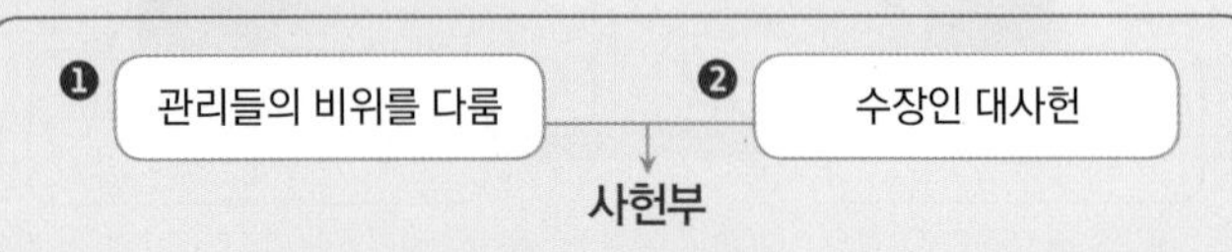

❶, ❷ 조선 시대에 사헌부는 관리의 비리를 감찰하고 기강과 풍속을 바로잡는 일 등을 담당하였어요. 대사헌은 사헌부의 수장이에요. 사헌부와 사간원의 관리는 대간이라 불리며 5품 이하 관리의 임명에 동의하는 서경권을 가졌어요.

① 왕명 출납을 관장하였다.
➡ **승정원**은 조선 시대에 왕명 출납을 관장한 기구입니다.

② 수도의 행정과 치안을 맡았다.
➡ **한성부**는 조선 시대에 수도 한성의 행정과 치안을 맡은 기구입니다.

③ 외국어 통역 업무를 담당하였다.
➡ **사역원**은 외국어의 통역과 번역 업무를 담당한 기구입니다.

④ 사간원, 홍문관과 함께 삼사로 불렸다.
➡ 조선 시대에 **사헌부**는 사간원, 홍문관과 함께 삼사로 불리며 언론 기능을 담당하였어요.

기출 선택지 +α

⑤ 옥당, 옥서라는 별칭이 있었다.	(O/X)
⑥ 관리의 부정과 비리를 감찰하였다.	(O/X)
⑦ 역사서의 편찬과 보관을 담당하였다.	(O/X)
⑧ 5품 이하 관원에 대한 서경권을 가졌다.	(O/X)

기출 선택지 +α 정답 ⑤ ×[홍문관] ⑥○ ⑦ ×[춘추관] ⑧○

22 성리학

정답 ②

(가)에 들어갈 용어로 옳은 것은? [1점]

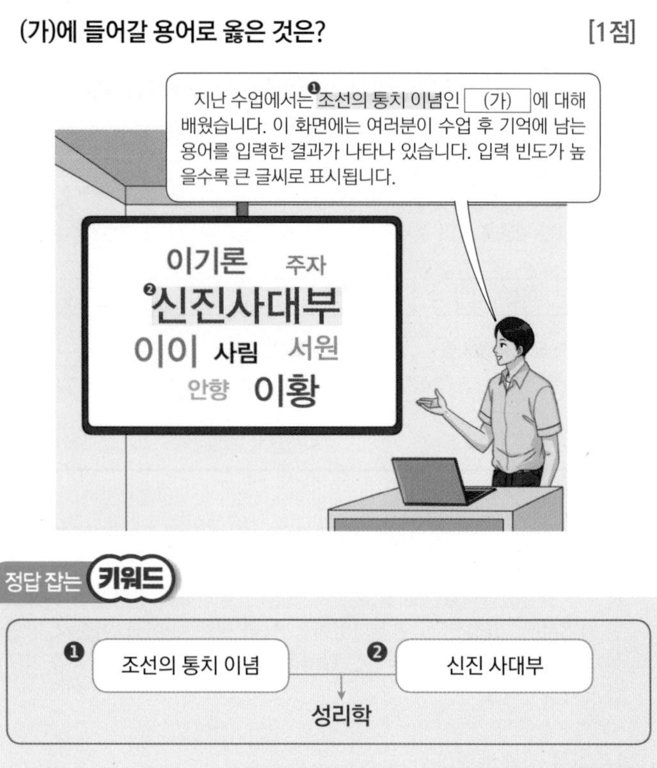

정답 잡는 키워드

❶ 조선의 통치 이념 / ❷ 신진 사대부 → 성리학

❶, ❷ 신진 사대부는 고려 후기에 등장한 새로운 정치 세력으로, 성리학을 수용하여 이를 바탕으로 고려 사회의 모순을 개혁하고자 노력하였어요. 이들 가운데 급진 개혁파(혁명파) 신진 사대부와 이성계가 손을 잡고 조선을 건국하였습니다. 이들은 성리학을 조선의 통치 이념으로 삼아 각종 제도를 정비하였어요.

① 선종
➡ 선종은 참선을 중시하는 불교 종파의 하나입니다. 신라 말에 선종은 호족의 사상적 기반이 되어 이들의 지원을 받아 크게 유행하였어요.

② 성리학
➡ 성리학은 고려 후기에 안향이 원으로부터 들여와 처음 소개되었어요.

③ 양명학
➡ 양명학은 실천적 윤리를 강조한 학문으로 참 지식은 반드시 실행이 따라야 한다는 지행합일을 중시하였어요.

④ 천도교
➡ 조선 후기에 최제우가 창시한 동학을 제3대 교주 손병희가 천도교로 개칭하였어요.

핵심 개념 성리학

의미	• 본질적인 이(理)와 본질의 발현인 기(氣)의 개념으로 인간의 심성과 우주의 원리 등을 종합적으로 파악하려는 새로운 유학 • 남송의 주희가 집대성함
도입	고려 말에 안향이 원으로부터 성리학을 들여옴 → 이제현 등이 만권당에서 원의 유학자들과 교류하며 성리학에 대한 이해를 높임 → 정몽주, 정도전 등 신진 사대부가 개혁 사상으로 성리학을 적극적으로 받아들임
발달	• 조선의 통치 이념이 됨 • 16세기 사림이 중앙 정치를 주도하면서 성리학 연구 심화 - 이황 : 인간 심성의 근본 강조, 성리학의 이론을 그림으로 설명한 "성학십도" 등 저술, 일본 성리학 발전에 영향을 줌('동방의 주자') - 이이 : 현실적인 문제에도 관심이 많아 수미법 등 다양한 개혁 방안 제안, 군주가 갖추어야 할 덕목과 지식을 정리한 "성학집요" 등 저술 • 서원 : 주로 사림들이 세운 교육 기관, 성리학 교육과 함께 선현에 대한 제사 담당, 향촌 사회에서 사림의 세력 기반이 됨

23 병자호란

정답 ③

밑줄 그은 '이 전쟁'에 대한 설명으로 옳은 것은? [2점]

지금 촬영하는 곳은 ❶남한산성입니다. 적의 공격을 방어하기 유리한 지형에 세워진 산성으로 이 전쟁 때 ❷인조가 피신하였습니다.

정답 잡는 키워드

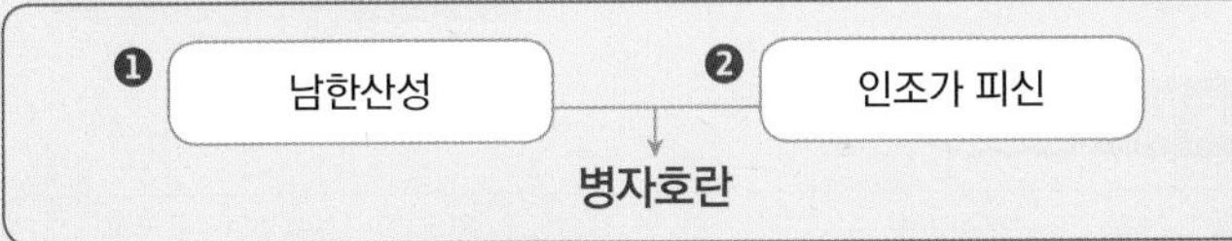

❶, ❷ 정묘호란을 일으킨 후금은 조선과 형제 관계를 맺기로 하고 화의를 체결한 뒤 군대를 철수하였어요. 이후 후금이 청으로 국호를 바꾸고 조선에 군신 관계를 강요하였어요. 조선이 이를 거부하자 청이 조선을 침략하여 병자호란이 일어났어요. 인조는 남한산성으로 피신하여 청에 항전하였어요.

① 김시민 장군이 활약하였다.
➡ 임진왜란 당시 김시민이 이끄는 조선군과 백성이 진주성에서 일본군을 격퇴하였는데, 이를 진주 대첩이라고 합니다.

② 별무반을 편성하여 적과 싸웠다.
➡ 고려 정부는 윤관의 건의를 받아들여 여진을 정벌하기 위해 별무반을 편성하였어요. 윤관은 별무반을 이끌고 여진을 정벌한 후 동북 9성을 쌓았어요.

③ 전쟁 후 청과 군신 관계를 맺었다.
➡ **병자호란** 당시 인조는 결국 삼전도에서 굴욕적인 화의를 체결하고 청과 군신 관계를 맺었어요.

④ 이여송이 이끄는 명의 지원군이 파병되었다.
➡ 임진왜란 당시 조선 정부의 요청에 따라 이여송이 이끄는 명의 지원군이 파병되었어요.

기출 선택지 +α

⑤ 국왕이 남한산성에서 항전하였다. (O/X)
⑥ 이종무가 쓰시마섬을 토벌하였다. (O/X)
⑦ 임경업이 백마산성에서 항전하였다. (O/X)
⑧ 권율이 행주산성에서 대승을 거두었다. (O/X)

기출 선택지 +α 정답 ⑤○ ⑥×[조선 세종 때의 왜구 토벌] ⑦○ ⑧×[임진왜란]

킬러 문항

24 조선 현종과 영조 사이 시기의 일

정답 ③

(가), (나) 사이의 시기에 있었던 사실로 옳은 것은? [3점]

(가) 효종이 죽자 자의 대비의 상복 입는 기간을 두고 예송이 발생하였다.

(나) 신하들이 언제라도 탕평의 의미를 되새기라는 뜻에서 왕이 성균관 앞에 탕평비를 세웠다.

정답 잡는 키워드

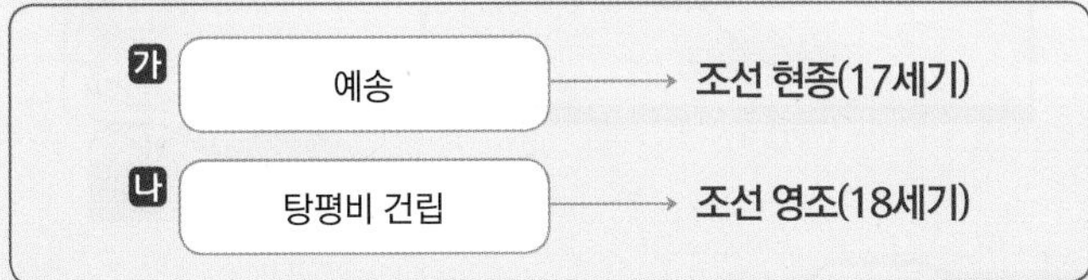

가 현종 때 효종과 효종비의 장례를 치르는 과정에서 효종의 계모인 자의 대비가 상복 입는 기간을 두고 서인과 남인 사이에서 두 차례 예송이 발생하였어요.

나 영조는 붕당의 폐해를 바로잡기 위해 탕평책을 폈으며, 탕평에 대한 의지를 널리 알리기 위해 성균관 앞에 탕평비를 세웠어요.

① 비변사가 폐지되었다.
➡ 19세기 조선 고종 때 실권을 장악한 흥선 대원군은 비변사의 기능을 축소하여 사실상 폐지하고 의정부와 삼군부의 기능을 부활시켰어요.

② 훈련도감이 설치되었다.
➡ 16세기 후반 조선 선조 때 있었던 임진왜란 중에 포수(조총), 사수(활), 살수(창, 칼)의 삼수병으로 구성된 훈련도감이 설치되었어요.

③ 경신환국으로 서인이 집권하였다.
➡ 조선 현종에 이어 즉위한 **숙종** 때 집권 붕당이 급격하게 교체되는 환국이 여러 차례 전개되었어요. 경신환국으로 남인이 몰락하고 서인이 집권하였어요.

④ 무오사화로 김일손 등이 처형되었다.
➡ 15세기 후반 조선 연산군 때 김일손이 스승 김종직이 쓴 '조의제문'을 실록의 기초 자료가 되는 사초에 실었는데, 훈구 세력이 이를 문제 삼아 무오사화가 일어나 김일손 등이 처형되었어요.

기출 선택지 +α

⑤ 정동행성이 설치되었다. (O/X)
⑥ 백두산 정계비가 건립되었다. (O/X)

연표로 흐름잡기

1659	효종 사망, 현종 즉위, 1차 예송(기해예송) → 서인 우세
1674	효종비 사망 후 2차 예송(갑인예송) → 남인 우세, 현종 사망, 숙종 즉위
1680	경신환국 → 서인 집권
1689	기사환국 → 남인 집권
1694	갑술환국 → 서인 집권
1712	백두산정계비 건립
1720	숙종 사망, 경종 즉위
1724	경종 사망, 영조 즉위
1742	탕평비 건립

기출 선택지 +α 정답 ⑤×[고려, 원 간섭기] ⑥○[조선 숙종]

제 60 회

25 홍경래의 난

정답 ①

(가) 사건에 대한 설명으로 옳은 것은? [2점]

❶ 이것은 1811년 서북 지역민에 대한 차별 등에 반발하여 일어난 (가) 의 진행 과정을 보여 주는 지도입니다.

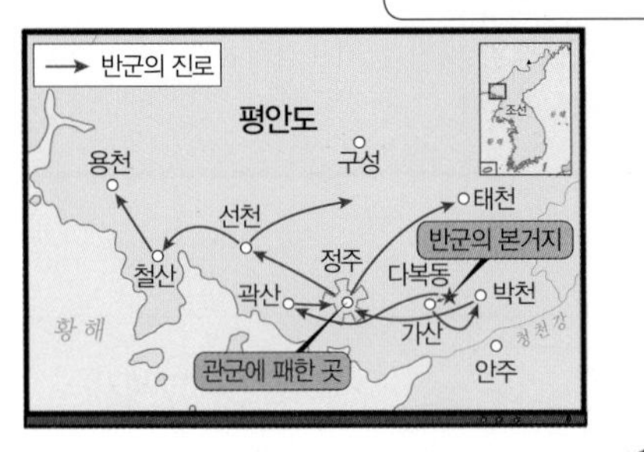

정답 잡는 키워드

❶ 1811년 서북 지역민에 대한 차별 등에 반발하여 일어남 → 홍경래의 난

❶ 홍경래의 난은 조선 순조 때인 1811년에 서북 지역(평안도 지역)민에 대한 차별과 세도 정권의 가혹한 수탈에 항거하여 일어났어요.

① 홍경래가 봉기를 주도하였다.
➡ **홍경래의 난**은 홍경래, 우군칙 등의 주도로 일어났어요. 한때 청천강 이북 지역을 장악하였으나 관군에 진압되었어요.

② 서경 천도를 주장하며 일어났다.
➡ 고려 인종 때 묘청 등 서경 세력이 서경 천도를 주장하며 반란을 일으켰으나 김부식이 이끄는 관군에 진압되었어요.

③ 백낙신의 횡포가 계기가 되었다.
➡ 조선 철종 때 경상 우병사 백낙신의 횡포를 계기로 유계춘 등이 주도하여 진주에서 농민 봉기가 일어났어요.

④ 특수 행정 구역인 소의 주민이 참여하였다.
➡ 소는 고려 시대에 있었던 특수 행정 구역으로, 조선 건국 이후 소멸되었어요. 소의 주민이 참여한 봉기로는 고려 무신 집권기에 공주 명학소에서 일어난 망이·망소이의 난이 대표적이에요.

기출 선택지 +α

⑤ 삼정이정청이 설치되는 계기가 되었다. (O/X)
⑥ 집강소를 설치하여 폐정 개혁을 추진하였다. (O/X)
⑦ 세도 정치 시기의 수탈과 지역 차별에 반발하여 일어났다. (O/X)

핵심 개념	홍경래의 난
배경	서북 지역(평안도)에 대한 차별, 세도 정권의 가혹한 수탈 등
발발	• 홍경래, 우군칙 등의 주도 아래 봉기함 • 중소 상공인, 광산 노동자, 가난한 농민 등이 참여함
전개	한때 청천강 이북 지역을 차지할 정도로 위세를 떨쳤지만 정주성에서 관군에 의해 진압됨

기출 선택지 +α 정답 ⑤ ×[임술 농민 봉기] ⑥ ×[동학 농민 운동] ⑦ ○

26 조선 후기의 문화

정답 ④

다음 상황이 나타난 시기에 볼 수 있는 모습으로 적절하지 않은 것은? [2점]

정답 잡는 키워드

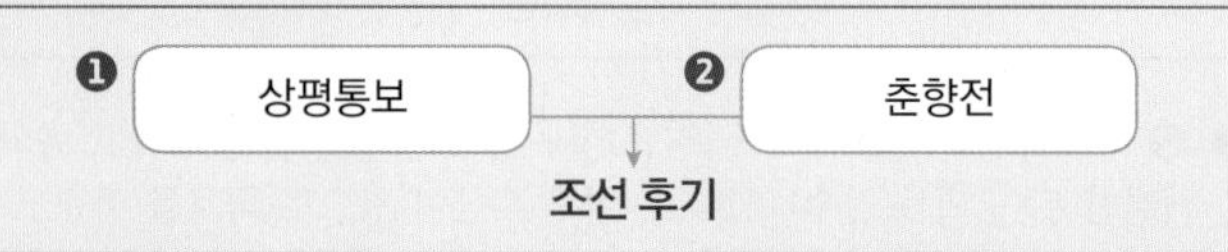

❶ 조선 후기에 상업 활동이 활발하게 이루어지면서 화폐 사용도 늘어나 숙종 때 공식 화폐로 주조된 상평통보가 널리 유통되었어요. 당시 사람들은 물건을 사거나 세금을 낼 때 상평통보를 사용하기도 하였어요.
❷ 조선 후기에 "홍길동전", "춘향전" 등 한글 소설이 유행하면서 돈을 받고 전문적으로 책을 읽어 주는 전기수가 등장하고, 책을 빌려주는 세책점이 많이 생겨났어요.

① 민화를 그리는 화가
➡ **조선 후기**에 서민의 소망과 기원을 표현하는 민화가 많이 그려졌어요. 대표적인 민화로 까치 호랑이 등을 들 수 있어요.

② 탈춤을 공연하는 광대
➡ **조선 후기**에 사람들이 많이 모이는 장시에서 탈춤 공연이 성행하였어요.

③ 판소리를 구경하는 상인
➡ **조선 후기**에 소리꾼이 노래와 사설로 줄거리를 풀어 가는 판소리 공연이 많이 열렸어요.

④ 팔관회에 참가하는 외국 사신
➡ 고려 시대에 토속 신앙과 불교 등이 결합된 팔관회가 국가적인 행사로 거행되어 송, 여진 등 다른 나라의 사신과 상인이 참여하기도 하였어요. 국가 행사로서의 팔관회는 조선 건국 직후 폐지되었어요.

27 대동법

정답 ③

(가)에 들어갈 제도로 옳은 것은? [1점]

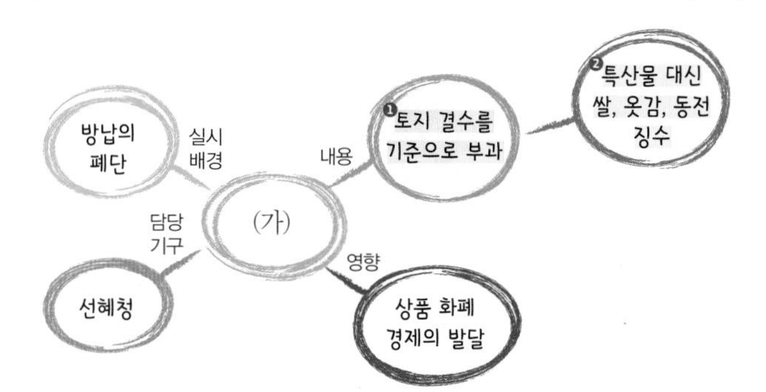

정답 잡는 키워드

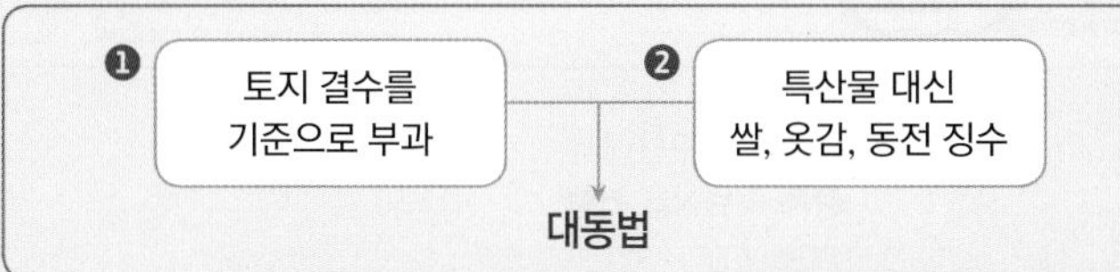

❶, ❷ 조선 시대에 농민은 세금으로 조세, 공납, 역을 부담하였어요. 그중에서 공납은 특산물을 집집마다 부과하여 거두었는데, 농민에게 큰 부담이었어요. 게다가 하급 관리나 상인이 공납을 대신 납부하고 과도한 대가를 받는 방납의 폐단이 컸어요. 이러한 문제를 바로잡기 위해 조선 광해군은 경기도에 대동법을 실시하였어요. 대동법은 공납을 소유한 토지 결수를 기준으로 부과하여 특산물 대신 쌀, 옷감, 동전 등으로 내게 한 제도입니다. 대동법이 시행되면서 관청이나 왕실에서 필요로 하는 물품을 조달하는 공인이 등장하였어요. 공인이 시장에서 물품을 대량으로 구매하고 수공업자에게 물품의 제작을 의뢰하면서 상업과 수공업이 활성화되고 상품 화폐 경제도 발달하였습니다. 선혜청은 대동법의 시행으로 징수된 쌀 등을 관리하는 관청입니다.

① 과전법
➡ 과전법은 고려 말에 시행되어 조선 초기까지 이어진 토지 제도입니다. 관직 복무에 대한 대가로 전직과 현직 관리에게 경기 지역에 한해 세금을 거둘 수 있는 토지를 지급하였어요. 조선 세조 때 관리에게 지급할 토지가 부족해지면서 현직 관리에게만 세금을 거둘 수 있는 토지를 지급하는 직전법으로 바뀌었어요.

② 균역법
➡ 균역법은 농민의 군포 부담을 덜어 주기 위해 2필씩 내던 군포를 1필로 줄여 준 제도로, 조선 영조 때부터 시행되었어요.

③ 대동법
➡ 대동법은 조선 광해군 때 경기도에서 처음 실시되어 점차 확대되었어요. 소유한 토지 결수를 기준으로 부과되었기에 양반 지주들의 반발이 커서 전국적으로 확대되는 데 오랜 시간이 걸렸어요.

④ 영정법
➡ 영정법은 전세를 풍흉에 관계없이 토지 1결당 쌀 4~6두로 고정시킨 법으로, 조선 인조 때부터 시행되었어요.

28 조선 정조의 정책

정답 ①

(가) 왕이 실시한 정책으로 옳은 것은? [2점]

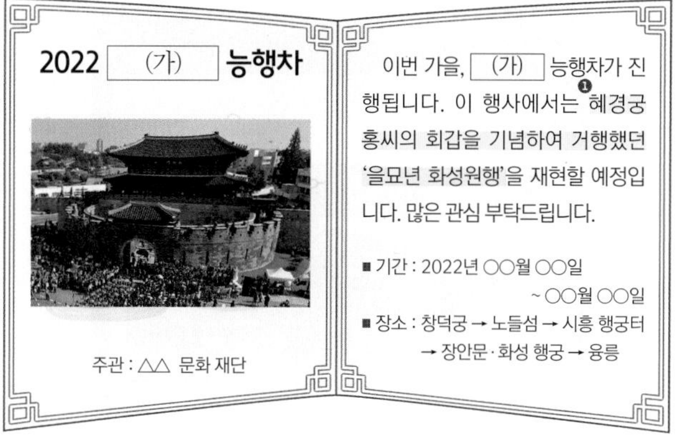

정답 잡는 키워드

❶ 혜경궁 홍씨의 회갑 기념, '을묘년 화성원행' → 조선 정조

❶ 정조는 자신의 정치적 이상을 실현할 신도시로 수원 화성을 건설한 후 여러 차례 행차하였어요. 을묘년이었던 1795년에 정조는 친어머니 혜경궁 홍씨의 회갑을 기념하여 수원 화성으로 행차하여 행궁에서 회갑연을 성대하게 열고 친아버지 사도 세자의 묘소인 현륭원(지금의 융릉)을 참배하였습니다.

① 장용영을 설치하였다.
➡ **조선 정조**는 왕권 강화를 위해 국왕 친위 부대인 장용영을 설치하였어요.

② 전시과를 시행하였다.
➡ 고려 경종 때 관리에게 관직 복무에 대한 대가로 곡식을 얻을 수 있는 전지와 땔감을 얻을 수 있는 시지를 지급하는 전시과가 처음 시행되었어요.

③ 경복궁을 중건하였다.
➡ 조선 고종 때 흥선 대원군의 주도로 임진왜란 때 불에 탄 채 방치된 경복궁을 중건하였어요.

④ 경국대전을 완성하였다.
➡ "경국대전"은 조선 세조 때부터 편찬을 시작하여 성종 때 완성되었어요.

기출 선택지 +α

❺ 탕평비를 건립하였다. (O/X)
❻ 금난전권을 폐지하였다. (O/X)
❼ 농사직설을 편찬하였다. (O/X)

핵심 개념 조선 정조의 개혁 정치

구분	내용
정치	• 노론, 소론, 남인 등 붕당에 관계없이 인재를 고루 등용하는 탕평책 실시 • 학문·정책 연구 기관으로 규장각의 기능 강화, 초계문신제 시행 • 국왕의 친위 부대인 장용영 설치 • 군사와 상업의 중심지로 수원 화성 건립
경제	신해통공 : 육의전을 제외한 시전 상인의 금난전권 폐지
사회	서얼에 대한 차별 완화 → 유득공, 박제가, 이덕무 등 서얼 출신을 규장각 검서관으로 등용
문물 정비	"대전통편"(법전), "동문휘고"(외교 문서집), "무예도보통지"(무예 훈련서) 등 편찬

기출 선택지 +α 정답 ⑤ ×[조선 영조] ⑥ ○ ⑦ ×[조선 세종]

제 60 회

킬러 문항

29 유형원의 활동

정답 ③

(가)에 들어갈 인물로 옳은 것은? [2점]

정답 잡는 키워드

❶ 균전론 등을 제시한 반계수록 저술 → 유형원

❶ 유형원은 농업 중심의 개혁론을 주장한 조선 후기의 실학자입니다. 그는 지금의 전라북도 부안으로 내려가 반계 서당을 세우고 제자를 양성하며 학문 연구에 전념하였어요. 이곳에서 균전론 등 국가 통치 제도에 대한 개혁안을 담은 "반계수록"을 저술하였습니다. '반계'는 유형원의 호입니다.

① 이익
➡ 이익은 농업 중심의 개혁론을 주장한 조선 후기의 실학자입니다. 토지 제도 개혁론으로 먹고사는 데 필요한 최소한의 토지를 영업전이라 하여 이의 매매를 금지하는 한전론을 주장하였어요.

② 박제가
➡ 박제가는 상공업 중심의 개혁론과 청의 선진 문물을 배우자는 북학론을 주장한 조선 후기의 실학자입니다. 또 수레, 선박 등의 이용을 주장하였으며 "북학의"를 저술하였어요.

③ 유형원
➡ 유형원은 "반계수록"에서 모든 토지를 국가가 소유하고 신분에 따라 토지를 차등 지급하는 균전론을 주장하였어요.

④ 홍대용
➡ 홍대용은 상공업 중심의 개혁론과 청의 선진 문물을 배우자는 북학론을 주장한 조선 후기의 실학자입니다. 또 지전설과 무한 우주론을 주장하였어요.

핵심 개념 반계 유형원

활동	• 조선 후기의 실학자 • 반계 서당을 세워 제자를 키우고 학문 연구에 전념함 • 토지 제도 개혁론으로 균전제(모든 토지를 나라가 소유하고 관리, 선비, 농민 등 신분에 따라 토지를 나누어 줌) 주장
저서	"반계수록"

30 대한 제국 시기의 사실

정답 ④

(가) 시기에 있었던 사실로 옳은 것은? [2점]

정답 잡는 키워드

❶ 고종이 환구단에서 황제 즉위식을 거행 → 대한 제국

❶ 고종은 일제가 명성 황후를 시해한 을미사변 이후 신변의 위협을 느껴 러시아 공사관으로 피신하였다가 1년여 만에 경운궁(지금의 덕수궁)으로 환궁하였어요. 우리나라가 자주독립국임을 널리 알리기 위해 1897년에 환구단에서 황제 즉위식을 거행하고 대한 제국의 수립을 선포하였어요.

① 당백전을 발행하였다.
➡ 조선 고종 때 실권을 장악하고 있던 흥선 대원군은 경복궁 중건에 필요한 비용을 마련하기 위해 1866년에 당백전을 발행하였어요.

② 영선사를 파견하였다.
➡ 조선 정부는 1881년 청에 영선사를 파견하여 근대식 무기 제조 기술과 군사 훈련법을 배워 오게 하였어요.

③ 육영 공원을 설립하였다.
➡ 조선 정부는 1886년에 근대식 교육 기관인 육영 공원을 설립하여 젊은 현직 관리와 양반 자제에게 영어를 비롯한 근대 학문을 가르쳤어요.

④ 대한국 국제를 제정하였다.
➡ **대한 제국** 정부는 1899년에 대한국 국제를 제정하여 황제의 절대 권한을 규정하였어요.

기출 선택지 +α

❺ 지계를 발급하였다. (O/X)
❻ 과거제를 폐지하였다. (O/X)

핵심 개념 대한 제국

수립 배경	아관 파천 이후 열강의 이권 침탈 심화, 고종의 환궁을 요구하는 독립 협회 등 여론의 압력 → 고종이 경운궁(지금의 덕수궁)으로 환궁
수립	연호를 광무로 정함 → 환구단에서 황제 즉위식을 거행하고 대한 제국의 수립을 선포함(1897)
광무개혁	• 전통적인 제도를 바탕으로 서양의 근대 문물을 받아들임(구본신참) • 대한국 국제 반포 : 황제가 육해군 통수권, 입법권, 사법권, 행정권, 외교권 등 모든 권한을 갖는다고 규정 • 원수부 설치 : 황제가 군 통수권을 장악함 • 양전 사업 실시 : 토지를 측량하고, 토지 소유자에게 근대적 토지 소유 증명서인 지계를 발급함 • 상공업 진흥 : 근대적 공장과 회사를 설립함 • 교육 진흥 : 각종 관립 학교를 설립하고, 외국에 유학생을 파견함 • 근대 시설 확충 : 전화를 가설함, 전차와 경인선 철도를 개통함

기출 선택지 +α 정답 ⑤○ ⑥ ×[제1차 갑오개혁(1894)]

31 갑신정변

정답 ②

(가)에 들어갈 사건으로 옳은 것은? [1점]

정답 잡는 키워드

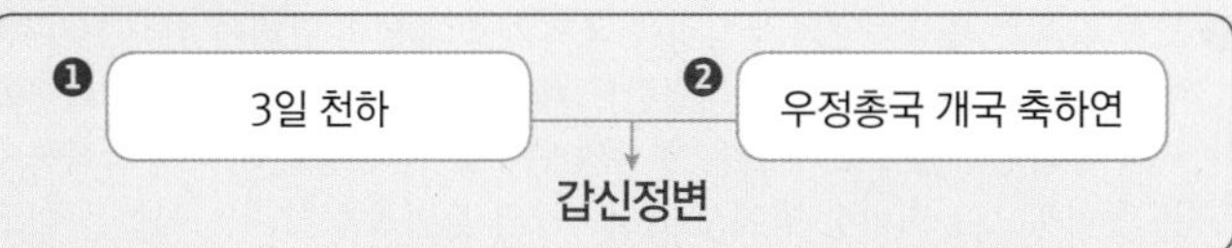

❶, ❷ 1884년에 우정총국 개국 축하연을 기회로 삼아 김옥균, 서광범, 홍영식, 박영효 등 급진 개화파가 갑신정변을 일으켰어요. 급진 개화파는 개화당 정부를 구성하고 개혁 정강을 발표하였으나 민씨 세력의 요청을 받은 청군의 개입으로 3일 만에 실패하였어요(삼일천하).

① 갑오개혁

➡ 갑오개혁은 1894년 7월부터 1896년 2월까지 3차에 걸쳐 추진된 일련의 개혁을 말해요. 제1차 갑오개혁은 1894년에 군국기무처의 주도로 시작되었어요. 이후 제2차 김홍집 내각이 수립되어 군국기무처가 폐지되고 제2차 갑오개혁이 추진되었어요. 을미사변 이후 추진된 제3차 개혁을 구분하여 을미개혁이라고 합니다.

② 갑신정변

➡ 갑신정변으로 구성된 개화당 정부는 청과의 사대 관계 청산, 문벌 폐지, 인민 평등권 보장 등의 내용을 담은 개혁 정강을 발표하였어요.

③ 브나로드 운동

➡ 동아일보사의 주도로 1931년에 농촌 계몽 운동인 브나로드 운동이 시작되었어요. 브나로드는 러시아어로 '민중 속으로'라는 뜻으로 '배우자, 가르치자, 다 함께 브나로드'라는 구호를 내걸었어요.

④ 민립 대학 설립 운동

➡ 1920년대에 이상재 등은 한국인의 힘으로 고등 교육을 담당할 민립 대학을 설립하자는 민립 대학 설립 운동을 전개하였어요.

킬러 문항

32 을미의병

정답 ④

밑줄 그은 '의병'이 일어난 시기를 연표에서 옳게 고른 것은? [3점]

❶역적들이 국모를 시해하고 억지로 머리카락을 깎게 하니 백성들이 의병을 일으켰다. 하지만 이제는 단발을 편한 대로 하게 하였으니 백성들은 흩어져 돌아가 생업에 종사하라.

정답 잡는 키워드

❶ 역적들이 국모를 시해하고 억지로 머리를 깎게 하니 백성들이 의병을 일으킴 → 을미의병

❶ 조선 정부의 친러 정책에 위기감을 느낀 일본은 1895년에 친러 정책의 배후라고 생각한 명성 황후를 시해하는 을미사변을 일으키고 친일 성향의 김홍집 내각을 구성하게 하였어요. 김홍집 내각은 태양력 채택, 단발령 시행 등을 주요 내용으로 하는 을미개혁을 추진하였어요. 을미사변과 단발령 시행은 민중의 분노를 불러일으켰고 양반 유생을 중심으로 전국 각지에서 의병이 일어났어요. 이를 을미의병이라고 합니다. 을미의병은 고종이 단발령을 철회하고 해산할 것을 권고하자 스스로 해산하였어요.

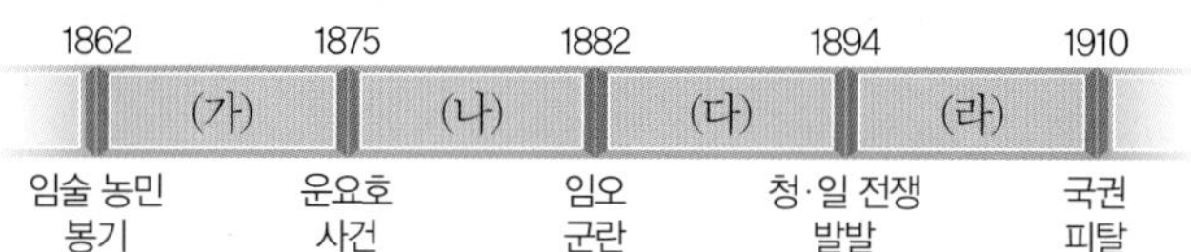

➡ 청·일 전쟁에서 승리한 일본이 시모노세키 조약을 맺어 청으로부터 랴오둥(요동)반도를 넘겨받자, 일본의 세력 확장을 우려한 러시아가 프랑스, 독일과 함께 랴오둥반도를 청에 돌려주라며 일본에 압력을 행사하였어요. 이에 일본이 굴복하여 랴오둥반도를 청에 반환하였습니다. 이런 상황에서 조선 정부가 일본을 견제하고자 친러 정책을 추진하자 조선에서 영향력이 약화되어 위기의식을 느낀 일본이 을미사변을 일으켰어요.

① (가)

② (나)

③ (다)

④ (라)

➡ 연표에서 을미의병이 일어난 시기는 청·일 전쟁 발발과 국권 피탈 사이인 (라)입니다.

연표로 흐름잡기

- **1894** 청·일 전쟁 발발
- **1895**
  - 청·일 전쟁에서 일본 승리 → 시모노세키 조약 체결
  - 삼국 간섭
  - 을미사변
  - 을미개혁(단발령 등 시행)
  - **을미의병**
- **1896** 아관 파천
- **1897** 고종의 환궁, 대한 제국 수립
- **1905** 을사늑약 체결
- **1910** 국권 피탈

33 신미양요 이후의 사실 정답 ②

다음 상황 이후에 일어난 사실로 옳은 것은? [3점]

정답 잡는 키워드

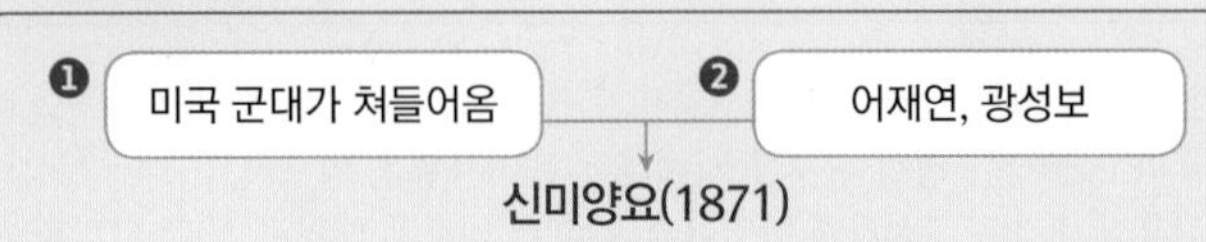

❶, ❷ 제너럴 셔먼호 사건을 빌미로 1871년에 미국 군대가 강화도를 침략하여 신미양요가 일어났어요. 광성보에서 어재연이 이끄는 조선군이 미군의 공격에 맞서 싸웠으나 결국 광성보가 함락되고 어재연이 전사하였어요. 이때 장수를 상징하는 깃발인 수자기를 미군에 빼앗겼다가 2007년에 임대 형식으로 돌려받았어요.

① 병인박해가 일어났다.
➡ 조선 정부가 프랑스 선교사와 천주교도를 처형한 병인박해는 신미양요가 일어나기 전인 1866년에 일어났어요. 병인박해가 원인이 되어 같은 해 병인양요가 일어났어요.

② 척화비가 건립되었다.
➡ **신미양요 이후** 흥선 대원군은 전국 각지에 척화비를 세워 통상 수교 거부 의지를 널리 알렸어요.

③ 제너럴 셔먼호 사건이 발생하였다.
➡ 신미양요의 원인이 된 제너럴 셔먼호 사건은 1866년에 일어났어요.

④ 오페르트가 남연군 묘 도굴을 시도하였다.
➡ 1868년에 독일 상인 오페르트는 조선 정부가 통상 교섭을 거절하자 흥선 대원군의 아버지인 남연군의 묘를 도굴하여 그 유해를 통상 협상에 이용하려 하였으나 도굴에 실패하였어요.

기출 선택지 +α

⑤ 통리기무아문이 설치되었다. (O/X)
⑥ 구식 군인들이 임오군란을 일으켰다. (O/X)
⑦ 양헌수 부대가 프랑스군을 물리쳤다. (O/X)

34 이준의 활동 정답 ①

(가)에 들어갈 인물로 옳은 것은? [2점]

정답 잡는 키워드

❶ 이상설, 이위종과 함께 헤이그 만국 평화 회의에 특사로 파견됨 → 이준

❶ 고종 황제는 을사늑약의 부당성을 국제 사회에 널리 알리기 위해 1907년에 이상설, 이위종, 이준을 네덜란드 헤이그에서 열린 만국 평화 회의에 특사로 파견하였어요. 이들은 열강의 반대로 만국 평화 회의에 참석하지는 못하였으나 회의장 밖에서 을사늑약의 불법성을 알리는 연설을 하고 일제의 침략을 규탄하는 문서를 각국 대표에게 보내는 등 여러 노력을 하였어요.

① 이준
➡ 이준은 네덜란드 헤이그에서 순국하였으며, 1963년에 유해를 옮겨와 서울 수유리에 안장하였어요.

② 손병희
➡ 손병희는 동학의 제3대 교주로 동학을 천도교로 개칭하였으며 1919년에 천도교 측의 민족 대표로 3·1 운동을 주도하였어요.

③ 여운형
➡ 여운형은 광복 직후 조선 건국 준비 위원회를 조직하여 활동하였으며, 김규식과 함께 좌우 합작 운동을 전개하였어요.

④ 홍범도
➡ 홍범도는 대한 독립군을 이끌고 봉오동 전투에서 활약하였으며, 청산리 전투에도 참여하였어요.

기출 선택지 +α 정답 ⑤ O[1880년] ⑥ O[1882년] ⑦ ×[1866년, 병인양요]

35 국채 보상 운동

정답 ②

밑줄 그은 '이 운동'에 대한 설명으로 옳은 것은? [2점]

정답 잡는 **키워드**

❶ 국채 보상 기성회 → **국채 보상 운동**

❶ 1907년에 성금을 모아 대한 제국 정부가 일본에 진 빚을 갚자는 국채 보상 운동이 전개되었어요. 국채 보상 운동은 서상돈, 김광제 등을 중심으로 대구에서 시작되었으며, 국채 보상 기성회의 주도 아래 전국으로 확산되었어요. 수많은 사람이 반지나 비녀를 팔고 술과 담배를 끊어 성금을 모아 기부하는 등 나랏빚을 갚고자 노력하였습니다.

① 만민 공동회를 개최하였다.
➡ 독립 협회는 근대적 민중 집회인 만민 공동회를 개최하였어요.

② 대한매일신보 등 언론의 지원을 받았다.
➡ **국채 보상 운동**은 대한매일신보, 황성신문 등 언론의 지원을 받아 전국으로 확산되었어요.

③ 조선 사람 조선 것이라는 구호를 내세웠다.
➡ 1920년대에 전개된 토산품 애용 운동인 물산 장려 운동은 '조선 사람 조선 것', '내 살림 내 것으로' 등의 구호를 내걸었어요.

④ 백정에 대한 사회적 차별 철폐를 주장하였다.
➡ 백정들은 1923년에 조선 형평사를 조직하고 백정에 대한 사회적 차별 철폐를 주장하며 형평 운동을 전개하였어요.

기출 선택지 +α

❺ 대구에서 시작하여 전국으로 확산되었다. (O/X)
❻ 조선 총독부의 탄압과 방해로 실패하였다. (O/X)
❼ 황국 중앙 총상회를 중심으로 전개되었다. (O/X)
❽ 윌슨이 제창한 민족 자결주의의 영향을 받았다. (O/X)

기출 선택지 +α
정답 ⑤ ○ ⑥ ×[통감부의 탄압과 방해로 실패, 조선 총독부는 1910년에 설치됨] ⑦ ×[상권 수호 운동] ⑧ ×[3·1 운동]

36 3·1 운동의 영향

정답 ④

밑줄 그은 '만세 시위운동'의 영향으로 옳은 것은? [2점]

정답 잡는 **키워드**

❶ 1919년에 일어난 만세 시위운동 → **3·1 운동**

❶ 미국 대통령 윌슨이 제창한 민족 자결주의, 만주의 대한 독립 선언과 일본 유학생의 2·8 독립 선언 등의 영향을 받아 1919년에 독립 만세 운동인 3·1 운동이 일어났어요. 3·1 운동은 각계각층의 사람이 참여한 일제 강점기 최대 규모의 민족 운동으로 국내는 물론 해외 동포들에게도 확산되었어요.

① 독립문이 건립되었다.
➡ 독립 협회는 우리 민족의 독립 의지를 널리 알리기 위해 청의 사신을 맞이하던 영은문 자리 부근에 독립문을 건립하였어요.

② 홍범 14조가 반포되었다.
➡ 제2차 갑오개혁 추진 과정에서 고종은 개혁의 기본 방향을 밝힌 홍범 14조를 반포하였어요.

③ 토지 조사 사업이 시작되었다.
➡ 일제는 1910년부터 1918년까지 식민 통치에 필요한 재정을 확보하고 토지를 수탈하기 위해 토지 조사 사업을 실시하였어요.

④ 대한민국 임시 정부가 수립되었다.
➡ **3·1 운동**을 계기로 독립운동을 이끌 지도부의 필요성이 제기되어 대한민국 임시 정부가 수립되었어요.

기출 선택지 +α

❺ 조선 태형령이 제정되었다. (O/X)
❻ 이른바 문화 통치가 실시되었다. (O/X)

핵심 개념 3·1 운동의 의의와 영향

의의	• 모든 계층이 참여한 일제 강점기 최대 규모의 민족 운동 • 우리 민족의 독립 의지를 전 세계에 알림
영향	• 일제의 통치 방식이 무단 통치에서 '문화 통치'로 바뀜 • 독립운동을 이끌 지도부의 필요성 대두 → 대한민국 임시 정부 수립 • 중국과 인도 등 아시아의 민족 운동에 영향을 줌

기출 선택지 +α 정답 ⑤ ×[1912년] ⑥ ○

37 대한 광복회

정답 ④

(가)에 해당하는 단체로 옳은 것은? [2점]

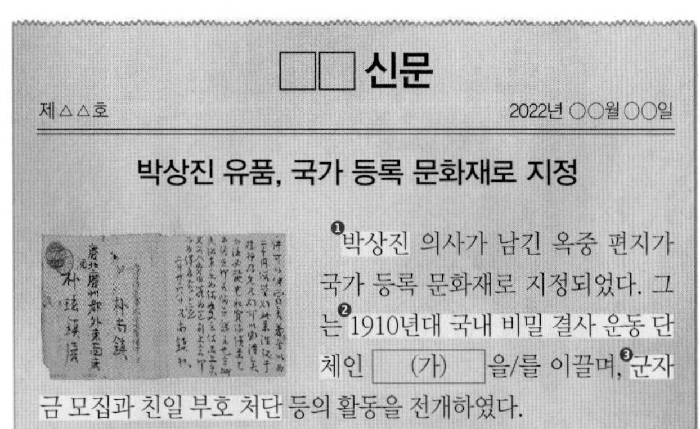

□□신문

제△△호 2022년 ○○월 ○○일

박상진 유품, 국가 등록 문화재로 지정

❶박상진 의사가 남긴 옥중 편지가 국가 등록 문화재로 지정되었다. 그는 ❷1910년대 국내 비밀 결사 운동 단체인 (가) 을/를 이끌며, ❸군자금 모집과 친일 부호 처단 등의 활동을 전개하였다.

정답 잡는 키워드

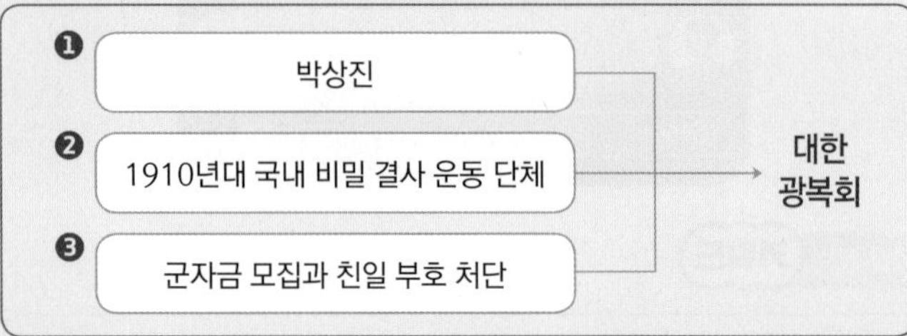

❶, ❷ 일본에 국권을 빼앗긴 후 1910년대에 국내에서는 항일 비밀 결사가 조직되어 활약하였어요. 대한 광복회는 1915년에 대구에서 박상진 등이 주도하여 결성한 항일 비밀 결사입니다.

❸ 대한 광복회는 군자금을 모집하여 만주에 무관 학교를 세우고자 하였으며, 친일파 처단 등의 활동을 벌였어요.

① 권업회

➡ 권업회는 1911년에 연해주에서 조직된 독립운동 단체로, 권업신문을 발간하고 강연회를 개최하여 민족의식을 높이기 위해 노력하였어요.

② 보안회

➡ 보안회는 1904년에 서울에서 조직된 단체로, 일제의 황무지 개간권 요구에 반대 운동을 전개하여 이를 저지하였어요.

③ 참의부

➡ 참의부는 만주에 있던 독립운동가들이 조직한 항일 무장 독립운동 단체입니다. 1920년대 중반 만주에서는 간도 참변과 자유시 참변 등의 어려움을 겪은 독립군들이 독립 전쟁을 효율적으로 수행하고자 조직을 정비하여 참의부, 정의부, 신민부의 3부를 결성하였어요.

④ 대한 광복회

➡ 대한 광복회는 공화 정체의 국민 국가 수립을 지향하였으며, 군대식 조직을 갖추었어요.

38 이회영의 활동

정답 ③

(가)에 들어갈 인물로 옳은 것은? [1점]

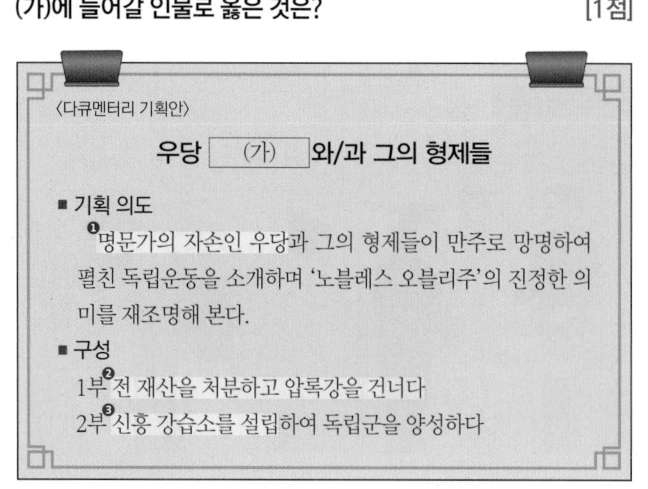

〈다큐멘터리 기획안〉

우당 (가) 와/과 그의 형제들

■ 기획 의도

❶명문가의 자손인 우당과 그의 형제들이 만주로 망명하여 펼친 독립운동을 소개하며 '노블레스 오블리주'의 진정한 의미를 재조명해 본다.

■ 구성

1부 ❷전 재산을 처분하고 압록강을 건너다

2부 ❸신흥 강습소를 설립하여 독립군을 양성하다

정답 잡는 키워드

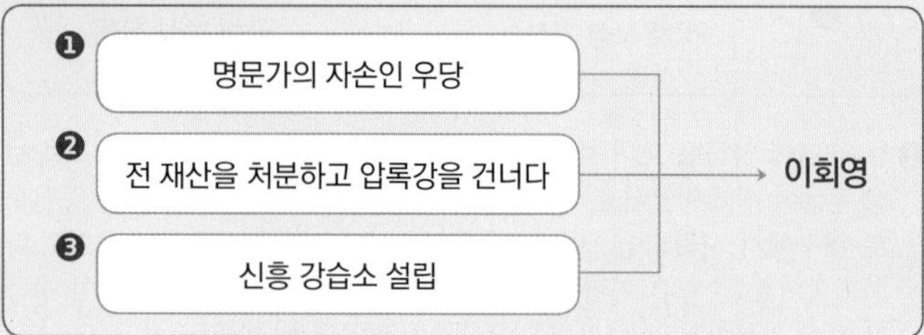

❶, ❷ 우당 이회영은 선조 때 영의정을 지낸 이항복의 십 대손으로 아버지도 판서를 지낸 명문가의 자손이에요. 신민회의 간부였던 이회영은 국내 활동의 한계를 느끼고 다른 회원들과 함께 국외 독립운동 기지 건설을 준비하였습니다. 일본에 국권을 강탈당하자 이회영과 그의 형제들은 집안의 전 재산을 정리하여 독립운동에 필요한 자금을 마련하고 만주 삼원보로 이주하여 독립운동 기지를 건설하였어요.

❸ 이회영은 만주 삼원보에서 경학사를 조직하고 신흥 강습소를 설립하는 데 앞장섰어요. 신흥 강습소는 민족 교육과 군사 교육을 실시한 대표적 민족 교육 기관으로 후에 독립군 사관을 양성하는 신흥 무관 학교로 발전하였어요.

① 신채호

➡ 신채호는 '독사신론'을 발표하여 민족주의 사학의 방향을 제시하였어요.

② 안중근

➡ 안중근은 을사늑약 체결에 앞장선 이토 히로부미를 하얼빈에서 저격하였어요.

③ 이회영

➡ 중국에서 항일 독립운동을 계속하던 이회영은 광복을 보지 못한 채 1932년에 일본 경찰에 잡혀 고문 끝에 옥사하였어요.

④ 이동휘

➡ 이동휘는 신민회에서 활동하였으며 연해주에서 대한 광복군 정부 수립을 주도하였어요.

핵심 개념	우당 이회영
1907년	국내 항일 비밀 결사인 신민회에 참여
1910년	이회영을 비롯한 여섯 형제와 가족이 독립운동 기지 건설을 위해 전 재산을 처분하여 만주로 망명함
1911년	남만주(서간도) 삼원보에서 경학사(자치 단체) 조직, 신흥 강습소(독립군 양성, 후에 신흥 무관 학교로 발전) 설립 주도
1932년	중국 상하이에서 다롄으로 가던 중 일본 경찰에 잡혀 옥사함

39 1930년대 후반 이후 일제의 식민 지배 정책 정답 ③

밑줄 그은 '시기'에 볼 수 있는 모습으로 가장 적절한 것은? [2점]

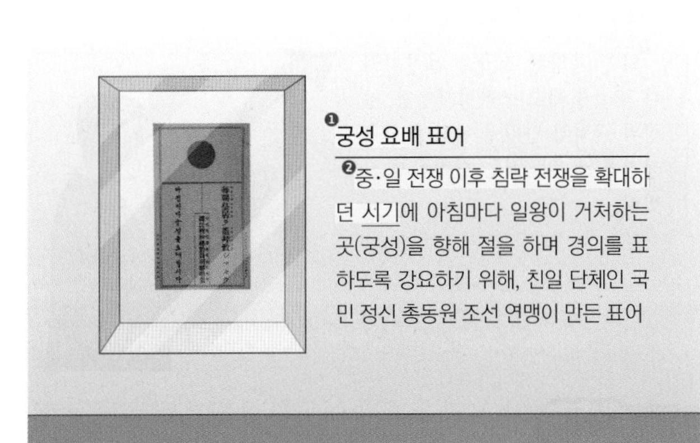

정답 잡는 키워드

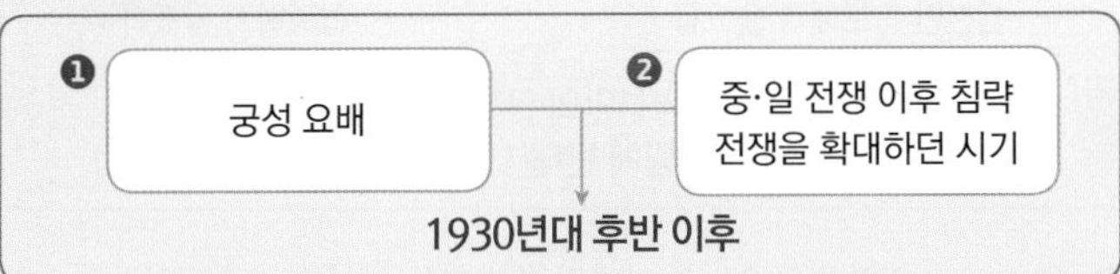

❶, ❷ 일제는 1937년에 중·일 전쟁을 일으키고 침략 전쟁을 확대하면서 한국인을 전쟁에 쉽게 동원하기 위해 민족의식을 말살하는 정책을 강화하였어요. 일제는 일왕이 사는 곳인 궁성을 향해 절을 하는 궁성 요배를 강요하고 전국에 신사를 세워 강제로 참배하게 하였어요. 또 성과 이름을 일본식으로 바꾸는 창씨개명을 강요하였습니다.

① 태형을 집행하는 헌병 경찰
➡ 1910년대 일제는 헌병 경찰을 앞세워 무단 통치를 펴면서 조선 태형령을 제정하여 한국인에게만 태형을 집행하였어요. 헌병 경찰 제도와 조선 태형령은 3·1 운동(1919) 이후 일제가 '문화 통치'를 표방하면서 폐지되었어요.

② 회사령을 공포하는 총독부 관리
➡ 1910년에 일제는 한국인의 기업 설립과 민족 자본의 성장을 억압하기 위해 회사를 설립할 때 조선 총독의 허가를 받도록 한 회사령을 공포하였어요. 회사령은 1920년에 회사 설립이 신고제로 바뀌면서 폐지되었어요.

③ 황국 신민 서사를 암송하는 학생
➡ **1930년대 후반 이후** 일제는 한국인의 민족의식을 말살하기 위해 일왕에게 충성을 맹세하는 황국 신민 서사의 암송을 강요하였어요.

④ 암태도 소작 쟁의에 참여하는 농민
➡ 1923년에 암태도의 농민들은 고율의 소작료 인하 등을 요구하며 소작 쟁의를 전개하였어요.

기출 선택지 +α

⑤ 제복을 입고 칼을 찬 교사	(O/X)
⑥ 신사 참배를 강요당하는 청년	(O/X)
⑦ 광주 학생 항일 운동을 취재하는 기자	(O/X)

기출 선택지 +α 정답 ⑤ ×[1910년대] ⑥ ○ ⑦ ×[1929년]

40 광주 학생 항일 운동 정답 ④

밑줄 그은 '이 운동'에 대한 설명으로 옳은 것은? [2점]

정답 잡는 키워드

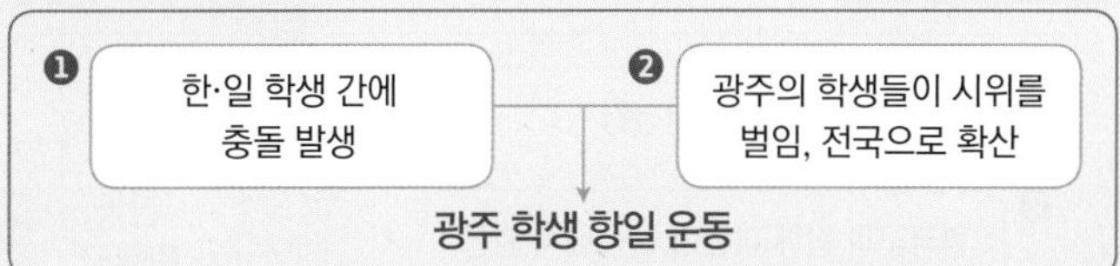

❶, ❷ 1929년에 광주를 출발한 통학 열차가 나주역에 도착하였을 때 일본인 학생이 한국인 여학생을 희롱한 사건을 계기로 한·일 학생 간에 충돌이 일어났어요. 이 사건을 수습하는 과정에서 일제 경찰이 한·일 학생을 차별하자 광주의 학생들은 민족 차별 중지와 차별 교육 철폐를 요구하며 시위를 벌였어요. 광주 학생 항일 운동은 전국적으로 확산되었고 3·1 운동 이후 최대 규모의 민족 운동으로 발전하였어요.

① 순종의 인산일에 일어났다.
➡ 6·10 만세 운동은 1926년 순종의 인산일에 일어났어요.

② 통감부의 탄압으로 실패하였다.
➡ 일제는 1910년에 대한 제국의 국권을 빼앗은 후 식민 통치 기관으로 조선 총독부를 설치하고 통감부를 폐지하였어요. 통감부의 탄압으로 실패한 민족 운동으로 국채 보상 운동 등을 들 수 있어요.

③ 국민 대표 회의 개최의 배경이 되었다.
➡ 1920년대 초 대한민국 임시 정부의 활동이 어려워진 상황에서 여러 독립운동 지도자들이 새로운 독립운동의 방향을 논의하기 위해 1923년에 중국 상하이에서 국민 대표 회의를 개최하였어요.

④ 신간회에서 진상 조사단을 파견하였다.
➡ **광주 학생 항일 운동**이 일어나자 신간회는 진상 조사단을 파견하여 지원하였어요.

기출 선택지 +α

⑤ 중국의 5·4 운동에 영향을 주었다.	(O/X)
⑥ 조선 물산 장려회를 중심으로 전개되었다.	(O/X)
⑦ 일제의 황무지 개간권 요구를 철회시켰다.	(O/X)

기출 선택지 +α 정답 ⑤ ×[3·1 운동] ⑥ ×[물산 장려 운동] ⑦ ×[보안회의 활동]

41 한국 광복군

정답 ④

(가)에 해당하는 군사 조직으로 옳은 것은? [1점]

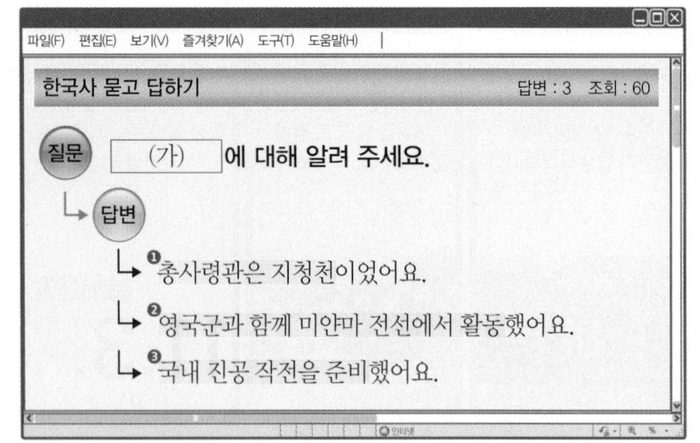

정답 잡는 키워드

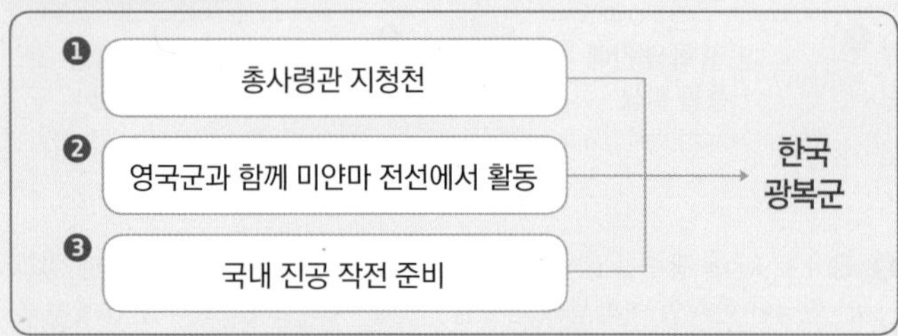

❶ 대한민국 임시 정부는 1940년에 중국 충칭에서 지청천을 총사령관으로 하여 한국 광복군을 창설하였어요.

❷, ❸ 대한민국 임시 정부의 대일 선전 포고 이후 한국 광복군은 영국군의 요청에 따라 일부 대원을 인도·미얀마 전선에 파견하여 영국군과 연합 작전을 전개하였어요. 또한, 미국 전략 정보국(OSS)과 협력하여 국내 진공 작전을 준비하였으나 일제의 항복으로 작전을 실행하지는 못하였어요.

① 북로 군정서

➡ 북로 군정서는 대종교도를 중심으로 이루어진 중광단이 1919년에 통합·발전한 무장 독립운동 단체입니다. 김좌진의 지휘로 청산리 전투에서 활약하였어요.

② 조선 의용대

➡ 조선 의용대는 조선 민족 전선 연맹의 군사 조직으로, 1938년에 김원봉 등이 중국 우한에서 조직하였어요. 중국 관내에서 조직된 최초의 한인 무장 부대였어요. 조선 의용대의 일부 대원은 적극적인 항일 투쟁을 위해 화북 지역으로 이동하였고, 김원봉과 남은 대원은 한국 광복군에 합류하였어요.

③ 조선 혁명군

➡ 조선 혁명군은 남만주의 국민부가 조선 혁명당을 결성하고 그 아래에 둔 군사 조직으로, 1930년대 초 중국 의용군과 함께 연합 작전을 펼쳐 영릉가 전투 등에서 일본군을 격퇴하였어요.

④ 한국 광복군

➡ 한국 광복군의 일부 대원은 중국군에 배치되어 선전 활동, 일본군 포로 심문이나 문서 번역 등의 임무를 수행하였어요.

킬러 문항

42 남북 협상

정답 ③

다음 성명서가 발표된 이후의 사실로 옳은 것은? [2점]

정답 잡는 키워드

❶ 김구, 삼천만 동포에게 읍고함
❷ 단독 정부를 세우는 데는 협력하지 않겠다
→ 남한만의 단독 정부 수립에 반대(1948. 2.)

❶, ❷ 유엔 총회의 결정에 따라 파견된 유엔 한국 임시 위원단의 입북을 소련이 거부하여 통일 정부 수립이 어려워지자, 1948년 2월에 김구는 남한만의 단독 정부 수립에 반대하며 자신의 입장을 밝힌 '삼천만 동포에게 읍고함'이라는 성명서를 발표하였어요.

① 한인 애국단이 결성되었다.

➡ 김구는 1931년에 대한민국 임시 정부의 침체된 활동에 활기를 불어넣기 위해 한인 애국단을 결성하였어요.

② 제1차 미·소 공동 위원회가 열렸다.

➡ 1946년에 제1차 미·소 공동 위원회가 개최되었으나 미국과 소련의 입장 차이로 성과를 거두지 못하고 무기한 휴회되었어요.

③ 평양에서 남북 협상이 진행되었다.

➡ 유엔 소총회에서 선거가 가능한 지역, 즉 남한 지역의 총선거 실시가 결의되고 남한만의 단독 선거 움직임이 구체화되자, 김구는 김규식과 함께 통일 정부 수립을 위한 남북 협상을 북쪽에 제안하여 **1948년 4월**에 평양에서 회담이 진행되었어요.

④ 모스크바 3국 외상 회의가 개최되었다.

➡ 1945년 12월에 모스크바 3국 외상 회의가 개최되어 한국에 임시 민주 정부 수립, 미·소 공동 위원회 설치, 최대 5년간의 신탁 통치 협약 작성 등이 결의되었어요.

기출 선택지 +α

⑤ 5·10 총선거가 실시되었다. (O/X)

⑥ 좌우 합작 위원회가 결성되었다. (O/X)

핵심 개념 남북 협상

구분	내용
배경	제2차 미·소 공동 위원회가 결렬되자 미국이 한국의 문제를 국제 연합(UN)에 넘김 → 유엔 총회에서 인구 비례에 의한 남북한 총선거 실시를 결의함 → 총선거를 감독할 유엔 한국 임시 위원단이 파견됨, 소련이 유엔 한국 임시 위원단이 38도선 북쪽으로 들어오는 것을 거부함 → 유엔 소총회에서 남한만의 총선거 실시를 결정함
전개	김구, 김규식 등이 남한만의 단독 선거에 반대하여 북쪽에 남북 협상을 제안함 → 1948년 4월 평양에서 남북 협상 회의가 진행되었으나 성과 없이 끝남

기출 선택지 +α 정답 ⑤ ○[1948년 5월] ⑥ ×[1946년]

43 제주 4·3 사건

정답 ④

(가)에 들어갈 사건으로 옳은 것은? [2점]

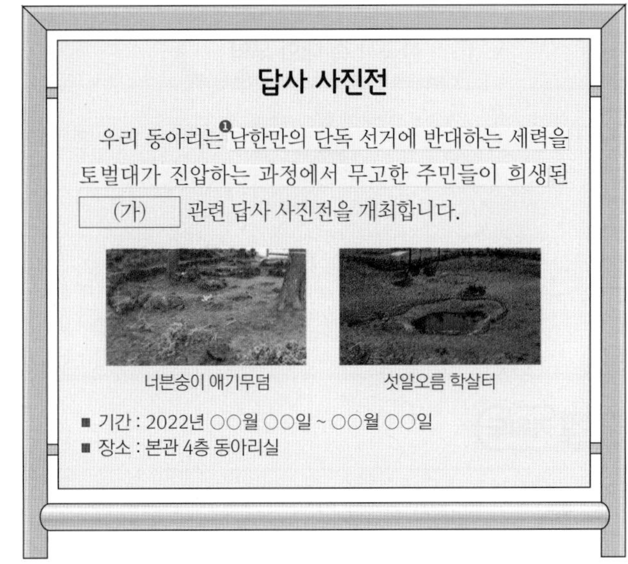

정답 잡는 키워드

❶ 남한만의 단독 선거에 반대하는 세력을 토벌대가 진압하는 과정에서 무고한 주민들이 희생됨 → 제주 4·3 사건

❶ 1948년에 유엔 소총회에서 선거가 가능한 지역, 즉 남한에서의 총선거 실시를 결정하였어요. 5·10 총선거를 앞두고 제주도에서 남한만의 단독 선거에 반대하여 좌익 세력과 일부 주민들이 봉기하였어요. 이를 진압하는 과정에서 무장대와 토벌대 간의 무력 충돌로 많은 제주도민이 희생되었는데 이를 제주 4·3 사건이라고 합니다.

① 원산 총파업
➡ 원산 총파업은 1929년에 원산 인근의 라이징 선 석유 회사에서 일본인 감독이 한국인 노동자를 구타한 사건이 발단이 되어 일어난 노동자 총파업이에요.

② 제암리 사건
➡ 화성 제암리 학살 사건은 1919년 3·1 운동 당시 경기도 화성의 제암리에서 만세 운동이 일어나자 일본군이 제암리 주민들을 교회당에 몰아넣은 뒤 총격을 가하고 불을 질러 학살한 사건이에요.

③ 자유시 참변
➡ 자유시 참변은 간도 참변 이후 러시아령 자유시로 이동한 독립군 부대가 러시아 적군(혁명군)의 무장 해제에 반발하면서 많은 독립군이 희생된 사건이에요.

④ 제주 4·3 사건
➡ 제주 4·3 사건 희생자들의 명예 회복을 위해 2000년에 제주 4·3 사건의 진상 규명 및 희생자 명예 회복에 관한 특별법이 제정되었어요.

44 6·25 전쟁

정답 ①

밑줄 그은 '이 전쟁' 중에 있었던 사실로 옳은 것은? [2점]

정답 잡는 키워드

❶ 에티오피아군이 유엔군의 일원으로 참전 → 6·25 전쟁 (1950~1953)

❶ 1950년 6월 25일 북한군의 남침으로 6·25 전쟁이 시작되어 북한군이 3일 만에 서울을 점령하였어요. 유엔 안전 보장 이사회는 남한을 지원하기 위해 유엔군의 참전을 결의하였고 16개국에서 군대를 파견하였어요. 당시 에티오피아군도 유엔군의 일원으로 참전하였어요. 북한군의 공세에 밀려 대통령과 각종 정부 기관이 부산으로 이동하였고, 부산을 거점으로 국군과 유엔군은 낙동강 방어선을 구축하였어요.

① 인천 상륙 작전이 전개되었다.
➡ 6·25 전쟁 당시 국군과 유엔군은 인천 상륙 작전에 성공하여 서울을 수복한 후 북진하였어요. 압록강 유역까지 진출하였으나 중국군의 개입으로 후퇴하였어요.

② 조선 건국 준비 위원회가 결성되었다.
➡ 1945년 광복 직후 여운형은 조선 건국 동맹을 기반으로 조선 건국 준비 위원회를 결성하였어요.

③ 이승만이 임시 의정원에서 탄핵되었다.
➡ 1925년에 대한민국 임시 정부는 이승만이 국제 연맹에 위임 통치를 청원한 것에 대한 책임을 물어 임시 의정원에서 탄핵하였어요.

④ 쌍성보에서 한·중 연합 작전이 펼쳐졌다.
➡ 1932년에 만주 지역에서 한국 독립군과 중국 호로군이 연합 작전을 펼쳐 쌍성보 전투에서 일본군을 격퇴하였어요.

기출 선택지 +α

❺ 흥남 철수 작전이 전개되었다. (O/X)
❻ 사사오입 개헌안이 가결되었다. (O/X)
❼ 한·미 상호 방위 조약이 체결되었다. (O/X)
❽ 16개국으로 구성된 유엔군이 참전하였다. (O/X)

기출 선택지 +α
정답 ⑤○ ⑥×[1954년] ⑦×[정전 협정 체결(1953. 7.) 이후인 1953년 10월] ⑧○

45 6월 민주 항쟁 정답 ①

밑줄 그은 '민주화 운동'에 대한 설명으로 옳은 것은? [2점]

정답 잡는 키워드

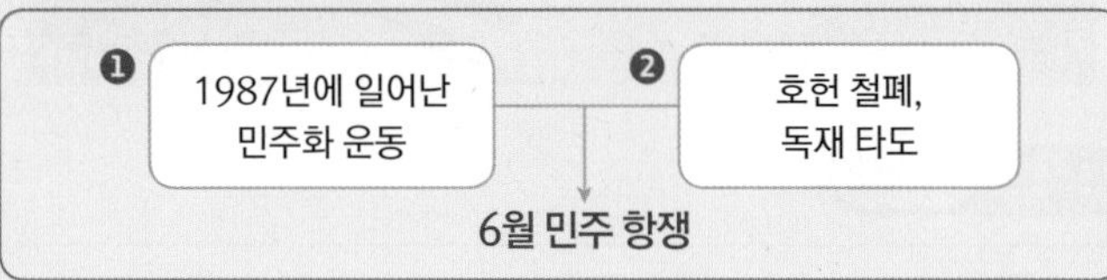

❶, ❷ 1987년에 전두환 정부의 강압적인 통치와 국민의 대통령 직선제 개헌 요구를 묵살한 4·13 호헌 조치에 항거하여 6월 민주 항쟁이 일어났어요. 6월 민주 항쟁 당시 시민들은 호헌 철폐, 독재 타도를 외치며 시위를 전개하였어요.

① 대통령 직선제 개헌을 이끌어 냈다.
➡ **6월 민주 항쟁**의 결과 대통령 직선제 개헌 요구를 수용한다는 내용을 담은 6·29 민주화 선언이 발표되었고, 이에 따라 5년 단임의 대통령 직선제 개헌이 이루어졌어요.

② 3·15 부정 선거에 항의하여 일어났다.
➡ 1960년에 3·15 부정 선거에 항의하여 4·19 혁명이 일어났어요.

③ 굴욕적인 한·일 국교 정상화에 반대하였다.
➡ 박정희 정부 시기인 1964년에 굴욕적인 한·일 국교 정상화에 반대하여 6·3 시위가 전개되었어요.

④ 신군부의 비상계엄 확대가 원인이 되어 발생하였다.
➡ 1980년에 신군부의 비상계엄 확대가 원인이 되어 5·18 민주화 운동이 일어났어요.

기출 선택지 +α

❺ 4·13 호헌 조치 철폐를 요구하였다. (O/X)
❻ 대통령이 하야하는 결과를 가져왔다. (O/X)
❼ 전개 과정에서 시민군이 자발적으로 조직되었다. (O/X)

핵심 개념 6월 민주 항쟁(1987)

구분	내용
배경	전두환 정부의 강압적인 통치, 시민들의 대통령 직선제 개헌 요구
전개	박종철 고문치사 사건(1987. 1.) → 사건 진상 규명과 개헌을 요구하는 시위 전개 → 전두환 정부의 개헌 거부(4·13 호헌 조치) → 시위가 확산되는 가운데 대학생 이한열이 최루탄에 맞아 쓰러짐 → 6·10 국민 대회 등 전국 각지에서 대규모 시위 전개
결과	6·29 민주화 선언 발표 → 5년 단임의 대통령 직선제 개헌이 이루어짐(제9차 개헌)

기출 선택지 +α 정답 ⑤○ ⑥×[4·19 혁명] ⑦×[5·18 민주화 운동]

46 한국사 속 대외 무역 정답 ②

(가)~(다)의 모습이 나타난 시대 순서대로 옳게 나열한 것은? [3점]

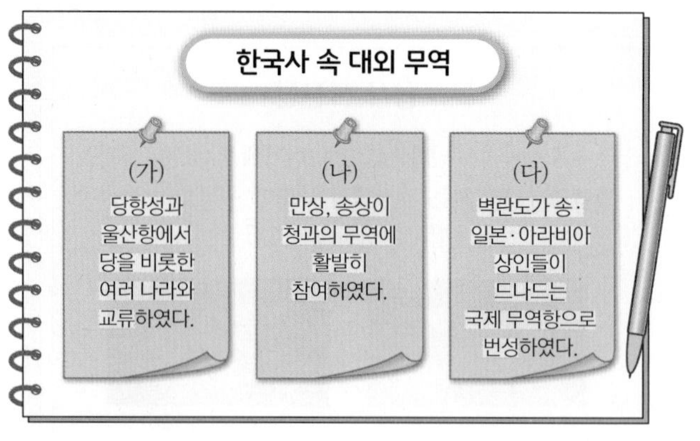

정답 잡는 키워드

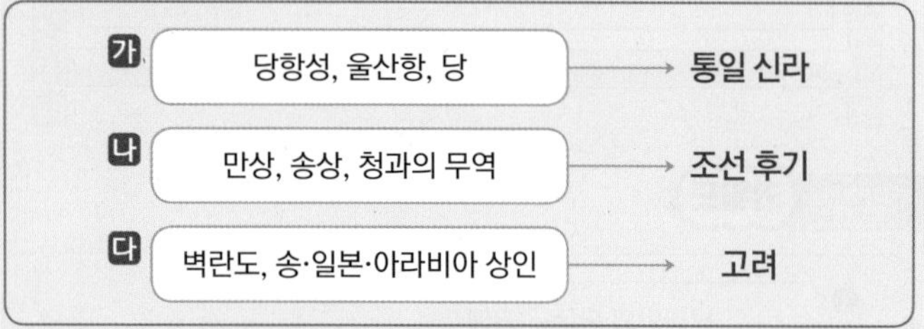

가 통일 신라 시기에 당항성과 영암, 울산항이 국제 무역항으로 번성하였어요. 이곳에서 당을 비롯하여 아라비아 등 여러 나라 상인과 교류하였어요.
나 조선 후기에 상업이 발달하면서 만상, 송상 등 사상이 활발하게 활동하였어요. 이 가운데 의주를 기반으로 한 만상과 개성을 기반으로 한 송상은 청과의 무역에 활발히 참여하여 부를 쌓았어요.
다 고려 시대에 예성강 하구의 벽란도가 국제 무역항으로 번성하였어요. 벽란도에는 송, 일본 등 주변국 상인들은 물론 멀리 아라비아 상인들도 왕래하였어요.

① (가) - (나) - (다)
② (가) - (다) - (나)
➡ (가) 통일 신라 - (다) 고려 - (나) 조선 후기 순입니다.
③ (나) - (가) - (다)
④ (다) - (가) - (나)

47 김영삼 정부 시기의 사실

정답 ①

(가)에 들어갈 내용으로 옳은 것은? [2점]

정답 잡는 **키워드**

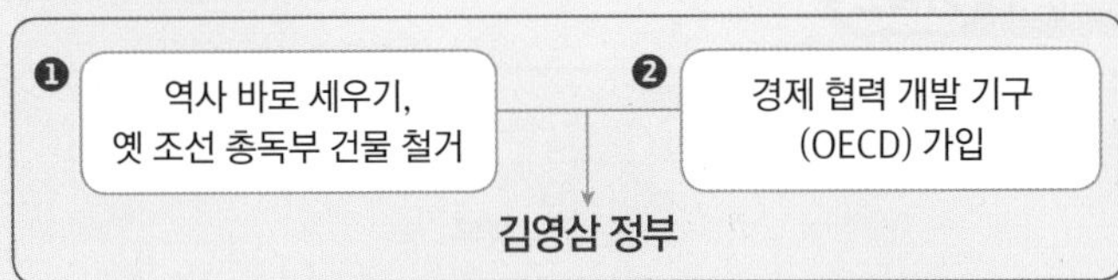

❶ 김영삼 정부는 '역사 바로 세우기'의 일환으로 광복 50주년을 맞이하여 옛 조선 총독부 건물의 철거를 시작하였어요. 또한, 12·12 사태(12·12 군사 반란)와 5·18 민주화 운동 중에 있었던 학살의 책임을 물어 전두환, 노태우 두 전직 대통령을 구속하여 법정에 세우기도 하였어요.

❷ 김영삼 정부는 국제 사회의 시장 개방 압력이 거세지자 세계화를 내세우며 신자유주의 정책을 펼쳐 공기업을 민영화하고, 금융 규제를 완화하였어요. 1996년에는 경제 협력 개발 기구(OECD)에 가입하였어요.

① 금융 실명제를 실시했어.
➡ **김영삼 정부**는 투명한 금융 거래를 위하여 금융 실명제를 실시하였어요.

② 경부 고속 도로를 준공했어.
➡ 경부 고속 도로는 박정희 정부 시기인 1970년에 준공되었어요.

③ 제1차 경제 개발 5개년 계획을 추진했어.
➡ 박정희 정부 시기인 1962년부터 제1차 경제 개발 5개년 계획을 추진하여 신발·의류·가발 등 노동 집약적 경공업 제품의 수출에 집중하였어요.

④ 미국과 자유 무역 협정(FTA)을 체결했어.
➡ 노무현 정부는 2007년에 미국과 자유 무역 협정(FTA)을 체결하였어요.

기출 선택지 +α

⑤ 중국, 소련 등과 수교했어. (O / X)
⑥ 수출 100억 달러를 처음 달성했어. (O / X)
⑦ 국제 통화 기금(IMF)에 긴급 구제 금융을 요청했어. (O / X)

핵심 개념 김영삼 정부(1993~1998) 시기의 사실

구분	내용
정치	'문민 정부' 표방, 지방 자치제 전면 실시
경제	• 금융 실명제 시행, 경제 협력 개발 기구(OECD) 가입 • 외환 위기로 국제 통화 기금(IMF)에 긴급 구제 금융 지원 요청
사회·문화	'역사 바로 세우기'를 내세워 전두환·노태우 두 전직 대통령 구속, 옛 조선 총독부 건물 철거, 국민학교를 초등학교로 개칭

기출 선택지 +α 정답 ⑤ ×[노태우 정부] ⑥ ×[박정희 정부] ⑦ ○

48 강화도의 역사

정답 ③

(가)에 해당하는 지역으로 옳은 것은? [1점]

지붕 없는 박물관, (가) 역사 여행

■ 일시 : 매주 토요일 10시 ■ 출발지 : ○○ 버스 터미널

출발

유네스코 세계 유산 ❶ 부근리 지석묘

❷ 대몽 항쟁기 왕의 무덤 홍릉

❸ 병인양요의 격전지 정족산성

❹ 조·일 수호 조규 체결 장소 연무당 옛터

도착

정답 잡는 **키워드**

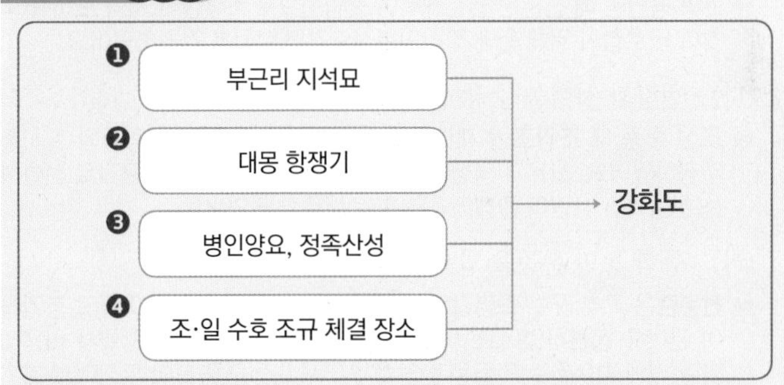

❶ 우리나라 전역에서 고인돌이 발견되지만, 부근리 지석묘 등이 있는 강화와 고창, 화순 지역에는 수백 기 이상의 고인돌이 집중 분포되어 있어요. 이 세 지역의 고인돌은 그 가치를 인정받아 유네스코 세계 유산으로 지정되었습니다.

❷ 몽골은 고려에 보낸 사신 저고여가 귀국길에 압록강가에서 살해되자, 이를 빌미로 고려를 침략하였어요. 당시 최고 집권자였던 최우는 수도를 **강화도**로 옮겨 장기 항전을 준비하였어요.

❸ 1866년에 프랑스군이 **강화도**를 침략하여 병인양요가 일어났어요. 병인양요 당시 양헌수 부대가 정족산성에서 프랑스군을 격퇴하였어요.

❹ 1876년에 **강화도**의 연무당에서 조·일 수호 조규, 즉 강화도 조약이 체결되었어요. 강화도 조약은 우리나라가 외국과 맺은 최초의 근대적 조약이었으나 불평등 조약이었어요.

① 진도
➡ 고려 시대에 삼별초는 강화도에서 진도로 근거지를 옮겨 대몽 항쟁을 이어 갔어요.

② 거제도
➡ 6·25 전쟁 당시 거제도에 포로수용소가 설치되었어요.

③ 강화도
➡ 조선 시대에 정묘호란이 일어나자 왕실이 강화도로 피란하였으며, 정조는 강화도에 외규장각을 설치하였어요. 또한, 1871년에는 미군이 강화도를 침략하여 신미양요가 일어났습니다.

④ 울릉도
➡ 울릉도는 삼국 시대에 우산국으로 불렸으며, 지증왕 때 신라에 복속되었어요.

49 사회 개혁을 위해 노력한 역사 인물 정답 ①

(가)~(라)에 들어갈 내용으로 적절하지 않은 것은? [3점]

한국사 학습지	사회 개혁을 위해 노력한 역사 인물	이름 :

※ 아래 제시된 역사 인물들이 시대적으로 직면했던 문제와 해결 노력을 조사해 봅시다.

인물	당시 사회의 문제점	해결 노력
최치원	골품제의 모순이 심화되었다.	(가)
신돈	권문세족이 불법적으로 농장을 확대하였다.	(나)
조광조	권력이 훈구 세력에게 집중되었다.	(다)
전봉준	지방관의 수탈과 외세의 침탈이 심해졌다.	(라)

① (가) - 훈요 10조를 남겼다.

➡ 후대 왕들에게 훈요 10조를 남긴 인물은 고려 태조 왕건이에요. 최치원은 당에서 귀국한 후 진성 여왕에게 개혁안으로 시무 10여 조를 건의하였으나 진골 귀족들의 반대로 시행되지 않았어요.

② (나) - 전민변정도감의 설치를 건의하였다.

➡ 고려 공민왕 때 **신돈**은 권문세족이 불법적으로 소유한 토지와 노비를 되찾아 바로잡기 위해 왕에게 전민변정도감의 설치를 건의하였어요.

③ (다) - 현량과 시행을 주장하였다.

➡ 조선 중종 때 **조광조**는 새로운 인사를 등용하기 위해 현량과의 실시를 주장하였어요. 학문과 덕행이 뛰어난 인재를 추천을 통해 관리로 선발하는 현량과는 사림이 관직에 진출하는 통로가 되었어요.

④ (라) - 동학 농민 운동을 일으켰다.

➡ **전봉준**은 고부 군수 조병갑의 수탈에 맞서 고부 농민들을 이끌고 봉기하여 관아를 점령하였어요. 이후 사태 수습을 위해 파견된 안핵사 이용태가 봉기에 참여한 농민들을 탄압하자 다시 농민군을 모아 무장에서 봉기하였어요. 이후 농민군은 백산에서 4대 강령과 격문을 발표하고 황룡촌과 황토현 전투에서 승리한 후 전주성을 점령하였어요.

50 노태우 정부의 통일 노력 정답 ①

다음 정부의 통일 노력으로 옳은 것은? [3점]

❶ 남북한 유엔 동시 가입 ❷ 한·중 수교

정답 잡는 키워드

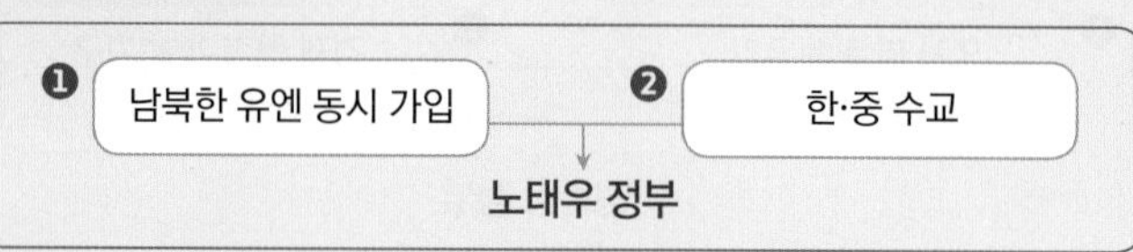

❶ 노태우 정부 시기인 1991년에 남북한이 유엔에 동시 가입하고, 한반도 비핵화 공동 선언에 합의하였어요.

❷ 노태우 정부는 북방 외교를 추진하여 중국, 소련을 비롯하여 동유럽의 사회주의 국가들과 수교하였어요.

① 남북 기본 합의서를 채택하였다.

➡ **노태우 정부**는 남북한 상호 체제 인정, 상호 불가침 등에 합의한 남북 기본 합의서를 채택하였어요.

② 7·4 남북 공동 성명을 발표하였다.

➡ 박정희 정부는 1972년에 자주, 평화, 민족 대단결이라는 평화 통일의 3대 원칙에 합의한 7·4 남북 공동 성명을 발표하였어요.

③ 6·15 남북 공동 선언에 합의하였다.

➡ 김대중 정부는 2000년에 분단 이후 최초로 남북 정상 회담을 하고 6·15 남북 공동 선언에 합의하였어요.

④ 남북 이산가족 고향 방문을 최초로 실현하였다.

➡ 전두환 정부 시기인 1985년에 남북 이산가족 고향 방문이 최초로 실현되었어요.

기출 선택지 +α

❺ 개성 공단 조성에 합의하였다. (O/X)
❻ 남북 조절 위원회를 개최하였다. (O/X)
❼ 한반도 비핵화 공동 선언을 채택하였다. (O/X)

기출 선택지 +α 정답 ⑤ ×[김대중 정부] ⑥ ×[박정희 정부] ⑦ ○

기본 제58회

2022년 4월 10일(일) 시행

합격률 **55.8%**

응시 인원 : 7,624명
합격 인원 : 4,251명

시대별 출제 비중

전근대 29문항

선사 2문항
청동기 시대의 생활 모습, 옥저의 사회 모습

고대 8문항
고구려의 발전 과정, 백제 성왕의 업적, 신라의 제도, 금관가야의 경제 상황, 신라의 삼국 통일 과정, 발해, 신라 신문왕의 업적, 고려의 후삼국 통일 과정

고려 8문항
영주 부석사 무량수전, 고려 광종의 업적, 전시과, 묘청의 난, 의천의 활동, 윤관의 활동, 상평창, 청주의 역사

조선 11문항
조선 태종의 업적, 조선 세종 재위 시기의 사실, 서원, 곽재우의 활동, 병자호란, 비변사, 균역법, 김정희의 활동, 임술 농민 봉기, 조선 후기의 모습, 독도

근현대 21문항

시대 통합 2문항
우리나라와 중국의 교류, 사회적 차별 극복을 위한 노력

제기차기

개항기 4문항
강화도 조약, 최익현의 활동, 임오군란의 결과, 독립 협회

일제 강점기 8문항
1910년대 일제의 경제 정책, 대한민국 임시 정부의 활동, 천도교, 홍범도의 활동, 물산 장려 운동, 의열단, 신간회, 1930년대 후반 이후 일제의 식민 지배 정책

현대 6문항
여운형의 활동, 6·25 전쟁, 4·19 혁명, 박정희 정부 시기의 사실, 김영삼의 활동, 노무현 정부 시기의 통일 노력

분류별 출제 비중 고대~조선

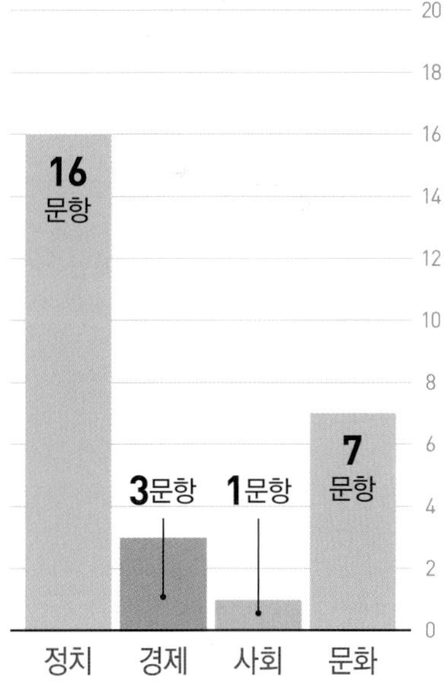

난이도별 출제 비중

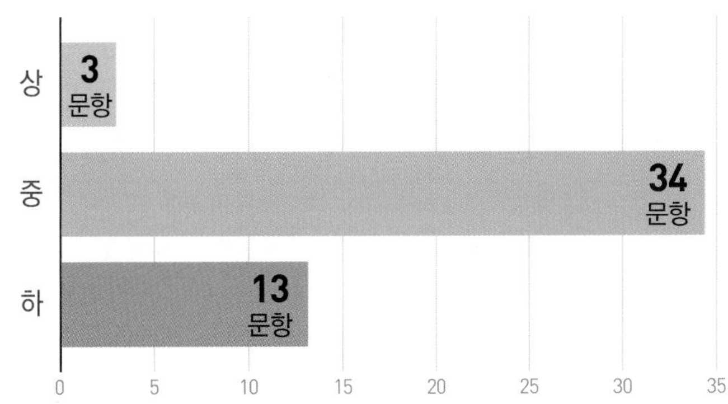

큰별쌤의 한 줄 평

기본적인 개념과 흐름을 이해하면 충분히 풀 수 있는 무난한 시험

1 청동기 시대의 생활 모습 정답 ②

(가) 시대의 생활 모습으로 옳은 것은? [1점]

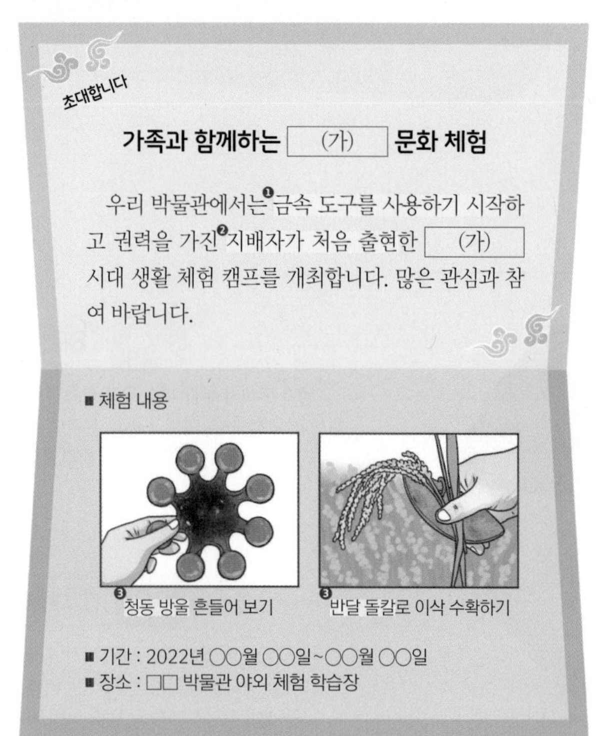

정답 잡는 키워드

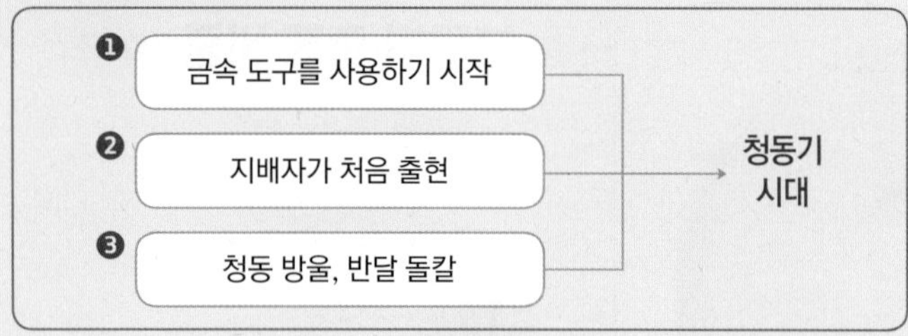

❶ 청동기 시대에 구리와 주석, 아연 등의 금속을 섞어 만든 청동으로 금속 도구를 제작하여 사용하기 시작하였어요.
❷ 청동기 시대에 농경의 발달로 생산력이 증가하면서 사유 재산의 개념과 빈부의 차이가 나타났고 지배층과 피지배층으로 계급이 나뉘었어요. 권력을 가진 지배자가 처음으로 출현하여 부족을 다스렸습니다.
❸ 청동기 시대부터 청동 도끼, 청동 검, 청동 방울, 청동 거울 등 청동으로 도구를 제작하였어요. 또한, 청동기 시대 사람들은 반달 돌칼과 돌낫 등을 이용하여 곡식을 수확하였어요. 반달 돌칼은 곡식의 이삭을 자르는 데 사용된 간석기입니다.

① 우경이 널리 보급되었다.
➡ 우경은 **철기 시대 이후** 널리 보급된 것으로 보여요. 신라 지증왕 때 우경이 시작되었다는 기록이 있으나 그 이전인 철기 시대에도 실시된 것으로 보이며 이 기록은 국가 차원에서 우경을 장려한 조치로 이해되고 있어요.

② 비파형 동검을 사용하였다.
➡ **청동기 시대**부터 거푸집을 이용하여 청동 무기나 제기를 만들었어요. 악기 비파와 생김새가 비슷하여 이름 붙여진 비파형 동검이 대표적이에요.

③ 가락바퀴가 처음 등장하였다.
➡ **신석기 시대**에 가락바퀴가 처음 등장하였어요. 신석기 시대 사람들은 가락바퀴를 이용하여 실을 뽑아 뼈바늘로 옷이나 그물을 만들었어요.

④ 주로 동굴이나 막집에서 살았다.
➡ **구석기 시대** 사람들은 추위 등을 피해 주로 동굴이나 바위 그늘에 살았으며 강가에 막집을 짓고 살기도 하였어요.

2 옥저의 사회 모습 정답 ④

다음 퀴즈의 정답으로 옳은 것은? [2점]

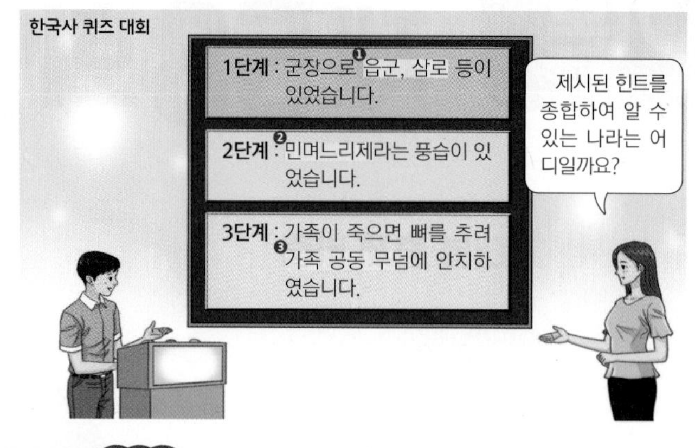

정답 잡는 키워드

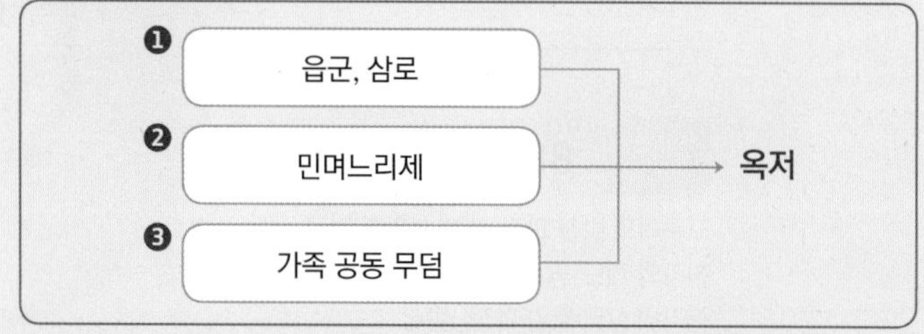

❶ 옥저에는 왕이 없고 세력 크기에 따라 읍군, 삼로 등으로 불린 군장이 부족을 다스렸어요.
❷ 옥저에는 신랑 집에서 신부가 될 여자아이를 데려와 길러 어른이 되면 돌려보낸 뒤 신부 집에 돈 등 예물을 보내고 정식으로 혼인하는 민며느리제의 풍습이 있었어요.
❸ 옥저에는 가족이 죽으면 시신을 임시로 묻어 두었다가 나중에 뼈를 추려 가족의 뼈를 하나의 목곽에 모아 두는 가족 공동 무덤의 장례 풍습이 있었어요.

① 동예
➡ 옥저와 접한 동예에서도 왕이 따로 없고 읍군, 삼로 등으로 불린 군장이 부족을 다스렸어요. 한편, 동예에는 읍락 간의 경계를 중시하여 다른 부족의 영역을 침범하면 소나 말, 노비 등으로 변상하도록 하는 책화가 있었어요.

② 부여
➡ 부여에서는 왕이 중앙을 다스리고 마가, 우가, 저가, 구가의 여러 가(加)들이 별도로 각자의 영역인 사출도를 관장하였어요.

③ 삼한
➡ 삼한에는 신지, 읍차 등의 군장이 있었고 이와 별도로 제사장인 천군이 있었어요.

④ 옥저
➡ 옥저는 지금의 함경도 지역에 위치하였어요. 고구려에 예속되어 물고기, 소금, 해산물 등의 공물을 바치다가 결국 고구려에 복속되었어요.

핵심 개념 옥저와 동예

구분	옥저	동예
정치	왕이 없고, 읍군과 삼로 등으로 불린 군장이 부족을 다스림	
풍습	• 혼인 풍습 : 민며느리제 • 장례 풍습 : 가족의 뼈를 한 목곽에 모아 둠(가족 공동 무덤)	• 읍락 간의 경계를 중시하는 책화가 있었음 • 10월에 무천이라는 제천 행사를 열어 하늘에 제사를 지냄
특산물	해산물 풍부	단궁, 과하마, 반어피 등

3 고구려의 발전 과정

정답 ③

(가)~(다)를 일어난 순서대로 옳게 나열한 것은? [3점]

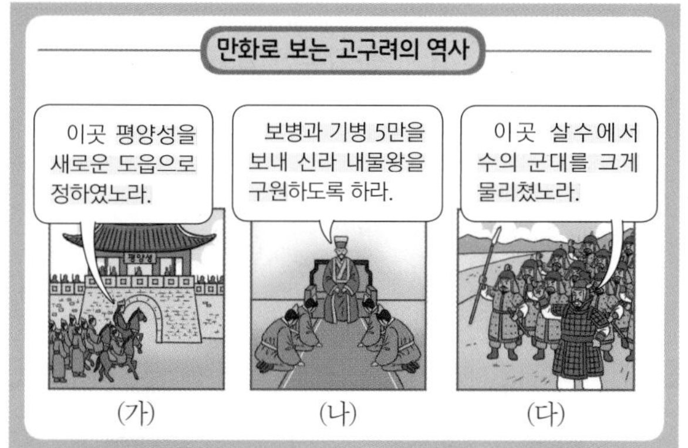

정답 잡는 키워드

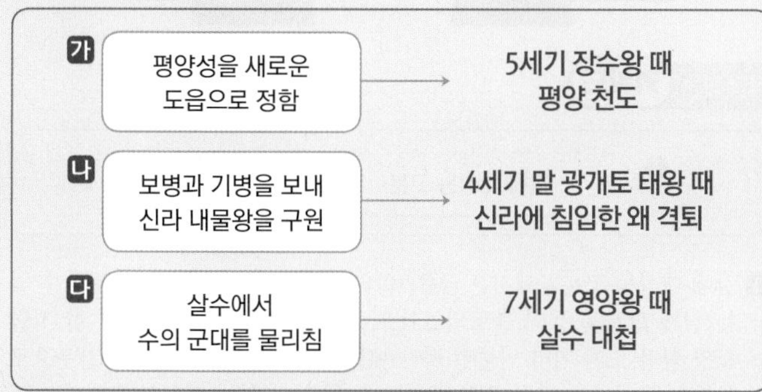

가 고구려 장수왕은 427년에 국내성에서 평양(성)으로 도읍을 옮기고 본격적으로 남진 정책을 추진하였어요.

나 고구려 광개토 태왕은 400년에 신라 내물 마립간의 지원 요청을 받아 보병과 말을 타고 싸우는 기병 등 5만 명의 군대를 파견하여 신라에 침입한 왜를 격퇴하였어요.

다 고구려 영양왕 때인 612년에 을지문덕이 이끄는 고구려군은 살수에서 수의 군대를 크게 격파하였어요(살수 대첩).

① (가) - (나) - (다)

② (가) - (다) - (나)

③ (나) - (가) - (다)

➡ (나) 광개토 태왕 때 신라에 침입한 왜 격퇴(400) - (가) 장수왕의 평양 천도(427) - (다) 영양왕 때의 살수 대첩(612) 순입니다.

④ (다) - (가) - (나)

핵심 개념 고구려의 건국과 멸망

시기	내용
건국	주몽이 졸본을 도읍으로 삼아 고구려 건국 → 유리왕 때 국내성으로 천도
1~2세기	• 태조왕 : 옥저 정복 • 고국천왕 : 진대법 실시
4세기	• 고국원왕 : 백제 근초고왕의 공격으로 전사 • 소수림왕 : 불교 수용, 태학 설립, 율령 반포
4세기 말 ~5세기	• 광개토 태왕 : 신라 내물 마립간의 요청으로 군사를 보내 신라에 침입한 왜 격퇴, 백제를 정벌하여 한강 이북 지역 차지, 숙신·후연·거란·동부여 등 정벌, 영락이라는 독자적인 연호 사용 • 장수왕 : 평양 천도, 백제를 공격하여 한강 유역 장악
6~7세기	• 영양왕 : 역사서인 "신집" 5권 편찬, 을지문덕의 살수 대첩 • 보장왕 : 안시성 전투, 천리장성 완성, 고구려 멸망

4 백제 성왕의 업적

정답 ③

밑줄 그은 '이 왕'의 업적으로 옳은 것은? [2점]

정답 잡는 키워드

❶ 수도를 웅진에서 사비로 옮김 → 백제 성왕

❶ 성왕은 나라의 중흥을 위해 수도를 웅진(지금의 공주)에서 넓은 평야가 있고 강을 끼고 있어 수로 교통이 편리한 사비(지금의 부여)로 옮겼어요. 또한, 부여 계승 의식을 내세우며 나라 이름을 남부여로 바꾸었어요. 부여 나성은 수도 사비의 방어를 위해 지어진 방어 시설로 성왕 때 축조된 것으로 보입니다.

① 동진으로부터 불교를 받아들였다.

➡ 백제 침류왕은 동진에서 온 승려 마라난타를 통해 불교를 받아들였어요.

② 고흥에게 역사서인 서기를 편찬하게 하였다.

➡ 백제 근초고왕은 고흥에게 역사서인 "서기"를 편찬하게 하였어요.

③ 진흥왕과 연합하여 한강 유역을 회복하였다.

➡ 백제 **성왕**은 신라 진흥왕과 연합하여 고구려에 빼앗겼던 한강 하류 지역을 되찾았어요. 그러나 곧이어 진흥왕의 공격을 받아 이 지역을 신라에 빼앗겼어요.

④ 대야성을 비롯한 신라의 40여 개 성을 빼앗았다.

➡ 백제 의자왕은 신라를 공격하여 40여 성을 함락하고 윤충을 보내 전략적으로 중요한 지역인 대야성을 빼앗았어요.

기출 선택지 +α

❺ 태학을 설립하였다. (O / X)

❻ 국호를 남부여로 바꾸었다. (O / X)

❼ 북한산에 순수비를 세웠다. (O / X)

❽ 22담로에 왕족을 파견하였다. (O / X)

제 58 회

기출 선택지 +α

정답 ⑤ ×[고구려 소수림왕] ⑥ ○ ⑦ ×[신라 진흥왕] ⑧ ×[백제 무령왕]

5 신라의 제도 정답 ①

밑줄 그은 '이 나라'에 대한 설명으로 옳은 것은? [2점]

정답 잡는 키워드

❶ 왕성인 경주 월성 → 신라

❶ 경주 월성은 신라의 왕궁이 있었던 신라의 도성이에요. 모양이 반달 같다고 하여 반월성 등으로 불리기도 하였어요.

①골품제라는 엄격한 신분 제도가 있었다.
➡ **신라**에는 골품제라는 신분 제도가 있어 골품에 따라 오를 수 있는 관등의 상한이 정해져 있었고, 집의 크기, 옷차림 등 일상생활까지도 골품의 제한을 받았어요.

② 전국을 5도 양계로 나누어 통치하였다.
➡ 고려는 전국을 5도와 양계, 경기로 나누어 통치하였어요. 5도는 일반 행정 구역이고, 양계는 국경 지역에 설치한 군사 행정 구역이며, 경기는 수도 개경과 주변 지역이에요.

③ 빈민 구제를 위해 진대법을 실시하였다.
➡ 고구려는 고국천왕 때 가난한 백성을 구제하기 위해 봄에 곡식을 빌려주고 수확한 후에 갚도록 하는 진대법을 실시하였어요.

④ 정사암에서 국가의 중대사를 결정하였다.
➡ 백제에서는 귀족들이 정사암에 모여 재상을 뽑고 나라의 중요한 일을 결정하였어요.

기출 선택지 +α

❺ 왜에 칠지도를 보냈다. (O/X)
❻ 동맹이라는 제천 행사를 열었다. (O/X)
❼ 화백 회의에서 국가의 중대사를 결정하였다. (O/X)

기출 선택지 +α 정답 ⑤ ×[백제] ⑥ ×[고구려] ⑦ ○

6 금관가야의 경제 상황 정답 ④

(가) 나라의 경제 상황으로 옳은 것은? [2점]

정답 잡는 키워드

❶ 김해 대성동 고분 → 금관가야

❶ 김해 대성동 고분군에서는 금관가야의 우수한 철기 문화를 짐작할 수 있는 철제 판갑옷 등이 출토되었어요. 또한, 김해에서 출토된 말 탄 사람 모양 뿔잔(도기 기마 인물형 뿔잔)에는 갑옷으로 감싼 말 위에 갑옷으로 무장한 무사가 투구를 쓰고 방패를 쥔 채 앉아 있는 모습이 표현되어 있어 이를 통해 금관가야의 철기 문화를 엿볼 수 있습니다. 김해를 중심으로 성장한 금관가야는 전기 가야 연맹을 주도하였어요.

① 정기 시장인 장시가 전국 각지에서 열렸다.
➡ 조선 후기에 정기 시장인 장시가 전국 각지에서 열렸으며, 보부상이 전국의 장시를 돌면서 활동하였어요.

② 시장을 감독하기 위한 동시전이 설치되었다.
➡ 신라 지증왕 때 수도 금성(지금의 경주)에 시장인 동시와 감독관청인 동시전이 설치되었어요.

③ 활구라고도 불린 은병이 화폐로 사용되었다.
➡ 고려 시대에 활구라고도 불린 은병이 화폐로 사용되었어요. 은병은 은 1근으로 우리나라의 지형을 본떠 만든 고액 화폐입니다.

④낙랑군과 왜 사이의 중계 무역으로 이익을 얻었다.
➡ **금관가야**는 질 좋은 철이 풍부하게 생산되고 해상 교역이 발달하여 낙랑군과 왜를 연결하는 중계 무역으로 이익을 얻었어요.

기출 선택지 +α

❺ 낙랑과 왜에 철을 수출하였다. (O/X)
❻ 모내기법이 전국적으로 확산되었다. (O/X)
❼ 벽란도가 국제 무역항으로 번성하였다. (O/X)

기출 선택지 +α 정답 ⑤ ○ ⑥ ×[조선 후기] ⑦ ×[고려]

7 신라의 삼국 통일 과정

정답 ①

(가)에 들어갈 전투로 옳은 것은? [2점]

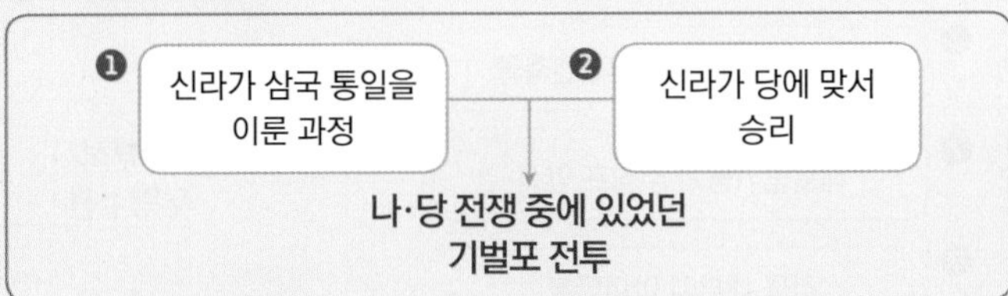

〈역사 다큐멘터리 기획안〉

신라, 최후의 승자가 되다!

1. 기획 의도 : 한반도를 차지하려 한 당을 몰아내고 ❶신라가 삼국 통일을 이룬 과정을 집중 조명한다.
2. 구성
   1편 - 당이 웅진도독부, 안동도호부를 설치하다
   2편 - 신라가 고구려 부흥 운동을 지원하고 군사력을 보강하다
   3편 - ❷신라가 당에 맞서 (가) 에서 승리하다

정답 잡는 **키워드**

❶ 신라가 삼국 통일을 이룬 과정
❷ 신라가 당에 맞서 승리
→ 나·당 전쟁 중에 있었던 기벌포 전투

❶, ❷ 신라는 당과 연합하여 백제와 고구려를 멸망시킨 뒤 당이 약속과 다르게 한반도 전체를 차지하려고 하자 당에 맞서 싸웠어요(나·당 전쟁). 신라는 매소성 전투와 **기벌포 전투**에서 당의 군대를 격파하고 삼국 통일을 이룩하였어요(676).

① 기벌포 전투
➡ 675년에 매소성 전투에서 당군을 크게 물리친 신라군은 676년에 기벌포 전투에서 설인귀가 이끄는 당의 수군을 격파하였어요.

② 우금치 전투
➡ 동학 농민 운동 당시 일본군이 경복궁을 점령하고 청·일 전쟁을 일으키자 스스로 해산하였던 동학 농민군이 일본군 타도를 내걸고 다시 봉기하였어요. 동학 농민군의 남접과 북접 부대가 연합하여 한성을 향해 진격하던 중 공주 우금치에서 일본군 및 관군과 전투를 벌였으나 패배하였어요.

③ 진주성 전투
➡ 일본군이 조선을 침략한 임진왜란 중 진주성에서 진주 목사 김시민의 지휘 아래 관군과 백성이 힘을 합쳐 일본군을 격퇴하였어요. 이를 진주 대첩이라고도 합니다.

④ 처인성 전투
➡ 몽골이 고려를 침입하였을 때 김윤후는 처인성에서 부곡민을 이끌고 싸워 몽골 장수 살리타를 사살하고 몽골군을 물리쳤어요.

연표로 흐름잡기

648	신라와 당의 군사 동맹 체결(나·당 동맹)
660	나·당 연합군의 공격으로 백제 멸망 → 당이 웅진도독부 설치
668	나·당 연합군의 공격으로 고구려 멸망 → 당이 안동도호부 설치
670	• 나·당 전쟁 시작 • 신라가 고구려 부흥 운동 지원, 안승이 검모잠을 죽이고 신라에 투항
675	신라, 매소성 전투에서 승리
676	• 당, 웅진도독부 폐지 및 안동도호부를 요동으로 이동 • 신라, **기벌포 전투**에서 승리 → 삼국 통일 이룩

8 발해

정답 ①

(가) 국가에 대한 설명으로 옳은 것은? [1점]

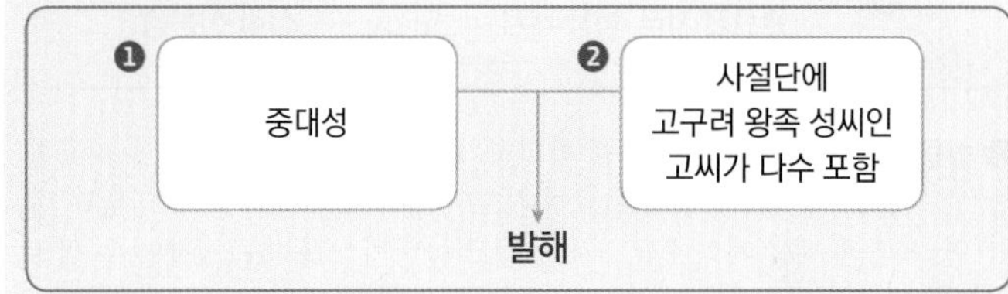

정답 잡는 **키워드**

❶ 중대성
❷ 사절단에 고구려 왕족 성씨인 고씨가 다수 포함
→ 발해

❶ 발해는 3성 6부의 조직을 중심으로 중앙 행정을 운영하였어요. 중대성은 정당성, 선조성과 함께 발해의 3성을 이루었으며, 왕이 내리는 명령과 법령의 기초를 만들고 왕의 명령을 전달하는 일을 담당하였어요.
❷ 발해는 대조영이 고구려 유민과 말갈인 등을 이끌고 동모산 부근에서 건국한 나라입니다. 지배층의 대부분이 고구려인이었고, 고구려 왕족의 성씨인 고씨도 다수 지배층에 포함되었어요. 발해의 왕은 일본에 보낸 외교 문서에서 스스로 '고려(고구려)' 또는 '고려 국왕'이라고 표현하며 고구려 계승 의식을 분명히 하였습니다.

① 대조영이 동모산에서 건국하였다.
➡ **발해**는 고구려 장수 출신 대조영이 동모산 부근에서 건국하였어요.

② 청해진을 중심으로 해상 무역이 전개되었다.
➡ 신라 흥덕왕 때 장보고는 지금의 완도에 군사 기지인 청해진을 설치하고 이곳을 거점으로 해적들을 소탕하였어요. 이후 청해진을 중심으로 해상 무역을 주도하였어요.

③ 여러 가(加)들이 별도로 사출도를 주관하였다.
➡ 부여에서는 왕이 중앙을 다스리고, 마가, 우가, 저가, 구가의 여러 가(加)들이 별도로 각자의 영역인 사출도를 주관하였어요.

④ 지방 세력 견제를 위해 기인 제도가 실시되었다.
➡ 고려 태조는 호족 세력을 견제하고 지방 통치를 보완하기 위해 지방 호족의 자제를 수도에 머물도록 하는 기인 제도를 실시하였어요.

기출 선택지 +α

⑤ 전국에 9주 5소경을 두었다. (O/X)
⑥ 한의 침략을 받아 멸망하였다. (O/X)
⑦ 전성기에 해동성국이라 불렸다. (O/X)
⑧ 5경 15부 62주로 지방 행정 제도를 정비하였다. (O/X)

기출 선택지 +α 정답 ⑤ ×[통일 신라] ⑥ ×[고조선] ⑦○ ⑧○

제 58 회

9 신라 신문왕의 업적 정답 ①

(가) 왕의 업적으로 옳은 것은? [2점]

정답 잡는 키워드

❶ 관료전 지급, 녹읍 폐지 → 신라 신문왕

❶ 신문왕은 귀족의 경제 기반을 약화하기 위해 관리에게 관료전을 지급하고 녹읍을 폐지하였어요. 관료전은 토지에서 조세만 거둘 수 있었던 반면, 녹읍은 해당 지역에서 조세를 걷고 농민의 노동력도 징발할 수 있었어요.

① 국학을 설립하였다.
➡ 신라 **신문왕**은 인재를 양성하기 위해 국학을 설립하여 유학을 교육하였어요.

② 대가야를 정복하였다.
➡ 신라 진흥왕은 적극적으로 영토 확장에 나서 대가야를 정복하고 낙동강 서쪽을 장악하였어요.

③ 독서삼품과를 실시하였다.
➡ 신라 원성왕은 유학적 소양을 갖춘 인재를 선발하기 위해 독서삼품과를 실시하였어요.

④ 김헌창의 난을 진압하였다.
➡ 신라 헌덕왕 때 웅천주 도독 김헌창이 자신의 아버지 김주원이 왕이 되지 못한 것에 불만을 품고 난을 일으키자, 중앙 정부가 김균정과 그의 아들 김우징(후에 신무왕)이 주도한 토벌대를 보내 반란 세력을 진압하였어요.

기출 선택지 +α

⑤ 병부를 설치하였다. (O/X)
⑥ 삼국 통일을 이룩하였다. (O/X)
⑦ 김흠돌의 난을 진압하였다. (O/X)

핵심 개념 신라 신문왕의 정책

구분	내용
정치	• 김흠돌의 난을 진압하고 진골 귀족을 숙청함 • 지방 행정 조직을 9주 5소경으로 완비함 • 군사 조직을 9서당 10정으로 정비함
경제	관리에게 관료전을 지급하고 녹읍을 폐지함
문화	• 국학을 설립하여 유학 교육을 실시함 • 아버지 문무왕을 위해 감은사를 완성함 • 만파식적 이야기가 전해짐

기출 선택지 +α 정답 ⑤ ×[신라 법흥왕] ⑥ ×[신라 문무왕] ⑦ ○

10 영주 부석사 무량수전 정답 ④

(가)에 들어갈 문화유산으로 옳은 것은? [3점]

정답 잡는 키워드

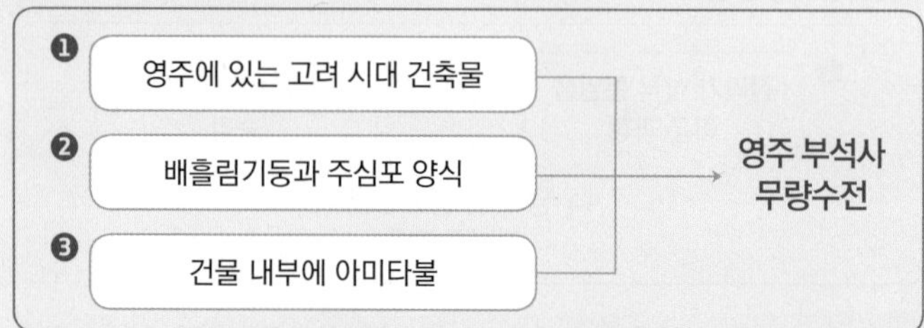

❶ 영주에 있는 고려 시대 건축물
❷ 배흘림기둥과 주심포 양식
❸ 건물 내부에 아미타불
→ 영주 부석사 무량수전

❶, ❷, ❸ 경상북도 영주에 있는 부석사 무량수전은 고려 시대에 지어진 목조 건물이에요. 건물에 안정감을 주기 위해 가운데 부분이 살짝 불룩한 배흘림기둥을 사용하였으며, 기둥 위에만 공포가 있는 주심포 양식으로 지어졌어요. 건물 안에 신라의 불상 양식을 계승한 소조 여래 좌상이 모셔져 있는데, 아미타불로 보입니다.

①

금산사 미륵전

➡ 전라북도 김제에 있는 금산사 미륵전은 조선 후기에 지어진 3층 건물입니다. 내부는 3층을 하나로 터 통층으로 되어 있어요.

②

법주사 팔상전

➡ 충청북도 보은에 있는 법주사 팔상전은 조선 후기에 지어졌으며, 현존하는 우리나라 유일의 목조 5층탑이에요. 내부에 석가모니의 생애를 여덟 장면으로 그린 팔상도가 있어요.

③

화엄사 각황전

➡ 전라남도 구례에 있는 화엄사 각황전은 조선 후기에 건축된 규모가 큰 다층 다포계 건물이에요. 다포 양식은 공포를 기둥과 기둥 사이에도 설치하는 양식이에요.

④

부석사 무량수전

➡ 영주 부석사 무량수전은 고려 시대에 지어진 대표적인 주심포 양식의 건축물이에요.

킬러 문항

11 고려의 후삼국 통일 과정

정답 ③

(가), (나) 사이의 시기에 있었던 사실로 옳은 것은? [3점]

> (가) 견훤이 완산주를 근거지로 삼고 스스로 후백제라 일컬으니, 무주 동남쪽의 군현들이 투항하여 복속하였다.
>
> (나) 태조가 대상(大相) 왕철 등을 보내 항복해 온 경순왕을 맞이하게 하였다.

정답 잡는 키워드

가 신라 말의 혼란한 상황에서 세력을 키운 견훤은 900년에 완산주에 도읍을 정하고 후백제를 건국하였어요. 견훤은 군사력을 키워 충청도와 전라도의 옛 백제 영토를 대부분 차지하고 신라를 압박하였어요.

나 935년에 신라의 경순왕은 나라의 힘이 약해져 더 이상 나라를 유지하기 어려워지자 스스로 고려에 항복하였어요. 고려 태조 왕건은 항복해 온 경순왕을 경주의 사심관으로 임명하였어요.

① 연개소문이 천리장성을 쌓았다.

➡ 7세기 중반에 당 태종이 대외 팽창 정책을 펴면서 고구려를 압박하자, **고구려**는 연개소문을 책임자로 임명하여 국경 지역에 천리장성을 쌓는 등 당의 공격에 대비하였어요.

② 최영이 요동 정벌을 추진하였다.

➡ 14세기 후반 **고려 말**에 명이 고려가 원으로부터 되찾은 철령 이북 지역을 직접 다스리려 하자, 우왕과 최영은 요동 정벌을 추진하였어요.

③ 왕건이 고창 전투에서 승리하였다.

➡ 공산 전투(927)에서 후백제군에 패배하였던 왕건의 고려군은 호족들의 도움을 받아 **930년**에 고창 전투에서 견훤의 후백제군을 격퇴하고 승리하였어요.

④ 이순신이 명량에서 일본군을 물리쳤다.

➡ 임진왜란의 휴전 협상이 결렬됨에 따라 일본군이 다시 조선을 침략하여 **정유재란**이 일어났어요. 이때 이순신이 이끈 조선 수군이 명량(울돌목)에서 일본군에 대승을 거두었어요.

핵심 개념 고려의 후삼국 통일 과정

후삼국 성립 : 후백제 건국(900), 후고구려 건국(901)
↓
고려의 건국(918)
↓
공산 전투(927, 후백제 승리), 고창 전투(930, 고려 승리) → 고려가 후삼국 간 항쟁의 주도권 차지
↓
견훤이 고려에 귀순, 신라 경순왕이 고려에 항복(935)
↓
고려군이 신검의 후백제군 격파(일리천 전투 승리) → 후백제 멸망, 고려의 후삼국 통일(936)

12 고려 광종의 업적

정답 ③

밑줄 그은 '왕'의 업적으로 옳은 것은? [2점]

정답 잡는 키워드

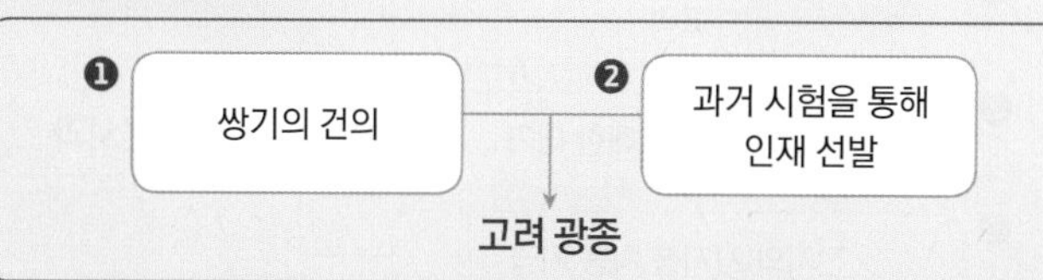

❶, ❷ 광종은 쌍기의 건의를 받아들여 시험을 통해 관리를 선발하는 과거제를 처음으로 실시하였어요. 이를 통해 능력을 갖춘 신진 세력을 등용하여 왕권을 뒷받침하고자 하였어요.

① 훈요 10조를 남겼다.

➡ 고려를 세운 **태조 왕건**은 후대 왕들이 지키길 바라는 내용을 담은 훈요 10조를 남겼어요.

② 수도를 강화도로 옮겼다.

➡ 고려 고종 때 몽골이 고려에 침입하자 당시 최고 집권자 최우의 주장에 따라 우선 몽골과 강화를 맺은 뒤 장기 항전에 대비하여 강화도로 도읍을 옮겼어요.

③ 노비안검법을 시행하였다.

➡ 고려 **광종**은 공신과 호족 세력을 약화하고 왕권을 강화하기 위해 노비를 조사하여 불법으로 노비가 된 사람의 신분을 양인으로 되돌리는 노비안검법을 시행하였어요.

④ 기철 등 친원파를 숙청하였다.

➡ 고려 **공민왕**은 원이 쇠퇴하는 틈을 타 반원 자주 정책을 추진하여 몽골식 풍습을 금지하고 기철 등 친원파를 숙청하였어요.

기출 선택지 +α

⑤ 2성 6부제를 마련하였다. (O/X)

⑥ 사심관 제도를 시행하였다. (O/X)

⑦ 광덕, 준풍이라는 연호를 사용하였다. (O/X)

제 58 회

기출 선택지 +α 정답 ⑤ ×[고려 성종] ⑥ ×[고려 태조] ⑦ ○

13 전시과

정답 ③

(가)에 들어갈 내용으로 옳은 것은? [1점]

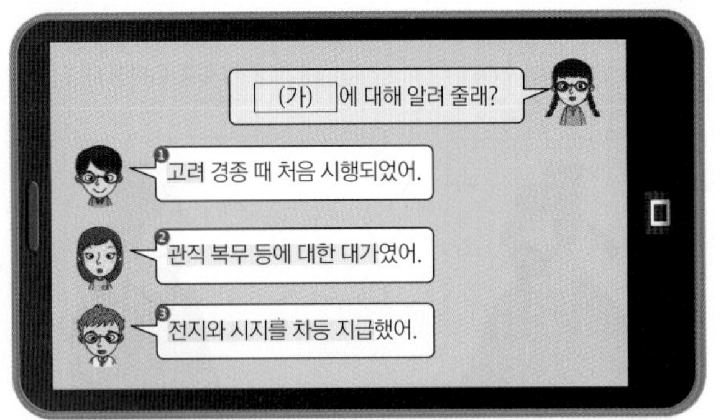

정답 잡는 키워드

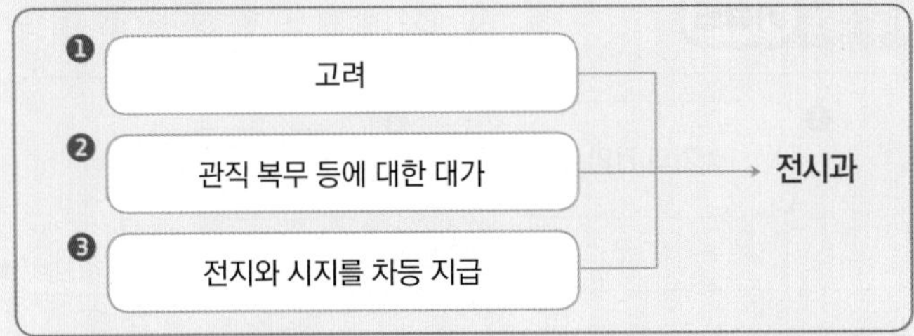

❶, ❷, ❸ 전시과는 고려 시대에 관직 복무 등에 대한 대가로 관리에게 등급에 따라 곡식을 얻을 수 있는 전지와 땔감을 얻을 수 있는 시지를 차등 지급한 제도입니다.

① 과전법

➡ 고려 말에 이성계와 급진 개혁파(혁명파) 신진 사대부는 문란한 토지 제도를 바로잡기 위해 과전법을 실시하였어요. 과전법은 경기 지역의 토지를 대상으로 전직과 현직 관리에게 등급에 따라 토지의 수조권(조세를 거둘 수 있는 권리)을 나누어 준 제도예요.

② 납속책

➡ 납속책은 조선 시대에 정부가 부족한 국가 재정을 보충하기 위해 곡물, 돈 등을 받고 신분을 상승시켜 주거나 벼슬을 내리는 등의 혜택을 준 정책이에요. 부를 축적한 사람들이 납속을 이용하여 양반 신분을 얻거나 노비 신분에서 벗어나기도 하였어요.

③ 전시과

➡ 전시과 제도는 고려 경종 때 처음 실시된 후 여러 차례 바뀌었어요.

④ 호포제

➡ 조선 고종 때 실권을 장악하고 있던 흥선 대원군은 군정의 폐단을 바로잡기 위해 가구(호) 단위로 군포를 거두는 호포제를 실시하여 양반에게도 군포를 징수하였어요.

14 묘청의 난

정답 ②

다음 상황이 일어난 시기를 연표에서 옳게 고른 것은? [3점]

정답 잡는 키워드

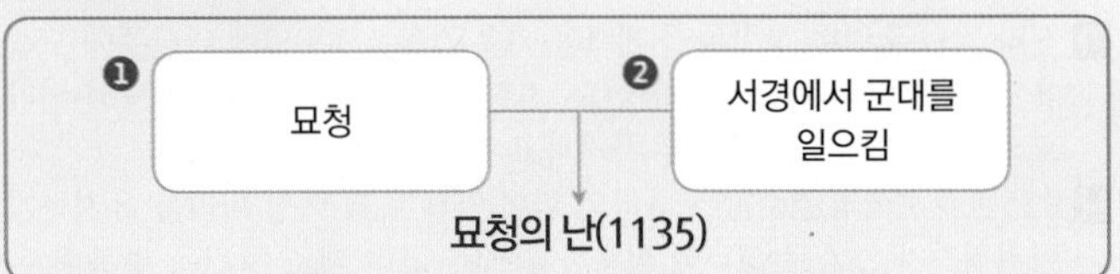

❶, ❷ 고려 인종 때 묘청 등 서경 세력은 풍수지리설을 내세워 서경 천도를 추진하였어요. 그러나 개경 세력의 반대로 서경 천도가 좌절되자 **묘청** 등이 서경에서 나라 이름을 대위, 연호를 천개라 하고 **반란**을 일으켰어요. 묘청의 난은 대표적 개경 세력인 김부식이 이끈 관군에 의해 진압되었어요.

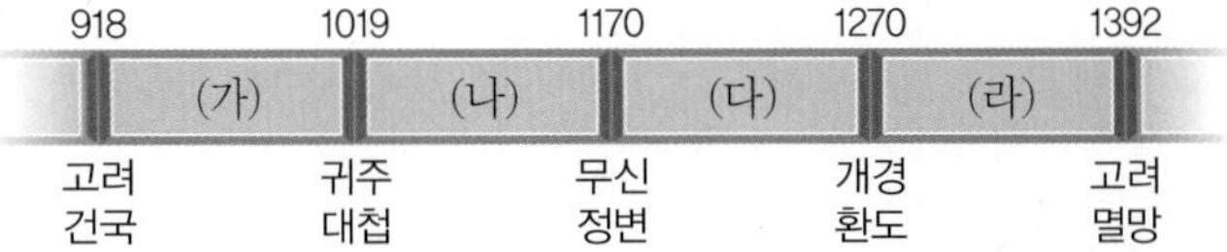

➡ 귀주 대첩으로 거란의 침략을 격퇴한 후 고려에서 대표적 문벌인 이자겸이 난을 일으키고 묘청 등이 서경에서 반란을 일으켜 정치 질서가 흔들리고 왕권이 약화되었습니다. 이런 상황에서 의종 때인 1170년에 정중부, 이의방 등이 무신 차별에 대한 불만 등으로 무신 정변을 일으켜 수많은 문신을 죽이고 의종을 폐위한 뒤 정권을 장악하였어요.

① (가)

② (나)

➡ 연표에서 묘청의 난이 일어난 시기는 귀주 대첩과 무신 정변 사이인 (나)입니다.

③ (다)

④ (라)

연표로 흐름잡기

- 1019 거란의 3차 침입 중 귀주 대첩
- 1126 이자겸의 난
- 1135 묘청의 난
- 1170 무신 정변

15 의천의 활동 정답 ②

(가)에 들어갈 인물로 옳은 것은? [2점]

정답 잡는 **키워드**

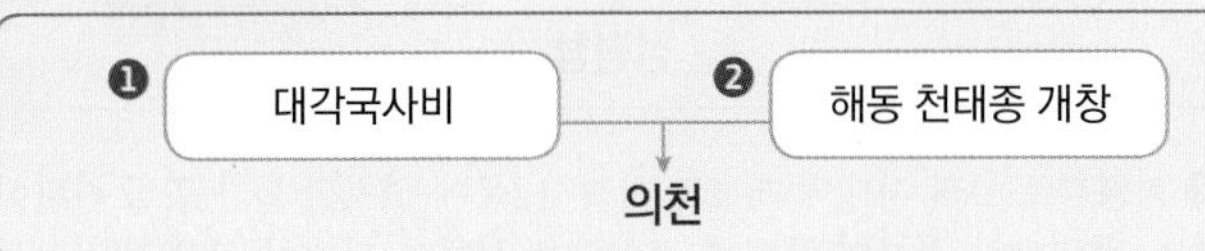

❶, ❷ 고려의 승려 의천은 왕자 출신이며, 송에 유학하여 화엄종과 천태학 등을 공부하고 돌아와 해동 천태종을 창시하였어요. 의천은 고려의 불교 발전에 크게 기여하여 '대각국사'라는 시호를 받았습니다.

① 원효
➡ 신라의 승려 원효는 나무아미타불만 외우면 누구나 극락에 갈 수 있다고 주장하였으며, 일반 백성이 쉽게 불교 교리를 받아들일 수 있도록 '무애가'를 지어 부르는 등 불교 대중화에 기여하였어요.

② 의천
➡ 의천은 수행 방법으로 이론의 연마와 수행을 함께 강조하는 교관겸수를 제시하였으며, 고려 숙종에게 화폐의 사용과 주조를 건의하였어요.

③ 지눌
➡ 고려의 승려 지눌은 수선사 결사를 제창하여 불교계를 개혁하고자 하였으며, 수행 방법으로 정혜쌍수와 돈오점수를 주장하였어요. 지눌은 죽은 뒤에 '(불일)보조국사'라는 시호를 받았어요.

④ 혜심
➡ 고려의 승려 혜심은 심성의 도야를 강조한 유·불 일치설을 주장하였어요. 이는 장차 성리학을 받아들일 수 있는 사상적 토대가 되었어요.

핵심 개념 대각국사 의천의 활동

출신	고려 문종의 넷째 아들로 승려가 됨
활동	• 송에서 유학하고 돌아와 불교 발전을 위해 노력함 • 해동 천태종을 창시함 • 교관겸수를 바탕으로 교종 중심의 선종 통합을 주장함 • 교장도감을 설치하고 불교 경전 주석서를 모아 "교장"을 편찬함 • 숙종에게 화폐를 만들어 사용할 것을 건의함

16 우리나라와 중국의 교류 정답 ④

교사의 질문에 대한 학생들의 대답으로 옳지 않은 것은? [2점]

역사상 우리나라와 중국 사이에 있었던 교류 활동의 사례를 말해 볼까요?

① 신라의 장보고는 산둥반도에 법화원을 세웠어요.

② 고려 시대에 이제현이 만권당에서 공부하였어요.

③ 조선 시대에 박지원은 연행사의 일원으로 열하에 다녀왔어요.

④ 개항기에 민영익이 보빙사의 대표로 파견되었어요.

✪ 우리나라는 중국과 맞닿아 있어 예로부터 경제·문화적 교류를 활발하게 하였어요.

① 신라의 장보고는 산둥반도에 법화원을 세웠어요.
➡ 신라, 당, 일본을 잇는 해상 무역을 장악한 신라의 장보고는 **중국** 당의 산둥반도에 신라인의 사찰인 법화원을 세웠어요.

② 고려 시대에 이제현이 만권당에서 공부하였어요.
➡ 만권당은 고려 말에 왕위를 물려준 충선왕이 **중국** 원의 연경에 있는 자신의 집에 설치한 독서당이에요. 이제현 등이 만권당에서 공부하며 원의 학자들과 교류하였어요.

③ 조선 시대에 박지원은 연행사의 일원으로 열하에 다녀왔어요.
➡ 연행사는 조선 후기에 **중국** 청에 파견된 조선 사신을 이르는 말로, 청의 수도인 연경에 간 사신이라는 뜻이에요. 박지원은 연행사의 일원으로 청에 가서 연경을 거쳐 청 황제의 여름 별장이 있는 열하에 다녀왔어요. 그때 보고 들은 내용을 기록하여 "열하일기"를 저술하였어요.

④ 개항기에 민영익이 보빙사의 대표로 파견되었어요.
➡ 조·미 수호 통상 조약이 체결된 후 미국이 한성에 공사를 파견하자, 조선 정부는 이에 대한 답례로 미국에 민영익을 대표로 한 보빙사를 파견하였어요. 보빙사는 미국 대통령을 접견하고 근대 문물과 시설들을 시찰하고 돌아왔어요.

17 윤관의 활동

정답 ②

(가)의 활동으로 옳은 것은? [2점]

> ○ (가) 이/가 아뢰기를, "신이 여진에게 패배한 까닭은 그들은 기병이고 우리는 보병이어서 대적하기 어려웠기 때문입니다."라고 하였다. 이에 건의하여 비로소 ❶별무반을 만들었다. - "고려사절요" -
>
> ○ (가) 이/가 ❷여진을 쳐서 크게 물리쳤다. [왕이] 여러 장수를 보내 경계를 정하였다. - "고려사" -

정답 잡는 키워드

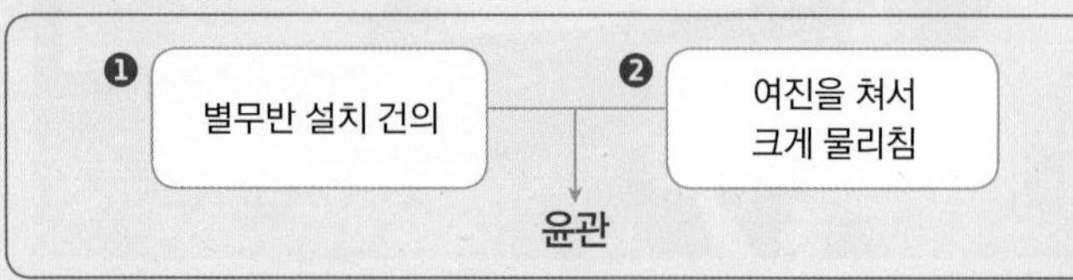

❶ 12세기 초에 여진이 성장하여 고려의 국경 지역을 자주 침략하였는데, 고려군은 말을 타고 싸우는 기병이 강한 여진에 수차례 패하였어요. 이에 윤관이 숙종에게 건의하여 기병인 신기군, 보병인 신보군, 승병인 항마군으로 구성된 별무반이 창설되었어요.

❷ 윤관은 고려 예종 때 별무반을 이끌고 여진을 공격하여 크게 물리쳤어요.

① 강동 6주를 획득하였다.
➡ 고려의 서희는 거란의 1차 침입 당시 거란 장수 소손녕과 외교 담판을 벌여 강동 6주 지역을 확보하였어요.

② 동북 9성을 축조하였다.
➡ **윤관**은 별무반을 이끌고 가서 여진을 정벌한 후 동북 지방에 9성을 축조하였어요.

③ 쓰시마섬을 정벌하였다.
➡ 고려 말 창왕 때 박위가 왜구의 근거지인 쓰시마섬(대마도)을 정벌하였으며, 조선 세종 때 이종무도 군사를 이끌고 가서 쓰시마섬을 정벌하였어요.

④ 쌍성총관부를 수복하였다.
➡ 공민왕 때 고려군은 쌍성총관부를 공격하여 원에 빼앗겼던 철령 이북의 영토를 되찾았어요.

기출 선택지 +α

❺ 우산국을 정벌하였다.	(O/X)
❻ 4군 6진을 설치하였다.	(O/X)
❼ 화통도감의 설치를 건의하였다.	(O/X)

18 상평창

정답 ②

(가)에 들어갈 기구로 옳은 것은? [2점]

정답 잡는 키워드

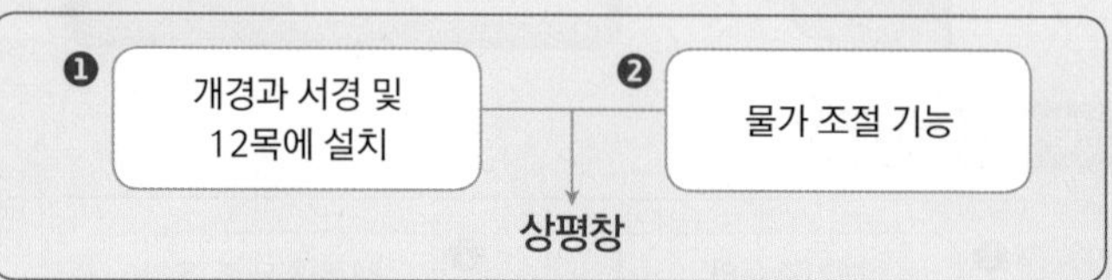

❶, ❷ 상평창은 고려 시대에 개경과 서경, 12목에 설치된 물가 조절 기관이에요. 풍년으로 곡물이 흔하면 적정량을 사들여 가격이 크게 내려가는 것을 막고, 흉년이 들어 시중에 곡물이 부족하면 저장해 둔 곡물을 풀어 가격이 크게 오르는 것을 막아 물가를 조절하였어요.

① 중방
➡ 중방은 고려의 중앙군인 2군 6위의 지휘관으로 구성된 회의 기구입니다. 무신 정변을 일으켜 문신을 몰아내고 정권을 장악한 무신들이 중방을 중심으로 국정을 운영하면서 핵심 정치 기구가 되었어요. 그러다 최충헌이 집권한 이후에는 교정도감이 최고 권력 기구가 되었고 중방의 권한이 약해졌어요.

② 상평창
➡ 고려 성종 때 처음 설치된 상평창은 조선 시대로 이어졌어요.

③ 어사대
➡ 어사대는 고려 시대에 관리들의 비리를 감찰하고 정치의 잘잘못을 논하던 중앙 정치 기구입니다. 어사대의 관원은 중서문하성의 낭사와 함께 대간으로 불리며 간쟁, 봉박, 서경의 권한을 행사하였습니다.

④ 식목도감
➡ 식목도감은 고려 시대에 중서문하성과 중추원의 고위 관리들이 모여 법이나 각종 시행 규칙의 제정 등을 논의하던 중앙 정치 기구입니다.

기출 선택지 +α

정답 ⑤ ×[신라 지증왕 때 이사부] ⑥ ×[조선 세종 때 최윤덕, 김종서] ⑦ ×[고려 우왕 때 최무선]

19 조선 태종의 업적

정답 ③

밑줄 그은 '왕'의 업적으로 옳은 것은? [2점]

정답 잡는 키워드

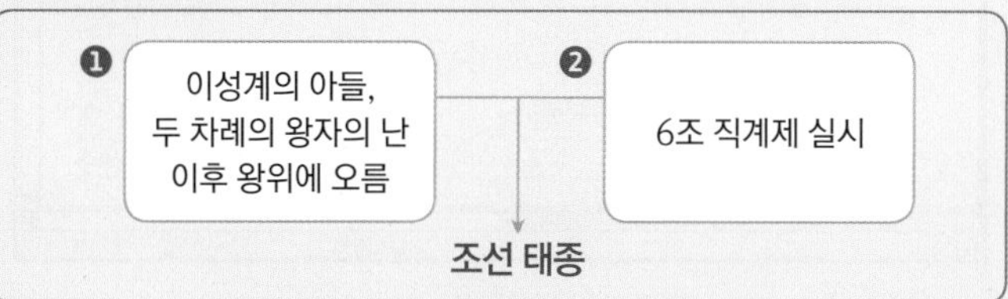

❶ 이성계의 다섯 째 아들인 이방원(후에 태종)은 아버지를 도와 조선을 건국하는 데 공을 세웠어요. 이후 두 차례의 왕자의 난을 통해 정도전 등 반대 세력을 제거하여 권력을 잡고 왕위에 올라 조선의 제3대 왕이 되었습니다.

❷ 태종은 왕권 강화를 위하여 6조 직계제를 실시하였어요. 6조 직계제는 6조에서 의정부를 거치지 않고 왕에게 직접 업무를 보고하고 왕의 명령을 받아 정책을 시행하는 제도입니다. 또한, 태종은 전국을 8도로 나누고 관리를 파견하였어요.

① 탕평비를 건립하였다.
➡ 조선 영조는 붕당의 폐해를 바로잡기 위해 탕평책을 폈으며, 성균관 앞에 탕평의 의지를 담은 탕평비를 건립하였어요.

② 현량과를 실시하였다.
➡ 조선 중종은 조광조의 건의를 받아들여 새로운 인사를 등용하기 위해 현량과를 실시하였어요. 현량과는 학문과 덕행이 뛰어난 인재를 천거하게 하여 그중에서 시험을 통해 관리로 선발한 제도입니다.

③ 호패법을 시행하였다.
➡ 조선 **태종**은 호패법을 처음 시행하여 양반부터 노비까지 16세 이상의 모든 남성에게 일종의 신분증인 호패를 차고 다니게 하였어요. 이를 통해 전국의 인구를 파악하여 세금 징수와 군역 동원에 활용하고자 하였어요.

④ 훈민정음을 창제하였다.
➡ 조선 세종은 백성을 교화하고 백성이 자신의 생각을 글로 표현할 수 있도록 훈민정음을 창제하여 반포하였어요.

기출 선택지 +α

❺ 집현전을 설치하였다. (O/X)
❻ 속대전을 편찬하였다. (O/X)
❼ 전국을 8도로 나누었다. (O/X)
❽ 초계문신제를 실시하였다. (O/X)

20 조선 세종 재위 시기의 사실

정답 ②

(가) 왕의 재위 기간에 있었던 사실로 옳은 것은? [2점]

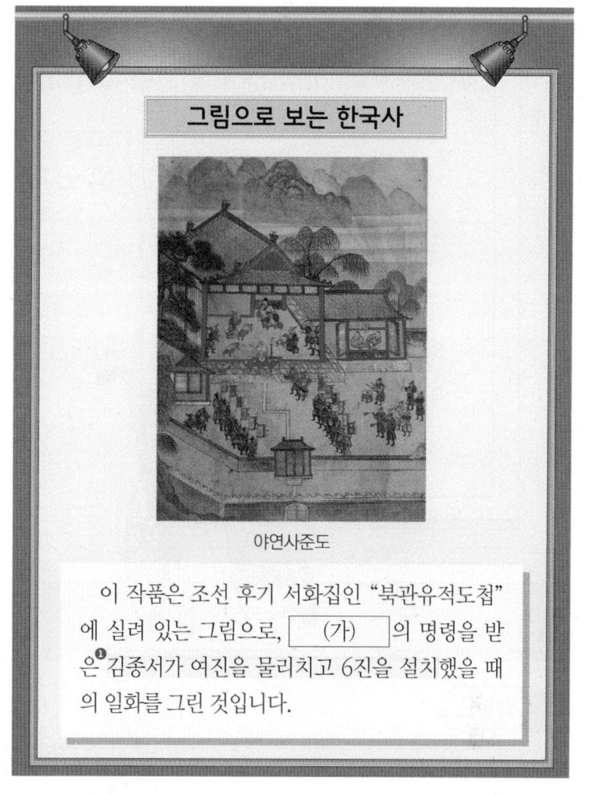

야연사준도

이 작품은 조선 후기 서화집인 "북관유적도첩"에 실려 있는 그림으로, (가) 의 명령을 받은 ❶김종서가 여진을 물리치고 6진을 설치했을 때의 일화를 그린 것입니다.

정답 잡는 키워드

❶ 김종서가 여진을 물리치고 6진 설치 → 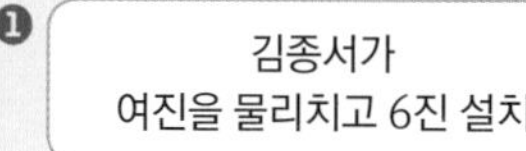 조선 세종

❶ 세종의 명령을 받은 김종서는 두만강 유역의 여진을 몰아내고 6진을 설치하였어요. 최윤덕도 왕명을 받아 압록강 유역의 여진을 몰아내고 4군을 설치하였어요. 이로써 압록강에서 두만강에 이르는 오늘날과 비슷한 국경선이 확정되었습니다.

① 장용영 설치
➡ 조선 정조는 국왕의 친위 부대인 장용영을 설치하여 왕권을 뒷받침하였어요.

② 칠정산 편찬
➡ 조선 **세종**은 이순지 등에게 중국과 아라비아의 역법을 참고하여 한양을 기준으로 천체 운동을 계산한 역법서인 "칠정산"을 편찬하게 하였어요.

③ 경국대전 완성
➡ 조선의 기본 법전인 "경국대전"은 세조 때 편찬 작업이 시작되어 성종 때 완성·반포되었어요.

④ 나선 정벌 단행
➡ 조선 효종은 청의 요청에 따라 두 차례의 나선 정벌에 조총 부대를 파견하였어요. 나선은 러시아를 말해요.

기출 선택지 +α 정답 ⑤ ×[조선 세종] ⑥ ×[조선 영조] ⑦ ○ ⑧ ×[조선 정조]

21 서원

정답 ①

(가)에 들어갈 교육 기관으로 옳은 것은? [1점]

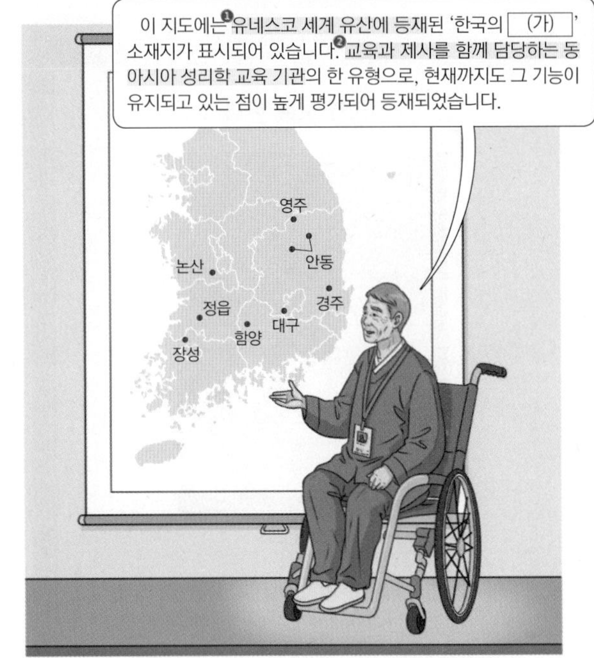

정답 잡는 키워드

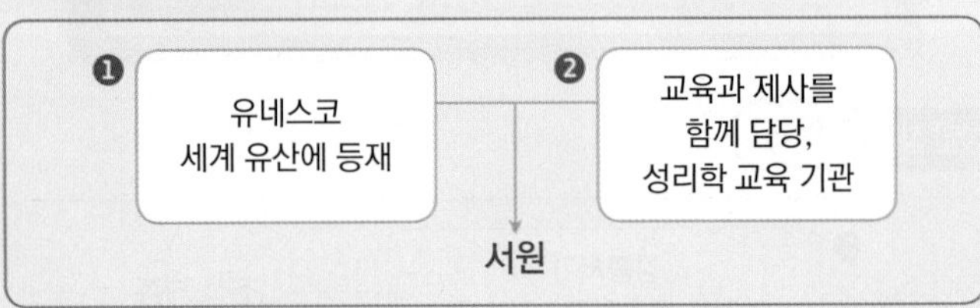

❶ 2019년에 영주 소수 서원, 안동 도산 서원을 비롯한 9개의 서원이 '한국의 서원'이라는 이름으로 유네스코 세계 유산에 등재되었어요.

❷ 서원은 조선 시대 사림이 세운 사립 교육 기관으로, 선현의 제사와 성리학 교육을 담당하였어요. 중종 때 주세붕이 세운 백운동 서원을 시작으로 전국 곳곳에 서원이 세워졌습니다. 백운동 서원은 명종 때 이황의 건의로 사액되어 소수 서원으로 명칭이 바뀌었어요.

① 서원
➡ 서원 중에서 나라에서 현판을 하사받은 서원을 사액 서원이라고 하는데, 사액 서원이 되면 책, 노비 등을 지원받았어요.

② 향교
➡ 향교는 고려와 조선 시대 지방에 설립된 관립 교육 기관이에요. 조선 정부는 전국의 부·목·군·현에 향교를 하나씩 설립하고 중앙에서 교수나 훈도를 파견하여 교육하였어요.

③ 성균관
➡ 성균관은 수도 한성에 설치된 조선 시대 최고 교육 기관이에요. 소과에 합격한 생원과 진사에게 성균관의 입학 자격이 주어졌어요.

④ 4부 학당
➡ 4부 학당은 조선 시대 수도 한성에 설립된 중등 교육 기관으로 중학·동학·남학·서학을 말해요.

22 곽재우의 활동

정답 ③

밑줄 그은 '의병장'으로 옳은 것은? [2점]

파일(F) 편집(E) 보기(V) 즐겨찾기(A) 도구(T) 도움말(H)

역사 인물 가상 생활 기록부

2. 주요 이력

연도	내용	비고
1585년	과거 문과 (별시, 2등)	답안지에 왕을 비판한 내용이 있어 합격이 취소됨

3. 행동 특성 및 종합 의견

❶임진왜란 당시 자신의 고향 의령에서 군사를 모아 일본군에 맞서 싸운 의병장으로, 통솔력이 강하고 애국심과 실천력이 뛰어남. 정암진 전투에서 눈부신 활약을 하였으며, 붉은 옷을 입고 선두에서 많은 일본군을 무찔러❷홍의 장군으로 불림

정답 잡는 키워드

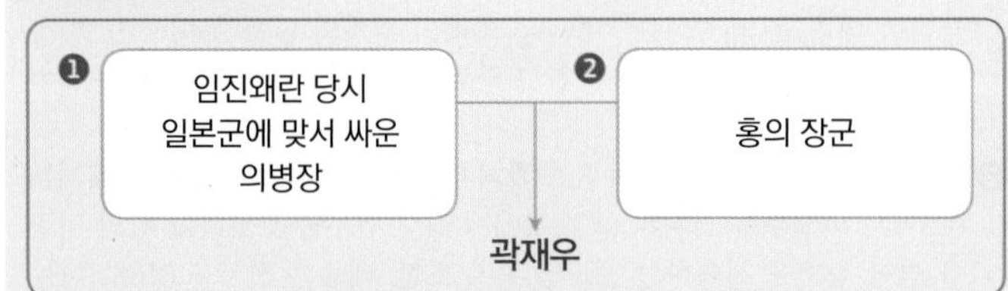

❶ 곽재우는 일본군이 조선을 침략하여 임진왜란이 일어나자, 자신의 고향인 경상도 의령에서 사람들을 모아 의병을 일으켰어요. 곽재우가 이끈 의병은 남강 유역의 정암진에 숨어 있다가 일본군을 기습 공격하여 큰 피해를 입혔어요. 이처럼 임진왜란 당시 의병은 익숙한 지리를 활용한 전술로 일본군에 큰 타격을 주었어요.

❷ 곽재우는 붉은 옷을 입고 의병을 이끌어서 홍의 장군이라고도 불렸어요.

① 조헌
➡ 임진왜란 때 조헌은 700명의 의병을 이끌고 금산에서 일본군과 맞서 싸우다가 의병들과 함께 전사하였어요.

② 고경명
➡ 고경명은 임진왜란 때의 의병장으로, 금산 전투에서 일본군과 싸우다 전사하였어요.

③ 곽재우
➡ 임진왜란 당시 곽재우가 이끈 의병 부대는 진주 대첩을 지원하기도 하였어요.

④ 정문부
➡ 임진왜란 당시 정문부는 함경도 길주에서 의병을 이끌고 일본군을 상대로 큰 승리를 거두었어요.

23 병자호란

정답 ①

밑줄 그은 '이 전쟁' 중에 있었던 사실로 옳은 것은? [3점]

> **문학으로 만나는 한국사**
>
> 청석령을 지났느냐 초하구는 어디쯤인가
> 북풍도 차기도 차다 궂은비는 무슨 일인가
> 그 누가 내 행색 그려 내어 임 계신 데 드릴까
>
> 위 시조는 이 전쟁 당시 ❶인조가 삼전도에서 항복한 뒤 봉림 대군이 청에 볼모로 끌려가며 지었다는 이야기가 전해집니다. 청의 심양으로 끌려가는 비참함과 처절한 심정이 잘 표현되어 있습니다.

정답 잡는 **키워드**

❶ 인조가 삼전도에서 항복 → 병자호란

❶ 청의 군신 관계 요구를 조선이 거부하자 청 태종이 군대를 이끌고 조선을 침략하여 병자호란이 일어났어요. 임경업이 백마산성에서 청군의 진로를 막고 기다렸으나 청군은 이를 피해 수도 한성을 향해 진격하였어요. 이에 인조와 신하들은 남한산성으로 피란하여 항전하였으나 청의 강력한 공세를 이겨 낼 수 없었습니다. 결국 인조는 삼전도에서 청과 굴욕적인 화의를 체결하였어요. 이 화의에 따라 조선은 청과 군신 관계를 맺었으며, 청의 강요로 삼전도에 조선이 항복한 사실과 청 태종의 공덕을 칭송하는 내용을 새긴 비석(서울 삼전도비)을 세웠어요. 또 소현 세자와 봉림 대군을 비롯하여 많은 신하와 백성이 청에 볼모로 끌려갔습니다.

① 왕이 남한산성으로 피신하였다.
➡ **병자호란**이 일어나자 인조는 남한산성으로 피신하였어요.

② 양헌수가 정족산성에서 항전하였다.
➡ 프랑스군이 강화도를 침략한 병인양요 당시 양헌수 부대가 강화도의 정족산성에서 프랑스군에 항전하였어요.

③ 김윤후가 적장 살리타를 사살하였다.
➡ 몽골이 고려를 침입하였을 당시 김윤후가 처인성에서 몽골 장수 살리타를 사살하였어요.

④ 조·명 연합군이 평양성을 탈환하였다.
➡ 임진왜란 당시 명의 지원군이 도착하자 조·명 연합군이 일본군에 빼앗겼던 평양성을 공격하여 탈환하였어요.

기출 선택지 +α

⑤ 황룡사 구층 목탑이 소실되었다. (O/X)
⑥ 신립이 탄금대에서 전투를 벌였다. (O/X)
⑦ 임경업이 백마산성에서 항전하였다. (O/X)

24 비변사

정답 ①

(가)에 들어갈 기구로 옳은 것은? [2점]

> (가) 은/는 본래 ❶외적의 침입에 대비하고자 설치한 임시 군사 회의 기구였으나, ❷양 난을 계기로 국방뿐만 아니라 국정 전반을 총괄하는 최고 기구가 되었습니다. 이로 인해 기존의 의정부와 6조가 유명무실해졌습니다.

정답 잡는 **키워드**

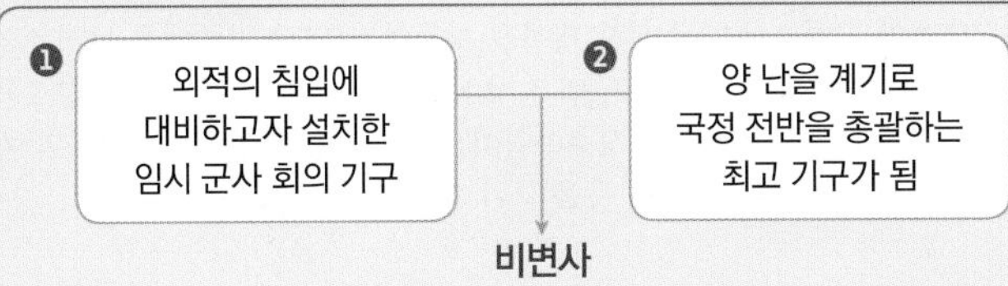

❶ 비변사는 외적의 침입이 있을 때 국방 문제를 다루기 위해 설치된 임시 회의 기구였어요. 조선 정부는 중종 때 3포 왜란이 일어나자 이에 대응하여 임시 기구로 비변사를 처음 설치하였어요.
❷ 비변사는 조선 명종 때 을묘왜변을 계기로 상설 기구가 되었고, 임진왜란과 병자호란을 거치면서 기능이 확대되어 국정을 총괄하는 최고 정치 기구가 되었어요. 비변사가 국방 문제뿐만 아니라 외교, 재정 등 국정 전반을 총괄하게 되면서 의정부와 6조가 유명무실해졌어요.

① 비변사
➡ 조선 고종 때 실권을 장악한 흥선 대원군은 왕권을 제약하던 비변사를 축소하고 의정부와 삼군부의 기능을 되살렸어요.

② 사헌부
➡ 사헌부는 조선 시대에 관리의 비리를 감찰하고 풍속을 바로잡는 일을 담당한 중앙 정치 기구입니다. 사간원, 홍문관과 함께 3사로 불리며 권력의 독점을 견제하는 언론 기능을 담당하였어요.

③ 의금부
➡ 의금부는 조선 시대에 나라의 중죄인을 다스리는 국왕 직속의 특별 사법 기구입니다.

④ 홍문관
➡ 홍문관은 궁궐 내의 서적을 관리하며 왕의 자문에 응하고 경연을 주관하는 일을 담당하였어요.

기출 선택지 +α 정답 ⑤ ×[몽골이 고려를 침입하였을 때] ⑥ ×[임진왜란] ⑦ ○

제 58 회

25 균역법 정답 ①

밑줄 그은 '제도'로 옳은 것은? [2점]

정답 잡는 키워드

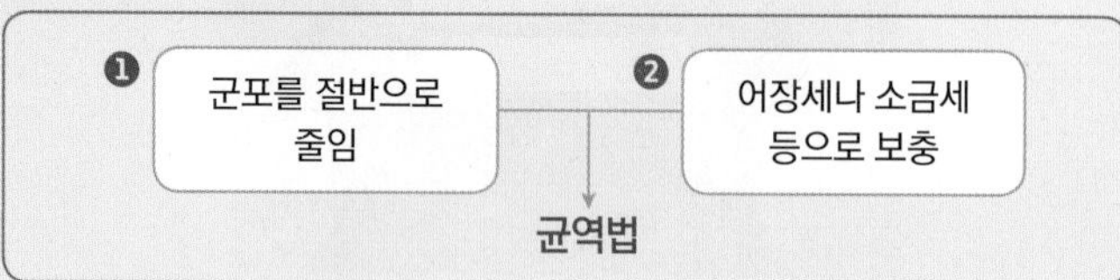

❶ 균역법은 조선 영조 때 농민의 군역 부담을 덜어 주기 위해 군포를 2필에서 1필로 줄여 준 법이에요.
❷ 균역법의 시행으로 부족해진 재정을 보충하기 위해 지주에게 토지 1결당 쌀 2두의 결작을 거두고, 일부 부유한 상민에게 선무군관의 칭호를 주고 1필의 선무군관포를 징수하였어요. 또 왕실 재정으로 들어가던 어장세, 소금세(염세), 선박세 등을 국가 재정으로 돌렸어요.

① 균역법
➡ 균역법은 직접 군대를 가지 않는 대신 납부하던 군포를 2필에서 1필로 줄여 준 법이에요.

② 대동법
➡ 대동법은 방납의 폐단을 바로잡기 위해 공납을 특산물 대신 소유한 토지 결수에 따라 쌀이나 옷감(면포, 삼베), 동전 등으로 납부하게 한 법이에요. 조선 광해군 때 경기도에서 처음 실시된 이후 점차 확대되었어요.

③ 영정법
➡ 영정법은 전세를 풍흉에 관계없이 토지 1결당 쌀 4~6두로 고정시킨 법이에요. 조선 인조 때부터 실시되었어요.

④ 직전법
➡ 조선 세조는 관리에게 수조권을 지급할 토지가 부족해지자 현직 관리에게만 수조권을 행사할 수 있는 토지를 지급하는 직전법을 시행하였어요. 수조권은 토지에서 조세를 거둘 수 있는 권리를 말합니다.

핵심 개념 균역법

배경	이중 삼중으로 군포 부과, 신분제 동요 등으로 군포를 내지 않는 사람 증가 → 농민의 군포 부담 증가
내용	영조 때 군포를 2필에서 1필로 줄여 줌(균역법) → 부족해진 재정은 결작, 선무군관포, 어장세와 소금세 등으로 보충함
결과	농민의 부담이 일시적으로 줄었으나 군역의 폐단이 계속됨

26 김정희의 활동 정답 ②

(가)에 들어갈 인물로 옳은 것은? [1점]

추사, 조선 서예의 새 지평을 열다

우리 박물관에서는 ❶추사체를 창안하여 조선 서예의 새 지평을 연 추사 선생의 특별전을 개최합니다. 관심 있는 여러분의 많은 관람 바랍니다.

(가)

■ 기간 : 2022년 ○○월 ○○일~○○월 ○○일
■ 장소 : □□ 박물관 특별 전시실

정답 잡는 키워드

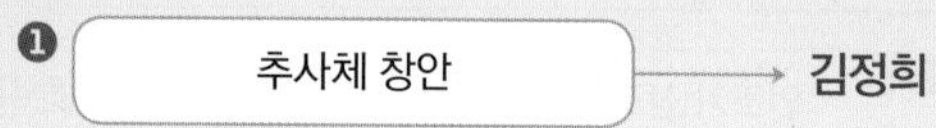

❶ 김정희는 조선 후기에 자신만의 독창적인 글씨체인 추사체를 만들었어요. '추사'는 김정희의 호입니다.

①

허목

➡ 허목은 조선 후기 남인의 우두머리로, 현종 때 효종과 효종비 사망 후 자의 대비의 상복 입는 기간을 둘러싸고 예송이 일어나자 서인을 대표하던 송시열과 대립하였어요.

②

김정희

➡ 김정희는 그림에도 뛰어나 세한도, 모질도 등을 남겼어요. 세한도는 제주도에 유배를 가 있던 자신에게 귀한 책을 보내 준 제자 이상적에게 답례로 그려 준 그림이에요.

③

송시열

➡ 송시열은 효종과 함께 북벌을 주장하였으며, 현종 때 예송이 일어나자 남인의 우두머리 허목과 대립하였어요. 숙종 때 서인이 소론과 노론으로 분열된 이후 노론의 우두머리로 노론을 이끌었어요.

④

채제공

➡ 채제공은 조선 후기의 문신으로 영조와 정조 시기에 활동하였어요. 정조에게 육의전을 제외한 시전 상인의 금난전권을 폐지할 것(신해통공)을 건의하였어요.

핵심 개념 추사 김정희의 활동

서예	자신만의 독창적인 글씨체인 추사체를 만듦
그림	세한도, 모질도, 부작란도 등을 남김
금석학	"금석과안록"을 저술하여 북한산비가 신라 진흥왕 순수비임을 고증함

27 임술 농민 봉기

정답 ②

밑줄 그은 '사건'에 대한 설명으로 옳은 것은? [3점]

정답 잡는 **키워드**

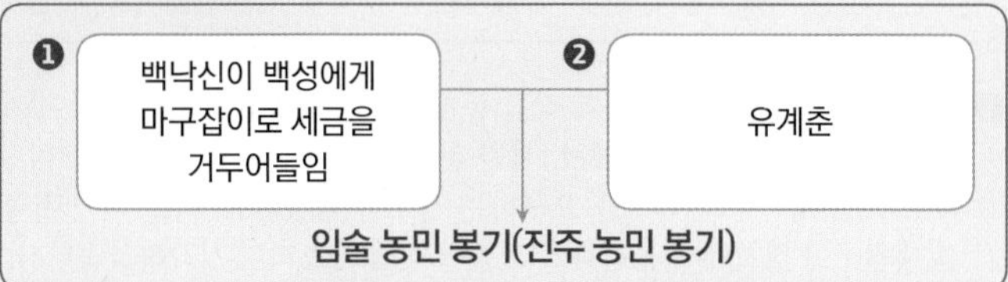

❶, ❷ 조선 후기에 세도 정치로 인한 정치 혼란과 삼정의 문란으로 백성의 삶이 피폐해졌어요. 이러한 상황에서 철종 때인 1862년에 진주에서 경상 우병사 백낙신의 수탈에 항거하여 유계춘의 주도로 농민들이 봉기하였어요. 이를 **진주 농민 봉기**라고 합니다. 이후 봉기는 전국으로 확산되었으며, 1862년이 임술년이라 이해에 일어난 농민 봉기를 **임술 농민 봉기**라고 합니다.

① 남접과 북접이 논산에서 연합하였다.

➡ 동학 농민 운동 당시 조선 정부와 전주 화약을 맺고 해산하였던 동학 농민군은 일본군이 경복궁을 불법 점령하고 청·일 전쟁을 일으키자 일본군 타도를 내세우며 다시 봉기하였어요. 동학 농민군의 남접과 북접이 논산에서 연합하여 한성을 향해 진격하던 중 공주 우금치에서 일본군과 관군에 맞서 싸웠으나 패하였어요.

② 삼정이정청이 설치되는 계기가 되었다.

➡ **임술 농민 봉기**의 수습을 위해 조선 정부는 진주에 파견되었던 안핵사 박규수의 건의를 받아들여 삼정의 문란을 바로잡고자 삼정이정청을 설치하였어요.

③ 우정총국 개국 축하연을 이용하여 일어났다.

➡ 김옥균을 중심으로 한 급진 개화파(개화당)는 자신들과 뜻을 같이하는 홍영식이 책임자로 임명된 우정총국의 개국 축하연을 이용하여 갑신정변을 일으켰어요.

④ 청군에 의해 흥선 대원군이 톈진으로 납치되었다.

➡ 임오군란이 일어나자 민씨 세력은 청에 파병을 요청하였어요. 조선에 들어온 청군은 군란의 책임을 물어 흥선 대원군을 톈진으로 납치하였고, 군란을 진압하였어요.

기출 선택지 +α

❺ 제물포 조약이 체결되는 결과를 가져왔다.	(O/X)
❻ 집강소를 설치하여 폐정 개혁을 추진하였다.	(O/X)
❼ 서북 지역민에 대한 차별에 반발하여 일어났다.	(O/X)

기출 선택지 +α 정답 ⑤ ×[임오군란] ⑥ ×[동학 농민 운동] ⑦ ×[홍경래의 난]

28 조선 후기의 모습

정답 ③

다음 대화가 이루어진 시기에 볼 수 있는 모습으로 옳은 것은? [2점]

정답 잡는 **키워드**

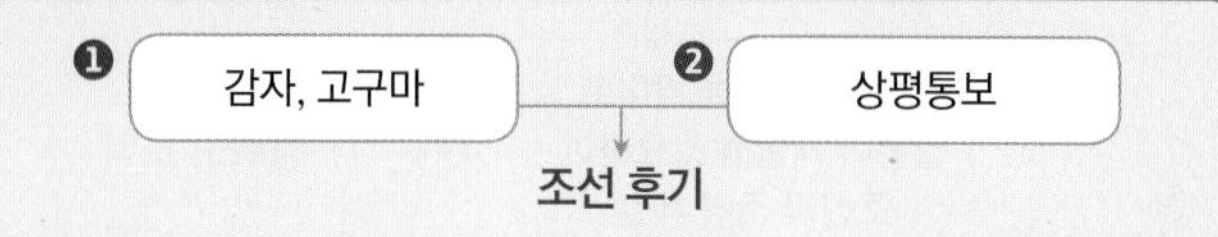

❶ 조선 후기에 감자와 고구마가 전래되어 시장에 내다 팔기 위해 키우는 상품 작물로 재배되었어요.
❷ 상평통보는 조선 후기 숙종 때 공식 화폐로 주조되어 널리 유통되었어요.

① 국자감에 입학하는 학생

➡ 국자감은 고려 시대 수도 개경에 설치된 국립 교육 기관이에요. 고려 말에 성균관으로 이름이 바뀌었어요.

② 팔관회에 참석하는 관리

➡ 고려 시대에 종교 행사인 팔관회가 국가적인 행사로 개최되었어요. 국가 행사로서의 팔관회는 조선 건국 직후 폐지되었어요.

③ 판소리 공연을 구경하는 농민

➡ **조선 후기**에 이야기를 노래와 사설로 엮어 표현한 춘향가, 흥부가 등의 판소리가 유행하였어요.

④ 삼별초의 일원으로 훈련하는 군인

➡ 삼별초는 고려 무신 집권기에 당시 최고 집권자였던 최우가 치안 유지를 위해 설치한 야별초에서 비롯되었으며, 최씨 무신 정권의 군사적 기반이었어요. 고려 정부가 몽골과 강화를 맺고 개경 환도를 결정하자, 이에 반발하여 봉기하였으나 고려와 몽골 연합군에 의해 진압되었어요.

기출 선택지 +α

❺ 한글 소설을 읽는 여인	(O/X)
❻ 청화 백자를 만드는 도공	(O/X)
❼ 초조대장경을 제작하는 장인	(O/X)

기출 선택지 +α 정답 ⑤○ ⑥○ ⑦ ×[고려]

29 강화도 조약

정답 ③

밑줄 그은 '조약'으로 옳은 것은? [2점]

정답 잡는 키워드

❶ 운요호 사건을 빌미로 일본이 개항을 강요하여 조선과 조약 체결 → 강화도 조약

❶ 1875년에 조선군 수비대가 강화도를 무단으로 침범한 일본 군함 운요호에 경고 사격을 하자, 운요호가 초지진을 공격하고 일본군이 영종도에 상륙하여 사람들을 살해하였어요. 일본은 운요호 사건의 책임을 조선 정부에 돌리고 개항을 강요하였어요. 그 결과 1876년에 조선 정부는 강화도의 연무당에서 일본과 **강화도 조약**을 체결하였어요.

① 한성 조약
➡ 갑신정변이 진압된 후 조선 정부는 일본과 일본 공사관 신축 비용 부담, 일본에 배상금 지불을 규정한 한성 조약을 체결하였어요.

② 정미7조약
➡ 고종 황제의 강제 퇴위 이후 일본은 대한 제국 정부에 한·일 신협약(정미7조약)의 체결을 강요하여 대한 제국의 행정부에 일본인 차관을 임명하게 하였어요. 그리고 이를 시행하기 위한 부속 각서에 따라 대한 제국의 군대를 해산시켰어요.

③ 강화도 조약
➡ 강화도 조약은 우리나라가 외국과 맺은 최초의 근대적 조약이며, 이 조약으로 부산과 원산, 인천이 개항되었어요.

④ 제물포 조약
➡ 임오군란 이후 조선 정부는 일본과 제물포 조약을 체결하여 일본 공사관 경비를 위한 일본군의 주둔을 허용하였어요.

핵심 개념 강화도 조약(조·일 수호 조규, 1876)

구분	내용
배경	• 고종이 직접 정치하기 시작하여 외교 정책에 변화가 나타남 • 박규수, 오경석 등이 통상 개화론을 주장함 • 운요호 사건을 빌미로 일본이 조선에 개항을 요구함
내용	• 조선이 자주국임을 명시함(조선에 대한 청의 종주권을 배제하려는 일본의 의도가 반영됨) • 부산 외 2개 항구(원산, 인천) 개항, 조선 해안에 대한 측량권과 영사 재판권(치외 법권) 인정
부속 조약	• 조·일 수호 조규 부록(1876) : 개항장에서 일본 화폐의 사용 허용 • 조·일 무역 규칙(1876) : 일본 상품에 대한 관세가 설정되지 않음, 일본국 정부 소속 모든 선박의 항세 면제, 곡물의 수출입을 허용함(수출입량 제한 규정을 두지 못함)

킬러 문항

30 최익현의 활동

정답 ②

(가)에 들어갈 내용으로 옳은 것은? [2점]

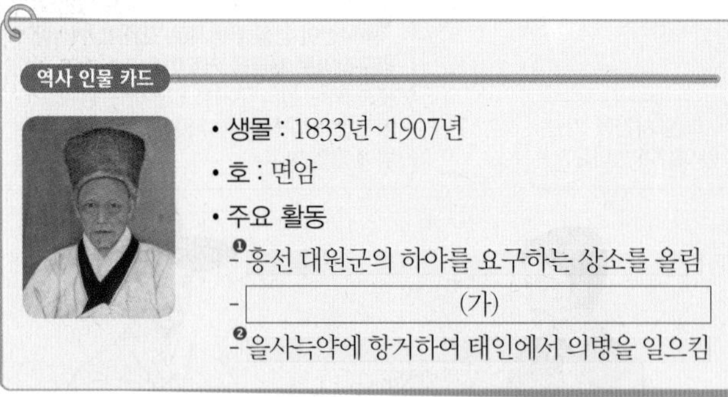

정답 잡는 키워드

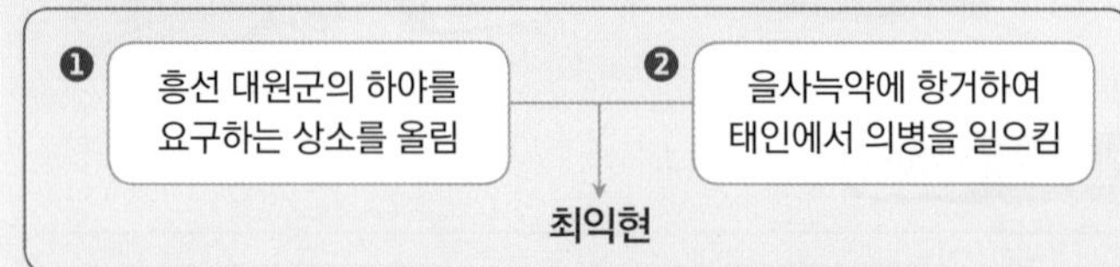

❶ 최익현은 고종이 성인이 되어 직접 통치가 가능함에도 흥선 대원군이 계속 실권을 쥐고 있는 상황에서, 서원 철폐 등 흥선 대원군의 정책을 비판하고 흥선 대원군의 하야를 요구하는 상소를 올렸어요. 이를 계기로 흥선 대원군이 정치에서 물러나고 고종이 직접 다스리기 시작하였습니다.
❷ 최익현은 대한 제국의 외교권을 박탈하는 등의 내용을 담은 을사늑약이 체결되자 이에 항거하여 전라북도 태인에서 의병을 일으켰어요. 그러나 체포되어 대마도(쓰시마섬)에 유배되었고 그곳에서 순국하였습니다.

① 북학의를 저술함
➡ 박제가는 조선 후기의 실학자로, 청에 다녀와 상공업의 중요성을 깨달았으며 청의 제도와 문물을 소개한 "북학의"를 저술하였어요.

② 왜양일체론을 주장함
➡ **최익현**은 일본과 서양 세력이 다르지 않다는 왜양일체론을 주장하며 일본과의 조약 체결에 반대하였어요.

③ 신흥 무관 학교를 설립함
➡ 이회영, 이동녕, 이상룡 등이 주도하여 서간도(남만주) 삼원보에 독립군 양성을 위해 신흥 강습소를 설립하였어요. 신흥 강습소는 후에 신흥 무관 학교로 발전하였어요.

④ 시일야방성대곡을 작성함
➡ 장지연은 을사늑약의 부당함을 비판한 논설 '시일야방성대곡'을 작성하여 황성신문에 게재하였어요.

핵심 개념 면암 최익현의 활동

• 흥선 대원군을 비판하는 상소를 올림 → 이를 계기로 흥선 대원군이 정치에서 물러나고 고종이 직접 정치에 나섬
• 위정척사파 : 왜양일체론을 내세워 강화도 조약 체결에 반대함
• 을사늑약 체결에 반발하여 태인에서 의병을 일으킴(을사의병) → 체포되어 대마도(쓰시마섬)에 유배됨, 그곳에서 순국함

31 임오군란의 결과 정답④

밑줄 그은 '이 사건'의 결과로 옳은 것은? [2점]

이것은 민응식의 옛 집터 표지석입니다. ❶구식 군인들이 별기군과의 차별 등에 반발하여 일으킨 이 사건 당시, 궁궐을 빠져나온 왕비가 피란하였던 곳임을 알려 주고 있습니다.

정답 잡는 **키워드**

❶ 구식 군인들이 별기군과의 차별 등에 반발하여 일으킴 → 임오군란(1882)

❶ 조선 정부는 개항 이후 개화 정책을 추진하여 신식 군대인 별기군을 창설하고 구식 군대의 규모를 줄였어요. 별기군과 차별 대우를 받던 구식 군인들은 봉급도 제때 지급받지 못한 데다 밀린 봉급으로 받은 쌀에 겨와 모래가 섞여 있자 분노하여 임오군란을 일으켰어요(1882). 이들이 일본 공사관과 궁궐을 습격하여 명성 황후가 궁궐을 빠져나가 피란하였어요. 사태의 수습을 위해 민씨 세력은 청에 군사 지원을 요청하였고, 청군이 조선에 들어와 군란을 진압하였습니다.

① 집강소가 설치되었다.
➡ 동학 농민 운동 당시 조선 정부와 전주 화약을 체결하고 해산한 동학 농민군은 전라도 일대에 집강소를 설치하고 폐정 개혁을 실천해 나갔어요.

② 조사 시찰단이 파견되었다.
➡ 조선 정부는 개항 이후인 1881년에 일본의 근대 문물을 시찰하기 위해 비밀리에 조사 시찰단을 파견하였어요. 조사 시찰단은 개화 반대 여론을 감안하여 암행어사 형태로 파견되었어요.

③ 외규장각 도서가 약탈되었다.
➡ 병인양요 당시 프랑스군이 퇴각하면서 외규장각에 보관 중이던 의궤를 비롯한 여러 도서를 약탈해 갔어요.

④ 청의 내정 간섭이 심화되었다.
➡ **임오군란**이 진압된 후 청은 조선에 군대를 주둔시키고 고문을 파견하는 등 조선에 대한 내정 간섭을 강화하였어요. 또 조선 정부는 일본과 제물포 조약을 체결하여 일본에 배상금을 지불하고 일본 공사관 경비를 위한 일본군의 주둔을 허용하였어요.

기출 선택지 +α

❺ 통감부가 설치되었다. (O/X)
❻ 제물포 조약이 체결되었다. (O/X)
❼ 헌병 경찰제가 실시되었다. (O/X)

기출 선택지 +α 정답 ⑤ ×[을사늑약] ⑥ ○ ⑦ ×[1910년대]

32 독립 협회 정답③

밑줄 그은 '단체'로 옳은 것은? [2점]

학술 발표회

우리 학회에서는 제국주의 열강의 침략으로부터 주권을 수호하고자 ❶서재필의 주도로 창립된 단체의 의의와 한계를 조명하고자 합니다. 많은 관심과 참여를 바랍니다.

◐ 발표 주제 ◑
- 민중 계몽을 위한 강연회와 토론회 개최 이유
- ❷만민 공동회를 통한 자주 국권 운동 전개 과정
- ❸관민 공동회 개최와 헌의 6조 결의의 역사적 의미

■ 일시 : 2022년 4월 ○○일 13:00~18:00
■ 장소 : △△ 문화원 소강당

정답 잡는 **키워드**

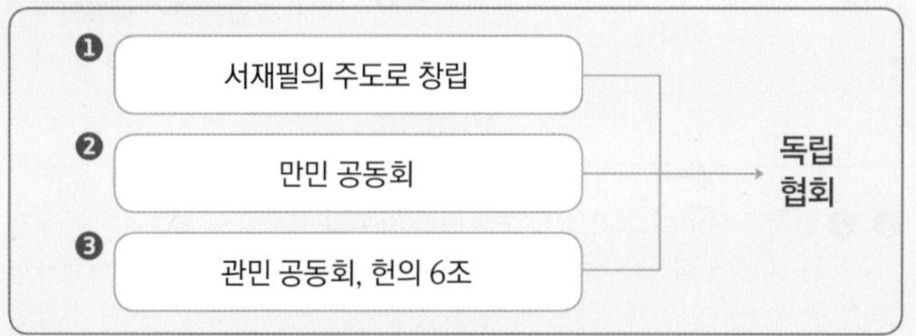

❶ 독립 협회는 1896년에 서재필을 중심으로 개혁적 관료와 개화 지식인들이 모여 창립한 단체입니다.
❷ 독립 협회는 만민 공동회에서 러시아의 간섭과 이권 요구를 규탄하는 자주 국권 운동을 전개하여 러시아의 절영도 조차 요구를 저지하고, 한·러 은행이 폐쇄되는 성과를 거두었어요.
❸ 독립 협회는 정부 대신들도 참여한 관민 공동회에서 개혁안인 헌의 6조를 결의하고 정부에 건의하여 고종의 재가를 받았어요.

① 보안회
➡ 보안회는 일제의 황무지 개간권 요구에 반대 운동을 전개하여 일제의 요구를 저지하는 데 성공하였어요.

② 신민회
➡ 신민회는 안창호, 양기탁 등이 중심이 되어 조직한 비밀 결사로 국권 회복과 공화 정체의 근대 국민 국가 수립을 목표로 활동하였어요.

③ 독립 협회
➡ 독립 협회는 우리 민족의 독립 의지를 널리 알리기 위해 중국 사신을 맞이하는 영은문이 있던 자리 부근에 독립문을 건립하였어요.

④ 대한 자강회
➡ 대한 자강회는 일제가 고종을 강제 퇴위시키자, 반대 운동을 벌이다가 통감부의 탄압을 받아 해산되었어요.

핵심 개념	독립 협회
창립	아관 파천 이후 열강의 이권 침탈 심화 → 서재필이 독립신문 창간, 독립 협회 창립(1896)
활동	• 민중 계몽 운동 : 독립문·독립관 건립, 만민 공동회 개최 • 자주 국권 운동 : 러시아의 절영도 조차 요구 저지, 한·러 은행 폐쇄 • 관민 공동회 개최 : 헌의 6조 결의(입헌 군주제 지향, 탁지부로 재정 일원화, 피고의 인권 존중 등) → 고종의 승인을 받음 • 의회 설립 운동 : 대한 제국 정부가 새로운 중추원 관제를 반포하게 함
해산	보수 세력의 모함, 고종의 지시 → 황국 협회와의 충돌로 강제 해산

제 58 회

33 1910년대 일제의 경제 정책 정답 ④

다음 법령이 시행된 시기 일제의 경제 정책으로 옳은 것은? [2점]

❶회사령

제1조 ❷회사의 설립은 조선 총독의 허가를 받아야 한다.

제2조 조선 외에서 설립한 회사가 조선에 본점이나 또는 지점을 설립하고자 할 때는 조선 총독의 허가를 받아야 한다.

정답 잡는 키워드

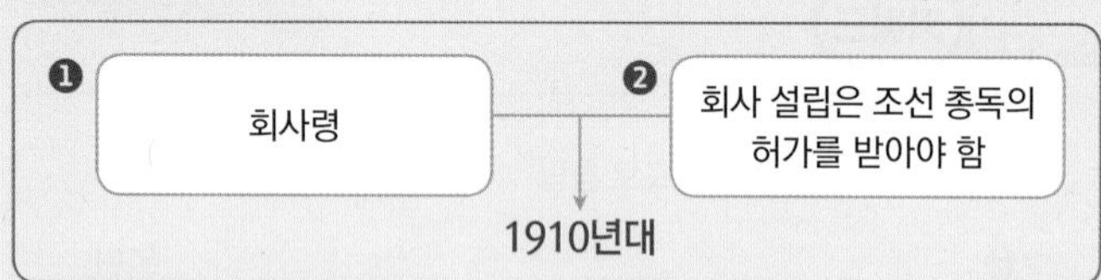

❶, ❷ 일제는 한국인의 기업 설립과 민족 자본의 성장을 억제하려는 목적으로 1910년에 회사를 설립할 때 조선 총독의 허가를 받도록 하는 회사령을 공포하였어요. 회사령에 따라 조선 총독은 회사가 공공질서나 선량한 풍속에 위배되면 회사를 해산시킬 수도 있었어요. 이후 일제는 일본 기업이 성장하고 자본이 축적되자, 일본 기업과 자본이 한국에 진출하기 쉽도록 1920년에 회사령을 폐지하여 회사 설립을 신고제로 변경하였어요.

① 미곡 공출제 시행

➡ 일제는 **1930년대 후반 이후** 침략 전쟁을 확대하면서 전쟁에 필요한 식량을 한국에서 확보하고자 미곡 공출제를 시행하고 식량을 배급하였어요.

② 남면북양 정책 추진

➡ 일제는 **1930년대** 일본에서 필요한 공업 원료를 한국에서 조달하기 위해 한국의 남부 지방에 면화 재배, 북부 지방에 양 사육을 강요하는 남면북양 정책을 추진하였어요.

③ 농촌 진흥 운동 전개

➡ 일제는 **1930년대** 소작 쟁의를 억제하고 효율적으로 농촌을 통제하기 위해 농촌 진흥 운동을 전개하였어요.

④ 토지 조사 사업 실시

➡ 일제는 **1910년대** 한국에서 토지 조사 사업을 실시하였어요. 그 결과 조선 총독부의 지세 수입이 증가하고 일본인의 토지 소유가 크게 늘어났어요.

34 대한민국 임시 정부의 활동 정답 ④

밑줄 그은 '정부'의 활동으로 옳지 않은 것은? [3점]

할머니, 이 건물은 무엇인가요?

❶3·1 운동을 계기로 수립된 정부가 ❷상하이에 있을 때 청사로 사용했던 건물이란다.

정답 잡는 키워드

❶ 3·1 운동을 계기로 수립 ❷ 상하이 → 대한민국 임시 정부

❶, ❷ 3·1 운동을 계기로 독립운동을 체계적으로 이끌 지도부의 필요성이 제기되어 1919년에 중국 상하이에서 대한민국 임시 정부가 수립되었어요.

① 연통제를 실시하였다.

➡ **대한민국 임시 정부**는 국내와 연락을 취하고 정보를 수집하기 위해 연통제와 교통국을 운영하였어요.

② 독립 공채를 발행하였다.

➡ **대한민국 임시 정부**는 독립운동 자금을 마련하기 위해 독립 공채를 발행하였어요.

③ 구미 위원부를 설치하였다.

➡ **대한민국 임시 정부**는 외교 활동을 위해 미국 워싱턴에 구미 위원부를 설치하였어요.

④ 대한국 국제를 반포하였다.

➡ **대한 제국**의 고종 황제는 황제에게 육해군 통수권, 입법권, 사법권, 외교권 등 모든 권한을 집중시킨 대한국 국제를 반포하였어요.

핵심 개념 대한민국 임시 정부의 수립과 활동

구분	내용
수립(1919)	여러 임시 정부 통합(한성 정부의 법통 계승, 연해주 대한 국민 의회의 조직 흡수) → 중국 상하이에 통합된 대한민국 임시 정부 수립
조직	• 삼권 분립(임시 의정원, 국무원, 법원)에 기초한 민주 공화제 • 지도부 : 대통령에 이승만, 국무총리에 이동휘 선출
활동	• 비밀 행정 조직으로 연통제와 비밀 통신 기관으로 교통국 운영 • 독립 공채 발행, 의연금 모금으로 독립운동 자금 마련 • 독립신문 발행, 임시 사료 편찬 위원회 설치("한·일 관계 사료집" 발간) • 파리 강화 회의에 파견된 김규식을 전권 대사로 임명, 미국 워싱턴에 구미 위원부 설치 • 한인 애국단 조직, 한국 광복군 창설

35 천도교 정답 ③

(가)에 들어갈 종교로 옳은 것은? [1점]

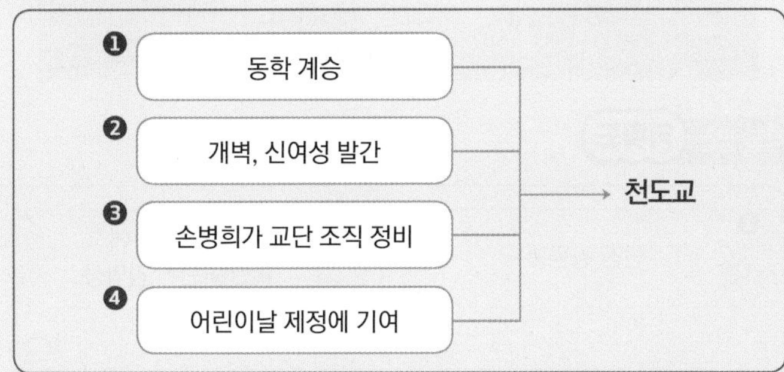

정답 잡는 키워드

❶ 동학 계승
❷ 개벽, 신여성 발간
❸ 손병희가 교단 조직 정비
❹ 어린이날 제정에 기여
→ 천도교

❶, ❸ 동학의 제3대 교주 손병희는 동학을 **천도교**로 개칭하고 교단을 정비하였어요.
❷ **천도교**는 민중을 계몽하기 위하여 "개벽", "신여성" 등의 잡지를 발간하였어요.
❹ 방정환이 중심이 된 **천도교** 소년회는 어린이날을 제정하고 잡지 "어린이"를 발간하였어요.

① 대종교
➡ 대종교는 나철과 오기호 등이 단군 신앙을 바탕으로 창시한 종교입니다. 대종교도를 중심으로 중광단이 결성되어 적극적인 항일 무장 투쟁에 나섰어요.

② 원불교
➡ 원불교는 일제 강점기에 박중빈이 창시하였으며, 허례허식 폐지, 근검절약의 실천을 강조하는 새 생활 운동을 전개하였어요.

③ 천도교
➡ 천도교는 계몽 운동의 하나로 기관지 만세보를 발행하였어요.

④ 천주교
➡ 천주교는 조선 후기에 서양 학문(서학)의 하나로 전래되어 연구되다가 신앙으로 수용되었어요. 유교식 제사를 거부하고 평등사상을 내세워 조선 정부의 탄압을 받았어요. 천주교도가 중심이 된 의민단은 만주에서 항일 무장 투쟁을 전개하였어요.

핵심 개념 천도교

성립	손병희가 동학을 천도교로 개칭, 교단 조직 정비
계몽 활동	• 기관지 만세보 발행 • "개벽", "신여성" 등의 잡지 발행
소년 운동	• 천도교 소년회와 방정환이 중심이 되어 전개 • 어린이날 제정, 잡지 "어린이" 발행
교육 활동	보성 학교 등을 운영하여 민족 교육에 기여

36 홍범도의 활동 정답 ④

(가)에 해당하는 인물로 옳은 것은? [2점]

정답 잡는 키워드

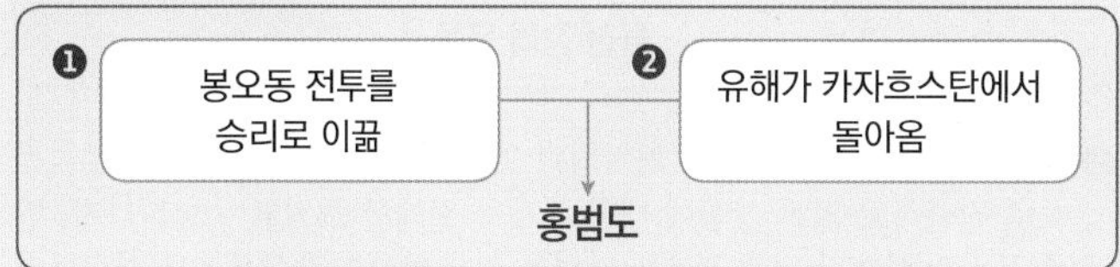

❶ **홍범도**가 이끈 대한 독립군 등 독립군 연합 부대가 1920년에 봉오동에서 일본의 독립군 진압 부대를 기습하여 큰 승리를 거두었어요.
❷ **홍범도**는 자유시 참변 이후 연해주에서 한인 사회를 이끌다가 구 소련 스탈린의 강제 이주 정책에 따라 중앙아시아의 카자흐스탄으로 이주하여 생활하였으며, 그곳에서 생을 마감하였어요. 2021년 8월 15일에 홍범도 장군의 유해가 카자흐스탄에서 돌아와 국립 대전 현충원에 안장되었어요.

①

김좌진
➡ 김좌진은 북로 군정서의 총사령관으로, 북로 군정서를 이끌고 독립군 연합 부대와 함께 청산리 전투에 나서 일본군에 대승을 거두었어요.

②

양세봉
➡ 양세봉은 조선 혁명군을 이끌고 중국 의용군과 연합하여 영릉가 전투, 흥경성 전투 등에서 일본군과 맞서 싸웠어요.

③

지청천
➡ 지청천은 한국 독립군을 이끌고 중국 호로군과 연합 작전을 전개하여 쌍성보 전투, 대전자령 전투 등에서 일본군을 격파하였어요. 또한, 한국 광복군 총사령관을 지냈어요.

④

홍범도
➡ 홍범도가 이끄는 대한 독립군은 청산리 전투에도 참여하였어요.

37 물산 장려 운동

정답 ③

학생들이 공통으로 이야기하는 민족 운동으로 옳은 것은? [2점]

정답 잡는 키워드

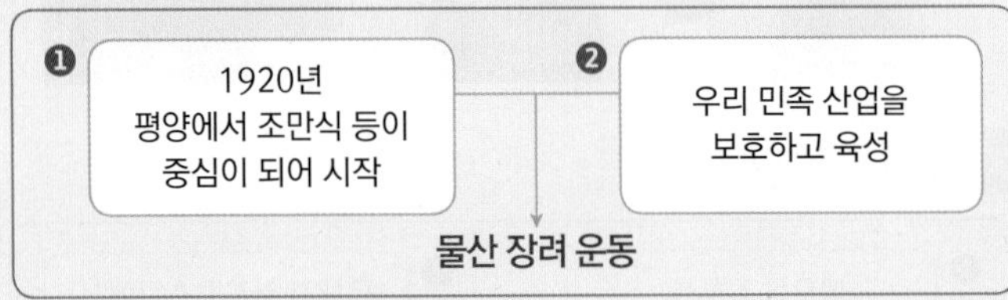

❶, ❷ 1920년대 초 회사령이 폐지되어 일본 기업과 자본이 한국에 본격적으로 진출하고 일본 상품에 대한 관세가 철폐될 움직임이 나타나자, 민족 산업의 보호와 민족 경제의 자립을 위해 물산 장려 운동이 전개되었어요. 물산 장려 운동은 1920년에 평양에서 조만식 등의 주도로 시작되어 각 지역의 호응 속에 전국으로 확산되었어요. 물산 장려 운동은 어느 정도 성과를 거두었으나 한국인 기업의 생산량이 늘어난 수요를 따르지 못해 상품 가격이 오르자 사회주의자들로부터 자본가의 이익만을 추구한다고 비판을 받기도 하였어요.

① 브나로드 운동
➡ 1930년대 동아일보사가 '배우자, 가르치자, 다 함께 브나로드'라는 구호를 내걸고 전개한 문맹 퇴치 운동이자 농촌 계몽 운동이에요. 브나로드는 러시아어로 '민중 속으로'라는 의미입니다.

② 문자 보급 운동
➡ 1920년대 후반 조선일보사는 '아는 것이 힘, 배워야 산다'라는 구호를 내걸고 문자 보급 운동을 전개하였어요.

③ 물산 장려 운동
➡ 물산 장려 운동은 '내 살림 내 것으로', '조선 사람 조선 것' 등의 구호를 내걸고 민족 산업을 보호하고 육성하기 위해 토산품 애용, 근검저축, 금주, 단연 등을 주장하였어요.

④ 민립 대학 설립 운동
➡ 1920년대 이상재 등은 한국인의 힘으로 고등 교육을 담당할 대학을 설립하자는 민립 대학 설립 운동을 전개하였어요. 민립 대학 설립 운동은 '한민족 1천만이 한 사람 1원씩'이라는 구호를 내걸었어요.

38 의열단

정답 ①

(가)에 들어갈 단체로 옳은 것은? [1점]

정답 잡는 키워드

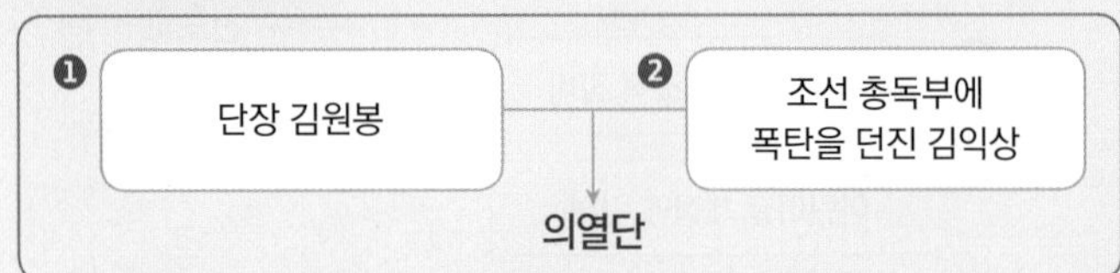

❶ 의열단은 1919년에 만주에서 조직되었으며, 단장에는 김원봉이 선출되었어요. 의열단은 식민 통치 기관을 폭파하고 일제 고위 관리와 친일파를 처단하는 의열 투쟁을 전개하였어요.

❷ 1921년에 의열단의 단원 김익상은 식민 통치의 최고 기구인 조선 총독부에 폭탄을 던졌어요.

① 의열단
➡ 의열단의 단원 박재혁은 부산 경찰서에, 김상옥은 종로 경찰서에, 김지섭은 일본 도쿄 궁성에, 나석주는 조선 식산 은행과 동양 척식 주식회사에 폭탄을 던지는 의거를 일으켰어요. 의열단은 김원봉의 요청으로 신채호가 작성한 '조선 혁명 선언'을 활동 지침으로 삼았어요.

② 중광단
➡ 중광단은 북만주에서 대종교도를 중심으로 조직된 항일 무장 투쟁 단체로, 이후 북로 군정서로 발전하였어요.

③ 흥사단
➡ 흥사단은 1913년에 안창호의 주도로 미국 샌프란시스코에서 창립된 민족 운동 단체입니다. 민족 부흥을 위한 민족의 실력 양성 등을 목표로 하였어요.

④ 한인 애국단
➡ 한인 애국단은 침체된 대한민국 임시 정부의 활동에 활기를 불어넣기 위해 김구가 1931년에 중국 상하이에서 조직한 항일 의열 투쟁 단체입니다. 이봉창, 윤봉길 등이 단원으로 활동하였어요.

39 신간회 정답 ①

(가)에 들어갈 단체로 옳은 것은? [2점]

정답 잡는 키워드

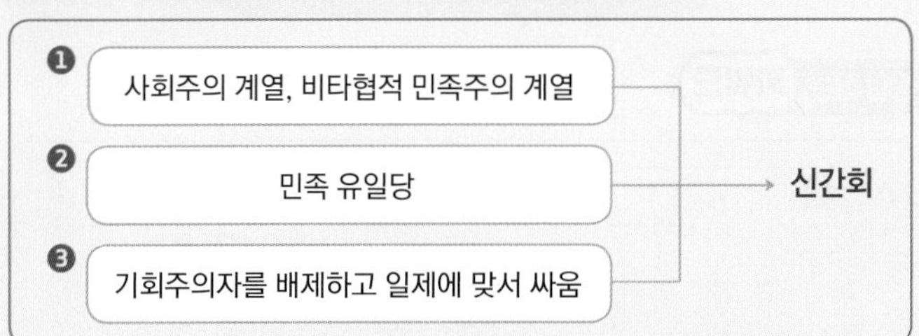

❶, ❷ 신간회는 민족 운동 전선을 통일하여 민족 유일당을 만들기 위한 노력의 결과로, 1927년에 사회주의 계열과 비타협적 민족주의 계열이 연대하여 결성한 민족 운동 단체입니다.
❸ 신간회는 '우리는 정치·경제적 각성을 촉진함, 우리는 단결을 공고히 함, 우리는 일제의 기회주의를 부인함'을 강령으로 내걸었으며, 이상재가 초대 회장으로 선출되었어요.

① 신간회
➡ 신간회는 일제 강점기 최대 규모의 민족 운동 단체이며, 광주 학생 항일 운동이 일어나자 진상 조사단을 파견하여 지원하였어요.

② 토월회
➡ 토월회는 1923년에 일본 도쿄에서 한국인 유학생들을 중심으로 조직된 극단이에요.

③ 대한 광복회
➡ 대한 광복회는 1915년에 대구에서 박상진 등이 주도하여 결성한 비밀 결사 형태의 독립운동 단체입니다. 군자금 마련을 위해 국내에서 친일 부호를 처단하는 등의 활동을 하였어요.

④ 조선어 학회
➡ 조선어 연구회를 계승한 조선어 학회는 한글 맞춤법 통일안과 표준어를 제정하고 "우리말 큰사전(조선말 큰사전)"의 편찬을 준비하였어요.

40 1930년대 후반 이후 일제의 식민 지배 정책 정답 ④

밑줄 그은 '이 시기'를 연표에서 옳게 고른 것은? [3점]

황국 신민 서사가 새겨진 이 전시물은 일제의 침략상을 고발하기 위해 쓰러뜨린 채로 '홀대 전시' 중입니다. 일제는 ❶황국 신민 서사 암송을 강요하고 ❷조선어 과목을 폐지하는 등 이 시기에 우리 민족의 정체성을 말살시키려 하였습니다.

정답 잡는 키워드

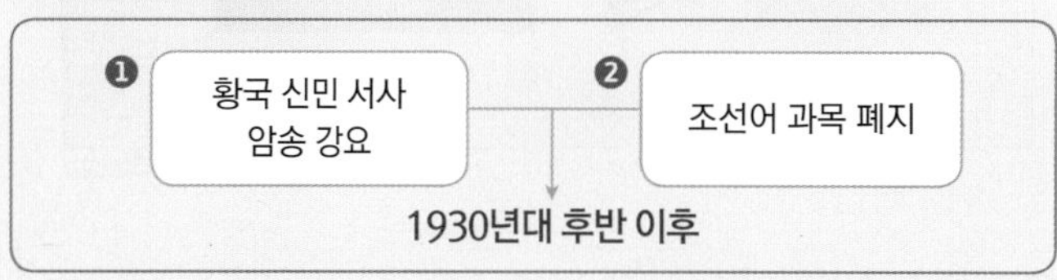

❶, ❷ 일제는 중·일 전쟁 이후 침략 전쟁을 확대하면서 한국인을 전쟁에 쉽게 동원하기 위해 민족의식을 말살하는 민족 말살 정책을 강화하였어요. 그 방식으로 황국 신민 서사 암송과 신사 참배, 성과 이름을 일본식으로 바꾸게 하는 창씨개명을 강요하였어요. 또한, 조선어 과목을 선택 과목으로 바꾸어 학교 수업에서 조선어 과목이 사실상 폐지되었으며, 우리말 사용도 금지되었어요.

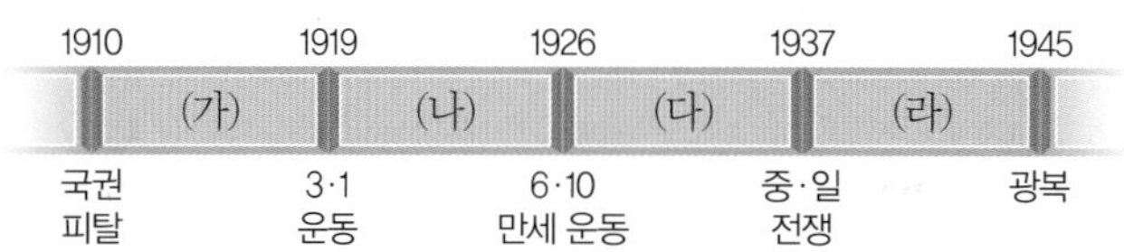

➡ 일제는 1937년에 중국 본토를 침략하여 중·일 전쟁을 일으키고, 1941년에 미국의 하와이 진주만을 기습하여 태평양 전쟁을 일으키는 등 침략 전쟁을 확대하였어요. 1945년 8월 15일에 일왕이 연합국에 무조건 항복하겠다고 선언하면서 한국은 광복을 맞이하였습니다.

① (가)
② (나)
③ (다)
④ (라)
➡ 연표에서 황국 신민 서사 암송을 강요하고 조선어 과목을 폐지한 시기는 중·일 전쟁과 광복 사이인 (라)입니다.

연표로 흐름잡기

- **1910** 국권 피탈 → 일제가 헌병 경찰을 앞세워 무단 통치 시행
- **1919** 3·1 운동 → 일제가 '문화 통치' 시행
- **1926** 6·10 만세 운동
- **1937** 중·일 전쟁 발발, **황국 신민 서사 제정 및 암송 강요**
- **1938** • 제3차 조선 교육령(조선어 선택 과목화 → **사실상 조선어 과목 폐지**)
  • 국가 총동원법 제정
- **1945** 광복

제 58 회

킬러 문항

41 여운형의 활동

정답 ④

(가)에 들어갈 내용으로 옳은 것은? [3점]

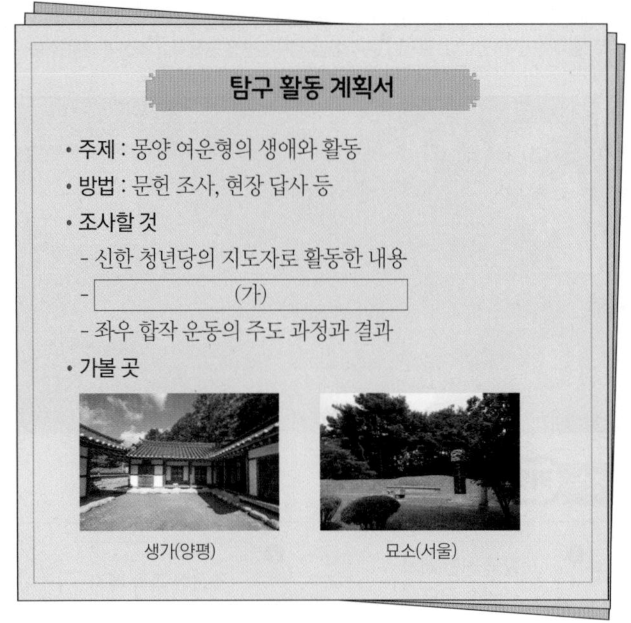

여운형은 1918년에 중국 상하이에서 신한 청년당의 조직을 주도하고 총무 간사로 활동하였어요. 또 광복 이후에 김규식과 함께 좌우 합작 운동을 전개하였어요.

① 헤이그 특사로 파견된 배경

➡ 을사늑약 체결 이후 고종 황제는 을사늑약의 부당함을 국제 사회에 알리기 위해 1907년에 네덜란드 헤이그에서 열린 만국 평화 회의에 **이상설**, **이위종**, **이준**을 특사로 파견하였어요.

② 암태도 소작 쟁의에 참여한 계기

➡ 1923년에 전라남도 신안군 **암태도의 소작농**들은 소작권 이전에 반대하고 고율의 소작료 인하를 요구하며 소작 쟁의를 전개하였어요.

③ 한국독립운동지혈사의 저술 이유

➡ 박은식은 역사를 통해 민족정신을 고취하고자 "한국통사"와 "한국독립운동지혈사"를 저술하였어요.

④ 조선 건국 준비 위원회의 결성 목적

➡ **여운형**은 일제가 패망할 조짐을 보이자 국내에서 조선 건국 동맹을 조직하였어요. 광복이 되자 이를 바탕으로 조선 건국 준비 위원회를 조직하여 위원장에 취임하였습니다. 조선 건국 준비 위원회는 광복 직후의 혼란을 수습하고 국내 치안을 유지하기 위한 활동을 전개하였어요.

핵심 개념 몽양 여운형의 활동

일제 강점기	• 1918년에 중국 상하이에서 신한 청년당 조직을 주도함 • 일본 도쿄 유학생들의 2·8 독립 선언과 3·1 운동에 관여함 • 대한민국 임시 정부 수립에 참여함 • 국민 대표 회의에 참석하여 대한민국 임시 정부의 개조를 주장함 • 조선중앙일보사 사장에 취임 → 일장기 말소 사건(베를린 올림픽 마라톤 경기에서 금메달을 딴 손기정 선수의 사진을 실으면서 유니폼에 그려진 일장기를 삭제하여 일어난 사건)으로 사장직에서 물러남
광복 이후	• 조선 건국 동맹을 바탕으로 조선 건국 준비 위원회를 조직함 • 조선 인민당 당수 • 김규식과 함께 좌우 합작 운동을 주도함 • 서울 혜화동에서 피살됨

42 6·25 전쟁

정답 ②

(가) 전쟁 중에 있었던 사실로 옳지 않은 것은? [2점]

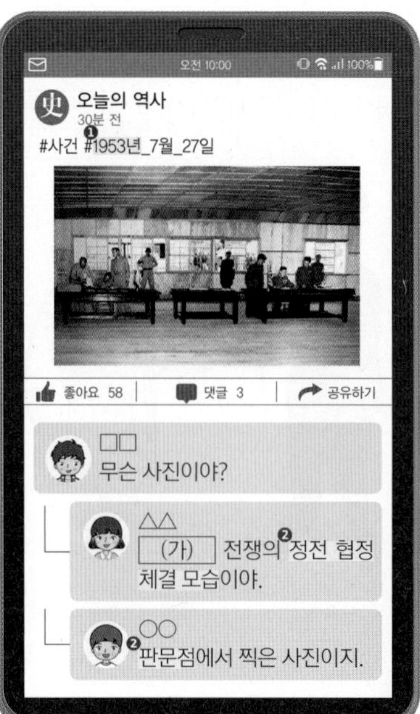

정답 잡는 키워드

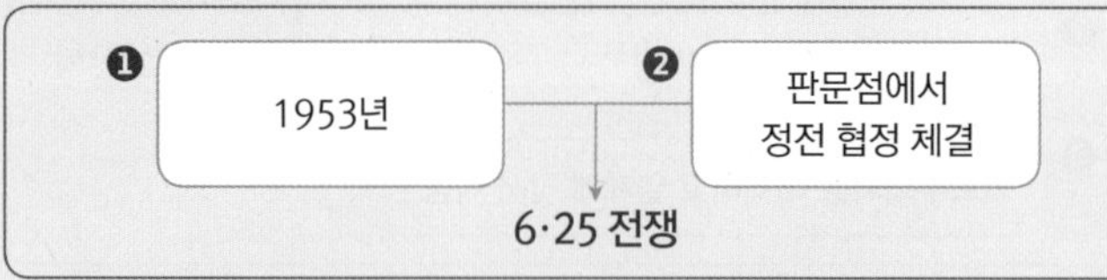

❶, ❷ 6·25 전쟁은 1950년 6월 25일 북한의 남한 침략으로 시작되었어요. 전쟁이 일어나자 남한을 돕기 위해 유엔군이 참전하였고, 중국군도 개입하여 북한을 지원하였어요. 6·25 전쟁 중 38도선 부근에서 서로 밀고 밀리는 공방전이 벌어지는 상황에서 소련의 제의로 1951년 7월에 정전(휴전) 회담이 시작되었어요. 그리고 1953년 7월 27일에 판문점에서 정전 협정이 체결되었어요.

① 반공 포로가 석방되었다.

➡ **6·25 전쟁** 중에 정전 회담이 진행되는 상황에서 이승만 정부가 반공 포로를 석방하여 정전에 반대하였어요.

② 미·소 공동 위원회가 개최되었다.

➡ 광복 이후 한반도 문제를 논의하기 위해 열린 모스크바 3국 외상 회의의 결정에 따라 1946~1947년에 미·소 공동 위원회가 두 차례 개최되었어요. 한국의 임시 민주 정부 수립을 논의하기 위해 열린 이 위원회는 미국과 소련의 의견 대립으로 결렬되었어요.

③ 중국군의 개입으로 서울을 다시 빼앗겼다.

➡ **6·25 전쟁** 중 인천 상륙 작전에 성공한 국군과 유엔군은 북진하여 압록강 유역까지 진출하였으나 중국군의 개입으로 후퇴하여 서울을 다시 빼앗겼어요(1·4 후퇴).

④ 국군과 유엔군이 인천 상륙 작전에 성공하였다.

➡ **6·25 전쟁**이 일어나자 유엔 안전 보장 이사회는 남한을 지원하기 위해 유엔군의 참전을 결의하였어요. 북한군의 공세에 밀려 낙동강 방어선을 구축하고 반격의 기회를 노리던 국군과 유엔군은 인천 상륙 작전에 성공하고 서울을 되찾았어요.

43 4·19 혁명

정답 ①

(가)에 들어갈 민주화 운동으로 옳은 것은? [2점]

정답 잡는 키워드

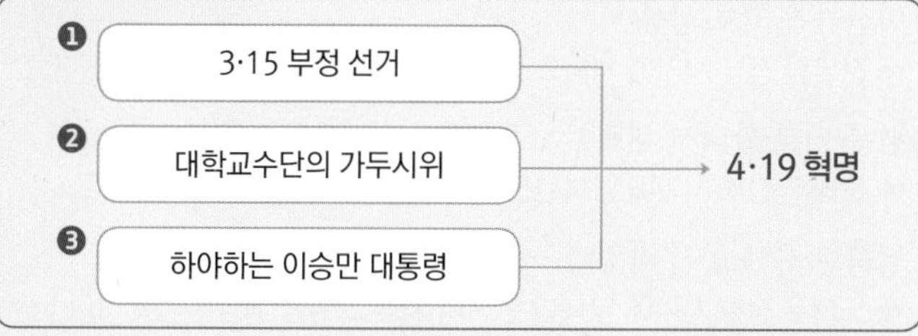

❶, ❷, ❸ 1960년 3월 15일 정·부통령 선거에서 이승만 대통령의 당선이 확실시되는 상황에서 이승만 정부와 자유당은 이기붕을 부통령에 당선시키기 위해 부정 선거를 벌였어요. 이에 저항하여 4·19 혁명이 일어나 전국 각지에서 부정 선거에 항의하는 시위가 전개되었습니다. 4월 19일에 시위대가 이승만 대통령이 있는 경무대로 향하자, 경찰은 시위대를 향해 발포하였고 정부는 비상계엄령을 선포하였어요. 정부의 무력 진압에도 시위는 계속되었고, 대학교수들이 대통령의 하야를 요구하는 시국 선언을 발표하고 가두시위를 하자 이승만은 대통령직에서 물러났어요.

① 4·19 혁명

➡ 4·19 혁명은 이승만 정부의 독재와 3·15 부정 선거에 항거하여 일어난 민주화 운동이에요. 이승만 대통령의 하야 이후 허정 과도 정부가 출범하였어요.

② 6월 민주 항쟁

➡ 6월 민주 항쟁은 전두환 정부의 강압적인 통치와 국민의 대통령 직선제 개헌 요구를 묵살한 4·13 호헌 조치에 항거하여 일어났어요.

③ 부·마 민주 항쟁

➡ 부·마 민주 항쟁은 YH 무역 사건과 김영삼의 국회 의원직 제명을 계기로 부산과 마산 일대에서 일어난 대규모 유신 반대 시위입니다.

④ 5·18 민주화 운동

➡ 5·18 민주화 운동은 전두환 등 신군부의 불법적인 정권 탈취와 비상계엄 확대에 반대하여 일어났어요.

44 박정희 정부 시기의 사실

정답 ②

(가) 정부 시기에 있었던 사실로 옳은 것은? [2점]

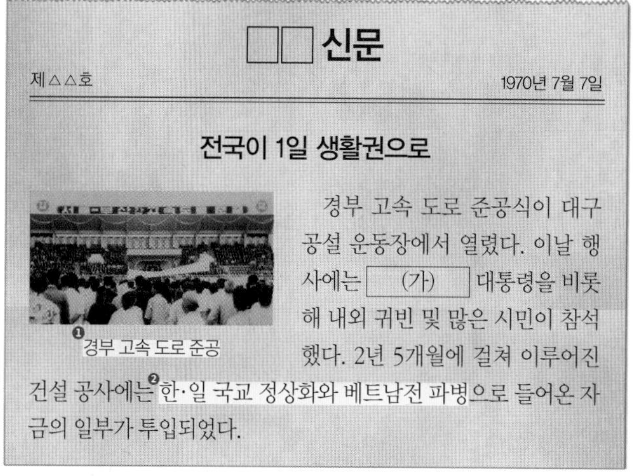

□□신문

제△△호 1970년 7월 7일

전국이 1일 생활권으로

❶ 경부 고속 도로 준공

경부 고속 도로 준공식이 대구 공설 운동장에서 열렸다. 이날 행사에는 (가) 대통령을 비롯해 내외 귀빈 및 많은 시민이 참석했다. 2년 5개월에 걸쳐 이루어진 건설 공사에는 ❷한·일 국교 정상화와 베트남전 파병으로 들어온 자금의 일부가 투입되었다.

정답 잡는 키워드

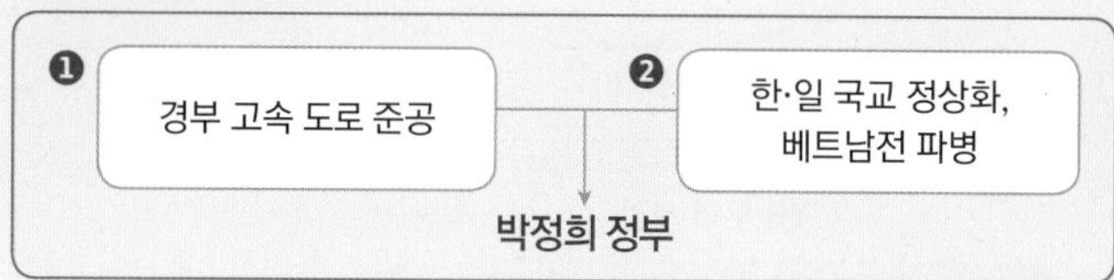

❶ 박정희 정부는 경제 개발을 위해 1962년부터 경제 개발 5개년 계획을 시행하였어요. 제1, 2차 경제 개발 계획 시기에는 신발, 의류, 가발 등 노동 집약적 경공업 제품의 수출에 집중하였고, 정유, 시멘트 등 기간산업의 육성과 경부 고속 도로(국도) 건설 등 사회 간접 자본의 확충에 중점을 두었어요. 이에 1970년에 경부 고속 도로가 준공되었습니다.

❷ 박정희 정부는 경제 개발 5개년 계획을 추진하는 등 경제 개발에 힘을 기울이면서 경제 개발에 필요한 자금을 마련하기 위해 일본과 국교를 정상화하고 베트남 전쟁에 국군을 파병하였어요.

① 3저 호황으로 수출이 증가하였다.

➡ 전두환 정부 시기인 1980년대 중·후반에 저유가, 저금리, 저달러의 3저 호황으로 물가가 안정되고 수출이 증가하였어요.

② 제2차 경제 개발 5개년 계획이 실시되었다.

➡ **박정희 정부**는 1967부터 1971년까지 제2차 경제 개발 5개년 계획을 실시하여 기간산업을 육성하고 사회 간접 자본을 확충하였어요.

③ 경제 협력 개발 기구(OECD)에 가입하였다.

➡ 김영삼 정부는 1996년에 경제 협력 개발 기구(OECD)에 가입하였어요.

④ 미국과 자유 무역 협정(FTA)을 체결하였다.

➡ 노무현 정부는 2007년에 미국과 자유 무역 협정(FTA)을 체결하였어요.

기출 선택지 +α

❺ 금융 실명제를 실시하였다. (O/X)
❻ 농지 개혁법이 제정되었다. (O/X)
❼ 수출 100억 달러를 처음 달성하였다. (O/X)

기출 선택지 +α 정답 ⑤ ×[김영삼 정부] ⑥ ×[이승만 정부] ⑦ ○[1977년]

제 58 회

45 김영삼의 활동
정답 ②

밑줄 그은 '이 인물'로 옳은 것은? [1점]

정답 잡는 **키워드**

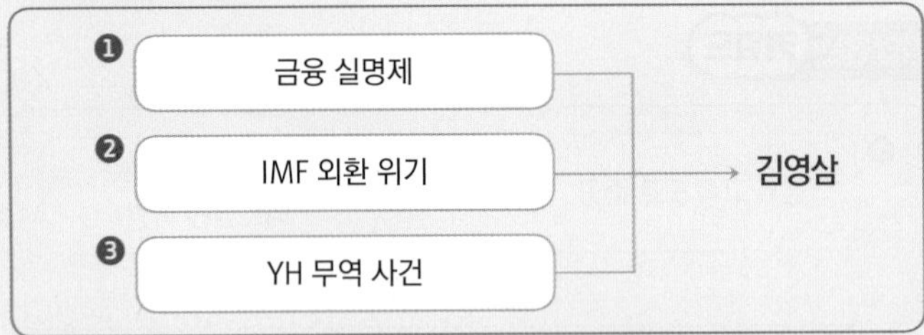

❶ 김영삼 정부는 투명한 금융 거래를 위하여 본인의 실제 이름으로만 금융 거래를 하도록 한 금융 실명제를 전격 실시하였어요.
❷ 김영삼 정부 시기인 1997년 말 외환 보유액 부족으로 경제 위기를 맞게 되어 국제 통화 기금(IMF)에 구제 금융을 요청해 긴급 자금을 지원받았어요. 대신 우리나라는 국제 통화 기금(IMF)의 관리를 받게 되었어요.
❸ 1970년대 말 유신 체제에 대한 저항이 계속되는 가운데, 1979년에 회사 측의 일방적인 폐업 조치에 반대한 YH 무역의 여성 노동자들이 야당인 신민당 당사에서 벌인 농성을 경찰이 진압하는 과정에서 여성 노동자 1명이 사망하는 사건이 발생하였어요(YH 무역 사건). 당시 신민당 총재 김영삼이 이 사건에 항의하며 유신 정권을 비판하자, 여당인 민주 공화당이 주축이 되어 김영삼을 국회 의원직에서 제명하였어요. 이를 계기로 부산과 마산 일대에서 유신 철폐와 독재 반대를 외치며 대규모 시위가 전개되었습니다(부·마 민주 항쟁).

① 김대중
➡ 김대중 정부 시기에 국제 통화 기금(IMF)의 긴급 구제 금융을 조기에 상환하고 IMF의 관리에서 벗어났어요.

② 김영삼
➡ 김영삼 정부는 1995년에 지방 자치제를 전면적으로 실시하였으며, '역사 바로 세우기'의 하나로 조선 총독부 건물을 철거하였고, 국민학교의 명칭을 지금의 초등학교로 바꾸었어요.

③ 노태우
➡ 노태우 정부는 북방 외교를 추진하여 소련 및 중국과 국교를 수립하고, 동유럽 사회주의 국가들과도 수교를 맺었어요.

④ 전두환
➡ 1980년대 전두환 정부는 부실기업과 중화학 공업의 중복 투자를 정리하는 등 산업 구조를 재편하였어요. 1980년대 중·후반에는 원유 가격과 달러 가치, 금리가 모두 낮은 3저 호황으로 수출이 증가하고 고도성장을 이루었어요.

46 노무현 정부 시기의 통일 노력
정답 ④

다음 뉴스가 보도된 정부 시기의 통일 노력으로 옳은 것은? [2점]

대통령 내외와 수행원단이 개성 공단을 방문하였습니다. 대통령 취임 이후 일관되게 추진해 온 대북 정책의 성과와 남북 경제 협력의 중요성을 확인했다는 점에서 의미가 큽니다.

❶ 대통령 내외, 개성 공단 방문

정답 잡는 **키워드**

❶ 대통령 내외, 개성 공단 방문 → **노무현 정부**

❶ 김대중 정부 시기에 남북한은 처음으로 정상 회담을 열고 6·15 남북 공동 선언을 발표하였어요. 이에 따라 남북한은 교류 협력을 위해 개성 공단 조성 사업을 추진하기로 합의하였습니다. 노무현 정부 시기인 2003년 6월에 개성 공단 조성을 위한 공사가 시작되었고 2004년에 시범 단지 조성이 완료되었어요. 노무현 대통령 내외는 2007년에 제2차 남북 정상 회담을 마치고 돌아오는 길에 개성 공단을 방문하였습니다.

① 이산가족 최초 상봉
➡ 전두환 정부 시기에 처음으로 남북한 이산가족 상봉이 이루어졌어요.

② 남북 기본 합의서 채택
➡ 노태우 정부 시기에 남북한은 남북 기본 합의서를 채택하였어요.

③ 남북한 유엔 동시 가입
➡ 노태우 정부 시기에 남북한은 여러 차례 고위급 회담을 개최하여 남북한 유엔 동시 가입을 이루어 냈어요.

④ 10·4 남북 정상 선언 발표
➡ **노무현 정부** 시기에 제2차 남북 정상 회담이 개최되고 10·4 남북 정상 선언이 발표되었어요.

핵심 개념	남북 정상 회담
김대중 정부	• 2000년에 김대중 대통령과 김정일 국방 위원장이 평양에서 만남 → 제1차 남북 정상 회담 • 6·15 남북 공동 선언 발표
노무현 정부	• 2007년에 노무현 대통령과 김정일 국방 위원장이 평양에서 만남 → 제2차 남북 정상 회담 • 10·4 남북 정상 선언 발표
문재인 정부	• 2018년 4월에 문재인 대통령과 김정은 국무 위원장이 판문점에서 만남 → 판문점 선언 발표 • 2018년 5월 판문점, 9월 평양에서 남북 정상 회담 개최

47 사회적 차별 극복을 위한 노력 정답 ④

(가)~(다)를 일어난 순서대로 옳게 나열한 것은? [3점]

정답 잡는 키워드

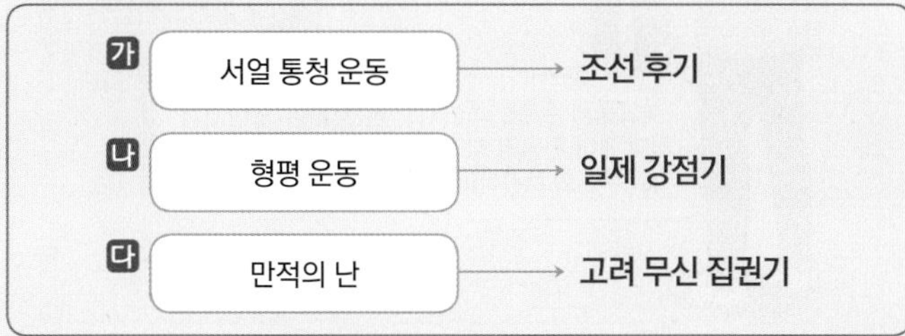

가 조선 후기에 서얼은 자신들에 대한 관직 진출 제한을 철폐해 달라는 집단 상소를 올리는 등 통청 운동을 전개하였어요. 이 같은 노력으로 서얼에 대한 차별이 개선되었으며, 정조 때 서얼 출신인 유득공, 박제가 등이 규장각 검서관에 등용되기도 하였어요.

나 갑오개혁으로 법적 신분제는 폐지되었지만, 백정에 대한 사회적 편견과 차별은 사라지지 않았고 일제 강점기에도 계속되었어요. 1923년에 백정들은 진주에서 조선 형평사를 조직하고 백정에 대한 사회적 차별 철폐를 목표로 형평 운동을 전개하였어요.

다 고려 무신 집권기에 사노비 만적은 개경에서 신분 해방을 목표로 하여 봉기를 계획하였으나 사전에 발각되어 실패하였어요.

① (가) - (나) - (다)

② (가) - (다) - (나)

③ (나) - (가) - (다)

④ (다) - (가) - (나)

➡ 역사 속의 사회적 차별 극복 노력을 일어난 순서대로 나열하면 (다) 만적의 난(고려 무신 집권기) - (가) 서얼 통청 운동(조선 후기) - (나) 형평 운동(일제 강점기)입니다.

48 독도 정답 ①

밑줄 그은 '섬'으로 옳은 것은? [1점]

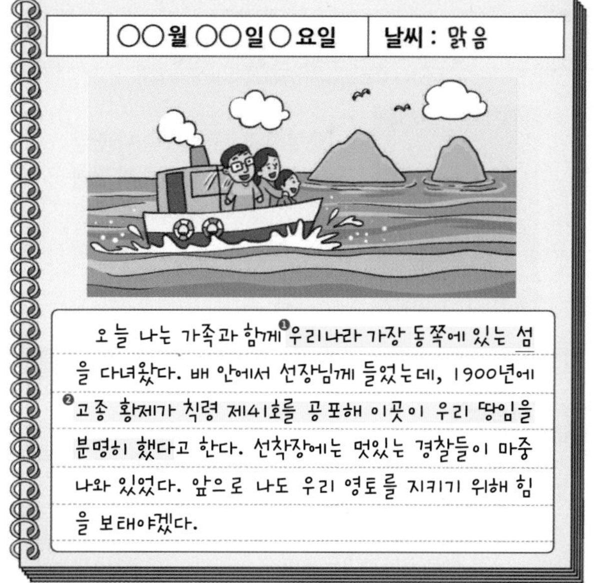

정답 잡는 키워드

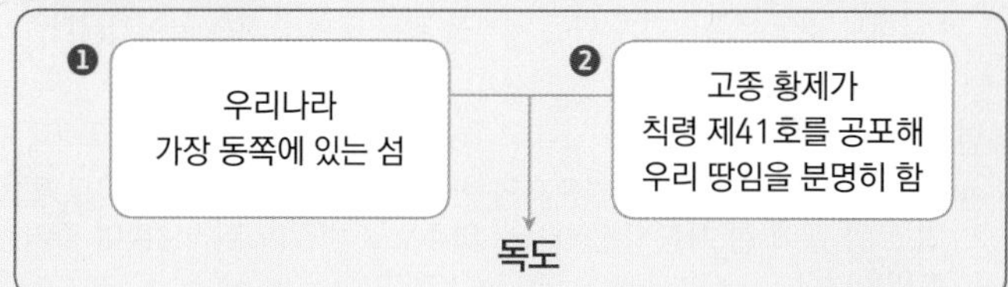

❶ 독도는 우리나라의 가장 동쪽에 위치한 섬입니다.

❷ 고종 황제는 울릉도를 울도군으로 승격시켜 독도를 관할하도록 한다는 내용의 대한 제국 칙령 제41호를 반포하여 독도가 우리 땅임을 분명히 하였어요. 일본이 러·일 전쟁 중 독도를 자국의 영토로 불법 편입하였으나 광복 이후 독도에 대한 영토 주권을 회복하였어요.

① 독도

➡ 독도는 신라 지증왕 때 울릉도와 함께 신라의 영토로 편입된 이후 계속 우리의 영토였어요. 또한, 조선 숙종 때 안용복은 울릉도와 독도 주위에서 어업 활동을 하던 일본 어부를 쫓아내고, 일본으로 건너가 울릉도와 독도가 조선 영토임을 확인받고 돌아왔어요.

② 진도

➡ 고려 정부의 개경 환도 결정에 반발하여 강화도에서 봉기한 삼별초는 진도 용장성으로 근거지를 옮겨 대몽 항쟁을 이어 갔어요.

③ 거제도

➡ 6·25 전쟁 중 거제도에 포로수용소가 설치되었어요.

④ 흑산도

➡ 조선 후기에 정약전은 흑산도에서 유배 생활을 하면서 흑산도 근처의 수산 생물을 조사하여 "자산어보"를 편찬하였어요.

49 제기차기

정답 ③

밑줄 그은 '놀이'로 옳은 것은? [1점]

우리나라의 민속놀이 소개

❶구멍 뚫린 동전을 천이나 한지로 접어 싸고 그 끝을 여러 갈래로 찢어 술을 너풀거리게 만든 뒤, 이를 발로 차며 즐기는 놀이입니다.

정답 잡는 키워드

❶ 구멍 뚫린 동전을 천이나 한지로 접어 싸고 술을 너풀거리게 만든 뒤 발로 차며 즐기는 놀이 → 제기차기

❶ 제기차기는 동전이나 쇠붙이에 얇은 종이나 천을 접어 싼 다음, 끝을 여러 갈래로 찢어 너풀거리게 만든 제기를 발로 차며 즐기는 놀이입니다.

① 널뛰기
➡ 설날·단오·추석 등에 긴 널빤지의 한가운데에 짚단이나 가마니로 밑을 괴고 양 끝에 한 사람씩 올라서서 마주보고 번갈아 뛰어오르며 즐기는 놀이입니다.

② 비석치기
➡ 손바닥만 한 납작한 돌을 세워 놓고, 일정한 거리에서 작은 돌을 발로 차거나 던져서 상대가 세워 놓은 돌(비석)을 쓰러뜨리는 놀이입니다.

③ 제기차기
➡ 제기차기는 주로 정초를 전후한 겨울에 즐겨 하였어요.

④ 쥐불놀이
➡ 해충의 피해를 방지하기 위해 논둑이나 밭둑에 불을 붙이는 쥐불놀이는 주로 정월 대보름에 즐겼어요.

50 청주의 역사

정답 ④

학생들이 공통으로 이야기하는 지역으로 옳은 것은? [2점]

정답 잡는 키워드

❶ 서원경, 신라 촌락 문서 / ❷ 고려 시대의 직지, 흥덕사 → 청주

❶ 청주는 통일 신라 5소경 중 하나인 서원경이 설치된 곳이에요. 신라 촌락 문서(민정 문서)는 서원경 부근 4개 마을의 경제 상황을 담고 있는 문서로, 세금 징수와 노동력 동원을 위해 작성한 것으로 보입니다.
❷ "직지심체요절(직지)"은 고려 말에 청주 흥덕사에서 금속 활자로 인쇄되었으며, 현존하는 세계에서 가장 오래된 금속 활자 인쇄본이에요.

① 상주
➡ 상주는 신라 말 진성 여왕 때 원종과 애노의 난이 일어난 곳이에요.

② 원주
➡ 원주의 법천사지에는 고려 시대 승려인 지광국사의 탑비가 있어요.

③ 전주
➡ 전주는 견훤이 도읍으로 삼아 후백제를 건국한 곳이며, 고려 무신 집권기에는 관노의 난이 일어났던 곳이에요. 이곳에는 조선을 세운 태조 이성계의 어진을 모신 경기전과 실록을 보관하던 사고가 있어요.

④ 청주
➡ 청주에 있는 상당산성은 백제 때 처음 만들어진 것으로 추정되며, 조선 시대에 개축되었어요. 청주 청녕각은 조선 시대 관아 건물로, 청주 목사가 집무를 보던 곳이에요.

합격률

45.1%

응시 인원 : 12,751명
합격 인원 : 5,749명

기본

2022년 2월 12일(토) 시행

제57회

해설 강의 바로 보기

시대별 출제 비중

전근대 28문항

선사 3문항
구석기 시대의 생활 모습, 동예의 사회 모습, 고조선의 사회 모습

고대 7문항
고구려 광개토 태왕의 정책, 삼국 간의 항쟁, 김춘추의 활동, 발해, 경주 감은사지, 백제 역사 유적 지구, 신라 말의 사회 모습

고려 9문항
고려 태조의 업적, 고려의 교육 기관, 고려의 경제 활동, 고려의 대외 항쟁, 김부식의 활동, 고려 공민왕 재위 시기의 모습, 고려의 나전 칠기, 최무선의 활동, 평창 월정사 8각 9층 석탑

조선 9문항
기묘사화, 정도전의 활동, 조선 세조의 정책, 비변사, 임진왜란, 동의보감, 보은 법주사 팔상전, 조선 후기의 경제 상황, 조선 숙종의 정책

근현대 22문항

정월 대보름

시대 통합 3문항
우리 역사 속의 민중 봉기, 여진과의 관계, 우리 역사 속의 재해 대비 정책

개항기 4문항
오페르트 남연군 묘 도굴 미수 사건, 조선책략 유포의 영향, 동학 농민 운동, 아관 파천 이후의 사실

일제 강점기 9문항
근우회, 전형필의 활동, 대한민국 임시 정부의 활동, 방정환의 활동, 1920년대 항일 민족 운동, 1930년대 한·중 연합 작전, 1930년대 후반 이후 일제의 식민 지배 정책, 연해주 이주 동포의 고난, 조선어 학회

현대 5문항
5·10 총선거, 5·18 민주화 운동, 전태일의 활동, 제1차 남북 정상 회담, 박정희 정부 시기의 사실

분류별 출제 비중 고대~조선

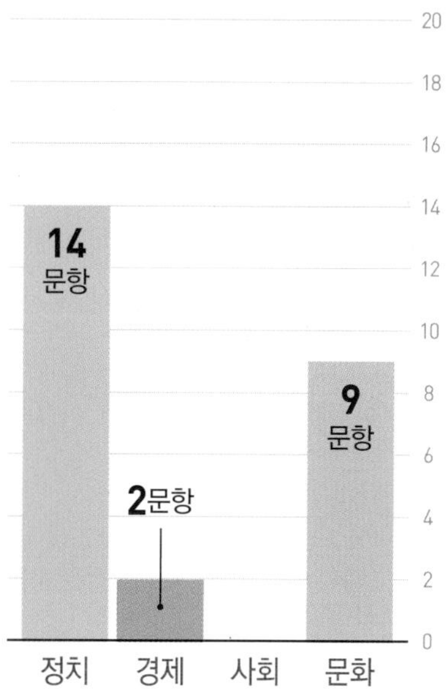

난이도별 출제 비중

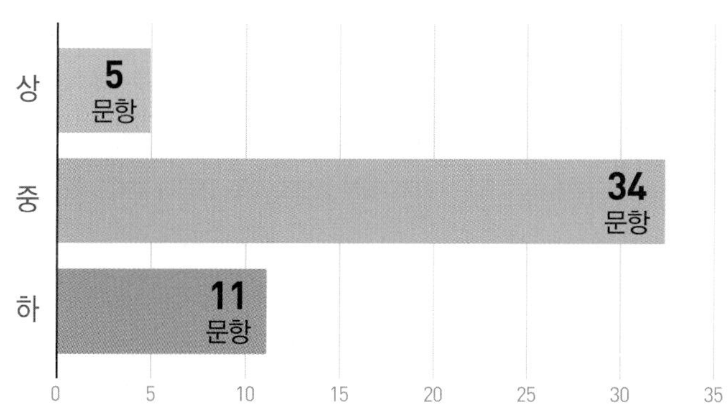

큰별쌤의 한 줄 평

개념을 충실히
이해해야 풀 수 있는
약간 어려웠던 시험

1 구석기 시대의 생활 모습

정답 ②

다음 축제에서 체험할 수 있는 활동으로 적절한 것은? [1점]

구석기 시대에 볼 수 있는 생활 모습을 찾으면 됩니다. 경기 연천 전곡리 유적은 구석기 시대의 대표적인 유적이에요. 이곳에서 발전된 형태의 주먹도끼가 발견되어 동아시아에도 발달한 구석기 문화가 있었음이 밝혀졌어요. 구석기 시대 사람들은 식량을 찾아 이동 생활을 하였으며, 주로 동굴이나 강가의 막집에 살았어요.

① 가락바퀴로 실뽑기
➡ 가락바퀴는 **신석기 시대**부터 사용되었어요. 식물 등 실의 원료를 가락(막대기)에 이은 뒤 가락바퀴를 끼워 돌리면 가락바퀴가 추의 역할을 하여 섬유에 꼬임이 생기면서 실이 만들어졌어요.

② 뗀석기로 고기 자르기
➡ **구석기 시대** 사람들은 주먹도끼, 찍개, 찌르개 등 뗀석기를 만들어 사용하였어요.

③ 점토로 빗살무늬 토기 빚기
➡ **신석기 시대** 사람들은 토기를 만들어 식량을 저장하거나 음식을 조리하는 데 사용하기 시작하였어요. 신석기 시대를 대표하는 토기로 빗살무늬 토기를 들 수 있어요.

④ 거푸집으로 청동 검 모형 만들기
➡ **청동기 시대**부터 거푸집을 이용하여 청동 검과 청동 거울 등 청동 도구를 만들기 시작하였어요. 거푸집은 청동 등의 금속을 녹여 부어 도구를 만드는 틀이에요.

2 동예의 사회 모습

정답 ③

(가)에 들어갈 내용으로 옳은 것은? [2점]

정답 잡는 키워드

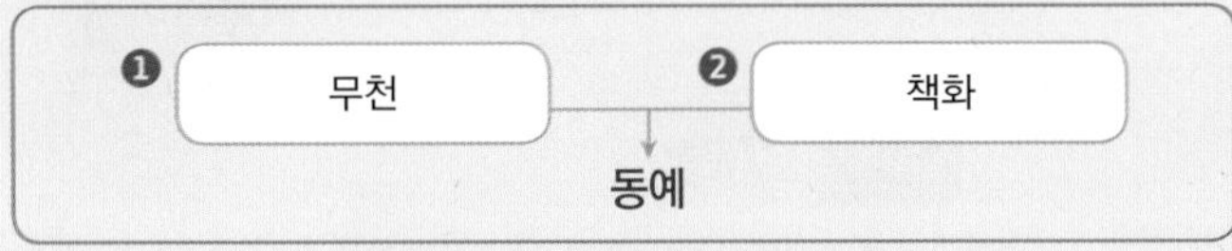

❶ 동예는 매년 10월에 무천이라는 제천 행사를 열었어요. 이때 하늘에 제사를 지내고 노래와 춤을 즐겼어요.
❷ 동예에는 읍락 간의 경계를 중시하여 이를 침범하면 소나 말, 노비 등으로 배상하게 하는 책화의 풍습이 있었어요.

① 서옥제라는 혼인 풍습을 표현해 보자.
➡ 서옥제는 혼인한 뒤 신랑이 신부 집 뒤편에 지은 서옥에서 살다가 자식이 태어나 어느 정도 자라면 아내와 자식을 데리고 자신의 집으로 돌아가는 **고구려**의 혼인 풍습이에요.

② 무예를 익히는 화랑도의 모습을 보여 주자.
➡ 화랑도는 **신라**의 청소년 수련 단체입니다. 진흥왕 때 국가적인 조직으로 개편되었어요.

③ 특산물인 단궁, 과하마, 반어피를 그려 보자.
➡ **동예**는 단궁, 과하마, 반어피가 특산물로 유명하였어요.

④ 지배층인 마가, 우가, 저가, 구가를 등장시키자.
➡ **부여**에서는 마가, 우가, 저가, 구가가 별도로 사출도를 주관하였어요.

핵심 개념 여러 나라의 성장

나라	내용
부여	• 중앙은 왕이 다스리고 마가, 우가, 저가, 구가의 여러 가(加)들이 사출도를 관장함 • 남의 물건을 도둑질하다 잡히면 훔친 물건의 12배로 갚아야 함(1책 12법) • 12월에 영고라는 제천 행사 개최, 흰옷을 즐겨 입음
고구려	• 제가 회의에서 나라의 중요한 일을 결정함 • 10월에 동맹이라는 제천 행사 개최 • 서옥제라는 혼인 풍습이 있음
옥저	• 읍군, 삼로 등으로 불린 군장이 부족을 다스림 • 민며느리제라는 혼인 풍습이 있음 • 가족의 뼈를 한 목곽에 모아 두는 풍습이 있음(가족 공동 무덤)
동예	• 읍군, 삼로 등으로 불린 군장이 부족을 다스림 • 읍락 간의 경계를 중시한 책화의 풍습이 있음 • 10월에 무천이라는 제천 행사 개최
삼한	• 신지, 읍차 등으로 불린 군장이 부족을 다스림 • 제사장인 천군과 신성 지역인 소도가 있음 • 5월과 10월에 계절제 개최 • 변한 지역에서 철이 많이 생산되어 철을 화폐처럼 사용하고 낙랑과 왜에 수출함

3 고조선의 사회 모습

정답 ④

다음 자료에 해당하는 나라에 대한 설명으로 옳은 것은? [2점]

> ○ 위서에 이르기를, "지금으로부터 2천여 년 전에 ❶단군왕검이 아사달에 도읍을 정하였다."고 하였다. - "삼국유사" -
> ○ 누선장군 양복(楊僕)이 군사 7천을 거느리고 먼저 ❷왕검성에 도착하였다. ❸우거가 성을 지키고 있다가 양복의 군사가 적은 것을 알고 곧 나가서 공격하니 양복이 패하여 달아났다. - "삼국유사" -

정답 잡는 키워드

❶ 고조선은 단군왕검이 아사달에 도읍을 정하고 건국하였다고 전해지는 우리 역사 최초의 국가입니다.
❷, ❸ 고조선은 우거왕 때 한의 공격을 받아 1년여 동안 맞서 싸웠으나 기원전 108년에 수도인 왕검성이 함락되면서 멸망하였어요.

① 신성 지역인 소도가 있었다.
➡ 삼한에는 제사장인 천군과 신성 지역인 소도가 있었어요.

② 낙랑, 왜 등에 철을 수출하였다.
➡ 삼한 가운데 변한과 이 지역에서 성장한 가야는 철이 풍부하게 생산되어 낙랑, 왜 등에 철을 수출하였어요.

③ 화백 회의에서 중요한 일을 결정하였다.
➡ 신라는 귀족 회의인 화백 회의에서 나라의 중요한 일을 결정하였어요.

④ 사회 질서를 유지하기 위해 범금 8조를 만들었다.
➡ **고조선**에는 사회 질서를 유지하기 위한 범금 8조(8조법)가 있었어요. 이 중 3개 조항이 현재 전해지는데 이를 통해 당시 사회 모습을 짐작할 수 있어요.

기출 선택지 +α

⑤ 영고라는 제천 행사를 열었다. (O/X)
⑥ 신지, 읍차 등의 지배자가 있었다. (O/X)
⑦ 건국 이야기가 삼국유사에 실려 있다. (O/X)

기출 선택지 +α 정답 ⑤ ×[부여] ⑥ ×[삼한] ⑦ ○

4 고구려 광개토 태왕의 정책

정답 ④

(가) 왕에 대한 설명으로 옳은 것은? [2점]

정답 잡는 키워드

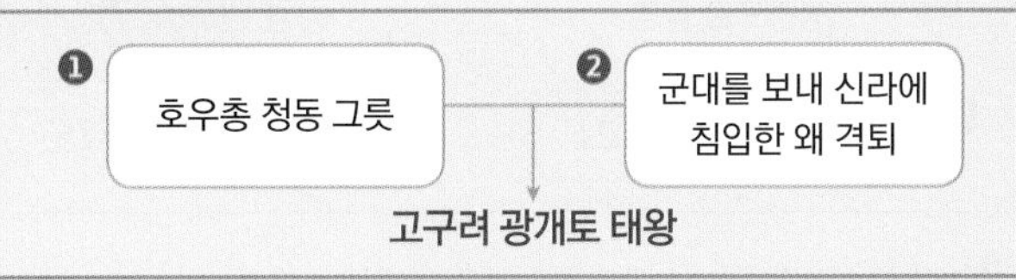

❶ 호우총 청동 그릇은 신라의 고분인 경주 호우총에서 발견되었어요. 그릇 바닥 면에 '국강상광개토지호태왕'이라는 광개토 태왕을 나타내는 글자가 새겨져 있어 이를 통해 당시 신라와 고구려가 밀접한 관계였음을 짐작할 수 있어요.
❷ 광개토 태왕은 왜의 침입을 받은 신라 내물 마립간이 고구려에 도움을 요청하자, 군대를 보내 신라에 침입한 왜를 격퇴하였어요.

① 태학을 설립하였다.
➡ 고구려 소수림왕은 태학을 설립하여 유학 교육을 시행하였어요.

② 낙랑군을 몰아내었다.
➡ 고구려 미천왕은 낙랑군을 몰아내고 영토를 확장하였어요.

③ 천리장성을 축조하였다.
➡ 고구려는 당의 침입을 막기 위해 영류왕 때부터 부여성에서 비사성에 이르는 국경 지역에 천리장성을 쌓기 시작하여 보장왕 때 완성하였어요.

④ 영락이라는 연호를 사용하였다.
➡ 고구려 **광개토 태왕**은 영락이라는 독자적인 연호를 사용하였어요.

기출 선택지 +α

⑤ 진대법을 실시하였다. (O/X)
⑥ 평양으로 천도하였다. (O/X)
⑦ 광개토 대왕릉비를 건립하였다. (O/X)

핵심 개념 고구려 광개토 태왕의 업적

구분	내용
영토 확장	• 백제를 공격하여 한강 이북 지역 차지 • 신라에 침입한 왜 격퇴, 이 과정에서 가야 연맹을 공격하여 낙동강 하류까지 진출 • 거란, 숙신, 후연, 동부여 등을 정벌하고 요동과 만주 지역 대부분 차지
기타	영락이라는 독자적인 연호 사용

기출 선택지 +α 정답 ⑤ ×[고구려 고국천왕] ⑥ ×[고구려 장수왕] ⑦ ×[고구려 장수왕]

제 57 회

킬러 문항

5 삼국 간의 항쟁 정답 ②

(가), (나) 사이의 시기에 있었던 사실로 옳은 것은? [3점]

정답 잡는 키워드

가 고구려 장수왕은 427년에 도읍을 평양으로 옮기고 본격적으로 남진 정책을 추진하였어요.

나 백제는 475년에 고구려 장수왕의 공격을 받아 수도 한성이 함락되고 개로왕이 죽임을 당하였어요. 개로왕의 뒤를 이은 문주왕은 지금의 공주 지역인 웅진으로 천도하였어요.

① 고구려가 옥저를 정복하였다.
➡ 고구려는 1세기 태조왕 때 옥저를 정복하고 동해안으로 진출하였어요.

② 백제가 신라와 동맹을 맺었다.
➡ 고구려가 평양으로 도읍을 옮겨 압박하자 위협을 느낀 백제 비유왕과 신라 눌지왕이 433년에 동맹을 맺었어요(나·제 동맹).

③ 백제가 관산성 전투에서 패배하였다.
➡ 백제는 554년에 관산성 전투에서 신라에 패배하였어요. 이때 백제 성왕이 전사하였어요.

④ 고구려가 안시성에서 당군을 물리쳤다.
➡ 고구려는 보장왕 때인 645년에 당의 공격을 안시성에서 물리쳤어요.

기출 선택지 +α

⑤ 대가야가 신라에 정복되었다. (O/X)
⑥ 백제가 수도를 사비로 옮겼다. (O/X)

6 김춘추의 활동 정답 ②

밑줄 그은 '그'로 옳은 것은? [1점]

선덕 여왕 11년 그는 ❶군사를 청하러 고구려로 떠났습니다. 하지만 죽령 이북의 땅을 돌려달라는 보장왕의 요구를 들어 주지 않아 별관에 갇히게 되었지요.

-3-

이때 고구려 관리에게 토끼와 거북이의 이야기를 듣게 되었답니다. 그는 뜻을 알아차리고 꾀를 내어 영토를 돌려주겠다고 한 뒤 신라로 무사히 돌아왔어요. 그리고 몇 해 후 ❷당으로 건너가 동맹을 맺었지요.

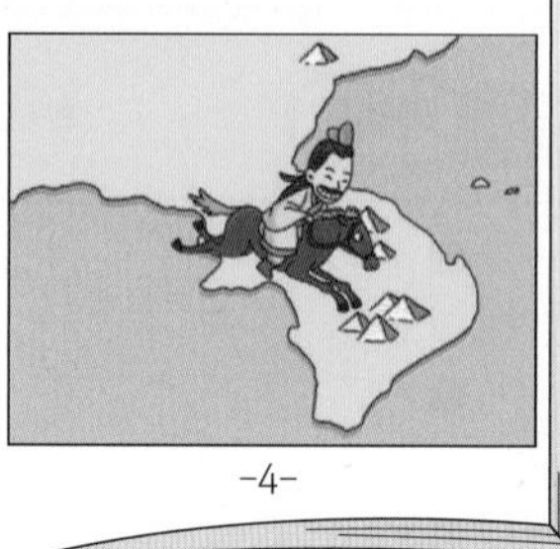

-4-

정답 잡는 키워드

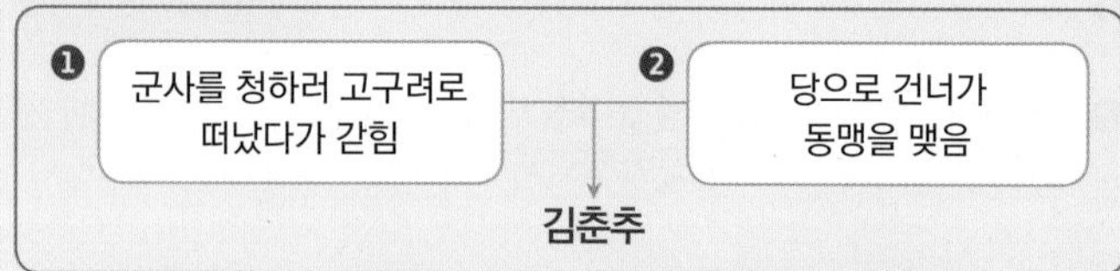

❶ 백제의 공격에 시달리던 신라는 642년에 김춘추를 고구려로 보내 군사 지원을 요청하였어요. 그러나 고구려의 보장왕이 신라에 빼앗긴 죽령 이북의 땅을 돌려달라고 요구하여 고구려와 신라의 연합은 이루어지지 않았어요.

❷ 김춘추는 당으로 건너가 군사 동맹을 요청하였고 당이 이를 받아들여 648년에 신라와 당의 동맹이 체결되었어요(나·당 동맹).

① 김대성
➡ 김대성은 신라의 재상으로 불국사와 석굴암을 지었다고 전해지는 인물이에요.

② 김춘추
➡ 김춘추는 신라 진덕 여왕의 뒤를 이어 왕위에 올라 태종 무열왕이 되었는데 진골 출신 최초의 왕이었어요.

③ 사다함
➡ 사다함은 신라의 화랑으로 진흥왕이 이사부를 보내 대가야를 정벌할 때 큰 공을 세웠어요.

④ 이사부
➡ 이사부는 지증왕 때 우산국을 정벌하고, 진흥왕 때 대가야를 정복하는 등 신라의 영토 확장에 큰 공을 세웠어요.

핵심 개념 김춘추의 활동

642년	백제 의자왕의 공격으로 신라가 위기에 빠지자 고구려에 가서 군사 지원 요청 → 고구려가 죽령 이북 영토의 반환을 요구하여 협상 결렬, 고구려에 억류되었다가 탈출함
648년	당에 가서 동맹 체결(나·당 동맹)
654년	왕위에 오름(태종 무열왕) : 진골 출신 최초의 왕
660년	당군과 함께 백제를 공격하여 멸망시킴
661년	사망

기출 선택지 +α 정답 ⑤ ×[562년] ⑥ ×[538년]

7 발해 정답 ④

(가) 국가에 대한 설명으로 옳은 것은? [3점]

정답 잡는 키워드

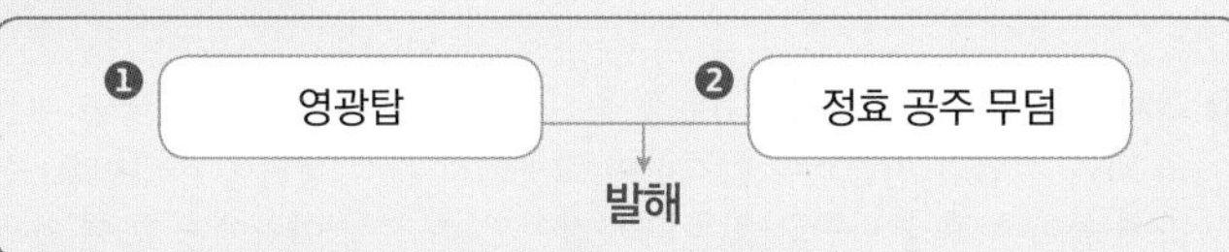

❶ 영광탑은 벽돌로 만든 전탑으로 완전한 형태로 보존된 유일한 발해 탑이에요. 건축 기법 등에서 당의 영향을 받았어요.
❷ 정효 공주는 발해 문왕의 딸이며, 정효 공주 무덤은 당의 양식과 고구려의 양식이 혼합된 형태로 만들어졌어요. 무덤 위에는 전탑이 세워져 있었는데 무너져서 지금은 기초만 남아 있어요.

① 송악에서 철원으로 도읍을 옮겼다.
➡ 궁예가 송악(지금의 개성)을 도읍으로 하여 세운 후고구려는 나라 이름을 마진으로 바꾼 뒤 철원으로 도읍을 옮겼어요.

② 수의 군대를 살수에서 크게 무찔렀다.
➡ 고구려의 을지문덕은 612년에 수의 군대를 살수(지금의 청천강)에서 크게 물리쳤어요(살수 대첩).

③ 인재 선발을 위하여 독서삼품과를 시행하였다.
➡ 신라 원성왕은 인재 선발을 위하여 독서삼품과를 시행하였어요. 독서삼품과는 국학 학생의 유교 경전 이해 수준을 상, 중, 하의 3품으로 평가하여 관리 선발에 참고한 제도입니다.

④ 정당성 아래 6부를 두어 행정을 담당하게 하였다.
➡ **발해**는 정당성, 선조성, 중대성의 3성과 충·인·의·지·예·신부의 6부를 중심으로 중앙 정치 체제를 정비하였어요. 정당성을 중심으로 나랏일을 운영하였고 정당성 아래 6부를 두어 행정을 담당하게 하였어요.

기출 선택지 +α

❺ 국학을 설립하였다.	(O / X)
❻ 9주 5소경을 설치하였다.	(O / X)
❼ 전성기에 해동성국이라 불렸다.	(O / X)
❽ 5경 15부 62주로 지방 행정 제도를 정비하였다.	(O / X)

기출 선택지 +α 정답 ⑤ ×[신라] ⑥ ×[신라] ⑦ ○ ⑧ ○

8 경주 감은사지 정답 ①

다음 일기의 소재가 된 유적으로 옳은 것은? [2점]

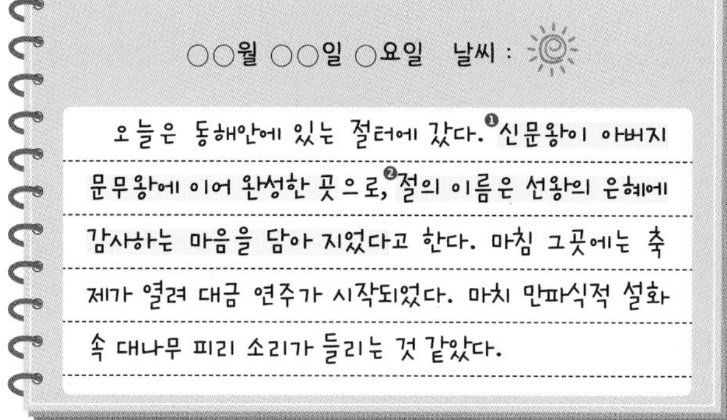

정답 잡는 키워드

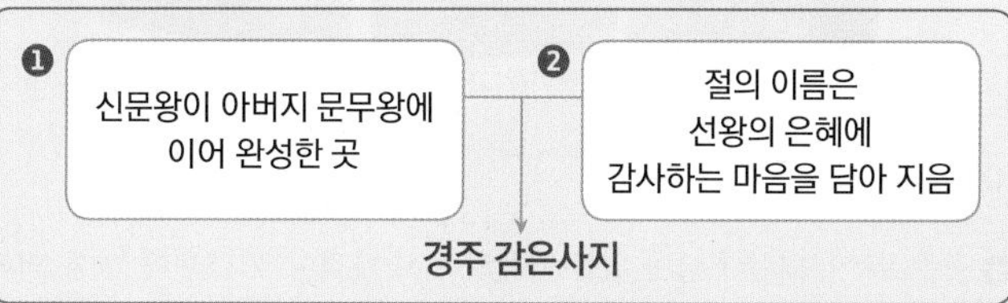

❶, ❷ 신라 문무왕은 부처의 힘을 빌려 나라를 지키겠다는 마음에서 동해안에 절을 짓기 시작하였으나 생전에 완성하지 못하였어요. 아들 신문왕이 뜻을 이어 절을 완공하고 아버지 문무왕의 은혜에 감사하는 마음을 담아 절의 이름을 감은사라고 지었다고 합니다. 지금은 절터와 두 개의 석탑이 남아 있어요.

①

경주 감은사지

➡ 경주 감은사지에는 동, 서 양쪽에 통일 신라 석탑의 전형적인 양식을 보여 주는 3층 석탑이 남아 있어요.

②

여주 고달사지

➡ 여주 고달사지는 통일 신라 시기에 창건되어 고려 시대에 크게 번성하였던 고달사의 터입니다. 고려 전기에 세워진 것으로 보이는 고달사지 승탑, 원종대사 탑비 등이 남아 있어요.

③

원주 법천사지

➡ 원주 법천사지는 통일 신라 시기에 창건되었으며 고려 시대에 번창한 사찰이에요. 지금은 절터와 지광국사 탑비 등이 남아 있어요.

④

화순 운주사지

➡ 화순 운주사지는 각각 1천 기의 석불과 석탑이 있었다는 이야기가 전해지는 절터에요. 현재는 석불과 석탑 수십여 기만 남아 있어요.

제57회

9 백제 역사 유적 지구

정답 ④

다음 답사가 이루어진 지역으로 옳지 않은 것은? [2점]

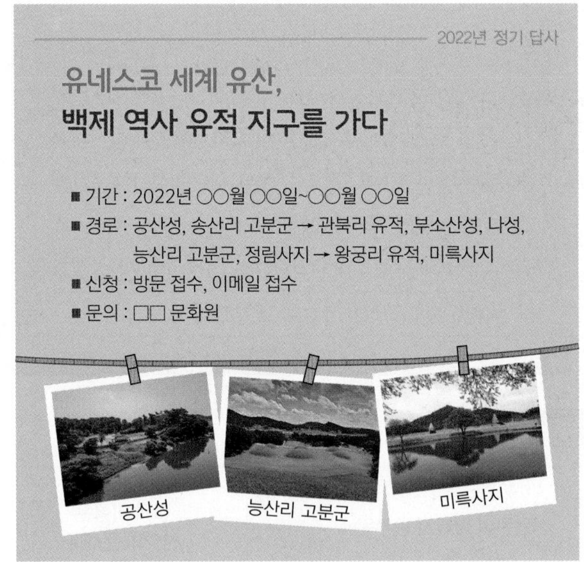

✪ 공주, 부여, 익산에 남아 있는 백제의 역사 유적이 2015년에 '백제 역사 유적 지구'라는 이름으로 유네스코 세계 유산에 등재되었어요.

① 공주

➡ 공주는 백제의 두 번째 수도였던 곳으로, 당시에는 웅진이라고 불렸어요. 공주에는 수도 방어를 위해 쌓은 공산성, 백제 왕과 왕족의 무덤이 모여 있는 송산리 고분군(공주 무령왕릉과 왕릉원) 등의 유적이 있어요.

② 부여

➡ 부여는 백제 성왕이 웅진에서 도읍을 옮긴 곳으로, 당시에는 사비라고 불렸어요. 부여에는 백제 왕궁 터로 추정되는 관북리 유적, 수도 방어를 위해 쌓은 부소산성과 나성, 백제 왕과 왕족의 무덤이 모여 있는 능산리 고분군(부여 왕릉원), 백제 때 세워졌다는 정림사의 터(정림사지) 등이 남아 있어요.

③ 익산

➡ 익산에는 백제 무왕 때 조성된 왕궁리 유적과 미륵사의 터(미륵사지) 등이 남아 있어요.

④ 전주

➡ 전주는 신라 말에 견훤이 후백제를 건국하면서 도읍으로 삼은 곳이에요. 당시에는 완산주라고 불렸어요.

10 신라 말의 사회 모습

정답 ④

밑줄 그은 '그'가 활동한 시기에 볼 수 있는 모습으로 적절한 것은? [2점]

지금 촬영하는 곳은 부산 해운대 동백섬이야. 해운대라는 지명은 그의 호에서 유래했어. ❶진성 여왕에게 10여 조의 개혁안을 올렸던 그는 신라 조정에 크게 실망하여 여러 곳을 떠돌아다녔는데, 이곳에도 한동안 머물렀다고 해.

정답 잡는 **키워드**

❶ 진성 여왕에게 10여 조의 개혁안을 올림 → **신라 말에 활동한 최치원**

❶ 최치원은 신라 말에 활동한 6두품 출신이에요. 당에 건너가 외국인 대상의 과거 시험인 빈공과에 합격하여 그곳에서 관직 생활을 하였어요. 신라에 돌아온 후 혼란한 사회를 바로잡기 위해 진성 여왕에게 10여 조의 개혁안을 올렸으나 시행되지 못하자 은둔 생활을 하였다고 전해집니다. 부산의 해운대라는 지명은 최치원의 호였던 해운에서 유래되었다고 합니다.

① 성리학을 공부하는 유생

➡ 성리학은 고려 말에 안향에 의해 우리나라에 전해졌다고 해요.

② 금속 활자를 주조하는 장인

➡ 금속 활자는 고려 시대부터 만들어진 것으로 보여요. 기록상으로는 "상정고금예문"이 최초의 금속 활자본으로 알려져 있으나 현재 전해지지 않아요. 현재 남아 있는 세계에서 가장 오래된 금속 활자본은 "직지심체요절"이에요.

③ 판소리 공연을 하는 소리꾼

➡ 조선 후기에 장시 등 사람들이 많이 모이는 곳에서 판소리 공연이 성행하였어요.

④ 군사를 모아 장군이라 칭하는 호족

➡ **신라 말**에 중앙 정치가 혼란하자 지방에서 호족이 성장하였어요. 호족은 스스로 성주, 장군을 칭하며 독자적인 세력을 형성하였어요.

11 고려 태조의 업적 정답①

(가) 왕에 대한 설명으로 옳은 것은? [2점]

❶신라 왕 김부가 항복해 왔습니다.

신라를 경주라 하고, 그를❷경주의 사심관으로 임명하라.

(가)

정답 잡는 키워드

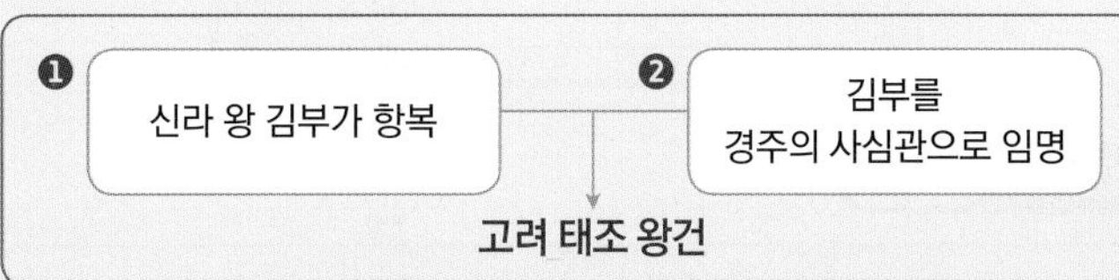

❶, ❷ 고려 태조는 935년에 더 이상 나라를 유지하기 힘들었던 신라의 경순왕 김부가 항복해 오자, 신라를 경주라 하고 김부를 경주의 사심관으로 임명하였어요. 호족 세력의 지원을 받아 후삼국을 통일한 고려 태조는 각 지방 호족의 자제를 일정 기간 수도에 머물게 하는 기인 제도와 지방 출신의 고위 관리를 출신 지역의 사심관으로 임명하여 그 지역을 통제하도록 한 사심관 제도를 실시하여 호족 세력을 견제하고 지방 통치를 보완하였어요. 또한, 민생 안정에도 힘을 기울여 백성의 세금을 줄여 주고 빈민 구휼 기관인 흑창을 설치하였어요.

①훈요 10조를 남겼다.
➡ **고려 태조**는 후대 왕들에게 정책의 방향을 제시하는 훈요 10조를 남겼어요.

② 과거제를 시행하였다.
➡ 고려 광종은 쌍기의 건의를 받아들여 시험을 통해 관리를 뽑는 과거제를 처음 시행하였어요.

③ 만권당을 설립하였다.
➡ 고려 충선왕은 원의 연경에 있는 자신의 집에 독서당인 만권당을 설립하였어요. 이곳에서 이제현 등 고려의 학자들과 원의 학자들이 교류하였어요.

④ 전시과를 마련하였다.
➡ 고려 경종은 전·현직 관리에게 관직 복무 등에 대한 대가로 등급에 따라 전지와 시지를 지급하는 전시과 제도를 마련하였어요.

기출 선택지 +α

❺ 흑창을 두었다. (O/X)
❻ 노비안검법을 실시하였다. (O/X)
❼ 철령 이북의 땅을 되찾았다. (O/X)
❽ 12목에 지방관을 파견하였다. (O/X)

기출 선택지 +α 정답 ⑤○ ⑥×[고려 광종] ⑦×[고려 공민왕] ⑧×[고려 성종]

12 고려의 교육 기관 정답①

(가)~(다) 학생이 발표한 내용을 일어난 순서대로 옳게 나열한 것은? [3점]

정답 잡는 키워드

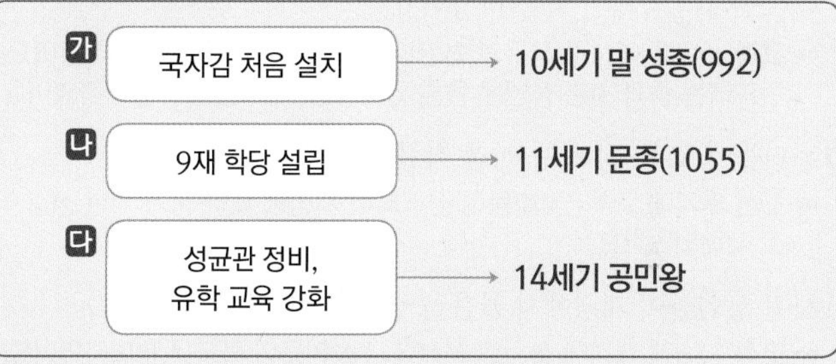

가 고려는 개경에 최고 교육 기관으로 국자감을 두어 인재를 양성하고자 하였어요. "고려사"에 의하면 성종 때 국자감을 설치하였다고 합니다.

나 최충은 고려 문종 때 사립 교육 기관인 9재 학당을 세웠어요. 9재 학당은 최충의 시호를 따 문헌공도라고 불리기도 하였어요.

다 고려 공민왕은 성균관을 정비하여 유학 교육을 강화하였어요. 고려 후기에 국자감의 명칭이 몇 차례 바뀌었는데, 충선왕 때 성균관으로 개칭된 뒤 공민왕 때 반원 정책에 따른 관제의 복구로 국자감으로 환원되었다가 다시 성균관으로 바뀌었어요. 성균관의 명칭은 조선 시대로 이어졌어요.

①(가) - (나) - (다)
➡ (가) 10세기 말 성종 때 국자감 처음 설치 - (나) 11세기 문종 때 최충이 9재 학당 설립 - (다) 14세기 공민왕 때 성균관 정비 및 유학 교육 강화의 순입니다.

② (가) - (다) - (나)
③ (나) - (가) - (다)
④ (다) - (가) - (나)

핵심 개념 고려의 교육 기관

관학	중앙	국자감 : 개경에 설치한 최고 교육 기관, 유학과 기술 교육 담당(유학부와 기술학부로 구성)
	지방	향교 : 지방 관리와 서민 자제의 교육 담당
사학		중기 이후 최충의 9재 학당(문헌공도)을 비롯한 사학 12도 융성

13 고려의 경제 활동

정답 ②

교사의 질문에 대한 학생의 답변으로 옳지 않은 것은? [2점]

① 벽란도에서 국제 무역을 하였어요.

➡ **고려** 시대에 예성강 하구의 벽란도가 국제 무역항으로 번성하였어요. 벽란도에는 송과 일본 상인은 물론 멀리 아라비아 상인도 왕래하였어요.

② 농민들이 고추, 담배 등 상품 작물을 재배하였어요.

➡ **조선 후기**에 고추, 담배 등이 전래되어 시장에 내다 팔기 위한 상품 작물로 재배되었어요.

③ 시전 상인들이 개경에서 물품을 판매하였어요.

➡ **고려** 시대에 개경에 설치된 시전에서 상인들이 물품을 판매하였어요. 고려 정부는 시전을 감독하기 위한 관청으로 경시서를 설치하였어요.

④ 사원에서 종이와 기와를 만들어 팔았어요.

➡ **고려** 시대에 사원 수공업이 발달하여 사원에서 종이, 기와, 베, 모시 등을 만들어 팔았어요.

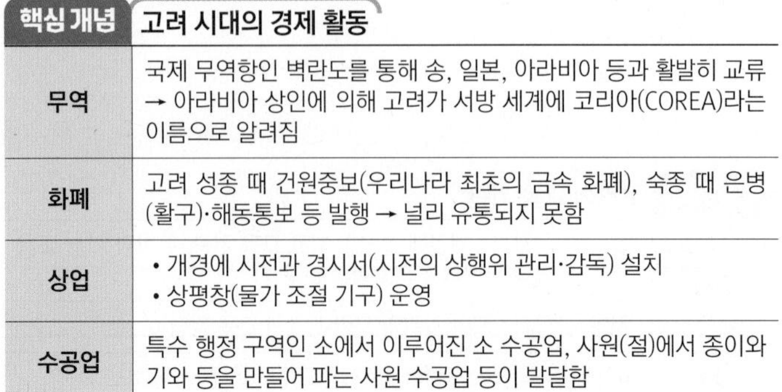

핵심 개념	고려 시대의 경제 활동
무역	국제 무역항인 벽란도를 통해 송, 일본, 아라비아 등과 활발히 교류 → 아라비아 상인에 의해 고려가 서방 세계에 코리아(COREA)라는 이름으로 알려짐
화폐	고려 성종 때 건원중보(우리나라 최초의 금속 화폐), 숙종 때 은병(활구)·해동통보 등 발행 → 널리 유통되지 못함
상업	• 개경에 시전과 경시서(시전의 상행위 관리·감독) 설치 • 상평창(물가 조절 기구) 운영
수공업	특수 행정 구역인 소에서 이루어진 소 수공업, 사원(절)에서 종이와 기와 등을 만들어 파는 사원 수공업 등이 발달함

14 정월 대보름

정답 ④

(가)에 들어갈 세시 풍속으로 옳은 것은? [1점]

오늘의 메뉴

❶음력 1월 15일, (가) 을/를 맞이하여 특식을 준비하였습니다.

건강과 풍년을 기원하는 ❷오곡밥
여름 더위를 막아 주는 묵은 나물
달콤한 꿀을 넣은 약밥
호두, 땅콩 등 ❷부럼

맛있게 드세요

정답 잡는 키워드

❶ 음력 1월 15일 / ❷ 오곡밥, 부럼 → 정월 대보름

❶, ❷ **정월 대보름**의 정월은 한 해를 처음 시작하는 달, 대보름은 가장 큰 보름이라는 뜻으로 음력 1월 15일입니다. 이날에는 건강과 풍년을 기원하며 호두, 땅콩, 잣, 밤 등의 부럼을 깨고 다섯 가지 곡식을 섞어 지은 오곡밥과 묵은 나물 등을 먹었어요.

① 동지

➡ 동지는 일 년 중 밤이 가장 긴 날로 보통 양력 12월 22일 무렵이에요. 이날에는 팥죽과 동치미를 먹었으며, 팥의 붉은색이 잡귀를 물리친다고 여겨 집 안 곳곳에 팥죽을 놓아두기도 하였어요.

② 추석

➡ 추석은 음력 8월 15일로 중추절 또는 한가위라고도 합니다. 이날에는 햇과일과 햇곡식으로 차례를 지내고 성묘를 하였으며, 송편과 토란국 등을 먹었어요.

③ 삼짇날

➡ 삼짇날은 음력 3월 3일로 강남 갔던 제비가 돌아오는 날이라고도 합니다. 이날에는 진달래화전과 쑥떡 등을 먹었어요.

④ 정월 대보름

➡ 정월 대보름에는 쥐불놀이, 달집태우기, 달맞이 등을 하였어요.

15 고려의 대외 항쟁

정답 ④

(가) 시기에 있었던 사실로 옳은 것은? [3점]

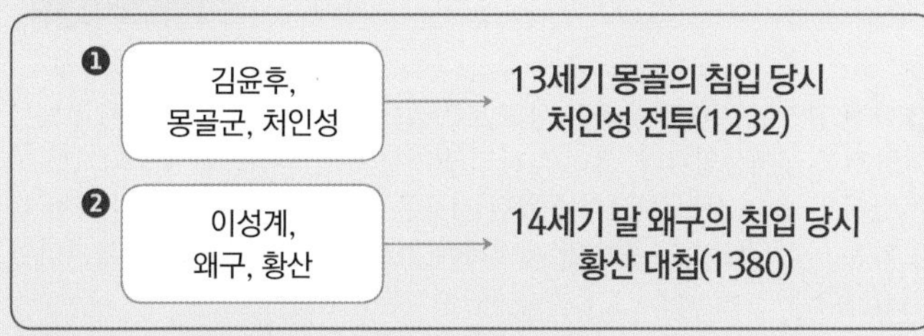

정답 잡는 키워드

❶ 김윤후, 몽골군, 처인성 → 13세기 몽골의 침입 당시 처인성 전투(1232)

❷ 이성계, 왜구, 황산 → 14세기 말 왜구의 침입 당시 황산 대첩(1380)

❶ 13세기에 몽골이 고려를 침입하자 김윤후가 군사와 부곡민을 이끌고 처인성에서 몽골 장군 살리타를 사살하고 몽골군을 물리쳤어요(1232).

❷ 14세기 말에 고려는 잦은 왜구의 침입을 받았는데, 이성계는 황산에서 왜구를 크게 물리쳤어요(1380). 이 시기 홍건적과 왜구를 물리치는 과정에서 이성계, 최영 등 신흥 무인 세력이 성장하였어요.

① 과전법이 시행되었다.
➡ 과전법은 이성계가 위화도 회군으로 정권을 장악한 이후인 1391년에 시행되었어요.

② 이자겸이 난을 일으켰다.
➡ 고려 인종 때인 1126년에 왕실과 외척 관계를 맺고 권력을 독점하였던 이자겸이 난을 일으켰으나 실패하였어요.

③ 궁예가 후고구려를 세웠다.
➡ 궁예는 신라 말인 901년에 후고구려를 세웠어요. 후고구려가 건국되어 견훤의 후백제, 신라와 함께 후삼국을 이루었어요.

④ 팔만대장경판이 제작되었다.
➡ 고려 정부는 **몽골의 침입**을 받자 일단 강화를 맺고 강화도로 도읍을 옮겨 장기 항쟁을 준비하였어요. 강화도에서 부처의 힘으로 몽골의 침입을 물리치고자 하는 염원을 담아 팔만대장경판을 제작하였어요.

연표로 흐름잡기

1231	몽골의 1차 침입
1232	고려 정부의 강화도 천도, 몽골의 2차 침입(처인성 전투, 초조대장경 소실) → **이후 팔만대장경판 제작**
1270	고려 정부의 개경 환도
1359	홍건적의 1차 침입
1361	홍건적의 2차 침입 → 개경 함락, 공민왕 안동으로 피신
1376	최영, 홍산에서 왜구 격퇴(홍산 대첩)
1380	최무선의 진포 대첩, 이성계의 황산 대첩
1388	이성계의 위화도 회군 → 정권 장악
1391	과전법 실시
1392	조선 건국

16 김부식의 활동

정답 ③

다음 퀴즈의 정답으로 옳은 것은? [1점]

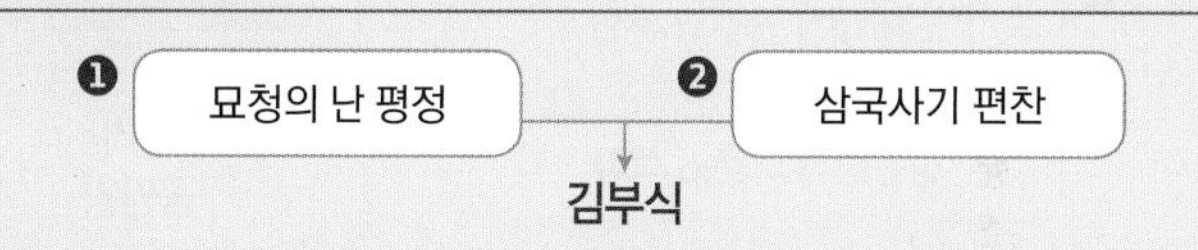

정답 잡는 키워드

❶ 묘청의 난 평정 ❷ 삼국사기 편찬 → 김부식

❶ 김부식은 고려 인종 때 서경에서 묘청이 난을 일으키자 진압군의 원수로 임명되어 관군을 이끌고 가서 묘청의 난을 진압하였어요.

❷ 김부식은 인종의 명을 받아 신라, 고구려, 백제의 역사를 다룬 "삼국사기"를 편찬하였어요.

① 양규
➡ 양규는 고려의 장수로 거란의 2차 침입 당시 흥화진에서 거란군을 막아냈어요. 또 고려와 강화를 맺고 돌아가는 거란군을 습격하여 끌려가던 고려인 포로들을 구출하였어요.

② 일연
➡ 일연은 고려 후기의 승려로 불교사를 중심으로 고구려, 백제, 신라의 역사를 다룬 "삼국유사"를 저술하였어요.

③ 김부식
➡ 김부식이 편찬을 주도한 "삼국사기"는 현재 남아 있는 우리나라에서 가장 오래된 역사서입니다.

④ 이제현
➡ 이제현은 고려 말의 성리학자로 만권당에서 원의 학자들과 교류하며 성리학을 깊이 연구하였고, "사략"과 "역옹패설" 등을 저술하였어요.

17 고려 공민왕 재위 시기의 모습 정답 ①

다음 다큐멘터리에서 볼 수 있는 장면으로 적절하지 않은 것은? [2점]

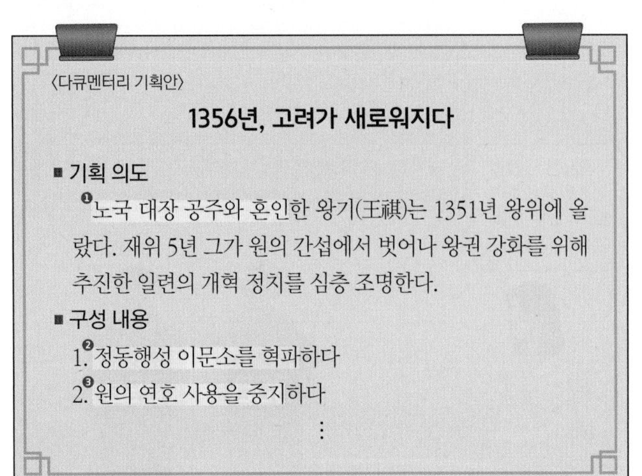
〈다큐멘터리 기획안〉

1356년, 고려가 새로워지다

■ 기획 의도

❶노국 대장 공주와 혼인한 왕기(王祺)는 1351년 왕위에 올랐다. 재위 5년 그가 원의 간섭에서 벗어나 왕권 강화를 위해 추진한 일련의 개혁 정치를 심층 조명한다.

■ 구성 내용

1. ❷정동행성 이문소를 혁파하다
2. ❸원의 연호 사용을 중지하다

⋮

정답 잡는 키워드

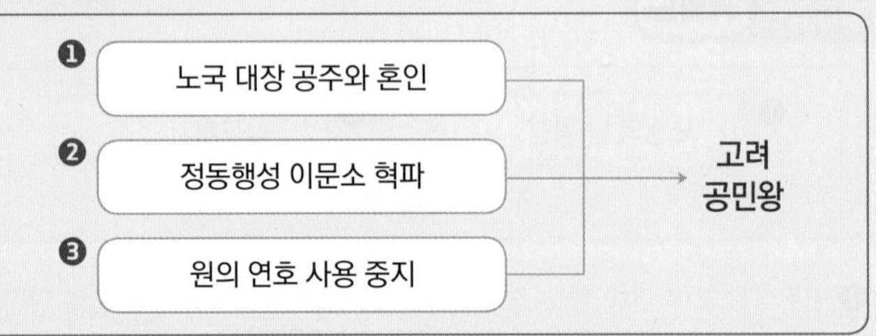

❶ 원 간섭기에 고려의 왕은 원의 공주와 혼인하였어요. 공민왕은 원의 노국 대장 공주와 혼인하였어요.

❷, ❸ 공민왕은 원의 세력이 약해진 틈을 타 원의 간섭에서 벗어나기 위한 반원 자주 정책과 왕권 강화 정책을 폈어요. 변발과 호복 등의 몽골 풍습을 금지하고, 원의 연호와 관제를 폐지하여 이전의 제도로 복구하였습니다. 또 정동행성 이문소를 혁파하여 고려의 내정에 간섭하던 정동행성의 일부 기능을 폐지하였어요.

① 수원 화성을 축조하는 백성
➡ 조선 후기 정조는 자신의 정치적 이상을 실현하기 위한 신도시로 수원 화성을 축조하였어요.

② 쌍성총관부를 공격하는 군인
➡ **공민왕** 때 고려군은 쌍성총관부를 공격하여 원에 빼앗겼던 철령 이북의 영토를 되찾았어요.

③ 숙청당하는 기철 등 친원 세력
➡ 기철은 고려인으로 원의 황후가 된 기황후의 오빠입니다. 기황후의 세력을 등에 업고 권력을 잡아 세도를 부렸어요. **공민왕**은 왕권 강화를 위해 기철을 비롯한 친원 세력을 숙청하였어요.

④ 정방 폐지 교서를 작성하는 관리
➡ **공민왕**은 권문세족이 인사 행정을 담당하던 정방을 장악하고 왕권을 제약하자, 정방을 폐지하여 왕이 인사권을 행사할 수 있도록 하였어요.

18 고려의 나전 칠기 정답 ②

다음 기사에 보도된 문화유산으로 옳은 것은? [2점]

□□신문

제△△호 2020년 ○○월 ○○일

고려 나전 칠기의 귀환

국외 소재 문화재 재단의 노력으로 고려 시대의 '나전 국화 넝쿨무늬 합'이 일본에서 돌아왔다. 나전 칠기는 표면에 옻칠을 하고 조개껍데기를 정교하게 오려 붙인 것으로 불화, 청자와 함께 고려를 대표하는 문화유산이다. 이번 환수로 국내에 소장된 고려의 나전 칠기는 총 3점이 되었다.

✪ 나전 칠기는 표면에 옻칠을 하고 조개껍데기 조각인 자개를 붙여 무늬를 표현한 공예품입니다. 고려의 나전 칠기는 유명하여 송에 수출되기도 하였어요. 송의 사절로 고려에 왔던 서긍은 "고려도경"에서 "고려 나전 칠기는 극히 정교하고 솜씨가 세밀하여 가히 귀하다."라고 높이 평가하였습니다.

①
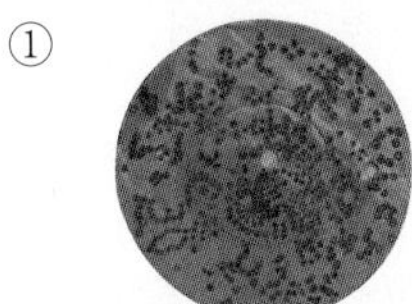
➡ 조선 시대에 만들어진 양산 통도사 금동 천문도입니다. 양산 통도사에 소장되어 있어요.

②

➡ 고려 시대에 만들어진 **나전 국화 넝쿨무늬 합**이에요. 일본에 있던 것을 환수하였어요.

③

➡ 고려 시대에 만들어진 청동 은입사 포류수금문(물가풍경무늬) 정병이에요. 은입사는 청동이나 철, 구리 등 금속 그릇 표면에 은실을 채워 넣어 무늬를 장식하는 기법이에요.

④

➡ 조선 시대에 만들어진 분청사기 철화 넝쿨무늬 항아리입니다.

19 최무선의 활동 정답 ④

(가) 인물의 활동으로 옳은 것은? [2점]

정답 잡는 키워드

❶ 화포를 이용하여 왜구를 크게 물리친 진포 대첩 → 최무선

❶ 고려 말에 최무선은 화약 제조에 성공한 후 화포와 화약 무기를 만들었어요. 최무선과 나세, 심덕부는 화포를 이용하여 진포 대첩에서 왜구를 물리치고 큰 승리를 거두었어요.

① 거중기를 설계하였다.
➡ 거중기는 조선 후기 정조 때 **정약용**이 설계한 기계로, 작은 힘으로 무거운 물건을 들 수 있었어요. 정약용은 거중기를 제작해 수원 화성 축조에 이용하였어요.

② 앙부일구를 제작하였다.
➡ 해시계인 앙부일구는 **조선 세종** 때 처음 만들어졌어요.

③ 비격진천뢰를 발명하였다.
➡ 비격진천뢰는 조선 선조 때 **이장손**이 발명한 화약 무기로 목표물에 날아가서 폭발하는 폭탄이었어요. 임진왜란 때 이용되었어요.

④ 화통도감 설치를 건의하였다.
➡ **최무선**은 고려 말에 중국 상인의 도움으로 화약 제조 기술을 습득하여 화약 제조에 성공하자, 우왕에게 화포와 화기의 제조를 담당하는 관청인 화통도감의 설치를 건의하였어요. 최무선이 화통도감에서 만든 화약과 화포는 왜구를 물리치는 데 기여하였어요.

기출 선택지 +α

❺ 사상 의학을 정립하였다. (O/X)
❻ 대동여지도를 제작하였다. (O/X)
❼ 시헌력 도입을 주장하였다. (O/X)
❽ 화약 제조법을 터득하였다. (O/X)

20 평창 월정사 8각 9층 석탑 정답 ③

밑줄 그은 '탑'으로 옳은 것은? [2점]

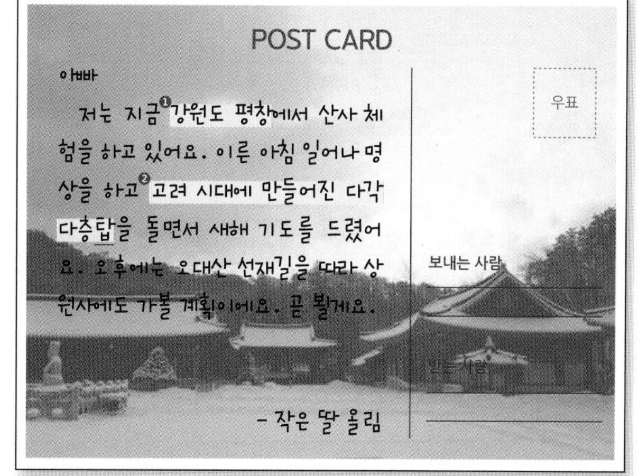

정답 잡는 키워드

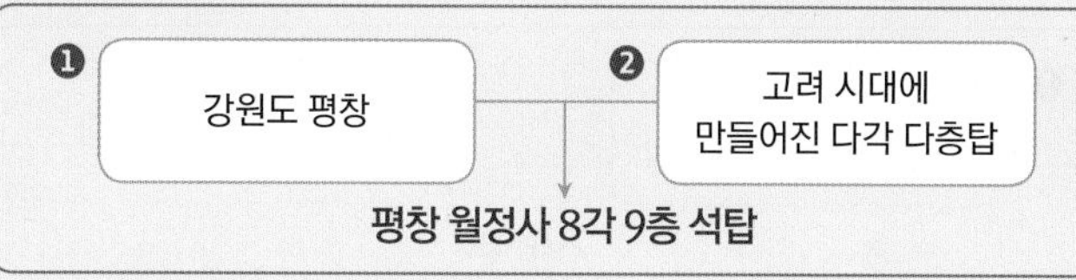

❶, ❷ 강원도 평창에 있는 월정사 8각 9층 석탑은 고려 시대에 만들어진 대표적인 다각 다층탑이에요.

①

불국사 다보탑

➡ 통일 신라 시기에 만들어진 경주 불국사 다보탑은 목조 건축 구조를 본뜬 복잡하면서도 화려한 모습이 특징이에요.

②

신륵사 다층 전탑

➡ 고려 시대에 만들어진 여주 신륵사 다층 전탑은 벽돌로 쌓은 탑으로, 현존하는 유일한 고려 시대의 전탑이에요.

③

월정사 팔각구층 석탑

➡ 고려 시대에 다각형의 다층탑이 유행하였어요. 평창 월정사 8각 9층 석탑도 이러한 흐름 속에 만들어진 것으로 고려 전기 석탑을 대표하는 작품이에요.

④

화엄사 사사자 삼층 석탑

➡ 통일 신라 시기에 만들어진 구례 화엄사 4사자 3층 석탑은 탑의 네 모퉁이에 있는 사자상이 탑을 받치고 있는 듯한 모습이 특징이에요.

기출 선택지 +α 정답 ⑤ ×[이제마] ⑥ ×[김정호] ⑦ ×[김육] ⑧ ○

제57회

21 기묘사화 정답 ①

(가)에 들어갈 사건으로 옳은 것은? [2점]

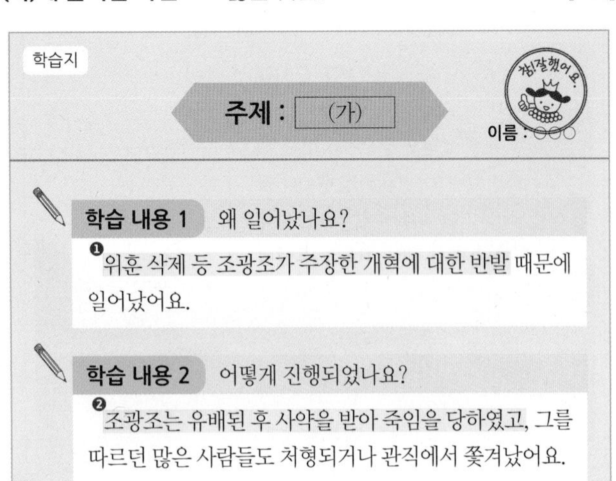

정답 잡는 키워드

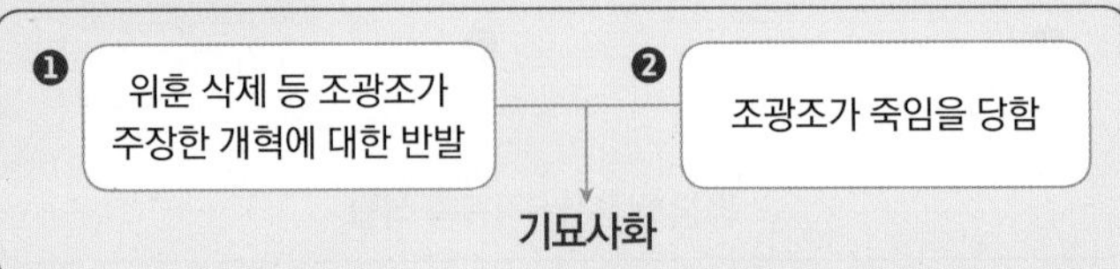

❶, ❷ 조광조는 조선 중종 때 등용되어 소격서 폐지, 현량과 실시 등 개혁 정책을 추진하였어요. 또 중종반정의 공신 중에서 부당하게 공신이 된 사람들의 거짓 공훈을 삭제할 것(위훈 삭제)을 건의하였어요. 이러한 급진적인 개혁에 부담을 느낀 중종과 훈구 세력의 반발로 기묘사화가 일어났어요. 조광조는 능주로 유배되었다가 곧 사약을 받아 죽임을 당하였어요.

① 기묘사화
➡ 기묘사화로 인해 조광조를 비롯해 많은 사림이 죽거나 유배를 가는 등 큰 피해를 입었어요.

② 신유박해
➡ 신유박해는 조선 후기 순조 때 천주교도들을 박해한 사건이에요. 이때 이승훈, 정약용 등이 연루되어 처벌되었어요.

③ 인조반정
➡ 인조반정은 서인 세력이 주도하여 영창 대군 살해와 인목 대비 유폐를 구실 삼아 광해군을 폐위하고 능양군(후에 인조)을 새 왕으로 세운 사건이에요.

④ 임오군란
➡ 임오군란은 1882년에 정부의 개화 정책과 구식 군인 차별에 대한 불만으로 일어난 사건이에요. 구식 군인들이 정부 고관들의 집을 파괴하고 일본 공사관을 습격하였는데, 여기에 도시 하층민도 가세하였어요.

핵심 개념 기묘사화

배경	조선 중종이 훈구 세력을 견제하고자 조광조를 비롯한 사림을 등용함
조광조의 개혁 정치	• 도교 행사를 주관하던 소격서 폐지 건의 • 새로운 인사를 등용하기 위해 현량과 실시 건의 • 중종반정으로 공신이 된 사람 중에 부당하게 공신이 된 일부 훈구 공신의 거짓 공훈 삭제(위훈 삭제) 주장
기묘사화	급진적인 개혁에 부담을 느낀 중종과 훈구 세력의 반발로 사화 발생 → 조광조가 사사되고 많은 사림이 제거됨

22 정도전의 활동 정답 ③

(가)에 들어갈 인물로 옳은 것은? [1점]

(가)	• 조선 개국 공신 • 조선의 통치 기준과 운영 원칙을 제시한 ❶조선경국전을 저술함 • ❷불씨잡변을 지어 불교 교리를 비판함
(앞면)	(뒷면)

정답 잡는 키워드

❶ 조선경국전 저술 ❷ 불씨잡변을 지음 → 정도전

❶, ❷ 정도전은 이성계를 도와 조선 건국을 주도하였으며 건국 초기 체제 정비에 큰 역할을 하였어요. 또한, 조선의 통치 기준과 운영 원칙을 제시한 "조선경국전"을 지어 태조에게 바쳤고, "불씨잡변"을 지어 유학의 입장에서 불교 교리를 비판하였어요.

①

이이

➡ 이이는 조선 시대 성리학자이자 정치가로, 수미법을 주장하였어요. 또 왕이 갖추어야 할 덕목과 지식을 정리한 "성학집요", 왕도 정치의 이상을 문답체로 서술한 "동호문답"을 저술하여 선조에게 올렸어요.

②

송시열

➡ 송시열은 조선 후기의 대표적인 성리학자이자 정치가로 효종과 함께 북벌을 주장하였어요. 현종 때 있었던 예송에서 남인의 허목과 대립하였으며, 서인이 소론과 노론으로 분열한 뒤 노론의 우두머리로 노론을 이끌었어요.

③

정도전

➡ 정도전은 한양 도성을 설계하고 경복궁과 궁궐 내 주요 전각의 이름을 짓는 등 조선 건국 초기에 나라의 기틀을 잡는 데 큰 역할을 하였어요.

④

정몽주

➡ 정몽주는 고려 말의 성리학자이자 정치가로, 새 왕조를 세우려는 세력에 맞서 고려를 유지한 채 개혁할 것을 주장하다가 이방원 세력에 의해 제거되었어요.

핵심 개념 정도전의 활동

활동	• 유교(성리학)를 국가의 통치 이념으로 확립 • 재상 중심의 정치 강조 • 유교 원리에 따라 한양 도성 설계, 4대문과 경복궁 등 주요 건물의 이름을 정함
저서	"조선경국전"(법전), "경제문감"(정치 도서), "불씨잡변"(불교 비판) 등

23 조선 세조의 정책

정답 ②

밑줄 그은 '왕'이 추진한 정책으로 옳은 것은? [2점]

정답 잡는 키워드

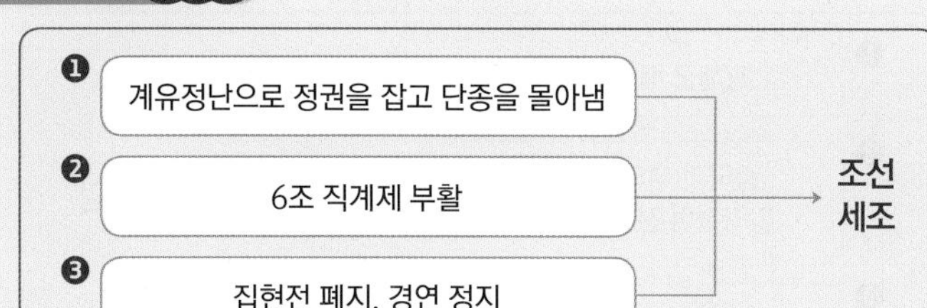

❶ 세조(당시 수양 대군)는 단종이 어린 나이에 즉위하자, 계유정난을 일으켜 단종을 보좌하던 황보인, 김종서 등을 제거하고 정권을 잡았어요. 이후 단종을 몰아내고 왕위에 올랐어요.

❷, ❸ 세조는 왕권 강화를 위해 의정부를 거치지 않고 6조에서 왕에게 직접 업무를 보고하는 6조 직계제를 부활시켰어요. 또 집현전 출신 학자들의 주도로 단종의 복위를 도모한 사건이 일어나자 이를 진압하였어요. 이 사건을 계기로 세조는 자신의 활동을 견제하던 집현전을 폐지하고 경연을 정지하였어요. 한편, 세조 때 조선의 기본 법전인 "경국대전"의 편찬 작업이 시작되었어요.

① 삼별초를 조직하였다.
➡ 삼별초는 고려 무신 집권기에 **최우**가 조직한 야별초에서 비롯된 군사 조직으로, 좌별초와 우별초, 신의군으로 구성되었어요.

② 직전법을 시행하였다.
➡ 조선 **세조**는 관리에게 수조권을 지급할 토지가 부족해지자 현직 관리에게만 수조권을 행사할 수 있는 토지를 지급하는 직전법을 시행하였어요.

③ 한양으로 천도하였다.
➡ 조선 **태조 이성계**는 조선을 세우고 천도를 위해 한양에 궁궐과 종묘를 지었어요. 그다음 1394년에 개경에서 한양으로 수도를 옮겼어요. 제1차 왕자의 난 이후 정종 때 잠시 개경으로 다시 수도를 옮기기도 하였으나 태종 때 다시 한양으로 돌아왔어요.

④ 훈민정음을 창제하였다.
➡ 조선 **세종**은 백성을 교화하고 백성이 자신의 뜻을 글로 표현할 수 있도록 훈민정음을 창제하여 반포하였어요.

기출 선택지 +α

❺ 호패법을 시행하였다. (O/X)
❻ 대전통편을 만들었다. (O/X)
❼ 경국대전을 완성하였다. (O/X)

기출 선택지 +α 정답 ⑤ ×[조선 태종] ⑥ ×[조선 정조] ⑦ ×[조선 성종]

24 비변사

정답 ①

(가)에 들어갈 정치 기구로 옳은 것은? [2점]

정답 잡는 키워드

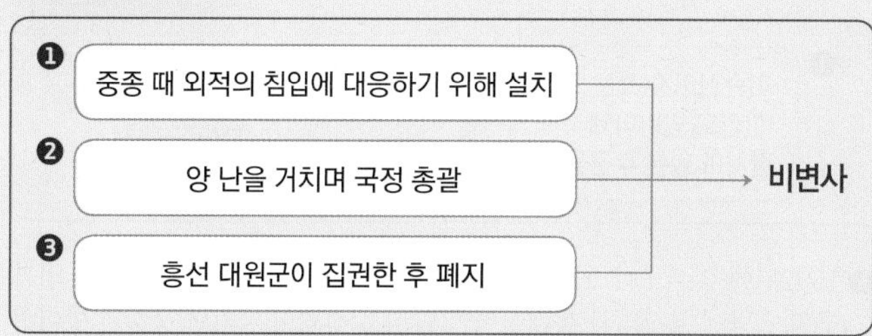

❶ 비변사는 조선 중종 때 외적의 침입 시 국방 문제를 다루기 위한 임시 기구로 설치되었으며, 명종 때 을묘왜변을 거치며 상설 기구가 되었어요.

❷ 비변사는 임진왜란과 병자호란을 겪으면서 기능과 조직이 확대되어 국방뿐만 아니라 외교, 재정 등 국정을 총괄하게 되었어요.

❸ 세도 정치 시기에 외척을 비롯한 세도 가문이 비변사의 요직을 차지하고 권력을 휘둘렀어요. 고종이 즉위하면서 집권한 흥선 대원군은 세도 가문의 핵심 권력 기구로 왕권을 제약하던 비변사를 사실상 폐지하고 의정부와 삼군부의 기능을 되살렸어요.

① 비변사
➡ 비변사는 '변방의 일을 방비하는 기구'라는 뜻입니다.

② 어사대
➡ 어사대는 고려 시대에 관리를 감찰하던 기구입니다. 어사대의 관원은 중서문하성의 낭사와 함께 대간이라 불리며, 서경·간쟁·봉박의 권한을 행사하였어요.

③ 도병마사
➡ 도병마사는 고려 시대에 중서문하성과 중추원의 고위 관리들이 모여 국방과 군사 문제를 논의하던 회의 기구입니다.

④ 군국기무처
➡ 군국기무처는 1894년에 제1차 갑오개혁을 추진하기 위해 설치된 기구입니다.

핵심 개념 비변사

구분	내용
설치	외적의 침입 시 국방 문제를 다루기 위해 조선 중종 때 임시 기구로 설치됨 → 명종 때 을묘왜변을 계기로 상설 기구가 됨
변화	• 임진왜란 등을 거치며 구성원이 늘고 기능도 커져 국정 전반을 총괄하는 최고 통치 기구가 됨 • 세도 정치 시기에 외척 등 세도 가문의 권력 기반이 됨
영향	의정부와 6조의 역할이 유명무실해짐, 왕권이 약화됨

25 임진왜란

정답 ③

(가) 전쟁 중에 있었던 사실로 옳은 것은? [2점]

정답 잡는 키워드

❶ 이순신이 이끄는 조선 수군이 한산도 앞바다에서 학익진을 펼치며 일본 수군을 크게 격파 → 임진왜란 중에 있었던 한산도 대첩

❶ 1592년에 일본군이 조선을 침략하면서 임진왜란이 시작되었어요. 일본군의 침략에 부산진과 동래성이 함락되고 신립이 지키던 충주의 방어선마저 무너졌어요. 그러나 이순신이 이끄는 조선 수군은 옥포, 사천 등에서 승리를 거두며 일본 수군을 압도하였어요. 특히 한산도 앞바다에서는 일본 수군을 유인하여 학이 날개를 펼친 듯한 형태로 적을 포위하여 공격하는 학익진 전술로 대승을 거두었습니다.

① 최윤덕이 4군을 개척하였다.
➡ **조선 세종** 때 최윤덕이 압록강 유역의 여진을 몰아내고 4군을 설치하였으며, 김종서도 두만강 유역의 여진을 몰아내고 6진을 개척하였어요. 이로써 압록강에서 두만강에 이르는 현재와 비슷한 국경선이 확정되었어요.

② 서희가 강동 6주를 확보하였다.
➡ 고려 성종 때 있었던 **거란의 1차 침입** 당시 서희가 거란 장수 소손녕과 외교 담판을 벌여 강동 6주 지역을 확보하였어요.

③ 권율이 행주산성에서 승리하였다.
➡ **임진왜란** 당시 권율의 지휘 아래 관민이 힘을 합쳐 행주산성에서 일본에 승리하였어요.

④ 이종무가 쓰시마섬을 토벌하였다.
➡ **조선 세종** 때 이종무가 왜구의 근거지인 쓰시마섬을 토벌하였어요.

기출 선택지 +α

⑤ 정문부가 의병을 모아 왜군을 격퇴하였다. (O/X)
⑥ 홍의 장군 곽재우가 의병장으로 활약하였다. (O/X)
⑦ 최영이 군대를 지휘하여 홍건적을 물리쳤다. (O/X)

기출 선택지 +α 정답 ⑤○ ⑥○ ⑦×[고려 말]

26 동의보감

정답 ①

다음 학생이 생각하고 있는 책으로 옳은 것은? [1점]

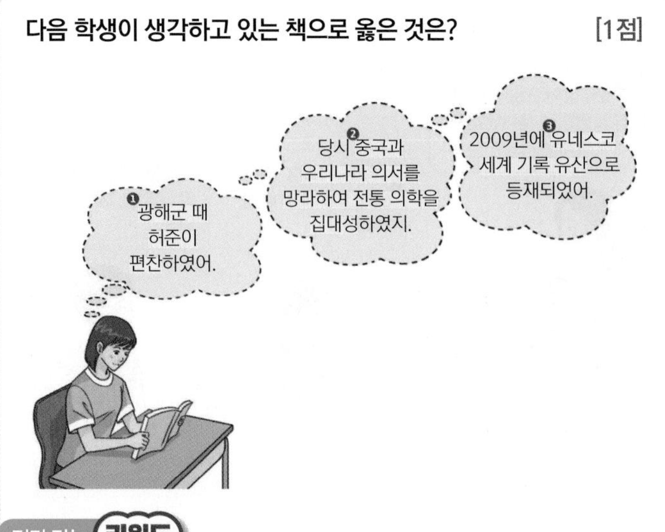

정답 잡는 키워드

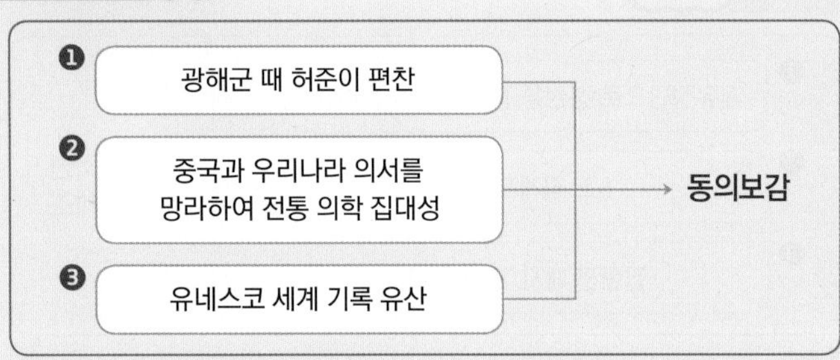

❶, ❷, ❸ "동의보감"은 허준이 중국과 우리나라의 의서를 망라해 전통 의학을 체계적으로 정리하여 조선 광해군 때 편찬한 의학 서적이에요. 그 가치를 인정받아 2009년에 의학 서적으로는 처음으로 유네스코 세계 기록 유산으로 등재되었어요.

① 동의보감
➡ "동의보감"은 우리나라뿐만 아니라 중국과 일본에서도 여러 차례 간행되어 큰 인기를 누렸어요.

② 목민심서
➡ "목민심서"는 정약용이 수령이 지켜야 할 덕목에 대해 쓴 책이에요.

③ 열하일기
➡ "열하일기"는 박지원이 사절단을 따라 청에 다녀온 뒤 그곳에서 보고 들은 것을 기록한 책이에요.

④ 향약집성방
➡ "향약집성방"은 조선 세종 때 우리 고유의 약재와 치료법을 정리하여 간행한 책이에요.

핵심 개념 우리나라의 주요 의서

향약구급방	• 우리나라에 전해지는 가장 오래된 의약서 • 고려 말에 우리 고유의 약재로 질병을 치료하는 방법과 처방을 모아 간행
향약집성방	• 조선 세종 때 편찬 • 우리 고유의 약재와 치료법을 정리
동의보감	• 허준이 조선 선조의 명을 받아 편찬하기 시작하여 광해군 때 완성 • 우리나라와 중국의 의서를 망라하여 전통 의학 집대성
동의수세보원	조선 후기에 이제마가 사람의 체질에 따라 처방을 달리해야 한다는 사상 의학을 정립하여 편찬

27 보은 법주사 팔상전

정답 ②

다음 퀴즈의 정답으로 옳은 것은? [2점]

정답 잡는 키워드

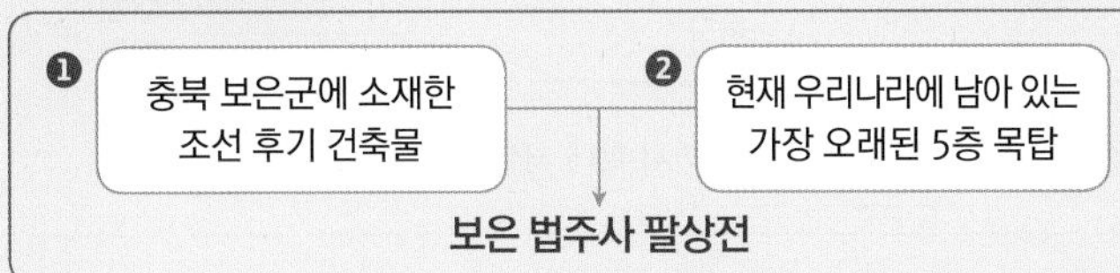

❶, ❷ 충북 보은군에 있는 법주사 팔상전은 조선 후기에 만들어졌으며, 현재 우리나라에 남아 있는 가장 오래된 5층 목탑이에요. 내부에는 석가모니의 생애를 여덟 장면으로 그린 팔상도가 있어요.

①

➡ 김제 금산사 미륵전은 조선 후기에 만들어진 다포 양식의 3층 건물이에요. 내부는 3층 전체가 하나로 트인 통층이에요.

②

➡ 보은 법주사 팔상전은 현재 남아 있는 우리나라 유일의 조선 시대 목조 5층탑으로, 국보로 지정되었어요.

③

➡ 안동 봉정사 극락전은 고려 후기에 만들어진 주심포 양식의 건물로, 현재 우리나라에 남아 있는 가장 오래된 목조 건물이에요.

④

➡ 영주 부석사 무량수전은 고려 후기에 만들어진 주심포 양식의 건물이며, 배흘림기둥과 팔작지붕으로 되어 있어요. 안에는 신라 양식을 계승한 소조 여래 좌상이 모셔져 있어요.

킬러 문항

28 여진과의 관계

정답 ③

(가)에 대한 역대 왕조의 시기별 정책으로 옳은 것은? [3점]

> ㅇ (가) 의 변경 침략 때문에 [예종이] 법왕사에 행차하여 분향하고, 신하들을 나누어 보내 여러 사당에서 기도하게 하였다.
> ㅇ 동북면 도순문사가 아뢰었다. "❶경성, 경원에 (가) 의 출입을 허락하면 떼 지어 몰려들 우려가 있고, 일절 금하면 소금과 쇠를 얻지 못하여 변경에 불화가 생길까 걱정됩니다. 원하건대, 두 고을에❷무역소를 설치하여 저들로 하여금 와서 교역하게 하소서." [태종이] 그대로 따랐다.

정답 잡는 키워드

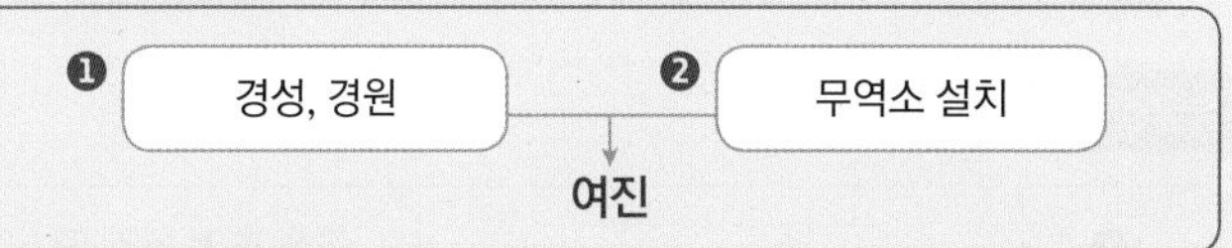

❶, ❷ 조선은 태종 때 국경 지역의 경성과 경원에 무역소를 설치하여 여진이 필요한 물건을 거래할 수 있도록 하였어요.

① 백제 의자왕 때 대야성을 공격하였다.
➡ 백제는 의자왕 때 신라가 차지하고 있던 대야성을 공격하여 함락하였어요.

② 신라 흥덕왕 때 완도에 청해진을 설치하였다.
➡ 신라 흥덕왕 때 장보고는 지금의 완도에 청해진을 설치하여 해적을 소탕하고 해상 무역을 장악하였어요.

③ 고려 숙종 때 윤관의 건의로 별무반을 편성하였다.
➡ 고려는 숙종 때 윤관의 건의를 받아들여 **여진** 정벌을 위해 별무반을 편성하였어요. 숙종의 뒤를 이은 예종 때 윤관은 별무반을 이끌고 여진을 정벌한 뒤 동북 9성을 쌓았어요.

④ 조선 고종 때 종로와 전국 각지에 척화비를 건립하였다.
➡ 조선 고종 때 병인양요와 신미양요 등 서양 세력의 침략적 접근을 겪은 뒤 당시 집권자 흥선 대원군은 서양 세력과의 통상 수교 거부 의지를 널리 알리기 위해 종로와 전국 각지에 척화비를 건립하였어요.

핵심 개념 여진과의 관계

고려		• 여진에 무역을 허락하고 추장에게 관직을 주며 회유함 • 12세기 초 여진과 국경 부근에서 자주 충돌함 - 숙종 때 여진을 정벌하기 위해 별무반을 편성함 - 예종 때 윤관이 별무반을 이끌고 여진을 정벌한 뒤 동북 9성 축조 → 여진의 지속적인 반환 요청과 방비의 어려움으로 돌려줌 • 여진이 금을 세우고 거란(요)을 공격하여 멸망시킴 → 금이 고려에 사대 관계 요구, 이자겸 등 집권 세력은 전쟁을 피하고 정권을 유지하기 위해 금의 요구 수용 • 13세기 금이 몽골에 의해 멸망
조선	초기	• 회유책 : 경성과 경원에 무역소 설치, 귀화한 지배층에게 관직과 토지를 주어 귀화 장려 • 강경책 : 세종 때 북방의 여진을 몰아내고 4군 6진 개척
	17세기	• 명이 약해진 틈을 타 여진이 세력을 확장하고 후금 건국 → 후금이 조선을 침공하여 정묘호란 발발 • 국호를 청으로 바꾼 후 조선을 침공하여 병자호란 발발

제 57 회

29 조선 후기의 경제 상황

정답 ④

다음 가상 뉴스가 보도된 시기의 경제 상황으로 옳은 것은? [2점]

정답 잡는 키워드

❶ 군포를 2필에서 1필로 감면 → 조선 후기 영조 때 실시된 균역법

❶ 조선 후기에 영조는 농민의 군포 부담을 줄여 주기 위해 2필씩 걷던 군포를 1필로 감면하는 균역법을 실시하였어요. 이로 인해 부족해진 국가 재정을 보충하기 위해 지주에게 토지 1결당 쌀 2두의 결작을 거두고, 일부 부유한 상민에게 선무군관의 칭호를 주고 매년 포 1필을 징수하였어요. 또 왕실 재정으로 들어가던 어장과 소금에 매기던 세금을 국가 재정으로 돌렸습니다.

① 당백전이 유통되었다.
➡ 조선 고종 때 실권을 장악하고 있던 흥선 대원군은 경복궁을 중건하면서 필요한 비용을 충당하기 위해 고액 화폐인 당백전을 발행하여 유통하였어요.

② 동시전이 설치되었다.
➡ 신라 지증왕 때 수도 금성에 동시라는 시장과 이를 감독하는 관청인 동시전이 설치되었어요.

③ 목화가 처음 전래되었다.
➡ 고려 말에 문익점이 원으로부터 목화씨를 처음 들여와 목화 재배에 성공하였어요.

④ 모내기법이 전국으로 확산되었다.
➡ **조선 후기**에 모내기법이 전국으로 확산되어 농업 생산량이 증가하였어요.

기출 선택지 +α

❺ 고구마, 감자가 널리 재배되었다.	(O/X)
❻ 정기 시장인 장시가 전국 각지에서 열렸다.	(O/X)
❼ 활구라고도 불린 은병이 화폐로 사용되었다.	(O/X)

기출 선택지 +α 정답 ⑤○ ⑥○ ⑦×[고려]

30 조선 숙종의 정책

정답 ③

(가) 왕이 추진한 정책으로 옳은 것은? [3점]

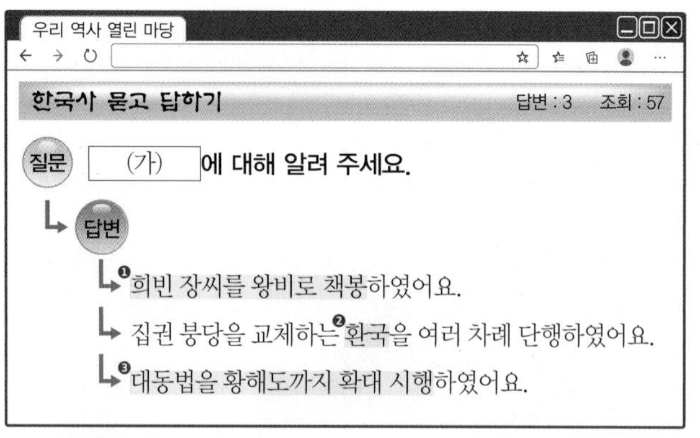

정답 잡는 키워드

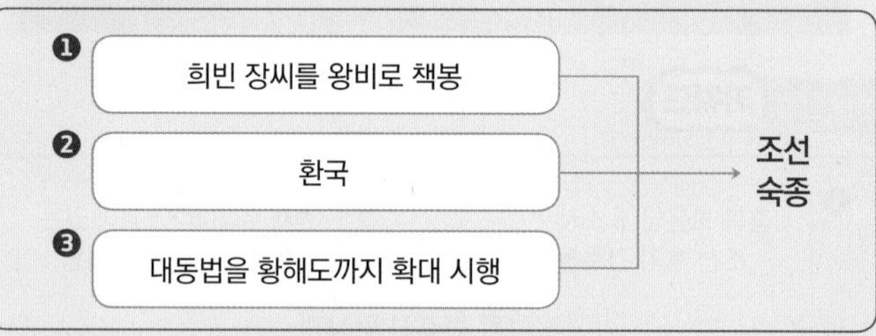

❶, ❷ 숙종은 집권 붕당을 급격히 교체하는 환국을 여러 차례 단행하였는데, 환국으로 서인과 남인이 번갈아 정권을 잡게 되었어요. 숙종이 후궁 장씨가 낳은 아들을 원자로 책봉하는 것에 반대하던 서인이 쫓겨나고 남인이 집권하였는데, 이를 기사환국이라고 합니다. 이의 영향으로 인현왕후가 폐위되고 희빈 장씨가 왕비로 책봉되었어요.
❸ 숙종은 공납을 특산물 대신 쌀이나 옷감, 동전 등으로 내게 한 대동법을 황해도까지 확대 시행하였어요. 이로써 대동법이 평안도 등을 제외한 전국에서 시행되었어요.

① 장용영을 설치하였다.
➡ 조선 정조는 국왕 친위 부대인 장용영을 설치하였어요.

② 탕평비를 건립하였다.
➡ 조선 영조는 붕당의 폐해를 경계하고 탕평에 대한 의지를 알리기 위해 성균관 입구에 탕평비를 건립하였어요.

③ 상평통보를 발행하였다.
➡ 조선 **숙종** 때 상평통보가 공식 화폐로 발행되어 널리 유통되었어요.

④ 동국여지승람을 편찬하였다.
➡ 조선 성종은 각 도의 지리, 풍속, 인물 등을 자세하게 기록한 지리서인 "동국여지승람"을 편찬하였어요.

기출 선택지 +α

❺ 속대전을 편찬하였다.	(O/X)
❻ 초계문신제를 실시하였다.	(O/X)
❼ 백두산정계비를 건립하였다.	(O/X)

기출 선택지 +α 정답 ⑤×[조선 영조] ⑥×[조선 정조] ⑦○

31 오페르트 남연군 묘 도굴 미수 사건 정답 ①

밑줄 그은 '변고'가 일어난 시기를 연표에서 옳게 고른 것은? [3점]

> **답서**
> 영종 첨사 명의로 답서를 보냈다.
>
> 귀국과 우리나라 사이에는 원래 소통이 없었고, 은혜를 입거나 원수를 진 일도 없었다. 그런데 이번 ❶덕산 묘지(남연군 묘)에서 일으킨 변고는 사람으로서 차마 할 수 있는 일이겠는가? …… 이런 지경에 이르렀으니 우리나라 신하와 백성은 있는 힘을 다하여 한마음으로 귀국과는 같은 하늘을 이고 살 수 없다는 것을 맹세한다.

정답 잡는 키워드

❶ 덕산 묘지(남연군 묘)에서 일으킨 변고 → 오페르트 남연군 묘 도굴 미수 사건(1868)

❶ 독일 상인 오페르트는 조선 정부에 통상을 요구하였으나 거절당하였어요. 그러자 1868년에 충청도 덕산에 있는 흥선 대원군의 아버지 남연군의 묘를 도굴하여 이를 조선 정부와의 통상 협상에 이용하려 하였으나 도굴에 실패하였어요. 오페르트 남연군 묘 도굴 미수 사건으로 조선에서는 서양 세력에 대한 반감이 더욱 높아졌습니다.

1863		1876		1884		1894		1905
	(가)		(나)		(다)		(라)	
고종 즉위		강화도 조약		갑신정변		갑오개혁		을사늑약

➡ 1863년에 철종의 뒤를 이어 나이 어린 고종이 즉위하자, 왕의 친아버지인 흥선 대원군이 실질적인 권력을 장악하였어요. 흥선 대원군은 서양 세력의 통상 요구를 거부하는 정책을 폈습니다. 이후 1873년에 흥선 대원군이 정치에서 물러나고 고종이 직접 정치에 나서면서 외교 정책에 변화가 나타나 통상 수교 거부 정책이 완화되고 문호 개방을 요구하는 세력이 힘을 얻었어요. 이런 상황에서 일본이 운요호 사건(1875)을 일으키고 군함을 보내 조선에 개항을 강요하였어요. 그 결과 1876년에 조선은 일본과 강화도 조약을 체결하고 개항하였어요.

① (가)
➡ 연표에서 오페르트 남연군 묘 도굴 미수 사건이 일어난 시기는 고종 즉위와 강화도 조약 사이인 (가)입니다.

② (나)

③ (다)

④ (라)

연표로 흐름잡기

- **1863** 고종 즉위, 흥선 대원군이 실권 장악
- **1866** 병인박해, 제너럴 셔먼호 사건, 병인양요
- **1868** **오페르트 남연군 묘 도굴 미수 사건**
- **1871** 신미양요, 척화비 건립
- **1873** 고종의 직접 통치(흥선 대원군 하야)
- **1875** 운요호 사건
- **1876** 강화도 조약 체결

32 조선책략 유포의 영향 정답 ③

다음 책이 국내에 유포된 영향으로 적절한 것은? [2점]

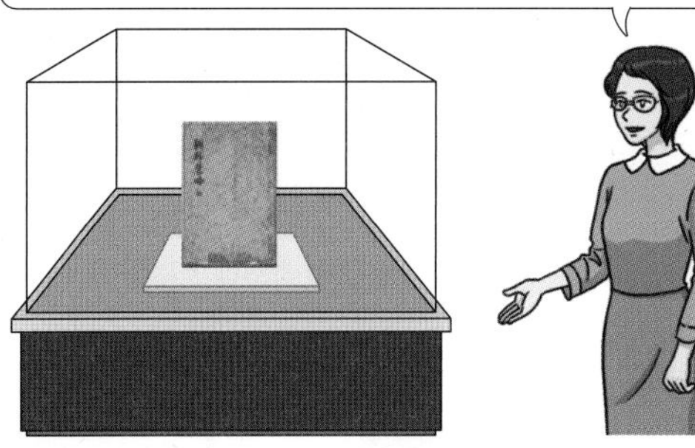

정답 잡는 키워드

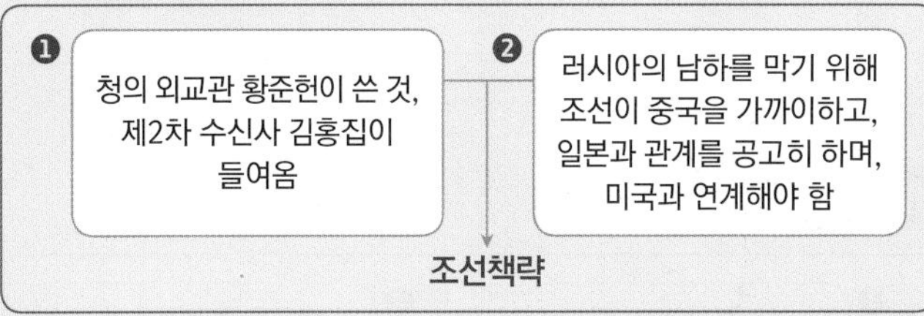

❶ 청의 외교관 황준헌이 쓴 것, 제2차 수신사 김홍집이 들여옴

❷ 러시아의 남하를 막기 위해 조선이 중국을 가까이하고, 일본과 관계를 공고히 하며, 미국과 연계해야 함

→ 조선책략

❶ "조선책략"은 일본에 파견된 청의 외교관 황준헌이 쓴 책으로, 1880년에 제2차 수신사로 일본에 갔던 김홍집이 국내에 들여와 조선 고종에게 바쳤어요.

❷ "조선책략"은 조선이 취해야 할 외교 정책에 대해 다루고 있어요. 러시아의 남하를 막기 위해 조선은 중국을 가까이하고(친중국), 일본과 관계를 공고히 하며(결일본), 미국과 연계해야 한다(연미국)고 주장하였습니다. 이 책이 국내에 유포되자 유생들을 중심으로 반대 여론이 크게 일어났어요.

① 병인박해가 일어났다.
➡ 흥선 대원군은 프랑스를 끌어들여 남하하는 러시아를 견제하려고 하였으나 프랑스와의 교섭에 실패하였어요. 이러한 상황에서 천주교 금지를 요구하는 여론이 거세지자 흥선 대원군은 **1866**년에 프랑스인 천주교 선교사와 수많은 천주교도를 처형한 병인박해를 일으켰어요.

② 제너럴 셔먼호 사건이 발생하였다.
➡ **1866**년에 미국 상선 제너럴 셔먼호가 평양까지 들어와 조선 정부에 통상을 요구하며 횡포를 부리다가 평양 관민에 의해 배가 불태워지고 선원들이 죽는 사건이 발생하였어요. 1871년에 미국은 이 사건을 구실 삼아 강화도를 침공하여 신미양요를 일으켰어요.

③ 이만손 등이 영남 만인소를 올렸다.
➡ **"조선책략" 유포에 반발**하여 1881년에 이만손 등 영남 유생들이 만인소를 올려 정부의 개화 정책과 미국과의 수교에 반대하였어요.

④ 어재연 부대가 광성보에서 항전하였다.
➡ **1871**년에 미군이 강화도를 침공하여 **신미양요**가 일어나자 어재연 부대가 광성보에서 항전하였어요.

기출 선택지 +α

❺ 강화도 조약이 체결되었다. (O/X)
❻ 조·미 수호 통상 조약이 체결되었다. (O/X)
❼ 프랑스군이 외규장각 도서를 약탈하였다. (O/X)

기출 선택지 +α
정답 ⑤ ×[1876년, 운요호 사건(1875)의 영향] ⑥ ○[1882년]
⑦ ×[1866년 병인양요 당시의 일]

제57회

33 동학 농민 운동

정답 ④

(가) 운동에 대한 탐구 활동으로 가장 적절한 것은? [2점]

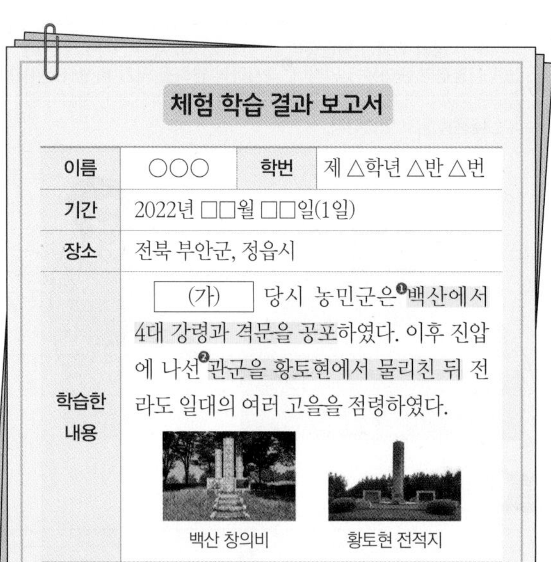

체험 학습 결과 보고서

이름	○○○	학번	제 △학년 △반 △번
기간	2022년 □□월 □□일(1일)		
장소	전북 부안군, 정읍시		
학습한 내용	(가) 당시 농민군은❶백산에서 4대 강령과 격문을 공포하였다. 이후 진압에 나선❷관군을 황토현에서 물리친 뒤 전라도 일대의 여러 고을을 점령하였다. 백산 창의비 / 황토현 전적지		

정답 잡는 **키워드**

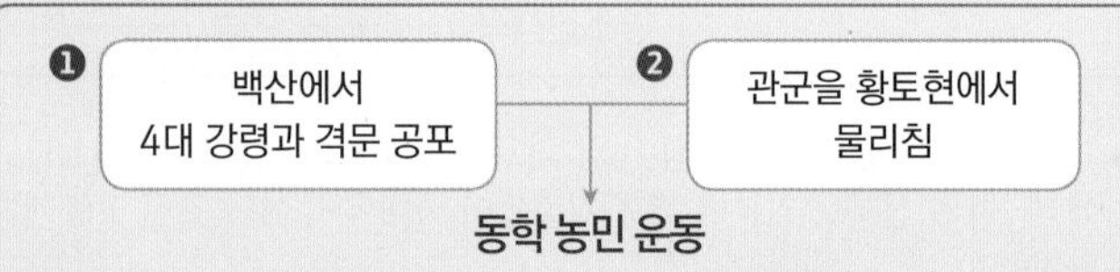

❶, ❷ 군수 조병갑의 수탈에 저항하여 전라도 고부의 농민들이 봉기하자 조선 정부가 사태 수습을 약속하였어요. 정부의 약속을 믿고 해산한 농민들은 정부가 수습을 위해 파견한 안핵사 이용태가 봉기 참여자들을 탄압하자 다시 농민군을 조직하여 무장에서 봉기하였어요. 이어 농민군은 백산에 집결하여 이곳에서 농민군 4대 강령과 격문을 공포하였어요. 동학 농민군은 황토현 전투와 황룡촌 전투에서 관군을 물리친 뒤 전주성을 점령하였어요.

① 삼전도비의 건립 배경을 조사한다.

➡ 국호를 청으로 바꾼 여진이 조선에 군신 관계를 강요하며 침략하여 병자호란이 일어났어요. 인조는 남한산성으로 피신하여 항전하였으나 청의 공세에 못 이겨 삼전도에서 청과 굴욕적인 화의를 체결하였어요. 이후 청은 삼전도에 조선이 항복한 사실과 청 태종의 공덕을 칭송하는 내용을 새긴 비석, 즉 서울 삼전도비를 건립하게 하였어요.

② 산미 증식 계획의 실상을 파악한다.

➡ 일제는 일본 내 식량 부족 문제를 해결하기 위해 1920년부터 한국에서 산미 증식 계획을 추진하였어요. 이로 인해 한국의 쌀 생산량은 다소 늘었지만 더 많은 양의 쌀이 일본으로 반출되어 한국인의 식량 사정이 크게 나빠졌어요.

③ 나선 정벌군의 이동 경로를 알아본다.

➡ 청이 나선 정벌을 추진하면서 조선 정부에 군사를 요청하여 조선 효종 때 두 차례 조총 부대를 파견하였어요.

④ 전주 화약이 체결되는 과정을 살펴본다.

➡ **동학 농민 운동** 당시 농민군이 전주성을 점령하자, 조선 정부가 청에 군사를 요청하였고 일본도 거류민을 보호한다는 구실로 군대를 파견하였어요. 외세의 개입을 우려한 동학 농민군은 조선 정부와 전주 화약을 체결하고 스스로 해산하였어요.

34 아관 파천 이후의 사실

정답 ④

다음 사건 이후에 일어난 사실로 옳은 것은? [2점]

역 사 신 문

제△△호 ○○○○년 ○○월 ○○일

국왕, 경복궁을 떠나다

2월 11일❶국왕과 세자가 비밀리에 러시아 공사관으로 거처를 옮겼다. 일본군 감시가 허술한 틈을 타 궁녀의 가마를 타고 경복궁을 나왔는데, 공사관에 도착한 때는 대략 오전 7시 30분이었다.

정답 잡는 **키워드**

❶ 국왕과 세자가 비밀리에 러시아 공사관으로 거처를 옮김 → 아관 파천(1896)

❶ 1895년에 일제가 명성 황후를 시해한 을미사변 이후 신변에 위협을 느낀 조선 고종은 1896년에 세자와 함께 비밀리에 러시아 공사관으로 거처를 옮기는 아관 파천을 단행하였어요.

① 훈련도감이 설치되었다.

➡ 임진왜란 중에 훈련도감이 설치되었어요. 훈련도감은 포수, 사수, 살수의 삼수병으로 구성되었으며 급료를 받는 상비군이 주축을 이루었어요.

② 청에 영선사가 파견되었다.

➡ 개항 이후 조선 정부는 개화 정책을 추진하면서 1881년 청에 영선사를 파견하여 근대 무기 제조법 등을 배워 오게 하였어요.

③ 외규장각 도서가 약탈되었다.

➡ 1866년에 프랑스군이 강화도를 침공한 병인양요 당시 프랑스군이 퇴각하면서 외규장각 도서를 약탈하였어요.

④ 대한 제국 수립이 선포되었다.

➡ 1년여 동안 러시아 공사관에서 머물던 고종은 경운궁(지금의 덕수궁)으로 돌아온 뒤 **1897년**에 환구단에서 황제 즉위식을 거행하고 대한 제국의 수립을 선포하였어요.

기출 선택지 +α

❺ 제물포 조약이 체결되었다. (O/X)
❻ 구식 군인들이 일본 공사관을 습격하였다. (O/X)
❼ 독립 협회가 이권 수호 운동을 전개하였다. (O/X)

기출 선택지 +α

정답 ⑤ ×[1882년, 임오군란 이후 체결] ⑥ ×[1882년에 일어난 임오군란]
⑦ ○[1896년 아관 파천 이후 독립 협회 창립]

35 근우회

정답 ①

밑줄 그은 '이 단체'로 옳은 것은? [1점]

정답 잡는 키워드

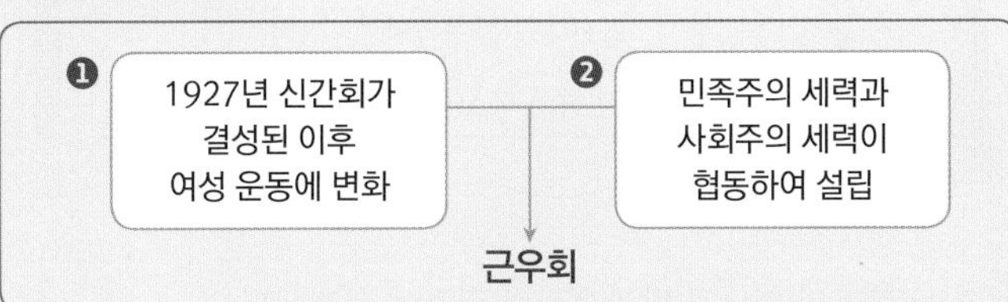

❶, ❷ 민족 운동 전선을 통일하여 민족 유일당을 만들기 위한 노력의 하나로 1927년에 비타협적 민족주의 세력과 사회주의 세력이 연합하여 신간회를 결성하였어요. 신간회 창립은 여성 운동에도 영향을 미쳐 민족주의 계열과 사회주의 계열의 여성 운동 단체가 협동하여 근우회를 설립하였어요. 근우회는 신간회의 자매단체로서 여성의 단결과 지위 향상을 목표로 활동하였습니다.

① 근우회
➡ 근우회는 여성의 단결과 지위 향상을 목표로 하여 국내와 일본 도쿄, 만주 등에 수십 개의 지회를 조직하고 강연회를 개최하였으며, 기관지 "근우"를 발간하였어요.

② 찬양회
➡ 찬양회는 1898년에 서울에서 조직된 우리나라 최초의 여성 운동 단체입니다.

③ 조선 여자 교육회
➡ 조선 여자 교육회는 1920년에 차미리사가 중심이 되어 조직한 여성 계몽 운동 단체입니다. 여성 교육 보급과 여성 해방을 위해 노력하였어요.

④ 토산 애용 부인회
➡ 토산 애용 부인회는 1923년에 서울에서 조직된 여성 단체로, 검소한 생활과 토산품 애용을 강조하며 물산 장려 운동에 적극적으로 참여하였어요.

36 전형필의 활동

정답 ③

다음 자료에 해당하는 인물로 옳은 것은? [2점]

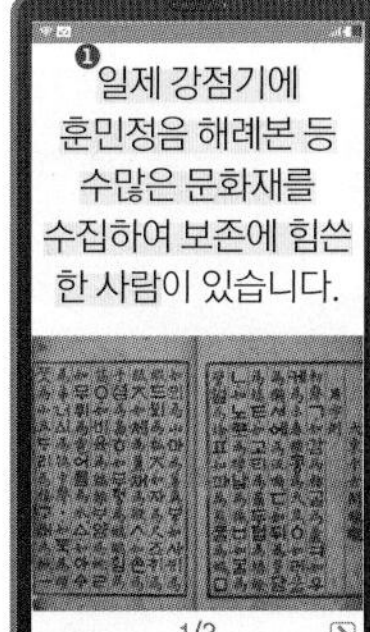

정답 잡는 키워드

❶ 일제 강점기에 훈민정음 해례본 등 수많은 문화재를 수집하여 보존에 힘씀 → 전형필

❶ 전형필은 일제 강점기에 자신의 재산을 털어 우리 문화재를 수집하여 보존에 힘썼어요. "훈민정음 해례본"을 비롯하여 정선, 김정희, 김홍도의 작품 등 귀중한 문화재를 수집하여 지켜 냈습니다. 또한, 자신이 수집한 문화재를 모아 우리나라 최초의 사립 박물관인 보화각을 세웠어요.

① 심훈
➡ 심훈은 일제 강점기에 활동한 소설가이자 시인으로 소설 "상록수", 시 '그날이 오면' 등을 발표하였어요.

② 이회영
➡ 이회영은 국권 피탈 직후 자신의 형제들과 함께 집안의 재산을 정리하여 남만주(서간도) 삼원보로 이주하였어요. 신민회 회원들과 함께 독립운동 기지를 건설하고 신흥 강습소를 세우는 등 독립운동을 전개하였어요.

③ 전형필
➡ 전형필이 세운 보화각은 전형필 사후 간송 미술관으로 이름이 바뀌었는데, '간송'은 전형필의 호입니다.

④ 주시경
➡ 주시경은 한글 연구와 보급을 위해 노력한 국어학자입니다. 대한 제국 정부가 학부에 설치한 국문 연구소의 위원이 되어 국문법을 정리하고 한글을 체계적으로 연구하였어요.

37 대한민국 임시 정부의 활동

정답 ①

(가)의 활동으로 옳은 것은? [2점]

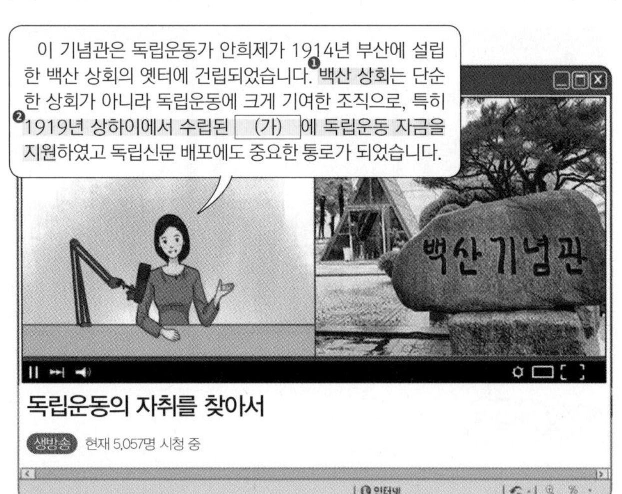

정답 잡는 키워드

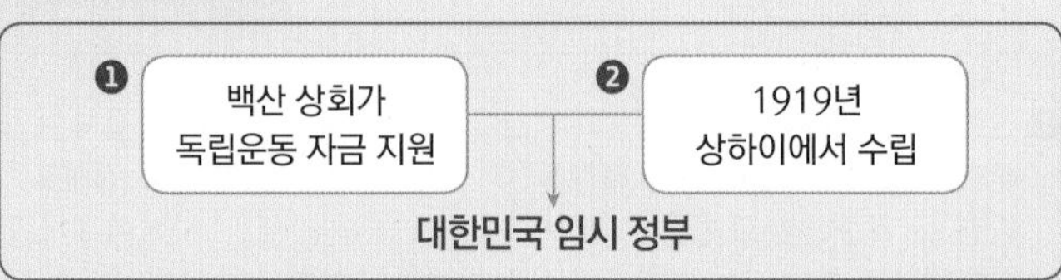

❶, ❷ 3·1 운동을 계기로 독립운동을 체계적으로 이끌 지도부의 필요성이 제기되어 1919년에 중국 상하이에서 대한민국 임시 정부가 수립되었어요. 안희제가 1914년에 부산에 세운 백산 상회는 대한민국 임시 정부가 수립되자 독립운동 자금을 지원해 주었어요. 그러나 백산 상회가 대한민국 임시 정부를 지원한다는 사실을 알게 된 일제의 탄압을 받아 1927년에 문을 닫게 되었어요.

① 구미 위원부를 설치하였다.
➡ **대한민국 임시 정부**는 미국 워싱턴에 구미 위원부를 설치하고 대통령 이승만을 중심으로 외교 활동을 전개하였어요.

② 만민 공동회를 개최하였다.
➡ **독립 협회**는 민중 계몽을 위한 대중 집회인 만민 공동회를 개최하였어요.

③ 국채 보상 운동을 전개하였다.
➡ 1907년에 대구에서 김광제 등의 발의로 나랏빚을 갚아 국권을 회복하자는 국채 보상 운동이 시작되었어요. 이후 서울에서 **국채 보상 기성회**가 조직되어 국채 보상 운동을 주도하였어요.

④ 신흥 무관 학교를 설립하였다.
➡ 이회영, 이동녕 등 **신민회** 회원들이 중심이 되어 남만주(서간도) 삼원보 지역에 신흥 강습소를 설치하였어요. 신흥 강습소는 이후 신흥 무관 학교로 발전하였어요.

기출 선택지 +α

⑤ 연통제를 실시하였다. (O/X)
⑥ 대성 학교를 설립하였다. (O/X)
⑦ 독립 공채를 발행하였다. (O/X)
⑧ 일본의 황무지 개간권 요구를 저지하였다. (O/X)

기출 선택지 +α 정답 ⑤○ ⑥×[신민회] ⑦○ ⑧×[보안회]

38 우리 역사 속의 민중 봉기

정답 ③

(가)~(라)에 들어갈 내용으로 옳은 것은? [2점]

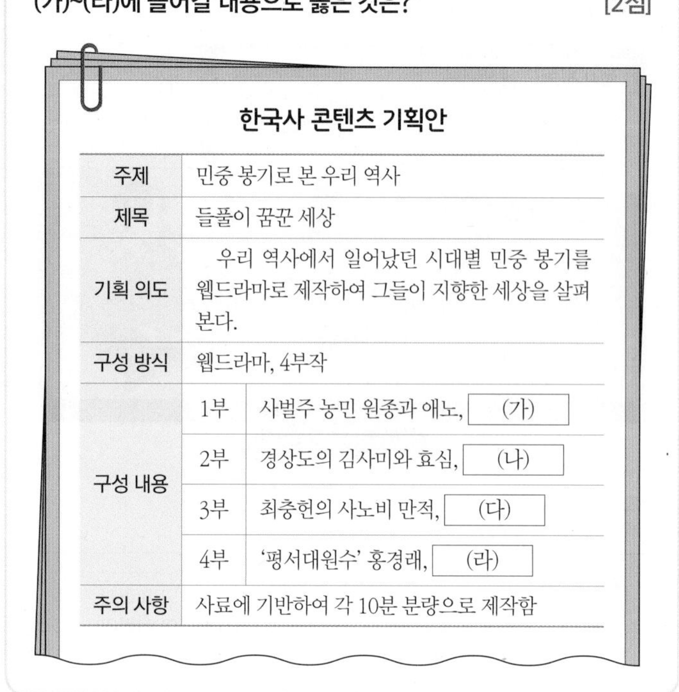

한국사 콘텐츠 기획안

주제	민중 봉기로 본 우리 역사	
제목	들풀이 꿈꾼 세상	
기획 의도	우리 역사에서 일어났던 시대별 민중 봉기를 웹드라마로 제작하여 그들이 지향한 세상을 살펴본다.	
구성 방식	웹드라마, 4부작	
구성 내용	1부	사벌주 농민 원종과 애노, (가)
	2부	경상도의 김사미와 효심, (나)
	3부	최충헌의 사노비 만적, (다)
	4부	'평서대원수' 홍경래, (라)
주의 사항	사료에 기반하여 각 10분 분량으로 제작함	

① (가) - 환곡의 폐단과 탐관오리의 횡포에 항거하다
➡ 조선 후기에 환곡의 폐단과 탐관오리의 횡포에 항거하여 농민들이 봉기하였는데, 진주에서 유계춘 등을 중심으로 일어난 **진주 농민 봉기**가 대표적이에요. 신라 말에 왕위 다툼으로 인해 왕권이 약화되고 귀족의 수탈로 농민의 삶이 피폐해진 상황에서 진성 여왕 때 중앙 정부가 지방에 세금을 독촉하자, 사벌주에서 일어난 원종과 애노의 난을 시작으로 전국에서 농민 봉기가 일어났어요.

② (나) - 정감록 신앙을 바탕으로 왕조 교체를 외치다
➡ **조선 후기**에 사회 불안이 계속되고 백성의 고통이 커지면서 예언 사상과 민간 신앙이 유행하였어요. 대표적으로 조선 왕조가 망하고 정씨 성을 가진 사람이 나타나 새로운 나라를 세운다는 예언을 담은 "정감록"이 널리 퍼졌고, 미륵이 나타나 새로운 세상을 연다는 미륵 신앙도 유행하였어요. 김사미와 효심의 난은 고려 무신 집권기에 지배층의 가혹한 수탈에 저항하여 경상도 지역에서 일어난 농민 봉기입니다.

③ (다) - 무신 정변 이래 격변한 세상에서 신분 해방을 도모하다
➡ 고려 무신 집권기에 **노비 만적**은 개경에서 신분 해방을 목적으로 봉기를 계획하였으나 사전에 탄로 나 실패하였어요.

④ (라) - 특수 행정 구역인 소의 주민에 대한 수탈에 저항하다
➡ 고려 시대에 특수 행정 구역인 향·부곡·소의 주민은 일반 군현민에 비해 더 많은 세금을 내는 등 차별받았어요. 무신 집권기에 공주 명학소의 주민들이 과도한 세금과 지배층의 수탈에 항거하여 **망이·망소이** 형제를 중심으로 **봉기**하였어요. 조선 후기에 홍경래는 서북 지역에 대한 차별과 지배층의 수탈에 항거하여 난을 일으켰어요.

39 방정환의 활동

정답 ②

(가)에 들어갈 내용으로 적절한 것은? [1점]

✪ 소파 방정환은 1920년대 천도교 소년회를 중심으로 소년 운동을 전개하였어요. 1923년에 우리나라 최초의 어린이 문화 운동 단체인 색동회를 조직하고 본격적으로 소년 운동을 전개하여 강연회, 동요회, 동화회 등 다양한 행사를 개최하였어요.

① 서유견문
➡ "서유견문"은 유길준이 서양 여러 나라를 거치면서 경험한 서양 각국의 역사, 지리, 제도, 풍속 등 다양한 분야를 다룬 책이에요.

② 어린이날
➡ **방정환**이 중심이 된 천도교 소년회는 어린이날을 제정하고, 잡지 "어린이"를 발간하였어요.

③ 진단 학회
➡ 진단 학회는 1934년에 이병도 등이 우리 역사와 문화를 연구하기 위해 조직한 학술 단체입니다.

④ 통리기무아문
➡ 통리기무아문은 1880년에 조선 정부가 개화 정책을 총괄하기 위해 설치한 기구입니다.

핵심 개념 일제 강점기 소년 운동

주도	방정환이 중심이 된 천도교 소년회
내용	• '어린이'라는 용어 사용 • 어린이날 제정 • 잡지 "어린이" 발행

40 1920년대 항일 민족 운동

정답 ②

(가)에 들어갈 사진으로 옳은 것은? [2점]

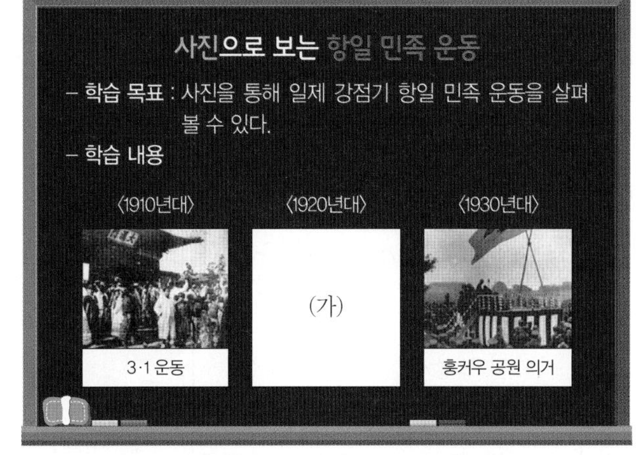

✪ 1920년대 있었던 항일 민족 운동을 묻는 문항입니다.

①

정미의병

➡ 정미의병은 국권 피탈 이전인 1907년에 고종 황제의 강제 퇴위와 대한 제국의 군대 해산에 항거하여 일어났어요.

②

6·10 만세 운동

➡ **1926년** 순종의 인산일에 6·10 만세 운동이 일어나 지금의 서울에서 학생들이 격문을 뿌리며 독립 만세 운동을 전개하였어요. 6·10 만세 운동은 민족주의 계열과 사회주의 계열이 연합하는 계기가 되었어요.

③

조선 의용대 창설

➡ 조선 의용대는 1938년에 김원봉이 주도하여 중국 우한에서 조직되었어요. 중국 관내에서 조직된 최초의 한인 무장 부대입니다.

④

헤이그 특사 파견

➡ 고종 황제는 을사늑약의 부당함을 국제 사회에 알리기 위해 1907년에 네덜란드 헤이그에서 열린 만국 평화 회의에 이상설, 이위종, 이준을 특사로 파견하였어요. 일제는 이를 빌미로 고종을 강제 퇴위시켰어요.

41 1930년대 한·중 연합 작전 정답 ①

밑줄 그은 '합의'가 이루어진 배경으로 옳은 것은? [3점]

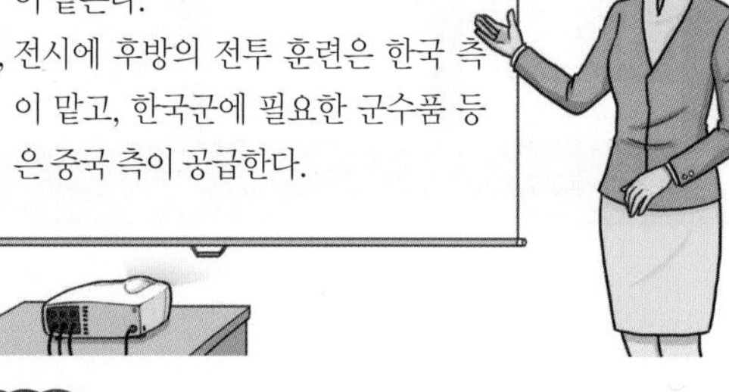

정답 잡는 키워드

❶ 지청천이 이끄는 한국 독립군과 중국 항일군의 합의를 바탕으로 한·중 연합 작전 전개 → 1930년대 초 한·중 연합 작전

❶ 1930년대 초 일제가 만주를 전면적으로 침략하여 만주 사변을 일으키고 만주국을 세우자, 만주의 독립군과 중국의 항일군이 일제를 공동의 적으로 삼아 연합하여 한·중 연합 작전을 전개하였어요. 북만주 일대에서는 지청천이 이끄는 한국 독립군이, 남만주 일대에서는 양세봉이 이끄는 조선 혁명군이 중국 항일군과 함께 일본군에 항전하였어요.

① 만주 사변이 일어났다.
➡ 1931년에 일제가 일으킨 만주 사변은 중국 내 반일 감정을 고조하여 만주의 독립군과 중국 항일군이 연합하여 **한·중 연합 작전을 전개하는 계기**가 되었어요.

② 카이로 회담이 개최되었다.
➡ 제2차 세계 대전 중이던 1943년에 카이로 회담이 개최되었어요. 미국, 영국, 중국 등 연합국의 지도자들이 모인 이 회담에서 연합국이 한국의 독립을 처음으로 보장하는 카이로 선언이 발표되었어요.

③ 태평양 전쟁이 발발하였다.
➡ 1941년에 일제가 미국 하와이의 진주만을 기습 공격하여 태평양 전쟁이 발발하였어요.

④ 조선 건국 준비 위원회가 결성되었다.
➡ 1945년 8·15 광복 직후 국내에서 여운형이 중심이 되어 조선 건국 준비 위원회가 결성되었어요.

핵심 개념 한·중 연합 작전

구분		내용
배경		일제가 일으킨 만주 사변 등으로 중국 내 반일 감정 고조 → 만주의 독립군과 중국 항일군이 항일 연합 전선 형성
전개	한국 독립군	• 북만주의 혁신 의회가 해체된 후 결성된 한국 독립당의 군사 조직 • 지청천이 지휘, 중국 호로군과 연합하여 쌍성보 전투, 대전자령 전투 등에서 일본군 격퇴
	조선 혁명군	• 남만주의 국민부가 조선 혁명당을 결성하고 그 아래에 둔 군사 조직 • 양세봉이 지휘, 중국 의용군과 연합하여 영릉가 전투, 흥경성 전투 등에서 일본군 격퇴

42 1930년대 후반 이후 일제의 식민 지배 정책 정답 ②

밑줄 그은 '이 시기'에 일제가 추진한 정책으로 옳은 것은? [3점]

정답 잡는 키워드

❶ 국가 총동원법이 시행된 시기 → 1938년 이후

❶ 1937년에 중·일 전쟁을 일으키고 침략 전쟁을 확대한 일제는 1938년에 국가 총동원법을 제정하여 본격적으로 한국에서 전쟁에 필요한 인적·물적 자원의 수탈을 강화하였어요. 학도 지원병제, 징병제 등을 통해 한국 청년들을 침략 전쟁에 동원하였을 뿐만 아니라 국민 징용령, 여자 정신 근로령 등을 통해 탄광, 철도와 군사 시설 건설, 군수 공장 등에 한국인을 강제 동원하여 노동을 시켰어요.

① 회사령을 공포하였다.
➡ 일제는 1910년에 회사를 설립할 때 조선 총독의 허가를 받도록 하는 회사령을 공포하여 민족 자본의 성장을 억압하였어요. 1920년에 회사령이 폐지되어 회사 설립이 신고제로 바뀌었어요.

② 미곡 공출제를 시행하였다.
➡ 일제는 **1930년대 후반 이후** 침략 전쟁을 확대하면서 전쟁 수행에 필요한 군량미를 확보하기 위해 미곡 공출제를 시행하여 농가마다 목표량을 정해 곡식을 강제로 가져가고, 식량을 배급하였어요.

③ 치안 유지법을 제정하였다.
➡ 일제는 1925년에 천황제나 사유 재산 제도를 부인하는 반정부·반체제 사상을 단속하기 위하여 치안 유지법을 제정하였어요. 일제는 이를 사회주의 사상을 통제하고 독립운동을 탄압하는 데 활용하였어요.

④ 헌병 경찰 제도를 실시하였다.
➡ 일제는 1910년대 군사 경찰인 헌병이 일반 경찰 업무까지 담당하도록 하는 헌병 경찰 제도를 실시하여 강압적인 통치를 하였어요. 3·1 운동(1919) 이후 일제가 '문화 통치'를 내세우면서 헌병 경찰 제도는 보통 경찰 제도로 바뀌었어요.

기출 선택지 +α

❺ 징병제를 실시하였다. (O/X)
❻ 토지 조사령을 공포하였다. (O/X)
❼ 조선 태형령을 제정하였다. (O/X)

기출 선택지 +α 정답 ⑤ O[1944년] ⑥ ×[1912년] ⑦ ×[1912년]

43 연해주 이주 동포의 고난 정답 ②

(가)에 해당하는 지역을 지도에서 옳게 찾은 것은? [2점]

결의안

(가) 에 일본 정보원들이 침투하는 것을 차단하기 위해 다음 방안을 실시한다.

1. (가) 에서 모든❶고려인을 내보낸 후 카자흐 남부 지역, 우즈베크 소비에트 사회주의 공화국 등으로 이주시킴
2. 조속히 작업에 착수하여 1938년 1월 1일까지 완료함

⋮

1937년 8월 21일
소련 인민 위원회 의장 몰로토프
소련 공산당 중앙 위원회 서기장 스탈린

정답 잡는 키워드

❶ 고려인을 강제 이주시킴 → 연해주

❶ 19세기 후반부터 연해주에 한국인이 이주하여 살기 시작하였어요. 국권 피탈 이후에는 일제의 억압과 수탈을 피하고 독립운동을 하기 위해 한국인의 이주가 더욱 증가하여 한인 집단촌인 신한촌이 형성되고 한인 자치 단체가 조직되었습니다. 구 소련의 스탈린은 일본과 전쟁이 일어나면 한국인들이 일본을 지원할 것이라는 등의 구실로 1937년에 연해주에 살던 한국인들을 중앙아시아로 강제 이주시켰어요. '고려인(카레이스키)'은 러시아를 비롯한 우즈베키스탄, 카자흐스탄 등 구 소련 지역에 거주하는 한국인 동포를 말합니다.

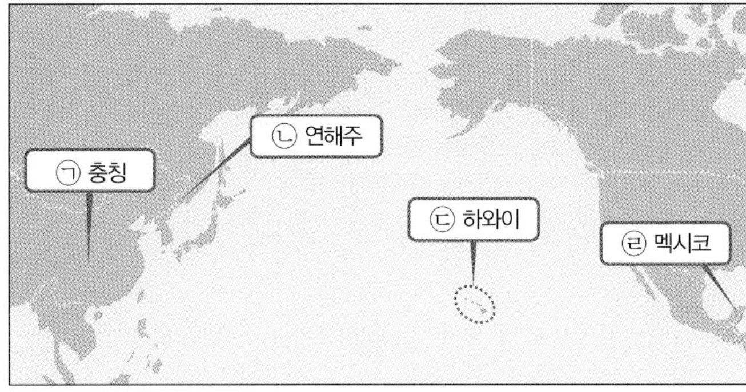

① ㉠
➡ 충칭은 상하이를 떠난 대한민국 임시 정부가 여러 지역을 거쳐 1940년에 정착하여 광복 때까지 활동한 곳이에요.

② ㉡
➡ 연해주에서는 자치 단체인 권업회가 조직되고 대한 광복군 정부가 수립되어 독립운동을 전개하였어요.

③ ㉢
➡ 하와이는 20세기 초에 대한 제국 정부가 인정한 최초의 합법적 이민이 이루어진 곳으로, 사탕수수 농장에서 일하는 노동 이민이 주를 이루었어요. 1914년에 박용만이 하와이에서 독립군 양성을 위해 대조선 국민군단을 창설하였어요.

④ ㉣
➡ 멕시코는 한국인이 노동 이민을 갔던 곳으로, 주로 에네켄 농장에서 일하였어요. 멕시코 지역의 한인들은 독립군 양성을 위해 숭무 학교를 세워 항일 무장 투쟁을 준비하였어요.

44 5·10 총선거 정답 ①

밑줄 그은 '선거'가 실시된 시기를 연표에서 옳게 고른 것은? [2점]

정답 잡는 키워드

❶ 제헌 국회 의원을 선출하기 위해 치러진 선거 → 5·10 총선거 (1948)

❶ 1948년 5월 10일, 유엔 한국 임시 위원단의 감시 아래 남한에서 총선거가 실시되어 임기 2년의 제헌 국회 의원이 선출되었어요. 5·10 총선거는 우리나라 최초의 민주적인 선거였으나, 김구, 김규식 등 남북 협상 참가 세력과 좌익 세력은 단독 정부 수립에 반대하며 선거에 참여하지 않았어요.

1945		1950		1960		1972		1979
	(가)		(나)		(다)		(라)	
8·15 광복		6·25 전쟁 발발		4·19 혁명		7·4 남북 공동 성명		12·12 군사 반란

➡ 8·15 광복 이후 통일 정부 수립을 위한 노력이 이어졌으나 실패하고 결국 유엔 소총회에서 선거가 가능한 지역, 즉 남한 지역의 총선거 실시가 결의되었어요. 이에 따라 1948년에 38도선 이남 지역에서 5·10 총선거가 치러지고 제헌 국회가 구성되었어요. 제헌 국회는 헌법을 제정하고 이 헌법에 따라 대통령에 이승만, 부통령에 이시영을 선출하였어요. 이승만 대통령은 행정부를 구성하고, 1948년 8월 15일에 대한민국 정부의 수립을 선포하였습니다. 곧이어 9월 9일에 북한에서도 조선 민주주의 인민 공화국의 수립을 선포하였어요. 남과 북에서 이념과 체제를 달리하는 정권이 각각 수립되면서 갈등이 고조되었고, 38도선 부근에서 자주 충돌하였어요. 이런 상황에서 1950년 6월 25일 북한이 38도선을 넘어 기습 남침하면서 6·25 전쟁이 발발하였습니다.

① (가)
➡ 연표에서 5·10 총선거가 실시된 시기는 8·15 광복과 6·25 전쟁 발발 사이인 (가)입니다.

② (나)

③ (다)

④ (라)

제 57 회

45 조선어 학회

정답 ④

(가)에 들어갈 단체로 옳은 것은? [1점]

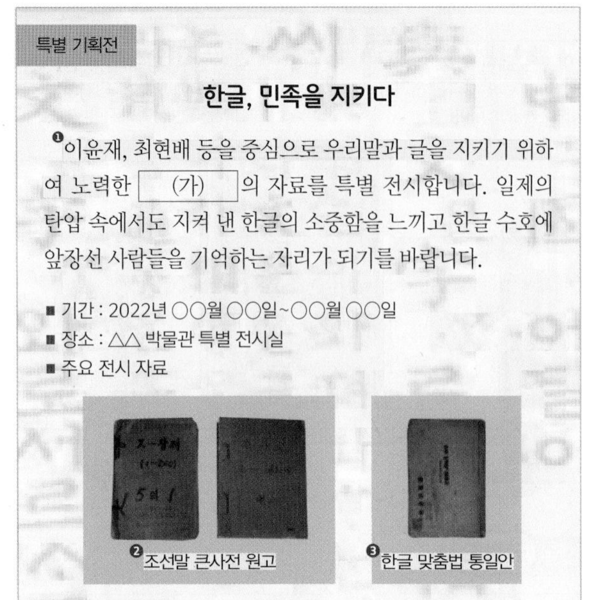
특별 기획전

한글, 민족을 지키다

❶이윤재, 최현배 등을 중심으로 우리말과 글을 지키기 위하여 노력한 (가) 의 자료를 특별 전시합니다. 일제의 탄압 속에서도 지켜 낸 한글의 소중함을 느끼고 한글 수호에 앞장선 사람들을 기억하는 자리가 되기를 바랍니다.

- 기간 : 2022년 ○○월 ○○일~○○월 ○○일
- 장소 : △△ 박물관 특별 전시실
- 주요 전시 자료

❷조선말 큰사전 원고 ❸한글 맞춤법 통일안

정답 잡는 키워드

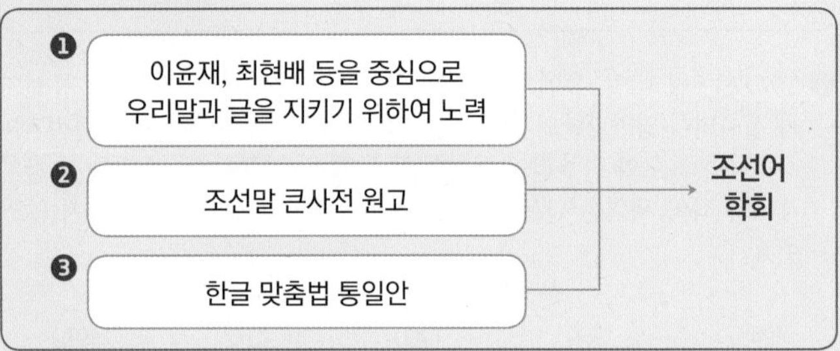

❶ 한글 연구와 보급에 앞장선 조선어 연구회가 1931년에 이윤재, 최현배 등이 중심이 된 조선어 학회로 발전하였어요.
❷ 조선어 학회는 "조선말(우리말) 큰사전"을 펴내고자 하였으나 일제가 조선어 학회 사건을 일으켜 회원들을 검거, 투옥하여 사전 편찬과 학회 활동이 중단되었어요.
❸ 조선어 학회는 한글 맞춤법 통일안과 표준어 및 외래어 표기법 통일안을 제정하는 등 한글 표준화에 힘썼어요.

① 토월회
➡ 토월회는 1923년에 일본 도쿄에서 한국인 유학생을 중심으로 조직된 극단이에요.

② 독립 협회
➡ 독립 협회는 서재필의 주도로 1896년에 창립되어 민중 계몽 운동, 자주 국권 운동 등을 전개하였어요.

③ 대한 자강회
➡ 대한 자강회는 입헌 군주제 수립을 주장하였으며, 일제가 고종을 강제 퇴위시키자 반대 운동을 벌이다가 통감부의 탄압을 받아 해산되었어요.

④ 조선어 학회
➡ 조선어 학회는 한글 강습 교재를 만들어 문맹 퇴치 운동을 지원하였으며, 기관지 "한글"을 발행하였어요.

46 5·18 민주화 운동

정답 ④

(가)에 들어갈 민주화 운동으로 옳은 것은? [1점]

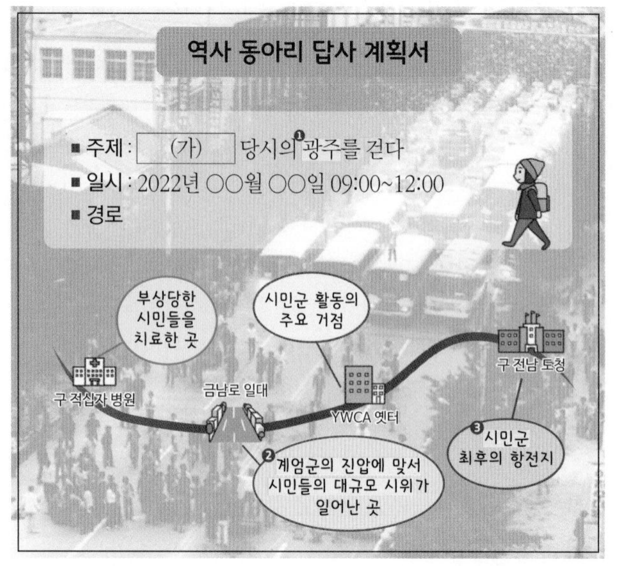

정답 잡는 키워드

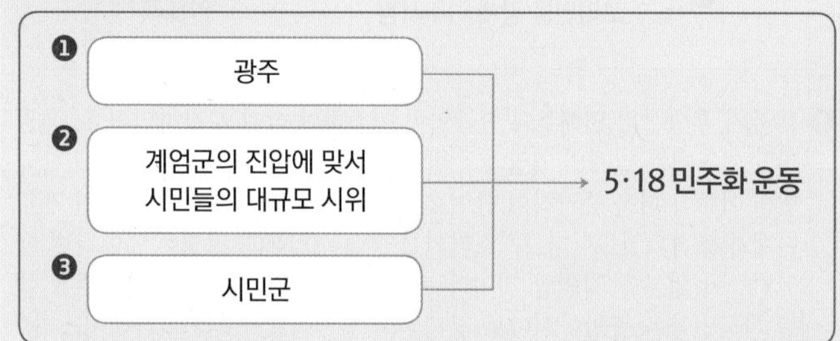

❶, ❷, ❸ 12·12 사태(1979, 12·12 군사 반란)를 일으켜 권력을 장악한 전두환 등 신군부가 비상계엄을 전국으로 확대하자, 이에 항거하여 1980년 5월 18일 광주에서 시위가 일어났어요. 신군부가 계엄군을 투입하여 시위대를 향해 발포하는 등 폭력적으로 시위를 진압하여 수많은 사상자가 발생하였어요. 이에 분노한 일부 시민들이 시민군을 조직하여 대응하였어요. 광주 시민들은 더 이상의 유혈 사태를 막기 위해 정부에 협상을 요구하였으나 계엄군은 이를 무력으로 진압하였고 그 과정에서 많은 희생자가 발생하였어요. 5·18 민주화 운동은 1980년대 민주화 운동의 토대가 되었으며, 다른 나라의 민주화 운동에도 영향을 주었습니다.

① 6·3 시위
➡ 박정희 정부가 한·일 국교 정상화를 추진하는 과정에서 회담 내용이 알려지자 굴욕적인 수교에 반대하여 6·3 시위가 일어났어요.

② 6월 민주 항쟁
➡ 6월 민주 항쟁은 전두환 정부의 강압적인 통치와 국민의 대통령 직선제 개헌 요구를 묵살한 4·13 호헌 조치에 항거하여 일어났어요.

③ 2·28 민주 운동
➡ 2·28 민주 운동은 이승만 정부와 자유당이 1960년 3월 15일 정·부통령 선거를 앞두고 2월 28일 대구에서 예정된 야당의 선거 유세장에 학생들이 가지 못하도록 일요일인데도 등교하게 하자 이에 반발하여 전개되었어요.

④ 5·18 민주화 운동
➡ 5·18 민주화 운동 기록물은 2011년에 유네스코 세계 기록 유산으로 등재되었어요.

47 전태일의 활동

정답 ③

(가)에 해당하는 인물로 옳은 것은? [2점]

이 문서는 (가) 이/가 작성한 평화 시장 봉제 공장 실태 조사서입니다. 당시 노동자들의 노동 시간과 건강 상태 등이 상세히 기록되어 있습니다. 열악한 노동 환경의 개선을 요구하던 그는 ❶1970년에 "근로 기준법을 지켜라.", "우리는 기계가 아니다."를 외치며 분신하였습니다.

정답 잡는 키워드

❶ 1970년에 근로 기준법을 지켜라 등을 외치며 분신 → 전태일

❶ 박정희 정부는 경제 개발을 위하여 국가 주도로 산업을 육성하였어요. 1960년대에 값싼 노동력을 이용한 경공업을 중심으로 경제 성장을 추진하였는데, 이 과정에서 노동자들은 낮은 임금과 열악한 환경 속에서 긴 시간 노동에 시달렸습니다. 이에 노동자들은 근로 기준법 준수와 근무 환경 개선을 요구하는 시위를 벌였으나 정부는 수출 경쟁력 확보를 위해 저임금 정책을 고수하였어요. 평화 시장에서 일하며 노동 운동을 하던 전태일은 1970년에 근로 기준법 준수 등을 요구하며 분신 투쟁을 벌였어요.

① 
김주열

➡ 김주열은 3·15 부정 선거를 규탄하는 시위에 나갔다가 최루탄에 맞아 사망한 채 마산 앞바다에서 발견되었어요. 이는 4·19 혁명이 전국으로 빠르게 확산되는 계기가 되었어요.

② 
장준하

➡ 장준하는 일제 강점기에 일본군으로 징집되었다가 탈출하여 한국 광복군에 합류하였어요. 또한, 1970년대 유신 체제에 저항하여 민주 회복을 위한 개헌 청원 백만 인 서명 운동을 주도하였어요.

③ 
전태일

➡ 전태일은 서울 청계천 부근 평화 시장에서 재단사로 일하면서 노동자들의 처우를 개선하기 위해 노동 운동을 전개하였어요.

④ 
이한열

➡ 이한열은 6월 민주 항쟁 당시 시위를 벌이던 중 연세대학교 정문 앞에서 경찰이 쏜 최루탄에 맞아 의식 불명 상태에 빠졌다가 끝내 사망하였어요.

48 제1차 남북 정상 회담

정답 ①

밑줄 그은 '이 회담' 이후에 있었던 사실로 옳은 것은? [2점]

이것은 ❶분단 이후 처음으로 남과 북의 정상이 평양에서 만나 개최한 이 회담을 기념하는 우표 사진입니다. 우표에는 한반도 중심 부근에서 희망의 새싹이 돋아나고 있는 모습이 그려져 있습니다.

정답 잡는 키워드

❶ 분단 이후 처음으로 남과 북의 정상이 평양에서 만남 → 김대중 정부 시기 제1차 남북 정상 회담 (2000)

❶ 김대중 정부 시기 2000년에 분단 이후 처음으로 남북 정상 회담이 평양에서 개최되었어요. 제1차 남북 정상 회담에서 김대중 대통령과 김정일 국방 위원장은 통일 방안과 경제 협력 등을 논의하였고, 6·15 남북 공동 선언을 발표하였어요. 이에 따라 경의선 철도 복구, 개성 공단 건설 등의 경제 협력이 이루어졌어요.

① 개성 공단이 건설되었다.

➡ 제1차 남북 정상 회담에서 남북한은 개성 공단 조성에 합의하였어요. 김대중 정부의 통일 정책을 이어받아 **노무현 정부** 시기인 2003년에 개성 공단 건설이 착공되어 2004년에 시범 단지가 완공되었어요.

② 남북 조절 위원회가 설치되었다.

➡ 박정희 정부 시기에 남북한은 7·4 남북 공동 성명을 발표한 후 합의 사항 이행을 위해 남북 조절 위원회를 설치하였어요.

③ 남북한이 유엔에 동시 가입하였다.

➡ 노태우 정부 시기인 1991년에 남북한이 유엔에 동시 가입하였어요.

④ 남북 이산가족 상봉이 최초로 성사되었다.

➡ 전두환 정부 시기인 1985년에 남북 이산가족 고향 방문이 이루어져 분단 이후 최초로 남북 이산가족 상봉이 성사되었어요.

기출 선택지 +α

❺ 남북 기본 합의서가 채택되었다. (O/X)
❻ 7·4 남북 공동 성명을 발표하였다. (O/X)
❼ 남북 경의선 철도 연결 공사가 시작되었다. (O/X)

기출 선택지 +α 정답 ⑤ ×[1991년, 노태우 정부] ⑥ ×[1972년, 박정희 정부] ⑦ ○

제 57 회

49 박정희 정부 시기의 사실

정답 ①

(가) 정부 시기에 있었던 사실로 옳은 것은? [2점]

정답 잡는 키워드

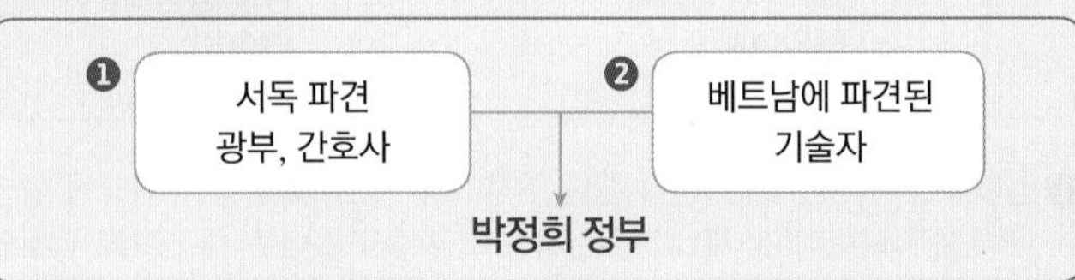

❶, ❷ 박정희 정부 시기 서독에 광부와 간호사를 파견하여 외화를 벌어들였어요. 이들이 국내로 송금한 외화는 한국 경제 성장에 큰 기여를 하였습니다. 한편, 박정희 정부는 미국의 요청을 받아 1964년 비전투 부대 파견을 시작으로 1973년까지 베트남 전쟁에 한국군을 파견하였어요. 그 대가로 한국은 미국으로부터 국군의 전력 증강과 경제 개발을 위한 차관을 제공받았고, 파병 군인들의 송금, 건설업체의 베트남 진출 등으로 외화를 벌어들였습니다.

① 새마을 운동을 시작하였다.
➡ **박정희 정부** 시기에 도시와 농촌의 균형 발전과 농촌의 생활 환경 개선을 위한 새마을 운동이 시작되었어요.

② 금융 실명제를 전면 실시하였다.
➡ 김영삼 정부는 투명한 금융 거래를 위해 금융 실명제를 전면 실시하였어요.

③ G20 정상 회의를 서울에서 개최하였다.
➡ 이명박 정부 시기 2010년에 G20 정상 회의가 서울에서 개최되었어요.

④ 미국과 자유 무역 협정(FTA)을 체결하였다.
➡ 노무현 정부 시기에 미국과의 자유 무역 협정(FTA)이 체결되어 이명박 정부 시기에 발효되었어요.

기출 선택지 +α

❺ 농지 개혁법을 제정하였다. (O/X)
❻ 수출 100억 달러를 처음 달성하였다. (O/X)
❼ 경제 협력 개발 기구(OECD)에 가입하였다. (O/X)

킬러 문항

50 우리 역사 속의 재해 대비 정책

정답 ②

밑줄 그은 '대책'으로 옳지 않은 것은? [3점]

✪ 우리 역사 속에서 감염병에 대처한 정부의 노력을 묻는 문항입니다.

① 고려 시대에 구제도감 등의 임시 기구를 설치하였다.
➡ 고려 시대에 **전염병 등 재해가 발생**하면 구제도감, 구급도감 등의 임시 기구를 설치하여 환자를 치료하고 사망자를 매장하는 일을 담당하게 하였어요.

② 고려 시대에 양현고 등을 설치하여 기금을 마련하였다.
➡ 양현고는 고려 예종 때 관학을 진흥시키기 위해 국자감에 설치한 장학 재단이에요.

③ 조선 시대에 구질막, 병막 등의 격리 시설을 운영하였다.
➡ 조선 시대에 **전염병이 발생**하면 구질막, 병막 등의 격리 시설을 운영하였어요. 제주도에서 한센병(나병) 환자를 치료하기 위해 구질막을 설치하였다는 기록이 있으며, 병막은 전염병으로 환자를 수용할 병상이 부족할 때 설치한 격리 치료 시설이에요.

④ 조선 시대에 간이벽온방, 신찬벽온방 등을 편찬하여 보급하였다.
➡ 조선 시대에 **전염병인 온역의 치료 방법을 정리**하여 "간이벽온방", "신찬벽온방" 등을 편찬하여 보급하였어요. "간이벽온방"은 중종 때 의관들이 왕명을 받아 편찬하였고, "신찬벽온방"은 허준이 광해군 때 편찬하였어요.

기출 선택지 +α

정답 ⑤ ×[이승만 정부] ⑥ ○[박정희 정부] ⑦ ×[김영삼 정부]

기본 제55회

2021년 9월 11일(토) 시행

해설 강의 바로 보기

합격률 57.2%

응시 인원 : 6,109명
합격 인원 : 3,495명

시대별 출제 비중

전근대 26문항

선사 2문항
청동기 시대의 생활 모습, 고조선의 사회 모습

고대 9문항
신라 진흥왕의 업적, 고구려의 대외 항쟁, 백제의 지방 행정 제도, 백제 부흥 운동, 경주 불국사 3층 석탑, 최치원의 활동, 발해, 고려의 후삼국 통일 과정, 공주 공산성

고려 6문항
고려 성종 재위 시기의 사실, 직지심체요절, 서희의 활동, 무신 정변과 대몽 항쟁 사이의 사실, 고려의 경제 상황, 제주의 역사 유적

조선 9문항
이성계의 활동, 조선 세종 재위 시기의 사실, 경국대전, 종묘, 병자호란 이후의 사실, 대동법, 조선 정조의 정책, 홍대용의 활동, 조선 후기의 사회 모습

근현대 24문항

추석

개항기 8문항
한성순보, 고종 즉위와 강화도 조약 사이의 사실, 임오군란, 제1차 갑오개혁, 육영 공원, 신민회, 덕수궁 석조전, 헤이그 특사

일제 강점기 10문항
윤희순의 활동, 조선 총독부, 산미 증식 계획, 손기정, 3·1 운동, 6·10 만세 운동, 1930년대 후반 이후 일제의 식민 통치, 한인 애국단, 윤동주, 한국 광복군

현대 5문항
대한민국 정부 수립 과정, 6·25 전쟁, 4·19 혁명, 박정희 정부 시기의 경제 상황, 노태우 정부 시기의 사실

분류별 출제 비중 고대~조선

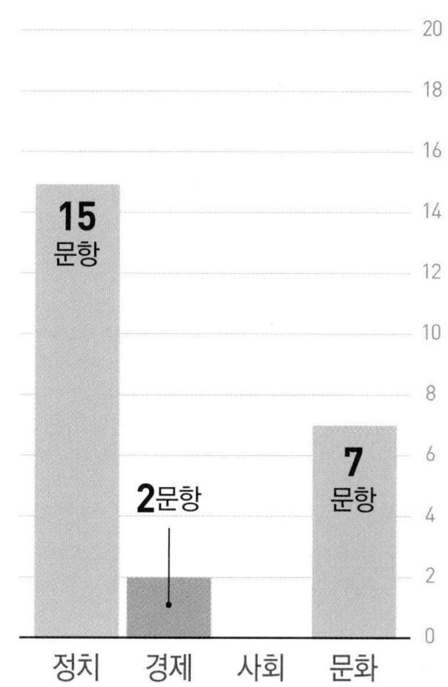

난이도별 출제 비중

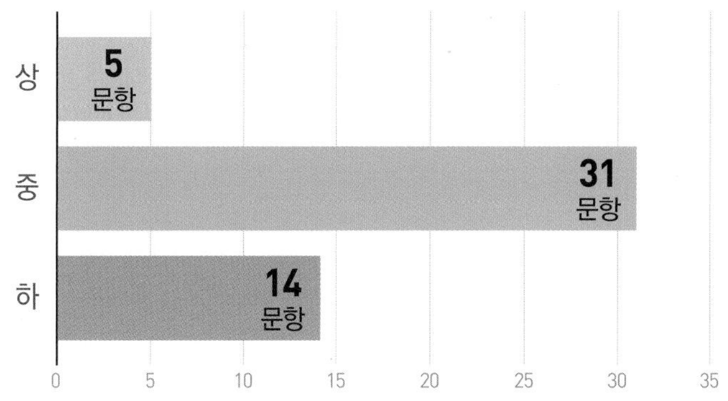

큰별쌤의 한 줄 평

기본 개념과 흐름을 이해하였다면 무난히 풀 수 있는 시험

1 청동기 시대의 생활 모습

정답 ④

(가) 시대의 생활 모습으로 옳은 것은? [1점]

정답 잡는 키워드

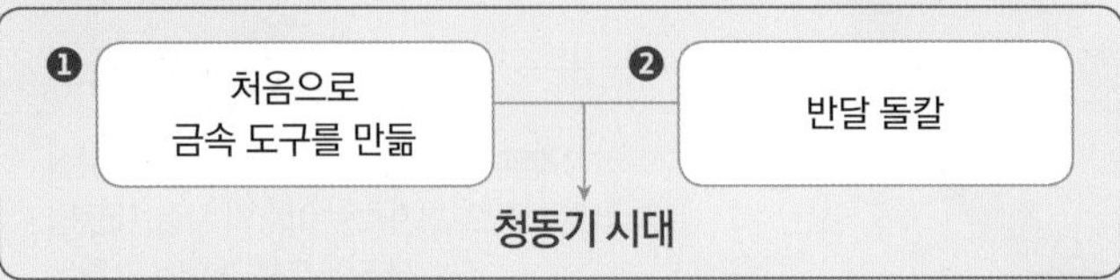

❶ 청동기 시대에 처음으로 금속 도구가 제작되었어요. 청동기 시대 사람들은 구리와 주석, 아연 등의 금속을 섞어 만든 청동을 녹인 후 거푸집을 이용하여 검이나 도끼 같은 무기나 방울·거울과 같은 제사용 도구, 장신구를 만들었어요.

❷ 반달 돌칼은 곡식의 이삭을 자르는 데 사용된 간석기입니다. 청동기 시대 사람들은 반달 돌칼과 돌낫 등을 이용하여 곡식을 수확하였어요. 한편, 청동기 시대에는 신석기 시대에 시작된 농경이 발전하여 조, 기장, 수수 등 다양한 잡곡이 재배되었고, 한반도 일부 지역에 벼농사도 보급되었습니다.

① 우경이 널리 보급되었다.
➡ 우경은 **철기 시대 이후** 널리 보급된 것으로 보여요.

② 철제 무기를 사용하였다.
➡ **철기 시대**부터 철제 무기를 사용하였어요.

③ 주로 동굴이나 막집에 살았다.
➡ **구석기 시대** 사람들은 추위 등을 피해 주로 동굴이나 바위 그늘에 살았으며, 강가에 막집을 짓고 살기도 하였어요.

④ 지배자의 무덤으로 고인돌을 만들었다.
➡ 고인돌은 **청동기 시대** 지배자의 무덤으로 알려져 있어요. 청동기 시대에는 사유 재산과 계급이 발생하면서 지배자가 등장하였어요.

기출 선택지 +α

❺ 비파형 동검을 제작하였다. (O/X)
❻ 철제 농기구로 농사를 지었다. (O/X)
❼ 실을 뽑기 위해 가락바퀴를 처음 사용하였다. (O/X)

기출 선택지 +α 정답 ⑤○ ⑥×[철기 시대] ⑦×[신석기 시대]

2 고조선의 사회 모습

정답 ④

(가) 나라에 대한 설명으로 옳은 것은? [2점]

정답 잡는 키워드

❶ 고조선에는 사회 질서를 유지하기 위한 범금 8조(8조법)가 있었는데, 현재 3개 조항만 전해집니다. 이를 통해 고조선이 사람의 생명과 사유 재산을 중시하였으며 계급 사회였음을 짐작할 수 있어요.

① 낙랑과 왜에 철을 수출하였다.
➡ 삼한 가운데 **변한**과 이 지역에서 성장한 **가야**는 철이 풍부하게 생산되어 낙랑과 왜에 철을 수출하였어요.

② 영고라는 제천 행사를 열었다.
➡ **부여**는 12월에 영고라는 제천 행사를 열었어요.

③ 서옥제라는 혼인 풍습이 있었다.
➡ **고구려**에는 서옥제라는 혼인 풍습이 있었어요. 서옥제는 신랑이 신부 집의 뒤편에 지은 서옥(사위집)에서 살다가 자식을 낳아 장성하면 아내와 자식을 데리고 자기 집으로 돌아가는 혼인 풍습이에요.

④ 건국 이야기가 삼국유사에 실려 있다.
➡ "삼국유사"에는 단군의 **고조선** 건국 이야기가 실려 있어요. 이 이야기에 따르면 환웅과 웅녀 사이에서 태어난 단군왕검이 아사달을 도읍으로 고조선을 세웠다고 합니다. 고조선은 청동기 문화를 배경으로 성립된 우리 역사 최초의 국가입니다.

기출 선택지 +α

❺ 8조법으로 백성을 다스렸다. (O/X)
❻ 지배자로 신지, 읍차 등이 있었다. (O/X)
❼ 청동기 문화를 바탕으로 세워졌다. (O/X)
❽ 읍락 간의 경계를 중시하는 책화가 있었다. (O/X)

기출 선택지 +α 정답 ⑤○ ⑥×[삼한] ⑦○ ⑧×[동예]

3 신라 진흥왕의 업적

정답 ③

다음 가상 인터뷰에 등장하는 왕의 업적으로 옳은 것은? [2점]

정답 잡는 키워드

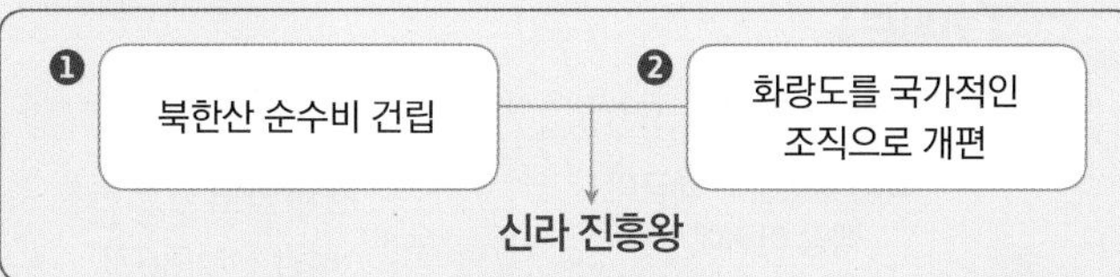

❶ 진흥왕은 한강 유역을 차지하고 이 지역을 돌아본 뒤 영토 확장을 기념하여 북한산에 순수비를 세웠어요. 조선 후기에 김정희는 "금석과안록"에서 북한산비가 신라 진흥왕 순수비임을 고증하였어요.

❷ 진흥왕은 화랑도를 국가적인 조직으로 개편하여 많은 인재를 양성하였어요.

① 국학을 설립하였다.
➡ 신라 신문왕은 인재 양성을 위해 국학을 설립하여 유학을 교육하였어요.

② 병부를 설치하였다.
➡ 신라 법흥왕은 군사 업무를 총괄하는 병부를 설치하였어요.

③ 대가야를 정복하였다.
➡ 신라 **진흥왕**은 적극적으로 영토 확장에 나서 대가야를 정복하고 북쪽으로는 함흥평야까지 진출하였어요. 점령한 지역에는 단양 신라 적성비와 4개의 순수비를 세워 영토 확장을 기념하였어요.

④ 독서삼품과를 실시하였다.
➡ 신라 원성왕은 유학적 소양을 갖춘 인재를 선발하기 위해 독서삼품과를 실시하였어요.

기출 선택지 +α

⑤ 불교를 공인하였다. (O/X)
⑥ 녹읍을 폐지하였다. (O/X)
⑦ 율령을 반포하였다. (O/X)

핵심 개념 신라 진흥왕의 정책

구분	내용
대내 정책	화랑도를 국가적 조직으로 정비, 거칠부에게 역사책인 "국사"를 편찬하게 함, 황룡사 창건
영토 확장	• 백제 성왕과 연합하여 고구려 공격(한강 상류 지역 차지) → 백제로부터 한강 하류 지역을 빼앗음 → 관산성 전투에서 승리(백제 성왕 전사) → 한강 유역 모두 차지 • 대가야 정복, 북쪽으로 함흥평야까지 진출 • 단양 신라 적성비와 4개의 순수비(서울 북한산 신라 진흥왕 순수비, 창녕 신라 진흥왕 척경비, 황초령 신라 진흥왕 순수비, 마운령 신라 진흥왕 순수비) 건립

기출 선택지 +α 정답 ⑤ ×[신라 법흥왕] ⑥ ×[신라 신문왕] ⑦ ×[신라 법흥왕]

4 고구려의 대외 항쟁

정답 ③

(가), (나) 사이의 시기에 있었던 사실로 옳은 것은? [2점]

> (가) 장수왕 63년, 왕이 군사 3만 명을 거느리고 백제에 침입하여 도읍인 한성을 함락시키고 백제 왕을 죽였다.
>
> (나) 보장왕 4년, 당의 여러 장수가 안시성을 공격하였다. …… [당군이] 밤낮으로 쉬지 않고 60일간 50만 명을 동원하여 토산을 쌓았다. …… 고구려군 수백 명이 성이 무너진 곳으로 나가 싸워서 마침내 토산을 빼앗았다.

정답 잡는 키워드

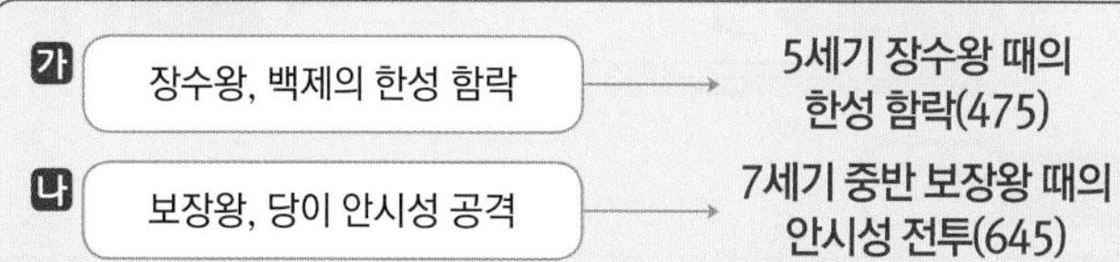

가 장수왕은 도읍을 평양으로 옮기고 본격적으로 남진 정책을 추진하였어요. 475년에 직접 군사를 이끌고 백제를 공격하여 수도 한성을 함락하였으며, 이 과정에서 백제의 개로왕이 목숨을 잃었어요. 이후 고구려는 한반도 중부 지역까지 영토를 확장하였습니다.

나 당 태종은 영토 확장 정책을 추진하며 고구려를 압박하였어요. 642년에 고구려에서 연개소문이 정변을 일으켜 영류왕을 죽이고 보장왕을 세우자, 당 태종은 이를 구실 삼아 고구려를 침공하였어요. 당군은 요동성과 백암성을 함락하고 안시성을 공격하였지만, 안시성의 성주와 군민이 힘을 합쳐 당의 공격을 물리쳤습니다(안시성 전투, 645).

① 원종과 애노가 봉기하였다.
➡ 신라 말 왕위 다툼으로 인한 왕권 약화와 귀족들의 수탈로 농민의 삶이 피폐한 상황에서 9세기 진성 여왕 때 중앙 정부가 세금을 독촉하자, 사벌주(지금의 상주)에서 원종과 애노가 봉기하였어요(889).

② 김흠돌이 반란을 도모하였다.
➡ 7세기 후반 신라 신문왕 때 김흠돌이 반란을 도모하자 이를 진압하였어요(681). 이 사건을 계기로 진골 귀족을 숙청하고 왕권을 강화하였어요.

③ 을지문덕이 수의 군대를 물리쳤다.
➡ 고구려 영양왕 때인 **612년** 을지문덕이 이끄는 고구려군은 살수에서 수의 군대를 크게 격파하였어요(살수 대첩).

④ 장문휴가 당의 산둥반도를 공격하였다.
➡ 8세기 발해 무왕은 장문휴를 보내 당의 산둥반도를 공격하였어요(732).

기출 선택지 +α

⑤ 백제가 수도를 사비로 옮겼다. (O/X)
⑥ 김춘추가 당과의 군사 동맹을 성사시켰다. (O/X)

핵심 개념 4세기 말~7세기 고구려의 영토 확장과 멸망

시기	내용
4세기 말 ~ 5세기	• 광개토 태왕 : 신라에 침입한 왜 격퇴, 한강 이북 지역 차지, 만주와 요동 지역 대부분 차지 • 장수왕 : 평양 천도 → 본격적으로 남진 정책 추진, 백제를 공격하여 수도 한성 함락, 한반도 중부 지역까지 영토 확장
7세기	• 영양왕 : 을지문덕의 살수 대첩(612) • 보장왕 : 연개소문의 정변(642)으로 즉위, 안시성 전투(645), 고구려 멸망(668)

기출 선택지 +α 정답 ⑤ ○[538년, 백제 성왕] ⑥ ×[648년]

5 백제의 지방 행정 제도

정답 ②

(가) 국가에 대한 설명으로 옳은 것은? [2점]

정답 잡는 키워드

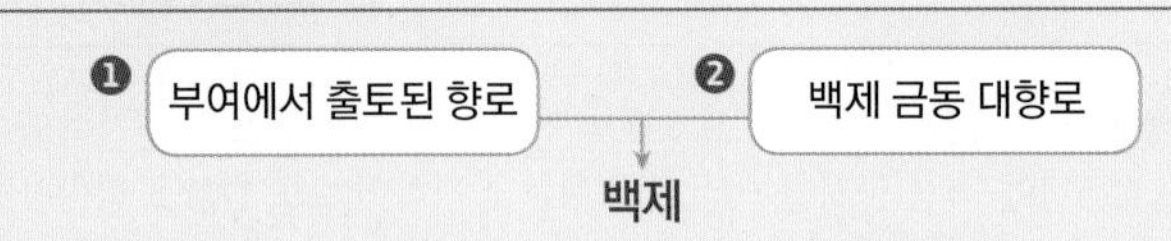

❶, ❷ 부여 능산리 고분군 근처의 절터에서 출토된 백제 금동 대향로는 백제의 뛰어난 금속 공예 기술을 보여 주는 대표적인 문화유산으로, 도교와 불교 사상이 함께 반영되어 있습니다. 부여는 백제의 세 번째 도읍입니다. 백제는 고구려 장수왕의 공격으로 수도 한성이 함락된 후 웅진(지금의 공주)으로 도읍을 옮겼으며, 이후 성왕이 중흥을 위해 사비(지금의 부여)로 다시 천도하고 국호를 남부여로 바꾸었어요.

① 노비안검법을 실시하였다.
➡ 고려 광종은 왕권 강화와 국가 재정 확충을 위해 본래 양인이었다가 억울하게 노비가 된 사람을 조사하여 양인 신분으로 되돌려 주는 노비안검법을 실시하였어요.

② 지방에 22담로를 설치하였다.
➡ 담로는 **백제**의 지방 행정 구역이에요. 백제 무령왕은 지방 통제를 강화하기 위하여 22담로에 왕족을 파견하였어요.

③ 화백 회의에서 국가의 중대사를 결정하였다.
➡ 신라는 귀족 회의인 화백 회의에서 나라의 중요한 일을 결정하였어요.

④ 여러 가(加)들이 별도로 사출도를 주관하였다.
➡ 부여에서는 마가, 우가, 저가, 구가의 여러 가들이 별도로 사출도를 주관하였어요.

기출 선택지 +α

❺ 태학을 설립하였다.	(O/X)
❻ 진대법을 시행하였다.	(O/X)
❼ 웅진으로 천도하였다.	(O/X)
❽ 중앙군으로 9서당을 설치하였다.	(O/X)

기출 선택지 +α 정답 ⑤ ×[고구려] ⑥ ×[고구려] ⑦ ○ ⑧ ×[통일 신라]

6 백제 부흥 운동

정답 ④

다음 가상 뉴스에서 보도하고 있는 사건이 일어난 시기를 연표에서 옳게 고른 것은? [3점]

정답 잡는 키워드

❶ 백제 부흥군과 왜군이 백강 어귀에서 나·당 연합군에 패배함 → 백제 부흥 운동 중 백강 전투(663)

❶ 나·당 연합군의 공격으로 백제가 멸망한 후 복신과 도침 등은 왕자 부여풍을 왕으로 맞이하여 백제 부흥을 꾀하였어요. 백제와 친밀한 관계를 유지하던 왜도 백제 부흥군을 돕기 위해 군사를 파견하였어요. 그러나 백제 부흥군과 왜군은 백강 전투에서 나·당 연합군에 패배하였어요.

523		554		642		660		676
	(가)		(나)		(다)		(라)	
백제 성왕 즉위		관산성 전투		대야성 전투		사비성 함락		신라 삼국 통일

➡ 나·당 연합군에 의해 사비성이 함락되고 의자왕이 항복하면서 백제가 멸망하였습니다(660). 이후 흑치상지, 복신, 도침의 주도로 백제 부흥 운동이 전개되었으나 지도층이 분열하고 백강 전투에서 패하면서 백제 부흥 운동은 실패하였습니다. 이후 나·당 연합군이 668년에 고구려까지 멸망시켰으나 당이 한반도 전체를 차지하려고 하여 전쟁을 벌였어요. 신라는 매소성·기벌포 전투에서 당에 승리하여 삼국 통일을 완성하였어요(676).

① (가)
② (나)
③ (다)
④ (라)

➡ 연표에서 백제 부흥 운동 중에 있었던 백강 전투가 일어난 시기는 사비성 함락과 신라 삼국 통일 사이인 (라)입니다.

연표로 흐름잡기

- 648 신라와 당의 군사 동맹 체결(나·당 동맹)
- 660 나·당 연합군의 공격으로 사비성 함락, 백제 멸망 → 백제 부흥 운동
- 663 백제 부흥군과 왜군이 백강에서 나·당 연합군에 패함(백강 전투)
- 668 나·당 연합군의 공격으로 평양성 함락, 고구려 멸망 → 고구려 부흥 운동
- 670 나·당 전쟁 시작
- 675 신라, 매소성 전투에서 승리
- 676 신라, 기벌포 전투에서 승리 → 신라의 삼국 통일

7 경주 불국사 3층 석탑

정답 ①

학생들이 공통으로 이야기하는 문화유산으로 옳은 것은? [3점]

정답 잡는 키워드

❶, ❷ 신라의 사찰인 경주 불국사 대웅전 앞에는 불국사 3층 석탑과 다보탑이 있어요. 불국사는 8세기 중반 신라의 재상 김대성이 조성하였다는 이야기가 전해집니다.

❸ 경주 불국사 3층 석탑을 보수하는 과정에서 현재 남아 있는 세계에서 가장 오래된 목판 인쇄물인 무구정광대다라니경이 발견되었어요.

① 

➡ **경주 불국사 3층 석탑**은 2층 기단 위에 3층의 탑신을 세우고 그 위에 상륜부를 조성한 통일 신라의 전형적인 석탑 양식을 보여 줍니다.

② 

➡ 부여 정림사지 5층 석탑은 목탑 양식이 남아 있는 백제 석탑이에요. 당의 장수 소정방이 백제를 정벌한 공을 기리는 글이 탑신에 새겨져 있어 평제탑이라고도 불렸어요.

③ 

➡ 경주 분황사 모전 석탑은 돌을 벽돌 모양으로 다듬어 쌓아 올려 만든 신라를 대표하는 석탑이에요.

④ 

➡ 익산 미륵사지 석탑은 백제의 대표적인 석탑이며, 목탑에서 석탑으로 넘어가는 과도기적 모습을 띠고 있어요.

8 최치원의 활동

정답 ④

다음 퀴즈의 정답으로 옳은 것은? [1점]

정답 잡는 키워드

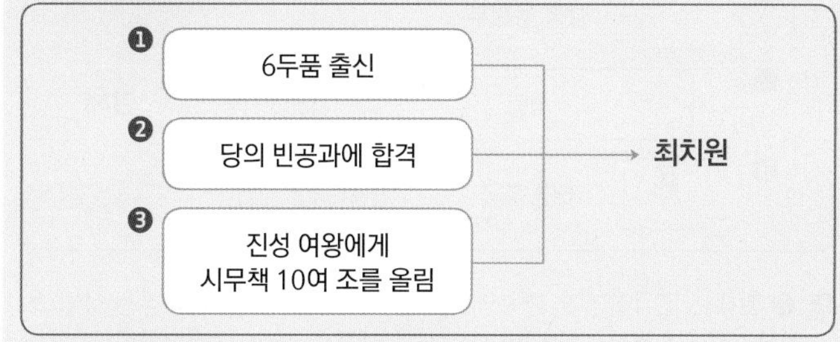

❶, ❷ 최치원은 신라 6두품 출신으로 당으로 유학을 가서 외국인 대상의 과거 시험인 빈공과에 합격하여 관직에 올랐어요.

❸ 최치원은 신라로 돌아온 후 혼란한 정치를 바로잡기 위해 진성 여왕에게 개혁안으로 시무책 10여 조를 올렸으나 진골 귀족들의 반대로 개혁은 실행되지 못하였어요.

① 설총

➡ 설총은 원효의 아들로, 신라 6두품 출신이에요. 한자의 음과 훈을 빌려 우리말을 표기하는 이두를 체계적으로 정리하였으며, 도덕 정치의 중요성을 강조한 '화왕계'를 지어 신문왕에게 바쳤어요.

② 이사부

➡ 이사부는 신라 지증왕의 명령으로 우산국을 정벌하였어요.

③ 이차돈

➡ 이차돈은 신라 법흥왕 때 불교의 전파를 위해 순교한 인물이에요. 법흥왕은 이차돈의 순교를 계기로 불교를 공인하였어요.

④ 최치원

➡ 최치원은 빈공과에 합격한 후 당에서 관직 생활을 하였는데, 황소의 난이 일어나자 '토황소격문(격황소서)'을 지어 문장가로 이름을 크게 알렸어요.

핵심 개념 최치원의 활동

구분	내용
출신	신라 6두품
활동	• 당에서 유학하고 빈공과에 합격 • 진성 여왕에게 시무 10여 조의 개혁안을 올림 • '토황소격문(격황소서)', "계원필경" 등 저술

제 55 회

9 발해 정답 ④

(가) 국가에 대한 설명으로 옳은 것은? [2점]

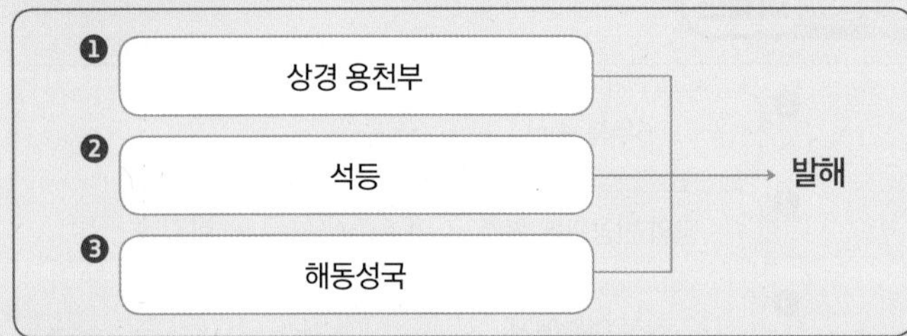

❶, ❷ 발해는 전국을 5경 15부 62주로 나누어 다스렸는데, 5경은 상경 용천부, 동경 용원부, 중경 현덕부, 서경 압록부, 남경 남해부입니다. 발해 문왕은 5경 중 하나인 상경으로 수도를 옮기기도 하였어요. 한편, 상경성 절터에 남아 있는 거대한 석등은 고구려 문화의 영향을 받은 것으로 보입니다.

❸ 발해는 선왕 때 연해주에서 요동 지방에 이르는 영토를 확보하여 옛 고구려 영토의 대부분을 차지하였어요. 이 무렵 발해는 중국으로부터 '바다 동쪽의 융성한 나라'라는 뜻에서 해동성국이라고 불리며 전성기를 이루었어요.

① 기인 제도를 실시하였다.
➡ 고려 태조 왕건은 호족 세력을 견제하기 위해 지방 호족의 자제를 일정 기간 수도에 머물도록 하는 기인 제도를 실시하였어요.

② 9주 5소경을 설치하였다.
➡ 삼국 통일 후 신라는 넓어진 영토를 효과적으로 다스리기 위해 전국을 9주로 나누고 주요 지역에 5소경을 설치하여 9주 5소경의 지방 행정 체제를 갖추었어요.

③ 한의 침략을 받아 멸망하였다.
➡ 고조선은 한 무제의 침략을 받아 수도 왕검성이 함락되어 멸망하였어요.

④ 대조영이 동모산에서 건국하였다.
➡ **발해**는 고구려 장수 출신 대조영이 동모산 부근에서 세운 나라예요.

기출 선택지 +α

❺ 상수리 제도를 실시하였다. (O/X)
❻ 2군 6위의 군사 조직을 두었다. (O/X)
❼ 교육 기관으로 주자감을 두었다. (O/X)
❽ 인안, 대흥 등의 독자적 연호를 사용하였다. (O/X)
❾ 5경 15부 62주로 지방 행정 제도를 정비하였다. (O/X)

기출 선택지 +α 정답 ⑤ ×[신라] ⑥ ×[고려] ⑦○ ⑧○ ⑨○

10 고려의 후삼국 통일 과정 정답 ③

(가)~(다)를 일어난 순서대로 옳게 나열한 것은? [2점]

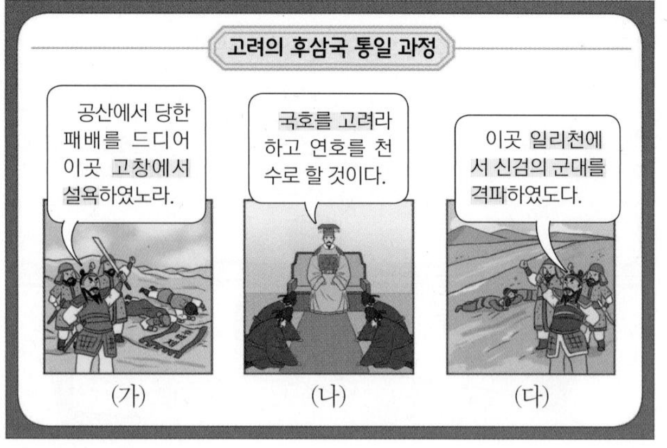

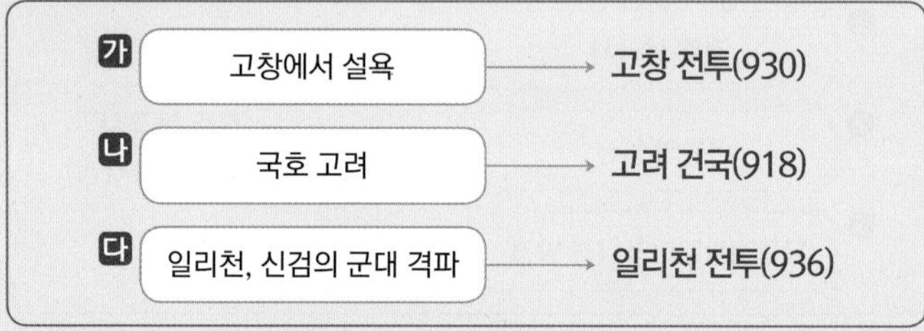

가 신라의 도움 요청을 받은 왕건의 고려군은 공산(지금의 대구 팔공산)에서 견훤의 후백제군을 맞아 싸웠으나 패하였어요(927). 이후 호족들의 도움을 받은 고려군이 고창(지금의 안동)에서 후백제군을 상대로 크게 승리하였어요(고창 전투, 930). 이로써 고려는 후삼국 간 경쟁에서 주도권을 차지하게 되었습니다.

나 후고구려를 세운 궁예의 실정이 계속되자, 신하들이 궁예를 몰아내고 왕건을 왕위에 올렸어요. 왕건은 나라 이름을 고려, 연호를 천수라 하였습니다(고려 건국, 918). 그리고 이듬해 송악(개경)으로 수도를 옮겼어요.

다 왕위 계승을 둘러싼 갈등으로 아들 신검에 의해 금산사에 갇혔던 후백제의 견훤이 935년 고려에 투항하였어요. 왕건은 견훤과 함께 후백제를 공격하여 일리천 전투에서 신검의 후백제군을 크게 격파한 이후 후삼국을 통일하였어요(936).

① (가) - (나) - (다)
② (가) - (다) - (나)
③ (나) - (가) - (다)
➡ 고려의 후삼국 통일 과정에서 있었던 일을 순서대로 나열하면 (나) 고려 건국(918) - (가) 고창 전투(930) - (다) 일리천 전투(936)입니다.
④ (다) - (가) - (나)

11 고려 성종 재위 시기의 사실 정답 ②

다음 상황 이후에 일어난 사실로 옳은 것은? [2점]

정답 잡는 키워드

❶ 최승로, 시무 28조 → 고려 성종

❶ 고려 성종 때인 982년에 유학자이자 관리인 최승로가 시무 28조를 건의하였어요. 최승로는 시무 28조에서 지방관의 파견, 국가적인 불교 행사의 축소, 유교 정치 이념 확립 등을 주장하였습니다. 성종은 이를 수용하여 유교 정치 이념에 근거하여 통치 체제를 정비하였어요.

① 상대등이 설치되었다.
➡ **신라 법흥왕** 때 상대등이 설치되어 화백 회의를 이끌었어요(531).

②12목에 지방관이 파견되었다.
➡ **고려 성종**은 최승로의 시무 28조를 받아들여 지방의 주요 거점인 12목에 관리를 파견하여 중앙 집권 체제를 강화하였으며, 국자감을 정비하고 지방에 경학박사를 파견하여 유학 교육을 장려하였어요.

③ 쌍기의 건의로 과거제가 실시되었다.
➡ **고려 광종**은 후주에서 귀화한 쌍기의 건의를 받아들여 과거제를 도입하였어요(958).

④ 웅천주 도독 김헌창이 반란을 일으켰다.
➡ **신라 헌덕왕** 때 웅천주 도독 김헌창이 무열왕의 직계 자손인 자신의 아버지 김주원이 왕이 되지 못한 것에 불만을 품고 난을 일으켰어요(822).

기출 선택지 +α

❺ 녹읍이 폐지되었다. (O/X)
❻ 노비안검법이 시행되었다. (O/X)
❼ 장보고가 청해진을 설치하였다. (O/X)

기출 선택지 +α 정답 ⑤ ×[신라 신문왕] ⑥ ×[고려 광종] ⑦ ×[신라 흥덕왕]

12 직지심체요절 정답 ④

(가)에 들어갈 내용으로 옳은 것은? [2점]

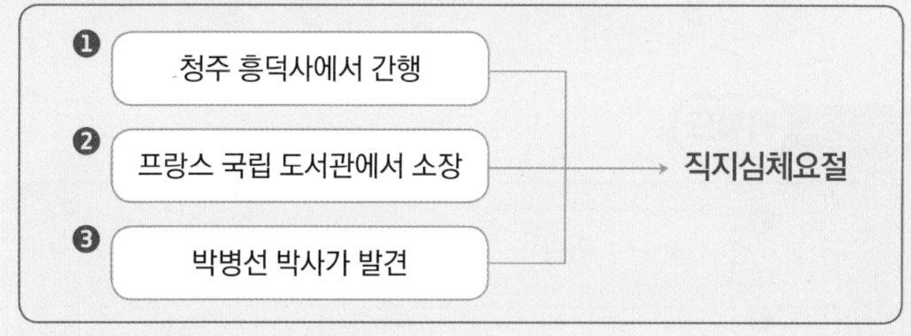

정답 잡는 키워드

❶ 청주 흥덕사에서 간행
❷ 프랑스 국립 도서관에서 소장
❸ 박병선 박사가 발견
→ 직지심체요절

❶ "직지심체요절"은 고려 말인 1377년에 청주 흥덕사에서 금속 활자로 간행되었어요.
❷ "직지심체요절"은 19세기에 프랑스로 반출되어 현재 프랑스 국립 도서관에 보관되어 있어요.
❸ "직지심체요절"은 박병선 박사가 프랑스 국립 도서관에 보관되어 있던 것을 발견하여 세상에 알려졌어요. 박병선 박사는 이외에도 "조선왕조의궤"가 우리나라에 돌아올 수 있도록 노력하였어요.

① 김부식이 왕명을 받아 편찬하였다.
➡ "**삼국사기**"는 김부식 등이 고려 인종의 명을 받아 편찬하였으며, 현재 남아 있는 우리나라에서 가장 오래된 역사서입니다.

② 사초와 시정기를 바탕으로 제작되었다.
➡ "**조선왕조실록**"은 사초와 시정기 등을 바탕으로 실록청에서 편찬되었어요.

③ 우리나라 풍토에 맞는 농법을 소개하였다.
➡ "**농사직설**"은 농민의 실제 경험을 반영하여 우리나라 풍토에 맞는 농법을 정리한 농서로, 조선 세종 때 편찬되었어요.

④현존하는 세계에서 가장 오래된 금속 활자본이다.
➡ 박병선 박사는 "**직지심체요절**"을 발견하고 연구하여 이 책이 현재 남아 있는 세계에서 가장 오래된 금속 활자본이라는 것을 입증하고 공인받았어요. "직지심체요절"은 유네스코 세계 기록 유산으로 등재되었어요.

기출 선택지 +α

❺ 승정원에서 편찬하였다. (O/X)
❻ 병인양요 때 프랑스군에게 약탈당하였다. (O/X)
❼ 유네스코 세계 기록 유산으로 등재되었다. (O/X)

핵심 개념 고려의 금속 활자 인쇄본

상정 고금예문	1234년경 금속 활자를 이용해 "상정고금예문"을 인쇄하였다는 기록이 남아 있으나 현재 전하지는 않음
직지 심체요절	1377년 청주 흥덕사에서 금속 활자로 "직지심체요절"을 인쇄함 → 현존하는 세계에서 가장 오래된 금속 활자본

기출 선택지 +α 정답 ⑤ ×[승정원일기] ⑥ ×[외규장각 도서, "조선왕조의궤"] ⑦ ○

13 서희의 활동 정답 ①

(가) 인물의 활동으로 옳은 것은? [1점]

정답 잡는 키워드

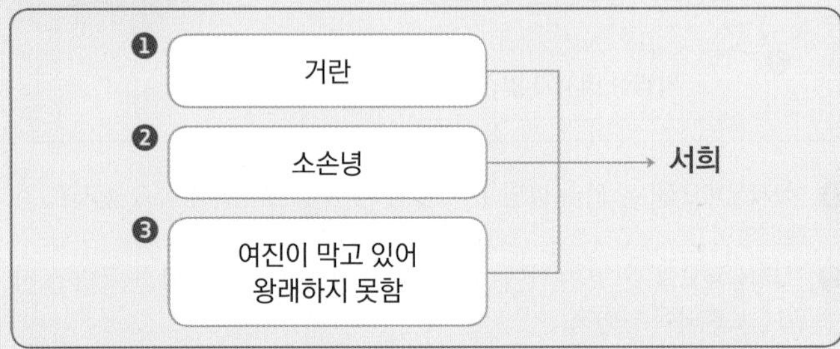

❶, ❷, ❸ 고려가 송과 가깝게 지내자 거란은 송과 고려의 연합을 막고자 고려를 침입하였어요(거란의 1차 침입). 서희는 송을 공격할 때 고려가 위협이 될 수 있다는 점을 우려하여 고려를 침략한 거란의 의도를 파악하고 거란 장수 소손녕과 외교 담판을 벌였어요. 이 담판에서 서희는 여진이 압록강 동쪽을 차지하고 있어 거란으로 통하는 길이 막혔다고 주장하여, 송과 관계를 끊고 거란과 교류할 것을 약속하는 대신 압록강 동쪽 여진의 거주 지역을 고려의 영토로 인정받았습니다.

① 강동 6주를 확보하였다.
➡ **서희**의 외교 담판으로 고려는 강동 6주 지역을 확보하였어요.

② 동북 9성을 축조하였다.
➡ 고려의 **윤관**은 별무반을 이끌고 여진을 정벌한 뒤 동북 9성을 쌓았어요.

③ 화통도감을 설치하였다.
➡ 고려 말에 **최무선**은 화약 제조에 성공한 뒤 우왕에게 건의하여 화통도감을 설치하고 화약 무기를 개발하였어요.

④ 4군과 6진을 개척하였다.
➡ 조선 세종 때 **최윤덕**과 **김종서**가 북방의 여진을 정벌하고 4군 6진을 개척하였어요.

기출 선택지 +α

❺ 우산국을 정벌하였다. (O/X)
❻ 황산에서 왜구를 물리쳤다. (O/X)
❼ 살수에서 수의 대군을 물리쳤다. (O/X)

기출 선택지 +α 정답 ⑤ ×[이사부] ⑥ ×[이성계] ⑦ ×[을지문덕]

14 무신 정변과 대몽 항쟁 사이의 사실 정답 ③

(가) 시기에 있었던 사실로 옳은 것은? [3점]

정답 잡는 키워드

❶ 정중부, 문신의 관을 쓴 자들을 모두 없앰 → 무신 정변(1170)

❷ 김윤후, 몽골군에 맞서 충주성을 지킴 → 몽골 침입 때의 충주성 전투(1253)

❶ 고려에서는 문신을 중심으로 정치가 운영되어 무신이 차별을 받았으며, 하급 군인들은 온갖 잡역에 시달려 불만이 컸어요. 게다가 일부 문신이 무신을 무시하는 사건이 일어나 무신의 불만이 더욱 커졌습니다. 결국 의종의 보현원 행차 때 정중부, 이의방 등이 무신 정변(1170)을 일으켜 문신을 제거하고 의종을 폐위하였어요. 이후 고려 정부가 몽골과 강화를 맺고 개경으로 환도할 때까지 무신이 정권을 장악하였어요.

❷ 몽골이 고려를 침략하자 김윤후는 충주성의 주민들과 노비들을 이끌고 몽골군에 항전하여 승리를 거두었어요(충주성 전투, 1253).

① 이자겸이 난을 일으켰다.
➡ **고려 인종** 때 왕의 장인이면서 권력자였던 이자겸이 척준경과 함께 반란을 일으켰으나 실패하였어요(1126).

② 묘청이 서경 천도를 주장하였다.
➡ **고려 인종** 때 묘청이 서경 천도를 주장하였는데, 이것이 좌절되자 서경에서 난을 일으켰어요(1135).

③ 만적이 개경에서 봉기를 모의하였다.
➡ **고려 무신 집권기**에 만적을 비롯한 노비들이 개경(지금의 개성)에서 신분 해방을 도모하여 봉기를 준비하였으나 사전에 발각되었어요(1198).

④ 강감찬이 귀주에서 큰 승리를 거두었다.
➡ **거란의 3차 침입** 시기에 강감찬은 고려군을 이끌고 귀주에서 거란군을 크게 물리쳤어요(1019).

기출 선택지 +α

❺ 최우가 정방을 설치하였다. (O/X)
❻ 김부식이 삼국사기를 편찬하였다. (O/X)
❼ 최승로가 시무 28조를 건의하였다. (O/X)

기출 선택지 +α
정답 ⑤ ○[고려 무신 집권기, 1225년] ⑥ ×[고려 인종, 1145년] ⑦ ×[고려 성종, 982년]

15 고려의 경제 상황

정답 ①

밑줄 그은 '이 국가'의 경제 상황으로 옳은 것은? [3점]

> 이것은 전라남도 나주 등지에서 거둔 세곡 등을 싣고 이 국가의 ❶수도인 개경으로 향하다 태안 앞바다에서 침몰한 배를 복원한 것입니다. 발굴 당시 ❷수많은 청자와 함께 화물의 종류, 받는 사람 등이 기록된 목간이 다수 발견되었습니다.

정답 잡는 **키워드**

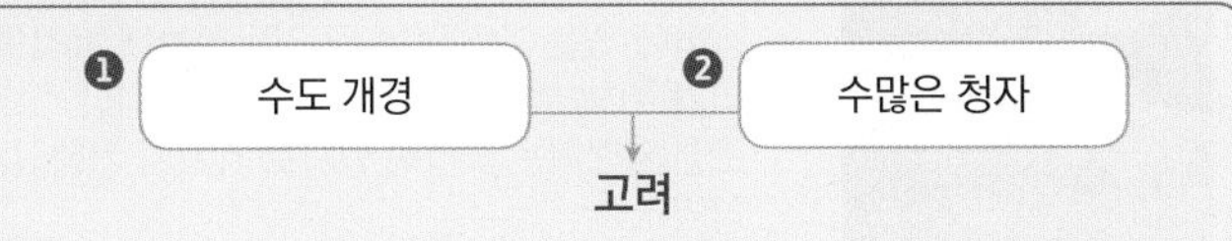

❶ 태조 왕건은 고려를 건국하고 수도를 개경(지금의 개성)으로 정하였어요.
❷ 청자는 고려를 대표하는 공예품 중 하나입니다. 고려청자는 신비한 푸른 빛의 아름다움으로 유명하였으며, 12세기 중반부터는 고려의 독창적인 상감 기법을 적용한 상감 청자가 제작되었어요.

① 전시과 제도가 실시되었다.
➡ **고려**는 관직 복무 등에 대한 대가로 조세를 거둘 수 있는 전지와 땔감을 얻을 수 있는 시지를 지급하는 전시과 제도를 실시하였어요.

② 고구마, 감자가 널리 재배되었다.
➡ 조선 후기에 감자, 고구마 등이 전래되어 구황 작물로 널리 재배되었어요.

③ 모내기법이 전국적으로 확산되었다.
➡ 조선 후기에 모내기법이 전국적으로 확산되어 농업 생산력이 증대되었어요.

④ 시장을 감독하기 위한 동시전이 설치되었다.
➡ 신라 지증왕은 수도 금성에 동시라는 시장을 설치하고 이를 감독하기 위한 관청으로 동시전을 두었어요.

기출 선택지 +α

❺ 보부상이 전국의 장시를 연결하였다. (O/X)
❻ 벽란도가 국제 무역항으로 번성하였다. (O/X)
❼ 담배, 면화 등의 상품 작물이 재배되었다. (O/X)
❽ 활구라고도 불린 은병이 화폐로 사용되었다. (O/X)

기출 선택지 +α 정답 ⑤ ×[조선 후기] ⑥ ○ ⑦ ×[조선 후기] ⑧ ○

16 공주 공산성

정답 ①

(가)에 해당하는 문화유산으로 옳은 것은? [2점]

문화유산 답사 보고서

답사 목적	한국의 산성 알아보기
답사 장소	(가)
답사 날짜	2021년 ○○월 ○○일
새롭게 알게 된 점	❶백제가 웅진에 수도를 두었을 당시 웅진성이라 불렸어. / 산성 안에는 쌍수정, 연지 등의 유적이 있어. / ❷2015년에 유네스코 세계 유산으로 등재되었어.

정답 잡는 **키워드**

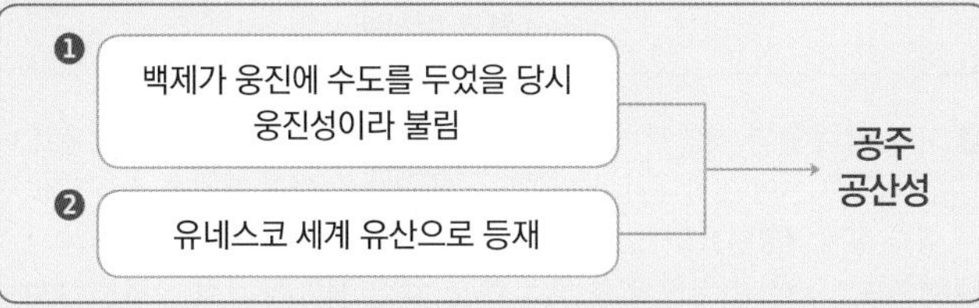

❶ 백제는 고구려 장수왕의 공격으로 한성이 함락되자 지금의 공주인 웅진으로 수도를 옮기고 공산성을 쌓아 외적을 방어하였어요. 공주 공산성은 당시에 웅진성이라 불렸습니다.
❷ 공주 공산성을 포함한 공주, 부여, 익산에 남아 있는 백제의 문화유산들은 그 가치를 인정받아 '백제 역사 유적 지구'라는 이름으로 유네스코 세계 유산에 등재되었어요.

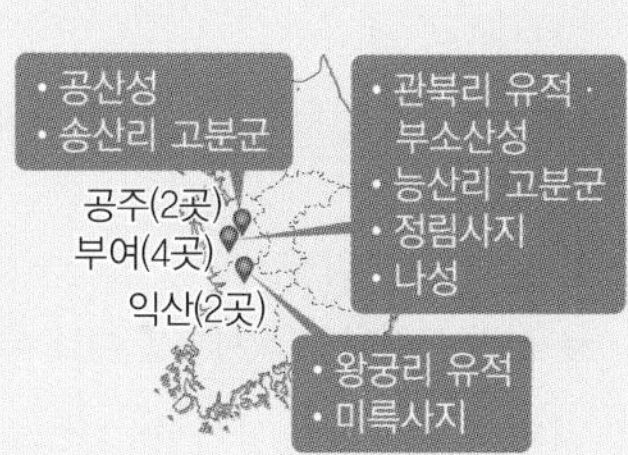

①

공산성

➡ 공주 공산성은 백제 시기에는 웅진성이라 불렸고, 고려 시대 이후 공산성이라고 불렸어요. 이괄의 난 당시 조선 인조가 이곳으로 피란하기도 하였어요.

②

삼랑성

➡ 강화 삼랑성은 단군의 세 아들이 쌓았다는 이야기가 전해져 삼랑성이라 불렸으며, 정족산에 있어 정족산성이라고도 합니다. 병인양요 당시 양헌수가 프랑스군을 격퇴한 곳이기도 해요.

③

삼년산성

➡ 보은 삼년산성은 신라 때 축조된 성이며, 성을 쌓는 데 3년이 걸려서 삼년산성이라는 이름이 붙었다고 합니다.

④

오녀산성

➡ 중국 랴오닝성에 있는 오녀산성은 고구려의 첫 도읍이었던 졸본성으로 추측됩니다.

킬러 문항

17 이성계의 활동

정답 ④

(가)에 들어갈 내용으로 옳은 것은? [2점]

(앞면)

〈주요 활동〉
- (가)
- ❶위화도 회군으로 권력을 장악함
- 정도전 등과 함께 개혁을 추진함
- ❷조선을 건국함

(뒷면)

정답 잡는 키워드

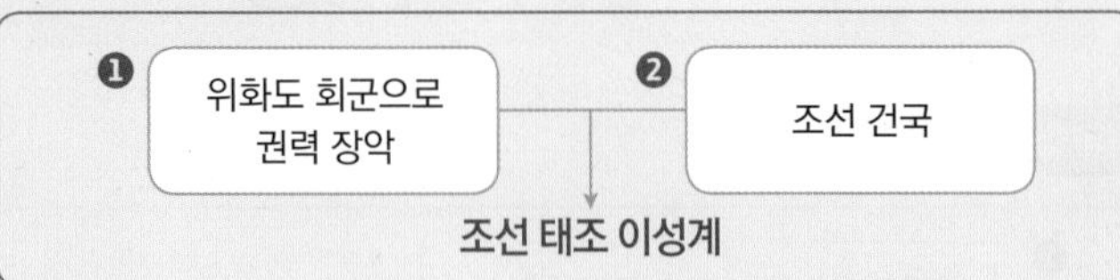

❶ 고려 말 우왕과 최영의 명령에 따라 요동 정벌을 위해 군대를 이끌고 나간 이성계는 이에 반대하여 위화도에서 군대를 돌려 개경을 점령하고 권력을 장악하였어요.

❷ 이성계는 권력을 장악한 후 정도전 등 급진 개혁파 신진 사대부 세력과 함께 개혁을 추진하였어요. 그리고 고려 왕조를 유지하려는 정몽주 등 온건 개혁파 신진 사대부를 제거한 후 조선을 건국하였어요.

① 별무반을 편성함

➡ **고려 숙종**은 윤관의 건의를 받아들여 여진 정벌을 위해 별무반을 편성하였어요.

② 우산국을 정벌함

➡ **신라 지증왕**은 이사부를 보내 우산국을 정벌하게 하였어요.

③ 전민변정도감을 설치함

➡ **고려 공민왕**은 신돈을 등용하고 전민변정도감을 설치하여 권문세족이 불법적으로 빼앗은 토지를 원래 주인에게 돌려주고 불법적으로 노비가 된 사람의 신분을 되돌려 주었어요.

④ 황산에서 왜구를 격퇴함

➡ 고려 말에 홍건적과 왜구의 침입을 물리치는 과정에서 이성계 등 신흥 무인 세력이 성장하였어요. 특히 **이성계**는 황산에서 왜구를 격퇴하는 등 여러 차례 외적을 물리쳐 명성이 높았어요.

핵심 개념 이성계의 활동

구분	내용
성장	고려 말에 홍건적과 왜구를 격퇴하는 과정에서 성장한 신흥 무인 세력
활동	• 황산에서 왜구 격퇴(황산 대첩) • 우왕과 최영의 요동 정벌에 반대, 위화도 회군 → 최영 제거, 우왕 폐위, 창왕 옹립 • 급진 개혁파 신진 사대부와 함께 과전법 시행
조선 건국	한양에 도읍을 정하고 한양 도성 건설(경복궁, 종묘와 사직 등)

킬러 문항

18 제주의 역사 유적

정답 ③

밑줄 그은 '유적'으로 옳은 것은? [1점]

✪ 제주에는 신석기 시대 유적인 고산리 유적이 있어요. 조선 시대에는 하멜이 표류하다 이곳에 도착하기도 하였어요. 또 일제 강점기에는 전투기 격납고 및 활주로를 조성한 알뜨르 비행장이 건설되었으며, 광복 이후에는 남한 단독 정부 수립에 반대하여 제주 4·3 사건이 일어나기도 하였어요.

①

참성단

➡ 강화에 있는 참성단은 단군이 하늘에 제사를 올리기 위해 쌓은 제단이라고 전해집니다. 고려와 조선 시대에는 국가적 행사로 제사가 거행되기도 하였어요.

②

다산 초당

➡ 강진에 있는 다산 초당은 정약용이 유배 생활을 하던 시기에 머물렀던 곳이에요. 정약용은 이곳에서 학문 연구를 계속하여 실학을 집대성하였어요.

③

항파두리성

➡ **제주**에 있는 항파두(리)성은 고려 시대 삼별초가 몽골을 상대로 항쟁을 펼친 곳이에요. 항파두성이 고려와 몽골의 연합군에 함락되면서 삼별초의 대몽 항쟁도 끝이 났어요.

④

부석사 무량수전

➡ 영주에 있는 부석사 무량수전은 배흘림기둥에 주심포 양식으로 축조된 고려 시대의 목조 건물로, 건물 내부에 소조 여래 좌상이 모셔져 있어요.

핵심 개념 제주의 역사

시대	내용
신석기 시대	고산리 유적
고려	• 삼별초 최후의 항전지 : 항파두(리)성, 김통정 지휘 • 원이 탐라총관부 설치
조선	• 효종 때 하멜 일행이 표류하다 도착한 곳 • 정조 때 김만덕이 빈민 구제 활동을 한 곳
일제 강점기	알뜨르 비행장 건설
광복 이후	제주 4·3 사건

킬러 문항

19 조선 세종 재위 시기의 사실

정답 ②

다음 대화가 이루어진 시기에 볼 수 있는 모습으로 적절한 것은? [2점]

정답 잡는 키워드

❶ 박연 등이 아악 정비 → 조선 세종

❶ 민족 문화가 꽃핀 세종 때에는 음악에 있어서도 큰 발전을 이루었는데, 세종은 박연에게 궁중 음악인 아악을 정비하게 하였어요. 중국의 각종 고전을 참고하여 악기와 악보를 만들게 하여 궁중 음악을 개혁하였습니다.

① 단성사에서 공연하는 배우
➡ 단성사는 대한 제국 시기인 1907년 서울 종로에 설립된 우리나라 최초의 상설 영화관이에요.

② 집현전에서 연구하는 관리
➡ **조선 세종**은 집현전을 설치하여 학문과 정책 연구 기관으로 삼았어요. 집현전을 통해 인재를 육성하고 편찬 사업을 추진하였어요.

③ 청해진에서 교역하는 상인
➡ 청해진은 신라 흥덕왕 때 장보고가 지금의 완도에 설치한 군사·무역 기지입니다. 장보고는 청해진을 거점으로 해적들을 소탕한 후 해상 무역을 주도하였어요.

④ 해동통보를 주조하는 장인
➡ 해동통보는 고려 숙종 때 주조된 금속 화폐입니다.

기출 선택지 +α

❺ 6진을 개척하는 김종서	(O/X)
❻ 장용영에서 훈련하는 군인	(O/X)
❼ 만민 공동회에서 연설하는 백정	(O/X)

핵심 개념 조선 세종의 정책

정치	• 의정부 서사제 실시, 집현전 설치 • 쓰시마섬(대마도) 정벌(이종무), 4군 6진 개척(최윤덕, 김종서), 3포 개항과 계해약조 체결(일본에 제한된 범위에서 무역 허용)
경제	전분6등법(토지의 비옥도 기준), 연분9등법(풍흉 기준)을 시행하여 차등적으로 조세 징수
문화	• 훈민정음 창제·반포 • "농사직설"·"향약집성방"·"칠정산"·"삼강행실도" 등 편찬 • 박연 등이 아악 정비 • 앙부일구(해시계), 자격루(물시계), 측우기 등 제작 • 금속 활자인 갑인자 등 주조 • 화약을 이용한 신무기인 신기전 개발

기출 선택지 +α 정답 ⑤○ ⑥×[조선 정조] ⑦×[대한 제국 시기, 1898년]

20 경국대전

정답 ①

(가)에 들어갈 책으로 옳은 것은? [2점]

책이 완성되어 여섯 권으로 만들어 바치니, (가) 이라는 이름을 내리셨다. 형전과 호전은 이미 반포되어 시행하고 있으나 나머지 네 ❶법전은 미처 교정을 마치지 못하였는데, 세조께서 갑자기 승하하시니 지금 임금 ❷[성종]께서 선대의 뜻을 받들어 마침내 하던 일을 끝마치고 나라 안에 반포하셨다.

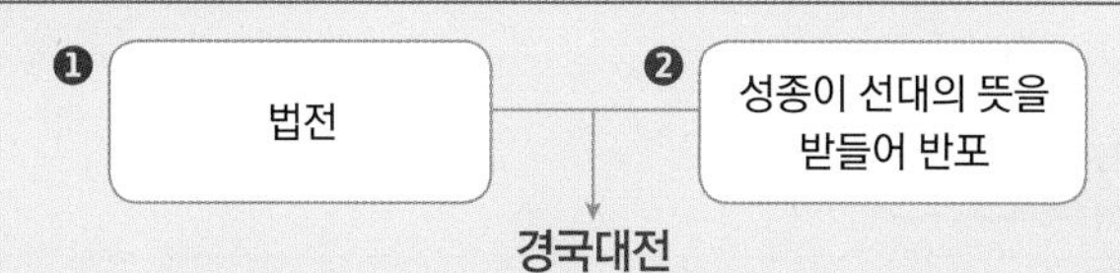

정답 잡는 키워드

❶ 법전 ❷ 성종이 선대의 뜻을 받들어 반포 → 경국대전

❶, ❷ "경국대전"은 조선 세조 때 편찬 작업이 시작되어 성종 때 반포된 법전이에요. "경국대전"에는 국가 조직, 재정, 의례, 군사 제도 등 통치 전반에 걸친 법령과 규정이 수록되었는데, 중앙의 6조 체제에 맞추어 이·호·예·병·형·공전의 6전 체제로 구성되었습니다. 이 중 재정과 경제의 기본이 되는 '호전'과 형벌, 재판, 노비, 상속에 대한 규정인 '형전'은 세조 때 완성되어 시행되었어요.

① 경국대전
➡ "경국대전"은 조선의 기본 법전으로 통치 규범의 기준이 되었어요.

② 동국통감
➡ "동국통감"은 조선 성종 때 서거정 등이 고조선부터 고려 말까지의 역사를 편년체로 정리한 역사서예요.

③ 동의보감
➡ "동의보감"은 허준이 전통 한의학을 체계적으로 정리한 의학서로, 광해군 때 완성되었어요.

④ 반계수록
➡ "반계수록"은 조선 후기의 실학자 유형원이 국가의 통치 제도에 대한 개혁안을 담아 저술한 책이에요.

핵심 개념 조선 성종의 정책

정치	• 조선의 기본 법전인 "경국대전"을 완성하여 반포 • 집현전을 계승한 홍문관 설치 • 경연을 부활시켜 확대 실시
경제	지방 관청에서 수확량을 조사하여 조세를 거둔 후 관리에게 지급하는 관수관급제 실시
편찬 사업	• "동국통감" : 서거정 등이 고조선부터 고려 말까지의 역사를 편년체로 정리 • "동국여지승람" : 고을의 역사, 지형, 출신 인물, 풍속, 생산물 등을 자세히 수록한 지리서 • "국조오례의" : 국가의 의례 정비 • "악학궤범" : 궁중 음악 집대성

제 55 회

21 종묘

정답 ①

(가)에 들어갈 문화유산으로 옳은 것은? [2점]

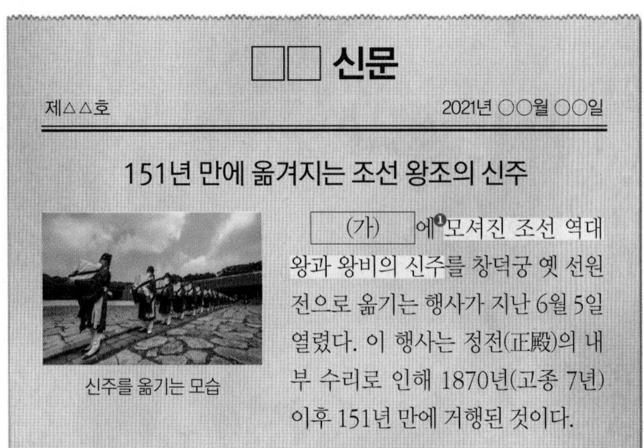

□□ 신문

제△△호 2021년 ○○월 ○○일

151년 만에 옮겨지는 조선 왕조의 신주

(가) 에❶모셔진 조선 역대 왕과 왕비의 신주를 창덕궁 옛 선원전으로 옮기는 행사가 지난 6월 5일 열렸다. 이 행사는 정전(正殿)의 내부 수리로 인해 1870년(고종 7년) 이후 151년 만에 거행된 것이다.

신주를 옮기는 모습

정답 잡는 키워드

❶ 조선 역대 왕과 왕비의 신주가 모셔진 곳 → 종묘

❶ 종묘는 조선 역대 왕과 왕비 및 추존된 왕과 왕비의 신주를 모신 사당이에요. 조선이 건국된 후 한양을 수도로 정하고 가장 먼저 짓기 시작하였어요. 조선 정부는 정궁인 경복궁의 왼쪽에는 종묘를, 오른쪽에는 사직단을 세웠습니다.

① 종묘
➡ 종묘는 조선 왕실의 상징성과 정통성을 보여 주는 문화유산으로 가치를 인정받아 1995년에 유네스코 세계 유산으로 등재되었어요.

② 사직단
➡ 사직단은 조선 시대에 땅의 신과 곡식의 신에게 제사를 지내던 제단이에요.

③ 성균관
➡ 성균관은 조선 시대 최고 국립 교육 기관이며, 수준 높은 유학 교육을 실시하고 성현에 대한 제사도 지냈어요.

④ 도산 서원
➡ 안동의 도산 서원은 이황이 제자들을 가르쳤던 장소에 세워진 서원으로, 이황을 기리기 위해 조선 선조 때 건립되었어요. 도산 서원 등 9개의 대표적인 서원이 2019년에 '한국의 서원'이라는 이름으로 유네스코 세계 유산에 등재되었어요.

22 병자호란 이후의 사실

정답 ①

다음 상황 이후에 일어난 사실로 옳은 것은? [3점]

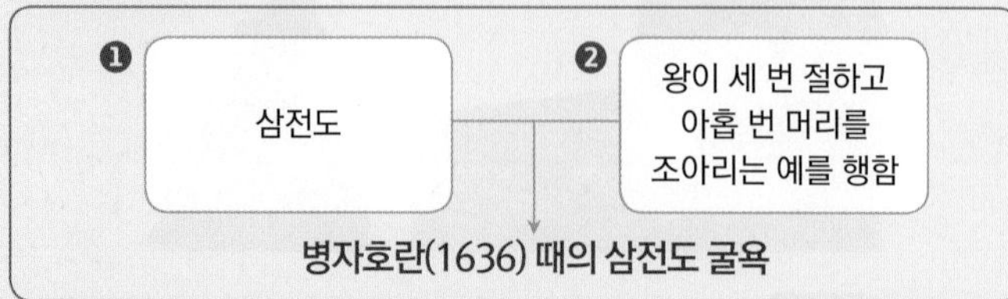

왕이 세자와 함께 신하들을 거느리고❶삼전도에 이르렀다. …… 용골대 등이 왕을 인도하여 들어가 단 아래 북쪽을 향해 설치된 자리로 나아가도록 요청하였다. 청인(淸人)이 외치는 의식의 순서에 따라❷왕이 세 번 절하고 아홉 번 머리를 조아리는 예를 행하였다.

정답 잡는 키워드

❶ 삼전도 / ❷ 왕이 세 번 절하고 아홉 번 머리를 조아리는 예를 행함 → 병자호란(1636) 때의 삼전도 굴욕

❶, ❷ 국호를 후금에서 청으로 바꾼 여진이 조선에 군신 관계를 강요하며 침입하여 병자호란이 일어났어요. 인조는 남한산성으로 피신하여 항전하였으나 청의 공세에 못 이겨 항복하고 삼전도에서 청 황제에게 세 번 절하고 아홉 번 머리를 조아리는 굴욕적인 항복 의식을 치렀습니다.

① 송시열이 북벌론을 주장하였다.
➡ **병자호란 이후** 조선에서는 청에 대한 반감이 커진 가운데 청에 당한 수치를 씻고 복수하자는 북벌론이 일어났어요. 특히 청에 인질로 끌려갔다가 돌아와 왕이 된 효종(봉림 대군)은 송시열과 함께 북벌을 주장하며 군대를 양성하고 성곽을 수리하는 등 북벌 정책을 폈습니다.

② 조광조가 위훈 삭제를 주장하였다.
➡ 병자호란 이전인 조선 중종 때 조광조는 중종반정으로 공신이 된 사람 중에서 부당하게 공신이 된 사람의 거짓 공훈을 삭제(위훈 삭제)하자고 주장하였어요. 이에 훈구 세력이 반발하여 기묘사화가 일어나 조광조가 죽임을 당하였어요.

③ 광해군이 인조반정으로 폐위되었다.
➡ 조선 광해군은 왕권에 위협이 되는 영창 대군을 죽이고 인목 대비를 서궁에 유폐하였어요. 서인 세력은 이를 구실 삼아 1623년에 광해군을 폐위하고 인조를 새 왕으로 세우는 인조반정을 일으켰어요.

④ 곽재우가 의령에서 의병을 일으켰다.
➡ 1592년 일본군이 조선을 침략하여 임진왜란이 발발하자 전국 각지에서 곽재우, 조헌 등 의병이 일어나 익숙한 지리를 활용한 전술로 일본군에 큰 타격을 주었어요.

기출 선택지 +α

⑤ 최무선이 진포에서 왜구를 격퇴하였다. (O/X)
⑥ 권율이 행주산성에서 크게 승리하였다. (O/X)

핵심 개념 병자호란(1636)

구분	내용
배경	후금(청)이 조선에 군신 관계의 체결과 무리한 공물 요구 → 조선에서는 외교적으로 해결하자는 주화론과 맞서 싸우자는 주전론(척화론)이 대립하였으나 주전론이 우세해짐
전개	청 태종이 군대를 이끌고 조선 침략(병자호란) → 임경업이 백마산성에서 항전, 인조와 신하들이 남한산성으로 피란하여 항전
결과	• 삼전도에서 청과 굴욕적인 화의 체결 → 청과 군신 관계 체결 • 소현 세자와 봉림 대군 등 많은 사람이 청에 인질로 끌려감 • 청에 막대한 공물과 청이 전쟁을 할 때 지원군 파견을 약속함
영향	청에 대한 복수심이 높아지면서 송시열 등이 북벌론 주장

기출 선택지 +α 정답 ⑤ ×[고려 말] ⑥ ×[임진왜란]

23 추석

정답 ②

(가)에 들어갈 세시 풍속으로 옳은 것은? [1점]

정답 잡는 키워드

❶ 음력 8월 15일 / ❷ 송편, 차례, 성묘 → 추석

❶, ❷ 추석은 음력 8월 15일로, 한가위 또는 중추절이라고도 해요. 이날에는 햅쌀로 송편을 만들어 먹고 풍성한 수확에 감사하며 새로 추수한 곡식과 과일로 차례를 지내고 성묘를 하였습니다.

① 단오
➡ 단오는 음력 5월 5일로, 수릿날 또는 천중절이라고도 해요. 단옷날에는 쑥떡이나 수리취떡 등을 만들어 먹고, 창포물에 머리 감기, 그네뛰기 등을 하였어요.

② 추석
➡ 추석에는 강강술래, 줄다리기, 씨름 등의 민속놀이를 즐겼어요.

③ 한식
➡ 한식은 동지에서 105일째 되는 날로, 이날에는 조상의 묘를 찾아 돌보고 제사를 지냈으며 불을 사용하지 않고 찬 음식을 먹는 풍습이 있었어요.

④ 정월 대보름
➡ 정월 대보름은 음력 1월 15일로, 이날에는 부럼 깨기, 달맞이, 쥐불놀이 등의 풍속이 있었어요.

24 대동법

정답 ③

밑줄 그은 '제도'로 옳은 것은? [2점]

정답 잡는 키워드

❶ 공납을 특산물 대신 쌀이나 옷감, 동전으로 납부 / ❷ 김육 → 대동법

❶ 대동법은 방납의 폐단을 바로잡기 위해 조선 광해군 때 경기도에서 처음 실시되었어요. 공납을 특산물 대신 소유한 토지 결수를 기준으로 쌀이나 옷감(면포나 삼베), 동전 등으로 내게 하여 토지가 없거나 적게 소유한 농민의 부담이 크게 줄어들었어요.
❷ 조선 후기에 김육 등이 대동법의 확대 실시를 위해 노력하여 충청도와 전라도까지 적용 지역이 확대되었어요.

① 과전법
➡ 과전법은 고려 말 공양왕 때 토지 제도의 문란을 바로잡기 위해 이성계와 급진 개혁파 신진 사대부가 제정한 토지 제도로, 조선으로 이어져 초기까지 시행되었어요. 전직과 현직 관리에게 경기 지역의 토지에 한하여 과전을 지급하였어요. 과전법의 실시로 신진 사대부의 경제 기반이 마련되고 국가 재정이 확충되었어요.

② 균역법
➡ 균역법은 농민의 군역 부담을 덜어 주기 위해 농민이 군포 2필을 납부하던 것을 1필로 줄여 준 제도로, 조선 영조 때부터 시행되었어요.

③ 대동법
➡ 대동법은 조선 광해군 때 경기도에서 처음 실시된 후 점차 확대되어 숙종 때 평안도 등을 제외한 전국에서 실시되었어요. 소유한 토지 결수를 기준으로 세금 납부액이 정해졌기 때문에 넓은 토지를 가진 양반 지주들의 반대가 컸습니다.

④ 영정법
➡ 영정법은 풍흉에 관계없이 전세 납부액을 토지 1결당 4~6두로 고정한 제도로, 조선 인조 때부터 시행되었어요.

25 조선 정조의 정책

정답 ③

(가) 왕이 실시한 정책으로 옳은 것은? [2점]

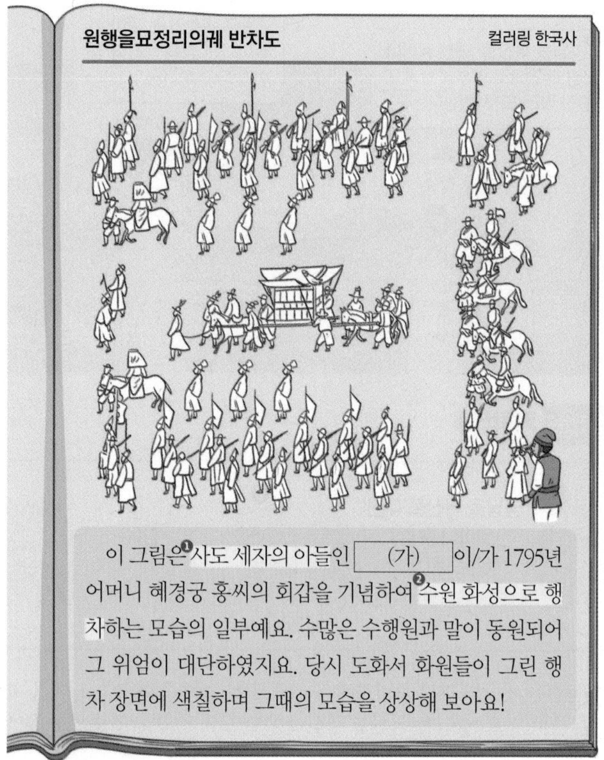

이 그림은 ❶사도 세자의 아들인 (가) 이/가 1795년 어머니 혜경궁 홍씨의 회갑을 기념하여 ❷수원 화성으로 행차하는 모습의 일부예요. 수많은 수행원과 말이 동원되어 그 위엄이 대단하였지요. 당시 도화서 화원들이 그린 행차 장면에 색칠하며 그때의 모습을 상상해 보아요!

정답 잡는 키워드

❶, ❷ 조선 영조에 이어 즉위한 정조는 수원에 친아버지 사도 세자의 묘인 현륭원(지금의 융릉)을 조성하고, 신도시이자 자신의 정책을 뒷받침하는 개혁 도시로 수원 화성을 건설하였어요.

① 경복궁을 중건하였다.
➡ 고종의 친아버지로 실권을 장악한 흥선 대원군은 왕실의 권위 회복을 위해 임진왜란 때 불에 탄 뒤 방치된 경복궁을 다시 지었어요.

② 대마도를 정벌하였다.
➡ 조선 세종 때 이종무는 군사를 이끌고 가서 대마도(쓰시마섬)를 정벌하였어요.

③ 장용영을 창설하였다.
➡ 조선 **정조**는 국왕의 친위 부대인 장용영을 설치하여 왕권을 뒷받침하였어요.

④ 탕평비를 건립하였다.
➡ 조선 영조는 붕당의 폐해를 바로잡기 위해 탕평책을 폈으며, 성균관 입구에 탕평의 의지를 담은 탕평비를 세웠어요.

기출 선택지 +α

⑤ 집현전을 설치하였다.	(O/X)
⑥ 신해통공을 실시하였다.	(O/X)
⑦ 경국대전을 반포하였다.	(O/X)

기출 선택지 +α 정답 ⑤ ×[조선 세종] ⑥ ○ ⑦ ×[조선 성종]

26 홍대용의 활동

정답 ④

(가)에 들어갈 인물로 옳은 것은? [2점]

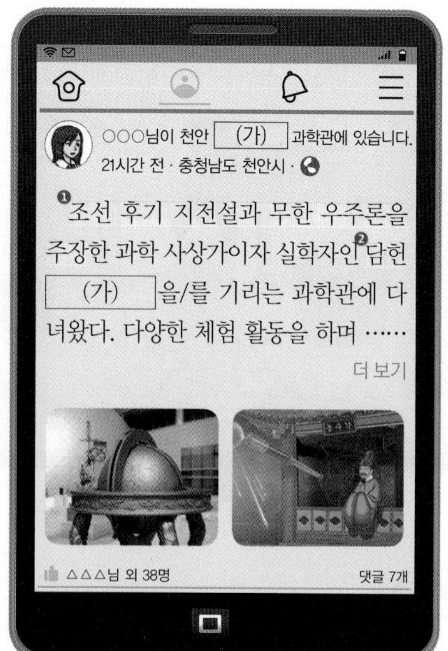

정답 잡는 키워드

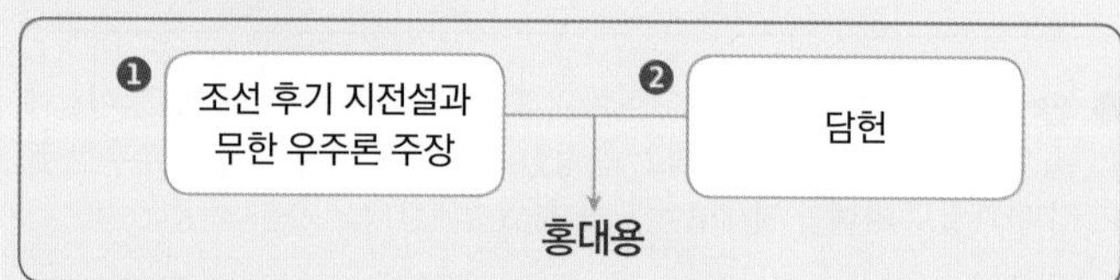

❶, ❷ 홍대용은 조선 후기의 과학 사상가이자 실학자로, 지구가 하루에 한 번씩 돌아 낮과 밤이 나타난다는 지전설과 우주는 무한히 펼쳐져 있다는 무한 우주론을 주장하였어요. 또 천문 관측기구인 혼천의를 제작하였습니다. '담헌'은 홍대용의 호입니다.

① 박제가
➡ 조선 후기의 실학자 박제가는 청에 다녀와 상공업의 중요성을 깨닫고 "북학의"를 저술하여 수레와 선박의 이용을 주장하였어요.

② 이순지
➡ 이순지는 조선 세종 때 천문과 역법 사업의 책임자로 발탁되어 "칠정산 내·외편"을 편찬하였으며, 갑인자 제작에도 참여하였어요.

③ 장영실
➡ 장영실은 조선 세종 때의 과학자로 자격루 등의 기구를 제작하였어요.

④ 홍대용
➡ 홍대용은 상공업 중심의 개혁론을 주장하였으며 "의산문답", "임하경륜"을 저술하였어요.

핵심 개념 담헌 홍대용의 활동

실학자	• 상공업 중심 개혁론 주장(중상 학파, 북학파) : 상공업 진흥과 청의 선진 문물 수용 주장 • "임하경륜" 저술
과학 사상가	• 지전설과 무한 우주론 주장 • 천문 관측기구인 혼천의 제작 • "의산문답" 저술

27 조선 후기의 사회 모습

정답 ②

다음 직업이 등장한 시기의 사회 모습으로 옳은 것은? [2점]

(앞면)

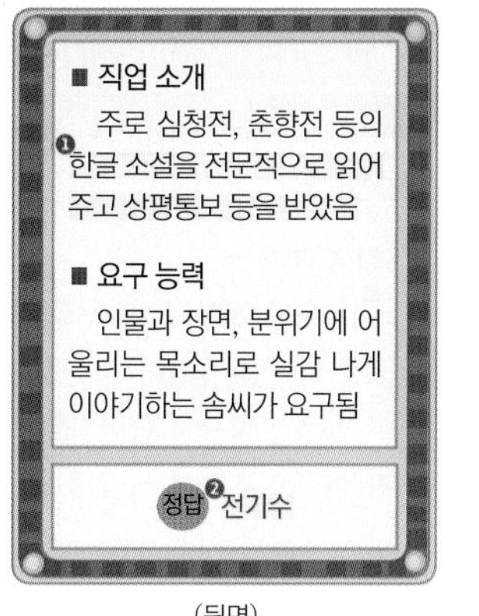

(뒷면)

정답 잡는 키워드

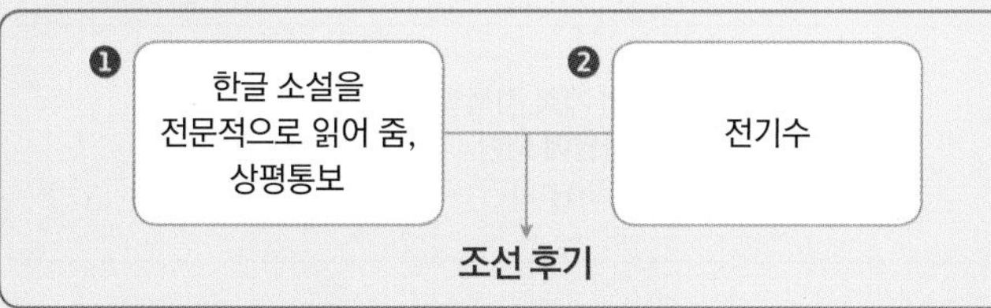

❶, ❷ 조선 후기에는 한글 소설 등의 서민 문화가 크게 발전하였어요. 한글 소설이 유행하면서 돈을 받고 전문적으로 책을 읽어 주는 전기수가 등장하였는데, 전기수는 이야기를 전해 주는 사람이라는 뜻입니다. 한편, 상평통보는 조선 후기 숙종 때 공식 화폐로 주조되어 널리 유통되었어요.

① 변발과 호복이 유행하였다.
➡ 고려 원 간섭기에 변발과 호복 등 몽골풍이 유행하였어요.

② 판소리와 탈춤이 성행하였다.
➡ **조선 후기**에 판소리, 탈춤 등이 성행하여 사람들이 많이 모이는 장시에서 공연이 벌어졌어요.

③ 골품에 따라 일상생활을 규제하였다.
➡ 신라에는 골품제라는 폐쇄적인 신분 제도가 있어 골품에 따라 관직 진출뿐만 아니라 일상생활까지 규제되었어요.

④ 특수 행정 구역인 향과 부곡이 있었다.
➡ 고려는 지방 행정 구역으로 군현 이외에 특수 행정 구역인 향과 부곡, 소를 두었어요.

기출 선택지 +α

⑤ 중인층의 시사 활동이 활발하였다. (O/X)
⑥ 기존 형식에서 벗어난 사설시조가 유행하였다. (O/X)
⑦ 단군의 건국 이야기를 담은 제왕운기가 저술되었다. (O/X)
⑧ 사회의 부조리를 비판하는 한글 소설이 널리 읽혔다. (O/X)

기출 선택지 +α 정답 ⑤○ ⑥○ ⑦×[고려 원 간섭기] ⑧○

28 한성순보

정답 ②

밑줄 그은 '신문'으로 옳은 것은? [2점]

❷순 한문으로 열흘에 한 번씩 나온다지.
이번에 ❶박문국에서 발행한 신문입니다.
외국 소식도 폭넓게 소개하고 있습니다.

정답 잡는 키워드

❶ 박문국에서 발행
❷ 순 한문으로 열흘에 한 번씩 나옴
한성순보

❶, ❷ 한성순보는 박문국에서 순 한문으로 10일에 한 번씩 발행된 우리나라 최초의 근대 신문입니다.

① 만세보
➡ 만세보는 천도교에서 민중 계몽을 위해 발행한 기관지입니다.

② 한성순보
➡ 한성순보는 정부 정책을 알리는 관보의 성격을 띠었으며, 외국 소식도 폭넓게 소개하였어요. 정부는 개화 정책을 홍보하고 민중을 계몽할 목적으로 한성순보를 발행하였어요.

③ 황성신문
➡ 황성신문은 주 독자층이 유생층이었으며, 국한문 혼용으로 발행되었어요. 을사늑약의 부당함을 비판한 장지연의 논설 '시일야방성대곡'을 처음으로 게재하였어요.

④ 대한매일신보
➡ 대한매일신보는 양기탁과 베델이 창간하였으며 순 한글, 국한문, 영문으로 발행되었어요. 국채 보상 운동을 적극적으로 후원하여 국채 보상 운동이 전국으로 확산되는 데 기여하였어요.

핵심 개념 근대 언론의 발달

신문	내용
한성순보 (1883)	• 우리나라 최초의 근대 신문 • 박문국에서 순 한문으로 열흘에 한 번 발행됨
한성주보 (1886)	• 한성순보 종간 이후 박문국에서 발행 • 우리나라 최초로 상업 광고 게재
독립신문 (1896)	서재필 등이 창간한 우리나라 최초의 민간 신문이자 최초의 순 한글 신문, 영문판으로도 발행되어 국내 정세를 외국인에게 알림
제국신문 (1898)	순 한글로 발행되어 서민과 부녀자들이 주로 구독
황성신문 (1898)	• 국한문 혼용체로 발행되어 유생들이 주로 구독 • 장지연의 논설 '시일야방성대곡'을 처음 게재
대한매일신보 (1904)	• 양기탁과 영국인 베델이 함께 창간 • 순 한글과 국한문·영문으로 발행됨 • 일제에 비판적인 기사를 실어 많은 독자층 확보, 국채 보상 운동을 적극적으로 지원
해조신문 (1908)	• 러시아 블라디보스토크에서 발행된 한글 신문 • 해외에서 발행된 최초의 한글 신문

29 고종 즉위와 강화도 조약 사이의 사실 정답 ①

(가) 시기에 있었던 사실로 옳은 것은? [3점]

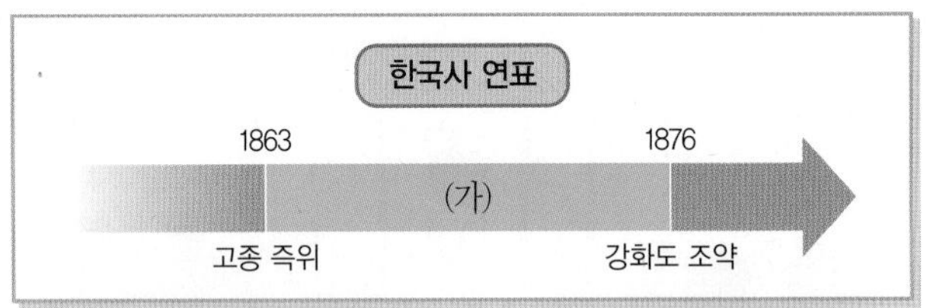

✪ 조선 철종이 후계를 남기지 않고 죽자 1863년에 고종이 어린 나이로 즉위하여 친아버지 흥선 대원군이 집권하였어요. 고종이 성장하자 고종이 직접 통치에 나서야 한다는 여론이 높아져 1873년에 흥선 대원군이 물러나고 고종이 직접 정치하기 시작하였습니다. 이후 조선의 대외 정책에도 변화가 나타나 흥선 대원군이 펴던 통상 수교 거부 정책이 완화되었어요. 이러한 상황을 틈타 일본은 운요호 사건을 일으키고 이를 빌미로 조선에 개항을 강요하였습니다. 결국 조선은 일본과 1876년에 우리나라 최초의 근대적 조약인 강화도 조약을 체결하였어요.

①

신미양요

➡ 신미양요는 **1871년**에 미국이 제너럴 셔먼호 사건을 구실 삼아 통상 수교를 강요하며 강화도를 침입한 사건이에요. 어재연이 광성보에서 군대를 이끌고 미군에 맞섰으나 패하였어요.

②

보빙사 파견

➡ 보빙사는 조·미 수호 통상 조약을 체결한 후 미국이 조선에 공사를 보내오자, 이에 대한 답례로 1883년에 조선이 미국에 파견한 사절단이에요.

③

황룡촌 전투

➡ 황룡촌 전투는 1894년 동학 농민 운동 당시 농민군이 관군에 맞서 승리한 전투예요. 이후 농민군은 전주성까지 점령하였어요.

④

만민 공동회 개최

➡ 만민 공동회는 1898년에 독립 협회의 주도로 처음 개최된 근대적 민중 집회예요.

핵심 개념 흥선 대원군 집권 시기(1863~1873)의 사실

구분	내용
대내	• 비변사 축소·사실상 폐지, 의정부와 삼군부가 정치와 군사 업무를 나누어 맡게 함 • "대전회통" 편찬, 경복궁 중건, 서원 정리 • 양전 사업 실시, 호포제 시행, 사창제 실시
대외	• 병인양요(1866) : 병인박해를 구실로 프랑스군이 강화도 침략 • 오페르트 남연군 묘 도굴 미수 사건(1868) : 독일 상인 오페르트가 조선 정부와의 통상 협상에 이용하기 위해 흥선 대원군의 아버지 남연군의 묘를 도굴하려 하였으나 실패함 • 신미양요(1871) : 제너럴 셔먼호 사건(1866)을 구실로 미군이 강화도 침략 • 척화비 건립(1871) : 신미양요 직후 전국 각지에 척화비를 건립하여 통상 수교 거부 의지를 널리 알림

30 임오군란 정답 ①

(가)에 들어갈 사건으로 옳은 것은? [1점]

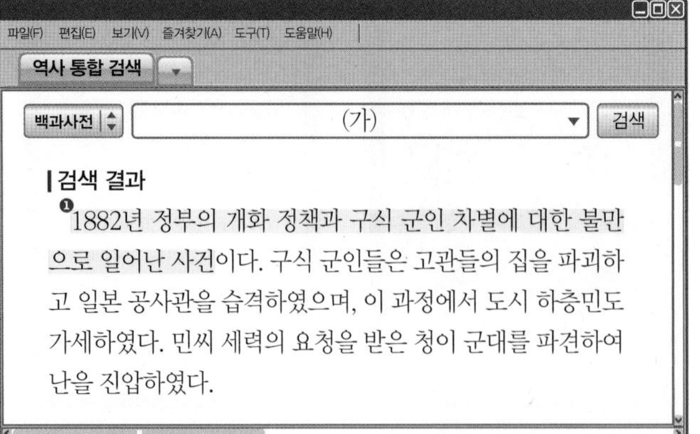

| 검색 결과

❶1882년 정부의 개화 정책과 구식 군인 차별에 대한 불만으로 일어난 사건이다. 구식 군인들은 고관들의 집을 파괴하고 일본 공사관을 습격하였으며, 이 과정에서 도시 하층민도 가세하였다. 민씨 세력의 요청을 받은 청이 군대를 파견하여 난을 진압하였다.

정답 잡는 **키워드**

❶ 1882년 정부의 개화 정책과 구식 군인 차별에 대한 불만으로 일어난 사건 → 임오군란

❶ 임오군란은 1882년에 정부의 개화 정책과 구식 군인 차별에 대한 불만이 폭발하여 일어난 사건이에요. 조선 정부는 개항 이후 개화 정책을 추진하면서 별기군이라는 신식 군대를 창설하고 구식 군대의 규모를 줄였어요. 별기군에 비해 낮은 대우를 받던 구식 군인들은 봉급도 제때 지급받지 못한 데다 밀린 봉급으로 받은 쌀에 겨와 모래가 섞여 있자 분노하여 정부 고관의 집과 일본 공사관을 습격하였는데, 여기에 한성 주변의 도시 하층민도 합세하였습니다.

① 임오군란

➡ 민씨 세력의 지원 요청에 따라 조선에 들어온 청군이 임오군란을 진압하였어요. 이후 청은 군대를 조선에 계속 주둔시켰고, 조·청 상민 수륙 무역 장정을 체결하여 경제적 침투를 강화하였어요.

② 삼국 간섭

➡ 삼국 간섭은 청·일 전쟁에서 승리한 일본이 시모노세키 조약을 맺어 청으로부터 랴오둥(요동)반도를 넘겨받자, 러시아가 프랑스, 독일과 함께 일본을 압박하여 랴오둥반도를 청에 반환하게 한 사건이에요.

③ 거문도 사건

➡ 거문도 사건은 러시아가 비밀 협약을 추진하는 등 조선에서 영향력을 확대하려고 하자, 세계 곳곳에서 러시아와 대립하던 영국이 러시아의 남하를 막는다는 명분을 내세워 거문도를 불법으로 점령한 사건이에요.

④ 임술 농민 봉기

➡ 임술 농민 봉기는 조선 철종 때 삼정의 문란과 지배층의 수탈 등에 항거하여 일어난 농민 봉기예요.

핵심 개념 임오군란의 영향

구분	내용
청	• 청의 간섭이 본격화됨 → 군대 주둔, 고문 파견 • 조·청 상민 수륙 무역 장정 체결 : 허가받은 청 상인의 내지 무역 인정
일본	제물포 조약 체결 : 일본에 배상금 지불, 일본 공사관 경비를 위한 일본군 주둔 허용

킬러 문항

31 제1차 갑오개혁

정답 ①

밑줄 그은 '개혁'의 내용으로 옳지 않은 것은? [3점]

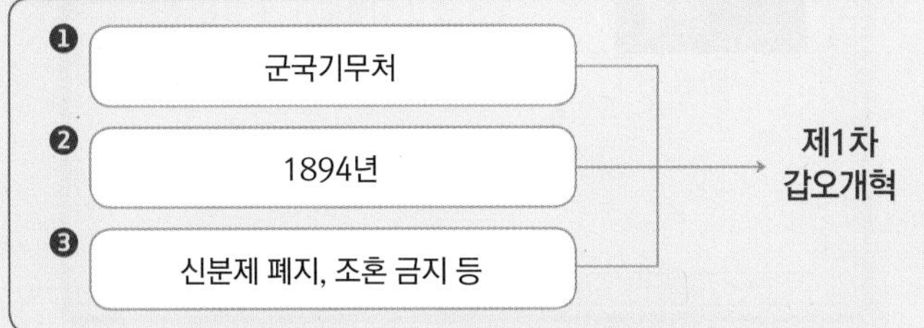
역사 용어 카드

❶군국기무처

❷1894년 6월 의정부 산하에 설치되어 개혁을 추진하였던 정책 의결 기구이다. 총재는 영의정 김홍집이 겸임하였다. 약 3개월 동안 ❸신분제 폐지, 조혼 금지 등 약 210건의 안건을 심의하고 통과시켰다.

정답 잡는 키워드

❶ 군국기무처
❷ 1894년
❸ 신분제 폐지, 조혼 금지 등
→ 제1차 갑오개혁

❶, ❷ 1894년에 군국기무처를 중심으로 **제1차 갑오개혁**이 추진되었어요. 이후 청·일 전쟁에서 승기를 잡은 일본은 조선의 내정에 적극 간섭하기 시작하여 김홍집·박영효 연립 내각을 구성하게 하였어요. 김홍집·박영효 연립 내각은 군국기무처를 폐지하였습니다.

❸ **제1차 갑오개혁**을 통해 신분제 폐지, 조혼 금지, 과거제 폐지, 노비제 폐지 등의 근대 개혁이 추진되었어요.

① 지계를 발급하였다.
➡ 1897년에 수립된 대한 제국 정부는 양전 사업을 실시하고 근대적 토지 소유 증명서인 지계를 발급하였어요. 연호가 광무였던 이 시기에 추진한 개혁을 광무개혁이라고 합니다.

② 과거제를 폐지하였다.
➡ **제1차 갑오개혁**으로 과거제가 폐지되고 새로운 관리 임용 제도가 마련되었어요.

③ 도량형을 통일하였다.
➡ 도량형은 길이, 부피, 무게 등을 재는 단위예요. **제1차 갑오개혁**으로 지역마다 달랐던 도량형이 통일되었어요.

④ 연좌제를 금지하였다.
➡ **제1차 갑오개혁**으로 죄를 지은 사람뿐만 아니라 가족이나 친척에게도 책임을 물어 함께 처벌하는 연좌제가 금지되었어요.

32 육영 공원

정답 ③

(가)에 들어갈 근대 교육 기관으로 옳은 것은? [2점]

정답 잡는 키워드

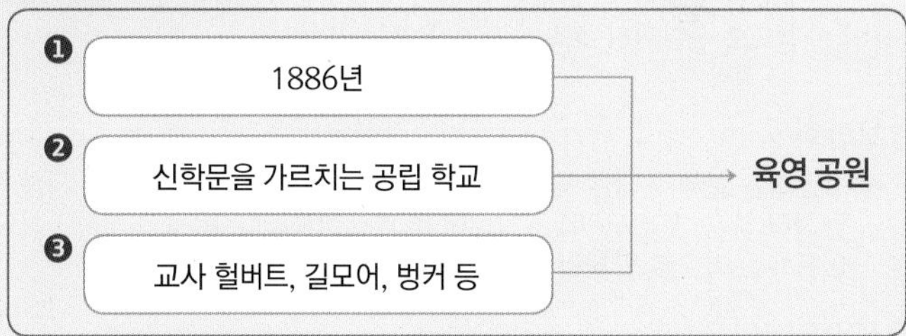
❶ 1886년
❷ 신학문을 가르치는 공립 학교
❸ 교사 헐버트, 길모어, 벙커 등
→ 육영 공원

❶, ❷ 육영 공원은 1886년에 조선 정부가 설립한 근대 학교입니다.

❸ 육영 공원은 헐버트, 길모어 등 미국인 교사를 초빙하여 양반 자제와 젊은 현직 관리에게 영어를 비롯하여 수학, 지리학, 정치학 등 근대 학문을 가르쳤어요.

① 서전서숙
➡ 서전서숙은 이상설 등이 북간도 지역에 설립한 민족 교육 기관이에요.

② 배재 학당
➡ 배재 학당은 개신교 선교사 아펜젤러가 설립한 근대 학교예요.

③ 육영 공원
➡ 육영 공원은 조선 정부가 젊은 현직 관리와 양반 자제를 교육하기 위해 세운 공립 학교입니다.

④ 이화 학당
➡ 이화 학당은 개신교 선교사 스크랜턴이 여성 교육을 위해 설립한 학교예요.

핵심 개념 근대 교육의 발달

1880년대	• 사립 : 원산 학사(1883, 덕원·원산 관민이 설립 → 우리나라 최초의 근대 학교), 배재 학당·이화 학당(개신교 선교사가 설립) • 관립 : 동문학(1883, 통역관 양성소), 육영 공원(1886, 헐버트·길모어 등 미국인 교사 초빙, 양반 자제와 젊은 현직 관리 대상)
1890년대	• 갑오개혁으로 학무아문 설치, 교육 입국 조서 반포 → 근대 학교 법규 제정 • 각종 관립 학교 설립(소학교, 한성 사범 학교, 외국어 학교 등)
1900년대	을사늑약 이후 애국 계몽 운동가들이 학교 설립 → 오산 학교(이승훈), 대성 학교(안창호) 등

33 신민회

정답 ②

밑줄 그은 '이 단체'로 옳은 것은? [2점]

정답 잡는 키워드

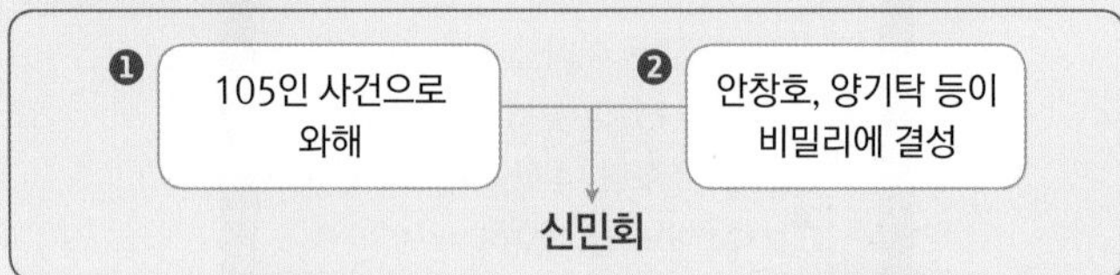

❶, ❷ 신민회는 국권 회복과 공화 정체의 근대 국가 수립을 목표로 하여 1907년에 안창호, 양기탁 등이 비밀리에 결성한 단체입니다. 일제가 데라우치 총독 암살 미수 사건을 조작하여 독립운동가들을 잡아들인 105인 사건으로 신민회의 조직이 드러나 와해되었어요.

① 보안회
➡ 보안회는 일제가 대한 제국 정부에 황무지 개간권을 요구하며 토지를 약탈하려 하자, 1904년에 조직되어 이에 대한 반대 운동을 전개하였어요. 이들의 노력으로 일제의 요구를 저지하는 데 성공하였어요.

② 신민회
➡ 신민회는 민족 자본을 육성하기 위해 태극 서관과 자기 회사를 운영하였으며, 민족 교육을 위해 오산 학교와 대성 학교를 설립하였어요.

③ 대한 자강회
➡ 헌정 연구회를 계승한 대한 자강회는 입헌 군주제의 수립을 지향하였으며, 일제가 고종 황제를 강제 퇴위시키자 반대 운동을 벌이다가 통감부의 탄압을 받아 해산되었어요.

④ 헌정 연구회
➡ 헌정 연구회는 입헌 정치 체제의 수립을 주장하였으며, 친일 단체 일진회의 반민족 행위를 규탄하였어요.

핵심 개념	신민회
결성	안창호, 양기탁 등이 주도한 비밀 결사(1907)
목표	국권 회복 및 공화 정체의 국민 국가 건설
활동	• 대중 계몽 활동 : 강연회 개최, 학회 활동 등 • 민족 교육 실시 : 오산 학교, 대성 학교 설립 • 민족 산업 육성 : 자기 회사, 태극 서관 운영 • 국외 독립운동 기지 건설 : 서간도(남만주)의 삼원보에 한인촌 건설, 신흥 강습소 설립
해체	일제가 조작한 105인 사건으로 조직이 드러나 와해됨(1911)

34 덕수궁 석조전

정답 ④

(가)에 들어갈 문화유산으로 옳은 것은? [2점]

답사 계획서

• 주제 : 근대 역사의 현장을 찾아서
• 일자 : 2021년 ○○월 ○○일
• 답사 장소

사진	설명
우정총국	근대 우편 제도를 시행하기 위해 세워진 것으로, 개국 축하연 때 갑신정변이 발생하였다.
구 러시아 공사관	을미사변 이후 고종이 피신한 곳으로 약 1년 동안 머물렀다. 지금은 건물의 일부만 남아 있다.
(가)	❶고종의 접견실 등으로 사용하기 위해 지어진 것으로, ❷당시 건축된 서양식 건물 중 규모가 가장 크다.

정답 잡는 키워드

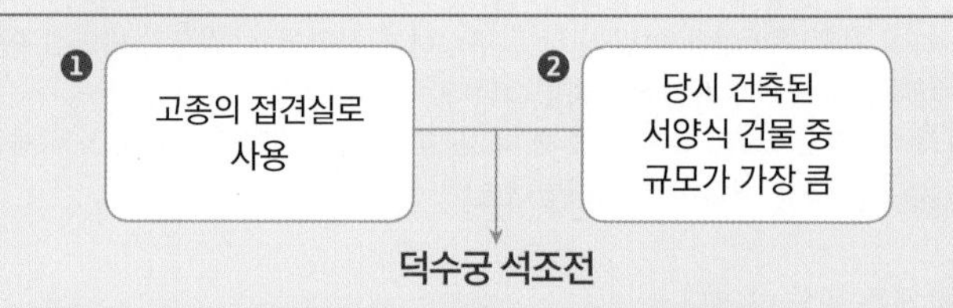

❶, ❷ 덕수궁 석조전은 대한 제국 시기에 지어진 서양식 석조 건물로, 당시 건축된 서양식 건물 중 규모가 가장 큽니다. 건물이 지어진 후에 고종의 접견실, 황제·황후의 침실 등으로 사용되었으며, 광복 이후에 미·소 공동 위원회가 열렸습니다.

①

황궁우

➡ 황궁우는 고종이 황제 즉위식을 거행한 환구단의 부속 건물이에요.

②

명동 성당

➡ 서울 명동 성당은 1898년에 건립된 천주교 교회당이에요. 우리나라 유일의 순수한 고딕 양식의 건물이에요.

③

운현궁 양관

➡ 운현궁 양관은 흥선 대원군의 손자 이준용(이준)의 저택으로, 프랑스풍 르네상스 양식으로 지어졌어요. 접객과 연회 용도로 사용되었던 것으로 보입니다.

④

덕수궁 석조전

➡ 덕수궁 석조전은 18세기 유럽의 궁전 건축을 모방하여 영국인 건축가 하딩이 설계하였어요.

킬러 문항

35 윤희순의 활동

정답 ④

(가)에 해당하는 인물로 옳은 것은? [3점]

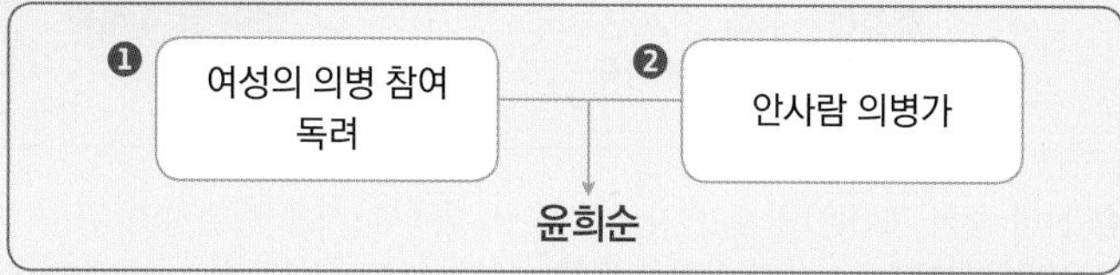

❶, ❷ 윤희순은 대표적인 여성 의병 지도자로, '안사람 의병가' 등 8편의 가사를 지어 많은 여성과 청년에게 의병 참여를 독려하고 의병들의 사기를 높이려 하였습니다.

①

권기옥

➡ 권기옥은 대한민국 임시 정부의 추천으로 중국의 육군 항공 학교를 수료하여 우리나라 최초의 여성 비행사가 되었어요. 10여 년간 중국군에서 비행사로 복무하면서 항일 무장 투쟁을 지속하였어요.

②

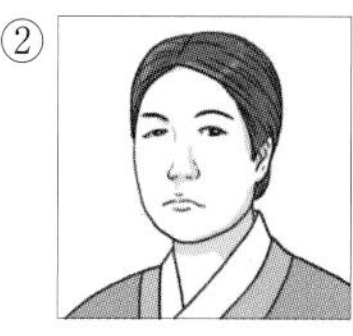

남자현

➡ '독립군의 어머니'로 불린 남자현은 중국으로 건너가 서로 군정서에서 활동하였으며, 독립운동과 여성 계몽 활동에 힘썼어요. 사이토 조선 총독의 암살을 시도하였으며, 국제 연맹 조사단이 하얼빈에 오자 '조선 독립원'이라는 혈서를 보내 조선 독립을 호소하였어요.

③

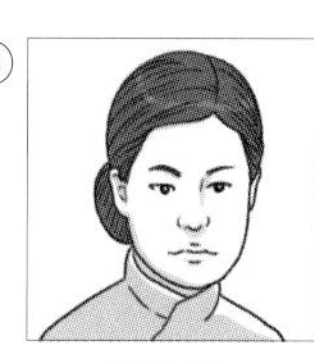

박차정

➡ 박차정은 학생 시절부터 항일 학생 운동을 주도하였으며, 근우회에서 여성 계몽과 민족 독립을 위해 노력하였어요. 중국으로 망명한 뒤에는 의열단에서 활동하였으며, 조선 혁명 간부 학교의 교관을 역임하기도 하였어요. 또 조선 의용대의 부녀 복무 단장으로 항일 무장 투쟁을 전개하였어요.

④

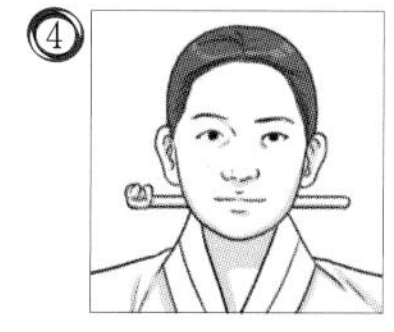
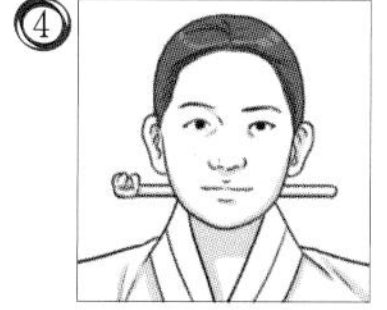

윤희순

➡ 윤희순은 중국으로 망명한 뒤 인재 양성을 위해 노학당을 설립하였으며, 항일 투쟁을 위해 중국 푸순(무순)에서 조선 독립단을 조직하였어요.

36 헤이그 특사

정답 ④

밑줄 그은 '특사'에 대한 설명으로 옳은 것은? [2점]

정답 잡는 키워드

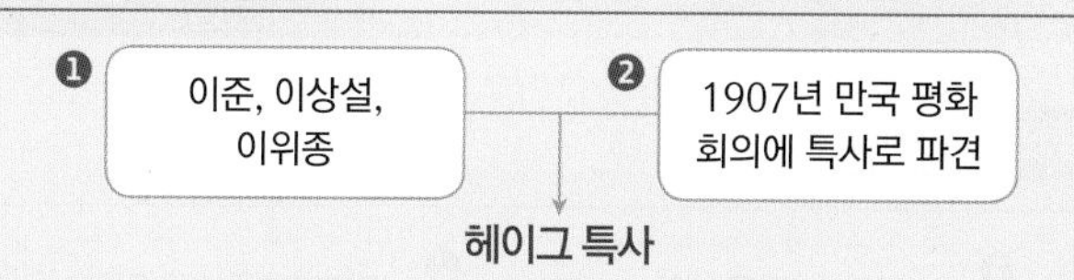

❶, ❷ 헤이그 특사는 고종이 을사늑약의 부당함과 불법성을 국제 사회에 알리기 위해 1907년에 네덜란드 헤이그에서 열리는 만국 평화 회의에 파견한 이상설, 이준, 이위종을 말합니다.

① 서양에 파견된 최초의 사절단이었다.

➡ **보빙사**는 서양에 파견된 우리나라 최초의 사절단입니다. 조·미 수호 통상 조약 체결 이후 미국이 한성에 공사를 보내오자 이에 대한 답례 형식으로 1883년에 보빙사를 미국에 파견하였어요.

② 조선책략을 국내에 처음 소개하였다.

➡ **제2차 수신사**로 일본에 간 김홍집이 귀국하면서 청의 외교관 황준헌이 쓴 "조선책략"을 들여와 국내에 처음 소개하였어요.

③ 기기국에서 무기 제조 기술을 배우고 돌아왔다.

➡ 청의 기기국에 파견되어 무기 제조 기술을 배우고 돌아온 **영선사** 일행이 신식 무기 제조 공장인 기기창의 설립을 주도하였어요.

④ 을사늑약의 부당함을 전 세계에 알리고자 하였다.

➡ 고종은 을사늑약의 부당함을 국제 사회에 알리기 위해 네덜란드 **헤이그**에서 열리는 만국 평화 회의에 **특사**를 파견하였어요. 이들은 열강의 반대로 만국 평화 회의에 참석하지는 못하였으나 회의장 밖에서 각국 대표에게 보내는 탄원서를 발표하고, 신문에 일본의 국제법 위반 행위를 폭로하였어요.

37 조선 총독부

정답 ①

(가)에 들어갈 기구로 옳은 것은? [1점]

정답 잡는 키워드

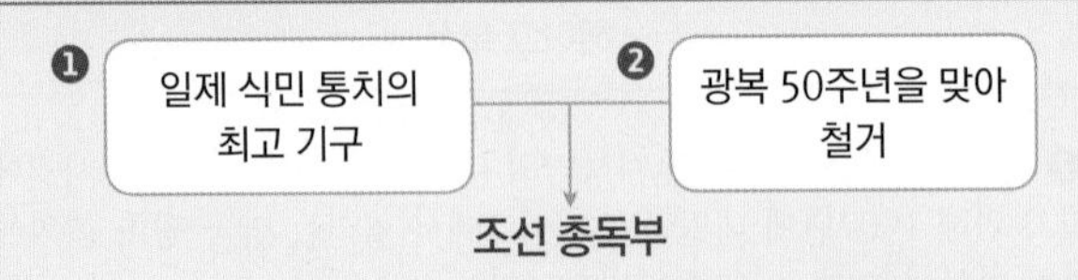

❶ 조선 총독부는 1910년 국권 피탈 이후부터 1945년 광복 때까지 한반도를 지배한 일제 식민 통치의 최고 기구였어요. 조선 총독은 입법·행정·사법권과 군 통수권을 포함한 절대 권력을 가졌고 일왕에게 직속되어 일본 의회나 내각의 통제를 거의 받지 않았어요.

❷ 김영삼 정부는 1995년 광복 50주년을 기념하여 '역사 바로 세우기'의 일환으로 조선 총독부 건물의 철거를 시작하였어요.

① 조선 총독부
➡ 일제는 경복궁 앞마당에 일부 전각을 허물고 식민 통치 기관인 조선 총독부 건물을 세웠어요. 식민 통치의 정점이었던 조선 총독부는 의열단 등 독립운동가들의 표적이 되었어요.

② 종로 경찰서
➡ 종로 경찰서는 독립운동가들을 잡아들여 가혹한 고문을 일삼았던 곳이에요. 1923년에 의열단 소속의 김상옥이 종로 경찰서에 폭탄을 투척하는 의거를 거행하였어요.

③ 서대문 형무소
➡ 1908년에 경성 감옥으로 문을 열어 1923년부터 서대문 형무소라고 불렸어요. 일제 강점기 많은 독립운동가들을 수감하고 사형을 집행하기도 한 곳입니다.

④ 동양 척식 주식회사
➡ 동양 척식 주식회사는 1908년에 일제가 한국의 토지와 자원을 수탈할 목적으로 설립한 국책 회사입니다. 의열단 소속의 나석주는 일제 경제 침탈의 핵심 기구인 동양 척식 주식회사에 폭탄을 투척하는 의거를 단행하였어요.

38 산미 증식 계획

정답 ③

밑줄 그은 '이 정책'으로 옳은 것은? [2점]

정답 잡는 키워드

❶ 일제가 자국의 식량 문제를 해결하기 위해 1920년부터 조선에 실시한 정책 → 산미 증식 계획

❶ 산미 증식 계획은 일제가 자국의 식량 부족 문제를 해결하기 위하여 1920년부터 조선에서 실시한 정책입니다. 일본에서는 제1차 세계 대전을 계기로 공업화가 진전되어 도시 인구가 크게 늘었지만 농업 생산력이 이에 미치지 못해 쌀 부족 현상이 심각해졌어요. 일제는 한국에서 산미 증식 계획을 실시하여 더 많은 양의 쌀을 일본으로 가져가 일본 내 식량 부족 문제를 해결하려고 하였습니다. 품종 개량, 수리 시설 구축, 경지 정리와 개간 사업 등으로 한국에서의 쌀 생산량은 다소 늘었지만, 더 많은 양의 쌀이 일본으로 반출되었어요. 그 결과 일본의 식량 사정은 개선되었던 반면, 한국의 식량 사정은 크게 나빠졌습니다.

① 회사령
➡ 1910년에 일제는 회사령을 제정하여 회사를 설립할 때 조선 총독의 허가를 받도록 하였어요.

② 농지 개혁법
➡ 농지 개혁법은 1949년에 제헌 국회에서 제정되었으며, 유상 매수·유상 분배를 원칙으로 하였어요.

③ 산미 증식 계획
➡ 산미 증식 계획으로 한국의 식량 사정이 악화되어 한국인들은 만주에서 값싼 잡곡을 들여와 부족한 식량을 보충하였어요. 또 종자 개량비, 비료 대금 등 쌀 증산 비용마저 농민이 부담하면서 농민의 생활이 더욱 어려워졌어요.

④ 토지 조사 사업
➡ 일제는 식민 통치의 경제적 토대를 마련하기 위해 1910년부터 1918년까지 토지 조사 사업을 시행하였어요. 토지 소유권을 인정받으려면 정해진 기간 내에 토지 소유주가 직접 신고해야 하였고, 미신고 토지나 국공유지는 조선 총독부가 차지하였어요.

39 손기정 정답 ②

(가)에 들어갈 인물로 옳은 것은? [1점]

정답 잡는 키워드

❶ 1936년 베를린 올림픽 마라톤 경기 우승 → 손기정

❶ 손기정은 1936년에 열린 베를린 올림픽 마라톤 경기에서 우승하였어요. 그러나 당시는 일제 강점기였기에 일본 대표의 자격으로 올림픽에 출전하였습니다. 조선중앙일보와 동아일보가 손기정의 우승 소식을 국내에 전하면서 손기정의 유니폼 가슴에 그려진 일장기를 삭제하여 일제의 탄압을 받았어요. 이를 일장기 말소 사건이라고도 합니다.

① 남승룡
➡ 남승룡은 손기정과 함께 베를린 올림픽 마라톤 경기에 출전하여 동메달을 차지하였어요.

② 손기정
➡ 고대 그리스 청동 투구는 손기정이 1986년에 뒤늦게 전달받아 1994년 국립 중앙 박물관에 기증하였어요.

③ 안창남
➡ 안창남은 우리나라 최초로 비행사가 되어 1922년에 동아일보사 초청으로 고국 방문 비행을 하였어요. 그 뒤 독립운동을 위해 중국으로 망명하여 중국 비행 학교의 교관으로 있었어요.

④ 이중섭
➡ 이중섭은 한국 근대 서양화가로 시대의 아픔과 어려운 삶을 소라는 주제를 통해 표현하였어요.

40 3·1 운동 정답 ③

(가) 민족 운동에 대한 설명으로 옳은 것은? [2점]

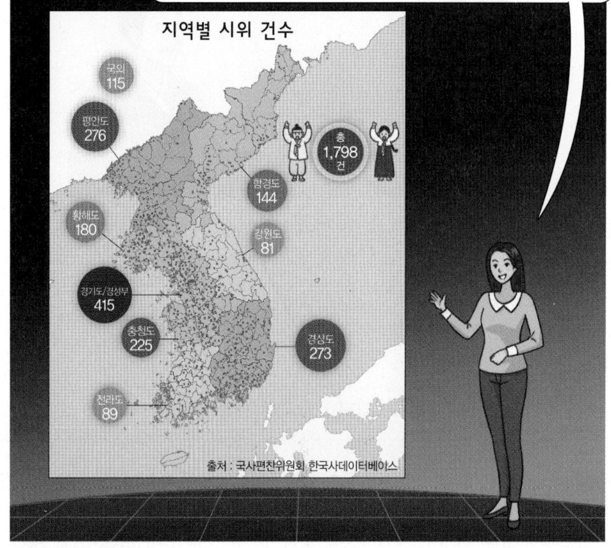

정답 잡는 키워드

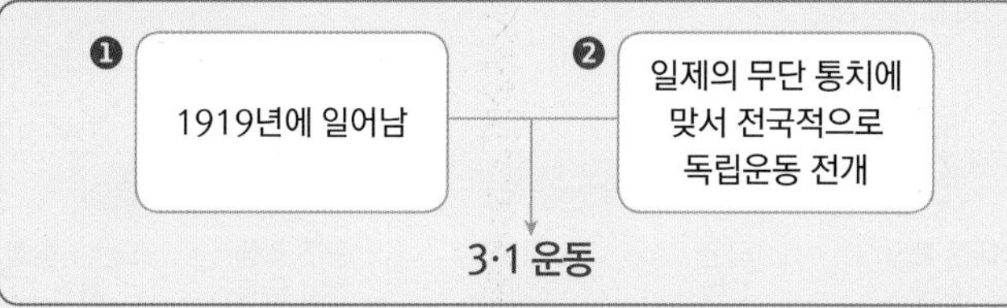

❶ 1919년에 일어남 / ❷ 일제의 무단 통치에 맞서 전국적으로 독립운동 전개 → 3·1 운동

❶ 3·1 운동은 미국 대통령 윌슨이 제창한 민족 자결주의, 만주의 대한 독립 선언과 일본 유학생의 2·8 독립 선언 등의 영향을 받아 1919년에 일어났어요.
❷ 3·1 운동은 일제의 무단 통치에 맞서 전국에서 모든 계층이 참여한 일제 강점기 최대 규모의 민족 운동이에요.

① 개혁 추진을 위해 집강소가 설치되었다.
➡ 동학 농민 운동 당시 조선 정부와 전주 화약을 맺고 해산한 동학 농민군은 개혁 추진을 위해 전라도 일대에 집강소를 설치하였어요.

② 조선 물산 장려회를 중심으로 전개되었다.
➡ 조선 물산 장려회를 중심으로 전개된 물산 장려 운동은 민족 경제의 자립을 위해 일본 상품 배격, 토산품 애용 등을 내세웠어요.

③ 대한민국 임시 정부 수립의 계기가 되었다.
➡ **3·1 운동**을 계기로 조직적이고 체계적으로 독립운동을 이끌 지도부의 필요성이 제기되어 대한민국 임시 정부가 수립되었어요.

④ 신간회의 지원을 받아 민중 대회가 추진되었다.
➡ 광주 학생 항일 운동이 일어나자 신간회는 진상 조사단을 파견하고 민중 대회 개최를 추진하였어요.

기출 선택지 +α

❺ 순종의 인산일에 일어났다. (O/X)
❻ 일제의 황무지 개간권 요구를 철회시켰다. (O/X)
❼ 만주, 연해주, 미주 등지로 시위가 확산되었다. (O/X)

기출 선택지 +α 정답 ⑤ ×[6·10 만세 운동] ⑥ ×[보안회의 활동] ⑦ ○

제 55 회

41 6·10 만세 운동 　정답 ③

다음 대화가 이루어진 시기를 연표에서 옳게 고른 것은? [3점]

정답 잡는 **키워드**

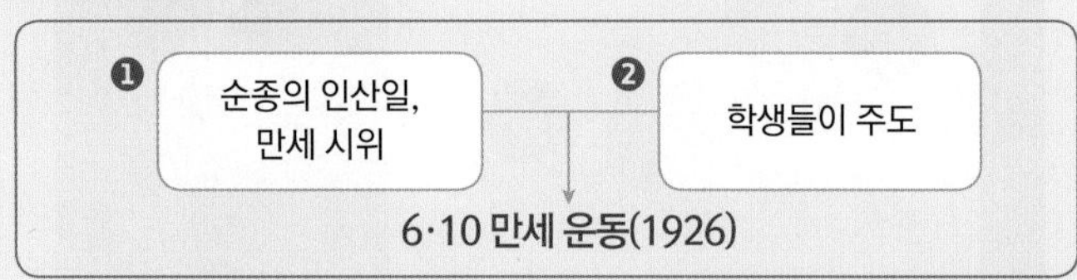

❶, ❷ 6·10 만세 운동은 1926년 순종의 인산일에 맞추어 학생들을 중심으로 전개되었어요. 대한 제국의 마지막 황제인 순종의 서거를 계기로 민족주의 계열인 천도교, 사회주의 계열, 학생 단체 등이 힘을 합쳐 대규모 만세 시위를 계획하였습니다. 이 계획은 일제 경찰에 의해 사전에 발각되어 많은 사람들이 체포되었으나 학생들은 일제의 감시를 뚫고 시위를 진행하였어요.

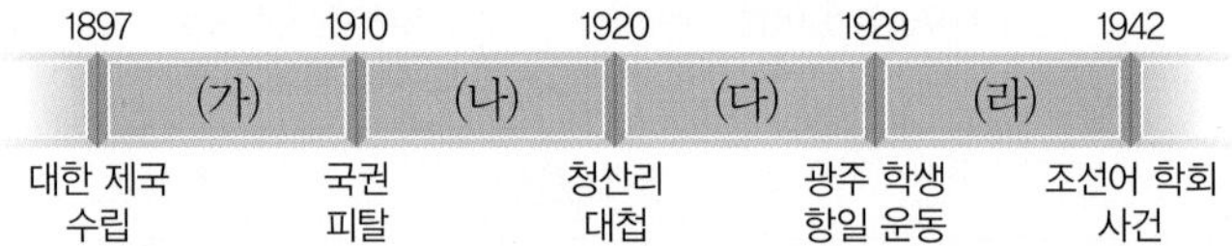

➡ 청산리 대첩은 1920년 김좌진이 이끄는 북로 군정서를 중심으로 한 독립군 연합 부대가 만주의 청산리 일대에서 일본군에 대승을 거둔 전투입니다.
광주 학생 항일 운동은 1929년에 광주에서 나주로 가는 통학 열차에서 일본인 학생이 한국인 여학생을 희롱하는 사건을 계기로 한·일 학생이 충돌하면서 일어났어요. 광주 지역의 학생들은 민족 차별 중지와 차별 교육 철폐를 주장하며 시위를 전개하였으며, 항일 시위는 전국으로 확산되었습니다.

① (가)

② (나)

③ (다)

➡ 연표에서 6·10 만세 운동이 일어난 시기는 청산리 대첩과 광주 학생 항일 운동 사이인 (다)입니다.

④ (라)

연표로 흐름잡기

- 1919 — 3·1 운동, 대한민국 임시 정부 수립
- 1920 — 봉오동 전투, 청산리 대첩
- 1926 — 6·10 만세 운동
- 1927 — 신간회 창립
- 1929 — 광주 학생 항일 운동

42 1930년대 후반 이후 일제의 식민 통치 　정답 ④

교사의 질문에 대한 학생의 답변으로 옳은 것은? [2점]

이것은 ❶중·일 전쟁 발발 이후 일제가 본격적인 전시 체제 구축을 위해 제정한 법령입니다. 이 법령이 시행된 시기에 있었던 사실에 대해 말해 볼까요?

제1조 본 법에서 ❷국가 총동원이란 전시에 국방 목적 달성을 위해 국가의 전력을 가장 유효하게 발휘하도록 인적, 물적 자원을 통제 운용하는 것을 가리킨다.

⋮

제8조 정부는 전시에 국가 총동원상 필요한 경우에는 칙령이 정하는 바에 따라 물자의 생산, 수리, 배급, 양도 기타 처분, 사용, 소비, 소지 및 이동에 관하여 필요한 명령을 할 수 있다.

정답 잡는 **키워드**

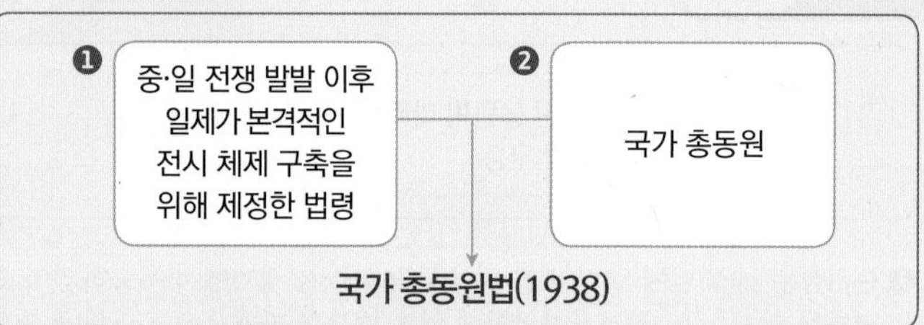

❶, ❷ 일제는 만주 사변(1931)에 이어 1937년에 중·일 전쟁을 일으킨 후 본격적인 전시 체제 구축을 위해 1938년에 국가 총동원법을 제정하였어요. 일제는 이 법을 내세워 한국에서 전쟁에 필요한 인적·물적 자원을 강제적인 방식으로 수탈하였어요.

① 헌병 경찰제가 실시되었어요.

➡ 1910년대 일제는 군사 경찰인 헌병이 일반 경찰의 업무까지 관여하도록 하는 헌병 경찰제를 실시하였어요. 헌병 경찰제는 3·1 운동(1919) 이후 일제가 '문화 통치'를 표방하면서 보통 경찰제로 바뀌었어요.

② 경성 제국 대학이 설립되었어요.

➡ 1924년에 일제는 경성 제국 대학을 세워 한국인의 고등 교육에 대한 열망과 불만을 잠재우고자 하였어요.

③ 국채 보상 운동이 전개되었어요.

➡ 1907년에 대구에서 김광제, 서상돈 등의 주도로 국채 보상 운동이 시작되어 전국으로 확산되었어요.

④ 황국 신민 서사의 암송이 강요되었어요.

➡ **1930년대 후반 이후** 일제는 침략 전쟁을 확대하면서 우리 민족을 전쟁에 쉽게 동원하기 위해 한국인의 민족정신을 말살하는 정책을 본격적으로 추진하여 신사 참배와 황국 신민 서사 암송 등을 강요하였어요.

기출 선택지 +α

⑤ 징병제가 실시되었어요. (O/X)

⑥ 토지 조사령이 공포되었어요. (O/X)

⑦ 조선 태형령이 제정되었어요. (O/X)

기출 선택지 +α 정답 ⑤ ○[1944년] ⑥ ×[1912년] ⑦ ×[1912년]

43 한인 애국단

정답 ③

(가)에 들어갈 단체로 옳은 것은? [1점]

정답 잡는 키워드

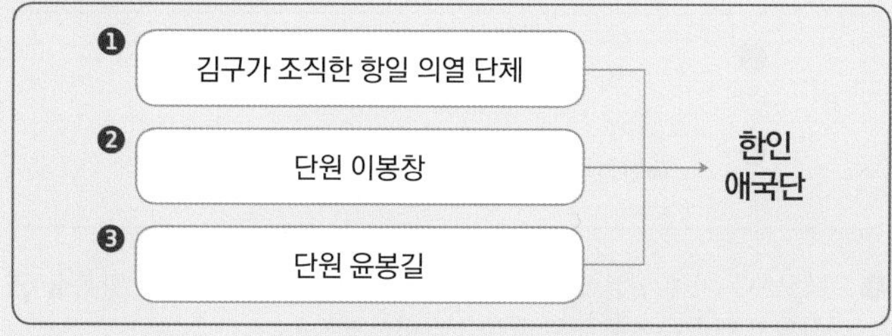

❶ 한인 애국단은 김구가 침체된 대한민국 임시 정부의 활동에 활기를 불어넣기 위해 1931년에 중국 상하이에서 조직한 항일 의열 단체입니다.

❷, ❸ 한인 애국단 소속의 이봉창은 일본 도쿄에서 일왕이 탄 마차를 향해 폭탄을 던졌으며, 윤봉길은 중국 상하이 훙커우 공원에서 열린 일본군 전승 기념식장에 폭탄을 투척하여 일본군 장성과 고위 관리를 처단하였어요. 이들의 의거는 중국 국민당 정부가 대한민국 임시 정부에 대한 지원을 강화하는 계기가 되었습니다.

① 중광단
➡ 중광단은 1911년에 대종교도를 중심으로 조직된 항일 무장 단체예요. 중광단은 이후 북로 군정서로 발전하였어요.

② 흥사단
➡ 흥사단은 1913년에 안창호의 주도로 미국 샌프란시스코에서 창립된 민족 운동 단체로, 민족 부흥을 위한 민족의 실력 양성 등을 목표로 하였어요.

③ 한인 애국단
➡ 1920년대 중반 이후 대한민국 임시 정부의 활동이 위축되고 한국인에 대한 중국인의 감정도 나빠져서 중국에서의 독립운동이 어려워졌어요. 이에 김구는 한인 애국단을 조직하여 일본의 주요 인물을 제거하는 의열 투쟁을 통해 침체된 대한민국 임시 정부의 활동에 활기를 불어넣고자 하였어요.

④ 대조선 국민군단
➡ 대조선 국민군단은 1914년에 박용만의 주도로 미국 하와이에서 조직되었으며, 군사 훈련을 하는 등 무장 투쟁을 준비하였어요.

44 윤동주

정답 ②

(가)에 해당하는 인물로 옳은 것은? [1점]

한국사 설문 조사

❶일본 유학 중 독립운동 혐의로 수감되어 옥사한 저항 시인, (가) 하면 떠오르는 작품에 스티커를 붙여 주세요.

❷서시 / ❷별 헤는 밤 / ❷쉽게 씌어진 시

정답 잡는 키워드

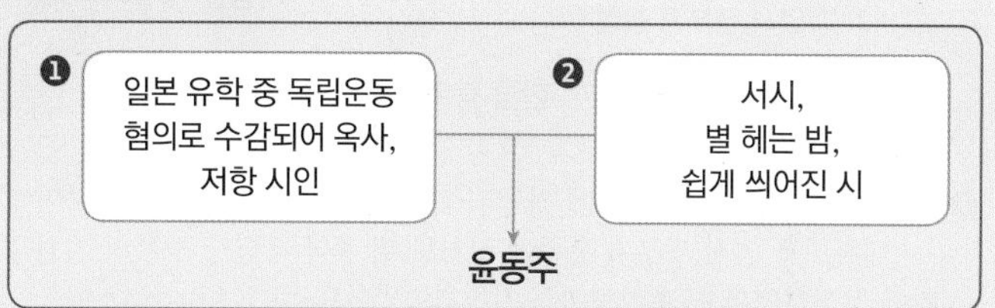

❶, ❷ 윤동주는 명동 학교 출신으로, '서시', '별 헤는 밤', '쉽게 씌어진 시', '자화상' 등 일제에 의해 억압받는 민족의 현실을 표현한 시를 남겼어요. 일본 유학 중 독립운동 혐의로 수감되어 옥사하였습니다.

①

심훈

➡ 심훈은 일제 강점기에 농촌에서 전개된 브나로드 운동을 소재로 한 소설 "상록수"를 동아일보에 연재하여 큰 호응을 얻었어요.

②

윤동주

➡ 윤동주 사후 육필 원고를 묶어 "하늘과 바람과 별과 시"라는 유고 시집이 발표되었어요.

③

이육사

➡ 이육사는 일제에 대한 저항과 조국 광복의 염원을 담은 '절정', '청포도', '광야' 등의 시를 발표한 시인입니다. 또 김원봉 등이 결성한 의열단에 가입하고 조선 혁명 간부 학교에 입학하는 등 적극적으로 독립운동을 전개하였어요.

④

한용운

➡ 한용운은 3·1 운동 당시 민족 대표 33인으로 참여한 독립운동가입니다. 또 시집인 "님의 침묵", 소설 "흑풍", "후회" 등을 남긴 문학가이자, 불교 개혁 운동을 주도한 승려로 일제 강점기에 사찰령 폐지 운동 등을 전개하였어요.

45 한국 광복군

정답 ③

(가) 군대에 대한 설명으로 옳은 것은? [2점]

정답 잡는 키워드

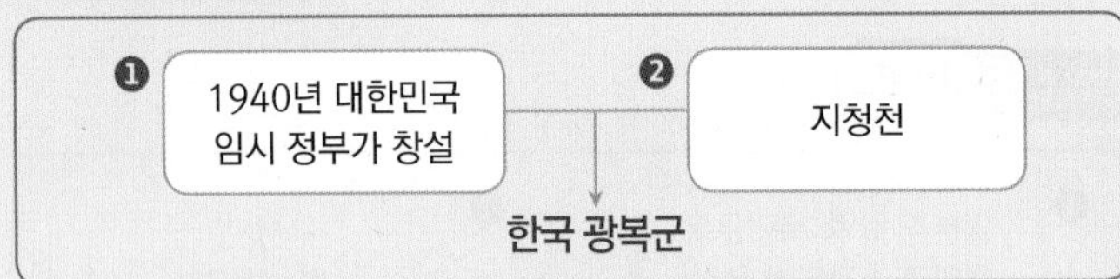

❶, ❷ 한국 광복군은 1940년에 창설된 대한민국 임시 정부의 정규군이에요. 대한민국 임시 정부가 충칭에 정착한 뒤 중국 국민당 정부의 지원을 받아 창설하였어요. 총사령관은 지청천이었어요.

① 자유시 참변으로 큰 타격을 입었다.
➡ 간도 참변 이후 만주 지역의 독립군 부대들이 러시아 혁명군의 지원 약속을 믿고 자유시로 이동하였으나 1921년에 자유시 참변을 겪었어요.

② 봉오동 전투에서 일본군을 격퇴하였다.
➡ 홍범도가 이끄는 대한 독립군을 비롯한 독립군 연합 부대가 봉오동 전투에서 일본군을 격퇴하였어요.

③ 미군과 연계하여 국내 진공 작전을 계획하였다.
➡ **한국 광복군**은 미국 전략 정보국(OSS)과 연계하여 국내 진공 작전을 계획하였으나 일제의 패망으로 작전을 실행에 옮기지 못하였어요.

④ 흥경성에서 중국 의용군과 연합 작전을 펼쳤다.
➡ 1930년대 초에 조선 혁명군은 흥경성에서 중국 의용군과 연합 작전을 펼쳤어요.

기출 선택지 +α

⑤ 고종의 밀지를 받아 조직되었다. (O/X)
⑥ 쌍성보에서 한·중 연합 작전을 펼쳤다. (O/X)
⑦ 청산리 전투에서 일본군에 승리하였다. (O/X)

핵심 개념 한국 광복군

구분	내용
창설	1940년 충칭에 정착한 대한민국 임시 정부의 정규군으로 창설됨 → 지청천이 총사령관으로서 지휘
활동	• 대한민국 임시 정부의 대일 선전 포고 후 연합군의 일원으로 본격적으로 독립 전쟁에 나섬 → 인도·미얀마 전선에서 영국군과 연합 작전 전개 • 김원봉을 중심으로 한 조선 의용대의 일부 세력 합류(1942) → 규모가 확대되고 군사력이 강화됨 • 미국 전략 정보국(OSS)과 협력하여 국내 진공 작전을 계획·준비 → 예상보다 빨랐던 일제의 패망으로 실행에 옮기지 못함

기출 선택지 +α 정답 ⑤ ×[독립 의군부] ⑥ ×[한국 독립군] ⑦ ×[북로 군정서 등]

46 대한민국 정부 수립 과정

정답 ④

(가)에 들어갈 사진으로 옳지 않은 것은? [2점]

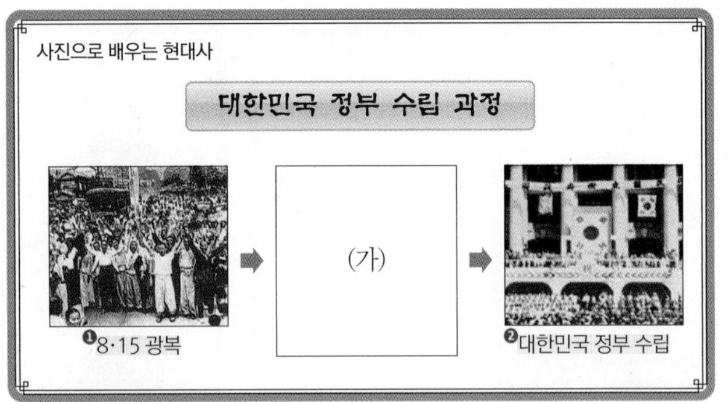

정답 잡는 키워드

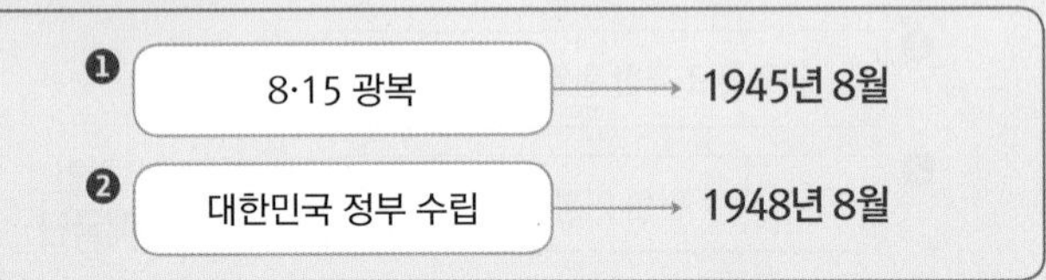

❶ 1945년 두 차례 일본에 원자 폭탄이 떨어지자 일제는 무조건 항복을 선언하였고 한국은 8월 15일 광복을 맞이하였어요.
❷ 미·소 공동 위원회의 결렬 이후 유엔 소총회의 결의에 따라 남한 지역에서는 5·10 총선거가 실시되어 제헌 국회가 구성되었어요. 제헌 국회는 헌법을 제정하고 이승만을 대통령으로 선출하였어요. 이승만 대통령은 1948년 8월 15일 대한민국 정부의 수립을 선포하였어요.

①

5·10 총선거 실시

➡ **1948년 5월** 유엔 한국 임시 위원단의 감시 아래 우리나라 최초의 보통 선거인 5·10 총선거가 실시되었어요.

②

유엔 한국 임시 위원단 내한

➡ **1948년 1월** 한반도 내 인구 비례에 따른 총선거를 추진하기 위해 유엔 한국 임시 위원단이 내한하였어요.

③

제1차 미·소 공동 위원회 개최

➡ **1946년 3월** 덕수궁 석조전에서 제1차 미·소 공동 위원회가 개최되었으나 협의 대상에 대한 의견 차이를 좁히지 못하고 결렬되었어요.

④

반민족 행위 특별 조사 위원회 활동

➡ **1948년 9월** 제헌 국회에서 일제 강점기 동안 일본에 협력한 반민족 행위자의 처벌을 위해 반민족 행위 처벌법이 제정되었고, 이 법에 따라 같은 해 10월에 반민족 행위 특별 조사 위원회가 구성되어 활동하였어요.

47 6·25 전쟁

정답 ②

밑줄 그은 '이 전쟁' 중에 있었던 사실로 옳은 것은? [2점]

정답 잡는 키워드

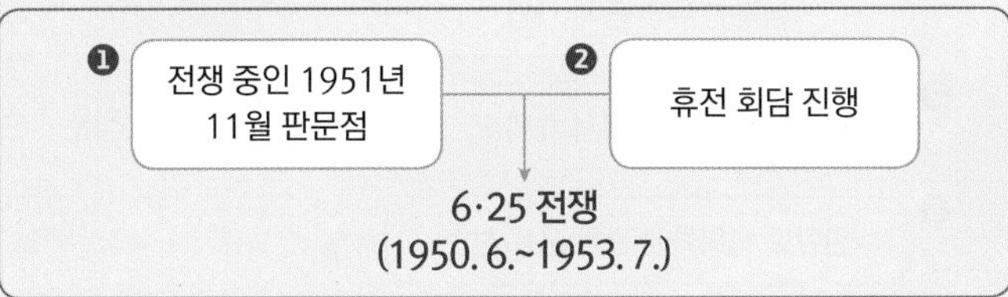

❶, ❷ 6·25 전쟁은 1950년 6월 25일 북한의 기습 남침으로 시작되었어요. 유엔은 북한의 남침을 침략 행위로 규정하고 군대를 파견하여 국군과 함께 반격을 시도하였어요. 1950년 9월 15일 국군과 유엔군은 인천 상륙 작전에 성공하여 서울을 탈환하고, 여세를 몰아 38도선을 돌파하여 압록강 일대까지 진격하였어요. 하지만 중국군이 참전하면서 후퇴하여 이후 38도선 일대에서 서로 밀고 밀리는 공방전을 지속하였어요. 이러한 가운데 소련의 제안으로 1951년 7월에 정전(휴전) 회담이 시작되었고, 1953년 7월 27일 정전 협정이 체결되었어요.

① 애치슨 선언이 발표되었다.
➡ 6·25 전쟁 직전인 **1950년 1월**, 미국은 태평양 지역 방위선에서 한국과 타이완을 제외한다는 내용의 애치슨 선언을 발표하였어요.

② 흥남 철수 작전이 전개되었다.
➡ 6·25 전쟁 중인 **1950년 12월**, 중국군 개입 이후 국군과 유엔군이 북한 지역에서 후퇴하는 과정에서 흥남 철수 작전이 전개되었어요.

③ 사사오입 개헌안이 가결되었다.
➡ 정전 협정 체결 이후인 **1954년** 11월에 이승만 정부는 개헌 당시 대통령의 중임 제한을 없애는 규정을 둔 사사오입 개헌안을 가결시켰어요.

④ 한·미 상호 방위 조약이 체결되었다.
➡ 정전 협정 체결 이후인 **1953년 10월**에 이승만 정부는 미군을 한국에 주둔시켜 방위에 협력한다는 내용을 담은 한·미 상호 방위 조약을 체결하였어요.

기출 선택지 +α

⑤ 인천 상륙 작전이 전개되었다. (O/X)
⑥ 조선 건국 준비 위원회가 결성되었다. (O/X)
⑦ 16개국으로 구성된 유엔군이 참전하였다. (O/X)
⑧ 13도 창의군이 서울 진공 작전을 전개하였다. (O/X)

기출 선택지 +α 정답 ⑤○ ⑥×[광복 직후인 1945년] ⑦○ ⑧×[정미의병 시기]

48 4·19 혁명

정답 ①

(가) 민주화 운동에 대한 설명으로 옳은 것은? [2점]

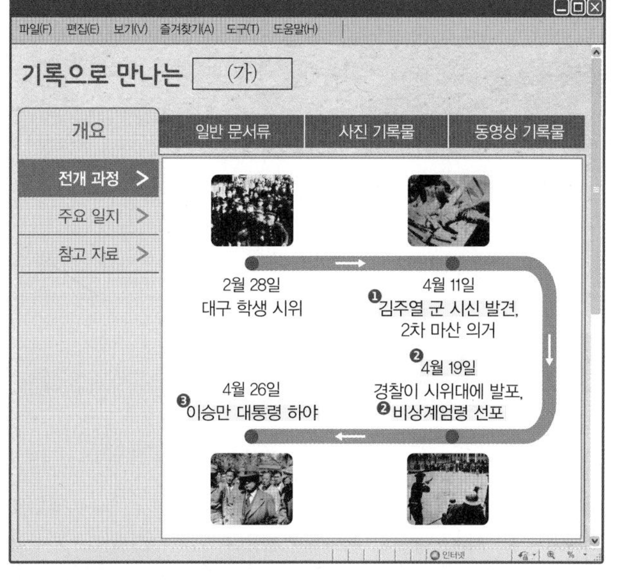

정답 잡는 키워드

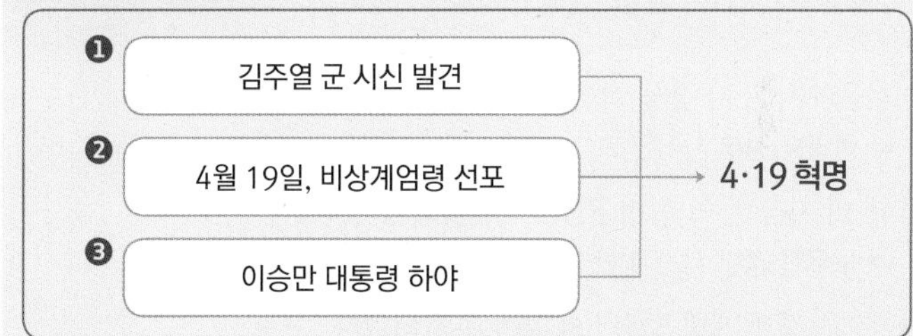

❶, ❷, ❸ 1960년 3·15 부정 선거를 규탄하는 시위에 나갔던 고등학생 김주열이 최루탄에 맞아 사망한 채로 마산 앞바다에서 발견되었어요. 이 사실이 알려지자 시위는 전국으로 빠르게 확산되었어요. 4월 19일 부정 선거에 항의하는 시위대가 이승만 대통령이 있는 경무대로 향하자, 경찰은 시위대를 향해 발포하였고 정부는 비상계엄령을 선포하였습니다. 정부의 무력 진압에도 시위가 계속되고 대학교수들의 시국 선언까지 발표되자 이승만은 대통령직에서 물러났어요. 이 민주화 운동은 시위가 절정에 이른 1960년 4월 19일을 기념하여 4·19 혁명이라고 명명되었습니다.

① 3·15 부정 선거에 항의하였다.
➡ **4·19 혁명**은 이승만 정부의 독재와 3·15 부정 선거에 항의하여 일어난 민주화 운동이에요. 이승만 대통령의 하야 이후 허정 과도 정부가 출범하였으며 양원제 국회와 내각 책임제를 주요 내용으로 하는 헌법 개정이 이루어졌어요.

② 4·13 호헌 조치 철폐를 요구하였다.
➡ **6월 민주 항쟁**은 1987년에 전두환 정부의 강압 통치와 국민의 대통령 직선제 개헌 요구를 묵살한 4·13 호헌 조치에 맞서 일어났어요. 시민들은 4·13 호헌 조치의 철폐를 요구하며 대규모 시위를 벌였어요.

③ 유신 체제가 붕괴하는 계기가 되었다.
➡ **YH 무역 사건, 부·마 민주 항쟁** 등으로 흔들리던 유신 체제는 박정희 대통령이 피살되는 10·26 사태로 사실상 무너졌어요.

④ 신군부의 비상계엄 확대에 반대하였다.
➡ **5·18 민주화 운동**은 전두환 등 신군부의 불법적인 정권 탈취와 비상계엄 확대에 반대하여 일어났어요.

제55회

49 박정희 정부 시기의 경제 상황 정답 ③

다음 연설문을 발표한 정부 시기의 경제 상황으로 옳은 것은? [3점]

> 우리 민족의 숙원이던 ❶경부 간 고속 도로의 완전 개통을 보게 된 것을 국민 여러분들과 더불어 경축해 마지않는 바입니다. 이 길은 총 연장 428km로 우리나라의 리(里) 수로 따지면 천 리 하고도 약 칠십 리가 더 되는데, 장장 천릿길을 이제부터는 자동차로 4시간 반이면 달릴 수 있게 됐습니다. …… 이 고속 도로가 앞으로 우리나라 국민 경제의 발전과 산업 근대화에 여러 가지 큰 공헌을 하리라고 믿습니다.

정답 잡는 **키워드**

❶ 경부 간 고속 도로의 완전 개통 → 박정희 정부

❶ **박정희 정부**는 1962년부터 1971년까지 제1, 2차 경제 개발 5개년 계획을 적극적으로 추진하였어요. 이에 따라 1970년에 경부 고속 도로가 개통되는 등 사회 간접 자본이 확충되었습니다. 서울·부산 간 고속 도로의 개통으로 전국이 일일생활권으로 연결되었어요.

① 서울에서 G20 정상 회의가 개최되었다.
➡ **이명박 정부** 시기인 2010년 서울에서 G20 정상 회의가 개최되었어요.

② 한·미 자유 무역 협정(FTA)이 체결되었다.
➡ **노무현 정부** 시기에 한·미 자유 무역 협정(FTA)이 체결되었어요.

③ 제2차 경제 개발 5개년 계획이 추진되었다.
➡ **박정희 정부** 시기인 1967년부터 1971년까지 제2차 경제 개발 5개년 계획이 추진되었어요.

④ 경제 협력 개발 기구(OECD)에 가입하였다.
➡ **김영삼 정부** 시기에 경제 협력 개발 기구(OECD)에 가입하였어요.

기출 선택지 +α

❺ 금융 실명제를 실시하였다. (O/X)
❻ 수출 100억 달러를 달성하였다. (O/X)

핵심 개념 경제의 성장과 발전

정부	내용
이승만 정부	농지 개혁, 귀속 재산 민간 불하, 미국의 경제 원조 → 삼백 산업 발달
박정희 정부	• 경제 개발 5개년 계획 시작(1962), 경부 고속 국도 개통(1970), 수출액 100억 달러 달성(1977), 포항 제철소 건설 • 베트남 파병, 서독에 광부와 간호사 파견
전두환 정부	저유가·저달러·저금리의 3저 호황으로 수출 증가
노태우 정부	제24회 서울 올림픽 대회 개최
김영삼 정부	• 금융 실명제 실시, 경제 협력 개발 기구(OECD) 가입 • 외환 위기로 국제 통화 기금(IMF)의 구제 금융을 지원 받음
김대중 정부	• 국제 통화 기금(IMF)의 지원 자금 조기 상환 • 국민 기초 생활 보장법 제정, 2002년 한·일 월드컵 축구 대회 개최, 칠레와 자유 무역 협정(FTA) 체결
노무현 정부	개성 공단 착공식, 경부 고속 철도(KTX) 개통, 아시아·태평양 경제 협력체(APEC) 정상 회의 개최, 미국과 자유 무역 협정(FTA) 체결
이명박 정부	2010 서울 G20 정상 회의 개최

기출 선택지 +α 정답 ⑤ ×[김영삼 정부] ⑥ ○

50 노태우 정부 시기의 사실 정답 ②

다음 발표에 해당하는 정부 시기에 있었던 사실로 옳은 것은? [2점]

정답 잡는 **키워드**

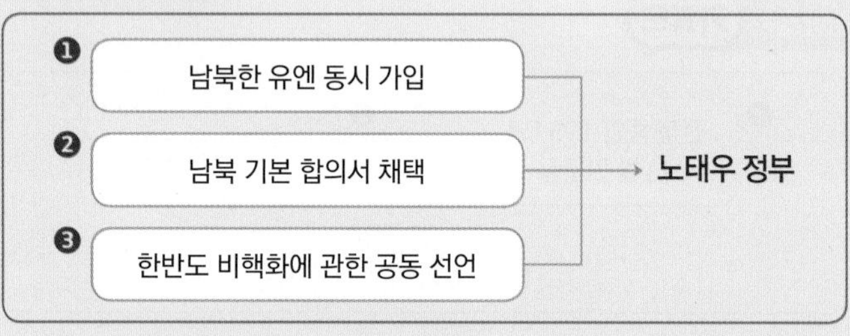

❶, ❷, ❸ **노태우 정부**는 냉전이 완화되는 분위기 속에서 북방 외교를 추진하여 사회주의 국가들과 수교하였어요. 더불어 이 시기에는 북한과의 관계도 개선되어 남북한 유엔 동시 가입, 남북 기본 합의서 채택, 한반도 비핵화에 관한 공동 선언 합의 발표가 이루어졌습니다.

① 개성 공단이 조성되었다.
➡ 김대중 정부 시기에 6·15 남북 공동 선언 발표 이후 남북 경제 협력 사업의 하나로 개성 공단 조성에 합의하였어요. 개성 공단은 **노무현 정부** 시기에 착공되어 조성되었어요.

② 서울 올림픽 대회가 개최되었다.
➡ **노태우 정부** 시기인 1988년에 제24회 서울 올림픽 대회가 개최되었어요.

③ 베트남 전쟁에 국군이 파병되었다.
➡ **박정희 정부**는 미국의 요청에 따라 베트남 전쟁에 국군을 파병하였어요.

④ 국민 기초 생활 보장법이 제정되었다.
➡ **김대중 정부** 시기에 국민 기초 생활 보장법이 제정되어 생활이 어려운 사람들에게 생계비, 주거비, 의료비 등을 보조하였어요.

기출 선택지 +α

❺ 농지 개혁법이 제정되었다. (O/X)
❻ 소련 및 중국과 국교가 수립되었다. (O/X)
❼ 6·15 남북 공동 선언이 발표되었다. (O/X)

기출 선택지 +α 정답 ⑤ ×[이승만 정부] ⑥ ○ ⑦ ×[김대중 정부]

합격률

53.6%

응시 인원 : 6,103명
합격 인원 : 3,270명

2021년 8월 7일(토) 시행

기본 제54회

시대별 출제 비중

전근대 30문항

선사 2문항
구석기 시대의 생활 모습, 삼한의 사회 모습

고대 8문항
고구려 소수림왕의 업적, 백제의 문화유산, 신라의 삼국 통일 과정, 금관가야, 경주 배동 석조 여래 삼존 입상, 신라 말의 상황, 발해, 견훤의 활동

고려 8문항
삼국유사, 묘청의 난, 고려의 지방 행정 제도, 고려의 대몽 항쟁, 고려 숙종 재위 시기의 사실, 지눌의 활동, 고려의 사회 모습, 개성 경천사지 10층 석탑

조선 12문항
조선 태종의 정책, 조선 세종의 업적, 조선왕조실록, 이이의 활동, 임진왜란, 조선 광해군 재위 시기의 사실, 조선 후기의 문화, 정약용의 활동, 대동여지도, 환국, 안동의 문화유산, 종묘 제례

근현대 20문항

설날

개항기 5문항
군국기무처, 병인양요, 임오군란, 보빙사, 독립신문

일제 강점기 7문항
일제의 식민 통치, 봉오동 전투, 미국 지역의 독립운동, 신간회, 조선 의용대, 대한민국 임시 정부의 활동, 윤봉길의 활동

현대 7문항
제주 4·3 사건, 박정희 정부 시기의 모습, 평양의 역사, 전두환 정부 시기의 사실, 5·18 민주화 운동, 박정희 정부 시기의 경제 발전, 김대중 정부의 통일 노력

분류별 출제 비중 고대~조선

정치	경제	사회	문화
14문항	1문항	1문항	12문항

난이도별 출제 비중

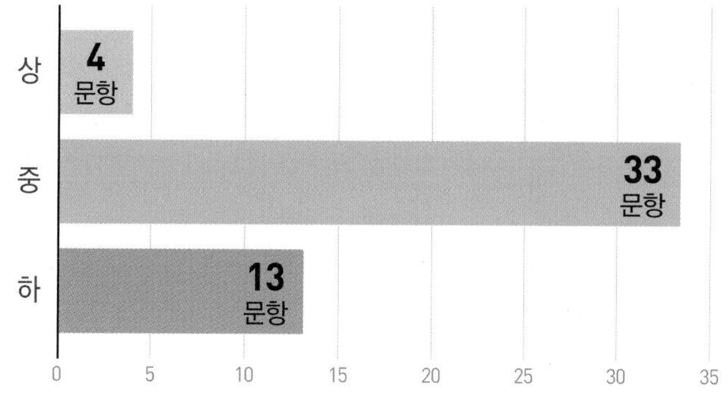

큰별쌤의 한 줄 평

기본적인 개념과 흐름을 충실히 이해해야 합격할 수 있었던 시험

1 구석기 시대의 생활 모습

정답 ③

다음 대회 참가자들이 그릴 장면으로 가장 적절한 것은? [1점]

◇◇◇ 시대 그림 그리기 대회

◇◇◇ 시대 사람들은 불을 처음 사용하였고, 주로 ❶동굴이나 강가의 막집에서 살았습니다. 이 시대 사람들의 생활 모습을 그림으로 그려 봅시다.

- 일시 : 2021년 ○○월 ○○일 ○○시
- 장소 : ❷연천 전곡리 유적
- 주최 : □□ 문화 재단

정답 잡는 **키워드**

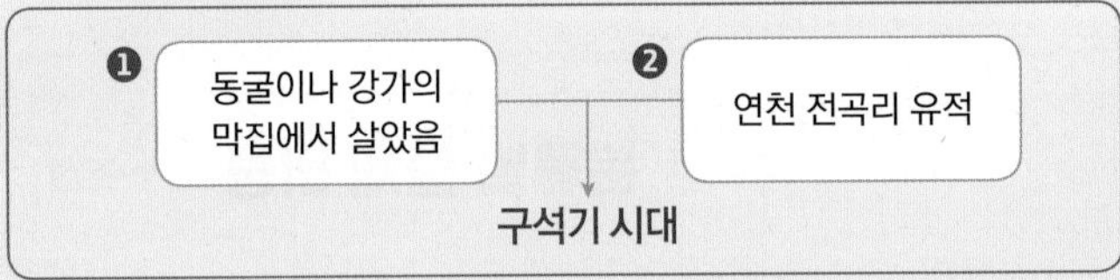

❶ 구석기 시대 사람들은 식량을 찾아 이동 생활을 하였으며, 주로 동굴이나 강가의 막집에서 살았어요.

❷ 경기 연천 전곡리 유적은 우리나라의 대표적인 구석기 시대 유적입니다. 이곳에서 발전된 형태의 주먹도끼가 발견되어 동아시아에도 발달한 구석기 문화가 있었음이 밝혀졌어요. 한편, 구석기 시대 사람들은 불을 처음으로 사용하였어요. 불을 이용하여 음식을 익혀 먹으면서 영양 상태가 좋아졌으며, 추운 날에도 따뜻하게 지낼 수 있게 되었고, 사나운 짐승들을 쫓아낼 수도 있게 되었습니다.

① 가락바퀴로 실을 뽑는 모습
➡ 가락바퀴는 신석기 시대부터 사용되었어요.

② 반달 돌칼로 벼이삭을 따는 모습
➡ 청동기 시대 사람들은 반달 돌칼을 사용하여 벼 등 곡식을 수확하였어요.

③ 주먹도끼로 짐승을 사냥하는 모습
➡ 주먹도끼는 **구석기 시대**에 사용된 대표적인 뗀석기예요.

④ 거푸집으로 세형 동검을 만드는 모습
➡ 철기 시대 초기에 사람들은 거푸집을 이용하여 세형 동검을 제작하였어요.

2 삼한의 사회 모습

정답 ②

학생들이 공통으로 이야기하고 있는 나라에 대한 설명으로 옳은 것은? [2점]

정답 잡는 **키워드**

❶ 신지나 읍차 ❷ 5월과 10월에 계절제 → 삼한

❶ 삼한에는 신지나 읍차 등으로 불린 지배자가 있었어요.

❷ 삼한은 벼농사가 발전하여 씨뿌리기가 끝나는 5월과 추수가 끝나는 10월에 계절제를 지냈어요.

① 서옥제라는 혼인 풍습이 있었다.
➡ 고구려에는 신랑이 신부 집의 뒤편에 지은 서옥(사위집)에서 살다가 자식을 낳아 장성하면 아내와 자식을 데리고 자기 집으로 돌아가는 서옥제라는 혼인 풍습이 있었어요.

② 소도라고 불리는 신성 구역이 있었다.
➡ **삼한**에는 제사장인 천군과 신성 지역인 소도가 있었어요.

③ 범금 8조를 만들어 사회 질서를 유지하였다.
➡ 고조선에는 사회 질서를 유지하기 위한 범금 8조(8조법)가 있었어요.

④ 단궁, 과하마, 반어피 등의 특산물이 있었다.
➡ 동예는 단궁, 과하마, 반어피 등이 특산물로 유명하였어요.

기출 선택지 +α

❺ 제사장인 천군이 존재하였다. (O/X)
❻ 영고라는 제천 행사를 열었다. (O/X)
❼ 혼인 풍습으로 민며느리제가 있었다. (O/X)
❽ 읍락 간의 경계를 중시한 책화가 있었다. (O/X)

핵심 개념 삼한

구분	내용
정치	• 신지, 읍차 등으로 불린 군장이 부족을 다스림 • 제사장인 천군과 신성 지역인 소도가 있음
풍습	5월과 10월에 계절제를 열어 하늘에 제사를 지냄
경제	• 철제 농기구 사용, 벼농사가 발달하여 저수지 건설 • 변한 지역에서는 철이 많이 생산되어 철을 화폐처럼 사용하고 낙랑과 왜에 수출함

기출 선택지 +α 정답 ⑤○ ⑥×[부여] ⑦×[옥저] ⑧×[동예]

3 고구려 소수림왕의 업적

정답 ①

(가)에 들어갈 내용으로 옳은 것은? [2점]

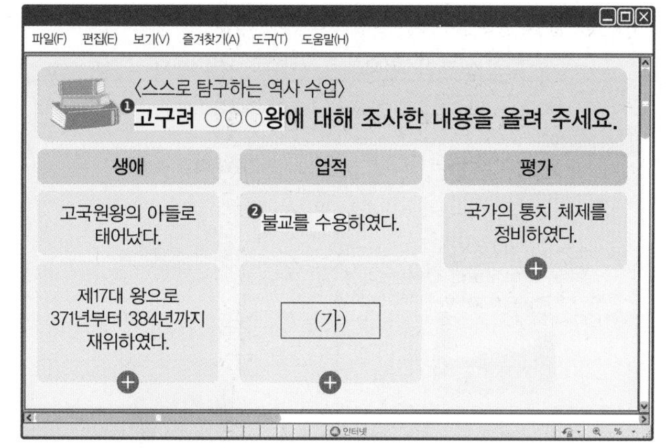

정답 잡는 키워드

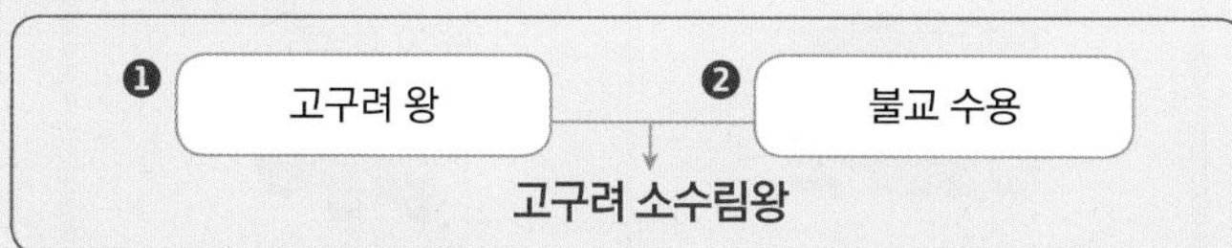

❶, ❷ 고구려 소수림왕은 아버지 고국원왕이 백제 근초고왕의 공격을 받아 평양성에서 전사한 국가적 위기 상황에서 왕위에 올랐어요. 소수림왕은 위기를 극복하고 사회를 안정시키기 위해 국가의 통치 체제를 정비하였습니다. 중국의 전진으로부터 불교를 수용하고, 율령을 반포하여 중앙 집권 체제를 강화해 나갔어요.

① 태학을 설립하였다.
➡ **고구려 소수림왕**은 인재 양성을 위해 태학을 설립하였어요.

② 병부를 설치하였다.
➡ 신라 법흥왕은 군사 업무를 총괄하는 병부를 설치하여 군권을 장악하였어요.

③ 화랑도를 정비하였다.
➡ 신라 진흥왕은 화랑도를 국가적인 조직으로 정비하였어요.

④ 웅진으로 천도하였다.
➡ 고구려 장수왕의 공격으로 수도 한성이 함락되고 개로왕이 죽임을 당하자, 뒤를 이어 즉위한 백제 문주왕은 웅진(지금의 공주)으로 수도를 옮겼어요.

기출 선택지 +α

❺ 율령을 반포하였다. (O / X)
❻ 진대법을 실시하였다. (O / X)
❼ 영락이라는 연호를 사용하였다. (O / X)

핵심 개념 고구려의 건국과 성장

건국	주몽이 졸본을 도읍으로 삼아 고구려 건국 → 유리왕 때 국내성으로 천도
태조왕	옥저 정복, 요동 지방으로 진출을 꾀함
고국천왕	을파소 등용, 빈민 구제를 위해 진대법 실시
고국원왕	백제 근초고왕의 공격으로 전사
소수림왕	불교 수용, 태학 설립, 율령 반포 → 중앙 집권 체제를 강화해 나감

기출 선택지 +α 정답 ⑤○ ⑥×[고구려 고국천왕] ⑦×[고구려 광개토 태왕]

4 백제의 문화유산

정답 ③

다음 전시회에서 볼 수 있는 문화유산으로 옳은 것은? [2점]

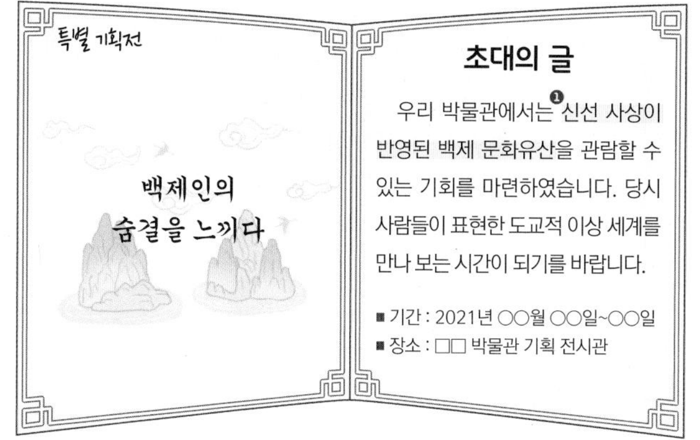

정답 잡는 키워드

❶ 백제 산수무늬 벽돌에는 도교의 신선 사상이 나타나 있어 백제에 도교가 전래되었음을 보여 줍니다.

①
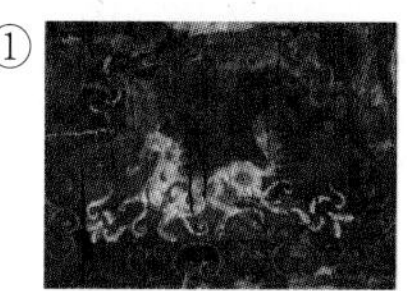
천마도

➡ 신라의 고분에서 발견된 천마도는 말다래(장니)에 그려져 있는 그림이에요.

②

청자 상감 운학문 매병

➡ 청자 상감 운학문 매병은 고려의 독창적인 상감 기법으로 만들어진 청자예요.

③

산수무늬 벽돌

➡ 백제의 산수무늬 벽돌에는 도교의 이상 세계가 표현되어 있어요.

④
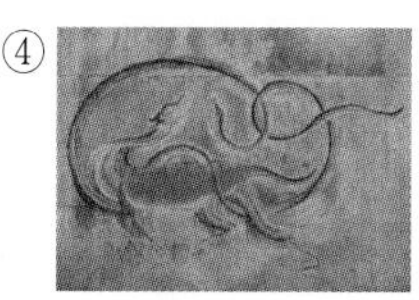
강서대묘 현무도

➡ 고구려의 고분 강서대묘에 그려진 현무도 등 사신도에는 도교 사상이 반영되어 있어요.

핵심 개념 백제의 대표적인 도교 관련 문화유산

백제 금동 대향로	백제 산수무늬 벽돌
• 부여 능산리 절터에서 출토 • 도교와 불교 사상이 반영되어 있음	• 부여 외리의 절터에서 출토 • 도교의 이상 세계가 표현되어 있음

5 신라의 삼국 통일 과정

정답 ②

다음 가상 일기의 밑줄 그은 '이 전투'로 옳은 것은? [2점]

> 676년 ○○월 ○○일
>
> 매소성 전투에서 승리한 우리 ❶신라군이 설인귀가 이끄는 당군을 이 전투에서 또다시 격파하였다는 소식을 들었다. 수많은 사람의 희생 끝에 삼국 통일이 눈앞에 다가왔으니, 이제 백성들이 좀 더 편안하게 살 수 있는 세상이 되었으면 좋겠다.

정답 잡는 키워드

❶ 신라군이 설인귀가 이끄는 당군을 격파 → 기벌포 전투

❶ 백제와 고구려를 멸망시킨 후 당이 약속과 다르게 한반도 전체를 차지하려고 하자 신라는 당에 맞서 싸웠어요. 매소성 전투(675)에서 당군을 크게 물리친 신라군은 다시 기벌포에서 설인귀가 이끄는 당의 수군을 격파하였습니다(676).

① 살수 대첩
➡ 살수 대첩은 을지문덕이 이끄는 고구려군이 살수(지금의 청천강)에서 수의 군대를 크게 물리친 전투예요.

② 기벌포 전투
➡ 신라는 매소성 전투와 기벌포 전투에서 승리하여 당의 세력을 대동강 남쪽 지역에서 몰아내고 삼국 통일을 이룩하였어요.

③ 안시성 전투
➡ 안시성 전투는 고구려군이 안시성에서 당 태종이 이끄는 대군을 격퇴한 전투예요.

④ 황산벌 전투
➡ 황산벌 전투는 계백이 이끄는 5천 명의 백제 결사대가 황산벌에서 김유신이 이끄는 신라군에 맞서 싸웠으나 패배한 전투예요. 황산벌 전투 이후 사비성이 함락되고 의자왕이 항복하면서 백제는 멸망하였어요.

핵심 개념 신라의 삼국 통일 과정

구분	내용
나·당 동맹 성립	김춘추가 당에 건너가 대동강을 기준으로 북쪽은 당이, 남쪽은 신라가 차지하기로 합의하고 군사 동맹 체결(648)
백제와 고구려의 멸망	• 백제 멸망(660) : 나·당 연합군의 공격으로 사비성이 함락되고 의자왕이 항복함 • 고구려 멸망(668) : 나·당 연합군의 공격으로 평양성 함락
나·당 전쟁	당이 한반도 전체를 차지하려고 함 → 신라 문무왕 때 매소성 전투와 기벌포 전투에서 당군을 물리치고 삼국 통일 이룩(676)

6 금관가야

정답 ④

(가) 나라에 대한 탐구 활동으로 가장 적절한 것은? [3점]

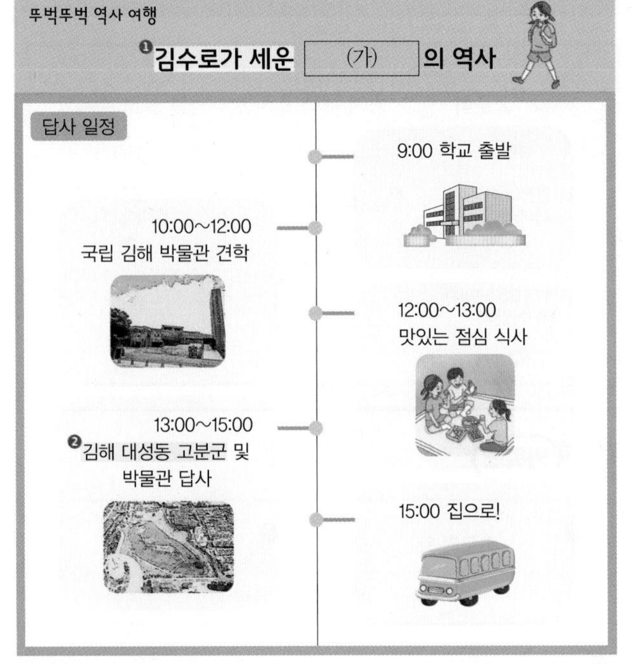

정답 잡는 키워드

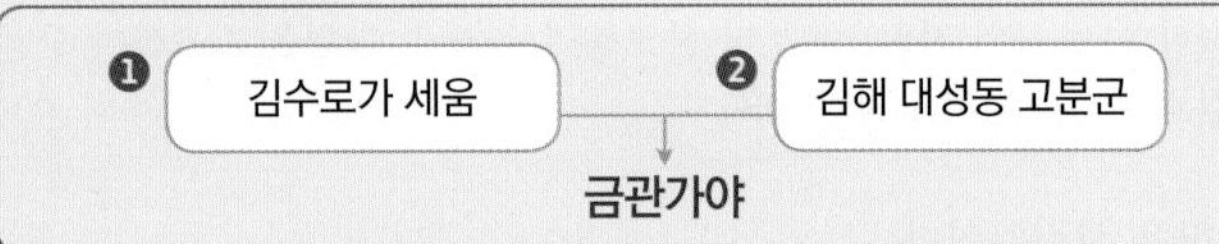

❶ 금관가야는 김수로왕이 세웠다는 건국 이야기가 전해집니다.
❷ 김해 대성동 고분군에서는 금관가야의 우수한 철기 문화를 짐작할 수 있는 철제 판갑옷 등이 출토되었어요. 김해를 중심으로 성장한 금관가야는 전기 가야 연맹을 주도하였습니다.

① 사비로 천도한 이유를 파악한다.
➡ 백제 성왕은 넓은 평야가 있고 강을 끼고 있어 수로 교통이 편리한 사비(지금의 부여)로 수도를 옮겨 백제의 중흥을 꾀하였어요.

② 우산국을 복속한 과정을 살펴본다.
➡ 신라 지증왕은 이사부를 보내 우산국을 복속하였어요.

③ 청해진을 설치한 목적을 조사한다.
➡ 신라 흥덕왕 때 당에서 귀국한 장보고는 지금의 완도에 청해진을 설치하고 해적을 소탕한 후 해상 무역을 장악하였어요.

④ 구지가가 나오는 건국 신화를 분석한다.
➡ "삼국유사"에 실린 수로왕의 건국 이야기에 따르면 촌장과 백성이 구지봉에 올라 "거북아 거북아 머리를 내밀어라. 만일 내밀지 않으면 구워 먹으리."라는 내용의 '구지가'를 부르자 하늘에서 6개의 황금 알이 내려왔고 그중 한 알에서 김수로가 태어나 **금관가야**를 세웠다고 합니다.

7 경주 배동 석조 여래 삼존 입상 정답 ①

(가)에 들어갈 문화유산으로 옳은 것은? [3점]

❶경주 남산 일대 탐방 지도

(가)

탑골

금오봉 • 무량사

용장골

용장사곡 삼층 석탑

칠불암 마애 불상군

이 지역에는 ❷신라의 불교 문화유산이 많이 남아 있구나!

사람들이 자주 와서 불공을 드렸을 것 같아.

정답 잡는 키워드

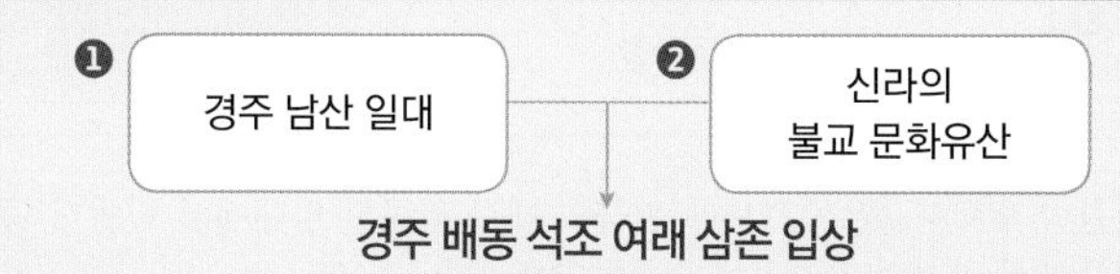

❶ 경주 남산 일대 ❷ 신라의 불교 문화유산 → 경주 배동 석조 여래 삼존 입상

❶, ❷ 경주는 건국 이후부터 멸망할 때까지 약 천 년 동안 신라의 수도였어요. 그래서 경주에는 신라의 문화유산이 많이 남아 있는데, 그 가치를 인정받아 '경주 역사 유적 지구'로 유네스코 세계 유산에 등재되었어요. 경주 역사 유적 지구는 경주 배동 석조 여래 삼존 입상 등 다양한 불교 유적을 포함하고 있는 남산 지구, 옛 왕궁 터였던 월성 지구, 많은 고분이 모여 있는 대릉원 지구, 불교 사찰 유적인 황룡사 지구, 방어용 산성이 위치한 산성 지구의 5개 지구로 이루어져 있습니다.

①

배동 석조 여래 삼존 입상

➡ 신라의 **경주** 배동 석조 여래 삼존 입상은 어린아이 같은 천진난만한 표정으로 부처의 자비로움을 표현하고 있어요.

②

관촉사 석조 미륵보살 입상

➡ 논산에 있는 관촉사 석조 미륵보살 입상은 개성 있는 모습을 하고 있으며, 고려 시대의 불상 가운데 가장 큰 불상이에요.

③

미륵사지 석탑

➡ 익산에 있는 미륵사지 석탑은 백제 무왕이 지은 미륵사에 세워진 석탑으로, 목탑 양식이 반영되어 있어요.

④

월정사 팔각 구층 석탑

➡ 평창에 있는 월정사 8각 9층 석탑은 고려 시대에 세워진 다각 다층탑이에요.

8 신라 말의 상황 정답 ③

다음 책에 포함될 내용으로 가장 적절한 것은? [2점]

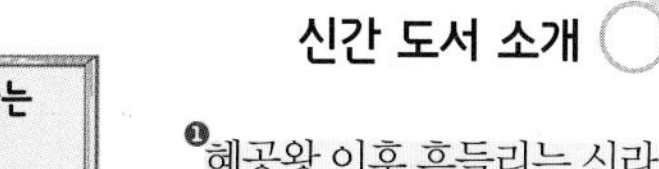

신간 도서 소개

저물어 가는 신라

글 : □□□
그림 : △△△

❶혜공왕 이후 흔들리는 신라의 역사를 생생하게 다루고 있는 책입니다.

○○ 출판사 / 186쪽 / 초등 고학년

정답 잡는 키워드

❶ 혜공왕 이후 흔들리는 신라 → 신라 말

❶ 삼국 통일 이후 정치적 안정을 이룬 신라는 8세기 후반부터 흔들리기 시작하였어요. 어린 나이에 즉위한 혜공왕이 780년에 진골 귀족들의 반란으로 살해된 이후 150여 년 동안 20여 명의 왕이 바뀌는 등 혼란이 계속되었어요. 혜공왕 이후부터 신라가 멸망할 때까지의 시기, 즉 신라 말에는 진골 귀족들의 왕위 다툼이 심화되면서 정치가 혼란스러웠으며, 귀족들의 수탈에 자연재해까지 더해져 농민의 삶이 더욱 어려워지자 농민 봉기가 전국으로 확산되었어요.

① 갑신정변
➡ 갑신정변은 1884년에 김옥균 등 급진 개화파가 우정총국 개국 축하연을 기회로 삼아 일으킨 정변이에요. 급진 개화파는 개화당 정부를 구성하고 개혁 정강을 발표하였으나 청군의 개입으로 3일 만에 실패하였어요.

② 위화도 회군
➡ 고려 말에 이성계는 우왕과 최영의 명령으로 요동 정벌에 나섰으나, 이에 반대하여 위화도에서 군대를 돌려 개경으로 돌아와 권력을 잡았어요.

③ 김헌창의 난
➡ **신라 말** 헌덕왕 때 웅천주 도독 김헌창이 자신의 아버지 김주원이 왕이 되지 못한 것에 불만을 품고 반란을 일으켰어요.

④ 연개소문의 집권
➡ 연개소문은 고구려 영류왕 때 정변을 일으켜 보장왕을 왕으로 세운 다음 스스로 대막리지에 올라 정권을 장악하였어요.

핵심 개념 신라 말에 일어난 난

구분		시기	내용
지방에서 일어난 반란	김헌창의 난(822)	헌덕왕	웅천주 도독 김헌창이 중앙 정부에 반기를 들고 난을 일으킴
	장보고의 난(846)	문성왕	해상 활동으로 세력을 키운 장보고가 중앙의 왕위 다툼에 관여함 → 자신의 딸을 왕비로 만들기 위해 중앙 정부와 대립하다가 제거됨
농민 봉기	원종과 애노의 난(889)	진성 여왕	무거운 세금으로 고통받던 농민들이 중앙 정부의 조세 납부 독촉에 저항하여 사벌주(지금의 상주)에서 봉기함 → 농민 봉기가 전국으로 확산됨
	적고적의 난(896)		적고적(붉은 바지를 입은 무리)이 봉기하여 금성(지금의 경주) 서부까지 진격함

9 발해 정답 ④

밑줄 그은 '국가'에 대한 설명으로 옳은 것은? [1점]

정답 잡는 키워드

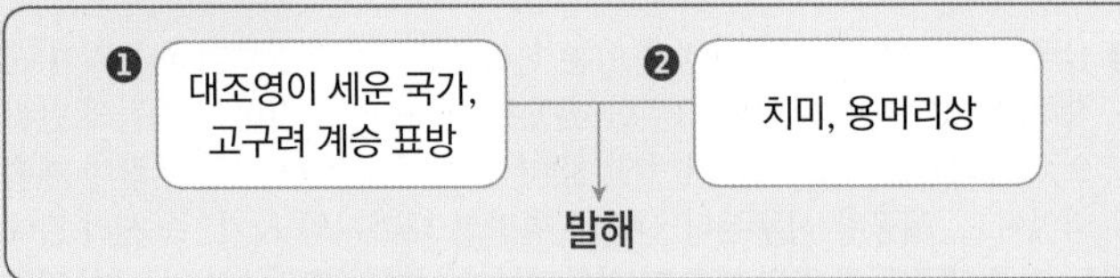

❶ 발해는 고구려 장수 출신 대조영이 고구려 유민과 말갈인을 이끌고 지린성 동모산 부근에서 세운 나라입니다. 발해는 일본에 보낸 외교 문서에서 스스로 '고려(고구려)', '고려 국왕'이라고 표현하며 고구려 계승 의식을 표방하였어요.

❷ 발해 치미와 용머리상은 발해의 수도였던 상경성 터에서 발견되었어요.

① 수의 침략을 물리쳤다.

➡ 6세기 말~7세기에 **고구려**는 여러 차례 수의 침략을 물리쳤어요. 612년에 을지문덕이 고구려군을 이끌고 살수(지금의 청천강)에서 수의 군대를 물리치고 큰 승리를 거두기도 하였어요(살수 대첩).

② 기인 제도를 실시하였다.

➡ **고려** 태조 왕건은 호족 세력을 견제하고 지방 통치를 보완하기 위해 지방 호족의 자제를 일정 기간 수도에 머물게 하는 기인 제도를 실시하였어요.

③ 독서삼품과를 시행하였다.

➡ **신라** 원성왕은 인재 선발을 위하여 독서삼품과를 시행하였어요.

④ 해동성국이라고도 불렸다.

➡ **발해**는 전성기에 중국으로부터 '바다 동쪽의 융성한 나라'라는 뜻에서 해동성국이라고 불리기도 하였어요.

기출 선택지 +α

❺ 상수리 제도를 실시하였다.	(O/X)
❻ 교육 기관으로 주자감을 두었다.	(O/X)
❼ 무왕 때 당의 등주를 공격하였다.	(O/X)
❽ 제가 회의에서 중요한 일을 결정하였다.	(O/X)
❾ 전국을 5경 15부 62주로 나누어 다스렸다.	(O/X)
❿ 인안, 대흥 등의 독자적 연호를 사용하였다.	(O/X)

10 견훤의 활동 정답 ②

(가)에 들어갈 내용으로 옳은 것은? [2점]

(앞면)

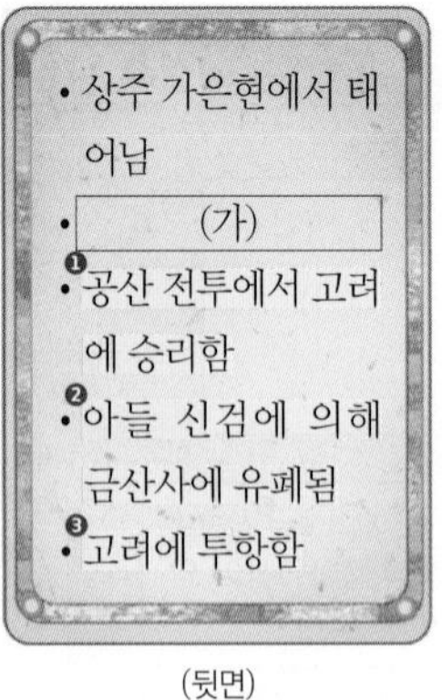

(뒷면)

정답 잡는 키워드

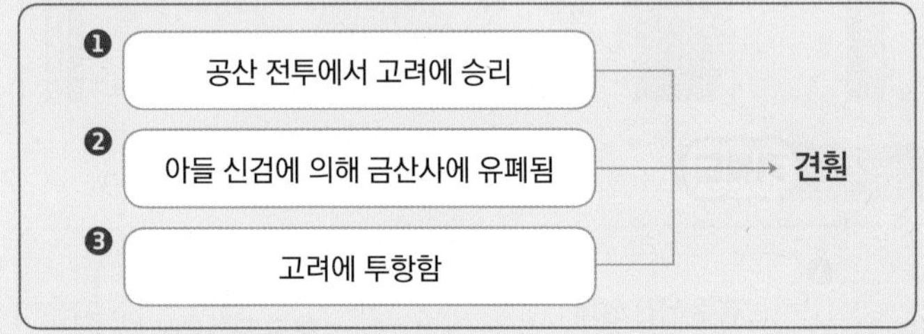

❶ 견훤의 후백제군은 927년에 지금의 대구 팔공산 일대에서 있었던 공산 전투에서 왕건의 고려군에 승리하였습니다.

❷ 후백제에서 왕위 계승을 둘러싸고 다툼이 일어나 견훤이 아들 신검에 의해 금산사에 갇혔어요.

❸ 견훤은 금산사에서 탈출하여 고려에 투항하였어요(935).

① 철원으로 천도함

➡ 송악(지금의 개성)에서 후고구려를 세운 **궁예**는 나라 이름을 마진으로 바꾼 뒤 철원으로 천도하였어요. 그리고 다시 국호를 태봉으로 바꾸었어요.

② 후백제를 건국함

➡ 상주 출신 **견훤**은 서남 해안을 지키는 군진의 장교였는데, 농민 봉기를 틈타 독자적인 세력을 이루어 완산주(지금의 전주)를 도읍으로 후백제를 건국하였어요(900). 이후 견훤은 후당, 오월에 사신을 보내 외교 관계를 맺었어요.

③ 훈요 10조를 남김

➡ 고려를 세운 **왕건**은 후대 왕들이 지키길 바라는 내용을 담은 훈요 10조를 남겼어요.

④ 경주의 사심관으로 임명됨

➡ 신라 경순왕 **김부**는 고려에 항복한 뒤 경주의 사심관으로 임명되었어요.

기출 선택지 +α

❺ 백제 계승을 내세움	(O/X)
❻ 국호를 태봉으로 바꿈	(O/X)
❼ 지방에 12목을 설치함	(O/X)
❽ 정치 기구로 광평성을 둠	(O/X)

기출 선택지 +α 정답 ⑤ ×[신라] ⑥ ○ ⑦ ○ ⑧ ×[고구려] ⑨ ○ ⑩ ○

기출 선택지 +α 정답 ⑤ ○ ⑥ ×[궁예] ⑦ ×[고려 성종] ⑧ ×[궁예]

11 삼국유사

정답 ④

밑줄 그은 '이 책'으로 옳은 것은? [1점]

정답 잡는 키워드

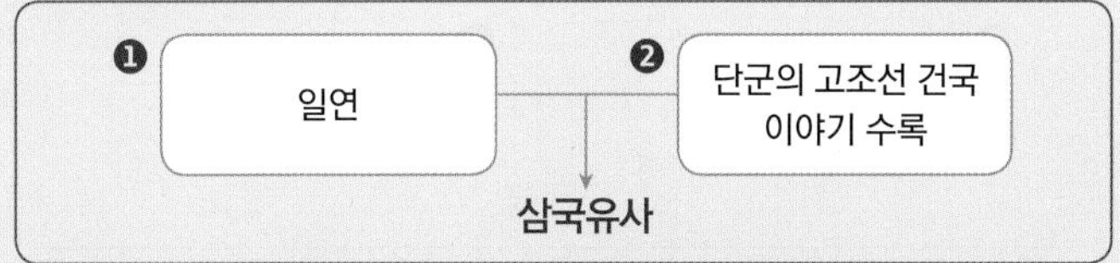

❶ "삼국유사"는 고려가 원의 내정 간섭을 받던 시기에 승려 일연이 쓴 역사서입니다.
❷ 일연은 우리 역사의 시작을 고조선으로 보고 "삼국유사"에 단군의 고조선 건국 이야기를 수록하였어요.

① 발해고
➡ "발해고"는 조선 후기에 유득공이 저술한 역사서로, 유득공은 이 책에서 처음으로 신라와 발해를 남북국이라 칭하였어요.

② 동국통감
➡ "동국통감"은 조선 성종 때 서거정 등이 고조선부터 고려까지의 역사를 정리한 역사서입니다.

③ 동사강목
➡ "동사강목"은 조선 후기에 안정복이 고조선부터 고려까지의 역사를 정리한 역사서로, 우리 역사의 독자적 정통론을 주장하였어요.

④ 삼국유사
➡ "삼국유사"는 불교사를 중심으로 고대의 민간 설화나 전래 기록을 담고 있으며, 왕력·기이·흥법 등 9편으로 구성되어 있어요.

핵심 개념 고려 시대 역사서의 편찬

시기		내용	
초기		"구삼국사", "7대실록" 등이 편찬되었으나 현재 전하지 않음	
중기		"삼국사기" : 인종 때 김부식 등이 편찬, 현존하는 우리나라에서 가장 오래된 역사서, 유교적 합리주의 사관에 따라 기전체로 기록, 신라를 중심으로 삼국의 역사 서술	
후기	무신 집권기	• "해동고승전" : 승려 각훈이 우리나라 승려들의 전기를 정리하여 편찬 • '동명왕편' : 이규보가 고구려의 시조 동명왕(주몽)에 관한 이야기를 장편 서사시로 기록 → 고구려 계승 의식 반영	
	원 간섭기	• "삼국유사" : 승려 일연이 저술, 불교사를 중심으로 고대의 민간 설화나 전래 기록 수록 • "제왕운기" : 이승휴가 중국과 우리나라의 역사를 시로 표현, 유교를 중심으로 불교·도교 문화까지 포괄하는 입장을 취함	단군의 고조선 건국 이야기 수록
말기		"사략" : 이제현이 성리학적 유교 사관에 따라 저술, 정통과 대의명분 중시	

12 묘청의 난

정답 ①

다음 가상 인터뷰에 나타난 사건으로 옳은 것은? [2점]

❶서경에서 거사한 이유가 무엇인가요?

저는 ❷서경으로 수도를 옮기면 천하를 다스릴 수 있고, 금이 스스로 항복할 것이라고 주장해 왔습니다. 그런데 조정에 반대하는 무리가 있어 뜻을 이룰 수 없었기 때문에 거사한 것입니다.

정답 잡는 키워드

❶ 서경에서 거사
❷ 서경으로 수도를 옮길 것을 주장
묘청의 난

❶, ❷ 이자겸의 난을 진압한 후 고려 인종은 묘청 등 서경 세력을 등용하여 개혁을 꾀하였어요. 서경 세력은 서경으로 수도를 옮기자고 주장하였으나 개경 세력의 반대에 부딪혀 실패하였습니다. 이에 묘청이 서경에서 난을 일으켰어요(1135).

① 묘청의 난
➡ 묘청의 난은 김부식이 이끄는 관군에 의해 진압되었어요.

② 김흠돌의 난
➡ 김흠돌의 난은 신라 신문왕 때 왕의 장인인 김흠돌이 반란을 꾀하다 발각되어 처형된 사건이에요. 이를 계기로 신문왕은 진골 귀족 세력을 숙청하고 왕권을 강화하였어요.

③ 홍경래의 난
➡ 홍경래의 난은 조선 후기 순조 때 서북 지역에 대한 차별과 세도 정권의 가혹한 수탈에 항거하여 홍경래의 주도 아래 일어난 농민 봉기입니다.

④ 원종과 애노의 난
➡ 원종과 애노의 난은 신라 말 왕위 다툼으로 인한 정치 혼란과 귀족들의 수탈로 농민의 삶이 피폐해진 상황에서, 진성 여왕 때 중앙 정부가 세금을 독촉하자 이에 저항하여 사벌주(지금의 상주)에서 일어난 농민 봉기예요. 원종과 애노의 난을 시작으로 농민 봉기가 전국으로 퍼져갔어요.

핵심 개념 묘청의 서경 천도 운동

구분	내용
배경	이자겸의 난 이후 묘청, 정지상 등 서경 세력은 금 정벌, 황제를 칭하고 연호를 사용할 것(칭제건원) 등과 함께 풍수지리설을 내세워 서경 천도를 주장함 → 김부식 등 개경 세력이 서경 천도에 반대하여 좌절됨
묘청의 난 (1135)	묘청 등이 서경에서 국호를 대위, 연호를 천개라 하고 반란을 일으킴 → 김부식이 이끄는 관군에 의해 진압됨

제 54 회

13 고려의 지방 행정 제도

정답 ④

다음 상황이 있었던 국가의 지방 제도에 대한 설명으로 옳은 것은? [3점]

> ○ ❶공주 명학소의 망이·망소이 등이 무리를 모아서 봉기하자, 명학소를 충순현으로 승격하여 그들을 달래고자 하였다.
> ○ 사신을 따라 ❷원에 간 유청신이 통역을 잘하였으므로, 그 공을 인정하여 그의 출신지인 고이❸부곡을 고흥현으로 승격하였다.

정답 잡는 키워드

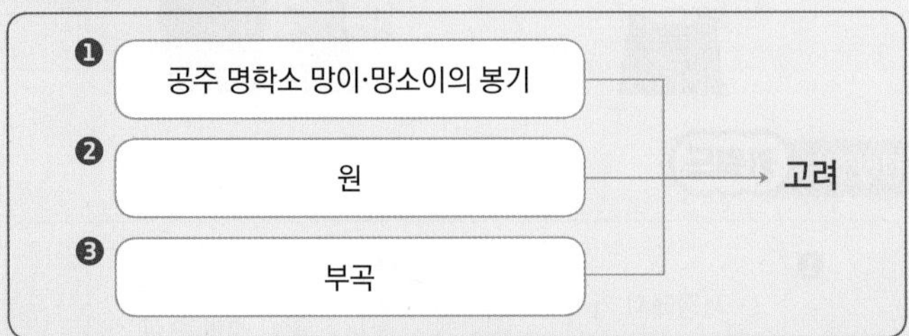

❶ 고려 무신 집권기에 공주 명학소의 주민들은 과도한 세금과 지배층의 가혹한 수탈에 맞서 망이·망소이 형제를 중심으로 봉기하였어요.
❷ 몽골과 강화를 맺고 개경으로 돌아간 뒤 고려 정부는 본격적으로 몽골이 세운 원의 내정 간섭을 받았어요. 이 시기에 권문세족이 새로운 지배 세력을 형성하였는데, 원과 밀접한 관련이 있거나 몽골어에 능통해서 통역에 종사한 사람들이 권문세족이 되기도 하였어요.
❸ 고려에는 일반 군현 외에도 향·부곡·소라는 특수 행정 구역이 있었어요. 향·부곡·소의 주민들은 일반 군현민에 비해 더 많은 세금을 부담하는 등 차별을 받았어요.

① 전국을 8도로 나누었다.
➡ 조선은 전국을 8도로 나누고, 각 도에 지방관으로 관찰사를 파견하였어요.

② 22담로에 왕족을 파견하였다.
➡ 담로는 백제의 지방 행정 구역이에요. 무령왕은 지방 통제를 강화하기 위해 22담로에 왕족을 파견하였어요.

③ 주요 지역에 5소경을 설치하였다.
➡ 삼국 통일 이후 신라는 수도가 영토의 동남쪽에 치우친 것을 보완하기 위해 주요 지역에 5소경을 설치하였어요.

④ 군사 행정 구역으로 양계를 두었다.
➡ **고려**는 전국을 5도, 양계, 경기로 나누어 통치하였어요. 5도는 일반 행정 구역이고, 양계는 국경 지역에 설치한 군사 행정 구역이며, 경기는 수도 개경과 주변 지역입니다.

핵심 개념 고려의 지방 행정 제도

구분	내용
5도	일반 행정 구역, 안찰사 파견
양계	군사 행정 구역, 병마사 파견
경기	수도 개경과 주변 지역
3경	개경, 서경, 동경(뒤에 남경)을 3경이라고 하여 중시함
특징	• 지방관이 파견된 주현보다 지방관이 파견되지 않은 속현이 더 많음 • 주현의 지방관이 주변의 속현까지 관할하였고, 행정 실무는 각 고을의 향리가 담당함 • 향·부곡·소의 특수 행정 구역이 있음

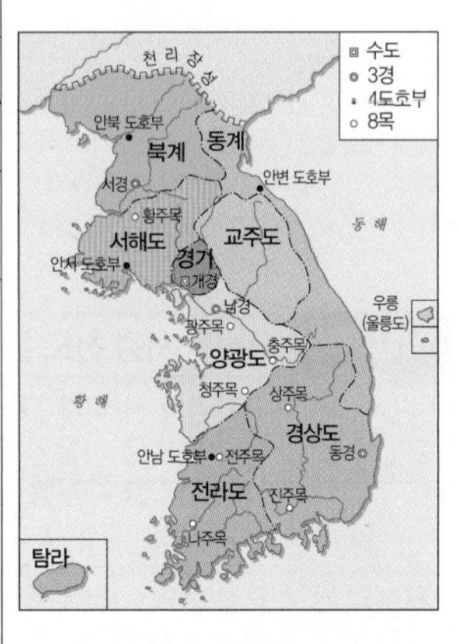

14 고려의 대몽 항쟁

정답 ③

다음 외교 문서를 보낸 국가에 대한 고려의 대응으로 옳은 것은? [2점]

> ❶칸께서 살리타 등이 이끄는 군대를 너희에게 보내 항복할지 아니면 죽임을 당할지 묻고자 하신다. 이전에 칸께서 보낸 사신 저고여가 사라져서 다른 사신이 찾으러 갔으나, 너희들은 활을 쏘아 그를 쫓아냈다. 너희가 ❷저고여를 살해한 것이 확실하니, 이제 그 책임을 묻고 있는 것이다.

정답 잡는 키워드

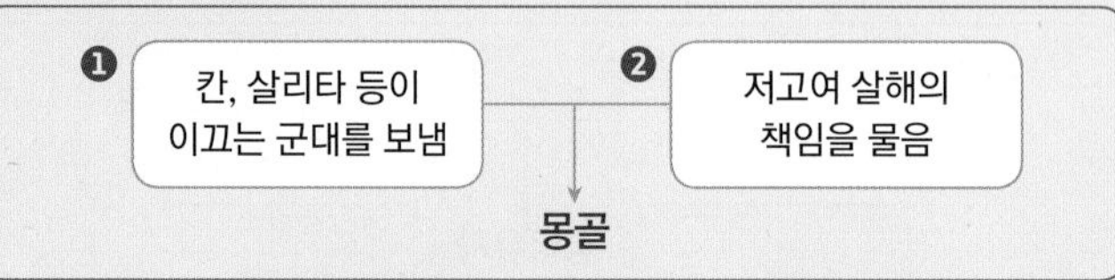

❶, ❷ 13세기 칭기즈 칸에 의해 통일된 몽골은 막강한 군사력을 바탕으로 세력을 확대하였어요. 고려에 온 몽골 사신 저고여가 귀국길에 피살되자, 몽골은 이를 빌미로 살리타 등이 이끄는 군대를 보내 고려를 침략하였어요. 당시 최고 집권자였던 최우는 강화도로 수도를 옮겨 장기 항전을 준비하였어요.

① 이자겸이 사대 요구를 수용하였다.
➡ 여진이 세운 금이 고려에 사대를 요구하자 이자겸은 정권을 유지하고 전쟁을 피하기 위해 사대 요구를 수용하였어요.

② 서희가 소손녕과 외교 담판을 벌였다.
➡ 거란의 1차 침입 당시 고려의 서희는 거란 장수 소손녕과 외교 담판을 벌여 강동 6주 지역을 확보하였어요.

③ 김윤후 부대가 처인성에서 적장을 사살하였다.
➡ **몽골**이 고려를 침입하였을 때 김윤후 부대가 처인성에서 몽골 장수 살리타를 사살하였어요.

④ 강감찬이 군사를 이끌고 귀주에서 크게 승리하였다.
➡ 거란의 3차 침입 당시 고려의 강감찬은 귀주에서 거란군을 물리쳤어요.

기출 선택지 +α

❺ 동북 9성을 축조하였다. (O/X)
❻ 강화도로 도읍을 옮겼다. (O/X)
❼ 초조대장경을 조판하였다. (O/X)

핵심 개념 고려의 대몽 항쟁

구분	내용
귀주성 전투	몽골의 1차 침입 당시 박서가 귀주성에서 몽골군의 공격을 막아 냄
충주성 전투 (1231)	몽골의 1차 침입 당시 관리들이 성을 버리고 도망가자 노비와 천민들이 힘을 합해 몽골군을 물리침
처인성 전투	몽골의 2차 침입 당시 김윤후 부대가 몽골 장수 살리타를 사살하고 몽골군을 격퇴함
충주성 전투 (1253)	몽골의 5차 침입 당시 김윤후가 노비 문서를 불태워 노비들의 사기를 북돋워 주었고 결국 성을 지켜 냄
삼별초 항쟁	삼별초가 개경 환도에 반대하여 진도, 제주도로 옮겨 가며 몽골에 끝까지 맞서 싸웠으나 결국 고려와 몽골 연합군에 의해 진압됨

기출 선택지 +α 정답 ⑤ ×[여진] ⑥ ○ ⑦ ×[거란]

15 고려 숙종 재위 시기의 사실

정답 ②

(가)에 들어갈 내용으로 옳은 것은? [2점]

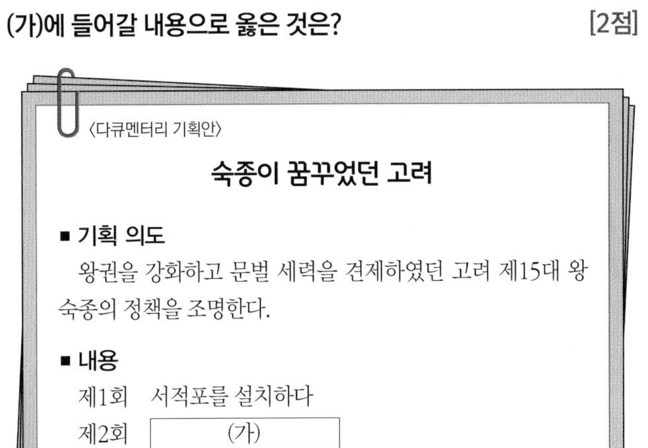

〈다큐멘터리 기획안〉

숙종이 꿈꾸었던 고려

■ 기획 의도

왕권을 강화하고 문벌 세력을 견제하였던 고려 제15대 왕 숙종의 정책을 조명한다.

■ 내용

제1회 서적포를 설치하다

제2회 (가)

제3회 남경에 궁궐을 세우다

제4회 별무반을 조직하다

고려의 제15대 왕 숙종은 국자감에 서적포를 설치하여 출판을 담당하게 하였으며, 지금의 서울인 남경에 궁궐을 세웠어요. 또한, 12세기 초 부족을 통일한 여진이 고려의 국경까지 남하하여 충돌이 잦아지자 숙종은 윤관의 건의를 받아들여 여진 정벌을 위해 별무반을 조직하였어요.

① 규장각을 설치하다
➡ 조선 정조는 규장각을 설치하여 학술과 정책 연구를 담당하게 하였어요.

② 해동통보를 제작하다
➡ **고려 숙종**은 의천의 건의를 받아들여 화폐 발행 관청으로 주전도감을 설치하고 해동통보 등의 동전을 주조하였어요.

③ 노비안검법을 실시하다
➡ 고려 광종은 왕권 강화를 위해 노비안검법을 실시하였어요.

④ 쌍성총관부를 공격하다
➡ 고려 공민왕은 쌍성총관부를 공격하여 원에 빼앗겼던 철령 이북의 영토를 되찾았어요.

기출 선택지 +α

⑤ 속대전을 편찬하다 (O/X)
⑥ 경복궁을 중건하다 (O/X)
⑦ 흑창을 처음 설치하다 (O/X)

핵심 개념 고려 숙종의 정책

재위 기간	1095~1105
화폐 발행	주전도감 설치, 은병(활구)과 해동통보 등 주조
남경 중시	남경에 궁궐을 세움
서적포 설치	관학을 진흥하기 위해 국자감에 서적포를 설치하여 출판을 담당하게 함
별무반 조직	윤관의 건의를 받아들여 여진 정벌을 위해 기병인 신기군, 보병인 신보군, 승병인 항마군으로 구성된 별무반 설치

기출 선택지 +α

정답 ⑤ ×[조선 영조] ⑥ ×[조선 고종 때 흥선 대원군] ⑦ ×[고려 태조]

16 지눌의 활동

정답 ①

다음 퀴즈의 정답으로 옳은 것은? [2점]

정답 잡는 키워드

❶, ❸ 지눌은 고려의 승려로 '불일보조국사'라는 시호를 받았으며, 불교계의 타락과 세속화를 비판하면서 수선사 결사(정혜 결사)를 조직하여 불교계를 개혁하고자 하였어요.

❷ 지눌은 선종을 중심으로 교종을 통합하고자 하였으며, 수행 방법으로 참선과 교리 공부를 함께해야 한다는 정혜쌍수를 주장하였어요.

①

➡ 지눌은 단번에 깨닫고 깨달은 후에도 점진적으로 수행을 계속해야 한다는 돈오점수도 주장하였어요.

②

➡ 고려의 승려 요세는 법화 신앙을 바탕으로 한 백련 결사를 주도하였어요.

③

➡ 신라의 승려 혜초는 인도와 중앙아시아 지역을 돌아본 뒤 "왕오천축국전"을 저술하였어요.

④

➡ 신라의 승려 원효는 '나무아미타불'만 외우면 누구나 극락에 갈 수 있다고 주장하였으며, 일반 백성이 쉽게 불교 교리를 받아들일 수 있도록 '무애가'를 지어 부르는 등 불교 대중화에 기여하였어요.

17 고려의 사회 모습 정답 ③

교사의 질문에 대한 학생의 답변으로 옳지 않은 것은? [1점]

① 의창이 운영되었습니다.
➡ **고려** 시대에는 가난한 백성을 구제하기 위해 의창이 운영되었어요. 흉년이 들거나 곡식이 귀할 때 곡식을 빌려주고 수확한 후에 갚도록 하였어요.

② 팔관회가 개최되었습니다.
➡ **고려** 시대에는 팔관회가 국가적인 행사로 개최되었어요.

③ 골품제가 실시되었습니다.
➡ 신라에서는 골품에 따라 관등 승진뿐만 아니라 일상생활까지 규제하는 골품제가 실시되었어요.

④ 여성이 호주가 될 수 있었습니다.
➡ **고려** 시대에는 여성이 호주가 될 수 있었으며, 호적을 작성할 때에도 아들딸 구분 없이 태어난 순서대로 기재하였어요.

핵심 개념 고려의 사회 모습

구분	내용
사회 제도	• 빈민 구제를 위해 태조 때 흑창을 설치함 → 성종 때 의창으로 개편하여 운영함 • 물가를 조절하는 기구로 상평창을 둠 • 빈민을 구휼할 목적으로 제위보를 조성함 • 백성들에게 약을 제공하는 혜민국을 설치함 • 질병 확산에 대처하고자 구제도감을 운영함
국가 행사	연등회와 팔관회가 개최됨
혼인과 가족 제도	• 혼인 형태는 일부일처제가 일반적임 • 혼인한 뒤 신랑이 신부 집에 거주하기도 함 • 여성의 재혼이 비교적 자유로움, 재혼한 여성의 자녀도 사회적 차별을 받지 않음 • 여성이 호주가 될 수 있었음 • 재산을 아들과 딸에게 균등하게 상속함 • 아들과 딸 구분 없이 태어난 순서대로 호적에 등재함

18 조선 태종의 정책 정답 ②

(가)에 들어갈 내용으로 옳은 것은? [2점]

정답 잡는 키워드

❶ 두 차례 왕자의 난을 통해 집권 / ❷ 6조 직계제 실시 → 조선 태종

❶ 태종 이방원은 두 차례 왕자의 난을 통해 정도전 등 반대 세력을 제거하고 왕위에 올랐어요.
❷ 왕위에 오른 태종은 왕권 강화를 위해 의정부를 거치지 않고 6조에서 왕에게 직접 업무를 보고하는 6조 직계제를 실시하였어요.

① 직전법을 제정하였어요.
➡ 조선 세조는 현직 관리에게만 수조권을 행사할 수 있는 토지를 지급하는 직전법을 제정하였어요.

② 호패법을 시행하였어요.
➡ 조선 **태종**은 16세 이상 모든 남성에게 이름, 태어난 연도, 신분 등을 새긴 호패를 차고 다니게 하는 호패법을 처음 시행하였어요.

③ 장용영을 설치하였어요.
➡ 조선 정조는 국왕 친위 부대인 장용영을 설치하였어요.

④ 척화비를 건립하였어요.
➡ 조선 고종 때 흥선 대원군은 서양 세력과의 통상 수교 거부 의지를 널리 알리기 위해 전국 곳곳에 척화비를 건립하였어요.

기출 선택지 +α

⑤ 경국대전을 반포하였어요. (O/X)
⑥ 5군영 체제를 완성하였어요. (O/X)
⑦ 왕족과 공신들의 사병을 없앴어요. (O/X)

핵심 개념 조선 태종의 정책

구분	내용
정치	• 두 차례 왕자의 난을 통해 정도전 등 반대 세력을 제거하고 즉위 • 6조 직계제 실시, 왕족과 공신의 사병 폐지, 전국을 8도로 나누고 관리 파견
경제·사회	양전 사업 실시, 호패법 시행, 신문고 설치
문화	• 금속 활자인 계미자 주조 • 혼일강리역대국도지도 편찬 : 현존하는 동아시아에서 가장 오래된 세계 지도

기출 선택지 +α 정답 ⑤ ×[조선 성종] ⑥ ×[조선 숙종] ⑦ ○

19 조선 세종의 업적

정답 ②

(가) 왕의 업적으로 옳은 것은? [2점]

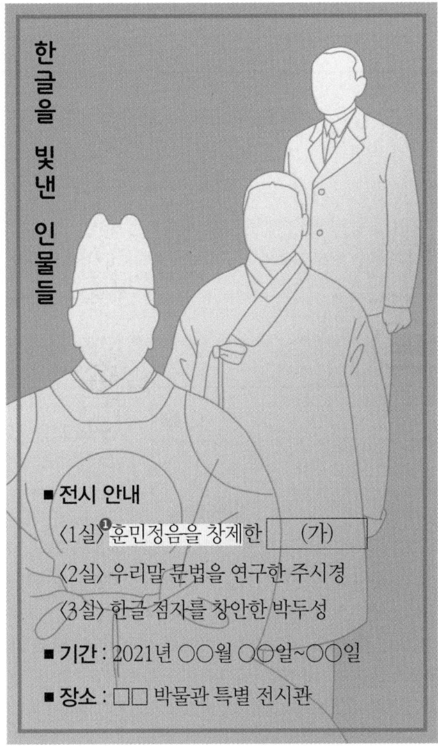

정답 잡는 키워드

❶ 훈민정음 창제 → 조선 세종

❶ 세종은 백성을 교화하고 백성이 자신의 뜻을 글로 표현할 수 있도록 훈민정음을 창제하여 반포하였어요. 이 시기에 한양을 기준으로 한 역법서인 "칠정산", 우리 고유의 약재와 치료법을 정리한 "향약집성방" 등도 편찬되었습니다. 이처럼 세종이 재위하던 시기에는 자주적 성격의 민족 문화가 크게 발달하였어요.

① 만권당을 세웠다.
➡ 고려 후기 충선왕은 아들에게 왕위를 물려준 뒤 원의 연경에 있는 자신의 집에 독서당인 만권당을 세웠어요.

② 농사직설을 간행하였다.
➡ **조선 세종**은 정초, 변효문 등에게 명하여 우리 풍토에 맞는 농사법을 정리한 "농사직설"을 간행하게 하였어요.

③ 대전회통을 편찬하였다.
➡ 조선 고종 때 흥선 대원군은 "속대전"과 "대전통편" 이후 추가되고 보완된 내용을 정리하여 조선 시대 마지막 법전인 "대전회통"을 편찬하였어요.

④ 초계문신제를 시행하였다.
➡ 조선 정조는 젊은 문신을 선발하여 재교육하는 초계문신제를 시행하였어요.

기출 선택지 +α

⑤ 집현전을 운영하였다. (O/X)
⑥ 나선 정벌을 단행하였다. (O/X)
⑦ 백두산정계비를 건립하였다. (O/X)

기출 선택지 +α 정답 ⑤○ ⑥×[조선 효종] ⑦×[조선 숙종]

20 조선왕조실록

정답 ④

(가)에 해당하는 책으로 옳은 것은? [2점]

정답 잡는 키워드

❶ 사초와 시정기 등을 바탕으로 편찬 → 조선왕조실록

❶ "조선왕조실록"은 왕이 죽은 뒤 춘추관에 설치된 실록청에서 사초와 시정기 등을 바탕으로 펴낸 역사서예요. 완성된 실록은 춘추관과 충주, 전주, 성주의 사고에 각각 보관되었는데, 임진왜란 때 전주 사고본을 제외하고 모두 불타 버렸습니다.

①
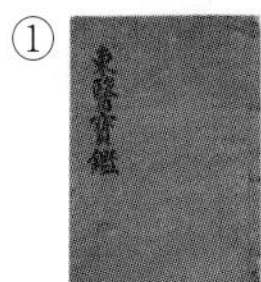
동의보감

➡ "동의보감"은 허준이 전통 한의학을 집대성하여 편찬한 의학서로, 조선 광해군 때 완성되었어요.

②
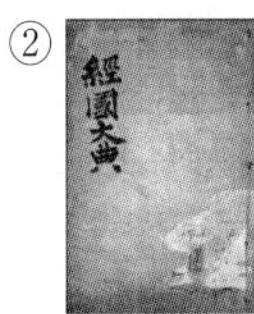
경국대전

➡ "경국대전"은 세조 때 만들기 시작하여 성종 때 완성한 조선 시대 기본 법전으로, 이·호·예·병·형·공전의 6전 체제로 구성되었어요.

③
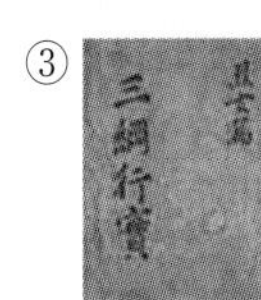
삼강행실도

➡ 조선 세종 때 편찬된 "삼강행실도"는 모범이 될 만한 충신, 효자, 열녀의 사례를 모아 글과 그림으로 설명한 책이에요.

④

조선왕조실록

➡ "조선왕조실록"은 태조에서 철종에 이르는 역사를 시간 순서대로 기록한 편년체 형식의 역사서이며, 유네스코 세계 기록 유산으로 등재되었어요.

21 이이의 활동

정답 ②

(가) 인물의 활동으로 옳은 것은? [3점]

정답 잡는 키워드

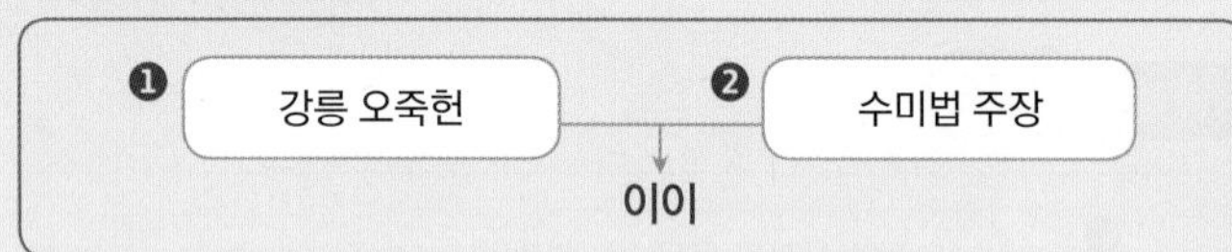

❶ 강릉 오죽헌은 이이가 태어난 곳이에요.
❷ 이이는 공납의 폐단을 바로잡기 위해 공납을 쌀로 내는 수미법을 주장하였어요.

① 앙부일구를 제작하였다.
➡ **조선 세종** 때 앙부일구가 처음 제작되었어요.

② 성학집요를 저술하였다.
➡ **이이**는 왕이 갖추어야 할 덕목과 지식을 정리하여 "성학집요"를 저술하였어요.

③ 시무 28조를 건의하였다.
➡ 고려 성종 때 **최승로**는 시정 개혁안인 시무 28조를 건의하였어요.

④ 화통도감 설치를 제안하였다.
➡ 고려 말에 **최무선**은 화약과 화포의 제작을 담당하는 화통도감 설치를 건의하였어요.

기출 선택지 +α

❺ 성학십도를 저술하였다. (O/X)
❻ 백운동 서원을 건립하였다. (O/X)
❼ 현량과 실시를 건의하였다. (O/X)
❽ 시헌력 도입을 주장하였다. (O/X)

핵심 개념	율곡 이이의 활동
출생	강릉 오죽헌에서 태어남
활동	• 조선 시대 성리학자이자 정치가 • 현실적인 문제에 관심이 많아 "동호문답"을 지어 수미법 등 다양한 개혁 방안을 제안함 • 군주의 덕목을 제시한 "성학집요"를 저술하여 선조에게 바침 • "기자실기"(역사서) 등을 저술함 • 해주 향약과 서원 향약을 만들어 보급함

기출 선택지 +α 정답 ⑤ ×[이황] ⑥ ×[주세붕] ⑦ ×[조광조] ⑧ ×[김육]

22 임진왜란

정답 ②

(가) 전쟁 중에 있었던 사실로 옳은 것은? [2점]

> ❶"징비록"이란 무엇인가? (가) 당시의 일을 기록한 것이다. 이때의 화는 참혹하였다. 수십 일 만에 삼도(三都)*를 잃고 임금께서 수도를 떠나 피란하였다. 그럼에도 오늘날까지 우리나라가 남아 있게 된 것은 하늘이 도운 까닭이다. 그리고 나라를 생각하는 백성들의 마음이 그치지 않았고, ❷우리나라를 돕기 위해 명의 군대가 여러 차례 출동하였기 때문이다.
>
> *삼도 : 한성, 개성, 평양

정답 잡는 키워드

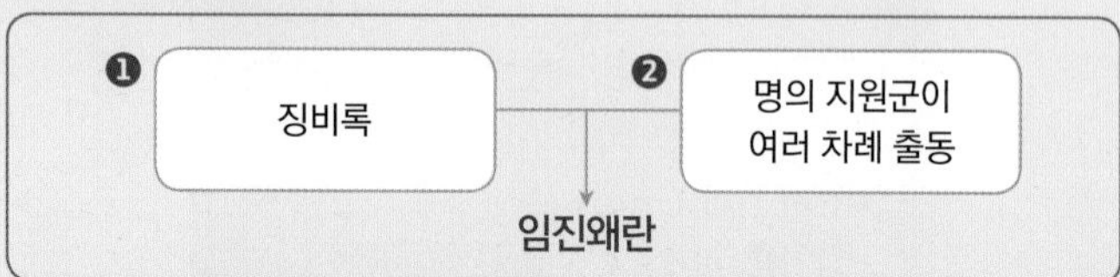

❶ "징비록"은 유성룡이 임진왜란에서 드러난 문제점을 반성하고 훗날을 대비하기 위해 당시의 사실을 기록한 책이에요.
❷ 임진왜란 초기에 조선은 일본군에 한성과 평양성이 함락되는 등 열세를 면치 못하였어요. 그러나 수군과 의병이 활약하는 한편, 명의 지원군이 오고 관군이 재정비되어 전세를 역전시킬 수 있었습니다.

① 이종무가 쓰시마섬을 토벌하였다.
➡ **조선 세종** 때 이종무가 왜구의 근거지인 쓰시마섬을 토벌하였어요.

② 정문부가 의병을 모아 왜군을 격퇴하였다.
➡ **임진왜란** 당시 곽재우, 조헌, 정문부 등이 의병을 이끌고 활약하였어요.

③ 배중손이 삼별초를 이끌고 몽골군과 싸웠다.
➡ **고려** 정부가 몽골과 강화를 맺고 개경 환도를 결정하자, 배중손은 삼별초를 이끌고 봉기하여 몽골군과 싸웠어요.

④ 최영이 군대를 지휘하여 홍건적을 물리쳤다.
➡ 최영은 군대를 지휘하여 **고려**에 침입한 홍건적을 격퇴하였어요.

기출 선택지 +α

❺ 인조가 남한산성으로 피란하였다. (O/X)
❻ 권율이 행주산성에서 대승을 거두었다. (O/X)
❼ 최무선이 진포에서 왜구를 격퇴하였다. (O/X)

핵심 개념	임진왜란 당시 의병의 활동
활약	익숙한 지리를 활용한 전술로 적은 병력을 가지고 일본군에 큰 타격을 줌
대표적인 의병장	홍의 장군 곽재우(의령), 조헌(금산, 7백의총), 정문부(길주), 김천일(나주), 고경명(담양), 서산대사 휴정(묘향산), 사명대사 유정(금강산) 등

기출 선택지 +α 정답 ⑤ ×[병자호란] ⑥ ○ ⑦ ×[고려 말, 진포 대첩]

23 조선 광해군 재위 시기의 사실 정답 ③

(가) 왕의 재위 기간에 있었던 사실로 옳은 것은? [2점]

정답 잡는 키워드

❶ 인조반정으로 폐위 → 조선 광해군

❶ 광해군은 임진왜란 이후 전란 수습을 위해 노력하였으며, 명과 후금 사이에서 중립 외교를 추진하였어요. 그러나 중립 외교 등에 반대한 서인 일파가 영창 대군 살해와 인목 대비 폐위를 이유로 인조반정을 일으켜 광해군이 왕위에서 쫓겨났어요.

① 집현전이 설치되었다.
➡ 조선 세종은 궐내에 학술 및 정책 연구 기관인 집현전을 설치하였어요.

② 비변사가 폐지되었다.
➡ 조선 고종 때 흥선 대원군은 세도 정치 시기에 외척 가문의 권력 기반이 된 비변사를 축소하여 사실상 폐지하였어요.

③ 대동법이 시행되었다.
➡ 조선 **광해군** 때 방납의 폐단을 바로잡기 위해 공납을 특산물 대신 소유한 토지 결수에 따라 쌀이나 옷감, 동전 등으로 납부하게 하는 대동법이 경기도에서 실시되었어요.

④ 4군 6진이 개척되었다.
➡ 조선 세종 때 최윤덕과 김종서가 북방의 여진을 정벌하고 4군 6진을 개척하였어요.

기출 선택지 +α

⑤ 기유약조가 체결되었다. (O/X)
⑥ 동의보감이 편찬되었다. (O/X)
⑦ 훈련도감이 설치되었다. (O/X)

핵심 개념 조선 광해군 재위 시기의 사실

구분	내용
정책	• 북인이 정치 주도 • 전후 복구 노력 : 토지 개간, 토지 대장과 호적 정비, 성곽과 무기 수리 등 • 명과 후금 사이에서 중립 외교 전개 • 일본과 기유약조를 맺음 • 경기도에서 대동법 처음 시행 • 허준이 "동의보감"을 완성함
폐위	중립 외교, 영창 대군 살해와 인목 대비 유폐 등에 반발한 서인이 인조반정을 일으켜 폐위됨(1623)

기출 선택지 +α 정답 ⑤○ ⑥○ ⑦ ×[조선 선조 때 임진왜란 중에 설치]

24 조선 후기의 문화 정답 ④

밑줄 그은 '이 그림'이 그려진 시기에 볼 수 있는 모습으로 적절하지 않은 것은? [2점]

정답 잡는 키워드

❶ 김홍도의 풍속화 → 조선 후기

❶ 조선 후기에는 일상적인 생활의 모습을 담은 풍속화가 많이 그려졌어요. 이 시기 대표적인 풍속화가로 김홍도와 신윤복이 있어요.

① 한글 소설을 읽는 여인
➡ **조선 후기**에 "홍길동전", "춘향전", "심청전" 등 한글 소설이 널리 읽혔어요.

② 청화 백자를 만드는 도공
➡ **조선 후기**에 백자 위에 푸른색 안료로 무늬를 그린 청화 백자가 유행하였어요.

③ 판소리 공연을 하는 소리꾼
➡ **조선 후기**에 소리꾼이 북장단에 맞추어 긴 이야기를 노래로 들려주는 판소리 공연이 많이 열렸어요.

④ 초조대장경을 제작하는 장인
➡ 거란이 침입하자 고려 정부는 부처의 힘을 빌려 위기를 극복하고자 하는 염원을 담아 초조대장경을 제작하였어요.

핵심 개념 조선 후기 서민 문화의 발달

구분	내용
배경	• 상공업 발달, 농업 생산력 증대 → 서민의 경제적 지위 향상 • 서당 교육의 보급 → 서민의 의식 수준 향상
판소리	• 소리꾼이 북장단에 맞추어 긴 이야기를 노래로 들려주는 공연 • 춘향가, 심청가, 흥부가 등
탈놀이(탈춤)	• 탈을 쓰고 하는 연극이나 춤 • 양반과 승려의 위선적인 모습이나 사회의 부정·비리를 해학적으로 풍자 • 봉산 탈놀이, 송파 산대놀이, 하회 별신굿 탈놀이, 양주 별산대놀이 등
사설시조	기존의 형식에서 벗어난 자유로운 형식의 시조
한글 소설	• 책을 전문적으로 읽어 주는 전기수 등장 • "홍길동전", "춘향전", "심청전", "흥부전", "장화홍련전" 등
민화	• 서민의 소망과 기원 표현, 생활 공간 장식에 활용 • 작가가 알려지지 않은 그림이 많음 • 까치 호랑이 등
풍속화	서민의 일상생활을 그린 풍속화 유행 → 김홍도(씨름도, 서당도 등), 신윤복(미인도, 월하정인, 단오풍정 등)

킬러 문항

25 정약용의 활동

정답 ①

(가) 인물에 대한 설명으로 옳은 것은? [2점]

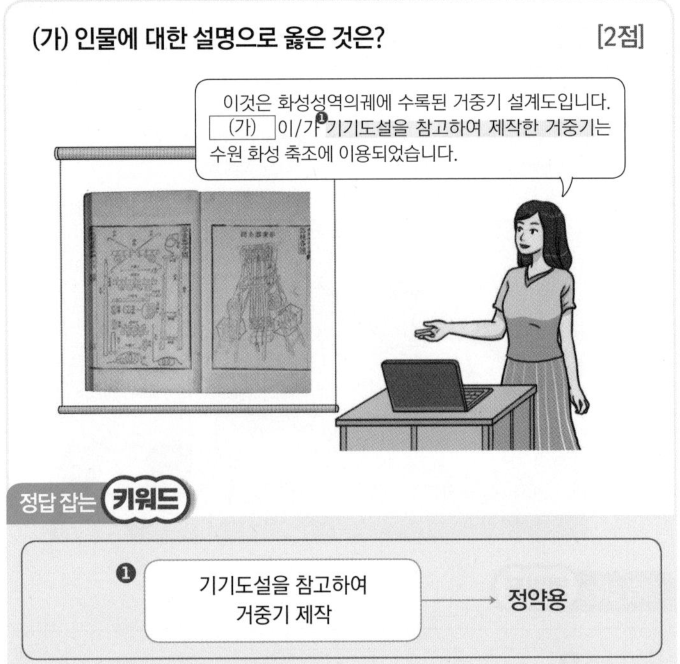

정답 잡는 키워드

❶ 기기도설을 참고하여 거중기 제작 → 정약용

❶ 정약용은 "기기도설"을 참고하여 작은 힘으로 무거운 물건을 들 수 있도록 고안된 거중기를 제작하였어요. 이를 수원 화성 축조에 이용하여 공사 기간과 비용을 줄였습니다.

① 여전론을 주장하였다.
➡ **정약용**은 마을 단위로 농민이 함께 경작하고 세금을 제외한 나머지 생산물을 일한 양에 따라 나누자는 여전론을 주장하였어요.

② 추사체를 창안하였다.
➡ 김정희는 자신만의 고유한 서체인 추사체를 창안하였는데, '추사'는 김정희의 호입니다.

③ 북학의를 저술하였다.
➡ 박제가는 청에 다녀와서 청의 제도와 문물을 소개한 "북학의"를 저술하였어요. 이 책에서 그는 수레와 선박의 이용, 재물을 우물에 비유하여 소비 촉진을 통한 생산력 증대를 주장하였어요.

④ 몽유도원도를 그렸다.
➡ 안견은 안평 대군의 꿈 이야기를 듣고 몽유도원도를 그렸어요. 이 그림은 현실 세계와 꿈속의 이상 세계를 조화롭게 표현하였다는 평가를 받고 있어요.

기출 선택지 +α

❺ 동학을 창시하였다. (O/X)
❻ 목민심서를 저술하였다. (O/X)
❼ 사상 의학을 정립하였다. (O/X)
❽ 북한산비가 진흥왕 순수비임을 밝혔다. (O/X)

핵심 개념 다산 정약용의 활동

구분	내용
토지 제도 개혁안	여전론(마을 단위로 토지를 나누어 공동 경작하고 생산물은 노동량에 따라 분배하자는 주장) → 정전제
기술 개발	• 거중기를 고안하여 수원 화성 건설에 이용 • 배다리를 설계하여 정조의 화성 행차 시 이용
저술	"목민심서"(수령이 지켜야 할 덕목 제시), "경세유표"(행정 제도 등 제도 개혁안 제시), "아방강역고"(지리서), "마과회통"(홍역에 관한 의학서) 등

기출 선택지 +α 정답 ⑤ ×[최제우] ⑥ ○ ⑦ ×[이제마] ⑧ ×[김정희]

26 대동여지도

정답 ②

(가)에 들어갈 지도로 옳은 것은? [1점]

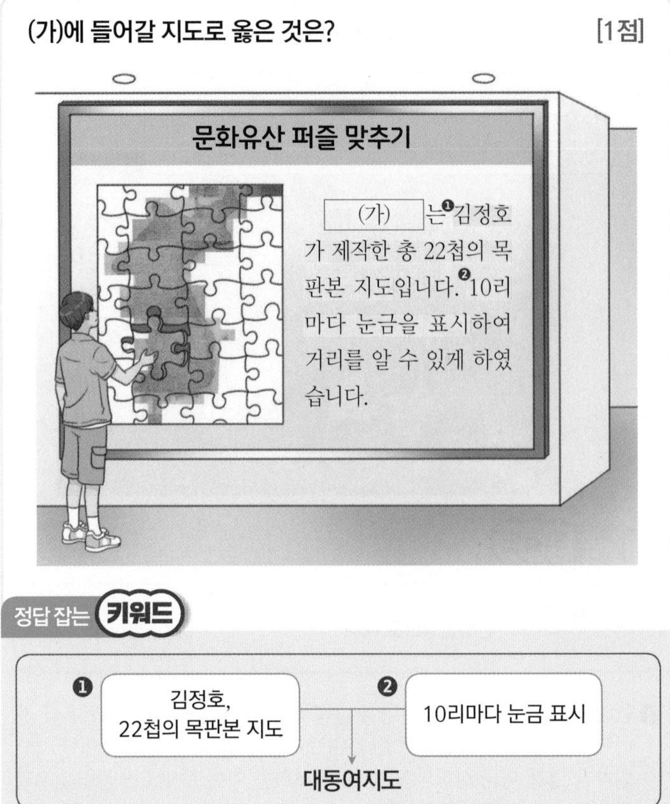

정답 잡는 키워드

❶ 김정호, 22첩의 목판본 지도 / ❷ 10리마다 눈금 표시 → 대동여지도

❶, ❷ **대동여지도**는 조선 후기에 김정호가 제작한 우리나라 전국 지도입니다. 총 22첩의 목판본으로 제작되었는데, 각 첩은 접을 수 있어 비교적 휴대가 간편하였어요. 또 산맥, 하천, 포구, 도로망 등을 자세히 표기하여 다양한 지리 정보를 전달하였으며, 10리마다 눈금을 표시하여 거리를 알기 쉽게 하였습니다.

① 동국지도
➡ 조선 후기에 정상기가 제작한 동국지도는 우리나라에서 처음으로 100리 척을 사용한 지도입니다.

② 대동여지도
➡ 대동여지도는 목판으로 제작되어 대량 인쇄가 가능하였어요.

③ 곤여만국전도
➡ 곤여만국전도는 중국에 들어온 서양 선교사 마테오 리치가 제작한 세계 지도로, 조선 후기에 우리나라에 전해졌어요.

④ 혼일강리역대국도지도
➡ 조선 태종 때 만들어진 혼일강리역대국도지도는 현존하는 동아시아에서 가장 오래된 세계 지도입니다.

핵심 개념 조선 후기의 지도·지리서

구분	내용
지도	• 정상기의 동국지도 : 우리나라에서 처음으로 100리 척을 이용하여 제작 • 김정호의 대동여지도 : 전체를 22첩으로 나누어 목판으로 제작, 10리마다 눈금 표시, 산맥·하천·포구·도로망 등을 자세히 표기하여 다양한 지리 정보 전달 • 곤여만국전도 : 중국에 들어온 서양 선교사 마테오 리치가 만든 세계 지도, 조선 후기 우리나라에 전래되어 조선인의 세계관 확대에 기여함
지리서	• 정약용의 "아방강역고" : 우리나라의 영토와 구역에 관한 책 • 이중환의 "택리지" : 각 지방의 자연환경, 경제, 풍속 등 기록 • 한백겸의 "동국지리지" : 삼한의 위치와 고대 지명을 고증함

27 환국 정답 ③

(가) 시기에 있었던 사건으로 옳은 것은? [3점]

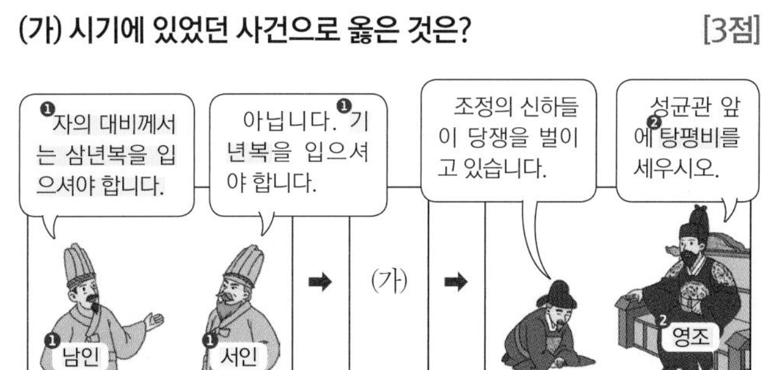

정답 잡는 키워드

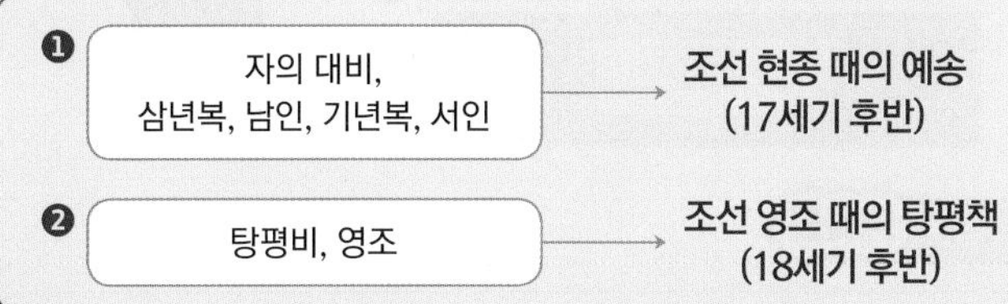

❶ **현종** 때 두 차례의 **예송**이 일어났어요. 효종이 사망하자 인조의 계비이자 효종의 새어머니 자의 대비가 상복 입는 기간을 두고 서인과 남인 사이에 예송이 발생하였어요. 남인은 효종을 장자로 대우하여 삼년복을 주장하였고, 서인은 효종이 둘째 아들이니 장자의 예를 적용할 수 없다고 하여 1년복(기년복)을 주장하였어요. 예송은 이후 효종비가 사망하였을 때 다시 일어났습니다.

❷ **영조**는 붕당 정치의 폐해를 극복하기 위해 **탕평책**을 폈으며, 탕평의 의지를 널리 알리고자 성균관 입구에 탕평비를 세웠습니다.

① 무오사화
➡ 무오사화는 15세기 조선 **연산군** 때 훈구 세력이 김종직이 쓴 '조의제문'을 사초에 실은 일을 문제 삼아 김일손 등 사림을 제거한 사건입니다.

② 병자호란
➡ 병자호란은 17세기 전반 **인조** 때 조선이 청의 군신 관계 요구를 받아들이지 않자 청이 조선을 침략한 사건이에요.

③ 경신환국
➡ 환국은 집권 붕당이 급격하게 교체되는 것을 말해요. 조선 현종의 뒤를 이어 즉위한 **숙종** 때 여러 차례 환국이 일어났어요. 경신환국으로 남인이 밀려나고 서인이 정권을 장악하였어요.

④ 임술 농민 봉기
➡ 임술 농민 봉기는 19세기 조선 **철종** 때 삼정의 문란과 지배층의 수탈 등이 원인이 되어 일어났어요.

연표로 흐름잡기

- **1659** 효종 사망, 현종 즉위
  기해예송(1차 예송) : 효종이 죽은 뒤 자의 대비의 복상 기간을 둘러싸고 발생(남인의 삼년복 vs. 서인의 기년복) → 서인의 기년복 채택
- **1674** 갑인예송(2차 예송) : 효종비가 죽은 뒤 자의 대비의 복상 기간을 둘러싸고 발생(남인의 기년복 vs. 서인의 9개월복) → 남인의 기년복 채택
  현종 사망, 숙종 즉위
- **1680** **경신환국** → 남인이 밀려나고 서인이 집권함
- **1720** 숙종 사망, 경종 즉위
- **1724** 경종 사망, 영조 즉위
- **1742** 탕평비 건립
- **1776** 영조 사망, 정조 즉위

28 군국기무처 정답 ③

(가)에 들어갈 기구로 옳은 것은? [2점]

주제 : 갑오·을미개혁

1. ❶제1차 갑오개혁 : (가) 을/를 중심으로 개혁을 추진하여 과거제, 노비제, 연좌제 등 폐지
2. 제2차 갑오개혁 : 홍범 14조 반포, 지방 행정 조직을 23부로 개편, 교육 입국 조서 반포
3. 을미개혁 : 태양력 채택, 건양 연호 사용, 단발령 실시

정답 잡는 키워드

❶ 제1차 갑오개혁 주도 → 군국기무처

❶ 동학 농민군과 전주 화약을 맺은 뒤 조선 정부는 교정청을 설치하여 자주적인 개혁을 추진하려고 하였으나, 일본은 경복궁을 포위하고 조선 정부에 개혁을 강요하였어요. 이에 김홍집을 중심으로 새로운 정부가 수립되고 개혁 추진 기구로 **군국기무처**가 설치되어 제1차 갑오개혁이 추진되었어요.

① 정방
➡ 정방은 고려 무신 집권기에 당시 최고 집권자인 최우가 설치한 인사 행정 기구입니다.

② 교정도감
➡ 고려 무신 집권기에 최충헌은 이의민을 제거하고 권력을 잡은 후 교정도감을 설치하여 최고 권력 기구로 삼았어요.

③ 군국기무처
➡ 군국기무처는 과거제·노비제·연좌제 폐지 등의 개혁을 추진하였어요. 이후 청·일 전쟁에서 승기를 잡은 일본이 조선의 내정에 적극 간섭하기 시작해 일본에 망명한 박영효를 불러들여 김홍집과 연립 내각을 구성하게 하였고, 이 내각이 군국기무처를 폐지하고 제2차 갑오개혁을 추진하였어요.

④ 통리기무아문
➡ 개항 이후 조선 정부는 1880년에 개화 정책을 총괄할 기구로 통리기무아문을 설치하였어요.

제 54 회

핵심 개념	갑오개혁
제1차 갑오개혁	• 추진 : 제1차 김홍집 내각, 군국기무처가 개혁 주도 • 정치 : 궁내부 설치(왕실과 정부 사무의 분리), 6조를 8아문으로 개편, 과거제 폐지 • 경제 : 탁지아문으로 재정 일원화, 도량형 통일, 은 본위 화폐 제도 확립, 조세의 금납화 • 사회 : 신분제와 노비제 폐지, 과부의 재가 허용, 조혼 금지, 고문과 연좌제 폐지
제2차 갑오개혁	• 추진 : 제2차 김홍집 내각(김홍집·박영효 연립 내각), 군국기무처 폐지, 고종이 홍범 14조 반포 • 정치 : 의정부를 내각으로 개편, 8아문을 7부로 개편, 8도를 23부로 개편, 재판소 설치 • 경제 : 근대적 예산 제도 도입, 육의전 폐지 • 사회 : 교육 입국 조서 반포 → 한성 사범 학교·소학교·외국어 학교에 관한 법규 마련

29 병인양요

정답 ①

밑줄 그은 '이 사건'에 대한 설명으로 옳은 것은? [2점]

정답 잡는 키워드

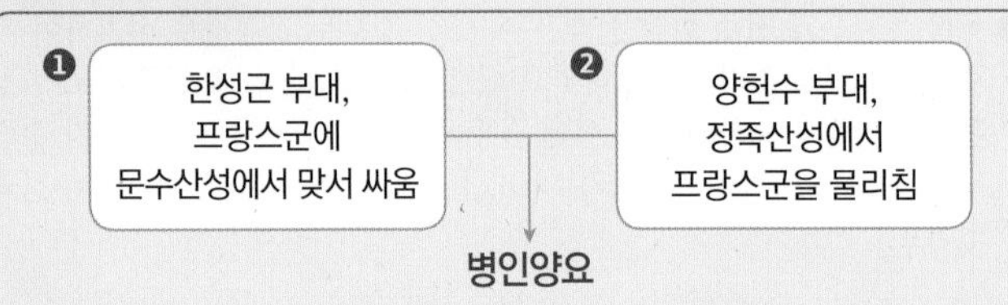

❶, ❷ 조선 고종 때인 1866년에 당시 집권자 흥선 대원군이 프랑스인 천주교 선교사와 수많은 천주교도를 처형한 병인박해를 구실 삼아 프랑스군이 강화도를 침략하였어요. 이를 병인양요라고 합니다. 이때 한성근 부대는 문수산성에서 프랑스군에 맞서 싸웠고, 양헌수 부대는 정족산성에서 프랑스군을 격퇴하였습니다. 프랑스군은 조선군의 저항에 퇴각하면서 강화도 외규장각에 보관 중이던 도서들을 약탈해 갔어요.

① 흥선 대원군 집권기에 일어났다.
➡ **병인양요**는 고종의 친아버지 흥선 대원군이 집권하던 시기에 일어났어요.

② 제너럴 셔먼호 사건의 배경이 되었다.
➡ 미국 상선 제너럴 셔먼호가 평양까지 들어와 통상을 요구하며 횡포를 부리다 조선 관민에 의해 불태워졌어요(1866). 미국은 이 제너럴 셔먼호 사건을 빌미로 1871년에 **신미양요**를 일으켰어요.

③ 삼정이정청이 설치되는 결과를 가져왔다.
➡ 조선 정부는 삼정의 문란이 원인이 되어 일어난 **임술 농민 봉기**의 수습을 위해 삼정이정청을 설치하였어요.

④ 군함 운요호가 강화도에 접근하여 위협하였다.
➡ 1875년에 강화도를 무단으로 침범한 운요호에 조선군 수비대가 경고 사격을 하자 운요호가 초지진을 공격하고 일본군이 영종도에 상륙하여 사람들을 살해하였어요. 일본은 조선 정부에 이 책임을 돌리며 개항을 강요하였어요. 운요호 사건을 계기로 이듬해 조선은 일본과 **강화도 조약**을 체결하였습니다.

기출 선택지 +α

⑤ 미국 함대가 광성보를 함락하였다. (O/X)
⑥ 한성 조약이 체결되는 계기가 되었다. (O/X)
⑦ 외규장각 도서가 약탈당하는 결과를 가져왔다. (O/X)

기출 선택지 +α 정답 ⑤ ×[신미양요] ⑥ ×[갑신정변] ⑦ ○

30 임오군란

정답 ①

(가) 사건에 대한 설명으로 옳은 것은? [2점]

정답 잡는 키워드

❶ 개화 정책에 반발하여 구식 군인들이 일으킴 → 임오군란

❶ 임오군란은 구식 군인들이 신식 군대인 별기군과의 차별 대우, 조선 정부의 개화 정책에 반발하여 일본 공사관과 궁궐을 습격하는 등 봉기한 사건입니다.

① 청군의 개입으로 진압되었다.
➡ **임오군란**은 민씨 세력의 요청으로 파병된 청군에 의해 진압되었어요. 이후 청의 간섭이 심화되었어요.

② 조선책략이 유입되는 결과를 가져왔다.
➡ **제2차 수신사**로 일본에 파견되었던 **김홍집**이 귀국하면서 청의 외교관 황준헌이 쓴 "조선책략"을 조선에 들여왔어요.

③ 우금치에서 일본군과의 전투가 벌어졌다.
➡ **동학 농민 운동** 당시 조선 정부와 전주 화약을 맺고 해산한 동학 농민군은 일본군이 경복궁을 점령하고 청·일 전쟁을 일으키자 일본군 타도를 내걸고 다시 봉기하였어요. 동학 농민군은 공주 우금치에서 일본군 및 관군과 전투를 벌였으나 패배하였어요.

④ 우정총국 개국 축하연에서 정변이 일어났다.
➡ 김옥균, 박영효, 서광범, 서재필 등 급진 개화파는 우정총국 개국 축하연을 기회로 삼아 **갑신정변**을 일으켰어요.

기출 선택지 +α

⑤ 제물포 조약이 체결되는 결과를 가져왔다. (O/X)
⑥ 서북 지역민에 대한 차별에 반발하여 일어났다. (O/X)
⑦ 사태 수습을 위해 박규수가 안핵사로 파견되었다. (O/X)

핵심 개념 임오군란(1882)

구분	내용
원인	개화 정책에 대한 불만, 구식 군인에 대한 차별 대우
전개	13개월 만에 월급으로 지급된 쌀에 모래와 겨가 섞여 있자 분노가 폭발하여 구식 군인들이 봉기함, 도시 하층민 합세 → 일본 공사관과 궁궐 습격, 명성 황후가 피신함 → 흥선 대원군이 재집권함, 민씨 일파가 청에 파병 요청 → 청군이 개입하여 흥선 대원군을 납치하고 봉기 진압 → 민씨 세력이 재집권함
결과	• 청의 간섭이 본격화됨 → 군대 주둔, 고문 파견 • 조·청 상민 수륙 무역 장정 체결, 조선과 일본이 제물포 조약 체결

기출 선택지 +α 정답 ⑤ ○ ⑥ ×[홍경래의 난] ⑦ ×[진주 농민 봉기]

31 보빙사 정답 ②

(가)에 들어갈 사절단으로 옳은 것은? [2점]

정답 잡는 **키워드**

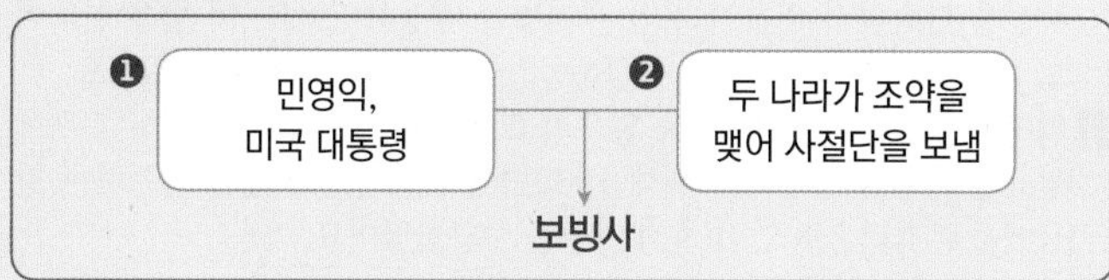

❶ 보빙사는 전권대신 민영익을 비롯하여 개화파 인사들과 통역 등으로 구성되었으며, 미국 대통령을 접견하고 근대 문물과 시설들을 시찰하고 돌아왔어요.

❷ 조선은 미국과 1882년에 조·미 수호 통상 조약을 체결하였어요. 이 조약은 조선이 서양과 체결한 최초의 조약이었습니다. 조약 체결 후 미국 공사가 한성에 부임하자, 조선 정부는 이에 대한 답례로 미국에 보빙사를 파견하였어요(1883).

① 수신사
➡ 수신사는 강화도 조약 체결 이후 일본에 보낸 공식 외교 사절단이에요.

②보빙사
➡ 보빙사 일행은 귀국 후 우정총국, 농무 목축 시험장 등 근대 시설 도입에 힘썼어요.

③ 영선사
➡ 영선사는 근대 무기 제조 기술과 군사 훈련법을 배워 오기 위해 청에 보낸 사절단이에요.

④ 조사 시찰단
➡ 조사 시찰단은 일본의 근대 문물을 시찰하기 위해 파견한 시찰단이에요. 개화 반대 여론을 고려하여 암행어사로 임명되어 비밀리에 파견되었어요.

32 독립신문 정답 ①

(가)에 해당하는 신문으로 옳은 것은? [1점]

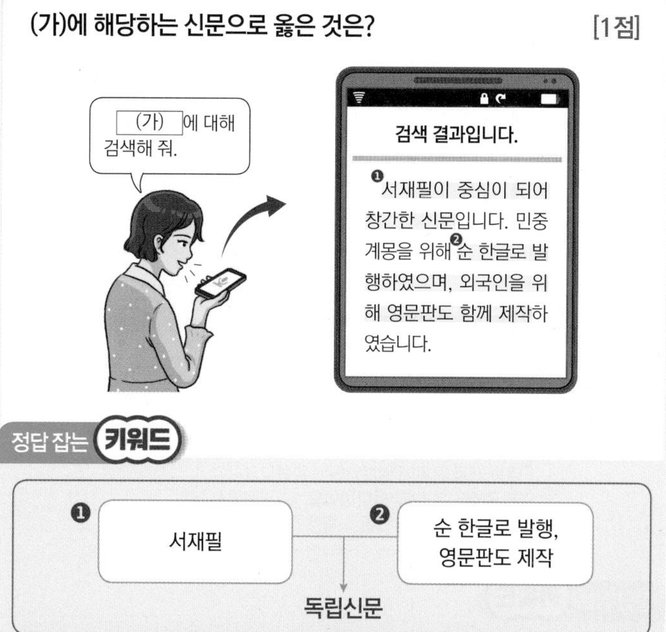

정답 잡는 **키워드**

❶ 서재필
❷ 순 한글로 발행, 영문판도 제작
독립신문

❶ 독립신문은 갑신정변 이후 미국으로 망명하였다가 귀국한 서재필이 중심이 되어 1896년에 창간한 신문이에요.

❷ 독립신문은 민중 계몽을 위해 누구나 쉽게 읽을 수 있도록 순 한글로 발행되었으며, 영문판으로도 발행되어 국내 정세를 외국인에게도 알렸어요.

①

독립신문

➡ 독립신문은 우리나라 최초의 순 한글 신문이자 민간 신문이에요.

②

제국신문

➡ 1898년 창간된 제국신문은 순 한글로 발행되어 서민층과 부녀자가 주로 구독하였어요.

③

해조신문

➡ 1908년 창간된 해조신문은 러시아 블라디보스토크에서 발행된 한글 신문으로, 해외에서 우리글로 발행된 최초의 신문이에요.

④

대한매일신보

➡ 대한매일신보는 1904년에 양기탁과 영국인 베델이 함께 창간한 신문이에요. 영국인이 발행인이었기 때문에 비교적 검열에서 자유로워 일제에 비판적인 기사를 실을 수 있었어요.

33 개성 경천사지 10층 석탑

정답 ④

(가)에 들어갈 문화유산으로 옳은 것은? [2점]

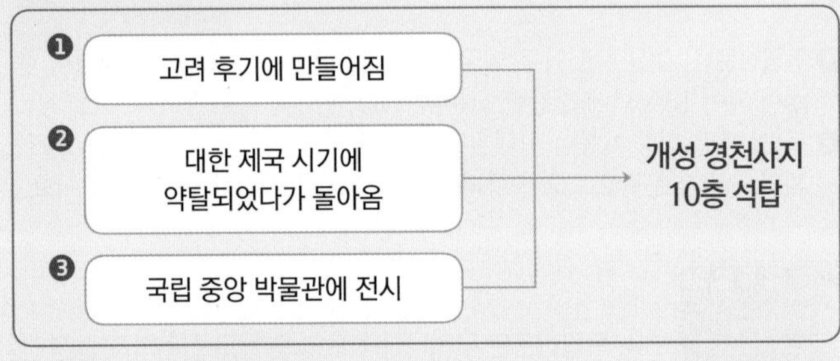

정답 잡는 키워드

❶	고려 후기에 만들어짐	개성 경천사지 10층 석탑
❷	대한 제국 시기에 약탈되었다가 돌아옴	
❸	국립 중앙 박물관에 전시	

❶, ❷, ❸ 개성 경천사지 10층 석탑은 고려 후기에 원의 영향을 받아 대리석으로 만들어진 다각 다층의 석탑이에요. 이 석탑은 대한 제국 시기에 일본인에게 약탈되어 일본 도쿄로 불법 반출되었다가 일제 강점기에 다시 돌아왔어요. 지금은 국립 중앙 박물관 실내에 전시되어 있습니다.

①

불국사 다보탑

➡ 경주 불국사 다보탑은 통일 신라 시기에 제작되었으며, 목조 건물을 본뜬 듯한 복잡하면서도 화려한 모습이 특징이에요.

②

분황사 모전 석탑

➡ 경주 분황사 모전 석탑은 돌을 벽돌 모양으로 다듬어 쌓아 올린 석탑이며, 지금까지 남아 있는 가장 오래된 신라 석탑이에요.

③

정림사지 오층 석탑

➡ 부여 정림사지 5층 석탑은 목탑 양식이 남아 있는 백제 석탑이에요. 탑신에 당의 장수 소정방이 백제를 정벌한 공을 기리는 글이 새겨져 있어 '평제탑'이라고도 불렸어요.

④

경천사지 십층 석탑

➡ 개성 경천사지 10층 석탑은 조선 시대에 만들어진 서울 원각사지 10층 석탑에 영향을 주었어요.

34 일제의 식민 통치

정답 ①

(가)~(다)를 일어난 순서대로 옳게 나열한 것은? [3점]

가 1912년에 일제는 한국인에게만 적용되는 조선 태형령을 제정하였어요. 조선 태형령은 3·1 운동(1919) 이후 일제가 '문화 통치'를 표방하면서 폐지되었어요.

나 1925년에 일제는 천황제나 사유 재산 제도를 부정하는 반정부·반체제 사상을 단속하기 위하여 치안 유지법을 제정하였어요. 이 법은 한국에도 적용되어 사회주의자와 독립운동가를 탄압하는 데 이용되었어요.

다 일제는 중·일 전쟁(1937)을 일으키고 침략 전쟁을 확대하면서 전쟁에 필요한 자원을 충당하기 위해 1938년에 국가 총동원법을 공포하여 한국에서 본격적으로 인적·물적 자원을 수탈하였어요.

① (가) - (나) - (다)

➡ 일제 강점기에 시행된 법령을 순서대로 나열하면 (가) 조선 태형령 실시(1912) - (나) 치안 유지법 제정(1925) - (다) 국가 총동원법 공포(1938)입니다.

② (가) - (다) - (나)

③ (나) - (가) - (다)

④ (다) - (나) - (가)

35 봉오동 전투

정답 ①

밑줄 그은 '전투'가 일어난 시기를 연표에서 옳게 고른 것은? [3점]

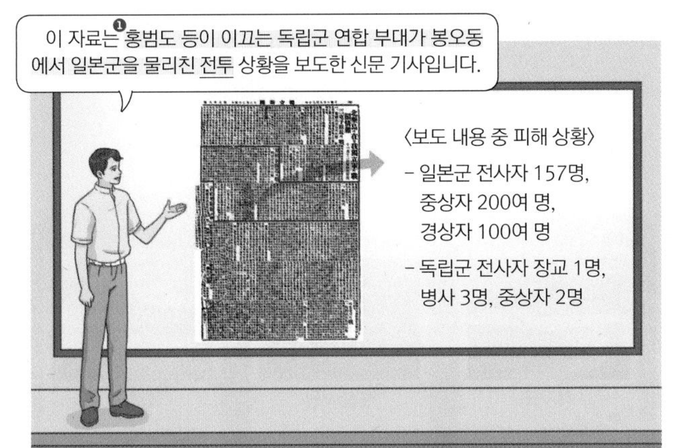

정답 잡는 **키워드**

❶ 3·1 운동을 전후하여 만주 지역에 많은 독립군 부대가 결성되어 활동하였어요. 독립군 부대는 국경 부근의 일본군과 경찰서를 공격해 전과를 올렸어요. 이에 일제는 독립군의 근거지를 파괴하기 위해 군대를 보내 봉오동 지역을 습격하였는데, 홍범도가 이끄는 대한 독립군 등 독립군 연합 부대가 봉오동에서 일본군을 격퇴하였어요(봉오동 전투, 1920).

1910		1925		1931		1937		1945
	(가)		(나)		(다)		(라)	
국권 피탈		미쓰야 협정		만주 사변		중·일 전쟁		8·15 광복

➡ 국권 피탈 이후 독립을 쟁취하기 위해 나라 안팎에서 항일 투쟁이 전개되었어요. 1919년에 거족적으로 일어난 3·1 운동 이후 만주와 연해주에서 무장 독립군의 활동이 활발해져 봉오동 전투와 청산리 전투에서 일본군에 승리를 거두기도 하였어요. 이에 일제는 독립군의 근거지를 없앤다는 구실로 간도 지역의 한인을 학살하고 한인 마을을 초토화하는 간도 참변을 일으켰어요. 일제의 토벌을 피하고 동포들의 피해를 막기 위해 만주 지역의 독립군 부대는 약소민족의 독립운동을 지원하겠다는 러시아 혁명군의 약속을 믿고 자유시로 이동하였으나 자유시 참변을 겪고 만주로 돌아왔어요. 이후 만주 지역의 독립군은 다시 조직을 정비하였으나 일제가 만주의 중국 군벌과 미쓰야 협정을 체결하여 독립군에 대한 탄압이 심해지면서 활동이 위축되었어요.

① (가)
➡ 연표에서 봉오동 전투(1920)가 일어난 시기는 국권 피탈과 미쓰야 협정 사이인 (가)입니다.

② (나)

③ (다)

④ (라)

연표로 흐름잡기

- 1910 — 국권 피탈
- 1919 — 3·1 운동
- 1920 — 봉오동 전투, 청산리 전투, 간도 참변
- 1921 — 자유시 참변
- 1925 — 미쓰야 협정

킬러 문항

36 미국 지역의 독립운동

정답 ④

(가) 지역에서 있었던 독립운동에 대한 설명으로 옳은 것은? [3점]

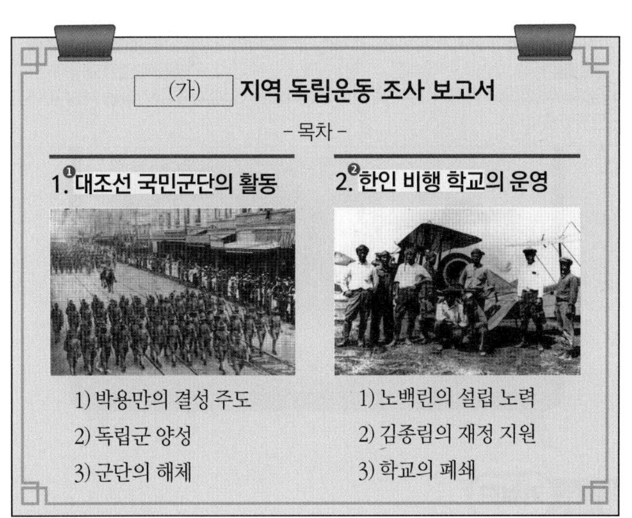

정답 잡는 

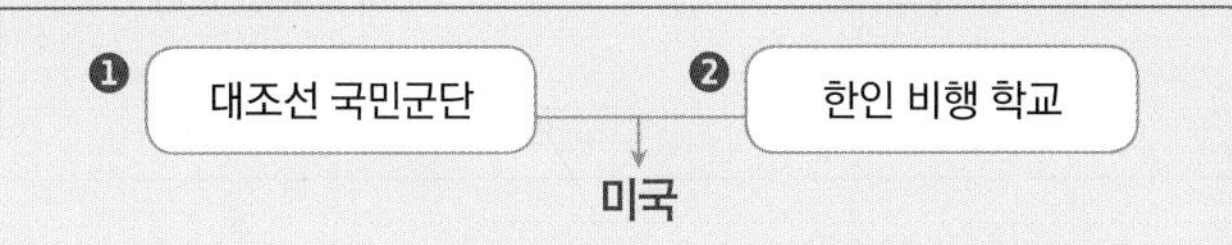

❶ 박용만은 미국 하와이에서 독립군을 양성할 목적으로 대조선 국민군단을 결성하였어요.
❷ 대한민국 임시 정부의 군무총장 노백린이 김종림의 지원을 받아 미국 캘리포니아에 한인 비행 학교를 설립하여 비행사를 육성하였어요.

① 서전서숙이 세워졌다.
➡ 북간도에서 이상설 등이 민족 교육을 위해 서전서숙을 세웠어요.

② 권업회가 조직되었다.
➡ 연해주에서 한인 자치 단체인 권업회가 조직되었어요.

③ 신흥 강습소가 설립되었다.
➡ 서간도(남만주)에서 신민회 회원들이 중심이 되어 독립군 양성을 위해 신흥 강습소를 설립하였어요.

④ 대한인 국민회가 결성되었다.
➡ **미국**에서 여러 한인 단체를 통합한 대한인 국민회가 결성되었어요.

기출 선택지 +α

❺ 구미 위원부가 설치되었다. (O/X)
❻ 대한 광복군 정부가 설립되었다. (O/X)
❼ 자치 기관인 경학사가 운영되었다. (O/X)

핵심 개념 미주 지역의 독립운동

이주	1902년에 한국을 떠나 미국 하와이로 이주하면서 시작, 주로 사탕수수 농장의 노동자로 일함 → 이후 미국 본토와 멕시코 등지로 다시 이주함
독립운동	• 한인 단체를 통합한 대한인 국민회 결성 • 안창호가 미국 샌프란시스코에서 흥사단 조직 • 박용만이 미국 하와이에서 대조선 국민군단 조직 • 대한민국 임시 정부가 미국 워싱턴에 구미 위원부 설치 • 대한민국 임시 정부의 군무총장 노백린이 한인 비행 학교 설립 • 멕시코 이주 동포들이 독립군 양성을 위해 숭무 학교 설립

기출 선택지 +α 정답 ⑤○ ⑥ ×[연해주] ⑦ ×[서간도]

제54회

37 신간회

정답 ②

다음 가상 뉴스의 (가)에 들어갈 단체로 옳은 것은? [2점]

이상재 선생의 장례가 사회장으로 거행되었습니다. 선생은 ❶'일체의 기회주의를 부인함' 등을 강령으로 내세운 (가) 의 초대 회장으로 ❷민족 유일당 운동에 앞장섰습니다. 마지막까지 민족 운동에 헌신하였던 선생의 죽음을 많은 사람이 애도하였습니다.

정답 잡는 키워드

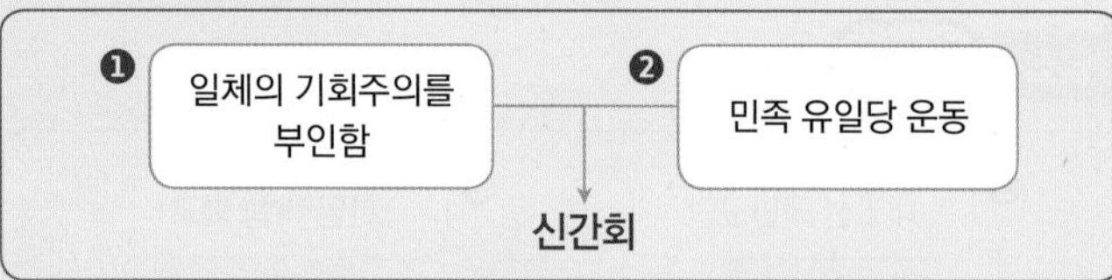

❶, ❷ 신간회는 민족 유일당 운동의 하나로 1927년에 비타협적 민족주의 계열과 사회주의 계열이 연합하여 결성한 민족 운동 단체입니다. '우리는 정치·경제적 각성을 촉진함, 우리는 단결을 공고히 함, 우리는 일체의 기회주의를 부인함'을 강령으로 내세웠으며, 이상재가 초대 회장을 맡았어요.

① 보안회

➡ 보안회는 일제의 황무지 개간권 요구에 반대 운동을 전개하여 이를 철회시켰어요.

② 신간회

➡ 신간회는 일제 강점기 최대 규모의 민족 운동 단체이며, 광주 학생 항일 운동이 일어나자 진상 조사단을 파견하여 지원하였어요.

③ 진단 학회

➡ 진단 학회는 일제 강점기 이병도 등이 우리 역사와 문화 연구를 위해 조직한 학술 단체이며, "진단 학보"를 발행하였어요.

④ 조선 형평사

➡ 1923년에 진주에서 조직된 조선 형평사는 백정에 대한 사회적 차별 철폐 운동을 전개하였어요.

핵심 개념 신간회

구분	내용
배경	• 자치론 대두 → 민족주의 진영 분열(타협적 민족주의 ↔ 비타협적 민족주의) • 일제의 치안 유지법 제정 → 사회주의자들의 활동 위축(정우회 선언을 발표하여 비타협적 민족주의 세력과의 협력 주장)
창립	비타협적 민족주의 세력과 사회주의 세력이 연합하여 결성(1927)
활동	• 강령 : 정치·경제적 각성 촉구, 민족의 공고한 단결 촉구, 기회주의 배격 • 활동 : 강연회와 연설회 개최, 광주 학생 항일 운동 지원(진상 조사단 파견, 민중 대회 개최 계획) 등 • 해소 : 일제의 탄압과 내부의 노선 갈등으로 해소(1931) • 의의 : 일제 강점기 최대 규모의 민족 운동 단체

38 안동의 문화유산

정답 ④

다음 답사가 이루어진 지역을 지도에서 옳게 고른 것은? [2점]

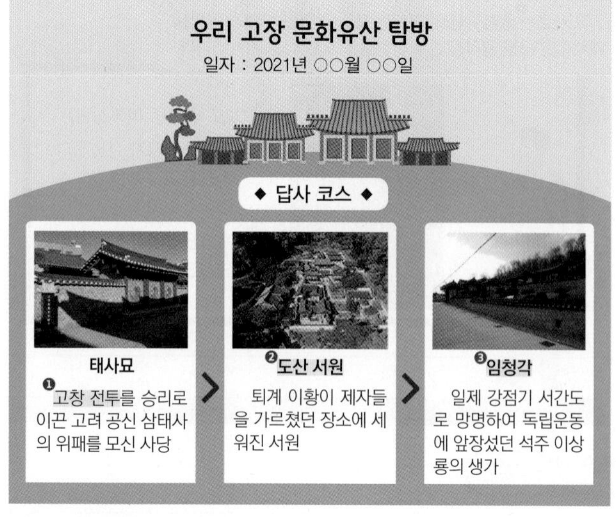

정답 잡는 키워드

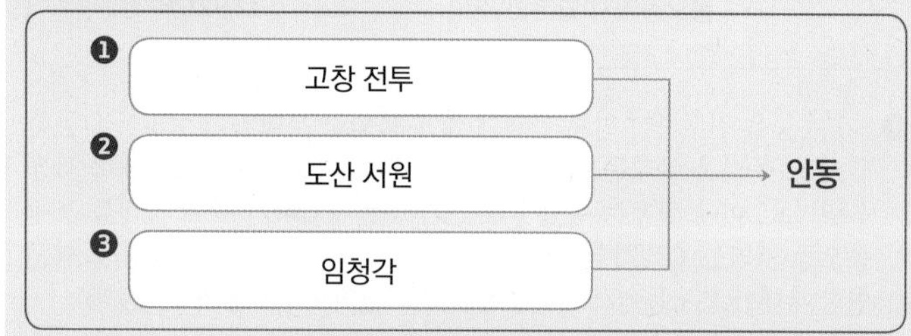

❶ 안동은 왕건이 이끄는 고려군이 견훤이 이끄는 후백제군에 큰 승리를 거둔 고창 전투가 있었던 곳이에요. 왕건이 고창 전투에서 자신을 도와준 세 장군을 삼태사라 하여 그 공을 치하하였는데, 태사묘는 이들의 위패를 모신 곳이에요. 고창 전투의 승리를 기념하여 안동 차전놀이가 시작되었다고 합니다.

❷ 도산 서원은 퇴계 이황이 고향인 안동에서 제자들을 가르쳤던 서당 자리 부근에 설립되었으며, 이황의 위패를 모시고 있어요.

❸ 안동에 있는 임청각은 독립운동가 이상룡의 생가입니다. 원래 99칸의 기와집이었는데, 일제가 철도를 놓으면서 크게 훼손되어 지금은 절반 정도가 남았습니다. 이상룡의 집안에서는 많은 독립운동가가 나왔는데, 일제가 독립운동의 맥을 끊기 위해 임청각의 마당을 가로질러 철도를 놓았다고 합니다. 현재 임청각 복원 사업이 진행되고 있어요.

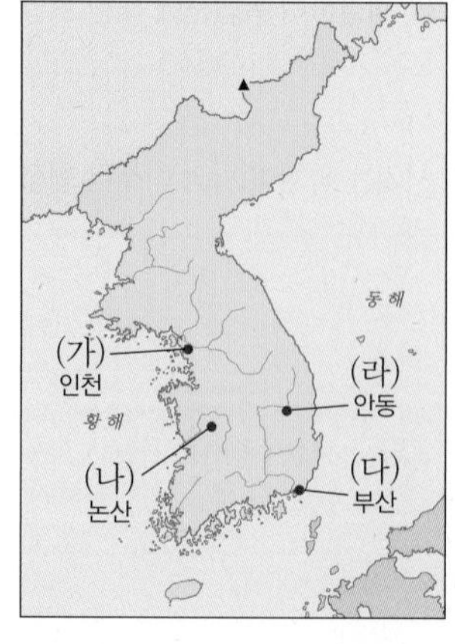

① (가)

➡ 인천은 강화도 조약에 근거하여 개항되었으며, 6·25 전쟁 당시 인천 상륙 작전이 전개된 곳이에요.

② (나)

➡ 논산은 김유신이 이끄는 신라군이 계백이 이끄는 백제 결사대에 승리를 거둔 황산벌 전투가 벌어진 곳이며, 고려 시대에 거대 불상인 관촉사 석조 미륵보살 입상이 세워진 곳입니다.

③ (다)

➡ 부산은 강화도 조약이 체결되면서 가장 먼저 개항되었으며, 6·25 전쟁 당시 임시 수도였어요.

④ (라)

➡ 안동은 고려 말 홍건적이 침입하였을 때 공민왕이 피신한 곳이며, 우리나라에서 가장 오래된 목조 건축물인 봉정사 극락전이 있는 곳이에요. 또 안동의 하회 마을은 경주의 양동 마을과 함께 '한국의 역사 마을 : 하회와 양동'으로 유네스코 세계 유산에 등재되었어요.

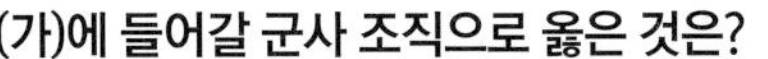

39 조선 의용대

정답 ③

(가)에 들어갈 군사 조직으로 옳은 것은? [2점]

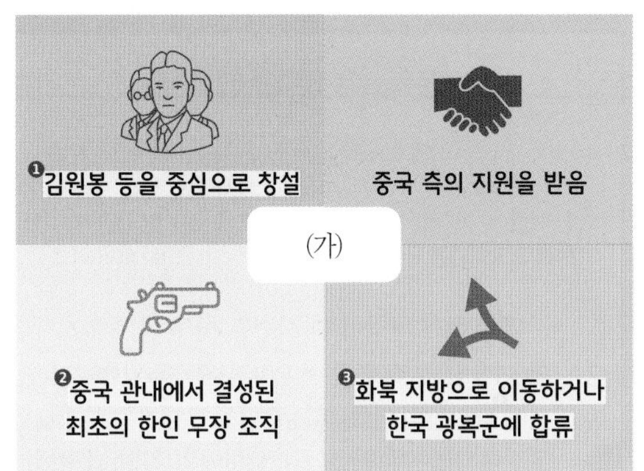

정답 잡는 키워드

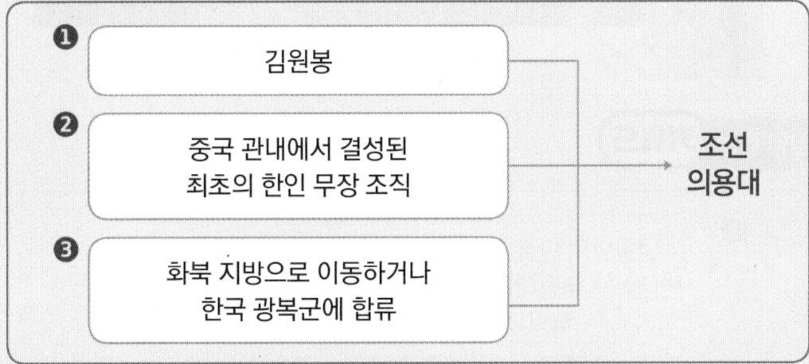

❶, ❷ 조선 의용대는 중국 국민당 정부의 지원을 받아 1938년에 김원봉 등을 중심으로 중국 우한에서 창설된 조선 민족 전선 연맹의 군사 조직이에요. 중국 관내에서 조직된 최초의 한인 무장 부대입니다.

❸ 1940년대 초에 조선 의용대의 일부는 적극적인 무장 투쟁을 위해 화북 지방으로 이동하였으며, 김원봉과 남은 대원은 한국 광복군에 합류하였어요.

① 별기군
➡ 별기군은 조선 정부가 개화 정책을 추진하면서 1881년에 설치한 신식 군대예요.

② 북로 군정서
➡ 북로 군정서는 북만주 지역의 중광단이 발전하여 조직된 독립군 부대로 청산리 전투에서 크게 활약하였어요.

③ 조선 의용대
➡ 조선 의용대는 일본군에 대한 심리전이나 정보 수집, 선전, 후방 교란 등 중국군을 지원하는 활동을 펼쳤어요.

④ 동북 항일 연군
➡ 동북 항일 연군은 중국 공산당의 주도로 만주 지역의 항일 무장 부대를 통합하여 연합 전선을 만들기 위해 조직되었어요. 동북 항일 연군에는 많은 한국인들이 참여하였어요.

핵심 개념	조선 의용대
창설	조선 민족 전선 연맹의 군사 조직으로, 중국 국민당 정부의 지원을 받아 김원봉이 중국 우한에서 조직함(1938)
활동	• 중국 관내에서 결성된 최초의 한인 무장 부대 • 정보 수집, 선전, 후방 교란 등 중국군을 지원하는 임무 수행
분화	• 조선 의용대의 일부가 적극적인 항일 투쟁을 위해 화북(화베이) 지역으로 이동하여 조선 의용군으로 재편됨 • 김원봉 등 일부 세력은 한국 광복군에 합류함(1942)

40 대한민국 임시 정부의 활동

정답 ③

(가)의 활동으로 옳은 것은? [2점]

독립 공채 상환에 관한 특별 조치 법안 심사 보고서

1983.12. 재무 위원회

……

가. 제안 이유

지금으로부터 64년 전인❶1919년, (가) 에서는 항일 독립운동을 전개하기 위한 자금 조달 방법의 하나로 소위❷'독립 공채'라는 것을 발행하였음

이 공채는 대부분 해외 교민 및 미국인을 비롯한 외국인을 대상으로 발매되었으며, 이에는 '조국이 광복되고 독립을 승인받은 후 이자를 가산하여 상환할 것을 대한민국의 명예와 신용으로 보증한다.'고 기재되어 있음

……

따라서 3·1 운동 이후 독립운동을 목적으로 발행된 (가) 명의의 공채에 대하여 국가가 이를 상환할 수 있도록 근거법을 마련, 전 국민의 독립 애국정신을 발양하는 동시, 정부의 대내외적인 공신력을 높이고자 함

정답 잡는 키워드

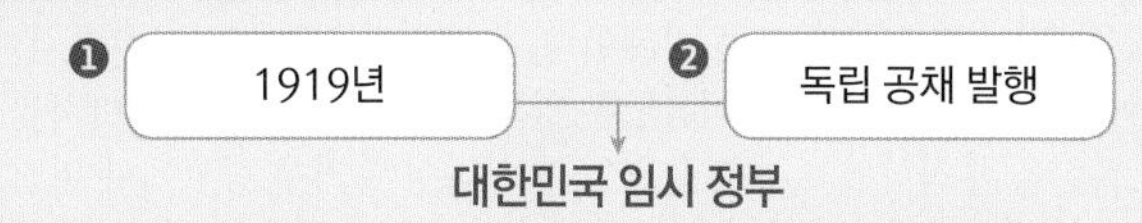

❶, ❷ 1919년 3·1 운동을 계기로 수립된 대한민국 임시 정부는 독립 공채를 발행하여 독립운동 자금을 마련하였으며, 구미 위원부를 설치하여 외교 활동을 전개하였어요. 또한, 임시 사료 편찬 위원회를 설치하고 "한·일 관계 사료집"을 발간하였어요.

① 집강소를 설치하였다.
➡ 동학 농민 운동 당시 농민군은 조선 정부와 전주 화약을 체결하고 스스로 해산한 후 전라도 지역에 집강소를 설치하여 폐정 개혁을 추진하였어요.

② 만민 공동회를 개최하였다.
➡ 독립 협회는 우리나라 최초로 민중이 참여한 근대적 정치 집회인 만민 공동회를 개최하였어요.

③ 연통제와 교통국을 운영하였다.
➡ **대한민국 임시 정부**는 국내와 연락을 취하고 정보를 수집하기 위해 비밀리에 연통제와 교통국을 운영하였어요.

④ 개벽, 신여성 등의 잡지를 발간하였다.
➡ 천도교는 민중 계몽을 위해 "개벽", "신여성" 등의 잡지를 발간하였어요.

기출 선택지 +α

- ⑤ 미국에 구미 위원부를 두었다. (O/X)
- ⑥ 정부에 헌의 6조를 건의하였다. (O/X)
- ⑦ 한·일 관계 사료집을 발간하였다. (O/X)
- ⑧ 광주 학생 항일 운동에 조사단을 파견하였다. (O/X)

기출 선택지 +α 정답 ⑤○ ⑥×[독립 협회 주도의 관민 공동회] ⑦○ ⑧×[신간회]

제54회

41 윤봉길의 활동

정답 ④

(가)에 들어갈 인물로 옳은 것은? [1점]

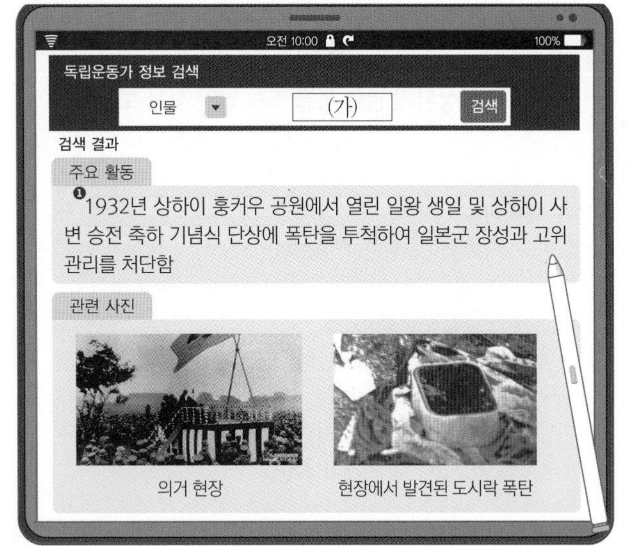

의거 현장 / 현장에서 발견된 도시락 폭탄

정답 잡는 키워드

❶ 1932년 상하이 훙커우 공원, 폭탄 투척 → **윤봉길**

❶ 1931년에 김구는 침체된 대한민국 임시 정부의 활동을 되살리기 위해 중국 상하이에서 의열 투쟁 단체인 한인 애국단을 조직하였어요. 1932년에 한인 애국단 소속의 이봉창은 일본 도쿄에서 일왕이 탄 마차를 향해 폭탄을 투척하였고, **윤봉길**은 중국 상하이 훙커우 공원에서 열린 일본군 전승 기념식장에 폭탄을 투척하여 일본군 장성과 고위 관리를 처단하였어요. 한인 애국단의 의거는 우리 민족의 독립에 대한 의지를 널리 알리는 계기가 되었어요.

① 안창호
➡ 안창호는 신민회에서 활동하며 평양에 대성 학교를 설립하였어요. 국권 피탈 이후에는 미국으로 이주하여 샌프란시스코에서 흥사단을 조직하였으며, 대한민국 임시 정부에도 참여하였어요.

② 이육사
➡ 이육사는 일제 강점기의 대표적인 저항 시인으로 '광야', '절정', '청포도' 등의 시를 남겼어요. 의열단에 가입하여 적극적인 항일 독립운동을 하던 이육사의 본명은 이원록으로, 조선 은행 대구 지점 폭파 사건에 연루되어 투옥되었을 때의 수감 번호를 따 이름을 '이육사'로 정하였어요.

③ 한용운
➡ 한용운은 3·1 운동 당시 민족 대표 33인 중 한 명으로 참여한 독립운동가이자, 일제 강점기 불교 개혁 운동을 주도한 승려입니다. 또한 시집 "님의 침묵", 소설 "흑풍", "후회" 등을 쓴 문학가이기도 합니다.

④ 윤봉길
➡ 윤봉길의 의거는 대한민국 임시 정부가 중국 국민당 정부의 적극적인 지원을 받게 되는 계기가 되었어요.

42 제주 4·3 사건

정답 ③

밑줄 그은 '사건'으로 옳은 것은? [2점]

문학으로 만나는 한국사

> 아, 떼죽음 당한 마을이 어디 우리 마을뿐이던가. 이 섬 출신 이거든 아무라도 붙잡고 물어보라. 필시 그의 가족 중에 누구 한 사람이, 아니면 적어도 사촌까지 중에 누구 한 사람이 그 북새통에 죽었다고 말하리라. - "순이 삼촌" -

위 소설의 배경이 된 <u>사건</u>은 미 군정기에 시작되어 이승만 정부 수립 이후까지 지속되었습니다. 당시에 ❶남한만의 단독 정부 수립에 반대하는 무장대와 토벌대 간의 무력 충돌과 토벌대의 진압 과정에서 많은 주민이 희생되었습니다.

정답 잡는 키워드

❶ 남한만의 단독 정부 수립에 반대하는 무장대와 토벌대 간의 무력 충돌 → **제주 4·3 사건**

❶ 미국과 소련의 대립으로 미·소 공동 위원회가 결렬되고 유엔 총회에서 결의된 인구 비례에 의한 남북한 총선거마저 어려워지자 유엔 소총회에서 선거가 가능한 지역, 즉 남한 지역의 총선거 실시를 결의하였어요. 1948년 4월 3일 제주도 내의 좌익 세력과 일부 주민들이 남한만의 단독 정부 수립에 반대하여 무장봉기하였는데, 이를 **제주 4·3 사건**이라고 합니다. 무장대와 토벌대 간의 무력 충돌과 토벌대의 진압 과정에서 많은 주민이 희생되었어요. 김대중 정부 시기인 2000년에 제주 4·3 사건의 진상 규명을 위한 특별법이 제정되었어요.

① 간도 참변
➡ 간도 참변은 1920년 봉오동 전투 등에 패배한 일본군이 간도 지역의 한인 마을을 습격하여 무차별 학살을 자행한 사건이에요.

② 6·3 시위
➡ 6·3 시위는 1964년 박정희 정부의 굴욕적인 한·일 국교 정상화에 반대하여 일어났어요.

③ 제주 4·3 사건
➡ 제주 4·3 사건으로 제주도 내의 2개 선거구에서 5·10 총선거가 제대로 치러지지 못하였어요.

④ 제암리 학살 사건
➡ 제암리 학살 사건은 1919년 3·1 운동 당시 경기도 화성의 제암리에서 만세 운동이 일어나자 일본군이 제암리 주민들을 교회 건물에 몰아넣은 뒤 총격을 가하고 불을 질러 학살한 사건이에요.

킬러 문항

43 박정희 정부 시기의 모습

정답 ①

(가) 정부 시기에 볼 수 있는 모습으로 가장 적절한 것은? [2점]

인민 혁명당 재건 위원회 사건이 ❶유신 헌법을 제정한 (가) 정부에 의해 조작되었음을 폭로하는 등 한국의 민주화에 공헌하여 국민 포장으로 서훈되었다.

정답 잡는 키워드

❶ 3선 개헌을 편법으로 통과시킨 후 이에 따라 치러진 대통령 선거에서 박정희가 대통령에 다시 당선되어 장기 집권을 이어 갔어요. 이후 **박정희 정부**는 1972년 10월 유신을 단행하고 비상 국무 회의에서 제정한 유신 헌법을 국민 투표를 거쳐 확정하였어요. 유신 헌법에 의해 통일 주체 국민 회의에서 선출되는 대통령은 임기가 6년으로 늘어났고 연임 제한이 없어졌으며, 긴급 조치권과 국회 해산권 등 막강한 권한을 행사할 수 있게 되었어요.

① 거리에서 장발을 단속하는 경찰
➡ 10월 유신을 단행한 **박정희 정부**는 남성의 장발과 여성의 미니스커트를 단속하는 등 개인의 자유를 억압하였어요.

② 조선 건국 준비 위원회에 참여하는 학생
➡ **광복 직후** 여운형은 조선 건국 동맹을 기반으로 조선 건국 준비 위원회를 조직하였어요.

③ 서울 올림픽 대회 개막식을 관람하는 시민
➡ **노태우 정부** 시기인 1988년에 서울 올림픽 대회가 개최되었어요.

④ 반민족 행위 특별 조사 위원회에서 조사받는 기업인
➡ **이승만 정부** 시기에 반민족 행위 특별 조사 위원회가 활동하였으나 성과를 거두지는 못하였어요.

44 평양의 역사

정답 ④

다음 퀴즈의 정답으로 옳은 것은? [1점]

1단계 : ❶장수왕이 새로운 도읍으로 삼은 곳

2단계 : ❷물산 장려 운동이 시작된 곳

3단계 : ❸남북 정상 회담이 최초로 개최된 곳

제시된 단계별 힌트를 종합하여 알 수 있는 지역은 어디일까요?

정답 잡는 키워드

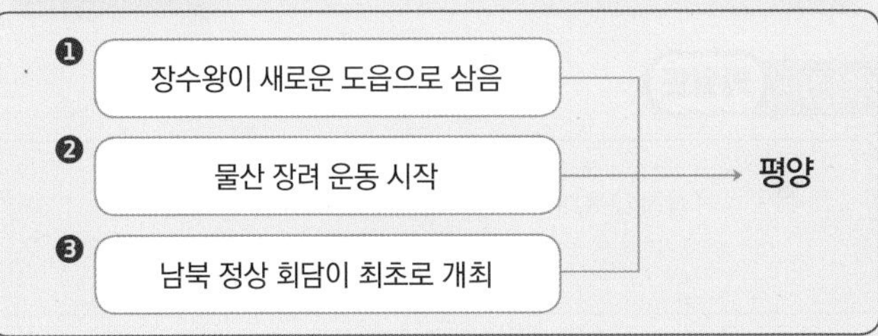

❶ 5세기에 고구려 장수왕은 국내성에서 **평양**으로 도읍을 옮기고 본격적으로 남진 정책을 추진하였어요.
❷ 일제 강점기에 조만식 등의 주도로 **평양**에서 물산 장려 운동이 시작되어 전국으로 확산되었어요.
❸ 김대중 정부 시기인 2000년에 **평양**에서 6·25 전쟁 이후 처음으로 남북 정상 회담이 개최되었어요.

① 원산
➡ 원산은 강화도 조약에 따라 개항되었으며, 일제 강점기에 원산 총파업이 일어났던 곳이에요.

② 서울
➡ 서울은 백제의 수도였으며, 조선의 건국부터 지금까지 우리나라의 수도입니다. 서울에서는 1988년에 올림픽 대회가 열렸어요.

③ 파주
➡ 파주에는 고려 시대의 거대 불상인 용미리 마애 이불 입상이 있어요.

④ 평양
➡ 고려 시대에는 평양을 서경이라 하여 중시하였으며, 묘청 등이 서경 천도를 추진하기도 하였어요.

핵심 개념	평양의 역사
고구려	장수왕 때 국내성에서 천도한 곳(안학궁 건설)
고려	서경으로 삼아 중시, 묘청의 난
조선	유상의 활동 근거지, 제너럴 셔먼호 사건
대한 제국	대성 학교 설립(안창호)
일제 강점기	• 조만식 등을 중심으로 물산 장려 운동이 시작됨(조선 물산 장려회 결성) • 강주룡의 노동 쟁의(을밀대 지붕에서 고공 농성)
광복 이후	남북 협상
대한민국	분단 이후 최초로 남북 정상 회담 개최(김대중 정부) → 6·15 남북 공동 선언 발표

45 전두환 정부 시기의 사실

정답 ①

(가) 정부 시기에 있었던 사실로 옳은 것은? [3점]

정답 잡는 키워드

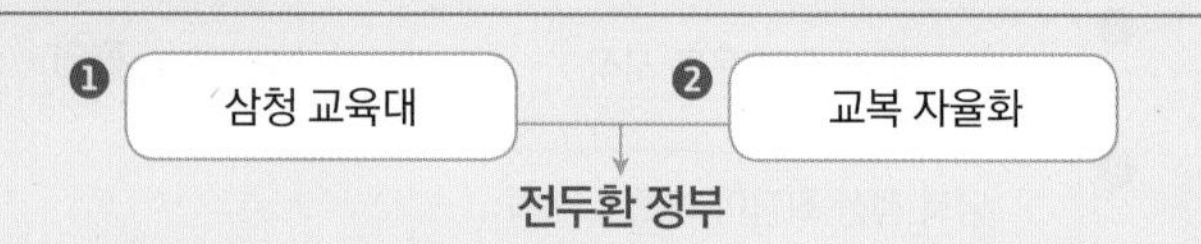

❶, ❷ 12·12 사태(12·12 군사 반란)로 전두환 등 신군부가 권력을 장악한 후 전두환 정부가 출범하였어요. 전두환 정부는 민주화 운동과 노동 운동을 탄압하고 언론 통제를 강화하는 등 강압적인 정책을 폈으며, 이 과정에서 사회 정화를 명분으로 삼청 교육대를 운영하여 인권을 침해하였어요. 다른 한편으로는 교복 자율화, 해외여행 자유화, 프로 야구단 창단 등의 유화 정책을 추진하였습니다. 국풍 81은 전두환 정부 시기 서울 여의도 광장에서 열린 대규모 문화 축제입니다.

①야간 통행금지가 해제되었다.
➡ **전두환 정부**는 유화 정책의 일환으로 야간 통행금지를 해제하였어요.

② 베트남 전쟁에 국군이 파병되었다.
➡ **박정희 정부**는 미국의 요청에 따라 베트남 전쟁에 국군을 파병하였어요.

③ 한·미 상호 방위 조약이 체결되었다.
➡ **이승만 정부**는 6·25 전쟁의 정전 협정이 체결된 뒤 1953년 10월에 한·미 상호 방위 조약을 체결하였어요. 이 조약으로 미군이 한국에 계속 주둔하게 되었어요.

④ 제1차 경제 개발 5개년 계획이 실시되었다.
➡ **박정희 정부**는 1962년부터 제1차 경제 개발 5개년 계획을 실시하였어요.

기출 선택지 +α

⑤ 6·29 민주화 선언이 발표되었다. (O/X)
⑥ 소련 및 중국과 국교가 수립되었다. (O/X)
⑦ 한·일 월드컵 축구 대회가 개최되었다. (O/X)
⑧ 반민족 행위 특별 조사 위원회가 구성되었다. (O/X)

46 종묘 제례

정답 ④

(가)에 들어갈 문화유산으로 옳은 것은? [2점]

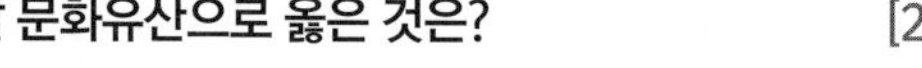

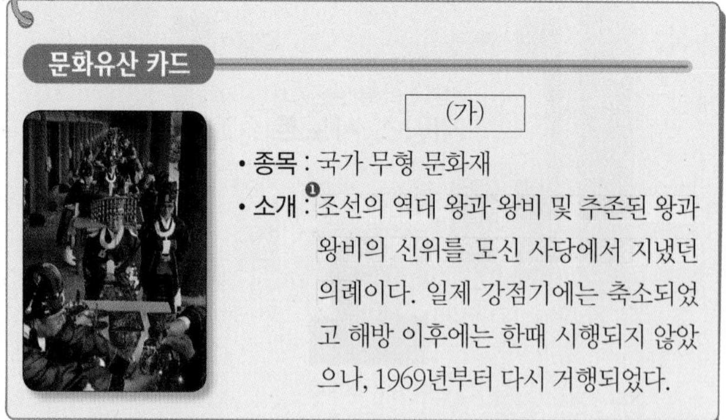

정답 잡는 키워드

❶ 조선의 역대 왕과 왕비의 신위를 모신 사당에서 지냈던 의례 → 종묘 제례

❶ 조선의 역대 왕과 왕비 및 추존된 왕과 왕비의 신위를 모신 사당은 종묘이며, 종묘에서 행해진 국가 의례가 **종묘 제례**입니다. 종묘는 한양을 수도로 정하고 가장 먼저 짓기 시작한 건물이며 유네스코 세계 유산으로 등재되었어요.

① 연등회
➡ 연등회는 등불을 밝혀 부처의 가르침이 널리 퍼지기를 기원한 불교 행사로 우리나라에서는 신라 때 시작되어 고려 시대에 국가 행사로 자리 잡았어요. 오늘날에는 사월 초파일(음력 4월 8일) 부처님 오신 날이 다가오면 전국적으로 등불이 밝혀지고 형형색색의 등불을 든 사람들의 행렬이 이어지는 행사가 열립니다. 연등회는 종교 의식이었으나 오늘날 누구나 참여하는 축제로 자리매김하였는데, 그 가치를 인정받아 '연등회, 한국의 등 축제'라는 이름으로 유네스코 무형 문화유산에 등재되었어요.

② 승전무
➡ 승전무는 통영 지역에서 전승되어 온 전통 무용이에요. 이순신 장군을 칭송하고 군졸들의 사기를 북돋는 내용이 들어 있어 승전무라고 합니다.

③ 석전대제
➡ 석전대제는 공자를 모신 사당인 문묘에서 지내는 제사 의식을 말합니다.

④종묘 제례
➡ 종묘 제례 및 종묘 제례악은 유네스코 무형 문화유산으로 등재되었어요.

기출 선택지 +α 정답 ⑤○ ⑥×[노태우 정부] ⑦×[김대중 정부] ⑧×[이승만 정부]

47 설날 정답 ②

(가) 명절에 행해지는 세시 풍속으로 가장 적절한 것은? [1점]

> **역사 신문**
>
> 제△△호 1989년 ○○월 ○○일
>
> **(가) 의 부활, 3일 연휴 확정**
>
> 우리나라에서는 전통적으로 음력에 근거하여 새해의 첫날을 명절로 보내왔다. 하지만 양력이 사용된 후 일제 강점기를 거치며 ❶음력 새해의 첫날은 '구정(舊正)'으로 불리는 등 등한시되었다. 그럼에도 음력으로 명절을 쇠는 전통은 사라지지 않았고, 1985년에 정부는 이날을 '민속의 날'이라는 이름의 국가 공휴일로 지정하였다. 그리고 1989년 드디어 (가) (이)라는 고유의 명칭으로 변경하고, 연휴로 하는 방안을 확정하였다.

정답 잡는 키워드

❶ 음력 새해의 첫날 → 설날

❶ 설날은 음력 1월 1일로, 이날에는 차례를 지내고 복조리를 걸어 복을 빌기도 하였으며 널뛰기, 연날리기, 윷놀이, 제기차기 등의 민속놀이를 즐겼어요. 또 떡국, 만두 등의 음식을 먹었습니다.

① 화전놀이
➡ 음력 3월 3일 삼짇날에는 화전놀이라 하여 야외로 꽃놀이를 갔습니다.

② 세배하기
➡ **설날**에는 설빔을 차려입고 어른들께 세배를 하며 새해 인사와 덕담을 주고받았어요.

③ 창포물에 머리 감기
➡ 음력 5월 5일 단오에는 창포물에 머리를 감고 그네뛰기, 씨름 등을 하였어요.

④ 보름달 보며 소원 빌기
➡ 음력 1월 15일 (정월) 대보름에는 보름달을 보며 소원을 빌고 달집태우기, 부럼 깨기 등을 하였어요.

48 5·18 민주화 운동 정답 ③

(가)에 들어갈 민주화 운동으로 옳은 것은? [1점]

다른 나라의 민주화 운동에서도 불리는 이 노래에 대해 설명해 주시겠습니까?

이 노래는 들불 야학 설립자 박기순과 (가) 당시 ❶전남도청에서 계엄군에 의해 희생된 시민군 대변인 윤상원의 영혼결혼식에 헌정되었던 곡입니다. 노래에 담긴 민주주의에 대한 열망이 다른 나라 사람들에게도 공감을 얻고 있는 것으로 보입니다.

정답 잡는 키워드

❶ 전남도청에서 계엄군에 의해 희생된 시민군 → 5·18 민주화 운동

❶ 12·12 사태(12·12 군사 반란)로 전두환 등 신군부가 권력을 장악하자 신군부 퇴진과 유신 헌법 철폐를 요구하는 대규모 시위가 일어났어요. 신군부는 비상계엄을 전국으로 확대하였고 이에 맞서 전라남도 광주에서 시위가 일어나자, 신군부는 계엄군을 보내 시위를 폭력적으로 진압하였어요(5·18 민주화 운동). 광주 시민들은 시민군을 조직하여 대항하였으나 계엄군은 이를 무력으로 진압하였고 이 과정에서 많은 희생자가 발생하였어요.

① 4·19 혁명
➡ 4·19 혁명은 이승만 정부의 독재와 3·15 부정 선거가 원인이 되어 일어났어요. 그 결과 이승만이 대통령직에서 물러났어요.

② 6월 민주 항쟁
➡ 6월 민주 항쟁은 전두환 정부의 강압적인 통치와 국민의 대통령 직선제 개헌 요구를 묵살한 4·13 호헌 조치에 항거하여 일어났어요.

③ 5·18 민주화 운동
➡ 5·18 민주화 운동은 1980년대 민주화 운동의 토대가 되었으며, 다른 나라의 민주화 운동에도 영향을 주었어요. 그 가치가 인정되어 5·18 민주화 운동 기록물은 유네스코 세계 기록 유산으로 등재되었어요.

④ 3선 개헌 반대 운동
➡ 1969년에 박정희 정부와 여당은 대통령의 3선 연임을 허용하는 개헌을 단행하였어요. 이에 반발하여 학생들을 중심으로 반대 시위가 전개되었어요.

핵심 개념 5·18 민주화 운동

배경	12·12 사태(1979, 12·12 군사 반란)로 전두환과 노태우 등의 신군부가 권력 장악 → 서울에서 신군부 퇴진과 유신 헌법 철폐 등을 요구하는 대규모 시위 발생('서울의 봄', 1980)
과정	신군부가 비상계엄을 전국으로 확대 → 광주에서 일어난 시위를 폭력으로 진압 → 광주 시민이 시민군 조직, 계엄군의 무력 진압으로 수많은 희생자 발생
의의	이후 민주화 운동의 토대가 됨, 관련 기록물이 유네스코 세계 기록 유산으로 등재

49 박정희 정부 시기의 경제 발전 정답 ①

(가), (나) 사이의 시기에 있었던 사실로 옳은 것은? [3점]

(가) 마침내 국회에서 유상 매수, 유상 분배를 원칙으로 하는 농지 개혁법이 통과되어 공포일부터 실시될 예정이다. 이 법이 실시되면 지주와 소작인을 구분하는 기존의 관념도 점차 사라질 것으로 보인다.

(나) 유가 및 금리 하락, 달러화 약세 등 '3저(低)'의 호재가 찾아왔다. 제2차 석유 파동이 발생한 지 7년여 만에 맞이한 이 기회를 놓치지 않고 잘 대응한다면, 경제 성장의 커다란 전기를 마련할 수 있을 것으로 기대된다.

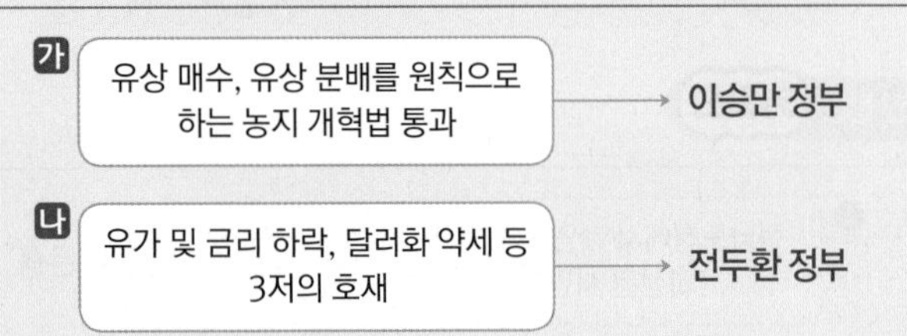

가 이승만 정부 시기인 1949년에 한 가구당 3정보를 초과한 농지를 유상으로 국가가 매수하여 농민들에게 유상으로 분배하는 내용의 농지 개혁법이 국회에서 통과되었어요.

나 전두환 정부 시기인 1980년대 중·후반에 원유 가격, 금리, 달러 가치가 하락(저유가, 저금리, 저달러)하여 수출 중심으로 경제 활동이 이루어지는 우리 경제 상황에 유리한 환경이 만들어졌어요. 이 시기 수출이 증가하고 고도성장을 이루었는데, 이를 3저 호황이라고 합니다.

① 수출 100억 달러를 처음 달성하였다.
➡ **박정희 정부** 시기 1977년에 수출액 100억 달러를 처음 달성하였어요.

② G20 정상 회의를 서울에서 개최하였다.
➡ **이명박 정부** 시기 2010년에 서울에서 G20 정상 회의가 개최되었어요.

③ 미국과 자유 무역 협정(FTA)을 체결하였다.
➡ **노무현 정부** 시기 2007년에 한·미 자유 무역 협정(FTA)을 체결하였어요. 한·미 자유 무역 협정(FTA)은 이후 추가 협상을 거쳐 이명박 정부 시기인 2012년에 발효되었어요.

④ 경제 협력 개발 기구(OECD)에 가입하였다.
➡ **김영삼 정부** 시기 1996년에 경제 협력 개발 기구(OECD)에 가입하였어요.

기출 선택지 +α

⑤ 금융 실명제를 실시하였다. (O/X)
⑥ 경부 고속 도로가 개통되었다. (O/X)
⑦ 국민 기초 생활 보장법이 제정되었다. (O/X)
⑧ 국제 통화 기금(IMF)에 긴급 구제 금융을 요청하였다. (O/X)

기출 선택지 +α 정답 ⑤ ×[김영삼 정부] ⑥ ○[박정희 정부] ⑦ ×[김대중 정부] ⑧ ×[김영삼 정부]

50 김대중 정부의 통일 노력 정답 ①

다음 내용을 발표한 정부의 통일 노력으로 옳은 것은? [2점]

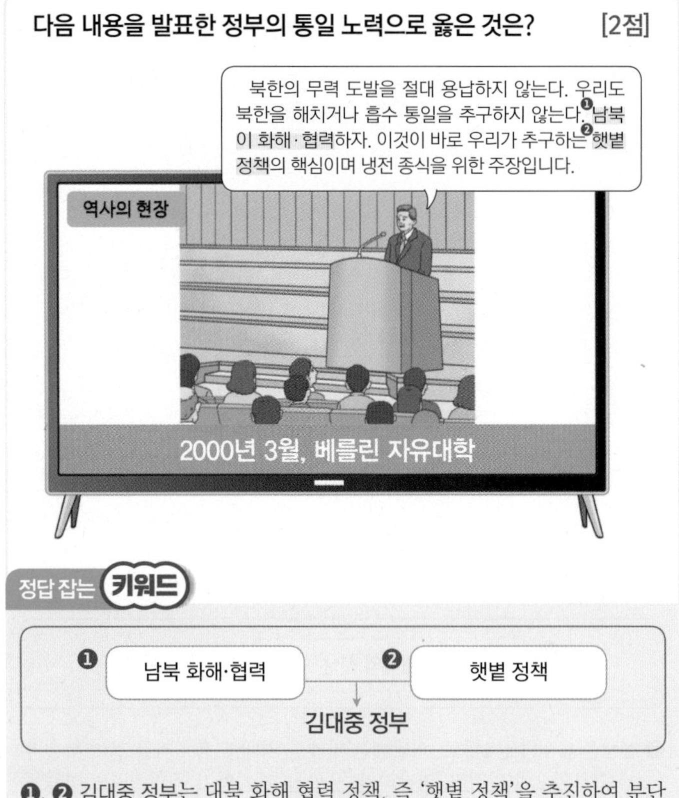

정답 잡는 키워드

❶ 남북 화해·협력 ❷ 햇볕 정책 → 김대중 정부

❶, ❷ 김대중 정부는 대북 화해 협력 정책, 즉 '햇볕 정책'을 추진하여 분단 이후 최초로 남북 정상 회담을 개최하고 6·15 남북 공동 선언을 발표하였어요.

① 개성 공단 조성에 합의하였다.
➡ **김대중 정부**는 6·15 남북 공동 선언 발표 이후 남북 경제 협력 사업의 하나로 개성 공단 조성에 합의하였어요.

② 남북 기본 합의서를 채택하였다.
➡ **노태우 정부**는 남북 기본 합의서를 채택하여 남북한 상호 체제 인정과 상호 불가침에 합의하였어요.

③ 남북한이 유엔에 동시 가입하였다.
➡ **노태우 정부** 시기에 남북한이 함께 유엔에 가입하였어요.

④ 7·4 남북 공동 성명을 발표하였다.
➡ **박정희 정부**는 자주·평화·민족 대단결의 평화 통일 3대 원칙에 합의한 7·4 남북 공동 성명을 발표하였어요.

기출 선택지 +α

⑤ 남북 조절 위원회를 개최하였다. (O/X)
⑥ 6·15 남북 공동 선언을 발표하였다. (O/X)
⑦ 최초로 남북 정상 회담을 개최하였다. (O/X)
⑧ 최초로 남북 간 이산가족 상봉을 성사시켰다. (O/X)

기출 선택지 +α 정답 ⑤ ×[박정희 정부] ⑥ ○ ⑦ ○ ⑧ ×[전두환 정부]

한 번의 젊음 어떻게 살 것인가!

역사 속 사람들의 삶을 통해 한 번의 젊음 어떻게 살 것인가를 고민하는 것
그것이 바로 역사를 배우는 이유입니다.